# Proust

## OUVRAGES DU MÊME AUTEUR

### HISTOIRE

*Les Secrets du Gotha* (Julliard, 1962).
*George III* (Berger-Levrault, 1966).
*Service de France* (Émile-Paul, 1972).
*Histoire de l'Émigration* (Grasset, 1975, et réédition Perrin, 1984). Couronné par l'Académie française — Prix du Nouveau Cercle.
*Necker ou la faillite de la vertu* (Perrin, 1978 et 1987) — Prix du Cercle de l'Union.
*Madame de Staël* (Perrin, 1983) — Bourse Goncourt de la biographie — Grand Prix des Lectrices de *Elle*.
*La Princesse Bibesco,* 1886-1973 (Perrin 1986). Prix des Cent Libraires de Normandie.
*La Double Vie de la duchesse Colonna* (Perrin 1988).

### EN COLLABORATION AVEC ROBERT GROUVEL

*Échec à Bonaparte* (Perrin, 1980) — Couronné par l'Académie française.

### ESSAIS

*Le Tour de Jules Verne en quatre-vingts livres* (Julliard, 1969) — Prix de l'académie de Bretagne
*Le Gentilhomme de notre temps* (Hachette-Littérature, 1972).

### ROMANS

*Iphigénie en Thuringe, nouvelles* (Julliard, 1960)
*Un joli train de vie* (Julliard, 1962) — Prix Cazes.
*Le Grand Mourzouk* (Julliard, 1969).

GHISLAIN DE DIESBACH

# PROUST

PERRIN
12, avenue d'Italie
Paris

ISBN 2-262-00768-3

## TABLE DES CHAPITRES

1

Juillet 1871 - Octobre 1882

Floraison d'un arbre de Jessé - Les chandelles d'Illiers - Un bon mariage - Des bourgeois bien nantis - Un enfant trop aimant - Une éducation manquée - Journées de lecture - Le jardin d'Auteuil - Scènes de la vie de province - Le jardin du Pré-Catelan - Solitude et vocation - L'imagination au service du cœur ........................................ 7

2

Novembre 1882 - Septembre 1888

Un lycée à la mode - Silhouettes de professeurs - Saison à Salies - Après-midi aux Champs-Élysées - Séduction des Bénardaky - Retour à Condorcet - Cucheval et Gaucher - Un bel indifférent : Daniel Halévy - Une crémière de marbre - Sigisbée de Laure Hayman - Bénédiction de Paul Bourget ... 41

3

Octobre 1888 - Novembre 1889

Un maître et une idole : Darlu - Premiers essais littéraires - Seconde tentative vers Halévy - Péchés de jeunesse - Une grâce équivoque - Débuts dans le monde - L'esprit de Laure Baignères - Une piquante enchanteresse : Geneviève Straus - Un prince des *clubmen :* Charles Haas - Ses amours et son destin - La gloire de l'avenue Hoche : Anatole France et Mme de Caillavet - Le bon Gaston ........................ 68

4

Décembre 1889 - Octobre 1890

Soldat malgré lui - Mornes délices d'Orléans - La pension Renvoyzé - Un napoléonide : le comte Walewski - Première apparition de Saint-Loup : le lieutenant de Cholet - Une idylle à trois - Jeanne Pouquet et Gaston de Caillavet - Proust joue *Le Chandelier* au naturel - Mort de Mme Weil - Nostalgie de la vie militaire ........................................ 92

5

Novembre 1890 - Juin 1893

Le *Proustaillon* des Pouquet - Trouville et J.-É. Blanche - Trois Parques : Mme Aubernon, la princesse Mathilde et Madeleine Lemaire - Autres dames de moindre importance - Un louche *Dorian Gray :* Oscar Wilde - Un pieux éphèbe : Edgar Aubert - Communion littéraire autour du *Banquet* - Mort d'Edgar Aubert - La rose de Louveciennes : Mme Bee - Un ami parfait : Robert de Flers - Résurrection d'Edgar Aubert : Willie Heath - Mariage de Gaston de Caillavet .................. 106

6

Juin 1893 - Octobre 1894

Le dernier *Précieux :* Robert de Montesquiou - L'Aristée des *Chauves-souris* - Esthète et histrion - Les moyens de parvenir - Une reine de la République : la comtesse Greffulhe - Le vrai duc de Guermantes - Escapade alpestre - Mort de Willie Heath - Choix d'une carrière - Les noirs Natanson et la *Revue blanche* - Un ange musicien - Difficulté de plaire à M. de Montesquiou - Romance à Réveillon : Reynaldo Hahn - Dédicaces - Préfiguration d'*Un amour de Swann* ............ 141

7

Novembre 1894 - Août 1895

Mythe et mystique - Du *bon* snobisme - Le vrai Faubourg - Progrès dans le grand monde - Mme Louis Stern - Le cénacle de la rue de Bellechasse - Les Daudet - Edmond de Goncourt - Quelques clés pour Mme de Saint-Euverte - Le monde tel qu'il est - Aigreurs et hauteurs de M. de Montesquiou - Une sinécure à la Mazarine - Naissance de *Jean Santeuil* ................ 175

8

Septembre 1895 - Décembre 1897

Séjour à Beg-Meil - Triste exemple d'Oscar Wilde - *Les Plaisirs et les Jours* - Progrès rétrospectifs de la jalousie - Un nouveau Narcisse : Lucien Daudet - Désir de revanche : *Jean Santeuil* - Mélancolique villégiature à Fontainebleau - Un malade intéressant - Un marinier d'égout : Jean Lorrain - Duel avec Proust - Humeurs de Montesquiou - Mort d'Alphonse Daudet ....... 196

9

Janvier 1898 - Octobre 1899

Une ténébreuse affaire - Proust, reporter passionné - Un monde éclaté - Intermède hollandais - Adresse en faveur de Picquart - Un séduisant cynique : Antoine Bibesco - Le clan roumain - Une alouette levantine : Anna de Noailles - Châteaux en Savoie - Souvenirs d'un capitaine ........................ 233

10

Novembre 1899 - Août 1902

Le temps de Ruskin - Un esthète encyclopédique - *La Bible d'Amiens* - Dans les pas de Ruskin - Amiens et Rouen - Une ville immergée dans le Temps - Les plaisirs et les nuits de Venise - Installation rue de Courcelles - Périlleuse amitié d'Antoine - La maladie comme un art de vivre ............ 264

11

Septembre 1902 - Novembre 1903

Une grâce imprévue : Fénelon - Malgré soit aimé - Rôle équivoque d'Antoine Bibesco - Un désastreux voyage - Déploration de la princesse Alexandre Bibesco - Le deuil sied à Proust - Déclin d'une passion - Robert Proust se marie - Orages familiaux - Croquis de Guiche, Radziwill et d'Albuféra - Un Proust qui a réussi : Francis de Croisset - Un sursaut chrétien - *Défense des cathédrales* - Mort du docteur Proust .............. 292

12

Décembre 1903 - Septembre 1905

Perfidies roumaines - Portraitiste mondain : la comtesse d'Haussonville - la comtesse Potocka - Un nouveau paravent : Louisa de Mornand - Un faux ménage à trois - Mariage d'Armand de Guiche - Injustes noces d'Arthur Meyer - Un aristocrate évolué : Gabriel de La Rochefoucauld - Démêlés avec Montesquiou - Soirée d'hommage et de réparation - Célébration de Mme de Noailles - Courage et grandeur de Mme Proust : sa mort ........................................ 320

13

Octobre 1905 - Décembre 1907

Un enfant perdu - A la clinique de Boulogne : un patient sans patience - Retour à Ruskin - *Sésame et les lys* - Insuccès du livre - Ultime écho de l'affaire Dreyfus - Retraite à Versailles -

Un Télémaque ambigu : André Germain -Une déesse américaine : Gladys Deacon - Installation boulevard Haussmann - Affres d'un partage - Le cas Van Blarenberghe et l'éloge du parricide - Notices nécrologiques - Nouvelles aigreurs de Montesquiou - Saison à Cabourg - *Impressions de route en automobile* ........................................ 360

14

Janvier 1908 - Décembre 1909

L'affaire Lemoine : un filon littéraire - Haute école - Comment devenir romancier - A l'ombre des jeunes hommes en fleurs - Engouement pour Oriane de Goyon - Premiers frémissements du génie - Cabourg et l'incident Plantevignes - Un enfant de Bohème : Marie Murat - *Contre Sainte-Beuve* - Un directeur de conscience : Lionel Hauser - De Sainte-Beuve aux Guermantes - Prémices d'un chef-d'œuvre - Nostalgies à Cabourg - Naissance de Combray ........................................ 408

15

Janvier 1910 - Décembre 1911

Étrange désintérêt de Calmette - Un rival à séduire : Jean Cocteau - Comment Proust se documente - Et comment il se concilie le monde - Une nouvelle *Comédie humaine* - La part du rêve et de la fiction - Le *Temps,* principal acteur - Un chevalier de l'Idéal : Georges de Lauris - Mélomanie - Un romancier de la maladie : Louis de Robert - Spéculations et prodigalités ... 455

16

Janvier 1912 - Juillet 1913

Albert Nahmias : de la finance à la littérature - Saison estivale à Cabourg - Les filets de Marie Scheikévitch - Philippe Soupault - Inconduite de Nahmias - Le cénacle de la N.R.F. - Proust entre Gallimard et Fasquelle - Tous deux refusent *Du côté de chez Swann* - Erreur et regrets d'André Gide - Échec chez Ollendorf - Un nouvel espoir : Bernard Grasset - Diligence de René Blum - Victoire chèrement achetée .................... 487

17

Avril 1913 - Mai 1914

Le bonheur dans la souffrance : Alfred Agostinelli - Publication de *Du côté de chez Swann* - L'interview d'Elie-Joseph Bois - Un succès d'estime - « M. Alfred est parti ! » - Albert Nahmias à sa poursuite - Joute littéraire avec Paul Souday - Mise au point avec Henri Ghéon - Avances de la N.R.F. - Grasset l'emporte et garde Proust - Campagne littéraire pour 1914 ............ 519

18

Juin 1914 - Juin 1915

Prélude à la guerre : assassinat de Calmette - Et noyade d'Agostinelli - Du bon usage de la souffrance - Paris en guerre - Le comte Greffulhe tient le coup - Proust se replie sur Cabourg - Ernst Forssgren, secrétaire intime - Hystérie patriotique et ambulances mondaines - Proust au-dessus de la mêlée - Le désarmement des intelligences - Montesquiou saisi par la débauche cocardière ........................................ 549

19

Juillet 1915 - Décembre 1916

Un jeune homme très distingué : Gautier-Vignal - Deuils : Gaston de Caillavet et Bertrand de Fénelon - Proust « attend les gendarmes » - Et les huissiers - Visite à J.-É. Blanche - Deux victimes illustres : Gallimard et Grasset - Proust émigre à la N.R.F. - Enfantillages financiers - Un ange gardien : Céleste Albaret - Vie quotidienne boulevard Haussmann .... 581

20

Janvier à décembre 1917

Une visite à Paul Morand - Une Roumaine à Paris : Hélène Soutzo - Rencontres au Ritz - Cocteau fait sa guerre - Nouveaux amis : Emmanuel Berl, Jacques Truelle, Jacques de Lacretelle - Albert Le Cuziat et son Temple de l'impudeur - Descentes aux Enfers - Le Proust du Ritz - Influence de la guerre sur le langage - Et sur l'œuvre de Proust - Vaticinations et ridicules de Joseph Reinach - Entrée définitive à la N.R.F ........... 611

21

Juin 1918 - Juillet 1919

Démêlés autour d'une dédicace - Et d'une préface - Aigreurs de
J.-É. Blanche - Deux admirateurs : Walter Berry et l'abbé Mugnier - Naufrage financier - Hauser redresse la barre - Le pastiche de Saint-Simon - Le cauchemar des tapis - Proust et la paix - Difficile éclosion des *Jeunes filles en fleurs* - Élizabeth Asquith et Antoine Bibesco - Rue Laurent-Pichat - Un nouvel Agostinelli : Henri Rochat ............................ 643

22

Août 1919 - Octobre 1920

Un auteur mécontent des critiques - Inquiétudes de Montesquiou - Le combat contre Gallimard - Le prix Goncourt - Indignation de la presse de gauche - Riposte de Rosny aîné - Reprise des lamentations - Un nouveau Proust - Ses amis regrettent l'ancien - Querelle et rupture avec Lionel Hauser - Brouille avec Pierre de Polignac - Candidature à l'Académie française - Proust légionnaire - *Le Côté de Guermantes* - Une préface égoïste ........................................ 675

23

Novembre 1920 - Novembre 1922

Le visage de la Mort - Gide effarouché par *Sodome et Gomorrhe* - Irritation du grand monde - Accablement de Montesquiou - Nouveaux différends avec Gallimard - Une visite à Natalie Barney - Soirées au Ritz - Sydney Schiff et l'*Ange* Violet - Rencontre avec James Joyce - Adieux au monde - Dernière escarmouche avec Gallimard - Ultime imprudence : Ernst Forssgren - Mort et transfiguration - Les personnages de Proust à son enterrement ........................................ 710

# PRÉFACE

« La vie de Proust, sans intérêt, sans aventures ni voyages, on s'en passionne pourtant : elle devient un roman, à cause du sien. »

Matthieu GALEY.

Écrire la vie de Proust est sans doute le plus mauvais service que l'on puisse rendre à son œuvre. Il le pressentait lui qui, dès 1907, s'élevait contre la méthode Sainte-Beuve, reprochant avec véhémence à celui-ci de juger les livres en fonction du caractère de leurs auteurs, ou de leur position sociale, ce qui lui faisait préférer le comte Molé à Baudelaire.

Un homme qui n'a vécu que pour son œuvre au point de lui sacrifier non seulement sa vie, mais son amour-propre, sa pudeur, livrant de son âme et de son cœur le moins avouable et le plus secret, un tel homme aurait mérité de rester une figure presque anonyme, éclairée seulement par le rayonnement d'*A la recherche du temps perdu*.

Aussi important dans l'histoire des lettres que Newton dans celle des sciences et saint Thomas d'Aquin dans la théologie, Proust, l'un des plus grands écrivains du XXe siècle, reste, en dépit d'une vie privée qui eût horrifié Sainte-Beuve, un auteur unique, incomparable, auquel on ne connaît pas de prédécesseurs et dont les successeurs, en voulant retrouver son génie, n'ont montré que la limite de leurs talents.

Roman des hommes sans volonté, a-t-on dit, chronique d'une longue désillusion, *A la recherche du temps perdu* est une œuvre insolite et fascinante. De la mer, elle a l'immensité, l'apparente monotonie, bercée par la houle des phrases, mais aussi la variété avec ses tempêtes et ses jeux de lumière, œuvre toujours nouvelle à chaque lecture comme si la pensée de son auteur, éternellement vivante, ne cessait de se renouveler, ajoutant sans cesse des éléments inédits à ce singulier roman qui emprunte sa matière à tous les domaines de la connaissance — histoire, peinture, littérature, botanique, zoologie, médecine et philosophie —, réalisant ainsi la prophétie de Claude Bernard lorsqu'il écrivait : « Je suis persuadé qu'un jour viendra où le physiologiste, le psychologue et le poète parleront la même langue et s'entendront tous. »

En substituant à l'action dramatique traditionnelle la notion de Temps, cette hémorragie du Temps qui s'écoule et dont chaque homme guérit en mourant, Proust s'attache à montrer que ce qu'il y a d'éternel en nous est justement ce qui change sous l'effet de la fuite du Temps. Dans ce roman sans véritables péripéties extérieures, les personnages, pris à différentes époques de leur vie, se frôlent, s'évitent, se cherchent, s'assemblent, s'écartent en une perpétuelle mouvance, comme des algues agitées par un courant marin. De ce monde englouti, dont le lecteur hâtif ne voit que la surface et le miroitement mondain, Proust a été l'explorateur, ramenant de chacune de ses plongées dans ces abîmes où sont tapis les monstres du sadisme, de la luxure et du masochisme, des souvenirs naufragés depuis l'enfance, enrobés sous une carapace d'interdits, d'habitudes et de préjugés.

Une sourde angoisse accompagne cette recherche, celle de ne pouvoir retrouver les trésors perdus, celle aussi de mourir avant d'avoir achevé ce sauvetage, et c'est cette inquiétude qui donne à la vie de Proust l'intérêt dramatique dont, si casanière, elle aurait été sans cela dépourvue. Un autre intérêt de l'œuvre, comparée à la vie de son auteur, est qu'en ses personnages Proust a mis beaucoup de lui-même, surtout dans les plus ridicules ou les plus odieux, dénonçant chez eux les vices et les défauts qu'il craignait d'avoir et faisant ainsi de certains d'entre eux, par cet exorcisme, autant de caricatures de sa personnalité.

Toute littérature est compensation, besoin de recréer le monde à son gré pour y tenir la place que l'on souhaitait y avoir. A cet égard, *A la recherche du temps perdu* est une autobiographie déguisée dans laquelle Proust laisse percer sa rancœur d'avoir été dupe d'un monde auquel il a cru dans sa jeunesse et son dépit de voir que ceux qui ont triché toute leur vie atteignent finalement le but convoité, après avoir feint, comme Mme Verdurin, Bloch ou Legrandin, de le mépriser.

Si aux yeux de nombreux lecteurs, *A la recherche du temps perdu* passe pour une fresque du grand monde, cette peinture est aussi loin de la réalité que peut l'être un hôtel de la rue de Varenne, habité par un La Trémoïlle ou un d'Harcourt, du palais de la duchesse de Galliera ou de celui de Mme Jacquemart-André.

Ce n'est pas cette vérité-là qu'il faut chercher dans Proust, mais celle des reins et des cœurs qu'il sonde avec l'âpreté d'un dieu vengeur. En cette époque où tout n'est qu'affectation, où dans la vie de société tout est faussé, sinon faux, il n'y a de vrai pour lui que les mobiles du mensonge. C'est en cela qu'il est profondément original et si différent de ses contemporains dont les romans paraissent insipides et factices en comparaison du sien. Il suffit de lire, après *A la recherche du temps perdu*, les œuvres d'Abel Hermant, de Paul Hervieu ou même d'Anatole France pour s'apercevoir que le raz de marée proustien n'a laissé après son passage que des épaves, héros sans vie, décors sans couleurs et des intrigues réduites aux banalités de l'adultère. L'art de Proust n'est pas de distraire son lecteur, mais de faire que celui-ci, en lisant certains passages, s'écrie : « C'est moi ! C'est moi ! » et s'identifie au Narrateur pour retrouver avec celui-ci des souvenirs qu'il ignorait posséder. Tel le héros du roman de Lesage, doué du pouvoir de soulever les toits des maisons pour observer la vie secrète de leurs habitants, Proust a celui, bien supérieur, de soulever les calottes crâniennes et de lire dans les cerveaux : « Pour ce qui me concerne, tout au moins, avouera Jacques Rivière, Proust aura été le révélateur le plus effrayant que je pouvais rencontrer sur moi-même [1]. »

La vérité de l'œuvre est attestée par les vocations qu'elle a suscitées. Ayant libéré des images et des impressions qui, sans lui, seraient restées longtemps encore dans le tréfonds de l'inconscient, il a donné les clefs de la mémoire à d'innombrables disciples qui se sont crus capables à leur tour de descendre en eux-mêmes et d'en rapporter une aussi riche moisson, mais il semble n'avoir eu autant d'imitateurs que pour mieux prouver qu'il était inimitable. Pour beaucoup, *A la recherche du temps perdu* a joué le rôle d'un merveilleux instrument de musique, mais entre leurs mains, l'instrument a perdu son pouvoir magique.

Le propre d'un grand artiste est de paraître simple, et Proust l'est, en dépit de la complexité de ses analyses ou des méandres de ses phrases. Sa simplicité réside en cette intelligence

1. *Hommage à Marcel Proust*, p. 174.

lumineuse qui rend aux hommes, aux paysages, aux sentiments leur vraie valeur et dessille les yeux de ceux qui les considéraient jusque-là en fonction des lois d'une certaine esthétique, des convenances mondaines ou de la routine de l'habitude. Nul plus que lui n'est l'ennemi des idées reçues, des sentiments de commande et des phrases toutes faites, encore qu'il ait abondamment sacrifié à cet usage dans une correspondance destinée à lui concilier un monde qu'il travaillait à bouleverser. Dans sa connaissance du cœur humain, il va souvent plus loin qu'un La Bruyère, un Vauvenargues ou un La Rochefoucauld et l'on ferait un grand livre des maximes dont son œuvre est émaillée. Incontestablement, tout lecteur sort plus intelligent d'une lecture d'*A la recherche du temps perdu* qu'il ne l'était avant de l'avoir entreprise.

Un autre effet de Proust, non négligeable, est l'influence exercée sur le monde, pour lequel il a été si dur, et qui lui en a été si reconnaissant. A l'instar de la Révolution française qui, en se prolongeant par l'Empire, a finalement fait plus de nobles qu'elle n'en a guillotiné, Proust, en exécutant certains types mondains, comme Mme Verdurin ou M. de Norpois, en a multiplié l'espèce au lieu de l'éteindre. Ainsi que le notera Ernst Jünger, la persécution d'une race entraîne la diffusion de ses caractéristiques à travers le monde et, comme le ridicule ne tue plus, il y a toujours des Verdurin et des Norpois.

*

A l'encontre d'un Jünger ou d'un Goethe dont le génie baigne également l'œuvre et la vie, Proust a réservé le sien à son livre. Il y a deux hommes en lui, en dépit des similitudes qu'il présente, et que parfois il reconnaît, avec le Narrateur d'*A la recherche du temps perdu*. Alors que Goethe avait intitulé ses Mémoires *Poésie et Vérité*, Proust aurait pu prendre pour devise *Mensonge et Vérité* : mensonge pour rendre ses rapports avec autrui plus faciles et se concilier les sympathies, vérité dans son œuvre pour rendre à chacun ce qui lui est dû, revanche posthume de trente années de compromissions, de fausse humilité, de compliments hyperboliques prodigués à des gens qu'il méprise ou qui lui seraient indifférents s'ils ne lui étaient pas utiles. Il en use de la même façon pour sa sexualité, niant la vérité avec une telle force et une telle indignation qu'il avait abouti à ce paradoxe qu'à Paris tout le monde croyait à son homosexualité, sauf lui. En revanche, il suspecte les mœurs des autres au point que dans son livre la plupart de ses héros finiront par échouer dans le camp de Sodome, à l'exception du fragile et falot Narrateur.

En contrepoids à cette œuvre éblouissante et tragique, grandiose et cruelle, il existe, hélas !, une correspondance mesquine et onctueuse, décevante et fastidieuse avec ses ratiocinations et ses faux-fuyants. Ces lettres, dont la longueur effraie, sont comme des massifs, fleuris de compliments, mais autour desquels voltigent les noirs papillons du soupçon tandis que grouillent à leur base les serpents de l'intrigue et de la jalousie. Sous les flatteries exagérées se devinent les reproches informulés, sous les adulations, la soif d'égards et sous les protestations de tendresse, soit le dépit amoureux, soit l'indifférence d'un cœur soudain dépris. Beaucoup de ces lettres, dont certaines ne sont écrites que pour laisser entendre le contraire de ce qu'elles expriment, semblent avoir pour but de créer chez leurs destinataires un sentiment de culpabilité à son égard, lorsqu'on ne l'a pas remercié de ses remerciements ou bien si le correspondant, par distraction, lui a écrit « Cher Monsieur » au lieu de « Cher Ami », variations épistolaires qui sont autant d'échardes dans sa chair toujours à vif.

C'est par sa correspondance que, de sa chambre, il continue de communiquer avec son entourage et surtout de le diriger. Grâce à ces centaines, ces milliers de lettres, certaines n'ayant pas moins de quinze ou vingt pages, alité, prisonnier de maux réels ou imaginaires, il n'en va pas moins de porte en porte, multipliant les courbettes et les excuses, se déclarant indigne ou presque d'exister, ne cessant de se déprécier pour rehausser la personne à laquelle il écrit et finissant, par l'insidieuse puissance des faibles, à enserrer ses amis dans le filet de ses phrases, disposant de leur temps, de leur énergie et presque de leur âme en un commerce trompeur où il s'agit pour lui d'amener l'adversaire là où il le veut, demandant un service de telle manière que celui qui le lui refuse en a mauvaise conscience, celui qui le lui rend devient son obligé. Avec la même insistance captieuse, il a une façon de détailler ses souffrances, d'en expliquer la cause et d'en décrire l'intensité qui fait que, si le correspondant ne compatit pas sur le même ton, celui-ci n'est qu'une brute, un sauvage, un bourreau. A la fin de sa vie, sachant combien il a trompé son monde en l'accablant de compliments indus et de flatteries grossières, en exaltant des œuvre indignes du moindre éloge, surtout lorsqu'il compare d'obscurs écrivains à Racine ou Chateaubriand, il en éprouvera, non du remords, mais de l'inquiétude et tentera de récupérer ses lettres ou, du moins, d'empêcher leur publication après sa mort, donnant ainsi raison à Lucien Daudet qui aura sur lui cette sévère appréciation : « Ces jugements de Proust sont toujours mensongers, intéressés, désolants et vils. Il ne faut pas oublier que la bassesse fait partie de son génie [1]. »

Cette correspondance, d'un volume égal à celui de son œuvre romanesque, est la preuve qu'il était moins malade, et surtout moins empêché d'écrire, qu'il ne le faisait croire. Si l'on additionne le nombre d'heures pendant lesquelles il s'est dit suffoquant et moribond, si l'on tient compte du nombre de jours qu'auraient duré certaines crises d'asthme, sans parler d'incapacités engendrées par d'autres maux, on parvient, grâce aux seules indications données par ses lettres, à un *temps perdu* considérable ; en revanche, si l'on calcule le temps nécessaire pour écrire ces lettres dont vingt gros volumes ne représentent pas l'intégralité, car beaucoup ont été perdues ou demeurent inviolables, si l'on y ajoute les heures consacrées à la rédaction d'essais, d'études et d'articles, puis à celle de *Jean Santeuil* et de *Contre Sainte-Beuve*, si l'on considère la masse impressionnante des esquisses et des différentes versions d'*A la recherche du temps perdu*, et que l'on n'oublie pas les heures passées en mondanités, en conversations tête à tête et, en dépit de ses insomnies, au sommeil, on obtiendrait un chiffre qui non seulement excède les quelque trente années de sa période créative, mais occuperait un demi-siècle de l'existence d'un homme en bonne santé. Ce travailleur acharné a sciemment exagéré le nombre et la durée de ses crises d'un asthme qu'il entretenait plus qu'il ne le soignait. Le témoignage de Céleste Albaret confirme ce point de vue : « La vérité, je crois bien, c'est qu'il s'est servi même de sa maladie vis-à-vis du dehors, pour s'enfermer d'autant plus dans sa vie de reclus et dans son travail [2]. »

La maladie a été pour lui non seulement un refuge et une protection, mais un état social. Il est malade par profession, comme son père est médecin, c'est-à-dire avec un statut privilégié qui le place au-dessus des simples mortels, au-dessus des règles, et lui permet de s'habiller comme il l'entend, d'arriver partout avec deux heures de retard, d'exiger une

1. Lettre de Lucien Daudet à Robert de Saint Jean, du 14 janvier 1937. (Collection Éric Jourdan.)

2. C. Albaret, *Monsieur Proust*, p. 90.

certaine température, une certaine disposition des lieux et surtout d'infinis égards.

*

Entre le *lamento* de sa correspondance et le génie qui dans l'œuvre essentielle imprègne chaque page, il est chez Proust un juste milieu : sa conversation. Il doit à celle-ci ses premiers succès mondains, surtout lorsqu'il se livre à d'irrésistibles imitations dont l'écho se retrouve dans ses *Pastiches*. Un brillant causeur est souvent admiré, mais un jeune homme qui s'intéresse à autrui est toujours sûr d'être écouté. C'est un oiseau rare que se disputent les volières les plus dorées d'un monde où l'on s'ennuie. Si, dès son adolescence, un de ses camarades admirait en lui « le charme de son esprit, la profondeur de son jugement, l'originalité de ses idées et le tour inattendu qu'il leur donnait [1] », Lucien Daudet, plus perspicace, avait percé le secret de cette réussite auprès d'une société naturellement malveillante : « La déférence de ses paroles et leur modestie étaient parfois si grandes que quelqu'un qui ne le connaissait pas pouvait croire que ses parents étaient pauvres, ou que lui-même était une sorte de paria ; on comprenait ensuite qu'il avait voulu se diminuer devant cette personne de condition médiocre afin de la grandir vis-à-vis d'elle même. Je m'aperçois à présent que, dans toutes ces circonstances, empressé, l'air naïf, la voix pitoyable, il ressemblait à ces petits frères laïcs, dévorés de zèle et d'humilité, qui entouraient saint François d'Assise [2]. »

Mme de Noailles, peu sensible à une autre éloquence que la sienne, aura l'honnêteté de rendre hommage à son rival, voyant en lui l'arbitre de leurs conversations passionnées entre amis : « La poésie, la musique, la peinture, la pensée philosophique, les discussions politiques passaient sous le regard de Marcel Proust et étaient proposées à son assentiment, à ses retouches ou à ses refus. On admirait d'autres esprits que le sien... on n'avait guère confiance que dans le jugement de Marcel [3]. »

L'art de sa conversation, envoûtante et stimulante, est parfois celui d'un conteur oriental, déroulant la féerie de ses images, ou la cocasserie de ses comparaisons, mais il est surtout celui

1. Pierre Lavallée, préface au tome IV de la *Correspondance générale*, Brach.
2. L. Daudet, *Autour de soixante lettres de Marcel Proust*, p. 26.
3. Préface des Lettres à Mme de Noailles, au tome II de la *Correspondance générale*, Brach.

d'un clinicien faisant sur les êtres, leurs actes et leurs sentiments des observations telles que personne n'a l'habitude d'en entendre, et encore moins d'en faire. Sa parole est un scalpel délicat qui effleure la plaie secrète, met à nu un des mécanismes de l'esprit, opère une dissection qui laisse ses victimes effrayées de la sûreté de son diagnostic et ravies d'avoir été l'objet de son attention. Ce don si rare effrayait un peu Alphonse Daudet qui avait dit un jour à son propos : « Marcel Proust, c'est le diable ! » A côté d'un goût de *voyeur*, dont son œuvre offre maints exemples, son intelligence, entraînée aux déductions comme aux analyses, devine ce qu'il ne voit pas et lui permet de vivre par procuration. Un jour que Walter Berry citera devant lui un mot de Rémy de Gourmont : « On n'écrit bien que ce qu'on n'a pas vécu », il s'écriera, frappé par cette formule : « Cela, c'est toute mon œuvre ! »

Cette acuité psychologique, admirable et terrible, rend difficiles ses relations amoureuses ou ses simples rapports d'amitié. Dévorante et ombrageuse, exaltée par de trop grandes espérances et empoisonnée par la crainte de voir celles-ci s'évanouir, l'amitié chez Proust est un sentiment passionné, aussi douloureux pour lui qu'éprouvant pour celui qui en est l'objet. L'éphémère illumination que constitue dans sa vie une amitié nouvelle est vite assombrie par le doute. Cet ami est-il tout à fait sûr ? Faut-il croire à sa sincérité ? Où s'arrête l'élan du cœur et où commence le calcul ? Et Proust guette la défaillance qui justifiera le soupçon, diffus encore, accueillant la première dérobade de l'élu, son premier mensonge, avec un sentiment dans lequel entre autant de tristesse d'avoir été déçu que de satisfaction d'avoir eu raison de douter.

Bien placé pour savoir que chez Proust l'amour emprunte souvent le masque de l'amitié, mais que toute amitié, même chaste, a les exigences de l'amour, Antoine Bibesco comparera l'amitié soupçonneuse et jalouse de Proust à « une perpétuelle vivisection », opérée par un Sherlock Holmes doublé d'un Othello. Jacques Rivière, un de ses admirateurs les plus fervents, reconnaîtra que rien ne pouvait défendre les amis de Proust, même les plus attachés à lui, « contre l'immensité de son soupçon. Tous leurs sentiments, quelque preuve qu'ils en eussent donné, restaient à ses yeux éternellement en question. Rien n'apaisait, rien n'arrêtait jamais le mouvement de son esprit vers les dessous possibles de la tendresse qu'ils lui témoignaient. Rien ne terminait sa clairvoyance, et même pas le fait qu'il n'y eût rien à voir [1] ».

De son côté Jacques-Émile Blanche, dont François Mauriac dira qu'il a été un autre Proust, sans le génie, saisira parfaitement la complexité d'un caractère trop semblable au sien pour qu'il n'y eût pas entre eux des heurts fréquents. Il lui reprochera d'avoir été incapable d'entretenir avec autrui des rapports qui ne le fissent pas souffrir, rapports envenimés par des lettres accusatrices ou trop complimenteuses qui « créaient la plupart du temps d'autres malentendus, bien d'autres motifs à ratiocinations, à discussions et à brouilles [2] ».

Aussi l'amitié de Proust, célébrée à l'envi par ceux qui, tel Georges Cattani, ne l'ont pas expérimentée, est un commerce ingrat dont certains se lassent, mais qu'ils embelliront lorsque la gloire aura donné à leur difficile ami une autre stature. A partir de ce moment, il sera presque sacrilège de juger l'auteur illustre comme on avait traité l'ami, dont parfois on ouvrait les lettres avec lassitude. Rien de plus curieux à cet égard que les deux livres dans lesquels Michelle Maurois montre un Proust adolescent tel que le voyaient les Caillavet ou les Pouquet, qui l'avaient surnommé « le Proustaillon » [3]. Participant de sa gloire et sachant qu'ils survivraient grâce à lui devant la postérité, la plupart des amis de Proust imposeront à leur plume une prudence quelquefois démentie par leur parole. Élisabeth de Gramont, duchesse de Clermont-Tonnerre, auteur de deux livres sur lui, avouera un jour à Philippe Jullian : « Proust ? Charmant, mais pas de cœur ; il voyait les gens tous les jours pendant un mois et les rejetait après comme des citrons pressés [4]. » Cocteau fera la même remarque à Lucien Daudet : « Marcel est comme Anna de Noailles, il n'a aucun cœur. Les gens qu'il aime, il les oublie en cinq minutes. » A quoi Lucien Daudet répliquera : « Non, non, mon petit Jean, Marcel est génial, mais c'est un insecte atroce. Vous le comprendrez un jour [5]. » Lucien Corpechot partagera cet avis : « Il était complimenteur, obséquieux, flatteur, hystérique, avait mauvais genre, mais un air de génie qui le faisait rechercher par ceux-là mêmes auxquels il était antipathique [6]. » Quant à

1. *Hommage à Marcel Proust*, p. 174.
2. *Bulletin Marcel Proust*, n° 24, p. 186.
3. M. Maurois, *L'Encre dans le sang*, et *Les Cendres brûlantes*.
4. Ph. Jullian, *Journal intime*, 15 juin 1941.
5. J. Cocteau, *Le Passé défini*, p. 308.
6. Ph. Jullian, *Journal intime*, 5 juin 1943.

l'opinion du noble Faubourg, elle pourrrait se résumer en cette réflexion du marquis de Lasteyrie : « Quel genre épouvantable ! Je n'ai jamais compris comment ma cousine Marie de Chambrun a pu le recevoir ! »

*

En effet, ce mauvais genre est si frappant qu'on se demande comment il n'a pas fermé à Proust bien des portes dans cette société qui, à défaut d'être le grave et guindé faubourg Saint-Germain, est néanmoins assez élégante et attachée à un certain ton. Sur ce point, tous les témoignages concordent, si pittoresques et précis qu'ils dessinent la silhouette de Proust mieux que n'aurait pu le faire un Sem ou un Forain. « Ce petit Proust, avec sa tête de rahat-lokoum, comment, Jacques-Émile, pouvez-vous supporter sa vue ? demandait jadis Barrès à Blanche. Laissez-le donc vendre des pastilles de sérail sous les arcades de la rue de Rivoli… [1]. » C'était un Proust encore jeune, mais déjà négligé dans sa tenue, avec des cheveux trop longs qui choquaient sa mère : « Plus de chevelure de roi franc ! » lui recommandait-elle, navrée de ce côté *artiste*, si peu goûté dans la bourgeoisie d'alors. Si Harold Nicolson, plus tard, lui trouve « l'air d'un marié de Goa », René Boylesve, à la même époque, le compare au *Corbeau* d'Edgar Poe et Claudel, dans son intransigeance chrétienne, voit en lui « une vieille Juive fardée [2] ». Moins féroce, Cocteau trouve qu'il ressemble au « Carnot mort du musée Grévin, à quelque capitaine Nemo de Jules Verne [3] ». Pour Ramon Fernandez, il est un golem, impressionnant et sinistre, avec « son corps raide, mécanique et léger comme celui d'un médium en transe et tournant sur lui-même comme la lampe d'un phare [4] ». Lorsque le prix Goncourt lui apportera la célébrité, tous ceux que sa gloire attirera comme des papillons dans sa chambre de la rue Hamelin éprouveront cette sensation de se trouver, non en présence d'un être humain, mais d'un mannequin, raide et se mouvant tout d'une pièce, d'un automate habité par un génie bizarre capable à tout instant de s'échapper et de se matérialiser sous une autre forme, plus effrayante encore que cette enveloppe charnelle aux allures de cercueil.

---

1. J.E. Blanche, *La Pêche aux souvenirs*, p. 262.
2. M. Martin du Gard, *Les Mémorables*, tome II, p. 144.
3. *Bulletin Marcel Proust*, n° 37, p. 126.
4. *Hommage à Marcel Proust*, p. 95.

Cet être insolite, au genre de vie qui l'est plus encore, ne sortant que le jour enfui, tel un rapace nocturne, est bien fait pour créer une légende à laquelle il a contribué le premier par ses extravagances, comme celle de faire réveiller en pleine nuit le quatuor Poulet pour entendre une pièce de Franck ou de Fauré, par ses générosités ostentatoires allant de fabuleux pourboires à des cadeaux dispendieux comme celui d'un avion pour son ancien secrétaire Alfred Agostinelli.

Dans cette légende, une part revient à Céleste Albaret, une des figures les plus touchantes qui aient traversé son existence inquiète et maladive. Avec elle seulement, il semble avoir eu des rapports presque normaux de confiance et d'affection. « Ce qu'il y avait de beau en lui, dira-t-elle, c'était qu'il avait des instants où je me sentais comme sa mère, et d'autres comme son enfant [1]. » Proust avait deviné en cette jeune femme, intelligente et d'une conversation agréable en dépit des lacunes de son instruction, une nature intuitive, prompte à enregistrer ce qu'elle entendait, bref, une de ces natures fidèles et simples qui font les Eckermann. Aussi en a-t-il fait sa confidente, en prenant soin de doser les confidences en fonction de son éducation et de ses principes, lui présentant les choses, notamment celles relatives à sa vie privée, de manière à produire une impression favorable, sans rien lui dire apparemment qui ne pût être répété. Comme Napoléon à Sainte-Hélène, il lui a dicté son *Mémorial*.

*

Une telle existence, long voyage à l'intérieur d'une chambre, mais aussi jusqu'aux confins de la nature humaine, dans les zones inexplorées de l'inconscient, a tenté bien des biographes.

Aucun livre n'est jamais tout à fait caduc, aucun non plus définitif et chaque biographie de Proust conserve sa valeur : celle de Léon Pierre-Quint, parce qu'elle est l'œuvre d'un contemporain, le premier à tenter l'aventure ; la deuxième, celle d'André Maurois, parce qu'elle est un essai d'une grande finesse psychologique, avec ce sens aigu de la poésie de toute vie qu'avait Maurois, même si cette vie avait été un enfer ; la troisième, celle de George D. Painter, car elle est le travail le plus vaste et le plus complet entrepris jusqu'alors, offrant aux amateurs de Proust une espèce de bibliothèque où il y a

---

1. C. Albaret, *Monsieur Proust*, p. 117.

toujours quelque chose à glaner. Enfin, il en existe une quatrième, à l'état de notes, celles rédigées par Philip Kolb pour son édition critique de la *Correspondance* de Proust — immense et minutieux travail, bien souvent plus intéressant que le texte original qui lui sert de support, et constituant à lui seul une exhaustive étude de la vie de Proust [1].

Plus que la vie elle-même, l'œuvre a suscité d'innombrables travaux critiques auxquels doivent se reporter tous ceux qui s'intéressent à la genèse d'*A la recherche du temps perdu*, au style de Proust, à son esthétique, à sa philosophie et à tous les aspects divers que l'on découvre lorsqu'on s'intéresse à ce livre, véritable terre nourricière des chercheurs et des essayistes.

Bien que l'histoire de Proust soit en grande partie celle de son œuvre, il ne saurait être question de faire ici la chronique de la lente élaboration d'*A la recherche du temps perdu* et de ses mutations nombreuses avant d'aboutir à une publication en partie posthume, ce qui permet de supposer que Proust aurait encore travaillé certains morceaux, ajouté ou supprimé des pages, corrigé certaines fautes ou remédié à certaines anomalies s'il n'était pas mort prématurément.

Comme rien n'est plus lassant qu'un perpétuel va-et-vient entre l'œuvre et la vie, je n'ai pas cherché à trouver, pour chaque circonstance de celle-ci, sa transposition dans *A la recherche du temps perdu*. Donnant la préférence aux écrits les moins connus de Proust, et sans doute les plus autobiographiques, j'ai volontairement écarté ces poncifs que sont devenus des morceaux célèbres comme *la petite phrase de la sonate de Vinteuil*, l'adieu aux *chères aubépines*, l'épisode de *la madeleine trempée dans la tasse de thé*, références obligées pour tout auteur qui s'attaque à Proust, mots de passe de certaines confréries proustiennes et surtout moyen facile pour ceux qui n'ont guère lu Proust de cacher leur ignorance. J'ai même négligé de citer, comme exemple de son art d'écrire, des passages d'une extraordinaire virtuosité, comme la vision de la princesse de Guermantes dans sa baignoire à l'Opéra ou la description du jet d'eau dans le jardin de son hôtel, la rencontre avec la princesse de Luxembourg sur la digue de Balbec, la célébration de la princesse de Parme et de sa supériorité sur le reste du genre humain, ou encore l'extase de Mme Verdurin écoutant de la bonne musique.

---

1. C'est la raison pour laquelle toutes les citations faites de la correspondance de Proust seront référencées Kolb, tome I, II, III, etc.

Aucune biographie, quelque soin qu'on y apporte, ne correspond tout à fait à l'existence du héros telle que celui-ci l'a vécue, moins encore à celle qu'il aurait voulu vivre et qui, dans son imagination, a parfois plus de réalité que la vraie. Le rêve aussi a son importance, le rêve qui n'est parfois qu'un souvenir anticipé. Une chose est certaine : malgré la conscience d'avoir donné au monde une œuvre essentielle, Proust aurait peut-être préféré un autre destin, lui qui un jour avait avoué : « J'aurais voulu vivre comme Morand... [1]. »

---

1. P. Morand, *Venises*, p. 89.

# 1

# Juillet 1871 - Octobre 1882

*Floraison d'un arbre de Jessé - Les chandelles d'Illiers - Un bon mariage - Des bourgeois bien nantis - Un enfant trop aimant - Une éducation manquée - Journées de lecture - Le jardin d'Auteuil - Scènes de la vie de province - Le jardin du Pré-Catelan - Solitude et vocation - L'imagination au service du cœur.*

Rien de plus amer pour un homme sorti de sa province et de son milieu, déjà pourvu d'une belle position à Paris, que de voir une révolution menacer d'anéantir en quelques jours le fruit de vingt ans d'efforts. Sans doute est-ce le sentiment du docteur Adrien Proust au printemps de 1871, alors que la capitale est abandonnée aux exactions des Communards avant d'être livrée par ceux-ci aux torches des pétroleuses. Nombre de bourgeois fraîchement *arrivés* tremblent pour leurs personnes comme pour leurs biens et la peur qu'ils éprouvent fera d'eux sous la IIIe République les plus farouches défenseurs de l'ordre social. Si l'on fusille sans scrupules militaires et magistrats, prêtres et hauts fonctionnaires, on épargne les médecins trop utiles pour être sottement sacrifiés aux principes. Le docteur Proust n'a donc rien à craindre pour lui-même, encore qu'il ait failli être tué par une balle perdue en allant prendre son service à l'hôpital de la Charité, mais il est justement inquiet pour sa femme, pour l'enfant qu'elle attend, et peut-être aussi pour les créances qui constituent une bonne part de la dot apportée par Mme Proust. Se souvient-il alors de ce passage des Évangiles au temps où, se croyant une vocation religieuse, il pratiquait les Livres saints : « Malheur aux femmes qui seront enceintes et à celles qui allaiteront ces jours-là » ?

Les privations, le manque de chauffage, d'autant plus cruel

que l'hiver a été rigoureux, comme chaque fois d'ailleurs que se produit quelque désastre national, sa perpétuelle anxiété au sujet de son mari ont rendu Mme Proust, jeune femme de nature sensible, extrêmement nerveuse. Cela ne peut que nuire à l'enfant qu'elle porte en elle et qui, plus tard, attribuera d'ailleurs aux souffrances du siège, aux horreurs de la Commune, la faiblesse de sa constitution. Aussi, après la semaine sanglante de mai 1871 et la délivrance de Paris par les Versaillais, le docteur Proust emmène-t-il son épouse achever sa grossesse à Auteuil, chez son oncle Louis Weil. Bien qu'on se soit battu dans le quartier, que le parc ait été saccagé, la maison elle-même n'a pas trop souffert et c'est là que Mme Proust accouche, le 10 juillet 1871, d'un garçon si frêle que l'on craint d'abord de ne pouvoir le sauver, mais à force de soins il survit et sera baptisé le 5 août 1871 à l'église Saint-Louis-d'Antin, paroisse des Proust. Ceux-ci habitent en effet au 8, rue Roy, tout près du boulevard Haussmann, dans ce quartier neuf devenu la citadelle de la nouvelle bourgeoisie parisienne avant d'en être un jour la nécropole.

C'est là qu'Adrien Proust s'était installé lors de son mariage avec Jeanne-Clémence Weil, fille de Nathan Weil, qualifié dans le contrat de *propriétaire*, et d'Adèle Berncastel. Rares sont encore à l'époque les alliances entre chrétiens, surtout de modeste origine, et les filles d'opulents Israélites qui, après de longues tribulations, ont planté leurs tentes plaine Monceau ou dans les rues avoisinantes. Les Weil, il est vrai, ne demeurent pas dans cette plaine quasi biblique, car ils sont restés fidèles au quartier de la Bourse, mais ils représentent parfaitement cette race d'hommes d'affaires, intelligents et actifs, qui ont su, en un demi-siècle, comme les y avait invités Guizot, faire leur fortune en contribuant à développer celle du pays.

Les Weil s'apparentent à une minorité qui, jadis persécutée, a préservé sa foi religieuse et, par sa haute moralité, donné un caractère presque sacré à sa fortune : les protestants. Eux et leurs innombrables alliés, les Berncastel, les Crémieux, les Nathan, les Meyer, les Silny, forment une communauté au sein de laquelle les liens du sang et ceux des affaires s'entremêlent si étroitement que l'on peut se demander s'ils se marient entre eux pour conserver, voire affiner, le génie de la race ou simplement pour empêcher le patrimoine acquis de tomber en des mains dépensières ou impures. De besogneux qu'ils étaient encore au siècle précédent, ces Israélites sont devenus industrieux et, s'ils n'ont pas l'envergure des Pereire ou des Rothschild, du moins sont-ils prospères, sans aucune ostentation, aimant le confort plutôt que le faste et préférant les plaisirs de l'esprit, de la lecture et de la musique à ceux de l'aventure et des grandes entreprises.

Les Weil sont originaires du Würtemberg, de la petite ville de Weil, à six lieues de Stuttgart et dont ils ont pris le nom lorsque la législation napoléonienne, en leur reconnaissant des droits civiques, leur a imposé de choisir un patronyme. Sans doute leurs ancêtres s'étaient-ils fixés là-bas parce que Weil était jadis une de ces villes libres du Saint-Empire, relevant directement de l'Empereur qui autorisait à s'y établir, sous sa protection, des Juifs dont beaucoup de princes germaniques ne voulaient pas dans leurs États. Baruch Weil, l'arrière-grand-père de Marcel Proust, était né, lui, en Alsace, autre terre d'asile où son père avait travaillé un certain temps à la fabrique de porcelaine de Niederwiller, appartenant au comte de Custine, général malheureux de la première République et mari d'une des égéries de Chateaubriand, père aussi d'un fils dont le destin préfigurera celui du baron de Charlus.

Vraisemblablement parce que la fabrique fut confisquée sous la Révolution, Baruch Weil quitta l'Alsace pour Paris où il créa sa propre manufacture de porcelaine dont le succès, sous l'Empire et la Restauration, lui valut d'être nommé chevalier de la Légion d'honneur. Cette ascension sociale s'était poursuivie avec ses enfants, Moïse et Nathan, issus de son premier mariage avec Sarah Nathan, et aussi avec Louis et Amélie, nés du second avec sa belle-sœur, Marguerite Nathan. Le même esprit de famille qui fait épouser à Baruch Weil les deux sœurs se retrouve chez ses fils aînés qui épousent les deux sœurs Berncastel dont les enfants seront donc doublement cousins germains.

Moïse Weil, architecte de la ville de Beauvais, n'eut que des filles, parmi lesquelles Mme Casimir Bessière et Mme Léon Neuburger. Son frère Nathan, le grand-père de Marcel Proust, était un homme aimable, effacé, sans préjugés puisque, tout en observant par respect des traditions certains rites judaïques, comme celui de déposer chaque année un caillou sur la tombe de ses aïeux, il suivait pendant le Carême les prédications de Notre-Dame de Paris. Entré dans les affaires — on ne sait pas exactement lesquelles — il en était sorti avec une fortune dont ses descendants vivront pendant trois générations, en attendant que les droits d'auteur d'*A la recherche du temps perdu* viennent en prendre le relais.

Leur demi-frère, Lazard, dit Louis, le modèle de l'oncle Adolphe dans *A la recherche du temps perdu*, fut sous le Second Empire administrateur du Comptoir d'escompte et surtout propriétaire d'une importante fabrique de boutons où il employait quelque cinq cents ouvriers, sans compter un nombre égal de sous-traitants à domicile. Sa fortune assurée, sa réussite consacrée par la croix de la Légion d'honneur, il s'était retiré pour vivre de ses rentes et vivait d'autant plus largement qu'il avait épousé l'héritière d'un riche banquier de Hambourg, Emilie Oppenheim.

Dans cette famille opulente des Weil, c'est lui qui joue le rôle de patriarche, non par l'abondance de sa postérité, car il n'a eu aucun enfant de son mariage, mais parce qu'il est le plus riche. Quant à sa sœur, Adèle Weil, mariée à Joseph Lazarus, marchand d'horlogerie, elle aura, sur le reste de la famille qui l'éclipse un peu, une revanche posthume puisque sa petite-fille, Louise Neuburger, sera Mme Henri Bergson.

Pour la fortune, l'intelligence et la renommée, le clan des Berncastel ne le cède en rien à celui des Weil, car il s'enorgueillit de la grande figure d'Adolphe Crémieux, oracle du Palais, apôtre de l'émancipation des Juifs à travers le monde et spécialiste des républiques improvisées comme des gouvernements provisoires. Célèbre par son éloquence, il l'était aussi par sa laideur qui faisait de lui un Daumier au naturel et le désignait au crayon des caricaturistes. Bien qu'habitués à son visage, ses confrères eux-mêmes s'en montraient impressionnés. L'un d'eux, plaidant contre lui dans une affaire délicate, essayait d'attendrir le tribunal sur sa cliente qui, disait-il, appartenait à « cette admirable race juive, renommée pour sa séduction... », mais son regard rencontrant alors celui de Crémieux, il avait rectifié : « Du moins quand elle est belle...[1]. »

Après avoir mis Louis-Philippe en fiacre, le 24 février 1848, Crémieux s'était nommé ministre de la Justice du nouveau gouvernement, mais il avait dû quitter la scène politique après le coup d'État du 2 décembre 1851. Il n'y avait reparu qu'à la fin du Second Empire, comme député d'opposition, pour redevenir ministre de la Justice dans le gouvernement provisoire constitué le 4 septembre 1870. Pendant sa retraite, Crémieux

1. F. Bac, *Souvenirs inédits.*

n'en avait pas moins continué de jouer un rôle dans la vie intellectuelle et sociale, aidé par sa femme dont le salon accueillait des personnalités aussi diverses que Montalembert et Proudhon, George Sand et Berryer, le duc de Broglie et Odilon Barrot, Alexandre Dumas, Jules Janin, Lamartine, ainsi que des compositeurs tels que Meyerbeer, Halévy et Rossini.

C'est dans ce salon éclectique, véritable école de littérature et de pensée, qu'Adèle Berncastel, la grand-mère de Proust, avait grandi. Orphelines de bonne heure, ses sœurs et elle avaient été élevées par Crémieux, qu'elles regardaient comme leur père. Auprès de celui-ci, Adèle avait pris le goût des lettres, celui de l'éloquence profane ou sacrée qu'elle devait à son tour inculquer à sa fille Jeanne, la future Mme Adrien Proust. Grande lectrice des classiques et aussi de George Sand, elle vouait un même culte aux deux Saint-Simon, le duc, dont les *Mémoires* étaient sa lecture favorite, et le comte Henri dont les théories économiques avaient si fortement influencé, non seulement la communauté juive de Paris, mais Napoléon III qui avait encouragé celle-ci à les appliquer. La tradition intellectuelle des Crémieux devait se conserver dans leur descendance, nouvel exemple de cette floraison de talents lorsque la tige de Jessé se trouve implantée dans le terroir qui lui convient. Louise Crémieux, mariée à Jean Cruppi, un temps ministre de la Marine, sera membre du premier jury du prix Femina et auteur elle-même d'un roman, *Avant l'heure*. Sa fille Amélie épousera le sculpteur Paul Landowski et sera la mère du compositeur Marcel Landowski. L'autre fille des Crémieux, Mathilde, eut de son mariage avec Alfred Peigné deux filles : l'aînée, Valentine, qui épousera Gaston Thomson, également ministre de la Marine, et la cadette, mariée à Jules Lecomte du Noüy, peintre d'un certain talent. Elle-même sera la première traductrice des *Pierres de Venise*, de John Ruskin.

*

A la fin du Second Empire, ce milieu des Weil est non seulement fortuné, mais brillant et surtout, par sa manière de vivre et de penser, d'un parfait bon ton, ce que Proust exprimera, pensant peut-être à sa famille maternelle, en écrivant dans sa préface à *Sésame et les lys* : « La distinction et la noblesse consistent dans l'ordre de la pensée aussi, dans une sorte de

franc-maçonnerie d'usages, et dans un héritage de traditions [1]. »
Les Weil appartiennent donc à une certaine élite parisienne et peuvent se montrer difficiles sur le choix de leurs alliances. Aussi le mariage de leur fille avec le docteur Adrien Proust étonne-t-il un peu.

En général, un « beau mariage » pour l'un des époux implique nécessairement que l'autre en fait un moins beau. Cela pourrait être le cas pour Jeanne Weil qui, semble-t-il, n'a jamais vu sa future belle-famille et s'est fiée à la bonne mine du prétendant, à son excellente réputation et à l'avenir que lui promet sa grande compétence médicale. Il y a loin en effet des demeures spacieuses et cossues du clan Weil à la modeste maison natale du docteur Proust à Illiers et de la fabrique de porcelaine ou de celle de boutons des grands-oncles à la boutique d'Illiers où Louis Proust, père de son fiancé, tenait naguère une épicerie-mercerie, assortie d'une petite fabrication de cierges pour la paroisse.

Cette médiocrité n'empêche pas les Proust d'être honorablement connus dans cette région de la Beauce d'où ils ne sont jamais sortis, enracinés au sol par une longue habitude de travail, d'économie et surtout une absence totale de curiosité à l'égard de ce qui peut exister au-delà des murs de leur petite ville, entièrement repliée sur elle-même.

Le nom de Proust, que leur plus illustre représentant n'aimera guère, apparaît dans les archives locales à la fin du XVIe siècle avec un Jehan Proust, qui figure parmi les notabilités locales. En 1633, un Robert Proust est confirmé dans sa charge de receveur de la seigneurie d'Illiers, héritée de son père, Gilles Proust. On trouve à la fin du XVIIe siècle un Michel Proust, notaire, puis un autre Michel — mais peut-être s'agit-il du même — bailli du marquisat de Rochepelière. Aucune mention du nom de Proust n'apparaît dans les archives du XVIIIe siècle, si ce n'est, en 1793, celui d'un citoyen Proust, vraisemblablement François Proust. Né à Nogent-le-Rotrou en 1772, il est adjoint municipal et marchand-épicier, vendant aussi des cierges. Il avait épousé en 1792 Louise Lejeune et tous deux, malgré la fermeture des églises qui ne favorise pas la vente des cierges, survivent à la Révolution, ainsi que leurs enfants, un fils et trois filles mariées respectivement à un fabricant de poteries, à

1. Préface reprise sous le titre de *Journées de lecture*, dans *Contre Sainte-Beuve*, Pléiade, p. 189.

un marchand de bonneterie et à un percepteur des contributions directes.

C'est le fils, Louis Valentin, né à Illiers en 1801, qui prend la suite de l'épicerie paternelle et s'installe place du Marché, en face de l'église Saint-Jacques. S'il fournit de nouveau des cierges à celle-ci, il a l'idée, infiniment plus rémunératrice, de vendre aussi des bougies de stéarine, plus propres et plus commodes que les chandelles de suif qu'il fallait sans cesse moucher pour les empêcher de fumer. De son mariage avec Virginie Torcheux, il a eu en 1826 une fille, Louise-Virginie, morte à l'âge de six ans, puis en 1828 une seconde fille, Elisabeth, qui deviendra Mme Amiot, modèle de Tante Léonie, et enfin, le 18 mars 1834, un fils, Adrien, le premier des Proust à quitter le cadre étroit d'Illiers pour faire carrière à Paris.

De la jeunesse d'Adrien Proust, on ne sait rien, hormis les traces laissées par ses succès scolaires et ses diplômes. Boursier au collège de Chartres, il a été reçu simultanément bachelier ès lettres et bachelier ès sciences, puis, en 1853, il a passé brillamment le certificat d'aptitude ès sciences physiques. Le prêtre qui a cru un moment que cet élève si bien doué entendrait l'appel de Dieu a vu cet espoir s'évanouir. De cette tentation divine, il ne devait subsister qu'une déférence pour la religion cachant une grande indifférence, le docteur Proust se contentant, lors de ses vacances à Illiers, de fréquenter l'église par politesse.

Inscrit à la faculté de médecine, il soutient avec succès une thèse sur « le pneumothorax essentiel ou pneumothorax sans perforation » et obtient une première mention au concours des hôpitaux de Paris, ce qui lui vaut, en 1863, d'être nommé chef de clinique. Trois ans plus tard, il est reçu à l'agrégation avec une thèse sur « les différentes formes de ramollissement du cerveau » et il trouve dans l'épidémie de choléra de 1866 l'occasion de montrer ses capacités. Il est alors chef de clinique à l'hôpital de la Charité et se distingue par son dévouement comme par son esprit d'initiative. De ce moment, date le début de sa carrière de médecin hygiéniste. Reprenant à ses maîtres Fauvel et Tardieu le principe du cordon sanitaire, il s'efforce de faire adopter celui-ci par tous les gouvernements intéressés à se protéger des épidémies venues d'Afrique ou d'Asie. En luttant contre le fléau, il a remarqué que celui-ci sévissait avec plus de force dans les villes où la concentration humaine et la mauvaise qualité de l'eau en rendaient la propagation plus rapide qu'à la campagne. Par une intuition dont bientôt sa mission en Perse lui apportera la confirmation, il a pressenti qu'on ne pouvait combattre efficacement le mal qu'en s'attaquant à ses causes plutôt qu'en palliant ses effets. Comme l'écrit si pertinemment George D. Painter, « dans la carrière de tout spécialiste, il existe un moment d'inspiration où s'entremêlent inextricablement le désir de sauver le monde et l'ambition personnelle. C'est alors que lui est révélé ce qui sera l'œuvre de sa vie [1] ». Le gouvernement français se montrait d'autant plus soucieux d'enrayer les épidémies que celles-ci étaient souvent l'occasion de troubles sociaux, la population des faubourgs voyant en elles, non un châtiment du ciel, comme au Moyen Age, mais « un complot réactionnaire pour se débarasser des opposants au régime en empoisonnant les fontaines de Paris [2] » !

Aussi, en 1869, le docteur Proust se voit-il chargé officiellemnt de découvrir les voies de pénétration du choléra vers l'Europe. Etudiant le cheminement des épidémies de 1832, 1849 et 1866, il détermine un itinéraire qui va le mener en Russie, puis en Astrakhan et en Perse pour revenir par La Mecque, la Turquie et l'Egypte. C'est un long et fastidieux voyage, commencé confortablement dans un wagon du Paris-Nord, véritable hôtel roulant, poursuivi en kibitka pour traverser la steppe, puis à cheval, avec une caravane, jusqu'à Téhéran où le Shah le reçoit en audience et lui fait don de tapis, destinés à orner tous les appartements successifs de la famille Proust. Après un long arrêt à La Mecque, où peu d'Européens ont encore pénétré, il est également reçu en audience à Constantinople par le Grand Vizir Ali Pacha et revient à Paris, persuadé que l'Egypte doit « être considérée comme la barrière de l'Europe contre le choléra », idée qu'il développera dans un gros ouvrage, *La Défense de l'Europe contre le choléra*, couronné en 1873 par l'Institut de France.

Dès lors, sa position dans le monde médical et scientifique ne cesse de grandir au point de faire de lui, après avoir été leur élève, l'égal des Potain, Trousseau, Nélaton, Velpeau, sommités du temps auxquelles leur renom a ouvert les portes, non seulement de l'Académie de médecine, mais de la société parisienne, toujours bien aise d'avoir à sa table un illustre praticien à qui l'on peut demander une consultation gratuite

1. G.D. Painter, *Marcel Proust*, tome I, p. 32.
2. C. Francis et F. Gonthier, *Marcel Proust et les siens*, p. 46.

après le dîner. C'est vers cette époque aussi que bien des femmes, déjà pourvues d'un confesseur et d'un directeur de conscience, leur adjoignent un médecin qui, s'il est bel homme, et ce sera le cas du docteur Pozzi, remplace vite l'un et l'autre.

Bel homme, Adrien Proust l'est aussi, sans être particulièrement beau, mais il a l'air avantageux, d'autant plus que son périple heureusement accompli lui a valu de figurer, au mois d'août 1870, dans la dernière promotion de la Légion d'honneur de l'Empire. Cette distinction, encore judicieusement accordée, est flatteuse pour un médecin de trente-six ans et vaut bien la dot de deux cent mille francs[1] apportée par Jeanne Weil, sans compter les *espérances*, expression d'une cynique impudeur puisqu'elle trahit le désir de voir promptement disparaître les gens dont la fortune doit un jour constituer la vôtre.

*

Comment le docteur Proust et Jeanne Weil se sont-ils connus ? Probablement chez un agent de change, un certain Cabanellas, ami de la famille Weil. A la différence des milieux sociaux s'ajoute celle des âges puisque Jeanne Weil n'a que vingt et un ans. Avec son teint très blanc, ses cheveux noirs, son visage d'un ovale très pur, elle a l'air d'une jolie Italienne. Elle est prodigieusement instruite, parle plusieurs langues, aime la musique et la peinture et possède même, en dépit d'une éducation rigide, un certains sens de l'humour.

Cette éducation sévère, elle la doit à son milieu familial qui, sur le chapitre des principes, se montre d'un rigorisme aussi étroit que les plus austères familles catholiques. Si cette société juive est alors libérale par intérêt en politique, car elle n'oublie pas qu'elle a été, qu'elle est encore en maints pays, une minorité opprimée, elle est conservatrice dans ses mœurs, particulièrement à l'égard de ses filles, toujours soumises à la loi hébraïque en vertu de laquelle la femme doit obéir en tout à l'homme, hors de qui elle n'existe pas, ou peu. Encore dissimulés sous les grâces de la jeunesse, l'esprit d'économie et la pudeur, ces deux vertus timides, ne cesseront de croître chez Mme Proust, allant de pair avec un amour maternel, contrepartie de ses désillusions conjugales, et en feront avec le temps une femme très différente de celle qu'épouse le 3 septembre 1870 le docteur Adrien Proust.

1. 2 600 000 francs 1990.

Au mariage, hâtivement célébré dans une atmosphère de déroute, car la nouvelle de la capitulation de l'Empereur vient d'arriver à Paris, assistent seulement les témoins des époux : l'agent de change Cabanellas, son père Georges Cabanellas, chevalier de la Légion d'honneur, Georges Weil, jeune avocat et frère de l'épousée, et enfin le grand homme du clan Weil-Berncastel, le député Crémieux qui, le lendemain, sera ministre du gouvernement provisoire. La famille Proust n'est pas venue d'Illiers, soit par crainte de tomber aux mains des Prussiens, soit parce qu'il n'y a pas de cérémonie religieuse, mais seulement un mariage civil. Cela ne peut que choquer ces petits-bourgeois de province qui, même sans piété véritable, attachent une grande importance aux formes extérieures de la religion et pour qui un mariage à la mairie, sans passer par l'église, est dépourvu de toute valeur. Une cérémonie religieuse était impossible car Jeanne Weil, sans être pratiquante, n'a pas voulu renier la foi de ses pères en se convertissant au catholicisme. Néanmoins, elle adoptera les usages du monde qui est devenu le sien, fera baptiser ses deux fils, fréquentera sans doute l'église lors de séjours à Illiers, mais, fidèle à ses origines plutôt qu'à ses convictions, se fera enterrer civilement. Elle n'aura du catholicisme que cette connaissance donnée par le goût des lettres, par sa lecture assidue des écrivains du Grand Siècle, imprégnés de jansénisme.

A vrai dire, cette réserve passera presque inaperçue dans le milieu social des Proust où l'esprit scientifique a triomphé des vieilles croyances. D'ailleurs les trois religions que se partagent les Français, la catholique, la protestante et la juive, ont un point commun qui n'est pas seulement d'adorer le même Dieu, mais de reconnaître au-dessus des autres lois le dogme sacré de la propriété, honoré dans ce temple qu'est la Bourse, cœur et cerveau de la capitale.

L'ordre rétabli par le verbe de M. Thiers et le sabre du général de Galliffet, Paris renaît de ses cendres, mais pendant quelques années encore l'atmosphère en restera lourde, assombrie par le souvenir de la Commune et la hantise de son réveil. La grande peur des bien-pensants mettra longtemps à s'apaiser. Il faudra la reprise des affaires, la hausse de la Bourse et l'avènement du maréchal de Mac-Mahon pour rassurer les esprits à qui les ruines de la Cour des comptes ou celles des Tuileries rappelleront de manière sinistre la fragilité des fortunes et la vanité des grandeurs de ce monde.

Le 24 mai 1873, naît aux Proust un second fils, Robert,

destiné à tenir peu de place dans la vie de son frère, et aucune dans son œuvre. Le docteur Proust quitte alors l'appartement de la rue Roy, trop modeste pour un grand médecin, et s'installe au premier étage d'un bel immeuble, 9, boulevard Malesherbes, dans le bâtiment du fond de la cour dont les fenêtres donnent sur la rue de Surène. Dès que l'on sort, on aperçoit, à droite, la Madeleine, cette église travestie en temple romain, à gauche, Saint-Augustin, cette étrange basilique qui semble venue tout droit de l'Exposition de 1867 où elle aurait figuré comme pavillon de Byzance. Cet immeuble tout neuf est la synthèse de tous les raffinements dus au progrès de la technique : eau courante, qui permet le luxe d'une salle de bains, éclairage au gaz, chauffage central et même ascenseur. Assez vaste, puisqu'il comporte sept pièces, l'appartement révèle dans son ameublement le goût nouveau d'une bourgeoisie influencée par le victorianisme : lourdes tentures, doubles rideaux de velours sombre, fauteuils capitonnés, tapis épais, innombrables napperons, châle des Indes drapé sur le piano, pendules massives et chandeliers qui semblent dérobés à une cathédrale. Rien n'est assez pesant, assez lourd, assez épais, comme si toutes ces honnêtes gens qui avaient tremblé pour leurs biens pendant l'*année terrible* cherchaient à se protéger, saisis d'un besoin d'entasser peut-être contracté durant le siège de Paris, mais qui trahit également un besoin atavique et longtemps frustré de possession. Et, comme si meubles et rideaux ne suffisaient pas, on ajoute des plantes : jardinières et palmiers en pots se multiplient dans ces appartements encombrés, surchauffés, mi-jungles, mi-garde-meubles, dont les habitants, aussi richement nourris qu'ils sont meublés, s'endorment après les repas dans la béatitude des vins capiteux et la bonne conscience de capitaux bien placés, en attendant l'attaque d'apoplexie qui libérera leurs enfants de leur tutelle.

Dans cette atmosphère de serre chaude, où l'on se protège jalousement des vents coulis comme des idées avancées ou de toute influence morale délétère, éclôt une bourgeoisie dont le docteur Adrien Proust est le type achevé. C'est une bourgeoisie pressée d'arriver, comme un malade de guérir, et qui pour cela force la dose de ses remèdes. Plus économe que la paysannerie pour réduire la dépense « qui ne se voit pas », elle est à l'occasion plus fastueuse que la noblesse lorsqu'il s'agit d'impressionner, plus sévère que l'Église sur le chapitre de la morale et plus attachée à l'étiquette que l'aristocratie, régentant ses domestiques d'une main de fer et ses « pauvres » avec une autorité qui allie la poigne d'un sergent-chef à la parcimonie méticuleuse d'un intendant. Cette nouvelle bourgeoisie est ombrageuse et susceptible, prenant sa revanche des barrières jadis élevées contre elle par la grande bourgeoisie ou la noblesse en veillant strictement à refermer ou hausser celles qu'elle a réussi à franchir, n'affectant de « rester à sa place », comme elle le proclame avec une fausse modestie, que pour mieux remettre à la leur ceux qui, moins riches ou moins vertueux, prétendraient à quelque familiarité avec elle.

On trouve de nombreux traits de cette bourgeoisie *arrivée*, ou près de l'être, chez les Proust, encore que la jovialité du docteur, le tact et le bon goût de sa femme en adoucissent les manifestations. Leur fils aîné en gardera toute sa vie l'empreinte, portant en soi le souci d'un certain conformisme et un instinct de révolte qui, vite étouffé par Mme Proust, éclatera dans son œuvre. Toute la complexité de son caractère viendra en partie du regret d'une enfance trop protégée, d'un besoin presque infantile de tendresse et de soins, alors qu'une autre partie de lui-même voudrait s'en affranchir.

Bien que le majestueux docteur Proust emplisse la maison de son importance et domine en sultan une épouse attentive à lui plaire, c'est celle-ci qui exerce la réalité du pouvoir, manœuvrant avec finesse un mari trop occupé pour veiller aux détails et trop glorieux pour s'y abaisser.

Pendant ses absences — et celles-ci sont fréquentes — Mme Proust détient seule l'autorité. Son fils aîné a vite compris tout ce que cette autorité comportait de faiblesse, en dépit des efforts de sa mère pour en sauvegarder le principe. Il est difficile pour celle-ci de se montrer inflexible à l'égard d'un enfant délicat, qui tient d'elle son hypersensibilité. Alors que Robert est un bébé vigoureux, qui ne donne aucun souci, Marcel reste incroyablement fragile, ressentant avec la même intensité les variations de température et celles de l'humeur d'un proche, passant de la surexcitation joyeuse à la colère ou au désespoir à la moindre contrariété, désarmant la sévérité de son père ou de sa mère par des élans de tendresse ou des réflexions qui montrent chez lui une intelligence précoce, extraordinairement attentive aux faits et gestes, et surtout aux paroles de chacun, mais possédant aussi l'art d'occuper les autres et d'empêcher l'attention de se laisser distraire de sa petite personne.

Très tôt son affectivité s'est entièrement tournée vers sa mère, avec une force plus grande encore après la naissance de son frère, un rival qu'il lui faut évincer pour rester le seul bénéficiaire de l'amour maternel. Il le fera non seulement dans sa vie, mais dans ses livres, car Jean Santeuil, héros du roman du même nom, très largement autobiographique, et le Narrateur d'*A la recherche du temps perdu* seront l'un comme l'autre fils uniques, partagés entre une mère et une grand-mère qui se ressembleront fort et occuperont le devant de la scène familiale, au détriment du père et des grands-pères, réduits à des rôles secondaires.

On a beaucoup écrit sur cet amour filial exclusif, violent et même un peu trouble à en croire certains auteurs. L'épisode symbolique en est le fameux baiser du soir que la mère du Narrateur refuse à son fils parce qu'elle a des visiteurs (et qu'il finit par obtenir), scène déjà relatée dans *Jean Santeuil* et que Proust reprendra dans *Du côté de chez Swann* en termes presque identiques, ce qui montre à la fois la vraisemblance de l'épisode et l'importance qu'il y attachait. En se penchant sur son passé, il y verra l'un des moments décisifs de son existence : la date à laquelle, en triomphant de la volonté de ses parents, il a consacré en même temps la défaite de la sienne en renonçant ainsi à dominer ses passions. Victoire chèrement achetée, qui mêle un certain remords à son triomphe et empoisonnera désormais le plaisir qu'il continuera de chercher dans la satisfaction de ses désirs. « Il me semblait, écrira-t-il dans *Du côté de chez Swann*, que ma mère venait de me faire une première concession qui devait lui être douloureuse, que c'était une première abdication de sa part devant l'idéal qu'elle avait conçu pour moi, et que pour la première fois, elle, si courageuse, s'avouait vaincue... Il me semblait que, si je venais de remporter une victoire, c'était contre elle, que j'avais réussi, comme auraient pu le faire la maladie, des chagrins, ou l'âge, à détendre sa volonté, à faire fléchir sa raison, et que cette soirée commençait une ère, resterait une triste date [1]. »

Il faut évoquer ici, ne serait-ce que pour la combattre, une légende scabreuse, accréditée par Charles Briand dans un ouvrage extrêmement partial, voire haineux, qui avait scandalisé les fervents de Proust au point que le second tome, dont la publication était alors annoncée, n'avait pas paru.

Dans ce baiser du soir arraché à sa mère, dans ce rite indispensable à son repos, Charles Briand voyait une concession faite, malgré soi, par Mme Proust pour calmer un enfant trop

1. *A la recherche du temps perdu*, Pléiade, tome I, p. 38.

nerveux, incapable de s'endormir, c'est-à-dire une caresse apaisante et impudique qu'on ne peut définir autrement qu'en rappelant que le sinistre Hébert avait accusé de la même chose Marie-Antoinette qui en avait appelé à toutes les mères et avait failli, par un brusque revirement de l'opinion, indignée, sauver sa tête. On ne sait sur quelle confidence d'un intime de Proust, sur quel témoignage assez précis pouvait se fonder Charles Briand, si ce n'est sur un bruit qui avait couru à l'époque dans l'entourage de Proust dont les mœurs prêtaient suffisamment à dire sans qu'il fût besoin d'aller rechercher dans son enfance un fait obscur, dont il n'existe aucune preuve[1].

Tout ce qu'on sait en revanche du caractère de Mme Proust, de son éducation et de son sens moral interdit une pareille hypothèse. Celle-ci n'a pu trouver quelque audience que par l'importance exagérée donnée par Proust à cette scène du baiser maternel, sur laquelle il est souvent revenu en la chargeant d'une signification qui a pu induire en erreur Charles Briand et même Henri Massis.

Une seule chose est certaine : les relations entre la mère et le fils ont un côté passionnel, souvent dramatisé, qui s'explique autant par l'extrême sensibilité de l'une que par les tendances névrotiques de l'autre.

*

Mme Proust, contrairement aux apparences, n'est pas une femme heureuse, encore qu'elle soit trop bien élevée pour le laisser paraître. Seul son fils aîné a pu deviner quelque chose d'une insatisfaction du cœur qui correspond à la sienne et le rend d'autant plus exigeant. Puisque son mari l'a déçue, ne doit-elle pas se consacrer entièrement à lui ? Il ne semble pas, à en croire certains rapports conservés dans les archives de la préfecture de police qui faisait surveiller tous les personnages de quelque notoriété, que le docteur Proust ait été le modèle des maris. Il a pour tort principal d'être rarement à son foyer et de profiter de ses absences pour avoir, sinon une liaison, du moins des passades qui satisfont à la fois ses sens d'homme sanguin, trop bien nourri, et sa vanité de praticien en vogue.

Il est en effet de ces médecins hygiénistes qui n'ont aucune hygiène, travaillant trop, parce qu'ils ne peuvent refuser des

1. C. Briand, *Le Secret de Marcel Proust*, pp. 150-153.

clients flatteurs, mangeant et buvant trop, parce qu'il faut bien s'occuper dans les nombreux banquets où leur réputation leur vaut la place d'honneur, marchant peu, parce que très occupés, ils n'ont que le temps de s'engouffrer dans leur coupé pour se rendre à une séance de société savante, à l'hôpital, à une réception officielle, à un dîner en ville. Il est très lié avec nombre de parlementaires, de ministres, de diplomates, de hauts magistrats ou d'académiciens, tous utiles à sa carrière, puisqu'il ambitionne d'entrer à l'Institut. Cela l'oblige à une vie mondaine pour laquelle sa femme n'éprouve aucun goût, préférant rester seule avec ses enfants, bien qu'il lui faille, en certaines occasions, faire acte de présence à ses côtés.

Ces soirs-là sont particulièrement douloureux pour Marcel Proust qui, après avoir reçu de sa mère, comme viatique pour la nuit, un baiser consolateur, peut encore moins trouver le sommeil en imaginant toutes les catastrophes qui pourraient survenir en quelques heures et faire de lui un orphelin. « Lorsque j'étais enfant, avouera-t-il à son ami Maurice Duplay, chaque fois que mes parents dînaient en ville, ou allaient le soir au théâtre, je me tournais et retournais dans mon lit, me figurant que le cheval de leur voiture s'était emballé, que le théâtre brûlait. Je ne m'endormais que lorsque je les avais entendus rentrer[1]. »

A l'égard de ce père majestueux et lointain, source de toute autorité car de lui dépend le sort de son entourage, Proust éprouve moins les sentiments d'un fils que ceux d'un sujet, voué à l'arbitraire de décisions dont le bien-fondé lui échappe et de châtiments disproportionnés aux fautes dont il a conscience. Dans *Du côté de chez Swann*, il le décrira, « grand, dans sa robe de nuit blanche sous le cachemire de l'Inde violet et rose qu'il nouait autour de sa tête depuis qu'il avait des névralgies, avec le geste d'Abraham dans la gravure de Benozzo Gozzoli... disant à Sarah qu'elle a à se départir d'Isaac[2] ». L'autorité de son père, effrayante si elle s'exerce sur lui, l'enchante au contraire lorsqu'elle fait sentir sa puissance au monde extérieur en obtenant pour lui et les siens des passe-droits, des places spéciales en chemin de fer ou la loge d'un ministre au théâtre.

Sous ses allures de potentat, le docteur Proust cache une grande bonté, tempérée par une certaine distraction. Comme

1. M. Duplay, *Mon ami Marcel Proust*, p. 42.
2. *Jean Santeuil*, Pléiade, p. 213.

sa femme ne se plaint jamais, il ne se doute certainement pas qu'il la fait souffrir par ses aventures. Il se doute encore moins que son fils aîné en a deviné quelque chose. De même que certaines femmes s'estiment trompées lorsque leurs maris feignent de ne pas s'apercevoir qu'elles les trompent, le docteur Proust se croit fidèle parce qu'il dissimule à sa femme ses infidélités. Dans *Jean Santeuil*, Proust rendra hommage à cette mère trop modeste, et méconnue : « Beaucoup plus intelligente que son mari, douée d'un sens artistique, d'un tact et d'une sensibilité qui faisaient à peu près défaut à son mari, Mme Santeuil était persuadée que ces dons supérieurs étaient peu de chose, puisqu'un homme de la supériorité de son mari en était dépourvu [1]. »

Vis-à-vis de son fils aîné, d'un caractère si différent du sien, le docteur Proust demeure perplexe, étonné de sa précocité d'esprit, mais inquiet de le voir détourner peu à peu règles et principes pour imposer sa volonté en abusant, croit-il, de la faiblesse maternelle. De temps en temps, il essaie de réagir, mais il s'est vite rendu compte que les mesures énergiques aggravent le mal au lieu d'y remédier. Dans un passage de *Du côté de chez Swann*, Proust montrera son père, dont l'autorité se manifeste par à-coups, résigné à laisser son fils agir à sa guise tandis que sa mère, au contraire, essaie de prendre le contre-pied. Alors que le père du Narrateur envoie celui-ci jouer dans sa chambre, un jour de pluie, sa femme proteste : « Ce n'est pas comme cela que vous le rendrez robuste et énergique, disait-elle tristement, surtout ce petit qui a tant besoin de prendre des forces et de la volonté. » Mon père haussait les épaules et il examinait le baromètre, car il aimait la météorologie, pendant que ma mère, évitant de faire du bruit, le regardait avec un respect attendri, mais pas trop fixement pour ne pas chercher à percer le mystère de ses supériorités [2]. »

A l'origine de cet abandon d'autorité, il y a cet asthme qui s'est déclaré brusquement et va conditionner tout le reste de l'existence de Proust, asthme qui sera, comme l'écrit Painter, « en même temps qu'un maître redouté un serviteur fidèle [3] ».

Il a neuf ans lorsqu'un jour, en revenant d'une promenade en famille, avec les Duplay, il se met à suffoquer si violemment que ses parents, affolés, craignent de le voir mourir sous leurs

1. *Jean Santeuil*, Pléiade, p. 213.
2. *A la recherche du temps perdu*, Pléiade, tome I, p. 11.
3. G.D. Painter, *Marcel Proust*, tome I, p. 44.

yeux. On se hâte de rentrer boulevard Malesherbes où le docteur Proust s'efforce d'arrêter cette crise. Est-ce ce soir-là, comme Proust le racontera plus tard à Céleste Albaret — sa gouvernante dans les dernières années de sa vie —, que son père, impuissant, avait appelé en consultation un de ses confrères qui lui avait fait une piqûre de morphine, sans autre effet, dira-t-il, que de redoubler la violence de la crise ? Le seul moyen de le soulager avait été de l'asseoir le plus droit possible dans son lit en le calant avec les plus gros des livres de médecine de son père [1].

Rien jusqu'alors n'avait laissé prévoir qu'il pouvait être sujet à ce genre de mal, d'origine nerveuse, et dont la première manifestation a coïncidé avec l'âge de raison de son frère. En effet, Robert, sorti des jupons des femmes, arborait sa première tenue de garçon, ce qui le mettait sur le même rang que son frère aîné. Il est possible que la perspective de voir son cadet lui ravir la place qu'il avait toujours occupée sans conteste et l'éclipser par sa santé robuste, son caractère ouvert et sa belle humeur ait provoqué chez lui un sentiment de frustration et d'angoisse dont l'asthme est devenu la manifestation. L'affolement de ses parents, les soins prodigués, les précautions prises pour empêcher le retour de ses crises lui rendront vite cette prééminence qui faisait de lui le centre de l'intérêt familial. Il dispose à présent d'une arme redoutable et découvre peu à peu la manière de s'en servir par une espèce de chantage à la pitié, revanche de la maladie sur la vie en contrariant celle des autres, obligés de se plier à ses volontés pour lui éviter tout sujet de contrariété. La maladie sera pour lui un moyen de tenir en échec les forts en leur donnant mauvaise conscience à son égard, comme si leur bonne santé pouvait être responsable de la sienne, et, à l'abri derrière un véritable mur des lamentations, d'imposer ses horaires, son régime, ses caprices ou ses phobies, pliant famille et amis à un cérémonial compliqué qui fera de lui un prince de la souffrance, au-dessus de toutes les conditions sociales.

En attendant de vivre comme la Tante Léonie de son roman, faiblesse physique et fragilité psychologique se combinent en lui pour en faire un être à part chez qui tout revêt un caractère excessif, les qualités comme les défauts. Rien de plus exalté que ses joies, ni de plus profond que ses désespoirs. Comme ces gens dépourvus d'une des couches de l'épiderme et qui

1. C. Albaret, *Monsieur Proust*, p. 73.

ressentent plus vivement que d'autres les sensations de chaud et de froid, il lui manque une de ces barrières protectrices qui régularisent les impressions ou en adoucissent les effets. Lumière et bruit, images ou paroles, couleurs ou sons, il perçoit tout avec une singulière acuité comme si le pouvoir des sens, dont il aurait été privé en naissant, lui était brusquement rendu. Tout arrive à son cerveau sans préparation et sans accoutumance préalable, ainsi qu'une découverte ou une illumination. Comme l'écrira Jacques Rivière : « Dès son enfance, Proust dut être, pour les expériences du sentiment, un sujet merveilleux ; il n'offrait aucune barrière à son instabilité : partout en lui il y avait pour l'oiseau intérieur de quoi se poser. Il était capable de toutes les idées que la passion peut donner ; aucune n'était arrêtée, étouffée au passage par quelque décision de son esprit...[1]. »

Consciente de cette extraordinaire perméabilité, Mme Proust essaie de discipliner l'esprit de son fils, d'aguerrir sa volonté qui ne s'exerce que négativement, pour combattre celle de ses parents, et enfin d'endurcir cette sensibilité à fleur de peau, qui le fait vivre dans un état de perpétuelle surexcitation. Nourrie des grands classiques anciens ou modernes, elle s'efforce de le viriliser un peu en lui citant Plutarque. Pour le préparer à quelque fâcheuse nouvelle, une séance chez le dentiste, une purgation, elle fait appel à son courage en évoquant celui d'hommes illustres de l'Antiquité : « Léonidas, dans les pires circonstances, savait garder une âme impassible... » ou bien : « Régulus étonnait par sa sérénité en face des catastrophes[2]. »

Elle a en effet le goût des citations, qu'elle tient de sa mère, elle-même imprégnée de littérature au point, dira son petit-fils, « d'avoir tout le temps l'air de réciter un livre quand elle parlait[3] ». Lorsque Mme Weil vient voir sa fille, ce sont d'interminables conversations entre ces deux lettrées qui parlent de leurs chers auteurs comme s'il s'agissait de proches parents. Quand, voyant l'heure tardive, Mme Weil se décide à partir, sa fille l'accompagne et continue la discussion dans l'escalier, la poursuit sur le canapé du vestibule jusqu'au moment où Mme Weil remonte un moment avec elle jusqu'à l'appartement. Il leur faut quand même se séparer. Mme Proust accompagne

1. J. Rivière, *Quelques progrès dans l'étude du cœur humain*, p. 47.
2. M. Duplay, *Mon ami Marcel Proust*, p. 23.
3. C. Albaret, *Monsieur Proust*, p. 271.

une nouvelle fois sa mère et une autre demi-heure se passe encore avant les adieux définitifs.

Dans cet engouement pour la littérature et les citations, il y a chez Mme Proust un peu de bovarysme intellectuel, propre à une certaine bourgeoisie qui, ayant côtoyé pendant ses études un milieu social différent, très souvent supérieur, ensuite perdu de vue, se console de n'y avoir pas eu accès en vivant, par l'intermédiaire de Mme de Sévigné, de Racine ou de Saint-Simon, dans l'intimité des grands d'un autre siècle en comparaison desquels les gens du monde, même lorsqu'ils portent les noms de personnages de Saint-Simon ou de Chateaubriand, semblent moins intéressants que leurs célèbres aïeux.

Par ses lectures, Mme Proust est toute désignée pour orienter celles de son fils qui, dès l'enfance, a trouvé dans les livres un champ sans limite à son imagination. Très cultivée, connaissant les littératures allemande et anglaise presque aussi bien que la française, elle est son initiatrice en un domaine où, à l'époque, peu d'enfants s'aventurent, car, à l'exception de Dickens, les auteurs étrangers ont alors peu de lecteurs en France. Mme Proust lui fait découvrir Dickens, George Sand, Théophile Gautier, George Eliot, mais lorsqu'il entrera au lycée, il choisira lui-même ses lectures ou plutôt se jettera sur tous les livres à sa portée, depuis ceux des cabinets de lecture auxquels l'abonnera sa grand-mère jusqu'aux romans à la mode prêtés par ses camarades. Il est à cet âge où l'esprit, comme une éponge, absorbe tout, le meilleur et le pire. A cet égard, la jeunesse est la providence des mauvais auteurs dont les livres, voués à l'oubli, restent imprimés dans la mémoire de ceux qui ont, grâce à eux, découvert, avec le plaisir de lire, les premières ivresses littéraires, même s'il s'agit d'un vin médiocre. La culture et le goût de Mme Proust, ceux de sa mère l'empêcheront de céder à la facilité tandis que leur choix lui donnera une base solide dont il se servira dans son œuvre. Dans chaque auteur nouveau qu'il découvre ainsi, son intelligence, aussi prompte que vive est sa sensibilité, lui fait trouver ce qu'il y a d'original dans le livre, ce qu'il appellera reconnaître « sous les paroles l'air de la chanson », au point, avouera-t-il, que tout en lisant, il lui arrivait, sans même s'en rendre compte, de chantonner cet air[1]. Dans une note qu'il voulait ajouter à son essai, *Le Balzac de M. de Guermantes*, il évoquera nostalgiquement le plaisir de découvrir un écrivain jusqu'alors inconnu

---

1. *Contre Sainte-Beuve*, Pléiade, p. 303.

de lui : « L'édition où j'ai lu un livre pour la première fois, l'édition où il m'a donné une impression originale, voilà les seules *premières* éditions, les *éditions originales* dont je suis amateur. Encore est-ce assez pour moi de me souvenir de ces volumes-là. Leurs vieilles pages sont si poreuses au souvenir que j'aurais peur qu'ils absorbent aussi les impressions d'aujourd'hui et que je n'y retrouve plus mes impressions d'autrefois. Je veux, chaque fois que j'y penserai, qu'ils s'ouvrent sur la page où je les fermais près de la lampe ou sur le fauteuil d'osier du jardin, quand papa me disait : *Tiens-toi droit* [1]. »

La griserie que lui donne la lecture, le théâtre ou la musique la lui apportent aussi, plus forte encore, car accrue de la fièvre du public et de l'émulation dans les applaudissements. *Germinie Lacerteux*, d'Edmond de Goncourt, *l'Arlésienne*, d'Alphonse Daudet, lui tirent des larmes et il sort de la salle si bouleversé que des spectateurs compatissants se demandent si l'on n'a pas battu cet enfant qui se frotte les yeux en reniflant. Il éprouve les mêmes transports aux Concerts Lamoureux, mais il reconnaîtra plus tard que son enthousiasme était surtout produit par le délire qui s'emparait de ses camarades après l'exécution de romances insipides dont les auteurs étaient à la mode.

Avec le bon sens des enfants, il ne cache pas sa déception en voyant jouer Sarah Bernhardt, à peine audible tant elle déclame vite, passant « au rabot d'une mélopée uniforme toute une tirade », ignorant dans sa candeur que la réputation de l'actrice est due surtout au fait qu'elle est bien meilleure comédienne à la ville qu'à la scène et que son triomphe est sa vie, luxueuse et folle, pleine de drames risibles et de personnages bizarres, qui fait d'elle le sujet favori des journalistes, certains avec elle d'écrire un article pittoresque.

Pour donner à cette éducation trop sentimentale une base solide, Mme Proust a inscrit son fils dans une de ces institutions privées où, grâce à une prudente sélection, on évite aux enfants de la bonne bourgeoisie les promiscuités vulgaires qui pourraient leur apprendre de vilains mots et leur donner des poux. Il s'agit du cours Pape-Carpentier, où il se trouve avec quelques-uns de ses futurs condisciples de Condorcet, Jacques Bizet, le fils du compositeur, Daniel Halévy, Robert Dreyfus, Henri de Rothschild. Mme Proust lui fait également suivre un cours de catéchisme où elle l'accompagne, assistant aux leçons. Un jour que le prêtre chargé de l'instruction religieuse insiste un peu

---

1. *Contre Sainte-Beuve*, Pléiade, p. 295.

trop sur les exigences de la foi, et sans doute sur les châtiments qui attendent le pécheur, elle tempère son zèle, propre à effrayer l'âme impressionnable de son fils : « Je crois que cela va comme ça , monsieur l'abbé, cela suffit. N'oubliez pas qu'il ne s'agit que d'un enfant [1]. »

Seule concession à la religion de ses pères, elle emmène ses fils chaque année au cimetière pour déposer un caillou sur le caveau de famille des Weil, suivant les prescriptions de la religion hébraïque. En dehors de ce rite, dont la signification leur échappe, les deux enfants sont élevés dans la tradition catholique, mais sans ferveur, la religion faisant partie d'une éducation qui doit faire de chacun d'eux un honnête homme et assurer leur position dans le monde. C'est pourtant l'influence de leur famille maternelle qui prévaut chez eux, ne serait-ce que par le simple fait que les Weil habitent Paris, alors que ce qui reste des Proust ne quitte pas Illiers.

*

Nathé Weil, leur grand-père maternel, est comme on l'a vu un homme effacé, discret, dont l'avarice est légendaire. Peu hospitalier, il n'aime guère recevoir et, lorsqu'il le fait, il a soin de faire servir les plats les moins chers, les vins les plus médiocres, tout en réservant pour son usage personnel un cru de qualité, bien chambré. Antithèse du Juif errant, il est essentiellement casanier, n'étant sorti de Paris qu'une seule fois, en 1870, pour mettre sa femme à l'abri pendant le siège. Depuis lors, il a refusé de franchir les barrières de la capitale, incapable de comprendre le plaisir qu'on peut éprouver à vivre hors de son cadre familier. Il ne se déplace que pour aller voir son frère à Auteuil, sans doute parce que chez celui-ci la chère est meilleure que chez lui. Le soir, lorsqu'il en part, il jette un regard apitoyé aux trains qui passent sur le viaduc d'Auteuil, emmenant des « insensés chercheurs d'inconnu au-delà du Point du Jour ou de Boulogne » et, tout en se rencognant dans le fond de son coupé, il murmure : « Et dire qu'il y a des gens qui aiment voyager... »

Faute de pouvoir l'arracher à ses chères habitudes, sa femme, qui le domine incontestablement sur le plan intellectuel, l'abandonne pendant l'été pour aller passer un mois ou deux au bord de la mer avec ses petits-enfants, espérant que le

1. C. Albaret, *Monsieur Proust*, p. 198.

climat salubre de la Manche fortifera l'aîné, qui est son favori. Elle a en lui un auditeur attentif et curieux dont la précocité d'esprit fait aussi un interlocuteur avec lequel il est plaisant de bavarder en arpentant la plage de Trouville ou celle de Cabourg. Proust se souviendra toujours de leurs longues promenades lorsqu'ils allaient tous deux, « fondus dans le vent », discutant théâtre ou récitant des vers et s'enchantant de cette intimité de corps et d'âme au milieu des bourrasques. « Plus Sévigné que Mme de Sévigné », au dire de son petit-fils, elle a toujours avec elle un volume des lettres de la marquise et le feuillette avec bonheur, certaine d'y trouver un passage qui la plongera dans le ravissement. A l'encontre de son mari, c'est une nature généreuse, en lutte perpétuelle avec celui-ci dont la parcimonie l'agace alors qu'elle est toujours prête à donner ce qu'elle possède et à faire partager ses enthousiasmes pour ses auteurs de prédilection. Élevée dans le salon de sa tante, Mme Crémieux, elle joint à une solide culture littéraire une connaissance personnelle des auteurs qu'elle a rencontrés chez sa tante ou dans d'autres salons du temps, ce qui lui permet de donner à son petit-fils maints détails sur ces grands hommes, mais sans tomber dans le travers de Mme de Villeparisis qui dans *A la recherche du temps perdu* jugera l'œuvre des auteurs qu'elle voyait chez son père en fonction de l'estime qu'inspirait leur caractère. A l'égard de l'aîné de ses petits-fils, elle joue un peu ce rôle d'initiateur que peuvent avoir auprès de leurs élèves certains précepteurs sensibles et intelligents, supérieurs à leur métier. « Elle jugeait les lectures futiles aussi malsaines que les bonbons et les pâtisseries, dira le Narrateur de sa grand-mère, elle ne pensait pas que les grands souffles du génie eussent sur l'esprit, même d'un enfant, une influence plus dangereuse et moins vivifiante que sur son corps le grand air et le vent du large [1]. » Dans ce perpétuel souci d'éducation, qui est une des caractéristiques de l'esprit du siècle, elle s'efforce aussi de ne jamais rien donner « dont on ne pût tirer un profit intellectuel », portant de préférence son choix sur des choses anciennes qui non seulement ont prouvé leur valeur en résistant aux variations des modes et au temps, mais ont conservé un peu de l'âme de ceux qui les ont possédées.

Très différent de son frère aîné, Louis Weil est un veuf rapidement consolé qui s'est organisé une agréable vie de

1. *A la recherche du temps perdu*, Pléiade, tome I, p. 39.

célibataire, avec toutes les aises que lui procurent la fortune de sa femme et la sienne. En dépit de son immoralité dont les siens parlent à mots couverts, il est le chef moral de la famille car une vie galante a toujours du prestige, exerçant même une espèce de séduction sur les femmes les plus vertueuses qui ont en général une secrète indulgence pour les mauvais sujets. Louis Weil jouit non seulement du prestige de son inconduite, mais de celui de son opulence dont il fait un usage éclectique, partageant équitablement ses libéralités entre ses maîtresses et sa famille. Il a réalisé le rêve du sage, celui de la campagne à Paris, en achetant à Auteuil, encore agreste et verdoyant, avec d'anciennes folies de financiers et quelques fermes, une maison assez grande, au milieu d'un parc d'environ un hectare et demi. La demeure, sans caractère, est une sorte de vaste hôtel particulier à deux étages avec un troisième mansardé. Louis Weil l'a augmentée d'une aile, construite sans doute pour y loger ses invités de manière à ce qu'ils se sentent chez eux, c'est-à-dire qu'ils ne le dérangent pas.

D'après les souvenirs de Proust, l'ameublement de cette maison est aussi banal que son style et se compose de ces ensembles d'acajou que l'on trouve indifféremment chez les notaires, les industriels, les évêques et les magistrats, bref, chez les notables d'une époque où la sévérité du mobilier atteste la rectitude des mœurs ou l'orthodoxie des opinions politiques. Une chose est certaine, la demeure est d'un grand confort, sa table abondante et raffinée, le service efficace et discret, malgré l'absence d'une maîtresse de maison, sinon d'une femme, car l'oncle Weil a des liaisons qui, pour discrètes qu'elles sont, ne passent pas inaperçues. C'est le seul inconvénient de cette hospitalité que le risque de se trouver parfois en présence d'une visiteuse dont l'âge, la toilette et le parfum peuvent difficilement faire croire qu'il s'agit d'une dame d'œuvres venue solliciter la charité d' Oncle Louis. Mme Proust réprouve ce libertinage de vieillard encore trop vert, mais elle se tait tandis que son mari, ne serait-ce que par solidarité masculine, en sourit et, lorsque chez lui le hasard de la conversation amène le nom de telle demi-mondaine ou de telle actrice en vogue, il lui arrive de dire à sa femme, d'un ton complice : « Une amie de ton oncle... »

Dans cette maison d'Auteuil où tous deux sont nés, Marcel et Robert Proust font chaque année de fréquents séjours et y passent même une partie de l'été, ravis d'avoir presque tous les plaisirs des champs sans être pour autant privés de ceux de

Paris d'où leur père, le soir, vient les retrouver et où la voiture de leur oncle peut les conduire s'ils doivent y faire quelque course. Alors que c'est Illiers qui, sous le nom de Combray, servira de cadre à la plupart des souvenirs champêtres du Narrateur, c'est le parc et la maison de son grand-oncle Weil que Proust évoquera dans sa préface à *Propos de peintre*, un livre de Jacques-Émile Blanche, lui-même élevé à Auteuil. Homme mûr, chroniquement malade et revenu de bien des illusions, il se rappellera non sans nostalgie sa chambre d'Auteuil « où l'air onctueux d'une chaude matinée avait achevé de vernir et d'isoler, dans le clair-obscur nacré par la reflet et le glacis des grands rideaux de satin bleu Empire, les simples odeurs de savon et de l'armoire à glace ». De cette maison familiale [1] où se sont produits certains épisodes qu'il situera plus tard à Combray, il ressuscitera également la salle à manger : avec « son atmosphère transparente et congelée comme une immatérielle agate que veinait l'odeur des cerises déjà entassées dans les compotiers et où les couteaux, mis à la mode la plus vulgairement bourgeoise, mais qui m'enchantait, étaient appuyés à de petits prismes de cristal. Les irisations de ceux-ci n'ajoutaient pas seulement quelque mysticité à l'odeur de gruyère et des abricots. Dans la pénombre de la salle à manger, l'arc-en-ciel de ces porte-couteaux projetait sur les murs des ocellures qui me semblaient aussi merveilleuses que les vitraux... de la cathédrale de Reims [2] ».

En plus des enfants de sa nièce Jeanne Proust, Louis Weil accueille d'autres neveux et nièces, notamment les filles de son frère Moïse, l'architecte de la ville de Beauvais, poste honorifique, mais peu rémunérateur, car cette famille ne semble pas nager dans l'opulence. Hélène Weil, en particulier, mariée à Casimir Bessière, élève à grand-peine ses enfants et lorsqu'elle deviendra veuve, en 1892, il lui constitue une rente viagère. Hélène Bessière a deux fils et une fille, Amélie. C'est avec cette dernière que Proust adolescent ébauche une idylle dont on ne sait que ce qu'il voudra bien confier à Céleste Albaret. Il aurait annoncé vouloir l'épouser plus tard et Mme Proust aurait combattu cette passion juvénile, bien que les Bessière fussent une famille honorable lointainement apparentée au maréchal de l'Empire, créé duc d'Istrie, mais il lui était difficile

1. Aujourd'hui démolie et dont l'entrée se situe au niveau du 96, rue La Fontaine. Son parc s'étendait jusqu'à la rue du Docteur-Blanche.
2. *Essais et articles*, dans *Contre Sainte-Beuve*, Pléiade, p. 573.

d'approuver un projet à tous égards prématuré. Amélie Bessière, mariée dans la suite à M. Roger Bréhant, ne parlera jamais de cet amour de jeunesse qui a dû naître et s'amplifier dans l'imagination de Proust, habile à recréer son passé pour l'édification de Céleste Albaret.

*

Chaque année, au début des vacances de Pâques, les Proust quittent Paris pour accomplir à Illiers un pieux pèlerinage familial. Si Marcel a déjà pour le hall de la gare et les locomotives, ces bêtes humaines de Zola, le coup d'œil artiste d'un Monet, les quatre voyageurs semblent, eux, vus par Christophe, le génial auteur de *La Famille Fenouillard*. Ces bourgeois cossus, hermétiquement empaquetés dans leurs vêtements de voyage, émergent d'un amoncellement de bagages dont les plus gros suivent dans le fourgon tandis que les autres, brandis par les porteurs, qu'on ne quitte pas des yeux, vont s'entasser dans leur compartiment. On s'y installe comme dans le Transsibérien avec des plaids, des chaufferettes si la saison est encore froide, et des provisions de bouche alors que dans quelque quatre-vingts minutes on aura déjà gagné Chartres et admiré une fois de plus au passage sa cathédrale dont les deux flèches s'élancent vers le ciel comme les bras d'un Christ janséniste.

A l'excitation du départ se mêle l'appréhension de quelque catastrophe ferroviaire qui fournirait au *Petit Journal*, délice des concierges, une tragique illustration de première page. Pendant le trajet, la monotonie du paysage est rompue par l'apparition du contrôleur devant lequel les occupants du coupé, parce qu'ils sont en civil et lui en uniforme, éprouvent un vague sentiment d'infériorité qui se change en satisfaction lorsque l'homme, après avoir vu le laisser-passer officiel du docteur Proust, salue respectueusement.

Environ un quart d'heure après avoir changé de train à Chartres, on voit poindre à l'horizon l'église d'Illiers « tenant serrés autour de sa haute mante sombre, en plein champ, contre le vent, comme une pastoure ses brebis, les dos laineux et gris des maisons rassemblées qu'un reste de remparts du Moyen Age cernait d'un trait aussi parfaitement circulaire qu'une petite ville dans un tableau primitif[1] ». La voiture qui

1. *A la recherche du temps perdu*, Pléiade, tome I, p. 47.

attend à la station remonte l'avenue de la Gare, plantée de tilleuls, tourne dans la rue de Chartres et prend celle du Saint-Esprit où se trouve la maison de Mme Amiot, la sœur du docteur Proust. C'est chez elle qu'on descend, car, depuis que leur mère a cédé son épicerie, celle-ci vit au 6 de la place du Marché, au-dessus d'une autre boutique, embusquée derrière sa fenêtre, et guettant les allées et venues de ses concitoyens pour en tirer des conclusions sur leur vie privée, dénuée de toute vie.

Illiers est en effet une île de médiocrité au milieu d'un océan d'ennui dont la contemplation ne peut guère exalter l'âme, sinon celle des grands propriétaires fonciers supputant les bénéfices de leurs récoltes. Il faudra Péguy, que Proust tiendra d'ailleurs en piètre estime, pour célébrer cette plaine démesurée, bercée par la houle des blés.

A l'encontre de la vieille Mme Proust, les Amiot sont tout à fait à leur aise et vivent presque noblement. Jules Amiot est marchand drapier, mais avant de tenir un grand magasin, au 14 de cette même place du Marché, il a eu l'aventure de sa vie : un assez long séjour en Algérie dont il a rapporté, comme trophées, des nattes, un service à café turc, des photographies de mosquées. Avec ces souvenirs de sa jeunesse, rafraîchis par quelques palmiers en pot, il s'est arrangé un petit cabinet dans le goût oriental, aussi triste, avec la faible clarté des verres multicolores de la fenêtre, qu'un flacon de parfum vide. Élisabeth Proust, qu'il avait épousée en 1847, lui a donné trois enfants, puis, son devoir accompli, elle s'est couchée, fermement résolue à ne plus sortir de sa chambre transformée en une sorte de chapelle où, divinité souffreteuse et alanguie, elle reçoit en gémissant les visites de quelques fidèles à qui elle ne cesse d'annoncer sa mort prochaine[1], tout en s'effrayant du moindre symtôme troublant le cours de cette agonie permanente dont elle a fait sa raison de vivre. Observateur perspicace et amusé de cette comédie, son neveu en fera le modèle de la Tante Léonie de son roman et résumera d'une phrase les contradictions de cette femme névrosée : « En somme, ma tante exigeait à la fois qu'on l'approuvât dans son régime, qu'on la plaignît pour ses souffrances et qu'on la rassurât sur son avenir[2]. » Comme sa mère, Virginie Proust, elle passe une

1. Elle mourra en 1886, trois ans avant sa mère, et son mari lui survivra jusqu'en 1912, quasi centenaire.

2. *A la recherche du temps perdu*, Pléiade, tome I, p. 69.

grande partie de sa journée à espionner les allées et venues des habitants d'Illiers, prenant presque pour un affront personnel l'apparition d'une personne qu'elle ne connaît pas. Pour ses visiteurs, elle joue le rôle d'un régulateur des informations, n'hésitant pas, en cas de doute, à envoyer sa servante enquêter auprès du boulanger ou de l'épicière.

Cette servante, qui entrera pour une grande partie dans la création du personnage de Françoise, c'est Ernestine Gallou, vieille paysanne an visage usé, raviné par les intempéries, cuit par l'ardeur du fourneau, gercé par le froid, mais éclairé par des yeux gris, insistants et rusés, dont on peut penser qu'ils ont été beaux dans une jeunesse oubliée de tous, et même de l'intéressée, car celle-ci est toute au moment présent, avide d'une confidence à colporter, d'un pourboire à recueillir ou d'une nouvelle recette à essayer. Souple et suave avec les maîtres, elle est altière et sèche avec les domestiques placés sous ses ordres et qu'elle régente aussi brusquement qu'un capitaine de galère ses rameurs, allant jusqu'à montrer dans son autorité un certain sadisme dont Proust se souviendra pour le caractère de la vieille Françoise.

Comme Mme Amiot ne bouge plus de sa chambre, sauf lorsqu'on aère un peu celle-ci pour en chasser la fade odeur de sacristie, c'est Ernestine qui a la haute main sur la maison, veillant à la qualité des repas et à leur abondance, persuadée comme la plupart des gens de la campagne que ceux des villes ne mangent pas à leur faim.

La maison des Amiot est une de ces demeures bourgeoises à la façade rectiligne et froide derrière laquelle l'existence de leurs habitants s'égrène aussi mécaniquement que les heures au cadran de ces pendules Empire qui sont, sur les cheminées, comme de petits temples grecs voués à l'Ennui. Ce sont des existences mornes et plates dont le vide est laborieusement comblé par des activités inutiles, du parfilage à la tapisserie. Avec leurs vases naïfs remplis de fleur séchées, leurs images pieuses ou patriotiques encadrées d'ébène, les chambres ont cet aspect solennel de certaines sacristies ou de parloirs de couvent, tout imprégnées de cette dévotion bourgeoise qui est le seul remède au néant provincial, à la disparition de la beauté pour les femmes, à l'indifférence de leurs époux, au départ des enfants et à la fuite du temps. Rares sont les femmes qui lisent ou cultivent un art d'agrément. La plupart se satisfont de rosaires toujours recommencés ou se complaisent dans ces prières dont la récitation plaintive trahit plus les nostalgies d'une âme déçue qu'un mystique élan vers Dieu.

Plus tristes encore sont les chambres d'amis dans lesquelles on se débarrasse des objets trop laids pour mettre dans la sienne, mais qu'un esprit d'économie quasi religieux empêche de jeter. En dépit de leur mélancolie, ces chambres ont un charme auquel Proust sera sensible lorsqu'il les décrira comme « heureuses d'une paix qui n'apporte qu'un surcroît d'anxiété et d'un prosaïsme qui ne sert de grand réservoir de poésie qu'à celui qui la traverse sans y avoir vécu [1] ».

Aux yeux neufs de l'enfance, et plus encore à ceux de l'homme qui se souvient, tout paraît beau ; aussi Proust évoquera-t-il avec regret, dans sa préface à *Sésame et les lys*, sa chambre chez l'Oncle Amiot, le plateau sur la table de nuit avec le sucrier, le verre et la carafe, vide pour qu'il « ne la répandît pas », la cloche de verre emprisonnant la pendule, comme pour empêcher le temps de s'échapper, le portrait du prince Eugène de Beauharnais, souvenir de la dynastie déchue, et « ces petites étoles ajourées au crochet qui jetaient sur le dos des fauteuils un manteau de roses blanches qui ne devaient pas être sans épine puisque, chaque fois que j'avais fini de lire et que je voulais me lever, je m'apercevais que j'y étais resté accroché [2] ». Non sans raison, il reconnaîtra que cette chambre, tout en longueur, n'était pas belle, car « elle était pleine de ces choses qui ne pouvaient servir à rien et qui dissimulaient pudiquement, jusqu'à en rendre l'usage extrêmement difficile, celles qui servaient à quelque chose. Mais c'était justement de ces choses qui n'étaient pas là pour ma commodité, mais semblaient y être venues pour mon plaisir, que ma chambre tirait pour moi sa beauté [3] ».

Elle est surtout pour lui l'endroit où seul, loin des adultes qui le rappellent sans cesse à l'ordre, il peut s'abandonner à toutes les fantaisies d'une imagination excitée par ses lectures ou simplement par le jeu du soleil sur les murs et les objets. Ainsi, lorsque au retour d'une promenade ses parents l'envoient se reposer avant le dîner, il s'amuse des effets fantasmagoriques d'une simple lampe coiffée d'une lanterne magique « substituant à l'opacité des murs d'impalpables irisations, de surnaturelles apparitions multicolores, où des légendes étaient dépeintes

1. *A la recherche du temps perdu*, Pléiade, tome I, p. 49.
2. *Pastiches et Mélanges*, dans *Contre Sainte-Beuve*, Pléiade, p. 164.
3. *Ibidem*, p. 154.

comme dans un vitrail vacillant et momentané[1] ». Alors qu'il se promène, immobile, dans ce palais des mirages qui semble tourner autour de lui, retentit la cloche du dîner qui le fait revenir à la réalité et il se hâte de descendre à la salle à manger « où la grosse lampe de la suspension, ignorante de *Golo* et de *Barbe-Bleue* », achève de dissiper ses songes. Frissonnant encore des dangers imaginaires qu'il a courus, il se précipite dans les bras de sa mère « que les malheurs de Geneviève de Brabant [lui] rendaient plus chère, tandis que les crimes de Golo [lui] faisaient examiner [sa] propre conscience avec plus de scrupules[2] ».

Derrière la maison et s'étendant jusqu'à la rue Saint-Hilaire, se trouve un jardin où, l'été, la famille se tient après le dîner, mais si la sonnette qui, dans le roman, annonce la visite de Swann, existe bien, le personnage dont il fera le commensal de son grand-père, le visiteur discret qui vient seul car il n'ose présenter sa femme, ce Swann appartient au seul Combray d'*A la recherche du temps perdu* et n'a pas le moindre rapport avec Illiers. A la place de l'élégant agent de change, ami du prince de Galles, ce sont de bonnes âmes du pays qui viennent à tour de rôle prendre des nouvelles de Mme Amiot, de vieilles dévotes à la solde de celle-ci, bruissantes des commérages qu'elles ont recueillis à la sortie de la messe, ou bien Mme Goupil, fille d'un notable local, et enfin, assez régulièrement, l'abbé Marquis, curé de la paroisse, auprès de qui les jeunes Proust glanent quelques rudiments de latin.

Hors les murs, c'est-à-dire ce qui subsiste des remparts médiévaux, Jules Amiot possède un jardin bien plus vaste, une manière de parc à l'anglaise, qu'il a baptisé le Pré-Catelan. On y trouve tout ce qui fait la gloire et la dignité d'un jardin public ; une pièce d'eau artificielle, des allées de gravier, des palmiers nains et des parterres de géraniums. Le plus étrange, et le plus beau pour les gens du pays, est un kiosque, un de ces kiosques charmants sur les rives du Bosphore, mais incongrus dans la campagne française où ils ne sont que les tombeaux, ridicules et touchants, de rêves inassouvis, trahissant chez leurs constructeurs la nostalgie de pays lointains découverts dans les livraisons du *Magazine pittoresque* ou du *Monde illustré*. Une grotte, également artificielle, forme la base de ce pavillon qui comporte un salon circulaire meublé d'un divan rose sur

1. *A la recherche du temps perdu*, Pléiade, tome I, p. 8.
2. *Ibidem*, p. 10.

lequel le fils aîné du docteur Proust accoutume son âme au délicieux poison de la littérature.

*

C'est dans le jardin d'Auteuil et celui d'Illiers qu'incontestablement est née la vocation d'écrivain de Proust, une vocation incertaine encore et limitée au seul désir de trouver les mots pour exprimer ce qu'il ressent, difficulté d'autant plus grande pour lui qu'il ressent tout plus vivement que la plupart des garçons de son âge. Des sentiments divers se combattent en lui, que seule l'écriture pourra libérer, ne serait-ce que cette frustration qu'il éprouve en se voyant différent des autres, écarté par sa faiblesse physique de jeux auxquels il aimerait se mêler, moins d'ailleurs pour l'exercice ou le divertissement qu'il y prendrait que pour le plaisir d'être un de ces joueurs qu'il envie. C'est cette nostalgie qu'il éprouve en voyant, sur le cours de la Vivonne, « un rameur qui, ayant lâché l'aviron, s'était couché à plat sur le dos, la tête en bas, au fond de sa barque, et la laissant flotter à la dérive, ne pouvant voir que le ciel qui filait lentement au-dessus de lui, portait sur son visage l'avant-goût du bonheur et de la paix[1] ».

Ses rêveries de promeneur solitaire, attentif à ce qui l'entoure, ému de ce qu'il voit, accumulent en lui un fonds prodigieux de sensations dans lequel il puisera pour recréer l'Illiers de son enfance. La tête remplie de ses lectures, qui lui donnent une certaine vision du monde, et l'œil ébloui de ce qu'il découvre en se promenant, il essaie de coordonner ses impressions pour les traduire exactement comme il les ressent et il s'aperçoit que le langage écrit, loin d'être un instrument docile, est plutôt un obstacle : « ...Cet automne-là, dans une de ces promenades, près du taillis broussailleux qui protège Montjouvain... je fus frappé pour la première fois de ce désaccord entre nos impressions et leur expression habituelle[2]. » Plus tard, il découvrira que la musique seule est capable d'exprimer des joies, des angoisses ou certaines aspirations qui échappent à toute définition littérale, mais, en attendant cette seconde illumination, il s'efforce de discipliner ses pensées pour les plier aux mots qu'il emploie avant de parvenir un jour à briser le moule des phrases pour adapter celles-ci non seulement au

1. *A la recherche du temps perdu*, Pléiade, tome I, p. 168.
2. *Ibidem*, p. 153.

rythme de sa pensée, mais à la multiplicité comme à la profondeur de ses impressions. Pour le moment, il ne peut que constater son impuissance et un jour, enthousiasmé par un double effet de lumière sur un mur et une mare d'eau, il s'écrie, rageur, en brandissant son parapluie : « Zut, zut, zut, zut », sentant, comme il l'écrira, que son devoir « eût été de ne pas [s]'en tenir à ces mots opaques et de tâcher de voir plus clair dans [son] ravissement[1] ».

Bien des fois, dans ses livres, il reviendra sur cette difficulté qui lui inspirera certaines de ses plus belles pages. Très jeune, il a compris que, si les âmes ont leur secret, les choses ont leur mystère, double énigme qu'il lui faut éclaircir. Précocement doué d'un sens tragique de l'existence, il sent que son salut est à ce prix, ou du moins son bonheur. Un épisode célèbre de cette recherche spirituelle est celui des trois clochers de Martainville, aperçus du siège de la voiture du docteur Percepied et qui l'intriguent par leurs évolutions géométriques sur la ligne d'horizon. « En constatant, en notant la forme de leur flèche, le déplacement de leurs lignes, l'ensoleillement de leur surface, je sentais que je n'allais pas au bout de mon impression, que quelque chose était derrière ce mouvement, derrière cette clarté, quelque chose qu'ils semblaient contenir et dérober à la fois[2]. »

Inlassablement, il recompose mentalement la description de ces clochers pour arriver enfin à la traduction à peu près fidèle de l'impression qu'ils lui ont faite et, hâtivement, il la note sur un papier. « Lorsque j'eus fini de l'écrire, je me trouvai si heureux, je sentais qu'elle m'avait si parfaitement débarrassé de ces clochers et de ce qu'ils cachaient derrière eux, que, comme si j'avais été moi-même une poule et si je venais de pondre un œuf, je me mis à chanter à tue-tête[3]. »

Il serait vain de vouloir rechercher dans Illiers ou ses environs tous les éléments, lieux et personnages, dont Proust s'est servi pour créer Combray, car l'alchimie de la mémoire les a si bien transmués, amalgamés, qu'il y a moins qu'on ne le croit de l'Illiers original dans le Combray mythique avec lequel la petite ville a fini par se confondre, en une double appellation. A l'Illiers de son enfance, Proust a rendu plus encore qu'il n'en a reçu et que toute autre petite ville de province lui aurait

---

1. *A la recherche du temps perdu,* Pléiade, tome I, p. 153.
2. *Ibidem*, p. 178.
3. *Ibidem*, p. 180.

sans doute fourni. Arbres et champs, maisons et jardins, tout a été transfiguré par le regard qu'il a posé sur eux, magnifiés par son génie, et ils sont désormais plus vrais d'avoir été réfléchis dans ses yeux, comme le sont les paysages de Sisley ou de Monet.

Il en est de même des personnages, la plupart d'une médiocrité désolante et qui, sans avoir réellement vécu, au sens que l'Histoire donne à ce mot, ressuscitent dans *A la recherche du temps perdu* grâce à des traits de caractère ou de mœurs qui, sans Proust, les auraient justement voués à un total oubli. Si aucun des châtelains du voisinage, avec qui d'ailleurs ni les Proust ni les Amiot n'étaient en relation, n'a pu servir de modèle aux merveilleux Guermantes, des chercheurs ont pu voir dans une certaine Juliette Joinville d'Artois l'original de Mlle Vinteuil. Cette jeune femme s'était ensevelie à Mirougrain, dans une propriété bâtie avec des dolmens provenant de la campagne environnante et qu'elle appelait son *Temple*. Elle y vivait seule, et servie par un sourd-muet. Faute de rien savoir d'elle, l'imagination populaire en avait fait un objet de scandale en l'accusant de tous les vices bien qu'on ne lui en connût aucun. En revanche, elle avait commis un volume de vers, *A travers le cœur*, qui, par la mélancolie de ses poèmes, pouvait laisser penser qu'un chagrin d'amour l'avait conduite à cette retraite sauvage.

Même si, lors d'une promenade du côté de Mirougrain, Proust a pu surprendre les ébats de Mlle Joinville d'Artois, moins solitaire qu'on ne pouvait le croire, et s'en inspirer pour la fameuse scène de Mlle Vinteuil avec son amie, il est certain qu'à l'époque il ignore presque tout des passions humaines et les devine à travers ses lectures plutôt que par expérience personnelle. Il s'en fait une idée confuse, car « à cet âge où on n'a encore subi aucune tentation, écrira-t-il dans *Jean Santeuil*, les vices qu'on croit les plus grands sont ceux qui vous sont les plus défendus et dont on a le moins d'idée [1] ». Il aurait pu ajouter que pour ceux dont jamais on ne parle, la notion que peut en avoir un enfant est encore plus vague.

La précocité des sens allant généralement de pair avec celle de l'esprit, il est vraisemblable que chez Proust l'éveil des siens s'est fait dans sa prime adolescence et qu'il a connu ses premiers plaisirs seul, enfermé dans une petite pièce d'usage intime de la maison des Amiot qui, écrira-t-il, lui servit

1. *Jean Santeuil*, Pléiade, p. 768.

longtemps de refuge parce qu'elle était la seule qu'il fût permis de fermer à clef et qu'il pouvait s'y livrer en paix « à toutes celles de ses occupations qui réclamaient une inviolable solitude : la lecture, la rêverie, les larmes et la volupté[1] ». Mais ce n'est là qu'un succédané, incapable de remplacer ce qu'il attend d'autrui. Anxieux d'être aimé, souffrant de ne jamais l'être assez, parfois de l'être trop, passionné avec de brusques mouvements de révolte ou de colère, il est un enfant difficile et attachant. Il peut agacer par sa mièvrerie, son intarissable bavardage, tel ce jour où se trouvant dans l'omnibus Auteuil-Paris avec une amie de sa mère, Mme Catusse, il l'étourdit d'un tel flot de paroles que la dame, excédée de ce caquetage, s'écrie : « Est-ce que vous allez parler tout le temps comme cela ? », ce qui lui produit l'effet d'une douche froide et le réduit au silence[2]. En général, il étonne et charme par son intelligence, par une intuition presque féminine qui lui vaut les suffrages des vieilles dames, ravies d'être traitées par lui comme si elles étaient encore belles et désirables. Au témoignage de Robert Dreyfus, « elles étaient unanimes à s'émerveiller des raffinements de sa politesse, de sa grâce et de sa douceur, des complications de sa bonté. Oui, je le revois, beau et très frileux, emmitouflé dans des lainages, se précipitant au-devant des dames vieilles ou jeunes, s'inclinant à leur approche, et trouvant toujours les paroles qui touchaient leur cœur, soit qu'il abordât les sujets d'ordinaire réservés aux grandes personnes, soit qu'il s'informât tout simplement de leur santé[3] ».

En plus d'une culture assez variée déjà pour lui permettre de parler un peu sur tout, il y a chez lui une générosité innée, accrue par une imagination qui lui permet de se mettre à la place des autres et de savoir, sinon ce que voudraient ceux-là, du moins ce que lui souhaiterait si les rôles étaient inversés. Il est encore tout enfant lorsque son père le charge un jour de payer le cocher, puis lui demande ce qu'il a laissé comme pourboire. « Cinq francs ! » répond-il, au grand mécontentement du docteur Proust qui lui fait observer que s'il prend de pareilles habitudes, il finira sur la paille[4].

Une pièce de cinq francs lui paraît le minimum de ce que

---

1. *A la recherche du temps perdu*, Pléiade, tome I, p. 12. Voir aussi p. 156.
2. Kolb, tome XV, p. 75.
3. R. Dreyfus, *Souvenirs sur Marcel Proust*, p. 22.
4. C. Albaret, *Monsieur Proust*, p. 173. Cinq francs représentent environ 90 à 100 francs 1990.

l'on peut décemment donner. Une autre fois, Mme Proust avait remis cinq francs à chacun de ses fils pour les donner, suivant l'usage, à la cuisinière de leur tante, Mme Nathan, chez laquelle ils étaient invités à goûter. Or, place de la Madeleine, Marcel Proust avait remarqué un petit cireur de chaussures, grelottant de froid en attendant le client. Attendri par cette détresse, il s'était arrêté, avait fait cirer ses chaussures déjà reluisantes, et laissé sa pièce de cinq francs au jeune garçon[1].

Ce sont là de jolis gestes d'enfant, mais en grandissant, cette générosité devient plus cérémonieuse et annonce celle qu'il montrera plus tard, c'est-à-dire disproportionnée et parfois embarrassante pour celui qui en est l'objet. Un après-midi d'été, raconte Gyp dans ses *Souvenirs*, Mme Proust, rentrant à Auteuil après avoir fait des courses à Paris, voit dans le jardin une table recouverte de jolies porcelaines et de cristaux, ainsi que les reliefs d'un somptueux goûter. Pensant que son fils avait invité des camarades de lycée, elle s'étonne un peu de ce déploiement de luxe pour de simples potaches et interroge le maître d'hôtel de son oncle qui lui raconte, fort humilié de l'avoir fait, qu'il a dû, sur l'ordre de Monsieur Marcel, servir des employés de La Belle Jardinière : « Oui, on est venu essayer le costume de Monsieur Marcel. Alors, il a invité l'essayeur à goûter et il l'a envoyé chercher ses camarades, mais il n'y a eu que le livreur qui soit venu... Le cocher n'a pas voulu lâcher sa voiture... C'est Monsieur Marcel qui a exigé les beaux services, et le champagne, et la glace, et tout ! *Ces pauvres gens, il fait si chaud* ! qu'il disait[2]. »

A cet enfant impressionnable et sensible, et déjà si mondain, il faudrait un précepteur qui lui évite l'épreuve du collège et s'attache à développer en lui les dons si précocement révélés, mais le docteur Proust n'envisage pas pour ses fils ce genre d'éducation, plutôt réservé à ceux de l'aristocratie. Ancien boursier de l'État et républicain sincère, il ne voit d'autre éducation que celle de l'enseignement public, à la fois virile, libérale et gratuite. Sans doute est-ce pour cette raison qu'à l'automne de l'année 1882, il fait entrer son fils aîné au lycée Condorcet.

1. C. Albaret, *Monsieur Proust*, p. 174.
2. Gyp, *La Joyeuse Enfance de la III^e République*, p. 208.

# 2

## Novembre 1882 - Septembre 1888

*Un lycée à mode - Silhouettes de professeurs - Saison à Salies - Après-midi aux Champs-Élysées - Séduction des Bénardaky - Retour à Condorcet - Cucheval et Gaucher - Un bel indifférent : Daniel Halévy - Une crémière de marbre - Sigisbée de Laure Hayman - Bénédiction de Paul Bourget.*

Alors que sous la grise présidence de Jules Grévy la France devient une république de professeurs, avant d'être un jour celle des instituteurs, le lycée Condorcet fait figure de république athénienne où les grâces mondaines adoucissent les austérités de l'enseignement. Entre l'église Saint-Louis-d'Antin et la gare Saint-Lazare, symboles l'une de la tradition, l'autre du progrès, Condorcet forme la future élite française que des maîtres réputés initient aux sciences et aux lettres.

D'illustres prédécesseurs ont hanté ces tristes lieux, témoignant par leur carrière de la qualité de l'enseignement reçu : Ampère, Becquerel, Taine, Sainte-Beuve, Théodore de Banville, Labiche, les frères Goncourt constituent une pléiade littéraire à laquelle s'ajoutent deux futurs présidents de la République, Sadi Carnot et Casimir-Perier, sans parler d'un obscur officier destiné à une célébrité de mauvais aloi : Ferdinand Esterhazy.

Dans les lycées parisiens comme dans ceux de province, l'espèce enseignante est à peu près la même, normaliens qui, supérieurs par le savoir et quelquefois l'esprit, mais écartelés entre leur conscience, le proviseur, l'inspecteur d'académie et les parents d'élèves sont réduits au même rôle ingrat que les vicaires de paroisse. Hormis quelques-uns qui échappent à la routine et se distinguent dans les lettres, la plupart sont voués à labourer obstinément les terres vierges que sont leurs classes sans autre récompense que celle du devoir accompli ou bien celle, assez rare, d'éveiller un esprit, de semer dans une tête inculte une idée qui germera, une pensée qui deviendra système, et surtout de laisser un exemple qui ne sera pas complètement perdu.

A l'inverse des artistes ou des écrivains qui peuvent avoir des disciples, ils n'ont que des sujets. Ceux-ci s'attachent rarement à eux et leur seule chance de survie dans la mémoire des hommes est de rencontrer un jour un adolescent qui réussira au point que ses biographes, se penchant plus tard sur ses années de formation, chercheront à ressusciter les maîtres qui ont aidé à en faire ce qu'il est devenu, mais il est rare que cette enquête exhume autre chose qu'un nom, guère plus évocateur qu'une mention dans un rapport de police ou une épitaphe dans un cimetière. A cet égard, certains de ses professeurs devront beaucoup à l'élève Proust qui les aura sauvés de l'oubli.

Au mois d'octobre 1882, lorsque Marcel Proust entre en classe de cinquième, le lycée porte encore le nom de Fontanes, en souvenir du grand maître de l'Université sous la Restauration, mais il recevra l'année suivante celui de Condorcet, nom bien fait pour rappeler aux jeunes gens qu'il est dangereux pour un écrivain de vouloir se mêler de politique. Situé entre la rue Caumartin et celle du Havre, c'est un ancien couvent de capucins dont le cloître forme la grande cour de récréation et il a conservé un aspect monastique, comme ces athées militants qui ressemblent à des prêtres en civil. A la place du jardin, supprimé en 1864, a été construit le bâtiment donnant sur la rue du Havre. Il est piquant de voir, une fois de plus, qu'un régime qui se méfie du sabre et déteste le goupillon fait élever la fleur de sa jeunesse dans des établissements religieux transformés en casernes. Condorcet n'échappe pas à la règle, mais, assure-t-on, le tambour qui en rythme la vie est moins brutal qu'ailleurs, l'autorité moins sévère, la discipline moins stricte. Un ancien élève a traduit en vers cette impression de semi-liberté qui le distingue des autres lycées parisiens :

*Si la gaieté du ciel rarement illumine*
*Tes austères préaux qui n'ont pas d'horizon,*
*Un peu du grand zéphyr qui souffle à Salamine*

*Mêle un salubre arôme à l'air de tes prisons*[1].

Cette atmosphère plus libérale est sans doute un effet de son recrutement, car beaucoup d'externes appartiennent à des familles fortunées où, si l'élément israélite ne domine pas numériquement, il exerce néanmoins une forte influence, ne serait-ce que par les positions importantes qu'occupent les pères dans le monde des affaires. Dans un livre de souvenirs sur le Paris de sa jeunesse, Daniel Halévy évoquera plus tard le brassage d'éléments hétéroclites que réalisait alors Condorcet où se côtoyaient les rejetons de milieux bien différents : « Enfants petits-bourgeois, sortis des boutiques paternelles ; enfants grands bourgeois (on est grand bourgeois à huit ans), que nous envoyait le boulevard Haussmann ; Juifs minables, ardents à conquérir les prix, que nous envoyaient le neuvième, le dixième arrondissements ; Juifs glorieux, déjà séduits par la paresse, venus du huitième, voire de ce lointain seizième dont alors commençait le prestige ; élèves bien-pensants de l'école Fénelon, pieux troupeau, amené, gardé, remmené par les prêtres, et qui passait parmi nous comme l'eau d'un fleuve sacré, traversant, toujours bleue et pure, un lac aux eaux mêlées et parfois troubles[2]. »

Retrouvant chaque soir leur famille, écoutant des conversations dont l'art, la politique ou l'argent constituent les sujets favoris, ayant déjà, pour certains, des liens avec le monde officiel ou même le gouvernement, ces externes sont moins influençables que les pensionnaires ou les boursiers de l'État et ne se laissent pas volontiers embrigader. Leur libéralisme rejoint celui de certains professeurs qui, pourvus d'une position dans le monde des lettres, connus par certains travaux littéraires ou scientifiques, sont moins besogneux et moins étroits d'esprit que leurs collègues de province ou d'autres lycées parisiens, véritables geôles du corps et de l'âme.

A Condorcet, les professeurs se montrent bien plus ouverts, moins dogmatiques et surtout plus originaux dans leur manière d'enseigner, comme si à ce quartier neuf correspondait un nouvel esprit dans l'art de former les élèves. Il s'agit moins pour eux d'emplir les cervelles de connaissances livresques que d'éveiller l'intelligence et le goût. Sans ressembler à ces collèges britanniques où les jeunes gens apprennent surtout à vivre en

---

1. A. Ferré, *Les Années de collège de Marcel Proust*, p. 62.
2. D. Halévy, *Pays parisiens*, p. 101.

société, cultivant moins leur esprit que leur corps, Condorcet, par la qualité de ses maîtres et l'éclectisme de son recrutement, est sans aucun doute le plus « parisien » des lycées de la capitale. Cette impression se retrouve dans le tableau du peintre Jean Béraud, *La Sortie du lycée Condorcet*, qui, par l'élégance des silhouettes, évoque plutôt la sortie d'une grand-messe le dimanche ou celle d'un pâtissier à la mode.

C'est donc un lieu civilisé où le nouvel arrivant, même s'il n'a pas de bons poings pour se défendre, court moins le risque d'être le souffre-douleur de ses camarades et a toujours la ressource de trouver le soir, chez lui, la consolation de ses misères d'enfant.

*

A en juger par les photographies de l'époque, Proust adolescent, fragile et emprunté dans ses costumes, a tout l'air, avec une cravate presque aussi large qu'une coiffe de nourrice alsacienne, d'une victime destinée à l'immolation ou, pire, d'une fille déguisée en garçon. Il existe même une photographie où, la tête appuyée pensivement sur sa main droite, le regard doux et perdu, il laisse flotter sur ses lèvres un sourire las de femme du monde meurtrie par la vie, tel qu'on le retrouvera un jour sur le visage d'Anna de Noailles.

On ignore ce que furent ses débuts, s'il déplut à ses camarades ou s'en fit sinon respecter, du moins ignorer, mais s'il eut à subir les brimades habituelles à tous les collèges, ses fréquentes absences lui ménagèrent au moins des périodes d'accalmie. On sait seulement qu'à l'issue de l'année scolaire 1882-1883, il reçut un deuxième prix en sciences naturelles, un quatrième accessit en thème latin et un cinquième en français. En revanche, il se distingue moins à la distribution des prix du 1er août 1884, autant, semble-t-il, par manque d'application qu'en raison de son absence pour maladie à partir du 1er mai 1884.

Cette année-là, Proust a eu pour professeur un homme remarquable et déjà fort remarqué pour son originalité, Georges Colomb, dont la gloire éclipsera celle de ses collègues passés ou futurs, sans excepter le fameux Darlu. Tout jeune encore puisqu'il n'a que vingt-six ans et qu'il vient d'échouer au concours de l'agrégation, Colomb n'a pas le titre de professeur, mais celui de « délégué pour l'enseignement des sciences physique et naturelles ». En haut lieu, on se méfie un peu de lui, de son humour, de sa fantaisie, du peu de sérieux qu'il apporte à ses cours, car il paraît avoir été le précurseur de la formule qui fera plus tard le succès de l'*Université des Annales* : « Le latin par la joie » ou « Le grec par la joie ». Lui, c'est l'histoire naturelle qu'il enseigne de manière humoristique, entremêlant réflexions piquantes et caricatures au tableau noir, voyant toujours le côté pittoresque des choses et la cocasserie des êtres comme il le fera bientôt lorsqu'il signera du pseudonyme de Christophe les burlesques aventures de la *La Famille Fenouillard*, entraînée malgré elle dans un voyage autour du monde, puis celles du *Savant Cosinus*, empêché par la fatalité de quitter Paris chaque fois qu'il veut suivre l'exemple de son cousin Fenouillard.

Ses supérieurs apprécient peu l'irrévérence et la gaieté de cet éternel étudiant, trop familier avec sa classe, et s'ils reconnaissent qu'il « sait éveiller la curiosité de ses élèves et leur donner le goût de l'observation », ils déplorent aussi, comme Gaston Bonnier, que « ses plaisanteries continuelles détournent les élèves de leurs études de botanique descriptive ». Sans que l'on sache ce que Proust a pensé de ce professeur si peu conventionnel et dont le sens du comique annonce le sien, surtout dans la description de la petite bourgeoisie de province, on peut imaginer une certaine connivence entre ce maître à qui rien n'échappe des ridicules d'une classe sociale et son élève déjà prompt à saisir les travers d'autrui, mais *A la recherche du temps perdu* trahira beaucoup plus l'influence du génial Grandville que celle de l'auteur du *Sapeur Camember*.

En quatrième, le professeur de français s'appelle M. Legoëz ; il est proche de la retraite, car il a débuté dans la carrière en 1852. C'est un homme distingué, membre du jury d'agrégation de grammaire, traducteur des classiques anciens, et qui a collaboré à plusieurs dictionnaires. C'est aussi un homme aimable, qui répugne à faire de la discipline, ce que ses supérieurs lui reprochent. Alors que le professeur d'algèbre, M. Schmitt, et celui de géographie, M. Launay, jugent tous deux que l'élève Marcel Proust se situe, sauf pour la conduite qui est bonne, entre le « passable » et le « médiocre », le professeur d'histoire, M. Gazeau, le considère comme bon élève et M. Legoëz le note favorablement en français, sinon en grec et en latin, pour les deux premiers trimestres. Une fois de plus, il manquera le troisième, la venue du printemps ayant vraisemblablement occasionné une reprise de son asthme.

Il est certain qu'en français l'élève Proust est d'une précocité dont témoigne une narration que l'écriture et l'orthographe permettent de dater de cette époque. On pourrait intituler ce devoir *Le Pauvre Jacques*, pour reprendre le titre d'une célèbre chanson du règne de Louis XVI. L'histoire, mélodramatique à souhait, montre une vue bien pessimiste de la nature humaine chez un garçon de cet âge.

Jeune mari et père de trois petits enfants, Denis Revolle est un maçon à la Zola, vêtu de gros velours, coiffé d'une casquette bleue, franc compagnon, gai de nature et droit de cœur. Il travaille, au faubourg Saint-Germain, à la construction d'un immeuble et il a pour camarade un jeune homme « économe, doux, habile, sérieux, intelligent », un de ces ouvriers contents de leur sort et dont la bonne société doit regretter que l'espèce ne soit pas davantage répandue. Ce jeune homme intéressant, tout droit sorti d'un roman de Mme de Ségur, se prénomme Jacques. Alors que tous deux travaillent sur une plate-forme mobile, une des cordes craque et menace de se rompre sous leur poids. Jacques hésite un instant, réfléchit qu'il est célibataire alors que Denis a trois enfants et se sacrifie pour lui en sautant dans le vide. En voyant le corps écrasé au sol, Denis Revolle éprouve d'abord honte et chagrin, puis, avec le temps, sa reconnaissance s'estompe : cet héroïsme lui semble un reproche permanent, voire une insulte. Il « en vint à le détester..., conclut Proust, son amour-propre avait été blessé [1] ».

D'autres textes retrouvés par M. Ferré sont moins significatifs et portent davantage la trace de cette emphase que les jeunes auteurs croient indispensable d'apporter à la peinture des grands sentiments ou des événements importants.

De cette année scolaire ou de la précédente subsistent quelques devoirs gardés par Proust parce qu'il devait les juger meilleurs que les autres. Le *Procès de Pison devant le Sénat romain* est un récit gauche, solennel et froid comme ces compositions des peintres néo-classiques de la Révolution française. Le *Gladiateur mourant*, daté du 1er décembre 1884, montre le vaincu frappé par la grâce au moment d'expirer, une grâce d'inspiration presque chrétienne, et suppliant « un dieu qu'il entrevoit vaguement comme dans un rêve de pardonner à ses ennemis ». La *Prise de Corinthe* par les Barbares est selon toute apparence un devoir fait pour un professeur qui lui donne des leçons particulières. Le récit, d'après un passage de Plutarque,

1. *Essais et articles*, dans *Contre Sainte-Beuve*, Pléiade, p. 318.

exalte le courage d'un enfant grec qui défie les Romains en prononçant lui-même son arrêt de mort.

Malgré le travail insuffisant de l'année 1883-1884, il se voit décerner le 8 août 1884 un certificat d'études de grammaire qui compense un peu ses maigres succès à la distribution des prix du 1er août, et un troisième accessit en sciences naturelles.

Il peut néanmoins, à l'automne 1884, entrer en troisième A. Dans cette nouvelle classe, il a pour professeur de lettres Charles Guillemot, un homme d'une cinquantaine d'années, agrégé de grammaire et de lettres, que l'inspecteur général Glachant juge ainsi : « Il y a en M. Guillemot deux agrégés ; celui de lettres est un peu offusqué par l'autre et nous ne saurions nous en plaindre étant donné la faiblesse des élèves en grammaire ; il est vrai que leurs narrations ne les montrent pas plus forts en littérature... »

De ce puits de science, jugé par son proviseur un « esprit peu ouvert », sort une parole sèche, coupante, autoritaire et peu faite pour charmer des élèves contraints d'apprendre plutôt que de comprendre. Marcel Proust s'intéresse néanmoins à son enseignement et s'attire la bienveillance de cet homme rébarbatif qui le note favorablement aux deux premiers trimestres : « Bon élève, plein de bonne volonté. Esprit éveillé, mais peu familiarisé avec la langue grecque ». En effet, si le français lui vaut un « Très bien » au premier trimestre et un « Bien » au deuxième, le latin ne lui fait obtenir qu'un « Bien » et un « Assez bien » tandis que le grec lui attire un « Assez bien » et un « Médiocre ». L'autre matière dans laquelle il se distingue est l'histoire, enseignée par M. Régis Jallifier avec qui, longtemps après ses années de lycée, il continuera d'entretenir d'excellents rapports. Son goût certain pour cette discipline, si proche de la littérature, lui vaut une mention « Bien » aux deux premiers trimestres. Il en est de même en allemand et en mathématiques où son application se soutient alors qu'elle semble fléchir en sciences physiques, car ses progrès y sont déclarés « médiocres » par le professeur, M. Merlier.

A l'issue du deuxième trimestre, M. Guillemot dépore que « la maladie [ait] fait tort au travail », estimant que « le succès reviendra avec la santé ». Celle-ci ne doit pas s'améliorer car dès le 31 mars 1885, il cesse de fréquenter Condorcet d'où il restera donc absent jusqu'à la fin de l'année scolaire.

*

Au mois d'août 1885, Marcel Proust part avec sa mère et son frère pour Salies-de-Béarn où Mme Proust doit aller faire une cure, car le seul attrait de cette ville en est l'établissement thermal, réputé pour le traitement de certaines maladies féminines. On n'y trouve d'autres distractions que cette curiosité malveillante qu'exercent les uns vis-à-vis des autres les pensionnaires des hôtels et les commérages qui s'en suivent. Les Proust sont partis à l'aventure, sans retenir de chambres, vraisemblablement pour ne pas s'engager sans avoir vu l'hôtel, et ils descendent finalement à celui de la Paix. Etouffante en été, la ville, bien que pittoresque, offre au premier coup d'œil un aspect rustique assez déprimant : « Des bœufs, rien que des bœufs, toujours des bœufs... », écrira prosaïquement l'année suivante Robert Proust, retourné seul avec sa mère à Salies-de-Béarn [1].

Heureusement une ressource mondaine se présente sous la forme aimable et même séduisante de Mme Anatole Catusse, femme du futur sénateur de Tarn-et-Garonne, et qui prend elle aussi les eaux. « La conversation de Mme Catusse m'est venue consoler de mes chagrins multiples et de l'ennui que respire Salies pour moi qui n'ai pas assez de *doubles muscles*, comme dit Tartarin, pour aller chercher dans la fraîcheur de la campagne avoisinante le grain de poésie nécessaire à l'existence... [2] », avoue Marcel à sa grand-mère Weil dans une lettre qui, pour le reste, n'est qu'une longue célébration de la beauté physique et morale de Mme Catusse dont, pour plaire à celle-ci, il s'efforce de tracer un portrait littéraire à la façon de certains auteurs du XVIIIe siècle.

Cette lettre de plusieurs pages est un des rares témoignages qui subsistent de ce style emphatique auquel Proust va vite renoncer avant d'en faire un jour une des caractéristiques du langage de Bloch. « Madame Catusse doit voir ce portrait, poursuit-il, et bien que je le fasse, je te le jure par Arthémis la blanche déesse et par Pluton aux yeux ardents, comme si jamais elle ne devait le voir, j'éprouve une certaine pudeur à lui dire que je la trouve charmante... » Plus tard, tout en continuant de la trouver charmante, Proust la trouvera surtout utile et se déchargera sur elle de mille corvées domestiques qu'elle exécutera ponctuellement, avec une complaisance inlassable à l'égard de cet éternel enfant gâté.

---

1. Lettre du 26 août (1886 ?) publiée par le *B.S.M.P.* n° 38, 1988.
2. Kolb, tome I, p. 97.

Le climat peu vivifiant de Salies-de-Béarn n'a certainement pas fait grand bien à Proust car, entré en seconde à Condorcet, au mois d'octobre 1885, il en est souvent absent au premier trimestre et n'y reparaît plus aux deux autres.

Une vie différente s'organise pour lui avec des leçons particulières et sa mère comme répétiteur, la salle à manger comme salle de classe et les Champs-Élysées comme cour de récréation. Pendant la journée, il est le seul maître du logis, seul aussi à bénéficier de l'amour maternel. Robert est au lycée, où il travaille fort bien ; le docteur Proust, qui a été nommé au mois d'octobre 1885 à la chaire d'hygiène de la faculté de Médecine, est plus occupé, donc plus absent, que jamais. Marcel Proust se retrouve tête à tête avec sa mère, comme jadis, et chacun des deux s'abandonne avec délices à cette intimité retrouvée, se livrant sans réserve à cet amour qui est en grande partie l'amalgame de deux égoïsmes. L'instinct de possession chez la mère trouve sa justification dans le désir de son fils d'être l'objet de son amour exclusif. La première accroît son empire sur le second par toutes les concessions qu'elle lui fait tandis que la volonté de celui-ci s'affaiblit de toutes les concessions qu'il lui arrache.

Sa mauvaise santé ne l'empêche pas de sortir, de retrouver des garçons et des filles de son âge soit aux Champs-Élysées soit chez l'un ou l'autre de « la petite bande » qui préfigure celle que le Narrateur retrouvera sur la plage de Balbec.

A cette époque, si la seconde partie des Champs-Élysées est encore une palatiale avenue où résident les grands de ce monde, la première a conservé ce côté « jardin de Tivoli », vestige des fêtes du Directoire, à cette seule différence que les enfants y ont remplacé les adultes et que leurs plaisirs y sont plus innocents. A côté de ces monuments mystérieux pour eux que sont l'Alcazar d'été, bourdonnant des flonflons des répétitions musicales, et le palais de l'Industrie, souvenir de l'Exposition de 1867, il y a, plus familiers, le théâtre Marigny qui abrite un panorama militaire et le cirque d'Été, près de l'avenue Matignon, sans compter une mutiplicité de petites boutiques, d'étals en plein air, débitant des pains d'épices et des sucres d'orge. On voit aussi, éparpillés un peu partout et perpétuant la tradition du XVIII$^{e}$ siècle, les marchands d'oublies — ces petits cornets de pâtisserie — qui poussent leur long cri mélancolique, et les marchands de coco. Enfin, la voiture aux chèvres et les ânes effectuent leurs rondes résignées pour les plus jeunes enfants qui peuvent aussi monter sur les chevaux de bois des manèges ou bien assister aux séances de Guignol, entourés d'une garde de nourrices et de nurses.

Ce petit univers bruissant et coloré exerce sur Proust une attraction indéfinissable, celle d'un plaisir défendu, sinon par la morale, du moins par son incapacité à s'y introduire et s'y fondre à l'instar des autres garçons. Si la fragilité de sa constitution ne lui permet pas de prendre part aux jeux trop brutaux, il a aussi la sensation de n'être pas tout à fait comme les autres, de ne pouvoir être celui qui entraîne les autres joueurs et gagne la partie. Au fond de lui-même, il sait qu'il n'a aucun goût pour ces divertissements dont l'intérêt lui paraît dérisoire et à ces jeux physiques qui dégénèrent parfois en bagarres dans lesquelles il est certain de ne pas avoir le dessus, il préfère l'abri des cercles de mères, de nurses ou de bonnes, encore que la sienne lui fasse un peu honte par sa façon rustique de se vêtir et par des allures qui ne sentent pas la grande maison.

Autre abri, d'un genre bien différent, et même incongru, le chalet de nécessité dont la tenancière, grisée par sa belle clientèle, prend des airs et règne en souveraine sur une petite cour d'habitués. Son succès lui vaut même des visites « sans nécessité » ainsi que l'écrit un contemporain de Proust, Maurice Duplay. La personnalité de « la marquise », comme on a surnommé la dame des lieux, inspirera plus tard à Proust, dans *Jean Santeuil* comme dans *A la recherche du temps perdu*, des pages piquantes sur l'universalité du snobisme, éclatant avec la même force dans le salon de la duchesse de Guermantes et dans ce stercoral établissement.

Parmi les toutes jeunes filles, presque encore des enfants, qui viennent régulièrement jouer aux Champs-Élysées, les plus jolies et surtout les plus fascinantes par leur cosmopolitisme élégant sont Marie et Nelly de Bénardaky.

Elles arrivent de si loin qu'on les soupçonne un peu de travestir la vérité lorsqu'elles parlent de leurs domaines, de leurs « âmes », c'est-à-dire de leurs paysans, des hautes fonctions que leur famille occupe en Russie, mais elles n'exagèrent pas de beaucoup. Leur aïeul, Nicolas de Bénardaky, n'est pas un marchand qui s'est enrichi dans le commerce du thé, comme l'assurent les mauvaises langues, mais un authentique gentilhomme russe, sinon slave, issu d'une famille originaire de Crète et dont un membre, compromis lors d'un soulèvement contre les Turcs, s'était réfugié en 1784 à Ekatérinoslav. C'est le fils de cet émigré, Dimitri de Bénardaky, d'abord officier de hussards, qui avait fait une fortune énorme dans le commerce des spiritueux, fortune dont il avait d'ailleurs consacré une partie à aider son ancienne patrie dans sa lutte pour son affranchissement.

Dimitri II de Bénardaky, le père des deux amies de Proust, est un haut fonctionnaire impérial qui a cumulé divers postes honorifiques avant d'être nommé maître des cérémonies de la Cour. Le seul point mystérieux de sa carrière est son mariage avec une certaine Esther Leibrok au passé si douteux que cette mésalliance, condamnée à Pétersbourg, doit être la raison pour laquelle il est venu vivre à Paris. La réputation de Mme Bénardaky n'a rien gagné à cette transplantation et continue d'être mauvaise. Elle est de ces femmes qui ne s'intéressent à rien d'autre qu'à leurs toilettes et leurs amants. Sans doute est-ce pour cette raison que Mme Proust découragera les relations de son fils avec de jeunes personnes ayant chez elles un si triste exemple sous les yeux.

Marcel Proust s'est en effet pris de passion pour Marie de Bénardaky, alors dans toute la rayonnante fraîcheur de ses quinze ans, avivée par le grand air et l'exercice, et dont les cheveux noirs font ressortir la blancheur légèrement rosée du visage. Elle et sa sœur se sont d'abord amusées de la ferveur de Proust, puis elles se sont laissé toucher par sa constance. Dans les parties de barres, Proust s'arrange toujours pour suivre Marie de Bénardaky et s'en faire bien voir en s'efforçant de l'aider à gagner. Un jour que, pour ne pas avouer trop ouvertement sa préférence, il semble hésiter au moment de choisir son camp, Nelly, point dupe de ce manège, lui dit en riant : « Oh ! non, vous êtes pour le camp de Marie ; cela vous fait trop de plaisir ! »

Dans *Jean Santeuil,* œuvre de jeunesse où ses souvenirs n'ont pas été transmués comme dans *A la recherche du temps perdu,* Marie de Bénardaky apparaît sous le nom de Marie Kossichef et Proust écrit qu'en la voyant arriver aux Champs-Élysées vers trois heures, « il recevait un tel coup au cœur qu'il manquait chaque fois de tomber et restait quelques instants blanc comme un linge à reprendre son équilibre. Il mesurait son plaisir par l'immensité de son désir de la voir arriver et son chagrin de la voir partir, car sa présence même, il la goûtait mal. Trop troublé de la voir, il ne la voyait pas si bien que le matin ou le soir, avant de s'endormir [1] ».

1. *Jean Santeuil*, Pléiade, p. 216.

Désormais, il vit chaque jour dans l'attente du moment bienheureux où s'accomplit le miracle de la vision attendue : l'arrivée des Bénardaky, parfois retardée jusqu'aux limites du désespoir et d'autant plus merveilleuse qu'elle se produit alors qu'on ne l'espérait plus. Les jours marqués d'une pierre noire sont ceux où, pour quelque raison, il est impossible à l'un ou à l'autre de se rendre aux Champs-Élysées. Aussi, lorsqu'il pleut le matin, Proust observe-t-il anxieusement le ciel, dans l'espoir d'une éclaircie, d'un rayon de soleil dissipant les nuages et du même coup son angoisse. S'il neige, il y a moins encore à espérer, mais il pense à juste titre que ces jeunes Russes ne vont pas se laisser décourager par la glace et le froid, elles qui ont connu les hivers de Saint-Pétersbourg. Par une jalousie instinctive, Mme Santeuil semble se réjouir de tout contretemps qui lui permet de garder auprès d'elle son fils, et à ce premier tort s'ajoute celui de proclamer d'un ton triomphant : « En tout cas, si c'est pour cela que tu regardes le ciel, tu peux être sûr que Mlle Kossichef ne viendra pas. On ne fera pas salir leurs belles robes pour cela... » Et Jean Santeuil de remarquer, le cœur lourd de rancune inexprimée : « Cela fut dit en souriant, comme si à cette chose de peu d'importance Jean en attachait une infinie, comme si l'on devinait ce qu'il cachait, ses angoisses, et qu'on en sourît. Il aurait battu sa mère et dit : ''Non, je sais qu'elle ne viendra pas'', et cherchait quelque chose à répondre pour rendre le mal que lui avait fait cette ironie et surtout cette nouvelle désastreuse dont il ne voulait pas paraître affligé [1]. »

Il est certain que Mme Proust déplore cet engouement de son fils pour une petite étrangère dont la pensée l'empêche de travailler et dont la vue le plonge dans une excitation préjudiciable à son équilibre nerveux. A son obscur sentiment de jalousie se joint le bon sens de son mari qui, tenu au courant de cette passion juvénile, en déplore à son tour les effets. Sans voir en *Jean Santeuil* un roman purement autobiographique, on y devine une sincérité suffisante pour croire authentique la scène au cours de laquelle le héros, Jean, outré de voir son grand-père se mêler de ses affaires de cœur et conseiller une rupture, s'écrie : « Toi, je te déteste ! » A quoi le grand-père réplique qu'il va faire appeler son gendre. « Va donc le chercher, voilà qui m'est égal, s'écria Jean, affolé par le bruit que prenait sa propre voix, je lui dirai quelle méchante créature il a pour

1. *Jean Santeuil*, Pléiade, p. 251.

femme, qui ne veut que faire du mal à son fils... » Et saisissant la carafe d'eau qui était prête à table pour son déjeuner, il la jette par terre où elle se brise.

Lorsque M. Santeuil arrive pour régler ce différend, son fils l'assaille avec la même véhémence : « Mon petit papa, dit Jean en se mettant à genoux, on me veut du mal, maman me persécute, défends-moi. — Non, ta mère a raison, dit M. Santeuil, incertain de ce qu'il allait dire. Tu es insupportable aussi avec cette petite fille. D'abord, tu ne la verras plus. — Je ne la verrai plus, s'écria Jean, je ne la verrai plus ? Canailles que vous êtes tous, je ne la verrai plus ? Nous verrons bien cela ! Et Jean, au moment où son père le poussait en lui donnant des claques vers le cabinet noir, tomba dans une violente attaque de nerfs[1]. »

Une pareille scène, révélant une violence insoupçonnée chez cet adolescent délicat jusqu'à la mièvrerie, serait à peine croyable si d'autres affrontements avec sa mère, certains ceux-là, ne la rendaient rétrospectivement vraisemblable et sans doute véridique.

Le jeune Proust offre déjà bien des signes du caractère exclusif et passionné qui sera le sien, en dépit de sa langueur physique, et l'on peut en voir une preuve dans la manière dont il a répondu, au début de l'année, au questionnaire de l'album d'Antoinette Faure, une de ses amies des Champs-Élysées. Antoinette et sa sœur aînée Lucie sont les filles d'un avocat du Havre, député de la Seine-Inférieure, qui sera élu président de la République en 1895 et mourra, en galant homme, dans les bras de Mme Steinheil.

Antoinette Faure est une adolescente aimable, vive et gaie dont l'entrain contraste avec la mine un peu guindée de Proust, toujours mal à l'aise dans les jeux de plein air. Ce qui l'attire chez Antoinette Faure, c'est la longueur de ses cils dont un jour il prend à témoin la comtesse de Martel, célèbre alors sous le pseudonyme boulevardier de Gyp : « Vous les avez vus, dites, Madame, les cils d'Antoinette ? » lui demande-t-il, admiratif[2]. Il va parfois goûter chez les Faure et, un après-midi, se voit prié de remplir la page d'un de ces albums, alors très en vogue, où les familiers de la maison doivent répondre à une série de questions sur leurs goûts, leur caractère, leurs auteurs favoris, etc. Il faut évidemment, dans ce jeu de la

1. *Jean Santeuil, op. cit.*, p. 224.
2. Gyp, *La Joyeuse Enfance de la III^e^ République, p. 207.*

vérité, faire la part de la pudeur, ou de la timidité, qui fait que beaucoup répondent en biaisant, pour offrir d'eux-mêmes une image plus flatteuse. Proust semble avoir néanmoins fait son devoir avec sincérité, sans chercher à se grandir aux yeux de ses amies ou des curieux.

Sur vingt-quatre questions, il en laisse quatre sans réponse, mais celles qu'il donne aux vingt autres n'apportent pas beaucoup d'éléments propres à se faire une idée précise du caractère, encore peu formé, d'un adolescent, sauf qu'on y discerne un penchant très net à la contemplation plutôt qu'à l'action, avec une aspiration à un idéal vague, un monde poétique fait de rêveries, de lectures et de tendresse. Ce qui frappe, en revanche, c'est l'attachement à sa mère : « *Votre conception du malheur* : être séparé de Maman », et l'aveu d'un goût en matière d'art qui est celui de son époque et de son milieu social : George Sand, Musset, Meissonier, Gounod et Mozart. Il est amusant de voir que ce lycéen qui écrira plus tard des milliers de lettres déclare que s'il devait être quelqu'un d'autre, il choisirait Pline le Jeune, mais l'aveu le plus significatif, si on le considère en fonction de sa vie accomplie, c'est « *Pour quelle faute auriez-vous le plus d'indulgence* : la vie privée des génies », déclaration qui, à plus d'un siècle de distance, apparaît comme une absolution anticipée de sa vie intime, un appel à la postérité pour être absous de toutes les fautes, et de tous les vices, dont il tirera la matière d'une partie de son œuvre. On peut y voir aussi, comme le souligne André Ferré, la première manifestation de la théorie qu'il développera dans son *Contre Sainte-Beuve* selon laquelle l'œuvre est indépendante de la vie de l'auteur et que l'on doit se garder de vouloir expliquer l'une par l'autre.

En attendant que sa passion pour Marie de Bénardaky s'apaise et finisse par une cessation complète de leurs relations avant de renaître sous la forme des amours de Gilberte Swann avec le Narrateur, Marcel Proust réintègre Condorcet à l'automne de 1886 pour y redoubler sa seconde.

Le professeur de lettres, cette année-là, M. Claude Courbaud, est une figure originale dont certains traits se retrouveront dans celle de Brichot, le familier du clan Verdurin. Beau-frère de l'helléniste Alfred Croiset, il a dépassé la cinquantaine et incarne l'enseignement dans ce que celui-ci a de plus caricatural. Il existe de lui un portrait campé par Eugène Manuel, auteur médiocre et candidat perpétuel autant que malheureux à l'Académie française, qui se venge de ses déconvenues en notant les professeurs d'une prose incisive, bien supérieure à sa poésie humanitariste. Tout en lui reconnaissant du bon sens, de la rigueur et de l'autorité, Eugène Manuel écrit dans un rapport d'inspection « qu'il ne faut lui demander ni la finesse des jugements, ni l'élégance du langage, ni les délicatesses ingénieuses des esprits déliés et plus souples ». Outre une certaine lourdeur, il lui reproche un manque d'imagination, une parole peu agréable, en soulignant perfidement que le peu qu'il demande à ses élèves est la contrepartie du peu qu'il leur donne et lui décochant ce trait final : « La croix d'honneur, qu'il désire, adoucirait probablement ce que son humeur a d'un peu aigre ; il est découragé et décourageant. »

L'élève Proust doit donc s'entendre avec ce personnage peu gracieux et il y parvient, obtenant pendant toute l'année des résultats positifs en lettres, mais, à la distribution des prix, il ne recevra qu'un premier accessit en latin et un quatrième en composition française. Une version latine de cette période, un texte de Cicéron intitulé *Le Tombeau d'Archimède*, se termine par cette phrase qui semble annoncer un des thèmes d'*A la recherche du temps perdu* : « C'est en approfondissant les lois qui régissent la nature qu'on se console de la vie, de son amertume et de ses infirmités. »

L'histoire demeure, après les lettres, sa matière préférée, d'autant plus que le professeur, M. Gazeau, est un homme séduisant, jeune encore, et méritant tout à fait cette appréciation du proviseur Girard : « Le plus aimable des professeurs en même temps qu'un des plus intelligents, des plus attachants... Grande action sur les élèves qui l'adorent. » Ce jugement est d'ailleurs confirmé par l'inspecteur général Foncin : « Il a de la distinction, de la simplicité, de la fermeté dans le ton, un grand savoir. C'est un maître sérieux et brillant tout à la fois. » Proust a d'excellentes notes en histoire et remporte à la fin de l'année scolaire un deuxième prix. En revanche, les mathématiques laissent à désirer comme l'indiquent un « Peut mieux faire » au premier trimestre et un « Ne travaille pas » au dernier. L'ennemi des mathématiques montre un peu plus de zèle en physique et réussit assez bien dans l'ensemble pour affronter, au mois de juillet 1887, en même temps que onze camarades choisis parmi les meilleurs élèves, l'épreuve du Concours général, qui a lieu à la Sorbonne.

S'il n'a pas l'honneur de voir son nom figurer au palmarès, c'est du moins avec le coup d'œil de l'historien qu'il regarde passer, le lendemain à Auteuil, revenant de la revue du 14 Juillet, le général Boulanger qu'il juge ainsi : « Quoique l'homme soit très commun et un vulgaire batteur de grosse caisse, ce grand enthousiasme si imprévu, si *roman* dans la vie banale, remue dans le cœur tout ce qu'il y a de primitif, d'indompté, de belliqueux[1]. »

Bien que le Concours général soit une éprouvante corvée puisque les candidats sont cloîtrés de neuf heures et demie du matin à trois heures de l'après-midi sans possibilité de déjeuner, Proust se représente le 22 juillet pour l'épreuve de version grecque. Il échouera, ce qui ne surprend pas puisque c'est justement une de ses matières faibles, mais on peut s'étonner qu'il n'ait été proposé qu'en qualité de suppléant pour la composition française, car le français reste sa discipline de prédilection.

Lorsqu'il regagne Condorcet au début d'octobre 1887 pour y faire sa rhétorique, il trouve des professeurs de tempéraments très différents qui vont lui rendre cette année scolaire à la fois passionnante et houleuse. On ne peut imaginer, en effet, deux esprits moins faits pour s'entendre que M. Cucheval, le professeur de latin, et Maxime Gaucher, celui de rhétorique. Critique à la *Revue littéraire* et la *Revue bleue,* Maxime Gaucher s'est fait dans le monde des lettres une position qui lui permet de prendre ses distances avec ses collègues et même ses supérieurs. Le proviseur Girard est le premier à s'en apercevoir, qui lui reproche un manque de sérieux dans sa conduite et « une ironie qui froisse ses élèves ». Tout en reconnaissant que l'attention de ceux-ci reste certaine, l'inspecteur général Eugène Manuel apprécie moins la familiarité de langage du maître et sa « parole mordante ». A en croire Robert Dreyfus dans ses *Souvenirs sur Marcel Proust*, Eugène Manuel aurait fait une cuisante expérience de cette ironie. Lors d'une de ses visites à Condorcet, il avait demandé qu'un des meilleurs élèves lût à haute voix sa dernière dissertation. Gaucher avait désigné Proust, mais, agacé par la sophistication du texte et peut-être aussi la voix de l'auteur, Eugène Manuel aurait dit sèchement : « N'avez-vous point, parmi les derniers de votre classe, un élève écrivant plus clairement et correctement le français ? » A quoi Maxime Gaucher lui aurait perfidement répondu : « Monsieur l'Inspecteur général, aucun de mes élèves n'écrit en français de manuel... »

---

1. Kolb, tome I, p. 99.

Victor Cucheval partage l'avis d'Eugène Manuel sur les compositions de Proust. Homme rude et sans grâce, « grossier avec véhémence et ampleur », cet homme au nom burlesque n'a aucune fantaisie et juge en revanche que son élève en montre trop, lui reprochant de surcroît son inexactitude à rendre ses devoirs. Néanmoins, Proust sait reconnaître ce qu'il y a de positif dans l'enseignement de « ce farouche maître d'école » comme il l'écrit à Robert Dreyfus, en ajoutant à l'intention de celui-ci : « Ne te dis pas que c'est un imbécile parce qu'il fait de l'esprit idiot et que ce sauvage n'est nullement affecté par d'exquises combinaisons de syllabes ou de contours. Dans tout le reste, il est excellent et repose des imbéciles qui arrondissent leurs phrases. Il ne peut pas, ne sait pas en faire. C'est un pur délice. Il est l'idéal du bon professeur et n'est pas ennuyeux du tout[1]. »

Avec un zèle digne d'une meilleure cause, Proust a essayé de convertir Cucheval à ses idées ou, du moins, de lui ouvrir les yeux sur certaines théories modernes de l'art, mais sans autre résultat que de passer auprès de lui pour un anarchiste intellectuel. Aussi met-il Dreyfus en garde contre ce travers de néophyte : « Je t'en prie — pour toi — ne fais pas ce que j'ai fait, ne fais pas de l'apostolat auprès des professeurs... J'ai fait des devoirs qui n'en avaient pas du tout l'air. La conséquence, ç'a été qu'au bout de deux mois une douzaine d'imbéciles écrivaient en style décadent, que Cucheval m'a considéré comme un empoisonneur, que j'ai mis la guerre dans la classe, que je me suis fait passer auprès de quelques-uns pour un poseur... Il y a un mois encore, Cucheval disait : "Lui sera reçu, parce que ce n'était qu'un fumiste, mais il en fera refuser quinze." On voudra te guérir. Tes camarades te prendront pour un fou ou pour un imbécile. Pendant plusieurs mois, j'ai lu en classe tous mes devoirs de français, on me huait et on m'applaudissait. Sans Gaucher, j'aurais été écharpé... [2] »

Gaucher lui-même, en dépit de sa prédilection pour cet élève incontestablement doué, ne peut s'empêcher de rire à certaines outrances de style, à certaines images trop recherchées : « Je vois encore, écrira un de ses condisciples, Pierre Lavallée, et j'entends Marcel disant à haute voix ses copies et l'excellent, le charmant M. Gaucher commentant, louant, critiquant, puis tout à coup pris de fou rire devant des audaces de style qui,

1. Kolb, tome I, p. 106.
2. *Ibidem,* p. 107.

au fond, le ravissaient. Ce fut la joie de ses derniers jours d'avoir découvert parmi ses élèves un écrivain-né. [1] »

Déjà malade depuis quelque temps, Maxime Gaucher meurt prématurément. Il est remplacé comme professeur de rhétorique par M. Dauphiné, « petit homme maigre, sec et cérémonieux », écrit Proust, mais bon esprit et, au dire de son élève, un guide intelligent et sensible « pour cette année de voyage circulaire d'Homère à Chénier en passant par Pétrone ». On ignore ce qu'il pensa du style de Proust, mais celui-ci verra ses dons naissants récompensés à la distribution des prix de juillet 1888. Ce qui rend plus agaçant pour certains l'affectation de son style est celle de ses manières qui achève de donner au personnage un caractère singulier, bien propre à faire de lui un objet de scandale ou de dérision.

Chez l'élève Proust, en effet, rien n'est simple, ni le langage, ni les façons d'être et encore moins la conduite. Tous ses sentiments, même les plus sincères, apparaissent à ses camarades aussi compliqués, voire aussi trompeurs, que les intrigues d'une Merteuil travestie en Chérubin.

Il y a chez lui, sous un aspect fragile et derrière des manières douceâtres, un impétueux besoin d'amour qui est moins un désir physique à l'égard de tel ou tel de ses camarades qu'une soif d'être aimé. C'est chez lui une nécessité tragique et puérile, despotique aussi, car s'il exige l'exclusivité d'un être, il n'entend pas que celui-ci réclame la réciprocité. On ne doit aimer que lui, mais lui peut en aimer plusieurs, sentiment qui prévaudra tout au long de son existence et qui est le premier signe de cette jalousie obsessionnelle dont il fera l'un des thèmes de son œuvre.

Au cours de cette année de rhétorique, il s'est lié particulièrement avec certains camarades dont les noms, destinés à connaître quelque célébrité, auront surtout la chance de rester à jamais associés au sien, ce qui les eût bien surpris si quelque voyante le leur avait alors prédit. Nombre de ces garçons portent déjà, grâce à leurs pères ou leurs aïeux, des noms connus du grand public, ce qui leur vaut l'indulgence de leurs maîtres lorsqu'ils dépassent les bornes de la paresse ou de l'indiscipline. L'un de ces « héritiers », Jacques Bizet, beau garçon brun, est le fils de l'auteur de *Carmen* ; un autre, Daniel Halévy, a pour père Ludovic Halévy, librettiste avec Henri

---

1. Souvenirs de Pierre Lavallée, dans l'introduction au tome IV de la *Correspondance générale,* publiée par Paul Brach, p. 3.

Meilhac de la plupart des opérettes d'Offenbach, et pour grand-oncle le compositeur Fromental Halévy, l'auteur de *La Juive* ; Horace Finaly a l'auréole de la richesse de sa famille et Abel Desjardins, Pierre Lavallée appartiennent à des familles influentes dans le monde des lettres ou celui des affaires.

Par leur origine, leur précoce culture acquise au hasard des conversations qu'ils entendent chez eux, la plupart de ces jeunes gens offrent à Proust, surtout physiquement, une image améliorée de lui-même et il y a souvent du narcissisme dans les sentiments qu'ils éveillent en lui. A leur égard, il déborde d'une amitié jugée trop vive et d'un enthousiasme parfois embarrassant. Et encore ces jeunes gens se montrent-ils polis, mais d'autres, qui n'ont ni leur éducation ni leur raffinement, repoussent avec brutalité ses avances ou, pire, l'en raillent avec ce génie de l'insulte que possède l'individu le plus médiocre pour se défendre contre celui qui pourrait le rendre ridicule aux yeux d'autrui. Rien n'est plus vif que l'amour-propre chez les garçons de cet âge, soucieux de ne pas se singulariser devant leur condisciples. Or Proust, dans sa candeur, emploie les moyens les plus propres à lui aliéner les sympathies et à lui attirer des rebuffades. Un de ses anciens condisciples avouera plus tard à Jacques-Émile Blanche sa terreur en voyant Proust venir à lui, prendre sa main, et lui confesser, avec un regard implorant, son « besoin d'une affection totale et tyrannique ». Daniel Halévy éprouve la même chose, une impression déplaisante, écrira-t-il, en présence de cet adolescent languide aux « immenses yeux orientaux » qui ressemble « à une sorte d'archange troublé et troublant ». Plus tard, Halévy éprouvera quelque remords de sa dureté d'alors envers cet archange envolé vers les cimes de la gloire et, gardant pour lui un fameux cahier dans lequel il consignait maints détails bien faits pour éclabousser cette gloire, il se contentera de tracer dans *Pays parisiens* un portrait plus chaste du Proust qu'il avait connu à Condorcet : « Nous l'aimions bien, nous l'admirions, pourtant nous restions étonnés, gênés par l'intuition d'une différence, d'une distance, d'un incommensurable invisible et réel entre nous. Nous voici dans la cour du lycée, trois ou quatre vigoureux garçons, Jacques Bizet, Fernand Gregh, Robert de Flers, et nous devinions soudain une présence, nous sentions un souffle près de nous, quelque frôlement sur notre épaule. C'était Marcel Proust, venu sans bruit, comme un esprit ; c'était lui, ses grands yeux d'Orientale, son grand col blanc, sa cravate flottante. Il y avait là quelque chose qui ne nous plaisait pas, et nous répondions par un mot brusque, nous esquissions une bourrade. La bourrade, nous ne la donnions jamais : bourrer Proust, c'était impossible, mais enfin nous l'esquissions, et c'était assez pour l'affliger. Il était décidément trop peu garçon pour nous, et ses gentillesses, ses tendres soins, ses caresses (incapables que nous étions de comprendre un cœur si blessé), nous les appelions souvent des manières, des poses, et il nous arriva de le lui dire en face : ses yeux alors étaient plus tristes. Rien pourtant ne le décourageait d'être aimable[1]. »

Proust qui, lorsqu'il se laissera pousser la barbe, aura l'air d'un christ arménien, évoque en sa jeunesse ces candidats au martyre des premiers temps du christianisme, tels que les représente l'imagerie sulpicienne, le visage plus pâle que les lys qu'ils serrent sur leur cœur, le regard éperdu d'amour mystique. Il y a chez lui quelque chose de pathétique et d'insistant bien fait pour exciter la méfiance des uns ou réveiller chez d'autres ce sadisme latent que la charité chrétienne et la morale laïque ont seulement endormi. Ses camarades ne se font pas faute de se moquer de ses manières, de son lyrisme, de sa préciosité ainsi que de cette façon de couper les cheveux en quatre qui leur a fourni l'expression « proustifier ». Certains n'hésitent pas à lui dire rudement ses vérités. Daniel Halévy le regrettera plus tard : « Pauvre, malheureux garçon, nous étions des brutes avec lui... »

Humilié de ces avanies, froissé de ces refus d'accepter son amitié offerte avec tant d'impudeur, Proust ne s'avoue pas battu. Eploré de ne trouver personne capable de le comprendre, il croit alors, imprudence suprême, qu'une lettre écrite en y mettant toutes les ressources de sa dialectique et tout le feu de son âme aura plus de poids que ses paroles. Hélas ! ce calcul se révèle désastreux, car les destinataires de ces épîtres enflammées n'ont pas la discrétion de les garder pour eux et les font circuler. Se rappelant ces jours cruels, encore si proches, Proust écrira dans *Jean Santeuil* : « Ignorant la cause de leur antipathie, Jean, qui par sympathie s'imaginait les autres pareils à lui, et par modestie, meilleurs, s'ingéniait de plus, par scrupule, à découvrir dans sa conduite avec eux quelque faute grave, quelque méchanceté involontaire de sa part qui eût pu les fâcher. Il avait écrit une si belle lettre, si sincère, si éloquente que les larmes lui venaient aux yeux en l'écrivant.

1. D. Halévy, *Pays parisiens*, pp. 121-123.

Quand il vit qu'elle n'avait servi à rien, il commença à douter du pouvoir de notre sympathie sur les cœurs qui n'en ont pas pour nous, du pouvoir de notre pensée et de notre talent sur les pensées et les talents qui ne ressemblent pas aux nôtres. Il se la répétait, cette lettre, il la trouvait si convaincante, si belle [1]. »

En Jacques Bizet, il a cru un moment avoir trouvé l'ami de cœur, et peut-être un peu plus, mais l'élu, loin d'accueillir cet hommage, l'a fermement repoussé, à en juger par la réponse de Proust essayant de justifier sa démarche : « J'admire ta sagesse tout en la regrettant. Tes raisons sont excellentes et je suis content de voir comme ta pensée devient alerte et forte, pénétrante et vive. Seulement le cœur — ou le corps — a ses raisons que la raison ne connaît guère. J'accepte donc avec admiration pour toi (je veux dire pour ta pensée et non point pour ce que tu refuses, car je ne suis pas assez fat pour croire que mon corps est un si précieux trésor qu'il faut une grande force d'âme pour y renoncer) mais avec tristesse le joug superbe et cruel que tu m'imposes. Peut-être as-tu raison. Pourtant je trouve toujours triste de ne pas cueillir la fleur délicieuse que bientôt nous ne pourrons plus cueillir. Car ce serait déjà le fruit... défendu. Maintenant c'est vrai que tu la trouves empoisonnée... Donc, n'y pensons plus, n'en parlons plus, et prouve-moi par une très longue et très tendre amitié, comme sera j'espère la mienne pour toi, que tu as raison... [2] »

Point découragé, il tourne alors ses batteries vers Daniel Halévy dont le beau profil de prince oriental semble être surgi d'une illustration des *Mille et Une Nuits*, mais dont le caractère est peu gracieux, trop viril pour se laisser amadouer par les minauderies d'éphèbes sentimentaux. Pour le fléchir, Proust lui adresse des vers qui manqueront leur effet sur cette âme farouche :

*Ses yeux sont comme les nuits noires brillantes ;*
*C'est la tête fine des forts Égyptiens*
*Qui dressent leurs poses lentes*
*Sur les sarcophages anciens.*

*Son nez fort et délicat*
*Comme les clairs chapiteaux grêles ;*

1. *Jean Santeuil*, Pléiade, p. 258.
2. Kolb, tome I, p. 103.

*Ses lèvres ont le sombre éclat*
*Des rougissantes airelles.*

*Sur sa riche âme, rieuse en sa sauvagerie,*
*L'univers se reflète ainsi*
*Qu'une glorieuse imagerie*

*Cependant qu'un feu subtil et choisi*
*Anime cette âme et ce corps nubique*
*D'une exquise vivacité féerique*[1].

Daniel Halévy réagit de la même façon que Bizet, nullement attendri par ce sonnet aussi douteux dans sa forme que dans son inspiration. Accablés par ces avances auxquelles ils ne peuvent répondre, gênés de se trouver compromis par cette effervescence amoureuse qui pourrait les couvrir de ridicule, Halévy et Bizet marquent à leur ami une certaine froideur qui achève de blesser profondément celui-ci, incapable de comprendre qu'un besoin d'aimer aussi ouvertement affiché puisse produire une réaction de recul chez celui qui en est l'objet. Halévy ne lui adresse pas la parole pendant un mois, puis, cette pénitence terminée, consent à lui dire bonjour, volte-face dont Proust se demande ce qu'elle signifie. Est-il rentré en grâce ?

Au mois de septembre, revenant sur cette affligeante affaire, il écrit à Robert Dreyfus, son confident, pour lui exposer ce problème et lui demande ce que Daniel Halévy pense réellement de lui. Le considère-t-il comme un« assommoir » ou bien le trouve-t-il malgré tout « gentil » ? Quand à lui, son opinion varie selon qu'il écoute l'une ou l'autre de ses voix intérieures, celles des personnalités contradictoires dont il est fait : « Le Monsieur romanesque dont j'écoute un peu la voix, me dit : "C'est pour te taquiner, se divertir et t'éprouver, puis il en a eu regret, désirant ne pas te quitter tout à fait..." Mais le Monsieur défiant, que je préfère, me déclare que c'est beaucoup plus simple, que j'insupporte Halévy, que mon ardeur — à lui, sage — semble d'abord ridicule, puis bientôt assommante — qu'il a voulu me faire sentir ça, que j'étais collant, et se débarrasser. Et quand il a vu définitivement que je ne l'embêterais plus de ma présence, il m'a parlé...[2] »

Peut-être est-ce pour éprouver la virilité de Proust, ou le

1. D. Halévy, *Pays parisiens*, p. 123.
2. Kolb, tome I, p. 115.

convertir, que Daniel Halévy lui montre un jour, rue Fontaine, une crémière appétissante, beauté brune et grasse, à l'allure de Junon, véritable déesse égarée dans le monde boutiquier. Proust la juge aussi belle que Salammbô puis, après avoir évalué du regard le poids de cette femme, et sans doute son prix, il demande à son camarade : « Crois-tu qu'on puisse coucher avec elle ? »

Il faut être un potache, avoir la tête tournée par trop de lectures, pour s'imaginer que toutes les femmes sont à vendre et qu'on puisse aussi facilement suborner une crémière, patronne de surcroît, qu'une grisette affamée, prête à se donner pour un pique-nique à Robinson. Devant l'ignorance de Halévy, Proust suggère des travaux d'approche : « Il faudra lui porter des fleurs. » Quelques jours plus tard, les deux amis achètent rue Pigalle une brassée de roses et se présentent à la crémerie, hésitant un peu sur la conduite à tenir. Finalement, Proust entre résolument et, abordant la Junon, lui remet les fleurs en lui disant quelque chose qu'Halévy, resté dehors, n'entend pas, mais qui doit être une proposition ou du moins quelque compliment assez audacieux, car Mme Chirade — c'est son nom — sourit et fait un signe de tête négatif. Comme Proust insiste, elle le pousse gentiment, tout en continuant de sourire, vers la porte. Du trottoir, Halévy peut voir l'incorruptible beauté avancer « à petits pas comptés, inexorables, et Proust pas à pas vaincu...[1] »

Il a tout l'été, qu'il passe à Auteuil, chez son oncle Weil, pour se remettre de ses échecs sentimentaux et c'est à la littérature qu'il demande des consolations, notamment à Leconte de Lisle et Pierre Loti qui lui procurent l'ivresse de dépaysements immobiles en rêvant soit dans le parc de son oncle, soit sous les ombrages du bois de Boulogne, à des horizons nouveaux. Le départ de sa mère et de son frère pour Salies-de-Béarn lui a semblé aussi déchirant que s'ils étaient partis pour la Chine et il a manifesté une émotion que son autre oncle, Georges Weil, a jugée hors de proportion avec une absence aussi courte et un voyage aussi peu périlleux, trouvant cette sensibilité exacerbée indigne d'un garçon de dix-sept ans : « Encore sous le coup de votre départ, écrit-il à sa mère, je me suis attiré un sermon de mon oncle qui m'a dit que ce chagrin, c'était de l'*égoïsme*. Cette petite découverte

1. D. Halévy, *Pays parisiens*, p. 129.

psychologique lui a procuré de si pures joies d'orgueil et de satisfaction qu'il m'a moralisé, devenu impitoyable[1]. »

Son grand-père montre plus d'indulgence pour cet enfantillage, mais sa grand-mère, plus perspicace, observe que cela ne prouve aucunement qu'il aime sa mère, car il pleure davantage sur son propre sort que sur l'absence de celle-ci. Cette crise un peu théâtrale s'apaise et il note seulement une réflexion de son grand-père parce qu'il descend déjeuner en se frottant les yeux avec son mouchoir : « Reste de chagrin... », conclut-il.

Il y a certes de la sincérité dans ce désespoir, mais aussi beaucoup de comédie dont personne n'est dupe, pas même lui. C'est un spectacle qu'il se donne et auquel il prend un tel plaisir que peu après, en séjour à l'Isle-Adam chez un camarade, Édouard Joyant, il poursuit ce jeu avec Robert Dreyfus en lui adressant une longue lettre dont le début révèle déjà que la campagne et le beau temps l'incitent plus à écrire pour le plaisir qu'à se promener : « Il fait si beau aujourd'hui que j'ai des velléités de grand seigneur. Je voudrais me donner la comédie. Pour moi, c'est recevoir ou voir beaucoup de camarades, sortir de moi-même, être tranquille, ou passionné, ou extravagant, ou obscène, suivant mon envie, les dispositions mêmes de mon corps, et me donner le spectacle non seulement des bêtises de beaucoup, mais de l'originalité ou seulement du caractère de quelques-uns... » Et après avoir fait sur Dreyfus l'essai de quelques thèmes littéraires décadents, il revient à son principal sujet : Marcel Proust, tel que les autres le voient, tel aussi qu'il se juge. A la manière d'une femme du monde passant la revue de ses amis, il se décrit ainsi : « Connaissez-vous X..., ma chère, c'est-à-dire M. P. ? Je vous avouerai pour moi qu'il me déplaît un peu avec ses grands élans perpétuels, son air affairé, ses grandes passions et ses adjectifs. Surtout il me paraît très fou ou très faux. Jugez-en... » Priant Dreyfus de ne montrer cette esquisse à personne d'autre que Daniel Halévy, il conjecture que celui-ci dira : « C'est trop sincère pour l'être... », observation d'une justesse psychologique encore supérieure à celle de son propre portrait[2].

D'après cette même lettre, il semble qu'il ait profité de ses vacances à Paris et de l'absence maternelle pour faire des expériences amoureuses d'une nature différente de celles qu'il a tentées à Conforcet. Il confie à Robert Dreyfus qu'il a eu

1. Kolb, tome I, p. 110.
2. *Ibidem*, p. 117.

pendant l'été « une passion platonique pour une courtisane célèbre qui s'est terminée par un échange de photos et de lettres », mais sans lui révéler le nom de cette femme dont la réputation n'aurait certainement pas eu à souffrir de cette indiscrétion. Ne serait-ce que pure vantardise et aurait-il peur d'être démasqué ? Sinon, il devrait s'agir de Laure Hayman, une des nombreuses « amies » de son grand-oncle Weil, rencontrée chez celui-ci et avec laquelle il a commencé un flirt destiné à se transformer, au fil des années, en une réelle amitié, entretenue par un abondant échange de lettres.

Laure Hayman est une courtisane d'autant plus accomplie qu'elle a été élevée pour en être une, telle une esclave circassienne destinée au sérail du Grand Turc. A cet égard, Mme Hayman fut une excellente mère qui n'épargna ni sa peine ni ses conseils pour parvenir à ce résultat, un peu surprenant d'ailleurs lorsqu'on sait que son père, ingénieur en Amérique du Sud, appartenait à une bonne famille anglaise et descendait du peintre Francis Hayman, un des maîtres de Gainsborough. Il est vrai qu'en mourant assez jeune il n'avait guère laissé à sa veuve et à sa fille de quoi vivre honorablement. Blonde aux yeux noirs, bien en chair, mais avec une taille élégante mise en valeur par des toilettes d'un goût parfait, Laure Hayman est alors au sommet de sa carrière de demi-mondaine, auréolée du prestige d'amants royaux comme le duc d'Orléans, le roi de Grèce et le prétendant au trône de Serbie, le seul homme qu'elle ait sans doute aimé vraiment. Dans son hôtel du 4, rue La Pérouse, près de l'Étoile, elle tient salon, recevant hommes du monde et gens de lettres parmi lesquels Paul Bourget qui en a fait l'héroïne de sa nouvelle *Gladys Harvey* avant que Proust lui apporte une gloire définitive en la prenant pour principal modèle d'Odette de Crécy, destinée à devenir successivement Mme Swann, Mme de Forcheville et qui finira sa carrière en ayant pour ultime amant le vieux duc de Guermantes.

Bien que Laure Hayman ait trente-sept ans, soit vingt ans de plus que lui, Proust se déclare amoureux, ce qui ne veut pas dire qu'il le soit réellement. Il lui fait en tout cas une cour assidue en l'accablant de somptueux envois de chrysanthèmes, cette fleur japonaise mise à la mode par Edmond de Goncourt avant de se voir reléguée dans les cimetières. Simuler une passion pour une courtisane célèbre est une manière de se donner une carte de visite pour le monde, ou encore un paravent. S'il ne franchit pas le seuil de sa chambre, il peut croire et surtout faire croire qu'il n'est pas assez riche pour cela, mettant ainsi au compte d'un manque d'argent une simple absence de désir. Il est d'ailleurs infiniment plus agréable de jouer les pages auprès d'une beauté officielle que d'être un de ses amants, avec tout ce que cet état comporte de scènes, de crises de jalousie, de déceptions et souvent d'humiliations. Sur les amants en titre, si facilement abusés, le sigisbée a l'avantage de voir l'envers du décor, de connaître les secrets d'alcôve et, fort d'une position qui le met hors de jeu, d'être lui-même presque aussi courtisé que la maîtresse de maison dont il possède la confiance.

Ce que Laure Hayman lui a refusé, ou seulement permis de caresser du regard, Proust l'a sans doute cherché auprès de la Vénus vulgaire, dans un établissement du 6, rue Boudreau, à deux pas de Condorcet. Séance initiatique qui non seulement le déçoit profondément, mais provoque en lui une espèce de dégoût, au point qu'il se serait écrié en sortant : « J'ai senti que j'avais laissé là une partie de mon être moral...[1]. » Lorsque bien plus tard il renouvellera ce genre d'expérience, il se gardera d'y apporter son « être moral » et se conduira comme au théâtre, notamment lorsqu'un soir, accompagnant son ami Maurice Duplay, la tenancière présentera ses pensionnaires comme des comédiennes ou des femmes du monde. « Marcel, plus courtois que dans les salons de la comtesse Greffulhe, écrira Duplay, faisait semblant d'être leur dupe, de croire que celle-ci était vraiment une comédienne, celle-là réellement une femme du monde. Il rehaussait les prostituées à leurs propres yeux en feignant d'accepter l'image avantageuse que chacune offrait d'elle-même. Il cultivait leur *bovarysme*. Dans la maison d'illusions, ce fut lui qui, l'espace d'une demi-heure, en apporta[2]. »

A défaut des plaisirs de la chair, il a trouvé chez Laure Hayman ceux de l'esprit, car la dame en a, et surtout des relations dans le monde des lettres qui peuvent se révéler utiles un jour. Il obtient par elle un premier *satisfecit*, délivré par Paul Bourget à qui Laure Hayman avait montré la lettre que Proust lui avait écrite après la lecture de *Gladys Harvey* : « Votre Saxe psychologique, le petit Marcel, comme vous l'appelez, est tout simplement exquis, si j'en juge d'après cette lettre que vous avez eu la gracieuse idée de m'envoyer », écrit l'illustre

1. M. Duplay, *Mon ami Marcel Proust*, p. 73.
2. *Ibidem*, p. 73.

romancier, assez psychologue pour se douter que cette belle lettre avait été écrite à son intention. « Sa remarque sur le passage de *Gladys* concernant Jacques Molon prouve un esprit qui sait penser sur ses lectures, et tout son enthousiasme m'a fait chaud à sentir. Dites-le-lui, et qu'une fois sorti du travail auquel je suis attelé j'aurais grand plaisir à le rencontrer... » Sagement, Bourget lui donne le conseil, bien inutile en l'occurrence, « de ne pas laisser s'éteindre en lui cet amour des lettres qui l'anime », puis, avec une lucidité mélancolique, il prophétise : « Il cessera d'aimer mes livres, parce qu'il les aime trop. Claude Larcher sait trop bien que trop aimer, c'est être à la veille de désaimer. Mais qu'il ne désaime pas cette beauté de l'art qu'il devine, qu'il cherche à travers moi, indigne. Et quoique ce conseil passant par la bouche d'une Dalila soit comme une ironie, dites-lui qu'il travaille et développe tout ce que porte en elle sa déjà si jolie intelligence...[1]. »

Le conseil est bon et serait agréable à suivre partout ailleurs qu'à Condorcet dont les programmes d'études correspondent rarement à celui qu'il s'est tracé.

1. Cité par A. Maurois, *A la recherche de Marcel Proust*, p. 43.

# 3

# Octobre 1888 - Novembre 1889

*Un maître et une idole : Darlu - Premiers essais littéraires - Seconde tentative vers Halévy - Péchés de jeunesse - Une grâce équivoque - Débuts dans le monde - L'esprit de Laure Baignères - Une piquante enchanteresse : Geneviève Straus - Un prince des* clubmen : *Charles Haas - Ses amours et son destin - La gloire de l'avenue Hoche : Anatole France et Mme de Caillavet - Le bon Gaston.*

Le 1er octobre 1888, Marcel Proust commence sa dernière année de Condorcet, la plus importante pour lui car il entre en classe de philosophie avec un préjugé favorable pour cette nouvelle discipline.

Celle-ci est enseignée par une forte personnalité, Emile Darlu, dont la réputation est grande, alors qu'elle ne repose aujourd'hui que sur le fait d'avoir été l'un des maîtres de Proust et d'avoir eu sur lui une influence incontestable. Entre le maître et le disciple, on peut parler d'un véritable coup de foudre. Il suffit pour s'en convaincre de lire la lettre que, le lendemain même de la rentrée, Proust lui adresse, une lettre bizarre où l'artifice et la naïveté se combinent de manière à piquer la curiosité du destinataire à l'égard de cet élève inconnu qui révèle en même temps qu'une précoce intelligence un caractère déjà désenchanté. Sous prétexte de lui demander « une consultation morale », Proust décrit le mal dont il souffre, c'est-à-dire son incapacité « à trouver un plaisir complet à ce qui était autrefois [sa] joie suprême, les œuvres littéraires ». L'un de ses *moi* qui pourrait s'enthousiasmer pour un ouvrage quelconque sent aussitôt peser sur lui le regard critique de l'autre *moi* qui s'étonne de cet enthousiasme et réussit, en cherchant sa cause, à en tarir la source, à détruire même « la beauté propre de l'œuvre ». Bref, Proust, victime de ce conflit intérieur, prie Darlu de lui indiquer le remède et d'excuser cette démarche indiscrète. Instruit par l'expérience de ses lectures à haute voix devant ses condisciples, il conjure son professeur « de ne pas faire la moindre allusion en classe à cette lettre... qui est surtout une sorte de confession [1] ».

On ne sait ce que Darlu pensa de cette étrange épître, à laquelle il dut se contenter de faire une réponse orale, et l'on peut penser que Proust cherchait en l'écrivant moins un remède à son mal qu'un moyen d'attirer sur soi l'attention de cet homme éminent.

Méridional au verbe sonore et incisif, avec une tête de vieux lion et « un gros nez toujours enfoui dans un mouchoir à carreaux », Marie-Alphonse Darlu a une pensée prompte, originale et ingénieuse, qu'il exprime avec une vivacité mêlée de verdeur qui contribue au succès de son enseignement. Avec lui, la philosophie n'est plus une abstraction, mais une réalité à portée de l'esprit de tous, même du plus réfractaire, obligé sous l'effet de sa parole de s'ouvrir, d'absorber l'essentiel de sa doctrine et de retenir les plus originales de ses démonstrations. Comment ne pas être frappé, lorsqu'on a dix-sept ou dix-huit ans, de l'entendre s'écrier, à propos de la morale civile, qu'elle consiste « à rattacher tous les devoirs de la vie sociale, comme leur principe, à la dignité humaine », ou bien dire de la philosophie « qu'elle a sécularisé l'idée religieuse » ? Ce maître, dont la foi laïque n'a pas désespéré de l'homme, bien au contraire, voit dans le christianisme « le principal alluvion qui a formé le sol de notre morale », et dans la patrie, « la condition de la durée et du rayonnement de notre génie national, de notre langue, de notre art ». Rien de moins destructeur que ce philosophe, respectueux des traditions, qui défend Platon contre Nietzsche. Rien de moins révolutionnaire non plus que ce professeur mal payé qui répète volontiers : « Il y a des libertés nécessaires et des autorités légitimes [2]. »

Persuadé que « le devoir de réformation intérieure [est] essentiellement un devoir religieux », il prêche avec flamme ses convictions et s'efforce d'inculquer à ses élèves « un approfondissement dans la pratique de la vérité..., de l'absolu de la vérité », ce qu'il formulera en 1890 dans son ouvrage l'*Enseignement de la Morale*.

1. Kolb, tome I, p. 122.
2. Les citations de Darlu sont faites d'après l'étude qu'Henri Bonnet lui a consacrée, *Alphonse Darlu, maître de philosophie de Marcel Proust*, pp. 22 et *passim*.

Sans préjugés, sans sectarisme, il est toujours soucieux, comme l'écrit Henri Bonnet, « d'extraire de chaque morale ce qu'elle a de valable » pour aboutir à sa propre conception de la morale, amalgame de tous les principes ayant victorieusement triomphé de l'épreuve du temps. Dans une conférence prononcée en 1889 et qui reprendra nombre de ses idées professées à Condorcet, il écrira : « Ainsi dans l'évolution de la conscience humaine, nous pouvons distinguer trois moments principaux. La morale philosophique des Anciens a poursuivi la science rationnelle du bonheur. Le christianisme a enseigné la vertu du sacrifice et de la loi de charité. Le siècle présent épelle péniblement la loi de la justice sociale. »

Proust se souviendra peut-être de Darlu lorsque, montrant les plus pauvres des habitants de Balbec collés le soir contre les baies vitrées du Grand Hôtel pour voir dîner les estivants, aussi fascinants pour eux que des poissons exotiques dans un aquarium, il écrira : « Une grande question sociale, de savoir si la paroi de verre protégera toujours le festin des bêtes merveilleuses et si les gens obscurs qui regardent avidement ne viendront pas les cueillir et les manger... [1]. »

En matière politique, les idées de Darlu sont celles de cette génération d'hommes qui ont aidé à bâtir la France du Second Empire par leur esprit d'entreprise et leur puissance de travail. En bon républicain, il lui suffit pour l'homme de l'égalité des droits, plus précisément de l'égalité des chances qui permet à chacun d'aboutir à l'inégalité des conditions. A ses yeux, toute richesse est légitime lorsqu'elle est le fruit du travail. « Il n'admet pas le matérialisme marxiste, précise Henri Bonnet, mais il n'est pas hostile au socialisme, car il reconnaît à celui-ci le mérite d'avoir réveillé la conscience chrétienne. »

Telles sont en gros les idées de l'homme dont l'influence sera longtemps assez forte sur Proust pour que celui-ci puisse écrire dans son premier livre, *Les Plaisirs et les Jours,* « que sa parole inspirée, plus sûre de durer qu'un écrit, a en [lui], comme en tant d'autres, engendré la pensée ». L'heure n'est pas encore venue où le disciple émerveillé reniera son maître et rejettera sa doctrine. De cet enthousiasme subsiste encore une autre preuve dans une note de sa traduction de *Sésame et les lys,* puis Marcel Proust estimera n'avoir aucune dette envers ce maître si longtemps vénéré. Dans un de ses carnets, il

1. *A la recherche du temps perdu,* Pléiade, tome II, p. 41.

notera : « Aucun homme n'a jamais eu d'influence sur moi que Darlu, et je l'ai reconnue mauvaise[1]. »

Le principal mérite de Darlu est alors, non d'accoucher les esprits comme Socrate, mais de faire sortir ceux-ci des ornières de la pensée, creusées par des siècles de lieux communs, et d'apprendre à ses élèves à dire ce qu'ils ressentent au lieu d'emprunter leur langage à une littérature conventionnelle. Pour arriver à ses fins, il n'hésite pas à se montrer brutal, certain qu'une flèche bien placée stimule infiniment plus le garçon nonchalant, piqué dans son amour-propre, qu'une remontrance écoutée d'une oreille distraite. Au lieu de reprocher à Proust, ce que faisait Cucheval, son manque de simplicité dans ses analyses et l'affectation de son style, il se moque de la banalité de sa pensée ou de son langage, acquise sans doute, lui dit-il, par ses lectures de médiocres journalistes ou d'écrivains mondains : « Comment pouvez-vous écrire une phrase comme *les rouges incendies du couchant ?* C'est de la couleur pour un petit journal de... d'où... Voyons, de province, non, pas même... des colonies[2]. »

Il n'en faut pas tant pour que Proust se pique au jeu et s'efforce d'améliorer son style, comme il le fait justement pour sa nature morale en essayant de voir clair en lui-même, de dégager la fleur rare étouffée jusque-là sous la triple pression d'une famille trop conventionnelle, de professeurs trop exigeants et de camarades incompréhensifs.

Dans sa ferveur pour Darlu, il s'est attaché à lui comme un enfant perdu au bienfaiteur qui l'a tiré de l'orphelinat. Non content de prolonger le cours en lui parlant après la classe, il le guette à la sortie du lycée pour l'accompagner jusque chez lui, restant planté devant la porte à l'interroger inlassablement. Il a persuadé ses parents de se faire donner des leçons particulières par Darlu et, ces jours-là, il l'escorte aussi jusqu'au 20, rue de la Terrasse où habite le philosophe. Celui-ci, la main sur la poignée de la porte, voudrait bien rentrer chez lui, mais comment briser l'entretien et se défaire de ce disciple qui mêle avec tant d'artifice les compliments et les questions ? Aussi Proust est-il devenu célèbre chez les Darlu où son seul nom explique tous les retards du chef de famille que l'on s'attend toujours à voir rentrer, harassé, affamé, avec Marcel

1. Cité par Ph. Kolb, tome I, p. 127.
2. Cité par George D. Painter, *Marcel Proust,* tome I, p. 99.

Proust accroché à ses basques et le poursuivant jusque dans la salle à manger[1].

*

Ses préoccupations philosophiques laissent à Proust assez de loisirs pour se livrer à ses premières tentatives littéraires qui, malgré leur gaucherie et leur préciosité, sont intéressantes parce qu'elles montrent chez lui le besoin de fixer l'éphémère, de saisir au vol l'instant présent avant qu'il bascule dans l'oubli, entraînant avec lui l'être qu'il a été précisément à cette minute. Il y a chez lui le double souci de sauver pour l'éternité un instant vécu, une fraction infinitésimale du Temps et aussi une part de sa propre existence, un aspect du jeune homme plein de vie qu'il est alors, mais condamné dans un avenir plus ou moins proche à disparaître aussi.

Un texte dédié à Jacques Bizet porte la marque de cette préoccupation métaphysique voilée sous une certaine frivolité : « Onze heures du soir, dix-sept ans... J'ai refermé la fenêtre. Je suis couché. Ma lampe posée près de mon lit sur une tablette, au milieu de verres, de flacons, de boissons fraîches, de petits livres précieusement reliés, de lettres d'amitié ou d'amour, éclaire vaguement le fond de ma bibliothèque. L'heure divine ! Les choses usuelles, je les ai sacrées, ne pouvant les vaincre. Je les ai vêtues de mon âme et d'images intimes ou splendides. Je vis dans un sanctuaire, au milieu d'un spectacle. Je suis le centre des choses et chacune me procure des sensations ou des sentiments magnifiques ou mélancoliques dont je jouis. J'ai devant les yeux des visions splendides. Il fait doux dans ce lit... Je m'endors[2]. »

Ce texte était destiné à la *Revue lilas* qui ne semble pas l'avoir publié, peut-être pour n'avoir pas duré assez longtemps. Cette revue, qui doit son nom à la teinte de sa couverture, est une de ces nombreuses publications auxquelles les lycéens de Condorcet apportent, dans l'espoir de forcer le destin, leurs talents en herbe, leurs vanités juvéniles et leur argent de poche, vite volatilisé dans les frais d'impression. En fait, ces revues ressemblent à des nids dans lesquels de jeunes oiseaux viennent pondre leurs œufs dans l'espoir d'en voir éclore un sur la douzaine qu'ils y déposent, c'est-à-dire un texte qui attirera

---

1. A. Ferré, *Les Années de collège de Marcel Proust,* p. 249.
2. *Essais et articles,* dans *Contre Sainte-Beuve,* Pléiade, p. 34.

l'attention d'un amateur, d'un critique ou même — rêve insensé ! — d'un éditeur à la recherche de nouveaux écrivains. Beaucoup de ces revues sont manuscrites, cahiers d'écolier sur lesquels chacun recopie ses œuvres à son tour, après quoi cet unique exemplaire circule de main en main dans le lycée, parfois à l'intérieur. C'est le cas de *Lundi,* avec sur sa couverture deux Amours supportant un in-folio grand ouvert portant une devise latine, puis de la *Revue de Seconde,* fondée par Daniel Halévy, et enfin de la *Revue verte,* rédigée sur papier vert, dont Proust a été secrétaire de rédaction avant de démissionner parce que Daniel Halévy souhaitait justement qu'elle ait une audience plus vaste que celle des lecteurs agréés par les auteurs. « Considérant..., écrit Proust avec une gravité magistrale, que les articles écrits par manière de jeu ne sont que le reflet inconsistant de la mobilité d'imaginations qui s'amusent... et qui se livrent dans une intimité complète... », il s'oppose donc à une circulation moins restreinte qui pourrait donner mauvaise opinion des auteurs « en attribuant une importance qu'elles n'ont jamais prétendu avoir [à] des feuilles journalières écrites à la hâte... » et dont il importe de respecter « le caractère privé en les protégeant contre les critiques des lecteurs en vue desquels elles ne furent point griffonnées [1] ».

La *Revue lilas* n'ayant vraisemblablement duré que l'espace d'un printemps, ce sont *la Revue blanche* et *Le Banquet* qui accueilleront les premiers essais de Proust.

En attendant de moissonner des succès littéraires, il essaie d'en récolter dans d'autres domaines, celui du cœur et celui du monde. Son échec auprès de Daniel Halévy ne l'empêche pas de revenir à la charge, car rien n'est plus insistant qu'une virginité qui cherche à se perdre. Peut-être aussi Robert Dreyfus, en répondant à sa lettre anxieuse du mois de septembre, l'a-t-il rassuré sur les sentiments de Daniel Halévy à son endroit. Il se croit donc autorisé à tenter une nouvelle fois sa chance, mais c'est encore un refus que l'objet de ses feux, pour en adoucir la brutalité, lui a signifié en vers. Proust ne veut pas encore s'avouer battu et il adresse au farouche et charmeur Halévy un plaidoyer qui mérite d'être cité *in extenso* car il jette une lumière intéressante sur la mentalité de Proust à cette époque de sa vie :

---

1. *Essais et articles,* dans *Contre Sainte-Beuve,* Pléiade, p. 332.

Mon cher ami,

Tu m'administres une petite correction de règle, mais tes verges sont si fleuries que je ne saurais t'en vouloir, et l'éclat et le parfum de ces fleurs m'ont assez doucement grisé pour m'adoucir la cruauté des épines. Tu m'as battu à coups de lyre. Et ta lyre est enchanteresse. Je serais donc enchanté si... Mais je vais t'expliquer ma pensée ou plutôt causer avec toi comme avec un garçon exquis de choses très dignes d'intérêt, encore qu'on n'aime pas en causer entre soi. J'espère que tu me sauras gré de cette pudeur. Elle me paraît bien pire que la débauche. Mes croyances morales me permettent de croire que les plaisirs des sens sont très bons. Elles me recommandent aussi de respecter certains sentiments, certaines délicatesses d'amitié, et particulièrement la langue française, dame aimable et infiniment gracieuse, dont la tristesse et la volupté sont également exquises, mais à qui il ne faut jamais imposer de poses sales. C'est déshonorer sa beauté.

Tu me prends pour un blasé et un vanné, tu as tort. Si tu es délicieux, si tu as de jolis yeux clairs qui reflètent si purement la grâce fine de ton esprit qu'il me semble que je n'aime pas complètement ton esprit si je n'embrasse pas tes yeux, si ton corps et tes yeux sont si graciles et souples comme ta pensée qu'il me semble que je me mêlerais mieux à ta pensée en m'asseyant sur tes genoux, si enfin il me semble que le charme de ton toi, ton toi où je ne peux séparer ton esprit vif de ton corps léger, affinerait pour moi en l'augmentant « la douce joye d'amour », il n'y a rien qui me fasse mériter les phrases méprisantes qui s'adresseraient mieux à un blasé des femmes cherchant de nouvelles jouissances dans la pédérastie. J'ai des amis très intelligents et d'une grande délicatesse morale je m'en flatte, qui une fois s'amusèrent avec un ami... c'était le début de la jeunesse. Plus tard, ils retournèrent aux femmes. Si c'était un aboutissement qui seraient-ils, grands dieux ! et qui crois-tu donc que je suis, surtout qui je serai si j'ai déjà fini avec l'amour pur et simple ! Je te parlerai volontiers de deux maîtres de fine sagesse qui dans la vie ne cueillirent que la fleur, Socrate et Montaigne. Ils permettent aux tout jeunes gens de « s'amuser » pour connaître un peu tous les plaisirs, et pour laisser échapper le trop-plein de leur tendresse. Ils pensaient que ces amitiés à la fois sensuelles et intellectuelles valent mieux que des liaisons avec des femmes bêtes et corrompues quand on est jeune et qu'on a pourtant un sens vif de la beauté et aussi des « sens ». Je crois que ces vieux Maîtres se trompaient, je t'expliquerai pourquoi. Mais je retiens seulement le caractère général du conseil. Ne me traite pas de pédéraste, cela me fait de la peine. Moralement je tâche, ne fût-ce que par élégance, de rester pur. Tu peux demander à M. Straus quelle influence j'ai eue sur Jacques[1]. Et c'est à l'influence de quelqu'un qu'on juge sa moralité.

M. Darlu me prévient qu'il va m'interroger, j'arrête ce commencement de lettre. Seulement dis-moi ce que veut dire ceci, que tes mains ne sont pas pures ?... Je... t'embrasse si tu me permets cette chaste déclaration.

Marcel[2].

Daniel Halévy n'est pas le seul à capter les regards, à émouvoir les sens et à charmer l'esprit de Proust qui, en cet automne 1888, a plusieurs fers au feu. Assez curieusement, il ne semble pas attiré, lui, frêle et maladif, épris d'intellectualismez et inapte aux jeux comme aux sports, par son contraire, c'est-à-dire la belle brute ou le cancre invincible qui, fièrement campé sur le socle de sa paresse, exhibe ses muscles en laissant majestueusement venir à lui les places de dernier, tout en étant le premier dans les exercices où il faut déployer force, adresse et agilité. Les goûts de Proust semblent le porter, comme le prouvent ses sentiments à l'égard de Daniel Halévy ou de Jacques Bizet, vers son propre type, vers ces visages auxquels le sang d'Israël ajoute quelque chose d'exotique et de ténébreux.

Il est vrai qu'on ne sait rien d'un certain Duval, qu'il aurait aimé, ni de Raoul Versini, brillant sujet puisqu'il recevra cette année-là le premier prix de composition française et celui de latin. Proust a dû connaître Versini l'année précédente, peut-être même avant, car on s'expliquerait mal sans cela qu'il ait été assez intime avec lui pour lui avouer, dans les premiers jours d'octobre, une de ces fautes qui ne gagnent rien à être claironnées. Comme il ne peut jamais agir simplement, il fait suivre son aveu d'une lettre de justification pour répondre aux reproches de Versini qui a dû lui faire un cours de morale. Certes, lui écrit-il, il a consenti à « une grande saleté », mais il n'en est pas entièrement responsable. « Je suis pétri autant, hélas ! peut-être plus de nerfs et de sens que d'autres. J'ai pu consentir, je ne l'ai pas fait de mon plein gré, mais j'ai consenti avant, ce qui était tout : je suis franc, tu vois. » Et pour regagner l'estime de son censeur, il ajoute : « ... Je ne mérite ni ta tristesse si affectueuse ni tes scrupules exagérés. Non que je me croie descendu très bas. Ce que j'ai fait (je peux bien te

1. Jacques Bizet, dont la mère avait épousé en secondes noces Emile Straus.
2. Kolb, tome I, p. 123.

parler avec franchise, aussi bien que je n'en ai jamais manqué avec toi, n'est-ce pas ?) n'est pas l'extrême point d'un long abaissement moral. J'ai la conscience d'être le même qu'avant... [1] »

Peut-être le remords exprimé dans cette lettre est-il surtout le regret de n'avoir pas fait la même chose avec quelqu'un de plus séduisant, car la beauté peut passer à la rigueur pour une sorte de vertu. Péché avoué, dit-on, est à moitié pardonné. Proust avoue tant celui-là que le pardon arrive de tous côtés. Une heure après sa « *chute* », il s'est confessé à un camarade, Abel Desjardins, puis à son père qui, sagement, n'a pas accordé à l'affaire une importance exagérée, « connaissant son tempérament », explique Proust, et regardant cette faute comme une « *surprise* » au sens que donnait à ce mot le XVIIe siècle, précise ce pécheur lettré. Aussi adjure-t-il Versini de ne pas se montrer plus sévère que le docteur Proust et de mettre cette défaillance au compte de sa bêtise, et non de sa bonté. « Aide-moi toujours de tes bons conseils et professons toujours cette vertu à l'égard l'un de l'autre : la sincérité. Elle n'est, je t'assure, qu'une forme — très belle — de l'amitié [1]. »

On ignore le nom du loup ravisseur ; on ne sait pas davantage si cette aventure fut unique et si les bons conseils de Raoul Versini, les sarcasmes de Jacques Bizet, les remontrances de Daniel Halévy suffirent à maintenir leur ami dans le chemin de la vertu, mais on peut être assuré que celui-ci éprouva plus de volupté à conter sa faute qu'à la commettre, le plaisir d'en disserter avec ses confidents et de plaider sa cause auprès d'eux avec assez d'art pour sortir grandi de ce faux pas, l'emportant de beaucoup sur celui qu'il pu tirer d'un bref contact entre deux épidermes.

*

En cette année scolaire 1888-1889, la dernière de son temps de lycée, la première de sa vie mondaine, Proust est déjà une étrange figure, étonnant ses condisciples beaucoup plus qu'elle ne les séduit. Fernand Gregh et Jacques-Émile Blanche, tous deux témoins de ses débuts dans le monde, à peine émoulu de Condorcet, se rappelleront l'un « ses yeux noirs et coulants à la paupière brune qui se baissait comme un beau voile de chair

1. Lettre de Marcel Proust à Raoul Versini vendue à l'hôtel Drouot le 10 juin 1988 (Etude de Me Boisgirard. Expert, M. P. Bérès).

sur un foyer oriental de lumière et de rêve[1] », l'autre son extravagante tenue, un milieu fort peu juste entre le clubman et le clown », ses cravates de soie vert d'eau nouées au hasard, ses pantalons tire-bouchonnants, sa redingote flottante... l'ensemble accompagné de « gants gris perle à baguettes noires, froissés, pliés, salis, [et] d'un chapeau haut de forme incroyablement hérissé[2] ». Tous deux s'accordent en revanche à louer la grâce avec laquelle il sait se blottir aux pieds des dames qui tiennent salon, étonnant celles-ci par sa culture, les étourdissant par ses compliments excessifs et enfin les inquiétant par la pénétration de ses jugements.

A ces qualités, il en joint une autre, une modestie trop grande pour être naturelle et lui deviendra chez lui non seulement une habitude, mais une volupté, celle de se diminuer devant les gens qui le tiennent pour peu et de leur voler le plaisir qu'ils pourraient avoir à le snober. Il dissimule ainsi ses belles relations au point que ses camarades le soupçonnent de n'en avoir aucune et de rechercher leur amitié pour s'en faire grâce à eux. Il lui arrive parfois de piquantes mésaventures, comme celle-ci : un après-midi, sortant de chez Jacques-Émile Blanche, il a l'idée de passer dire bonjour à un camarade habitant un immeuble voisin. Au coup de sonnette, l'hôte se précipite, croyant accueillir un de ses invités. En reconnaissant Proust, il s'écrie, affolé par cette arrivée intempestive : « Excusez-moi, mon cher, votre présence ici est impossible, vous comprendrez tout d'un mot, j'ai à goûter les Dutilleul ! » Et le maître de maison lui fait descendre l'escalier, racontera Proust, « aussi vite qu'un commandant de sous-marin fait quitter un navire torpillé à ses malheureux passagers ». Le même soir, affirmera-t-il, mais il se peut que ce soit deux ou trois ans plus tard, se rendant à un bal donné par la princesse de Wagram, il rencontre dans l'omnibus l'hôte des illustres Dutilleul qui, le voyant en tenue de soirée, s'en étonne : « Tiens ! Mais puisque vous n'allez jamais dans le monde, pourquoi êtes-vous en habit ? » Et Proust d'avouer, d'un air confus, presque honteux, qu'il se rend au bal Wagram. A ce nom, l'ami croit qu'il s'agit d'un bal populaire pour gens de maison, situé avenue de Wagram, et l'écrase du regard en ricanant : « Ah ! Elle est bien bonne... Mon cher, au moins on ne fait pas semblant d'être invité quand on est assez dénué

1. F. Gregh, *Hommage à Marcel Proust,* p. 36.
2. J.-É. Blanche, *Hommage à Marcel Proust,* p. 46.

de relations pour en être réduit à aller à des bals de domestiques, et payants encore[1] ! »

Peut-être véridiques, ces histoires ont sans doute été enjolivées par Proust qui, à l'instar de Chateaubriand, éprouvera plus tard un certain plaisir, teinté d'amertume, à évoquer des circonstances dans lesquelles il a été méconnu.

Tout en continuant d'essayer de plaire à ses camarades dont la plupart le prennent pour un fantoche mondain, Proust s'attaque au monde littéraire en écrivant à l'un de ses écrivains les plus en vue, Anatole France, célèbre depuis le succès du *Crime de Sylvestre Bonnard* et du *Livre de mon ami.* Non sans ingénuité, car il est toujours maladroit d'écrire à un auteur que l'on vient de lire un éreintement de son dernier livre, Proust saisit le prétexte d'un article assez dur, écrit par un certain Chantavoine sur *Balthasar,* une œuvre mineure du maître, pour adresser à celui-ci une lettre de condoléances. Il s'y montre prodigue en louanges, passant vite de l'admiration à l'amour, mais, autre maladresse, il dit à France qu'il fait lire ses ouvrages non seulement à ses camarades, mais aux professeurs « en retard qui ne le connaissent pas... ». « Vous m'avez appris à trouver dans les choses, dans les livres, dans les idées, et dans les hommes, une beauté dont auparavant je ne savais pas jouir. Vous m'avez embelli l'univers... » Et il achève cette déclaration, qui contredit ce qu'il écrivait naguère à Darlu, par une invitation déguisée : « Je suis si ami avec vous qu'il n'y a pas de jour où je ne pense à vous plusieurs fois, encore que j'aie quelque embarras à me figurer votre personne physique[2]. » Comme la lettre est anonyme et signée « Un élève de philosophie », elle ne demande pas de réponse, mais peut-être représente-t-elle dans l'esprit de son auteur un jalon destiné à le conduire un jour vers la demeure du Maître.

Effectivement, quelques mois plus tard, il passera le seuil sacré. Ce ne sera pas celui du logis d'Anatole France, mais celui du temple où une artificieuse sirène a su attirer le grand homme pour en faire le but de son existence et l'ornement de son salon.

En attendant ce grand jour, point de départ de sa carrière mondaine, il quitte honorablement, le 30 juillet 1889, le lycée Condorcet. Darlu, qui l'a toujours noté favorablement, tout en déplorant que sa santé nuise à son travail, lui avait d'ailleurs

1. *Essais et articles,* dans *Contre Sainte-Beuve,* pp. 575-576.
2. Kolb, tome I, p. 125.

garanti le succès final. M. Chamblis, qui enseigne l'histoire et la géographie, et M. Seignette, les sciences naturelles, n'ont également que des éloges à faire de son travail et de sa conduite. En revanche, le professeur de mathématiques, M. Ducatel, et celui de physique et chimie, M. Aubert, sont d'accord pour voir en Marcel Proust un élève médiocre, méritant même de M. Aubert, au deuxième trimestre, cette mention lapidaire : « Ne fait absolument rien », absolu qui a son charme, une perfection, même dans le mal ou la paresse, étant toujours une perfection.

Tout cela compte peu à ses yeux qui se tournent désormais vers un monde entrevu en lisant Saint-Simon et Balzac, monde qui survit encore en dépit de l'instauration de la République et dans lequel il ambitionne de faire sa place. Par deux amis de Condorcet, Jacques Baignères et Jacques Bizet, il a déjà fait quelques incursions dans la grande bourgeoisie, aussi éloignée des Proust, bourgeois fraîchement promus, que les Noailles ou les Gramont peuvent l'être d'un gentilhomme campagnard. On ne peut taxer de snobisme le désir naturel d'un garçon de cet âge, intelligent, cultivé, curieux, aimant l'histoire et les lettres de vouloir cultiver ces deux disciplines à l'état naturel, dans les salons où parfois l'histoire se fait, dans ceux où d'illustres écrivains se disputent la parole ou bien exécutent sans pitié les confrères absents.

Jacques Baignères est le fils d'Henri Baignères et le neveu d'Arthur, deux frères dont les femmes tiennent chacune leur salon, et dans la même rue, ce qui produit de fréquentes confusions entre ces dames, également aimables et réputées pour leur esprit, encore que la palme en revienne assurément à Mme Henri Baignères, née Laure Boilay, célèbre par son don de repartie. Elle l'a été aussi par sa longue liaison avec le comte de Rémusat, vraisemblablement le père de Jacques. A quelqu'un qui lui demandait auquel de ses parents ressemblait le plus celui-ci, elle s'était contentée de répondre : « Mon fils ressemble surtout à son père... » Un jour qu'une dame lui annonçait la naissance, chez une de leurs amies communes, d'une petite fille, Laure Baignères, que cette nouvelle laissait fort indifférente, avait proféré : « Ah ! c'est bien... » Mais l'amie avait rectifié : « Non, je me trompe, ce n'est pas une petite fille, c'est un petit garçon ! » Et Laure Baignères, toujours sur le même ton, avait laissé tomber : « Ah ! c'est plus ouvragé... »

Plus tard, lorsque l'extrême intimité de Mme de Guerne et

de son frère, le comte de Ségur, tous deux musiciens mondains, suscitera de fâcheuses rumeurs, Laure Baignères, sortant d'un récital donné par le couple, arrivera chez des amis en proclamant : « Je viens d'entendre une chose sublime : Mme de Guerne et son frère ont joué *L'Inceste* de Gluck ! [1] »

Par Jacques Baignères, Proust se liera également avec Paul Baignères, fils d'Arthur et de Charlotte Baignères, qui l'inviteront bientôt dans leur propriété des Frémonts, à Trouville.

Très différente des dames Baignères est Mme Straus, scintillante Circé aux yeux de braise et, malgré son allure aguicheuse, aussi fidèle à son second mari qu'elle l'a été au premier dont la disparition prématurée en avait fait une espèce de veuve hindoue, se laissant mourir à petit feu pour rejoindre plus vite l'être adoré. Spirituelle aussi, mordante à l'occasion, souvent très exaltée, elle porte en elle un fond de neurasthénie hérité de sa mère, Léonie Rodriguez, dont Eugène Delacroix évoque la névrose dans son *Journal*. Son père, Fromental Halévy, n'est pas non plus un homme gai, ni son frère Ludovic Halévy, bien qu'il ait été le librettiste d'Offenbach. Geneviève Halévy avait épousé en premières noces Georges Bizet, l'auteur de *Carmen,* que l'insuccès de cette œuvre avait quasiment conduit au suicide. Veuve éplorée, bien qu'entourée d'une cour de soupirants, elle avait compris qu'elle ne pouvait vivre éternellement retirée du monde et qu'il fallait donner un beau-père à son fils, Jacques Bizet, dont le caractère annonçait à son tour une tendance dépressive. Elle avait donc agréé un de ses plus assidus amoureux, sinon le plus séduisant, l'avocat Émile Straus. A ceux qui s'étonnaient de ce choix, elle répondait qu'elle l'avait épousé pour qu'il la laissât tranquille en cessant de la demander en mariage, mais elle avait consulté son fils qui, lui aussi, préférait Émile Straus aux autres prétendants et ce choix s'était révélé judicieux.

Encore qu'on murmurât qu'Émile Straus était fils d'un Rothschild, il avait fait lui-même sa fortune comme avocat de la Compagnie des chemins de fer du Nord, appartenant il est vrai aux Rothschild. Très épris de sa femme et, par suite, fort jaloux, un peu maladroit dans l'expression de cet amour possessif, il n'avait été accepté qu'à la condition qu'il la laissât libre de voir ses vieux amis, ceux du temps de Bizet, dont certains, vestiges de *La Bohème* d'Henri Murger, étaient bien

1. Récit de Ferdinand Bac.

faits pour étonner la plaine Monceau : « Si l'on m'empêche de voir mes amis, avait-elle confié à Gustave Schlumberger, je sauterai par la fenêtre... » Elle en était parfaitement capable, mais elle avait pris la précaution d'habiter un entresol.

Émile Straus avait souscrit à toutes les conditions imposées et leur mariage, célébré en 1886, se révélait heureux en dépit des crises de mélancolie de Geneviève Straus et de ses sautes d'humeur. En admiration éperdue devant cette femme si vive et souvent si drôle, Straus est le premier à répéter ses bons mots, comme le duc de Guermantes le fera de ceux de sa femme dont certaines reparties sont d'ailleurs empruntées à Mme Straus.

L'esprit de celle-ci a été si célèbre et tant de gens ont cité ses mots qu'elle est entrée dans l'histoire littéraire, au même titre que Mme du Deffand ou Mme Geoffrin tandis que ses mots se retrouvent dans les Mémoires des uns ou les recueils d'anecdotes des autres. Un soir qu'elle s'impatientait d'entendre Edouard Pailleron se moquer du ménage Gandérax, l'auteur du *Monde où l'on s'ennuie,* prenant conscience de son mécontentement, lui dit pour l'apaiser : « Ne vous gênez pas, Madame, je vous abandonne mes amis » — « Je ne vous connais pas », riposta Geneviève Straus. Un soir qu'elle et Gounod venaient d'entendre *Manon,* le compositeur, ne sachant comment juger l'œuvre de son rival, crut se tirer d'affaire en déclarant sa musique « octogonale » : « J'allais justement le dire ! » s'écria Mme Straus.

Si elle se montre parfois cinglante, disant par exemple d'une ancienne beauté fortement épaissie par l'âge : « Ce n'est plus une statue, c'est un groupe ! » elle est naturellement bonne, aimant vraiment ses amis, recrutés sans considération de snobisme ou de notoriété, cherchant toujours à leur être agréable et, en cas de besoin, à leur rendre service, aussi prête à tirer de la misère au malheureux poète aux abois qu'à vanter les qualités cachées du prince Auguste d'Arenberg pour le hisser à la présidence du canal de Suez. « Elle apprivoisait jusqu'à l'ingratitude », dira d'elle Robert de Flers. Elisabeth de Gramont, qui l'a connue au déclin de sa beauté gitane, admirablement fixée par le peintre Delaunay, rend hommage dans ses *Mémoires* « au don rare et délicieux [de Mme Straus] de saisir avec ses fines antennes féminines les plus récents désirs de la pensée et du cœur », puis, après avoir loué son fameux regard, elle ajoute : « Etait-elle instruite ? Je n'en sais rien. En tout cas, elle n'était pas pédante, s'occupant plus du présent que du passé, ce dont ses amis lui savaient gré[1]. » Certains de ses contemporains, longtemps amusés par son charme primesautier, se sont demandé à leur tour si elle était aussi intelligente et spirituelle qu'on s'était plu à le dire, et son mari à le proclamer. A Daniel Halévy qui lui posera cette question, Jacques-Émile Blanche répondra : « Eh ! bien, Daniel, nous l'applaudissions sous bénéfice d'inventaire. Ta tante était une *présence,* comme diraient les Anglais, peut-être plus éloquente que la parole[2]. »

En y réfléchissant, on s'aperçoit en effet que Geneviève Straus, qui sera une des plus fidèles amies de Proust, est un peu différente de l'impression qu'elle sait donner d'elle-même. Dans son entresol du boulevard Haussmann, à l'angle de l'avenue de Messine, les habitués de son salon savent qu'elle parle plus volontiers des auteurs que de leurs œuvres, qu'elle n'a sans doute pas le temps de lire, mais qu'en revanche elle n'admet pas que ces œuvres fassent l'objet d'une critique ou même d'une réserve. Tout ce que font ses amis, qu'ils écrivent, peignent ou composent, est par principe excellent. Il n'y a donc pas lieu d'en discuter, pour ouvrir ainsi la porte au doute. Proust ne tardera pas à découvrir la nature véritable de la maîtresse de maison et s'en étonnera plus tard auprès d'un de ses amis : « Comment se fait-il que nous préférions la conversation de Mme Straus qui s'intéresse, au fond, assez peu à ce que nous aimons, à celle de Mme Y... si versée dans les questions de littérature et d'art[3] ? »

La réussite de Mme Straus est due certainement à son cœur plus encore qu'à son esprit, un cœur profondément généreux, possédant le secret de ces délicatesses trop souvent négligées dans un monde où le besoin de paraître et l'ambition de réussir rendent impitoyables ceux qui le fréquentent. Aimant sincèrement ses amis, elle sait donner de l'éclat au moins brillant d'entre eux, encourager le jeune auteur timide, aider le malchanceux, écouter les confidences, apaiser les ressentiments et surtout distraire ses commensaux en leur donnant l'illusion, lorsqu'ils sortent de son salon, que l'existence vaut la peine d'être vécue.

Pour un jeune homme encore incertain de son avenir, de ses dons et de sa position dans le monde comme l'est

---

1. E. de Gramont, *Mémoires,* tome I, p. 201.
2. J.-É. Blanche, *La Pêche aux souvenirs,* p. 169.
3. G. de Lauris, *Souvenirs d'une belle époque,* p. 154.

alors Marcel Proust, Mme Straus est non seulement une enchanteresse et son entresol un tremplin, mais elle est aussi un guide. Il va commencer avec elle, en dépit de ses fréquentes visites, une correspondance qui croîtra au fur et à mesure que l'état de sa santé espacera ces visites, mais vingt ou trente ans plus tard, alors qu'ils ont pratiquement cessé de se voir, le charme de Geneviève Straus continuera d'opérer sur lui, comme s'il avait sous les yeux, dans sa chambre d'emmuré volontaire, le beau portrait peint par Delaunay.

Un des plus fidèles habitués de l'éclectique salon de Mme Straus est Charles Haas. Celui-ci a réusi le tour de force d'être l'ami de toutes les femmes sans jamais en épouser aucune, l'égal, ou presque, d'un Rothschild sans en avoir la fortune, et enfin le commensal attitré de plusieurs grandes maisons du faubourg Saint-Germain malgré son origine israélite. Cette étonnante ascension sociale a été consacrée par son élection au Jockey Club le 21 janvier 1871, après quatre échecs, il est vrai. Le personnage, d'une sobre élégance, avec des raffinements inaperçus du vulgaire, est d'une distinction plus anglo-saxonne que française. Charles Haas a des cheveux roux, légèrement frisés, un teint pâle et des yeux verts. Nommé par Mérimée, en 1868, à l'inspection des Monuments historiques, il possède en matière d'art un goût très sûr, mis d'ailleurs au service de ses amis collectionneurs qui s'adressent à lui pour l'achat d'un tableau ou d'une porcelaine. Modeste, il ne fait aucun étalage de sa culture auprès de ses aristocratiques relations, qui ne l'apprécieraient peut-être pas à sa juste valeur. Le mystère de sa vie privée ajoute à son charme. Peu avant la chute de l'Empire, alors qu'elle débutait dans *Le Passant,* Sarah Bernhardt avait été folle de lui, mais sans être payée de retour. Séducteur comblé de bonnes fortunes, il a toujours évité de rompre avec ses maîtresses qui, passé le temps des amours, restent pour lui autant d'amies fidèles. Au fameux tableau de James Tissot le représentant avec certains membres du Cercle de la rue Royale [1] pourrait correspondre, pour faire le pendant, une toile dans le style du *Décaméron* de Winterhalter et le montrant au milieu d'un essaim de jolies femmes dont il est l'ami préféré : la marquise de Galliffet, la princesse de Sagan, la comtesse de Pourtalès, la duchesse de Mouchy, la princesse Murat, la

1. Les membres du Cercle de la rue Royale figurant sur ce tableau sont : le marquis du Lau, le comte Etienne de Ganay, le baron Hottinguer, le marquis de Galliffet, le prince de Polignac, le comte J. de Rochechouart.

duchesse d'Elchingen, la baronne de Poilly, Mrs Meredith Howland, bref toutes les beautés du Second Empire, maintenant à ses pieds comme la plupart d'entre elles l'avaient été, dans le tableau de Winterhalter, à ceux de l'impératrice Eugénie.

Lorsque Proust lui est présenté dans le salon de Geneviève Straus, Charles Haas est amoureux depuis quelques années d'une femme mariée, la marquise d'Audiffret, dont il a eu en 1881 une fille, Luisita, qu'il reconnaîtra en 1890. Mme d'Audiffret, qui a pu inspirer, elle aussi, quelques traits du personnage d'Odette de Crécy, est une Espagnole de bonne souche, une Ramirez de Arelhano, de la maison d'Alcagliano. Mariée à quinze ans au marquis d'Audiffret, qui lui donna des poupées comme cadeau de noces, enfermée dans un château près de Nice, elle s'était évadée du mariage et du château avec le prince Albert de Monaco dont elle aurait eu un fils, adopté par un aide de camp du prince, Demange de Subligny. Ce n'était donc pas une ingénue que Charles Haas avait séduite, mais comme beaucoup d'Espagnoles Mme d'Audiffret rachetait par une ardente piété ses écarts de conduite et semblait presque ne pécher que pour mieux goûter la volupté du repentir et les délices de la pénitence. Après la mort de son mari, complètement ruiné, elle ne trouvera plus de plaisir à le tromper si bien qu'au lieu d'épouser Charles Haas elle entrera en religion, au couvent des Réparatrices de Toulouse. La règle y étant trop dure, elle en sortira pour se contenter d'appartenir au tiers ordre, pieux compromis entre le monde et Dieu. Elle n'aura que peu d'influence sur sa fille, Luisita, qui lui reprochera toujours de s'être désintéressée d'elle et de l'avoir laissée dans une position sociale équivoque.

En voyant Marcel Proust dans le salon de Mme Straus, Charles Haas ne pouvait supposer que ce pâle jeune homme aux yeux lourds, au regard insistant, était l'instrument de son destin, l'artiste qui, mieux que James Tissot, Eugène Lami et même Degas, peintres dont il était l'intime, le sauverait de l'oubli pour l'immortaliser sous le nom de Swann. Cette rencontre, banale et vite oubliée, de Charles Haas a eu au contraire pour Marcel Proust une importance capitale. L'exemple de Charles Haas, de sa remarquable ascension mondaine, sont pour lui un modèle et un encouragement, comme naguère l'était en Grande-Bretagne la carrière de Disraeli pour bien des jeunes gens pressés de sortir du ghetto ancestral par tous les moyens à leur portée, que ce fût un coup heureux à la Bourse ou une liaison avec une femme du monde, un livre révolutionnaire ou une intrigue politique.

Il est vraisemblable que Proust, questionneur habile et inlassable, a dès cette première rencontre interrogé tous les amis de Charles Haas, et Mme Straus la première, pour découvrir le secret de cette réussite en reconstituant la carrière de Haas dont certains épisodes se retrouveront dans celle de Swann. Né en 1833, Charles Haas est le fils d'un fondé de pouvoir de la banque Rothschild, ce qui explique non seulement ses liens avec cette famille, mais ses fauteuils d'administrateur dans plusieurs de leurs sociétés. Très jeune, il est entré dans le monde par la grande porte, sans avoir eu besoin, semble-t-il, de frapper d'abord aux petites. On le trouve en 1863 — il a trente ans — chez les Mouchy, comme familier, puis à Compiègne, invité aux fameuses « séries », et à l'Élysée, au temps du maréchal de Mac-Mahon, et enfin à Sandringham, dans le *smart set* du prince de Galles, futur Édouard VII. Il a des amis dans tous les clans, dans tous les partis, fréquentant légitimistes et orléanistes, républicains et bonapartistes avec l'aisance d'un ambassadeur étranger que sa position met au-dessus des querelles nationales. Il est même l'ami de la princesse Mathilde en restant le féal de l'impératrice Eugénie qu'il va pieusement visiter chaque année dans son exil anglais. En réalité, il n'a qu'une seule règle de conduite, une seule morale et un seul cadre : l'élégance, une élégance qu'il incarne à merveille avec sa silhouette de dandy vieillissant, demeuré fidèle aux modes de sa jeunesse. Lorsque Proust fait sa connaissance, il est surtout un prestigieux survivant du Second Empire, un témoin de la fête impériale.

Ce qu'il y a de plus remarquable chez lui, à côté de cette séduction naturelle, est la sûreté de son goût, encore que celui-ci reste comme lui plein de mesure et manque de cette audace qui permet d'anticiper, de prévoir les nouvelles orientations de l'art ou du goût du public. N'étant pas assez fortuné pour être un collectionneur, encore moins un mécène, il s'en donne l'illusion en guidant le choix de ses amis, qu'il accompagne dans les grandes ventes ou chez les marchands. Comme le notera Philippe Jullian dans la brève étude qu'il lui a consacrée [1], lorsque Proust évoquera dans *A la recherche du temps perdu*, le côté critique d'art de Charles Swann, ce n'est pas à Charles Haas qu'il pensera, mais plutôt à Charles Ephrussi, directeur

1. Ph. Jullian, *« Charles Haas », Gazette des Beaux-Arts,* avril 1971.

de la *Gazette des Beaux-Arts,* un des premiers connaisseurs à s'enthousiasmer pour Renoir et à le soutenir. Le goût de Charles Haas est tourné vers le passé, comme le sera bientôt celui de Boni de Castellane, et s'il a fait acheter à Mme de Courval *La Chemise enlevée,* de Watteau, il ne lui aurait certainement pas conseillé d'acquérir un Cézanne ou un Gauguin.

Son seul échec, il l'a connu comme auteur dramatique lorsqu'il s'est avisé de vouloir faire jouer à la Comédie-Française un drame en cinq actes, *Bianca Capello,* puis au Palais-Royal une comédie qui lui fut également refusée. Sa seule vocation est la scène du monde où tous les succès lui sont assurés sans qu'il ait à se donner beaucoup de peine pour les obtenir, sa réputation lui ouvrant les bras de beaucoup de femmes qui estiment qu'une liaison avec lui constitue un brevet d'élégance, sinon de vertu. Alors qu'il n'est plus tout jeune, il inspire une grande passion à Mme de Broissia. Celle-ci, rentrant un soir d'un bal, avait fondu en larmes dans la voiture : « Je vois ce que c'est, dit le mari, Haas vous aime. » — « Si c'était vrai ! » gémit-elle.

*

Introduit chez Mme Straus, Proust l'est aussi, à la même époque, chez Mme Arman de Caillavet qui régente un des plus importants salons de la rive droite, déjà célèbre en attendant d'être consacré par l'histoire littéraire alors qu'on s'y amuse infiniment moins que chez Mme Straus.

Le goût des lettres a été pour Mme Arman de Caillavet le moyen d'échapper à l'ennui conjugal et d'établir sur un certain monde son trône — une cathèdre médiévale offerte par un admirateur — et sa domination. Son salon ne désemplit pas depuis qu'elle s'est assuré l'exclusivité d'Anatole France, dont elle est devenue la maîtresse. Pour sauver la face, les amants s'appellent cérémonieusement « Monsieur » et « Madame » avec une affectation qui sent un peu le faubourg Saint-Denis au temps de Balzac. On croirait parfois entendre un marchand drapier s'adressant à sa femme qui, respectant en lui le garde national, lui donne la réplique sur le ton cérémonieux et pointu des épouses à qui les nécessités du commerce ont fait oublier depuis longtemps les intimités conjugales. Bien qu'encore au début de leurs amours, Anatole France et Léontine de Caillavet se querellent parfois, mais ils négligent leurs différends sentimentaux devant les impératifs de la gloire. L'œuvre passe avant le cœur, bien que celui de Mme de Caillavet soit avide et tumultueux.

Bientôt Anatole France lui donnera satisfaction en se débarrassant de sa femme, qui a mal vieilli et se montre d'une insupportable jalousie. Il s'installera rue de Sontay, puis villa Saïd, près de l'avenue du Bois, d'où il se rendra ponctuellement chaque jour avenue Hoche, où se trouve l'hôtel des Caillavet, comme un fonctionnaire à son bureau, mais pour y écrire ses livres. Avec la même régularité, il apparaîtra dans le salon, son chapeau à la main, saluant la maîtresse de maison avec une phrase faite pour imposer le silence aux mauvaises langues : « Je passais devant votre porte et n'ai pu résister au plaisir de déposer à vos pieds mes hommages charmés. »

La charmeuse est une étonnante personne envers laquelle l'Histoire a mal acquitté la dette de la littérature. Certes, sa liaison avec Anatole France lui a donné un rôle presque historique sans lequel son nom serait oublié, mais elle a chèrement payé cette gloire. La trahison de France et son escapade en Amérique du Sud avec une théâtreuse, Jeanne Brindeau, la mèneront au tombeau ; le fait de passer aux yeux de la postérité pour avoir été le principal modèle de Mme Verdurin la condamne à un ridicule qu'elle ne méritait pas.

Née Léontine Lippmann, issue de cette bourgeoisie juive analogue au milieu familial des Weil, elle est la fille d'Auguste Lippmann, un opulent banquier, et de Frédérique Koenigswarter, d'une famille plus opulente encore et surtout plus lancée puisqu'une de ses branches a reçu de l'empereur François-Joseph le titre de baron. Son jeune frère est devenu le gendre d'Alexandre Dumas fils. Leur père, M. Lippmann, sera dans *Le Lys rouge* le modèle de M. de Montessuy. Les Lippmann ont ainsi une auréole littéraire qui vaudra le titre de baron de leurs cousins. En 1867, Léontine Lippmann a épousé Albert Arman, un armateur de Bordeaux, dont la mère est née Caillavet. La jeune femme a pris l'habitude de joindre au nom d'Arman celui de sa belle-mère, d'abord par un trait d'union, ce qui a donné Arman-Caillavet. L'ambition mondaine aidant, elle a fini par devenir Mme de Caillavet tandis que son mari, personnage jovial et dépensier, se contente de rester M. Arman, ce qui lui donne l'air, dans sa propre maison, d'un époux morganatique.

Mme de Caillavet a eu d'abord un fils, Gaston, qui sera l'un des grands amis de Proust, puis un salon, objet de soins quasi maternels. Ce salon naissant, il a fallu le couver, le choyer, le nourrir, l'élever à la hauteur d'une institution parisienne. Au début, elle s'est contentée de quelques amis, priés de lui amener leurs plus belles relations, puis, avec le succès, elle a remplacé son premier cercle par un deuxième, plus flatteur, éliminant les obscurs et les médiocres. Pour assurer le meilleur recrutement, Mme de Caillavet, sans cesse à l'affût, est en quête de nouveautés qui servent de stimulants pour les fidèles et d'attraction pour les étrangers non encore conquis. Une anecdote digne de Mme Verdurin illustre cette chasse perpétuelle au gibier de choix. Rencontrant un jour Mme Lange, fille de Bjoernson, gloire politique et littéraire de la Norvège, elle s'écrie : « Vous êtes norvégienne, quelle chance pour moi, quelle recrue pour mon salon ! Vous êtes le numéro qu'il me faut... [1]. »

Malgré cette avidité, Mme de Caillavet n'a ni le ton despotique ni la grossièreté, voire la vulgarité qui rendent odieux et surtout fatigant le personnage de Mme Verdurin. Celui-ci emprunte en effet la plupart de ses traits à d'autres femmes que l'égérie d'Anatole France. Dans son autoritarisme et son anticléricalisme il y a beaucoup de Mme Ménard-Dorian, régentant son salon de la rue de la Faisanderie comme son père ses usines d'Unieux et parlant à ses invités avec le ton d'un contremaître rudoyant ses ouvriers. C'est elle qui, lorsqu'un de ses protégés s'émancipait de sa tutelle et trouvait ailleurs des succès, le rayait de sa liste et presque du nombre des vivants avec ce commentaire en guise d'oraison funèbre : « Comme il avait du talent autrefois... [2] » A Mme Germain, femme du fondateur du Crédit Lyonnais, Proust empruntera également certains traits pour camper Mme Verdurin, ainsi que certaines anecdotes comme celle du paquebot loué aux Messageries maritimes, pour emmener les fidèles en croisière.

Plus cultivée que Mme Straus, auteur elle-même et collaborant parfois avec Anatole France, Mme de Caillavet s'intéresse autant aux livres qu'à ceux qui les ont écrits, mais elle n'a pas la bonne grâce de la première, trop soucieuse de réussir et de régner pour connaître ces abandons, ces causeries à bâtons rompus de Mme Straus. Elle est bonne avec ses amis, mais toujours avec l'arrière-pensée que ceux-ci doivent se montrer dignes de cette bonté, trop passionnée pour cultiver l'indulgence

1. A. Germain, *Les Clés de Proust*, p. 54.
2. J. de Lacretelle, *Les Vivants et leur ombre*, p. 27.

et l'oubli des injures : « Je suis une Sémite, moi, écrira-t-elle à Anatole France le 8 août 1890, âpre aux joies de la vie, je suis de l'ancienne loi, j'ignore les douceurs du pardon, les blessures que l'on me fait saignent à jamais[1]. »

En 1889, lorsque Proust se rend pour la première fois chez elle, 12, avenue Hoche, dans cet hôtel pseudo-Renaissance acheté dix ans plus tôt par M. Arman, elle a quarante-cinq ans. Bien que Mme Straus la compare irrévérencieusement à « un vieux petit Jésus », elle conserve presque intacte une beauté blonde à laquelle son mari a fini par devenir indifférent. Chez lui, bon vivant sans prétentions, l'intellectualisme de sa femme a éteint le désir, et même la jalousie. Il n'est pas un mari complaisant, mais un mari complice, observant d'un œil ironique les faits et gestes de son épouse et, dans le fond de son cœur, il éprouve de la compassion pour le malheureux M. France en butte aux ardeurs et aux ambitions de ce bas-bleu. Seul inconvénient de cette situation, et qui lui arrache parfois un soupir, c'est qu'il se sent à peine chez lui dans ce vaste hôtel où défile tant de monde. Un soir, considérant la foule des invités, il laisse tomber : « C'est stupéfiant, je ne connais personne... »

Tout heureuse d'avoir Anatole France comme vedette, Mme de Caillavet reçoit un peu trop et surtout trop de monde à la fois, dans la grande galerie du premier étage, ornée d'un plafond bleu-ciel où s'ébattent des Amours dodus. Les témoignages des contemporains s'accordent tous sur ce point : « La foule des visiteurs, en grande partie debout, et le nombre réduit des sièges, donnaient à cette pièce un peu l'aspect d'une salle d'attente de première classe ou d'une antichambre ministérielle », écrit Fernand Vandérem. « On avait l'impression d'être dans une gare, dont France était naturellement le chef », dit de son côté Elisabeth de Gramont. « Les gens se promenaient, allaient, venaient, se massaient autour du Maître qui, choisissant un thème, ne le lâchait plus de l'après-midi[2]. »

Rien n'est plus drôle que de voir Mme de Caillavet exhiber Anatole France, comme un montreur d'ours son animal. Elle commence par l'amadouer sans lui arracher autre chose que quelques grognements puis, à force de cajoleries, elle l'amène à lui conter une anecdote qu'il lui a confiée la veille, à parler d'un auteur désuet ou d'un artiste méconnu, bref elle l'incite

1. M. Maurois, *L'Encre dans le sang*, p. 90.
2. E. de Gramont, *Mémoires*, tome I, p. 4.

à effectuer les tours que l'assistance attend avec une respectueuse impatience. Anatole France finit par conter la chose avec toute sorte de réserves ou de réticences, amplifiant un quelconque incident de sa vie domestique jusqu'à en faire un événement historique ou bien minimisant un fait vraiment historique jusqu'à le ramener aux proportions d'une simple anecdote. Dans ce rôle auguste, il officie avec solennité, choisissant ses mots, et conduisant son récit, par une série de développements harmonieux, en phrases bien cadencées, jusqu'à la conclusion préméditée, le tout débité d'une voix qui unit le ton magistral d'un professeur en Sorbonne à la grâce onctueuse d'un orateur sacré.

Après avoir lu les premiers livres d'Anatole France, Proust s'était fait une tout autre idée de leur auteur ; aussi est-il très surpris de voir, adossé à la cheminée, non le « doux chantre aux cheveux blancs » qu'il imaginait, distillant le miel de son expérience, mais un homme encore jeune — il n'a que quarante-cinq ans — et d'une allure déconcertante. Anatole France n'est pas encore le philosophe socialisant, se croyant la conscience de l'humanité, qu'il deviendra pendant la Grande Guerre, ni le personnage vaguement ecclésiastique « à la pression de main épiscopale » qui frappera Fernand Gregh, mais un homme un peu gauche, par crainte de ne pas se montrer assez poli, à mi-chemin entre le professeur de troisième dans un lycée de province et l'officier sorti du rang.

Bien que Mme de Caillavet consacre à son salon le plus clair de son temps, elle ne néglige pas l'éducation de son fils. Celui-ci, né en 1869, a deux ans de plus que Proust. C'est un excellent garçon, un peu lourd de corps, par goût précoce de la bonne vie, un peu léger d'esprit, pour la même raison. Sa tendance à l'obésité inquiète sa mère qui multiplie les conseils d'hygiène, assaisonnés de pilules, et les remarques sarcastiques. Apprenant un jour qu'il a figuré en travesti chez une de ses cousines dans une comédie de salon, elle lui écrit : « Je regrette beaucoup de ne pas t'avoir vu en nourrice ; tu devais avoir le physique de l'emploi [1]. » Avec la même ténacité, elle s'efforce de combattre sa tendance à la paresse et sa frivolité, ne perdant pas une occasion de lui faire la morale et le mettant sans cesse en garde contre le danger d'être plus tard un « raté ». En 1887, craignant que les vacances n'eussent encore augmenté son inclination au farniente, elle le morigénait ainsi : « C'est

1. M. Maurois, *L'Encre dans le sang*, p. 40.

ton avenir, c'est ton instruction, et aujourd'hui il n'est pas plus permis d'être ignorant que d'être malhonnête. Dans les deux cas, on devient un rebut social. Ne demeure pas un vrai paysan ignorant. Fais l'acquisition de la civilisation [1]. »

Doué d'autant d'intelligence que de facilité, Gaston de Caillavet pense que dans la vie l'esprit suffit à tout — sa carrière d'auteur dramatique le prouvera — mais il écoute néanmoins sa mère et réussit son baccalauréat au mois de juillet 1889. Lorsque Proust commence à fréquenter l'avenue Hoche, il effectue son volontariat à Versailles où sa mère se rend de temps à autre pour le surveiller. C'est au cours d'une de ses permissions qu'il fait la connaissance de Proust et la sympathie réciproque qu'ils éprouvent aussitôt scelle leur amitié. Proust se montre même si enthousiaste à son égard qu'il fera de lui de lyriques descriptions à ses camarades de régiment lorsque, l'année suivante, il effectuera son service militaire et la chambrée, conquise, se montrera curieuse de connaître à son tour cet oiseau rare.

1. M. Maurois, *L'Encre dans le sang*, p. 42.

# 4

# Décembre 1889 - Octobre 1890

*Soldat malgré lui - Mornes délices d'Orléans - La pension Renvoyzé - Un napoléonide : le comte Walewski - Première apparition de Saint-Loup : le lieutenant de Cholet - Une idylle à trois - Jeanne Pouquet et Gaston de Caillavet - Proust joue* Le Chandelier *au naturel - Mort de Mme Weil - Nostalgie de la vie militaire.*

Dans un de ces albums de salon qui sont un peu les confessionnaux des gens du monde, à la question *Quel est le fait militaire que j'admire le plus ?* Proust répondra spirituellement : « Mon volontariat. » Bien plus tard, évoquant cette période de son existence avec Pierre Lavallée, il reconnaîtra qu'en l'occurrence il avait fait preuve, à défaut d'enthousiasme, d'une certaine bonne volonté : « Il faut faire cela gaîment — gaîment, c'est-à-dire courageusement — si tu penses comme moi que le premier de ces adverbes n'est que le superlatif, à l'usage des âmes délicates, du second[1]. »

Ce que l'on sait de sa faiblesse de constitution et de ses maux, sans parler de ses goûts, rend effectivement admirable qu'il ait devancé l'appel pour accomplir avant l'heure son service militaire. A vrai dire, il ne l'a pas fait par enthousiasme patriotique, mais pour réduire cette épreuve à une année au lieu de cinq, ce qui enlève tout héroïsme à cette décision. Il s'est même hâté de signer son engagement, car cette faculté de devancer l'appel, dont profitaient presque exclusivement les fils de famille, allait être supprimée avec l'institution du service obligatoire pour tous, mais ramené à trois ans seulement. La loi a été votée le 15 juillet 1889 et Proust n'a eu que le temps

1. Correspondance générale, tome IV, Introduction des lettres à Pierre Lavallée, p. 5

d'accomplir cette formalité avant l'entrée en vigueur de la nouvelle législation. Il aurait sans doute pu, grâce aux relations de son père, obtenir des certificats médicaux signés de noms assez puissants pour impressionner un conseil de réforme ; aussi faut-il le louer de n'avoir pas essayé de se soustraire au sort commun.

Engagé le 11 novembre 1889, il est invité à rejoindre, quatre jours plus tard, le 76e régiment d'infanterie, cantonné à Orléans. Il est facile d'imaginer l'émoi de Mme Proust à la pensée des dangers de toute sorte que va courir ce fils tant aimé, si fragile et si préservé jusque-là des courants d'air comme des promiscuités vulgaires ; il est facile aussi de deviner l'appréhension du jeune conscrit qui doit se voir comme un nouveau Daniel devant la fosse aux lions. Ce que l'on appréhende est en général moins terrible qu'on ne le pensait. Contrairement à ses craintes, ou à celles de sa mère, Proust va passer à Orléans une année presque agréable, et même vivifiante, dont il gardera bon souvenir. Loin d'être dévoré par les lions, il saura les dompter en les désarmant par son innocence ou en les charmant, nouvel Orphée, par la magie de sa parole.

Hormis sa cathédrale et sa situation sur la Loire, Orléans est une de ces villes de province comme il y en a tant, c'est-à-dire sans attraits pour ceux qui n'y sont point nés ou n'y comptent pas ces liens familiaux que produisent plusieurs générations d'indigénat. Si les rues du centre offrent, certains jours, quelque animation, les autres sont bien mornes avec leurs maisons aux façades rectilignes qui semblent imprégnées jusqu'au suintement de la monotonie des jours et de la médiocrité des existences qu'elles abritent. Dans ces demeures, dont beaucoup ont leurs volets à peine entrouverts, se consomment lentement ces crimes qui donnent à la vie de province sa trame romanesque : crimes discrets et fades, sans odeur de sang et de violence, et dont les victimes sont plus ridicules que pitoyables : jeune fille assassinée chaque jour par ses parents qui lui refusent le droit d'épouser un jeune homme insuffisamment renté, vieille femme asservie par ses domestiques, veuf à demi imbécile terrorisé par sa cuisinière, pupille en butte aux assiduités de son tuteur qui la ruine peu à peu, bref toutes ces créatures pathétiques et insipides dont le destin, réglé comme un mouvement d'horloge, s'égrène au fil des jours sans jamais une variation. La mort est le seul événement de leur vie, leur enterrement la seule fête, et ces pauvres êtres tiennent finalement plus de place au cimetière que dans la ville où ils ont vécu.

C'est à ce charme un peu mélancolique et parfois vénéneux que Proust sera sensible lorsque au hasard de ses errances en ville, il surprendra ces hommes ou ces femmes dans le secret d'une intimité brusquement révélée par une porte entrebâillée, une fenêtre ouverte ou, le soir, par une lampe qui fait d'une chambre une grande lanterne magique. « Parfois, dira le Narrateur dans *A la Recherche du temps perdu,* je levais les yeux jusqu'à quelque vaste appartement ancien dont les volets n'étaient pas fermés et où des hommes et des femmes amphibies, se réadaptant chaque soir à vivre dans un autre élément que le jour, nageaient lentement dans la grasse liqueur qui, à la tombée de la nuit, sourd incessamment du réservoir des lampes pour remplir les chambres jusqu'au bord de leurs parois de pierre et de verre, au sein de laquelle ils propageaient, en déplaçant leurs corps, des remous onctueux et dorés [1]. »

Pour de jeunes Parisiens, surtout s'ils viennent de la plaine Monceau, vivre à Orléans, c'est se trouver à l'étranger. Les plus modestes d'entre eux en éprouvent un sentiment de supériorité qui leur fait croire que toutes les filles sont prêtes à leur tomber dans les bras. Même les officiers partagent ce sentiment, tout en le cachant sous des formes d'une parfaite politesse et Proust notera très justement que le prince de Borodino, longtemps en garnison à Doncières, où il faisait le soir ses délices de deux couples amateurs de musique, les oubliera complètement lorsqu'il aura réussi à se faire nommer ailleurs [2]. Pour les officiers comme pour la troupe, les provinciaux sont assimilables à des vaincus.

*

Proust n'est pas depuis trois jours à la caserne que son capitaine l'autorise, et même l'invite, à loger en ville, car, la nuit, ses crises d'asthme empêchent ses camarades de dormir. Il ne se fait pas prier pour déménager ses affaires et les transporter au 92, faubourg Bannier, où il a loué une chambre à la dame Renvoyzé, qualifiée par *L'Almanach de l'Orléanais* de « restaurateur tenant pension ». L'établissement, à trois cents mètres de la caserne Coligny, n'a rien d'un hôtel. C'est une

1. *La Recherche,* Pléiade, tome II, p. 395.
2. *Ibidem,* p. 430.

maison bourgeoise à façade pisseuse et allure cafarde qui a l'air d'un presbytère laïc. Construite vers 1840, elle ressemble un peu à celle des Amiot à Illiers et compte six chambres, louées chacune vingt-cinq francs par mois à des aspirants [1].

Cette société à la fois martiale et civilisée met quelque gaieté dans la maison ; elle est aussi une appréciable source de revenus pour sa propriétaire, car ces jeunes gens fortunés lui commandent souvent des repas fins et, lorsqu'il fait froid, de grands punchs servis dans l'une ou l'autre des chambres transformée en salon commun.

A ces conditions de vie relativement douces correspond, du moins pour le soldat de 2e classe Proust, un service également amène, sans rien de cette sottise et de cette brutalité dénoncées par Abel Hermant dans *Le Cavalier Miserey* ou par Descaves dans *Les Sous-Offs*. Le mérite en revient à des officiers distingués qui traitent humainement leurs soldats et sont assez sûrs de leur autorité naturelle, ou du respect qu'ils inspirent, pour n'avoir pas besoin d'en imposer par des brimades. On peut néanmoins penser que la vie quotidienne à la caserne Coligny n'a pas ce caractère idyllique donné par Proust à celle de Doncières, au temps de Saint-Loup, véritable pension de famille pour jeunes gens aimables.

Le 76e régiment d'infanterie est placé sous le commandement d'un homme dont le nom paraît de bon augure à un conscrit féru de littérature, le colonel Arvers, qui, nommé l'année suivante au ministère de la Guerre, sera remplacé par le colonel Delbos, excellent homme lui aussi au témoignage de Proust. Celui-ci a pour capitaine le comte Charles Walewski, fils de l'ancien ministre des Affaires étrangères du Second Empire. Contrairement à une légende dont il se fera l'écho en attribuant au capitaine de Borodino, inspiré par Walewski, une double origine impériale, Charles Walewski n'est pas un fils de Napoléon III, encore que sa mère ait été, un temps, la maîtresse du souverain. En revanche, il descend de Napoléon Ier, mais non de la tragédienne Rachel, comme se l'imaginent d'autres personnes, mal renseignées, qui le confondent avec son demi-frère, né des amours du ministre et de l'actrice. Si le capitaine Walewski ressemble un peu à son illustre grand-père, il n'a donc rien de Napoléon III, mais Proust, avec l'enthousiasme du snobisme, lui découvre des traits ou des tics du second empereur. Ainsi le décrira-t-il l'œil rêveur, tortillant sa mousta-

1. Environ 500 francs 1990.

che, ayant l'air d'édifier une Prusse et une Italie nouvelles, puis, redevenant très « *petit caporal* », faisant remarquer sèchement que le paquetage est mal fait ou la soupe immangeable : « C'est avec dans la voix, la vivacité du premier Empereur qu'il adressait des reproches à un brigadier, avec la mélancolie songeuse du second qu'il exhalait la bouffée d'une cigarette [1]. »

Là où Marcel Proust, pour les besoins du roman, déformera beaucoup plus la réalité, c'est en faisant de Walewski, devenu prince de Borodino, le prototype d'une noblesse d'Empire, composée de parvenus que leur valeur sur le champ de bataille a fait passer de la charrue ou d'une arrière-boutique aux salons des Tuileries. Or Walewski est tout le contraire d'un descendant de Lefebvre ou d'Augereau. Par sa grand-mère, Marie Walewska, il est apparenté à toute la grande noblesse polonaise, et par sa mère, une Ricci, aux plus vieilles familles de Florence. Arrière-petit-neveu de Stanislas-Auguste Poniatowski, le dernier roi de Pologne, et du maréchal Poniatowski, le Bayard polonais, il a donc une ascendance infiniment plus brillante que la plupart des officiers, de souche purement française, qui servent avec lui.

Parmi ces officiers, il en est un avec qui Proust se lie assez intimement pour en recevoir — ou en obtenir — sa photographie ainsi dédicacée : « A l'engagé conditionnel Marcel Proust, l'un de ses bourreaux. » Armand-Pierre de Cholet a tout pour plaire à sa victime. Ce bel homme brun de vingt-cinq ans, à la fois extrêmement viril et parfaitement distingué, possède une certaine culture et beaucoup de relations. Il est membre de plusieurs cercles, dont le Jockey Club, et mène hors du service une vie mondaine autant que sportive. Il entrera pour beaucoup, lorsque Proust écrira *Jean Santeuil,* dans le personnage du lieutenant de Brucourt.

Le comte de Cholet publiera en 1892 un *Voyage en Turquie et en Asie* dont Proust rendra compte dans le numéro 3 de *Littérature et Critique* sous le titre de *Choses d'Orient,* mais leurs relations ne se poursuivront guère au-delà et Proust gardera toujours rancune à Cholet de certaines de ses attitudes. Le jeune lieutenant, qui applique à la lettre la consigne, ne mélange pas le service et l'amitié, sachant exactement ce qu'il doit à l'un et à l'autre, alors que Proust, bien au-dessus des subtilités d'étiquette militaire, ne fait aucune différence. Aussi est-il très blessé un jour que, croisant Cholet dans la rue, celui-

1. *La Recherche,* Pléiade, tome II, p. 429.

ci arrête son élan vers lui par un salut glacial et passe sans s'arrêter. L'incident le marque si profondément qu'il le transposera dans *Jean Santeuil,* puis dans *A la recherche du temps perdu* en décrivant Saint-Loup qui, conduisant son tilbury, lui adresse le plus sec et le plus strict des saluts militaires « sans un sourire ; sans qu'un muscle de sa physionomie bougeât [1] ». Inconscient des inégalités que créent les grades, Proust n'avait pas compris qu'un officier ne peut s'entretenir familièrement en public avec un homme de troupe.

Bien plus tard, en 1906, il retrouvera le comte de Cholet à un dîner chez le duc de Gramont, au château de Vallières, et l'ancien lieutenant ravivera cette blessure d'amour-propre en paraissant avoir complètement oublié leurs cordiales relations d'Orléans.

En dehors des amis qu'il a pu se faire au service, Proust s'est trouvé des relations en ville, entre autres le préfet, Paul Boegner, père du futur pasteur Marc Boegner. Un soir de février 1890, invité à dîner à la préfecture, il y fait la connaissance d'une autre recrue, Robert de Billy, soldat au 30e régiment d'artillerie, également cantonné à Orléans. Quarante ans plus tard, Robert de Billy se souviendra encore de l'impression déconcertante éprouvée en voyant dans le salon du préfet, ce fantassin flottant dans une capote trop grande pour lui et dont, écrira-t-il, « la démarche et la parole ne se conformaient pas à l'idéal militaire [2] ». C'est le moins que l'on puisse dire — ou écrire — lorsqu'on regarde des photographies de Marcel Proust à l'époque de son volontariat. L'une d'elles est particulièrement affligeante : dans une capote qui ressemble à une lévite, le visage creusé en masque pascalien, un livre à la main et un pied bizarrement replié, il a l'air tout à la fois d'un clown travesti en garde municipal et d'un icoglan esquissant un pas de danse.

C'est en cette tenue qu'il s'échappe de la caserne et débarque à Paris, c'est ainsi costumé qu'il se rend, le dimanche après-midi, chez Mme de Caillavet et s'attarde aux pieds de la maîtresse de maison tout en recueillant pieusement les oracles d'Anatole France. Bien entendu, il laisse passer l'heure du départ et c'est alors une course éperdue pour attraper le train qui lui permettra de rejoindre Orléans à l'heure où expire sa permission. Il faut trouver un fiacre en hâte, s'y engouffrer,

1. *La Recherche,* Pléiade, tome II, p. 436.
2. Billy, *Marcel Proust,* p. 22.

presser le cocher. Proust, vraisemblablement, n'a pas de montre, ou bien il a oublié de la remonter, car Gaston de Caillavet, qui l'accompagne, et lui ne cessent pendant le trajet de guetter les horloges échelonnées sur le chemin de la gare d'Austerlitz. Celle d'une pâtisserie, rue Royale, qui retarde un peu, les rassure, mais une autre, au-dessus d'un restaurant, et qui avance, les désespère. Ils finissent par arriver une minute ou deux avant l'heure fatidique et se ruent vers le train, Gaston suivant Marcel jusqu'au bout pour l'aider, s'il le faut, à monter au vol dans le dernier wagon.

Au début de l'année 1890, Gaston de Caillavet s'est épris d'une jeune fille à peine nubile, Jeanne Pouquet, fille d'un agent de change heureusement réchappé du krach de l'Union générale. Les Pouquet habitent au 62, rue de Miromesnil un appartement confortable dont le mobilier semble un décor pour une comédie de Labiche. Si M. Pouquet ignore tout de cette idylle, sa femme, plus perspicace, a tout deviné, obtenu les aveux de leur fille et, ravie d'être mêlée à une histoire d'amour, elle a décidé d'y prêter la main. Après avoir d'abord conjuré Gaston de Caillavet de ne pas jouer avec le cœur de sa « bien-aimée fauvette », elle a posé les conditions de sa collaboration : « Je veux que mon oiseau continue son adorable roucoulement ces années qui m'appartiennent encore et continue paisiblement son développement physique, et moral surtout, dans la douce atmosphère que je lui fais [1]. »

Pour Gaston de Caillavet, les seules occasions de rencontrer Jeanne Pouquet sont les réunions mondaines et ces comédies d'amateurs, alors très en vogue, qui favorisent dans les coulisses des intrigues infiniment plus passionnantes, pour ces acteurs improvisés, que celles des pièces qu'ils répètent. C'est lors d'une de ces représentations que Jeanne Pouquet apparaît pour la première fois à Marcel Proust, dans la fraîcheur de ses seize ans et l'éclat d'une blondeur appétissante. D'après une tradition familiale des Pouquet, Proust, jamais à court de compliments, en aurait fait de tels sur la lourde natte de la jeune fille que celle-ci, choquée de cet enthousiasme si peu discret, lui aurait tourné le dos. Cela n'est pas pour décourager Proust qui n'en fera que plus de frais pour vaincre cette prévention à son égard : « Vous me donniez l'impression limpide d'une source... », écrira-t-il à Jeanne Pouquet en 1922, mais celle-ci

---

1. M. Maurois, *L'Encre dans le sang,* p. 66.

déclare à Gaston de Caillavet après cette première entrevue : « Votre ami Marcel me déplaît beaucoup. »

D'étranges rapports vont s'instaurer entre ces trois êtres et Proust va jouer pour la première fois ce rôle qu'il aime et ne cessera de perfectionner : celui d'amoureux malgré lui de la femme de son meilleur ami, rôle qui lui permet de déployer toutes les ressources de sa sensibilité, tous les artifices de son esprit et, en feignant de sacrifier sa passion pour la femme à son amitié pour l'homme, d'avoir des droits à la reconnaissance émue des deux. C'est aussi un rôle commode grâce auquel il pénètre dans l'intimité de l'un et de l'autre et apparaît, dans certains cas, comme l'arbitre de leurs querelles tout en devenant par ses bons offices l'artisan de leur bonheur. Jupiter, renonçant à enlever Ganymède, se transforme en Mercure. Pour Marcel Proust, que ses goûts entraînent plutôt vers les hommes, se faire le complice de la femme est un moyen de vivre par procuration un amour inavouable et, en proclamant partout qu'il est épris de l'élue, un moyen de détourner les soupçons, habillant ainsi d'une âme romaine un amour grec.

Dans le cas de Jeanne et de Gaston, il ne semble pas que ses sentiments pour ce dernier aient l'intensité de ceux qu'il éprouvera pour d'autres jeunes gens de sa génération, mais il existe entre eux une intimité d'esprit, une affection plus fortes que celles qui lient des camarades de collège ou de régiment. Il faut aussi, pour juger cette amitié, tenir compte chez Proust de ce besoin tyrannique d'être aimé dont l'expression plaintive a parfois les accents de l'amour.

Bien vite, donc, Proust se persuade qu'il est amoureux de Jeanne Pouquet, mais il fait de Gaston de Caillavet le premier confident de cette passion, ce qui rend suspecte la sincérité de celle-ci. S'il était véritablement, charnellement épris, il aurait le tact de choisir un autre confident. Qu'il ait été séduit par la beauté de Jeanne, le piquant de son esprit, cette joie de vivre qu'elle irradie, c'est indéniable, mais irait-il jusqu'à vouloir supplanter Gaston de Caillavet, demander la main de Mlle Pouquet, on peut en douter et même supposer qu'il affiche d'autant plus cet engouement qu'il est certain de ne pas être pris au mot. Bref, serait-il aussi amoureux de Jeanne Pouquet si elle était libre et s'il n'y avait pas Gaston de Caillavet ? Celui-ci ne doit pas nourrir beaucoup d'illusions à cet égard, mais il est néanmoins agacé par l'assiduité de Proust auprès de Jeanne, par sa manière de s'immiscer dans leurs relations, de lui ravir l'attention d'un esprit, sinon d'un cœur, tout en ne cessant de faire sonner bien haut le sacrifice qu'il fait à leur amitié. Ennuyée de cette insistance, Jeanne Pouquet, qui a le sens des réalités, ne prend pas son adorateur au sérieux et rassure Gaston de Caillavet : « Bonsoir, affreux impie, lui écrit-elle un soir. Je m'en vais rêver, non pas à Marcel, mais à mes sauvages, à ceux qui auront bientôt le bonheur d'entendre mon édifiante parole[1]. » On ne sait à quels sauvages elle fait allusion, ceux d'une comédie où elle doit tenir un rôle, ou bien les cousins chez qui elle séjourne à Chaville, mais il est certain qu'entre Marcel Proust et Gaston de Caillavet son choix depuis longtemps est fait. Si elle tolère auprès d'elle la présence du premier, c'est qu'elle y voit l'avantage de dissimuler son intrigue avec le second.

Proust fait partie désormais de l'intimité de ce couple clandestin, qui se cache toujours de M. Pouquet. A chacune de ses permissions, il se rend rue de Miromesnil. Si le valet de chambre lui annonce que ces dames sont sorties, il ne s'en incruste pas moins dans la maison et bavarde en attendant leur retour avec les domestiques, dans la cuisine ou la lingerie, au grand scandale du maître d'hôtel qui essaie de lui faire comprendre que ce n'est pas sa place.

Au mois de mai 1890, il se voit proposer le rôle de Pierrot dans une comédie de salon, *Colombine,* avec Jeanne pour interprète principale. Il refuse et accepte seulement d'être le souffleur, en se présentant ainsi au public :

*Je ne suis rien ici, je souffle seulement,*
*Je suis souffleur... souffleur... je souffle des bêtises*
*Et je souffre en soufflant ce qu'il faut souffler*
*Et je dois tant souffler que j'en suis essoufflé !*

Malgré cet avertissement, Proust se révèle un piètre souffleur, oubliant son texte pour suivre le jeu des acteurs, riant et applaudissant au lieu de voler au secours de ceux qui restent soudain cois.

Le printemps venu, toujours attaché avec ferveur aux pas de Jeanne Pouquet, il profite de ses permissions pour la traquer jusqu'au tennis du boulevard Bineau. Comme son asthme lui interdit de jouer, il se rend utile en s'occupant du goûter ou en allant chercher des rafraîchissements. Il fait peine à voir, décoiffé, le col chiffonné, portant en soufflant les paniers de

1. M. Maurois, *L'Encre dans le sang,* p. 85.

provisions ou les bouteilles de limonade, mais rien ne décourage son obstination. Le tennis du boulevard Bineau, à Neuilly, est un endroit sélect, suivant l'expression alors à la mode, où se réunissent des jeunes gens de bonne famille plus à même, au cours de ces échanges sportifs, d'apprécier réciproquement leurs qualités physiques en vue d'éventuels mariages. Lorsque Proust fera parvenir à Jeanne Pouquet *A l'ombre des jeunes filles en fleurs,* il lui rappellera tout ce que cette époque et ce lieu ont signifié pour lui : « Vous y verrez amalgamé quelque chose de cette émotion que j'avais quand je me demandais si je vous verrais au tennis... »

Tout en jugeant cet adorateur encombrant, Jeanne a parfois des mouvements de bonté à son égard, ne serait-ce que gratitude de servir de paravent à ses amours avec Gaston de Caillavet. Ainsi lui promet-elle un jour d'aller le voir à Orléans, mais lorsqu'elle passe à l'exécution, elle se venge de cette complaisance intéressée en contant son voyage à Gaston sur un ton assez méchant : « J'ai vu Proust ! Maman lui ayant fait savoir que nous passerions la journée, il est arrivé langoureusement sur les deux heures nous présenter ses respectueux hommages et ses œillades sentimentales. Il nous a potiné les impressions de son ami de Cholet et il a promis d'écrire à Maman les vraies raisons de la rupture... [1] Ensuite, il a divagué pendant quelques secondes, puis nous a annoncé son désir d'aller, à la sortie de son régiment, passer un mois au bord de la mer, dans un endroit sauvage, pittoresque et désert où il n'aura pas à craindre qu'un ami indiscret vienne troubler sa rêverie. Je pense cependant qu'une amie discrète ne fera qu'ajouter au charme de cette mélancolique solitude pour peu qu'elle ait des cheveux blonds authentiques et qu'elle sera un tiers agréable entre le poétique Marcel Proust et dame Nature. C'est peut-être une affreuse calomnie, cette supposition !... Après quelques autres minutes de divagations, il nous a quittées avec des phrases exquises où, si j'ai bien compris, il se prosternait aux pieds de Maman et il se tortillait à ceux de sa fille. C'est un agréable toqué... [2]. »

Le « toqué » fait d'ailleurs tout ce qu'il faut pour donner cette impression. N'a-t-il pas envisagé de louer un château, près d'Orléans, pour y recevoir dignement les Pouquet ? Cette folie des grandeurs chez un jeune homme à qui ses parents mesurent l'argent étonne un peu.

---

1. On ignore à quelle rupture Jeanne Pouquet fait allusion.
2. M. Maurois, *L'Encre dans le sang,* p. 179.

Néanmoins Jeanne Pouquet, avec son sens pratique, ménage ce soupirant qui, par son exaltation, détourne l'attention du public de ses affaires secrètes. Lorsque ses parents l'emmènent à Essendiéras, leur propriété familiale en Dordogne, elle demande à Gaston de venir la rejoindre en se faisant accompagner de Proust qui égarera les soupçons de son père et des voisins de campagne. « Agite-toi, remue ciel et terre pour décrocher quelque ami bienfaisant... Ce détraqué de Proust ferait assez bien l'affaire quoique Papa ait une grande sympathie pour René Alvarès... » Et le lendemain, elle revient à la charge : « Mon chéri, si tu veux venir à Essendiéras, il faut que tu t'arranges que ce soit pour le samedi 27. Ne peux-tu décider ce petit serin de Proust ? Maman va lui écrire, ainsi qu'à toi, une lettre officielle qu'au besoin tu pourras montrer à ta mère... » Hélas ! ce calcul échoue, au vif dépit de Jeanne : « Je suis furieuse contre Proust, contre sa famille qui ne le laisse pas venir, contre son général qui ne lui donne qu'une petite permission[1]. »

*

Comme ne subsiste aucune lettre de Proust à sa mère ou à ses amis pendant son volontariat, on ne peut guère savoir ce que fut sa vie quotidienne à Orléans à cette époque et il faut se fier aux souvenirs qu'il en racontera plus tard, souvenirs certainement embellis avec le recul du temps et le regret de sa jeunesse. A l'en croire, il fut heureux. En tout cas, il ne fut pas malheureux ni mal traité, puisqu'il accomplit son temps jusqu'au bout et réussit même le tour de force de suivre le peloton de préparation des sous-officiers, arrivant 63$^{e}$ sur 64 au classement final. Dans les souvenirs de Céleste Albaret, toujours douteux lorsqu'elle rapporte ceux de Proust, celui-ci aurait donné un jour cet exemple de sa totale inaptitude à la vie militaire en racontant qu'un soir, invité chez un officier pour dîner, il y était resté coucher, mais, le lit n'étant pas fait, il avait été incapable de se débrouiller avec les draps et les couvertures qu'on lui avait donnés, si bien qu'il s'était résigné à dormir sur le matelas !

Une chose est certaine : il fut moins malade à cette période qu'à toute autre époque de sa vie, ne souffrant apparemment pas de l'inconfort de sa chambre en ville, de la nourriture de

1. M. Maurois, *L'Encre dans le sang,* pp. 153-155.

caserne ou de table d'hôte et de l'atmosphère empuantie des chambrées comme de l'air trop vif du dehors. Dans le médecin-major Kopff, il a trouvé certainement un homme compréhensif, car il lui gardera une vive reconnaissance de sa bonté. Il semble même qu'il ait échappé à une épidémie de grippe qui a sévi à Orléans, et particulièrement à la caserne Coligny, pendant l'hiver 1889-1890. Sa seule détresse, à cette époque, a été d'apprendre la mort de sa grand-mère Weil, disparue le 3 janvier 1890, âgé de soixante-six ans seulement. On a la preuve du désespoir qu'il en a éprouvé par une lettre que Mme Proust, elle-même profondément affligée par la mort de cette mère qu'elle adorait, lui a écrite, oubliant son propre chagrin pour ne songer qu'à celui de son fils : « Pourquoi ne pas m'avoir écrit *parce que tu passais ton temps à pleurer et que je suis assez triste ?* Je n'aurais pas été plus triste, mon cher petit, parce que tu m'aurais écrit à ce moment. Ta lettre aurait porté le reflet de ce que tu éprouvais, et pour cela même elle m'aurait fait plaisir. Et, d'abord, jamais je ne suis attristée en pensant que tu penses à ta Grand'mère ; au contraire, cela m'est extrêmement doux. Et il m'est doux aussi de te suivre dans nos lettres — comme je te suivrais ici — et que tu t'y montres, toi, tout entier. Donc, mon chéri, ne prends pas pour système de ne pas m'écrire pour ne pas m'attrister, car c'est l'inverse qui se produit. Et puis, mon chéri, pense à elle, — chéris-la avec moi — mais ne te laisse pas aller à des journées de pleurs, qui t'énervent et qu'elle ne voudrait pas. Au contraire, plus tu penses à elle, plus tu dois être tel qu'elle t'aimerait et agir selon ce qu'elle voudrait... [1] »

Dispensé de certains exercices, il a pu observer à loisir, en amateur, la vie de caserne et en discerner ce qu'elle peut comporter de pittoresque ou même de poétique. Évoquant un jour la diane devant un de ses amis, Maurice Duplay, il en parlera sur un ton lyrique : « Elle est plaintive et apaisante. Elle exprime la fatigue du soldat après la journée d'exercices, sa nostalgie du pays et de la payse, et lui annonce une bonne nuit réparatrice de sommeil [2]. »

L'élément poétique, décanté dans sa mémoire, resurgira, plus poétique encore, dans la description qu'il fera de la vie de garnison à Doncières, de ces petits matins où les soldats, partis en manœuvres dans le brouillard, ne sont plus que des

1. Cité par A. Maurois dans *A la recherche de Marcel Proust*, p. 80.
2. M. Duplay, *Mon ami Marcel Proust*, p. 31.

ombres grises préfigurant les morts qu'ils seront peut-être un jour, lorsque aura enfin sonné l'heure de la revanche de 1870, de ces soirées passées autour d'un punch à discuter politique ou stratégie, de tous ces moments de la vie quotidienne, aussi charmants, revus à travers le souvenir, que des croquis d'artiste montrant des soldats menant leurs chevaux à l'abreuvoir ou bien, attablés dans un cabaret, noyant dans le vin le regret de leur village.

Dans *Les Plaisirs et les Jours*, il donnera de la vie militaire quelques tableaux qui trahissent déjà une certaine nostalgie de cette existence primitive et rude : « Ma vie de régiment est pleine de scènes de ce genre que je vécus naturellement, sans joie bien vive et sans grand chagrin, et dont je me souviens avec beaucoup de douceur. Le caractère agreste des lieux, la simplicité de quelques-uns de mes camarades paysans, dont le corps était resté plus beau, plus agile, l'esprit plus original, le cœur plus spontané, le caractère plus naturel que chez les jeunes gens que j'avais fréquentés auparavant et que je fréquentai dans la suite, le calme d'une vie où les occupations sont plus réglées et l'imagination moins asservie que dans toute autre, où le plaisir nous accompagne d'autant plus naturellement que nous n'avons jamais le temps de le fuir en courant à sa recherche, tout concourt à faire aujourd'hui de cette époque de ma vie une suite, coupée de lacunes, il est vrai, de petits tableaux pleins de vérité heureuse et de charme sur lesquels le temps a répandu sa tristesse douce et sa poésie [1]. »

Ce bonheur diffus, qui transparaît entre les lignes, provient d'un sentiment complexe : pour la première fois de sa vie, Proust se trouve dans une situation où, loin d'avoir à conquérir une place dans le monde, il se voit, prince égaré parmi les rustres, reconnu par ceux-ci non comme un égal, mais comme un être supérieur, parce que différent. Tout ce qu'il y a de féminin en lui s'amalgame à la virilité ambiante et trouve un accueil complaisant auprès de ces garçons simples qui attribuent à sa double qualité de bourgeois et de Parisien ce qui, aux yeux de gens de son milieu social, n'est qu'afféterie de langage, préciosité de manières ou tout bonnement caprices d'enfant gâté. Le rat des villes a toujours été honoré chez le rat des champs. Il se peut aussi que Proust, ému par ce retour à une vie primitive, en ait subi l'influence et se soit montré moins affecté dans ses relations avec ses camarades qu'il ne l'avait

---

1. *Les Plaisirs et les Jours*, dans *Jean Santeuil*, Pléiade, p. 130.

été avec ses condisciples de Condorcet. A la caserne Coligny, il est un phénomène, un oiseau rare, comme une honnête femme jetée, par les hasards d'un voyage, au milieu d'un camp de pionniers du Far West et apportant dans cette rustique assistance une note imprévue de grâce et de civilisation. Proust n'a vraisemblablement jamais fait à aucun de ses camarades les propositions qu'il adressait naguère à tel ou tel de ses amis du lycée. Il a dû prudemment observer, pendant son volontariat, une relative chasteté, mais sans doute a-t-il éprouvé une certaine volupté intellectuelle à vivre dans cette ambiance essentiellement masculine, à suivre d'un regard aussi complaisant que le crayon de Pierre Loti certains déshabillages révélant des effets de muscles ou bien ces simulacres gaiement obscènes auxquels se livrent parfois des hommes privés de femmes.

Comme l'écrit avec autant de drôlerie que de perspicacité P.-E. Robert dans son étude sur *Marcel Proust et le paradis militaire*, Proust parle de ses camarades de chambrée avec « la délectation d'un mousquetaire à la Dumas qu'un billet de logement a conduit au couvent [1] ».

Quinze ans plus tard, après avoir lu *La Trempe*, roman dans lequel Maurice Duplay évoquera non sans amertume son service militaire, Proust s'étonnera de cette vision péjorative : « Curieux en tout cas, lui écrira-t-il, que nous, qui sommes plutôt deux bons, nous ayons vu le régiment, toi comme un bagne, moi comme un paradis [2]. » Et l'année même de sa mort il écrira au romancier Binet-Valmer : « Au régiment... mon temps fini, on m'aimait tant et je sentais que je pouvais être si utile que je ne voulais pas partir... [3] »

De quelle utilité Proust, déplorable soldat, mauvais cavalier, pouvait-il être ? Mais il est vrai qu'il a demandé au colonel Delbos, successeur d'Arvers, de prolonger son temps de quelques mois, ce qui lui a évidemment été refusé. S'il emporte quelques regrets de sa vie militaire, il n'en laisse aucun chez ses supérieurs, sauf chez ceux qui aimaient bavarder avec cet étrange garçon, sachant déjà tant de choses et en devinant plus encore dans l'esprit de ses interlocuteurs qui éprouvent un peu, lorsqu'ils sont avec lui, l'impression d'être en présence d'une cartomancienne de génie, lisant au fond de leur cœur et pénétrant leurs pensées les plus secrètes.

---

1. *B.S.M.P.*, n° 33, 1983, p. 88.
2. Kolb, tome V, p. 182.
3. *B.S.M.P.*, n° 30, p. 183.

# 5

# Novembre 1890 — Juin 1893

*Le* Proustaillon *des Pouquet - Trouville et J.-É. Blanche - Trois Parques : Mme Aubernon, la princesse Mathilde et Madeleine Lemaire - Autres dames de moindre importance - Un louche* Dorian Gray : *Oscar Wilde - Un pieux éphèbe : Edgar Aubert - Communion littéraire autour du* Banquet *- Mort d'Edgar Aubert - La rose de Louveciennes : Mme Beer - Un ami parfait : Robert de Flers - Résurrection d'Edgar Aubert : Willie Heath - Mariage de Gaston de Caillavet.*

Pour un jeune bourgeois, déjà frotté de mondanité, impatient de s'y replonger, la libération du service est comme pour un malade la sortie de l'hôpital et le début d'une convalescence. Proust, il est vrai, n'a pas le loisir de profiter beaucoup de ce temps mort, pendant lequel on reprend goût à la vie. Rentré à Paris le 14 novembre 1890, il s'inscrit le 20 à la faculté de droit puis, quelques jours plus tard, à l'École libre des Sciences politiques. Ayant ainsi sacrifié au droit, s'il lui faut un jour entrer dans la magistrature, et à la préparation de la Carrière, s'il doit devenir diplomate, il renouvelle aussi ses inscriptions chez Mme Straus dont le salon reste pour lui la plus importante des écoles, celle où il rencontre ses véritables maîtres.

Sirène à certaines heures, Mme Straus peut se muer à d'autres en déesse irritée. Elle montre alors ce visage à Proust, agacée qu'elle est par l'effervescence des sentiments qu'il lui témoigne et qu'elle accueillerait sans doute mieux s'ils lui paraissaient plus sincères. L'empressement de Proust se traduit soit par des lettres exaltées, soit par des envois de fleurs trop somptueux qui donnent à cette femme, essentiellement vertueuse en dépit des apparences, l'impression que ce soupirant la traite en cocotte. Devinant cette irritation à son égard, Proust essaie de l'apaiser : « Je suis d'autant plus joyeux de votre lettre, lui écrit-il le 22 novembre 1890, que je vous croyais fâchée avec moi. Je ne sais pas pourquoi. Ne me grondez pas pour mes chyrsanthèmes et pour mon amitié. Ce sont des choses déjà assez mélancoliques sans cela et d'ailleurs de trop peu de prix pour que vous deviez y prendre garde. D'ailleurs vous me serez une fois pour toutes reconnaissante de ces rares fleurs quand vous saurez, Madame, qu'elles vous épargnent une lettre de moi. Et, si humbles soient-elles, elles seront toujours plus jolies et plus nuancées que ma prose... [1] »

Il reprend donc ses habitudes chez elle, l'accompagne deux ou trois fois au théâtre, mais continue ce harcèlement de bouquets ou de compliments qui le dessert plus qu'il ne l'aide auprès de la maîtresse de maison. Celle-ci a dû, derechef, lui manifester son mécontentement car Proust, piqué de son attitude, riposte, et d'une manière peu agréable pour l'amour-propre d'une telle femme, en lui adressant une lettre qu'il intilule, comme un devoir de français, *La Vérité sur Mme Straus* : « C'est que j'ai d'abord cru que vous n'aimiez pas les belles choses et que vous les compreniez très bien — et puis j'ai vu que vous vous en fichiez —, j'ai cru ensuite que vous aimiez les personnes, et je vois que vous vous en fichez. Je vois que vous n'aimez qu'un certain genre de vie qui met moins en relief votre intelligence que votre esprit, moins votre esprit que votre tact, moins votre tact que vos toilettes. Une personne qui aimez surtout ce genre de vie — et qui charmez... [2] »

Et le perfide achève ainsi cette mercuriale : « Je vous enverrai de plus jolies fleurs et cela vous fâchera, Madame, puisque vous ne daignez pas favoriser les sentiments avec lesquels j'ai la douloureuse extase d'être,

*De votre Indifférence souveraine*
*Le plus respectueux serviteur.*

En femme d'esprit qu'elle est, Mme Straus attribue à une sorte de dépit amoureux cette impertinence, et la pardonne, accueillant même avec gentillesse un nouvel ami que Proust s'est découvert et qu'il est tout heureux d'exhiber. Il s'agit d'un jeune Américain, de mère française, Edward B. Cachard, beau garçon pour qui Proust s'est pris d'un enthousiasme qui tombera vite devant la *« sécheresse »* de cœur de celui qui en est

1. Kolb, tome I, p. 162.
2. *Ibidem*, p. 165.

l'objet, c'est-à-dire que le beau Cachard a dû opposer une certaine réserve à ses avances.

Jeanne Pouquet, elle, montre moins d'indulgence à l'égard de son admirateur qui, à peine revenu à Paris, a repris ses visites rue de Miromesnil et s'impatronise de plus en plus dans la maison, hantant à la fois la cuisine et le salon, le vestibule et la lingerie, attaché comme une ombre à la mère et à la fille tandis que M. Pouquet s'impatiente de cette intrusion. On voit Proust à toutes les réceptions données par les Pouquet, réceptions où, inaugurant une habitude qui contribuera beaucoup à sa légende, il arrive tard, lorsque les invités commencent à partir. Il s'installe alors aux pieds de ces dames, déployant toutes ses grâces, et il parlerait jusqu'au matin sans M. Pouquet qui, tombant de sommeil, demande à voix de plus en plus haute si l'on ira se coucher bientôt. M. Pouquet ne voit pas d'un bon œil cette familiarité de sa fille avec tous ces jeunes gens, et encore ignore-t-il ce qui se passe hors de sa présence. C'est pourquoi Jeanne Pouquet ménage Proust qui a l'avantage d'égarer les soupçons de son père, ainsi qu'elle l'écrit cyniquement à Gaston de Caillavet : « Si tu savais comme avec ces petits nigauds comme Marcel Proust j'ai de l'esprit, du chic, du charme. Je sais ce qu'il faut leur dire pour les prendre, les captiver, les amuser... Quand on a pour deux sous de cœur, on est sûr de plaire à tous les imbéciles... [1] » Et, précisant le rôle de paravent qu'elle fait jouer à Proust, elle confiait à Gaston de Caillavet, en lui rapportant une conversation avec deux amies, les sœurs Schwartz : « J'ai causé longuement de Proust, de ses œuvres, de son charme, etc. J'ai dit que mardi je dansais et cotillonnais avec lui, que j'espérais le voir dimanche et mille choses qui ont fait croire que j'avais une grande passion pour lui. Pour les convaincre tout à fait, j'ai poussé de grands cris scandalisés quand elles m'ont accusée de flirter avec lui [2]. »

Proust se prête au jeu et continue de clamer à tous les échos sa passion pour Jeanne Pouquet. Après la représentation chez elle, le 4 mars 1891, d'une revue d'amateurs dans laquelle Jeanne a interprété successivement l'Arlésienne et Cléopâtre, il lui envoie ce quatrain :

*Peut-être autant que vous Cléopâtre était belle,*
*Mais elle était sans âme : elle était le tableau*

1. M. Maurois, *L'Encre dans le Sang*, p. 246.
2. *Ibidem*, p. 221.

*Inconscient gardien d'une grâce immortelle*
*Qui, sans l'avoir compris, réalise le Beau...*

Mme Pouquet, fine mouche, a vite saisi le parti qu'elle peut tirer de Proust pour favoriser les amours de sa fille et l'avoue sans vergogne à son futur gendre : « Ce petit Marcel a un savoir-faire étonnant. Il s'est fait permettre par mon mari de venir nous dire adieu demain à la gare... Enfin, ce Marcel habitue toujours mon mari à l'idée qu'on puisse s'occuper de sa fille et, sous ce rapport, c'est une excellente chose et cela nous sert infiniment... Je ne souhaite qu'une chose, c'est que ce pauvre garçon n'en souffre pas à un moment donné [1]. »

Si Gaston de Caillavet, qui a du cœur, mais moins de force de caractère, éprouve quelques remords de cette situation, il est trop agacé par cette danse amoureuse de Proust autour de Jeanne pour se laisser arrêter par des scrupules d'amitié : « Tu sais que je l'aime bien, écrit-il à Jeanne, alors en séjour au Mont-Dore pendant cet été 1891, mais je vous supplie de vous en défier ; il a la manie de montrer les lettres et celles de ta mère verront beau jeu ! » Avisée de cette recommandation, Mme Pouquet rassure Gaston : « Ne craignez rien pour Marcel, je me méfie aussi depuis que vous m'avez prévenue [2]. » La sagesse, estime Gaston, serait d'espacer les relations : « Je ne sais si Marcel ira chez vous, mande-t-il à la fin de juillet à Mme Pouquet, pour moi je ne l'invite plus... » Et dès lors, leur amitié, si vive au début, ira en se refroidissant, mais sans aboutir à une rupture, chacun gardant ses griefs contre l'autre, tout en lui faisant bon visage. « La suite de leurs relations ne fut que braise ranimée », écrira Michelle Maurois [3].

Pour Marcel Proust, c'est une page à demi tournée. Après un bref séjour à Essendiéras, chez les Pouquet, à la fin de l'été 1891, il prend ses distances et cherche d'autres objets à ses flammes factices.

A son retour d'Essendiéras, Proust accepte une invitation des Arthur Baignères qui possèdent près de Trouville une propriété, les Frémonts. Achetée plus tard par les Finaly, elle sera décrite dans *A la Recherche du temps perdu* sous le nom de la Raspelière, louée par les Cambremer aux Verdurin.

En ce début d'automne, Trouville est un havre de grâce

1. M. Maurois, *L'Encre dans le sang*, p. 248.
2. *Ibidem*, p. 254.
3. *Ibidem*, p. 254.

pour de nombreuses femmes, elles aussi à l'automne de leur vie et qui prolongent sur la jetée les élégances du Second Empire. On voit ainsi passer, nonchalantes et souveraines, la princesse de Sagan et la marquise de Galliffet, celle-ci cousine germaine de Mme Arthur Baignères. Ces dames ne sont que grâces et volants, cambrures et rubans, ombrelles assorties à leurs humeurs et silhouettes à la Constantin Guys. Elles ont été fort galantes dans leur jeunesse, mais elles ont ce grand air des cours que les provinciaux prennent pour de la vertu, et cet aristocratisme de manières et de langage propre aux personnes qui, n'étant point « nées », au sens que le faubourg Saint-Germain donne à ce mot, s'efforcent de justifier ainsi le nom qu'elles portent.

Chez les Baignères, où vient parfois en visite Mme de Galliffet, que Proust peut admirer de plus près, on voit aussi Jacques-Émile Blanche, déjà réputé comme portraitiste et brillant causeur, avec cette perfidie qui lui vaudra tant d'inimitiés. Il est le fils du docteur Blanche, providence des familles qui se débarrassent, en les lui confiant, de tous les êtres anormaux dont les ont accablés les mystères de l'hérédité ou les conséquences de syphilis mal soignées. Dans sa maison de santé d'Auteuil, on retrouve une société presque aussi distinguée que celle qu'y recevait jadis la princesse de Lamballe, à qui appartenait le domaine, et dans leurs bons jours, certains fous sont même de compagnie assez plaisante. Ils se révèlent en tout cas d'un fructueux rapport pour les Blanche qui mènent grand train et font du mécénat en recevant nombre d'artistes ou d'écrivains que le docteur retrouve parfois, quelques années plus tard, comme pensionnaires.

Alors âgé d'une trentaine d'années, ce qui fait de lui l'aîné de Proust, Jacques-Émile Blanche ressemble trop à celui-ci pour que leur entente, merveilleuse au début, puisse durer longtemps et des éclipses assombrirent cette amitié. « C'était, écrira Ferdinand Bac, un fils de famille très gâté... toujours inquiet, ruminant et dénigrant, angoissé et méfiant, tatillon et maniaque, curieux et agité, plein de soucis, de mauvaises digestions, de mauvaises humeurs, attentif, passionné pour l'Art, admiratif des morts et de quelques vivants. Un esprit singulier, attachant et détachant à la fois, un talent prodigieux, fin, élégant, simple ; un goût racé, un peu trop exclusif dans sa préciosité, mais un vrai artiste et aussi un vrai écrivain[1]. »

---

1. F. Bac, *Souvenirs inédits*, livre IV.

Léon Daudet, qui ne peut le souffrir, accentue le trait pour tracer de Blanche, dans ses propres *Souvenirs*, cette féroce caricature : « Que peut avoir avalé Jacques-Émile Blanche, quelle coloquinte, quelle herbe nauséeuse, pour avoir cette crampe buccale dans ce visage pâle, rond et plissé, de couturière anxieuse ?... Il appartient à la race des commères tragiques, brouillant les gens sous prétexte de les réconcilier, compliquant les histoires les plus simples, colportant les racontars et les fables déshonorantes, jouant les gales au grand cœur et les Merteuil sentimentales...[1] »

Jacques-Émile Blanche est encore célibataire et circulent à son propos les mêmes rumeurs qu'il répand si volontiers sur le compte de ses amis. En 1895, il épousera la fille de John Lemoinne, personnage influent et académicien, ou plutôt les trois filles, car les deux autres ne quitteront pas leur sœur et partageront la vie du couple. Cette union n'empêchera pas la malveillance de continuer à s'exercer : « On lui prêtait des mœurs déraillées, poursuit Ferdinand Bac, mais peut-être était-il lui-même l'artisan conscient ou inconscient de sa réputation que les uns chuchotaient et que les autres claironnaient. Il s'y prêtait avec une sorte de bonne grâce. C'était même la seule bonne grâce qu'on aimait lui reconnaître[2]. »

A l'encontre de Proust, déjà dépensier jusqu'au gaspillage, Blanche est d'une avarice à captiver Balzac, rognant sur tout, discutant avec âpreté les factures et s'ingéniant, lorsqu'il voyage, à faire réduire ses notes d'hôtel en invoquant soit sa misère d'artiste, soit l'honneur pour l'établissement de l'avoir hébergé.

C'est pendant ce séjour aux Frémonts qu'il fait de Proust l'esquisse à partir de laquelle il peindra le fameux tableau qui sera pour le modèle, comme pour Dorian Gray, l'image d'une jeunesse éternelle. Dans *Jean Santeuil*, Proust laissera percer sa joie d'avoir été si bien compris par l'artiste qui, avec une divination presque égale à la sienne, a réalisé le portrait qu'il souhaitait, fort différent d'ailleurs, une fois achevé, de l'esquisse. En revanche, c'est dans celle-ci, dans le négligé de la tenue comme dans l'intensité du regard, qu'il faut chercher sans doute le vrai Proust : « Cette année-là, écrira Proust dans ce roman, prélude à *La Recherche du temps perdu*, La Gandara exposa au Champ-de-Mars un portrait de Jean Santeuil. Ses

---

1. L. Daudet, *Souvenirs*, tome I, p. 600.
2. F. Bac, *Souvenirs inédits*, livre IV.

anciens camarades d'Henri IV n'auraient certainement pas reconnu l'écolier désordonné, toujours mal mis, dépeigné, couvert de taches, l'attitude fiévreuse ou abattue, le geste plus expressif que noble, le regard exalté s'il était seul, timide et honteux s'il était devant du monde, toujours pâle, les traits tirés, cernés par l'agitation, l'insomnie ou la fièvre, le nez trop fort dans les joues creuses avec de grands yeux pensants qui versaient seuls quelque beauté, avec leur lumière et leur tourment, sur cette figure irrégulière et maladive, dans le brillant jeune homme qui semblait encore poser devant tout Paris, sans timidité comme sans bravache, le regardant de ses beaux yeux allongés et blancs comme une amande fraîche, des yeux plus capables de contenir une pensée qu'en ayant pour le moment aucune, comme un bassin profond, mais vide, les joues pleines et d'un rose blanc qui rougissait à peine aux oreilles que venaient caresser les dernières boucles d'une chevelure noire et douce, brillante et coulante, s'échappant en ondes comme au sortir de l'eau...[1] »

Grâce à sa mère, qui veille à sa tenue, c'est un Marcel Proust presque ressemblant à son portrait qui poursuit son ascension mondaine, avec quelques incursions hors de la plaine Monceau, vers ce faubourg Saint-Germain, ville interdite, comme La Mecque l'est aux chrétiens.

*

A cet égard, on peut dire que le salon de Mme Aubernon de Nerville est seulement une étape sur le chemin qui l'y mènerait, car cette vieille femme, résolument bourgeoise, est dénuée de tout snobisme bien qu'elle ait, comme Mme Arman, anobli son nom en joignant celui de son père, M. de Nerville, au patronyme de son mari. Elle est, ce qui vaut mieux, la petite-fille d'Eugène Laffitte, frère de ce Charles Laffitte qui engendra la marquise de Galliffet et Mme Baignères, mère d'Arthur et d'Henri.

Née sous Charles X, élevée sous Louis-Philippe, fanée sous le Second Empire, Mme Aubernon de Nerville prolonge une jeunesse évanouie en s'habillant comme si elle avait encore vingt ans : les couleurs les plus tendres ne lui font pas peur, ni les rubans, ni même ces guirlandes de roses, en général réservées à la vêture des Amours. Ronde et potelée, elle

1. Proust, *Jean Santeu'l*, p. 675.

ressemble à une poupée pour jeune géante, encore que Mme Alphonse Daudet lui trouve « l'air d'un vieux cocher de bonne maison ». Son physique étonnant prête à la malveillance et aux critiques, qu'elle ignore superbement : « Toute ma vie, j'ai bravé le ridicule ! » avoue-t-elle fièrement, ce que Montesquiou explicitera dans ses *Mémoires* en écrivant qu'elle était au-delà du ridicule puisqu'elle les incarnait tous. Elle aime la littérature, qui le lui rend mal puisque beaucoup d'écrivains l'ont prise pour modèle de personnages peu flattés, tels Alphonse Daudet qui en a fait la Mme Ancelin de *L'Immortel*, ou Pailleron dans *Le Monde où l'on s'ennuie*, en décrivant son salon comme celui de Mme de Saint-Céran : « C'est un hôtel de Rambouillet en 1881 ; un monde où l'on cause et où l'on pose, où le pédantisme tient lieu de science, la sentimentalité de sentiment, et la préciosité de délicatesse, où l'on ne dit jamais ce que l'on pense et où l'on ne pense jamais ce que l'on dit[1]. »

Deux fois par semaine, Mme Aubernon de Nerville donne un dîner de douze ou quatorze couverts, pour des hommes naturellement, car elle estime que les femmes sont un élément de discorde ou un ferment de frivolité, nuisibles tous deux à la conversation. Celle-ci doit être sérieuse, consacrée chaque fois à l'étude d'un thème et à sa discussion. Chacun parle à son tour et le maladroit qui veut s'emparer trop tôt de la parole est remis vertement à sa place. Un coup de sonnette impérieux rappelle à l'ordre les étourdis qui s'égarent hors du chemin tracé par la maîtresse de maison. Si un éminent convive fait signe qu'il a quelque chose à dire et que Mme Aubernon accepte de lui donner la priorité, elle l'en avertit : « Attendez, je vais vous faire de la place ! »

Ces dîners ressemblent fort à la *petite classe* de Mme Verdurin, et chez cette dernière, on retrouve bien des traits de l'autoritaire Lydie Aubernon. Tout nouveau venu rue Montchanin est l'objet d'un sévère examen avant d'être admis : « M. Untel a bien dîné... », décrète-t-elle à l'issue de la soirée, ou bien : « M. Untel a mal dîné, il a causé tout le temps avec sa voisine... », car il y a parfois des femmes, chez Mme Aubernon, mais ce sont en général des veuves d'écrivains ou des femmes auteurs, comme Arved Barine et Claude Ferval. La « patronne » elle-même n'a pas beaucoup d'esprit, mais parfois des naïvetés qui réjouissent l'assistance plus que ne le feraient les meilleurs de ses mots. Un jour, un de ses fidèles lui apprend la mort

1. Cité par E. Carassus, *Le Snobisme et les Lettres françaises*, p. 90.

d'un de leurs amis communs et s'étonne que cette nouvelle la laisse indifférente : « Un homme qui vous a pourtant tellement aimée... » — « Moi ? » répond Mme Aubernon, surprise. » — « Oui, mais il n'a jamais osé vous le dire... » — « Encore aurait-il fallu que je le susse... », déclare la précieuse, étonnée de cette révélation et plus encore du fou rire qu'elle a déchaîné.

Parmi les piliers du salon de Mme Aubernon figure le beau docteur Pozzi, surnommé l'« Amour médecin », Victor Brochard, pesante autorité de la Sorbonne et modèle présumé de Brichot, Edme Caro, le philosophe, Fernand Brunetière, Alexandre Dumas fils, Victor du Bled, Paul Bourget, Abel Hermant, mais le plus assidu des commensaux est, au vif dépit des autres, un étrange personnage dont le seul aspect « dégoûte » Henri Becque qui le fuit. C'est le baron Doäzan, que Proust donnera comme la « clef » du baron de Charlus pour détourner les soupçons de Montesquiou lorsque celui-ci découvrira, en lisant *A l'ombre des jeunes filles en fleurs*, la vraie nature de Charlus.

Mme Aubernon le présente comme son cousin et personne en effet n'irait imaginer qu'il puisse être autre chose pour elle, que ce soit une manière pudique de cacher une vieille liaison, car la renommée du baron ne souffre aucune équivoque. Jadis, une passion affichée pour un jeune musicien polonais a ruiné sa réputation autant que sa fortune. Sa seule ressource est de vivre aux crochets de Mme Aubernon qui a pour lui des trésors d'indulgence : « Il est malheureux, je l'empêche de mourir de faim, et il me sert de monsieur de compagnie », répond-elle à ceux qui s'étonnent qu'elle supporte non seulement la présence du baron, mais sa méchanceté.

Par un réflexe défensif que Proust analysera fort bien dans *A la recherche du temps perdu*, Doäzan se montre ouvertement hostile à ce qu'il représente et ne manque pas une occasion de flétrir avec vigueur, voire avec rage, les mœurs de l'ancienne Grèce, à la stupéfaction des invités qui savent à quoi s'en tenir sur les siennes. A peine a-t-il vu Marcel Proust que d'un coup d'œil il a deviné la vraie nature de celui-ci et cherché à évincer un nouveau venu qu'il juge compromettant. Comme toute dame tenant salon, Mme Aubernon a besoin de chair fraîche et ne l'a pas écouté. Elle fait bon accueil, au contraire, à ce jeune homme si disert et l'engage même à rejoindre ses fidèles au Cœur-Volant, près de Louveciennes, où, l'été, elle transporte ses pénates, sans renoncer à ses dîners.

Aller à Louveciennes représente une espèce d'odyssée burlesque. Les invités, en tenue de soirée, se retrouvent à la gare Saint-Lazare pour y prendre le train de cinq heures. On s'entasse dans deux ou trois compartiments, comme une noce en goguette, en s'attirant les regards étonnés ou, pire, les quolibets des autres voyageurs. La surprise des indigènes n'est pas moins vive en voyant débarquer à Louveciennes cette sinistre théorie de messieurs en jaquette, escortés de quelques dames en grand décolleté. Cette troupe est conduite par le baron qui, avec sa haute et forte stature, son visage rasé, bouffi et turgescent, mauve sous la poudre, a l'air d'un forçat travesti en acteur. Quelques antiques victorias, tirées par des rosses guère moins vieilles, les hissent jusqu'au manoir où Mme Aubernon les attend, coassante de joie et affamée de bel esprit. Comme on est à la campagne, il faut poliment sacrifier à la Nature en allant admirer les canards dans l'étang, les vaches dans la prairie, occasion dont les messieurs profitent pour prendre leurs précautions, car les commodités semblent avoir été réservées par principe aux seules femmes.

Proust délaissera vite le salon de Mme Aubernon pour des maisons plus brillantes, mais il l'aura fréquenté suffisamment pour y trouver certains des modèles de ses personnages, à commencer par la maîtresse de maison, sauvée de l'oubli par le ridicule qu'il a jeté sur elle.

*

Autre beauté déchue qui croit prolonger son empire sur les hommes en leur donnant à dîner, la princesse Mathilde à qui Proust est présenté à la même époque, vraisemblablement par Émile Straus, familier de la rue de Berri. Le salon de la princesse n'est plus ce qu'il était trente ans plus tôt, rue de Courcelles, mais de l'avoir fréquenté, même peuplé de falots personnages, confère à ses ultimes commensaux un peu du prestige que lui avaient donné des artistes et des écrivains depuis longtemps disparus. Pour la postérité, être allé dans sa jeunesse chez la nièce de Napoléon Ier et la cousine de Napoléon III vous fait, par un gauchissement de perspective, le témoin des heures brillantes du Second Empire, et presque du premier.

Née en 1820, fille de Jérôme Bonaparte, le frivole roi de Westphalie, et de la princesse Catherine de Wurtemberg, l'altesse impériale, après s'être débarrassée de son mari, le comte Demidov, une brute moscovite, a réussi le tour de force d'escamoter ses parents, dont elle ne parle jamais, pour laisser entendre qu'elle est sortie, tout armée de sa palette et de ses pinceaux, du cerveau de son oncle, le grand Napoléon. Elle lui a d'ailleurs longtemps ressemblé avant de vieillir en princesse germanique, affaissée au milieu de ses aquarelles, de ses broderies et de ses petits chiens, qui lui constituent une garde de « grognards ». L'ancienne Notre-Dame-des-Arts du Second Empire règne désormais sur une petite cour hétéroclite où des faiseurs de brochures, des peintres sans talent et des poètes sans inspiration se croient des génies parce qu'ils se prélassent dans les fauteuils capitonnés où se sont assis les deux Dumas, Flaubert, Mérimée, Sainte-Beuve, Théophile Gautier, Thomas Couture, Taine ou Émile de Girardin. A ces artistes de second ordre, se sont agglutinés d'obscurs fonctionnaires, beaucoup de Juifs, aux dires de Léon Daudet, enfin des gens ennuyeux qui n'auraient jamais été reçus vingt ans plus tôt et qui doivent au déclin de ce salon d'y pénétrer. Ceux-là ne sont pas prêts à céder leur place et montent une garde hargneuse autour de l'altesse pour empêcher l'intrusion de tout rival.

Des bavardages insipides ont succédé aux brillantes conversations de jadis et Reynaldo Hahn, présenté rue de Berri à la même époque, s'étonne de ce que l'on peut y entendre de niaiseries en une heure. Des intrigues entre familiers ont remplacé les discussions politiques dans lesquelles la princesse intervenait avec l'autorité de son nom, sinon de son intelligence. Dans le lugubre salon, mal éclairé, ne se jouent plus que de mesquines comédies domestiques, sous l'œil au sourcil hérissé d'Edmond de Goncourt qui confie à son *Journal* ses rancœurs de courtisan déçu, ses indignations d'artiste et ses fureurs d'homme du monde indigné par le mauvais ton de la maison. Ce qui le chagrine le plus, c'est l'absence de véritable sens artistique chez la princesse qui se pique pourtant d'aimer les arts au point de les pratiquer : « Ma sœur a beaucoup de goût, disait le prince Napoléon, mais il est mauvais... » Elle en donne un déplorable exemple en multipliant de fades aquarelles mais Eugène Lami ou le dévoué Giraud ne sont plus là pour en corriger le dessin ou en rehausser les couleurs.

La princesse, qui s'ennuie, reçoit beaucoup pour essayer de remplir le vide de son existence et celui de son cœur. La mort de tant d'amis, comme Flaubert, Alexandre Dumas ou Eugène Giraud lui a été moins sensible que la défection de Claudius Popelin, un artiste émailleur élevé à la dignité d'époux secret, sans aller jusqu'au mariage encore que *l'Almanach de Gotha* en ait fait l'annonce, et qui s'est amouraché sous ses yeux de sa demoiselle d'honneur, Marie Abbatucci. Il vient de mourir et la princesse, écrasée de chagrin, ne sait pas ce qu'elle pleure le plus : la disparition de l'homme ou son infidélité. Elle souffre en Allemande et s'indigne en Corse.

Malgré ce deuil, elle continue de recevoir, car la mécanique mondaine est plus forte que tout. Sa table, déjà réputée sous Napoléon III pour l'incapacité de son chef, n'a cessé d'empirer. Elle est non seulement mauvaise, mais dangereuse, faite pour ouvrir toutes grandes les portes du tombeau à ceux que l'âge en rapproche : « Jamais je ne consentirais à dîner tous les jours chez elle, note Edmond de Goncourt, je lui demanderais un jour sur deux pour me désempoisonner chez moi ou ailleurs [1]. » Convié un soir à ces agapes funestes, Léon Daudet en décrit la chère comme « à la fois exécrable et parée, le poisson sans goût ni sauce, prenant la forme d'une côtelette, et le rôti baignant dans une eau saumâtre, comme si le bœuf était demeuré toute la nuit assis dans une mare... [2] ». Avec la même verve, il évoque l'entrée de ceux qui, conviés en cure-dents, ont eu au moins la chance d'échapper au festin homicide : « Un à un, ou deux à deux, les condamnés de la soirée arrivaient, ainsi que les condamnés du Purgatoire, prenaient la physionomie assortie au morne des convives mal repus et se réunissaient dans les coins pour chuchoter à voix très basse, de peur évidemment de déranger quelque invisible moribond [3]. »

Le grand salon ressemble à un Panthéon peuplé de morts illustres dont les visiteurs attendraient un dernier oracle, proféré par la bouche de l'altesse. Celle-ci parle volontiers, avec cette rude franchise de ceux qui sont certains de n'être jamais contredits, étonnant d'ailleurs par le libéralisme de ses opinions, démenti par le despotisme de ses manières. Cette nièce de l'Empereur fait à l'occasion l'éloge de la République, elle en loue l'esprit de tolérance et la défend contre les attaques de ses commensaux. Elle se plaît à incarner la classe moyenne, pleine de bon gros sens et patriote avant tout. Elle chérit l'armée, déplore hautement toute atteinte à son prestige et répète un peu trop souvent, pour expliquer son chauvinisme : « Quand on a comme moi un militaire dans sa famille... » du ton que

1. Goncourt, *Journal*, tome III, p. 302.
2. L. Daudet, *Souvenirs*, tome I, p. 150.
3. *Ibidem*.

prendrait la tenancière d'un bureau de tabac, toute fière d'un oncle ou d'un cousin sergent dans la Coloniale.

Cette affectation de modestie trahit chez elle une forme de snobisme qui n'échappe pas à Proust : celui de l'antisnobisme. La princesse se veut simple, exige qu'on le soit avec elle et s'offusque dès que l'on profite un peu de cette liberté. Elle a également ce travers propre aux altesses qui consiste à regarder le reste de l'humanité de si haut qu'elle n'en distingue ni les classes ni les rangs, ne voyant aucune différence entre un journaliste qui a pris un pseudonyme aristocratique, ou un petit notable ayant joint le nom de sa terre au sien, et le duc de La Rochefoucauld ou le prince de La Trémoille.

Plus impérieuse qu'impériale, « fixant sur ses invités, à la ronde, des yeux bovins et méfiants », comme l'écrit gracieusement Léon Daudet, la princesse malmène la conversation plutôt qu'elle ne l'inspire et en écarte tout sujet qui permettrait aux propos de s'élever vers les cimes de l'art ou de la philosophie. Tout entière à ses rancunes, ses idées fixes et ses soupçons, ressassant éternellement ses griefs à l'égard de l'impératrice Eugénie, elle n'aime plus, en fait, que les commérages où elle puise un nouveau motif de se défier des gens. Edmond de Goncourt remarque avec amertume qu'elle ne lui parle jamais de ses livres, bien qu'il les lui envoie, mais que, sensible à tout ce qui a reçu l'approbation de l'opinion publique, elle est plus aimable avec lui lorsqu'il remporte un succès que lorsqu'il subit un échec.

Prompt à saisir tous les ridicules, mais aussi toutes les nuances, Proust s'aperçoit vite qu'Edmond de Goncourt, le dernier grand homme du salon, est justement celui dont la présence dérange. « Chez la princesse Mathilde, le méfiant dédain inspiré par la personne de M. de Goncourt était quelque chose d'affligeant. J'ai vu là des femmes, même intelligentes, se livrer à des manèges pour éviter de lui dire leur *jour*. Il écoute, il répète, il fait des mémoires sur nous... [1] »

On ne saura jamais ce qu'Edmond de Goncourt, s'il a daigné le remarquer, a pu penser de ce jeune homme au regard lourd et insistant qui lui aussi écoute, répétera et fera des livres sur cette société. D'un naturel peu liant, Goncourt n'aime pas les jeunes gens et leur mesure non seulement son estime, mais sa poignée de main. Il leur tend un doigt, parfois deux, en leur disant au revoir, mais abandonne rarement les cinq. Il est

1. *Contre Sainte-Beuve*, Pléiade, p. 642.

loin de se douter que ce languide adolescent aux yeux d'almée fera plus tard un éblouissant pastiche de son *Journal* avec la relation d'un dîner chez Mme Verdurin.

Aller chez la princesse Mathilde est pour Marcel Proust moins un plaisir qu'un devoir qui, avec le recul du temps, sera peut-être un jour un plaisir, celui de pouvoir évoquer, devant d'autres jeunes gens, qui n'ont pas connu la vieille dame, la nièce de Napoléon Ier. Le passage des ans émousse les aspérités, remodèle les figures : celle de la princesse revivra d'une autre façon, ne serait-ce que par le snobisme de ceux qui, pour ajouter à leur propre prestige, exalteront le souvenir d'un salon où ils se sont tellement ennuyés.

Aussi n'est-ce pas la véritable impression ressentie par Proust qu'il faut chercher à travers les pages qu'il a consacrées en 1903 au salon de la princesse Mathilde, d'autant plus que la princesse était encore vivante et qu'il prendra soin de ne rien écrire qui puisse offenser celle-ci. Ce ne sera que de l'eau bénite de cour, au point que citant les plus célèbres bévues de sa dame d'honneur, il omettra une des plus piquantes. Mme de Galbois était renommée pour sa bêtise, sans être pour cela bonne personne. « Elle vous jetterait du vitriol au bout d'un goupillon », disait d'elle Marie Abbatucci. Une de ses plus célèbres gaffes est celle commise un soir qu'on racontait devant elle que le duc de Montmorency, étant parti se promener avec le Prince impérial, tardait à rentrer au palais. On s'inquiétait de ce retard, on songeait à prévenir la police lorsque enfin le duc apparaît, qui raconte être allé à pied, car il est grand marcheur, avec le jeune prince, jusqu'au jardin des Plantes : « Chacun sait, interrompt la baronne de Galbois, que M. le duc est un célèbre pédéraste... »

*

Si la princesse Mathilde n'a pas besoin de Proust pour survivre, en revanche Madeleine Lemaire doit beaucoup à celui sans qui elle n'aurait guère duré plus que ses roses, dont elle s'est fait une spécialité. Grande et forte, un peu virile d'allure, elle est de ces femmes qui, en vieillissant, finissent par ressembler à l'homme qui leur manque. Edmond de Goncourt, quant à lui, estime qu'il lui est impossible d'être bonne avec la tête qu'elle a.

Elle offre un piquant mélange de dame patronnesse et de

sergent-major, imposant son goût et son culte de l'art avec un enthousiasme où l'ambition mondaine le dispute au zèle ecclésiastique. Son salon tient à la fois de l'ouvroir et de l'orphelinat, car elle y accueille avidement, comme si son salut éternel en dépendait, ces perpétuels orphelins que sont les gens du monde qui, jusqu'à la tombe, ont besoin d'être amusés, ou du moins occupés.

Nièce de Mme Herbelin, peintre de miniatures sous le Second Empire, elle a épousé un M. Lemaire dont personne ne sait rien, sinon qu'il a bien existé puisqu'elle en a eu, voilà vingt ans, une fille, Suzette, destinée à devenir une amie de Proust sans toutefois jamais l'inspirer pour une de ses héroïnes. Elle se contentera, devant la postérité, d'avoir posé pour Chaplin, puis pour Manet, ce qui est déjà un gage de survie. Peu intelligente, encore moins séduisante, Madeleine Lemaire a, par la seule force de sa volonté, conquis Paris. Elle peut s'en convaincre en voyant tant de beau monde s'entasser, les jours de réception, dans les salons et le jardin du petit hôtel, vaguement Louis XIII, qu'elle habite, 31, rue de Monceau.

Elle a même eu, consécration qui l'égale aux plus grands noms de France, l'honneur d'être victime des fureurs populaires. Le 8 octobre 1886, un groupe d'anarchistes s'intitulant « la Panthère des Batignolles » et conduit par Clément Duval, a pillé son hôtel. Comment refuser après cela d'aller chez elle ? On s'y précipite. Elle reçoit avec une frénésie qui marque la mesure de son ambition. Au printemps, elle donne chaque mercredi une grande réception où des artistes en vogue sont requis de faire leurs tours habituels : Mme Bartet déclame, les deux Coquelin échangent leurs répliques, Emma Calvé chante, Réjane joue la comédie, la comtesse de Maupeou vocalise et le poète Jean Rameu distille ses vers. Bientôt Reynaldo Hahn, appelé à jouer un si grand rôle dans la vie de Proust, tiendra le piano et chantera lui aussi. En dehors de ces « chaudes tueries qu'elle dirige avec l'assurance d'un vieux gladiateur auquel, finalement, elle ressemble [1] », elle reçoit à tout propos : déjeuners, dîners, thés, récitals. De temps à autre, elle organise un grand bal costumé, ce qui ne la change guère, car elle est toujours plus déguisée qu'habillée.

A côté de cette extraordinaire activité mondaine, car à ses nombreuses réceptions correspondent autant d'invitations qu'elle accepte, elle trouve assez de temps pour peindre ces

1. A. Germain, *Les Clés de Proust*, p. 51.

fameuses roses qu'elle vend aussi cher que si les pétales en étaient des billets de banque. On en voit partout, sur les éventails des grandes-duchesses, sur les menus des Rothschild, sur les programmes de théâtre ou en marge des romans à la mode. Elle illustre en effet des livres, mais avec infiniment moins d'art que Roux, Calbet, Vavasseur ou Ferroggio. Elle a ainsi orné de scènes et de vignettes *L'Abbé Constantin*, de Ludovic Halévy.

A défaut de talent, elle a de l'esprit, de cet esprit parisien, rosse et gouailleur, celui des légendes de Forain, cet esprit nécessaire pour se défendre dans une société où la malveillance est non seulement une raison de vivre, mais un moyen d'arriver. Sans être aussi méchante que l'assure Edmond de Goncourt, elle est bavarde et potinière, connaissant la vie intime de toutes ses relations, depuis les tares jusqu'au chiffre des dots, sans parler des adultères et des scandales étouffés. Elle semble avoir un registre dans la tête et elle s'en sert avec une virtuosité à laquelle beaucoup de ses amis ont recours, sans se douter qu'ils contribuent ainsi à augmenter son fichier mondain. Elle excelle à résoudre les imbroglios du cœur, à donner des conseils, à brouiller les gens puis à les réconcilier, l'essentiel étant pour elle de se mêler de tout, et de dire son mot sur tout. Son opinion, elle l'exprime avec autorité, d'un ton tranchant, qui rappelle les arrêts de Mme Verdurin : « Je vous dirai que cet homme n'a plus aucun talent... Je vous dirai que cette femme est une bécasse... Je ne veux pas de ça chez moi... »

*

Mme Aubernon, la princesse Mathilde et Madeleine Lemaire apparaissent ainsi, en ces années 1890, comme trois Parques qui décident du sort de leurs relations, soit pour les admettre dans leur paradis, soit pour les rejeter dans les ténèbres extérieures, où ils se retrouveront confondus dans la tourbe des « ennuyeux ». Ces trois femmes ont en commun la façon despotique de gouverner leur monde : précieuse, chez Mme Aubernon, bougonne, chez la princesse Mathilde, et presque militaire chez l'impératrice des roses, comme on a surnommé Mme Lemaire qui, lorsque dominant d'une tête la cohue de ses invités, elle enjoint à un valet de pied d'apporter une chaise à un retardataire, ressemble au maréchal Ney hurlant ses ordres sur un champ de bataille.

Être reçu dans un salon célèbre est un brevet d'admission dans d'autres, qui le sont moins et s'ouvrent aussitôt devant le nouveau promu dans l'espoir qu'il sera peut-être un excellent agent recruteur et débauchera quelques éléments intéressants pour accroître la clientèle. Proust est ainsi conduit à fréquenter chez d'autres dames, moins importantes, mais également affamées de nouveaux visages et de futurs talents comme la comtesse de Fitz-James et la comtesse de Talleyrand.

Mme de Fitz-James, fille d'un banquier viennois, est une Juive inquiète, ayant toujours à portée de main, dans un tiroir, la liste de tous les mariages contractés entre les enfants d'Israël et ceux des grandes maisons aristocratiques européennes. Elle vit dans la crainte des humiliations, ce qui semble les lui attirer. Un jour qu'elle déclare devant son mari : « Moi qui ai été élevée à Vienne... », celui-ci la coupe en déclarant : « Élevée, dites que vous y avez été nourrie... » Un soir de grande réception chez elle, ses derniers invités partis, elle constate avec mélancolie : « J'ai eu deux cents personnes chez moi ce soir. Aucune ne m'a parlé... » Et une autre fois, rapporte André Germain, une de ses bonnes amies, la marquise d'Harcourt, lui confie : « Rose, tout le monde vous trouve très bête. Moi, je ne suis pas de cet avis[1]. »

La comtesse de Talleyrand, née Véra de Bénardaky, veuve d'un diplomate, est parvenue à l'extrême épanouissement d'une beauté orientale qui tourne à la mascarade. Grosse, très fardée, avec des grains de beauté postiches et des cheveux teints, elle a l'air d'une tenancière de maison mal famée dans une opérette viennoise. En réalité son salon, avenue Montaigne, est bien famé, car elle l'a composé avec discernement. On voit chez elle des personnalités rassurantes comme le comte Vandal, d'Avenel, Robert de La Sizeranne. Grâce à sa sœur, la comtesse de Perchenstein, remariée à l'ambassadeur Nisard, un des modèles de M. de Norpois, elle peut compter sur le monde diplomatique. Bref, elle a réussi dans la société parisienne, réussite ainsi commentée par Mlle de Malakoff : « Elle est arrivée à un grand résultat. Elle n'a plus qu'une personne mal chez elle... elle-même[2] ! »

Le secret de cette réussite, elle le confiera peu avant sa mort à Ferdinand Bac : « Je me suis toujours faite plus bête que je ne le suis et meilleure que je ne me trouve. C'est ma manière

1. A. Germain, *La Bourgeoisie qui brûle*, p. 185.
2. *Ibidem*, p. 186.

à moi d'avoir le moins d'ennemis possible et de traverser la vie avec un minimum de difficultés... » Et Ferdinand Bac de commenter ainsi cet aveu : « Elle désarmait par la puérilité, par la gentillesse et la solennité avec lesquelles elle manifestait ses désirs. Ses grâces pesantes, ses confidences et ses impatiences se mêlaient [...] avec un si bon vouloir de se concilier les suffrages et d'augmenter le nombre de ses amis que le monde, acquis bientôt à tant de qualités, l'avait non seulement adoptée, mais lui était indulgent jusqu'à l'invraisemblable lorsqu'on considère à quel point elle prêtait à rire, et à la médisance, par les apprêts de sa coquetterie et sa soif de plaire aux hommes... [1] »

Ces maîtresses de maison — et tant d'autres dont les salons, un moment brillants, ont sombré dans l'oubli — apprécient moins l'œuvre que son auteur, et moins celui-ci que les honneurs officiels qui l'ont consacré, lui donnant ainsi une puissance d'attraction bien utile pour remplir un salon. Dans leur ambition, qui vise à la quantité plus encore qu'à la qualité, ces dames regardent une soirée particulièrement réussie comme celle où il n'est plus possible de s'asseoir, où des duchesses doivent s'accommoder d'une chaise volante et où des hommes d'État restent debout, adossés au mur. Si parfois elles se contentent d'un cercle restreint, ce n'est pas pour le plaisir d'une conversation à la fois plus libre et plus intime, mais pour celui d'exclure, car on tire toujours une certaine gloire à dédaigner ostensiblement ce qui se révèle hors d'atteinte.

Chez beaucoup de ces femmes, de Mme de Caillavet à Mme Ménard-Dorian, de Mme Aubernon de Nerville à Mme Bulteau, de Mme Germain à Madeleine Lemaire ou la marquise de Saint-Paul, il y a de l'institutrice et de l'entremetteuse, partagées qu'elles sont entre leurs prétentions intellectuelles et leur besoin de s'entourer d'hommes, de préférence aux femmes, en général tenues à distance. Les fidèles masculins, certains établis chez elles presque à demeure, d'autres conviés à jours réguliers, sont un peu comme des pensionnaires de maisons closes, étroitement surveillés par la « patronne », morigénés dès qu'ils manifestent une velléité d'indépendance et sommés, plutôt que priés, de tenir leur rôle, qui est finalement d'attirer la clientèle. Ils sont l'attraction des grands « raouts », des soirées musicales,

1 F. Bac, *Souvenirs inédits*, livre VI.

des dîners officiels où, après le repas, une centaine de personnes viennent en cure-dents, suivant l'affreuse expression de l'époque, admirer les grands hommes repus, enchaînés aux pieds de la maîtresse de maison. Exhiber ceux-ci comporte évidemment un danger, celui de s'en faire ravir un par quelque dame avide à son tour de gloriole littéraire et assez habile pour l'arracher aux enchantements de la Circé en lui offrant mieux, ne serait-ce qu'une demi-liberté après l'esclavage qu'il a connu. Ainsi Anatole France a-t-il été ravi par Mme de Caillavet à Mme Aubernon avant de rompre un jour les nouvelles chaînes dont il s'est laissé charger.

Malgré tous leurs défauts, tous leurs ridicules et l'ennui que peut éprouver un véritable homme d'esprit dans ces réunions où l'on en dépense si peu, ces salons constituent un jury devant lequel il est bon de passer pour en recevoir un certificat de mondanité lorsqu'on n'appartient à aucun monde. Ils permettent aussi de connaître des personnages intéressants, certains pittoresques, d'autres célèbres et venus là moins pour voir que pour être vus, comme Oscar Wilde, que Proust rencontre vraisemblablement chez Mme Straus et qu'il retrouve à un dîner chez Mme de Caillavet.

*

Massif et gras, sa chair blafarde et blette empaquetée dans des redingotes longues comme des cercueils et serrées comme des corsets, ses cheveux, jadis flottants, frisés au petit fer, les mains molles et chargées de bagues, fleuri comme pour une noce de campagne, Oscar Wilde a l'air d'une poupée de cire de Mme Tussaud à l'intérieur de laquelle on aurait introduit une machine parlante d'Edison : aphorismes, paradoxes, jugements déconcertants et amoralités familières en jaillissent avec un tel automatisme qu'ils semblent avoir été enregistrés. Il y a en lui quelque chose d'artificiel et de malsain, de mystérieux aussi, comme s'il était le produit d'une étrange métamorphose — Bacchus mué en chef de rayon d'un magasin de nouveautés — ou celui d'un compromis entre deux âges et deux sexes — une douairière du West End travestie en collégien d'Eton. Ceux qui le connaissent depuis longtemps trouvent qu'il ressemble surtout à sa mère habillée en homme et que, par un curieux phénomène de compensation, il a pris, en féminité, tout ce que lady Wilde avait de viril : « Efféminé, reconnaît un de ses amis, mais avec la vitalité de vingt hommes.. »

Wilde, en effet, mène une existence qui en tuerait de moins robustes que lui. Le trait le plus humain de ce visage alourdi par l'alcool et la bonne chère est le regard où persiste un reflet du Narcisse qu'il crut être un moment et dont il cherche l'image dans tous les jeunes hommes qu'il enchante, le jour, par sa conversation ou qu'il traque, la nuit, dans les bas-fonds de Londres.

Le succès de ses pièces, celui de son roman, *Dorian Gray*, paru l'année précédente, en font l'homme du jour, recherché par la haute société britannique, applaudi chaque soir au théâtre ; mais déjà de sinistres rumeurs circulent sur son compte et les sifflets ou les affronts commencent à se mêler aux applaudissements, à ébranler sa position mondaine. *Dorian Gray* a suscité de vives critiques de la part de journaux bien-pensants qui le jugent écrit « pour aristocrates décadents ou télégraphistes pervertis ». Aux fréquentations suspectes de Wilde s'ajoute le scandale provoqué par sa liaison avec lord Alfred Douglas, fils de ce marquis de Queensbury qui poursuit le couple de sa haine. Des tentatives de chantage ont été étouffées à temps, mais dans certains cercles des membres quittent ostensiblement la pièce où Wilde vient d'entrer. A ce mépris qui prend une dangereuse ampleur, Oscar Wilde réplique par une arrogance de nature à renforcer les préventions qu'il inspire.

De cette réputation de mauvais aloi des échos l'ont précédé à Paris où il fait un nouveau séjour à la fin de l'année 1891. Des écrivains comme Robert de Montesquiou, André Gide ou Paul Bourget, qui n'ont pas la conscience tranquille, l'évitent de crainte d'être compromis ; d'autres lui tournent carrément le dos. Pierre Louÿs, que son goût affiché des femmes met au-dessus de tout soupçon, Marcel Schwob, Jules Renard le fréquentent volontiers, notant ses mots et les répandant ensuite dans les cafés ou les salons.

Invité chez Mme de Caillavet, Wilde n'y fait pas très bonne impression : « Monsieur Wilde a l'air d'un croisement entre l'Apollon du Belvédère et Albert Wolff[1] », décrète la maîtresse de maison. En revanche, il intéresse prodigieusement Marcel Proust qui l'entretient de littérature anglaise, l'interroge sur Ruskin et finit par l'inviter à dîner chez ses parents.

---

1. Pour apprécier le jugement, il faut savoir qu'Albert Wolff était d'une laideur visqueuse à faire avorter une femme en couches, assurait Léon Daudet, mais c'est Léon Bloy qui, dans un de ses articles, en a tracé le portrait le plus atroce.

Wilde accepte, mais Proust, qui a déjà fait de l'inexactitude une des règles de sa vie, rentre en retard chez lui et demande au domestique si « le monsieur anglais est là » :

— Oui, Monsieur, il est arrivé il y a cinq minutes ; à peine est-il entré qu'il a demandé la salle de bains et n'en est plus sorti...

Justement inquiet, Proust va frapper à la porte de la salle de bains dont Wilde sort avec majesté :

— Monsieur Wilde, êtes-vous souffrant ?

— Ah ! Vous voilà, cher Monsieur Proust, non, je ne suis pas souffrant le moins du monde. Je pensais avoir le plaisir de dîner tête à tête avec vous, mais on m'a fait entrer dans le salon. J'ai regardé le salon et, au fond de ce salon, il y avait vos parents ; alors, le courage m'a manqué. Adieu, cher Monsieur Proust, adieu...[1]

*

C'est à la même époque, et sans doute aussi chez Mme Straus, que Proust fait la connaissance d'Edgar Aubert, vivante antithèse d'Oscar Wilde et dont le passage dans sa vie ne paraît s'être produit que pour le montrer, au début de sa carrière, symboliquement placé entre le vice et la vertu.

Aubert est un tout jeune homme, découvert par Robert de Billy l'année précédente et introduit par celui-ci dans le salon de Mme Straus, puis dans ceux des deux dames Baignères. Proust tombe aussitôt sous le charme de ce Genevois jeune et beau, d'une parfaite élégance et d'une réserve qui stimule le désir d'en faire la conquête. Sous l'égide de Billy, une certaine amitié se forme entre eux, qui s'épanche en longues conversations au cours desquelles Aubert, jonglant avec les généalogies du patriciat genevois comme un banquier avec le cours des changes, initie Proust aux arcanes d'une société dont il ne soupçonnait pas l'importance. Ces révélations l'enchantent, comme d'apprendre que telle dynastie de la rue des Granges peut regarder de haut maintes familles de l'aristocratie française et surtout, par ses alliances ou ses placements, se trouver partout chez elle en Europe. Ces nuances et ces distinctions lui apparaissent comme un autre art de vivre, mais ce qui l'étonne le plus, c'est de découvrir chez Edgar Aubert une foi

1. Récit des petits-fils de Mme Arthur Baignères à Philippe Jullian et rapporté par celui-ci dans son *Oscar Wilde*, p. 246.

religieuse ardente et réfléchie, surprenante, estime-t-il, chez un jeune homme aussi bien de sa personne et aussi bien né. Cette ferveur calviniste paraît étrange à des Français comme Proust et Billy, tout adonnés aux plaisirs du monde et qui ont l'habitude de voir dans la religion militante la contrepartie d'une disgrâce physique, d'une origine obscure ou d'une pauvreté sans remède. Proust voit alors combien la religion peut avoir d'attrait lorsqu'elle est prêchée par un adolescent qui tire de son beau visage une force persuasive et, en écoutant parler Edgar Aubert, il ne peut, faisant un retour sur soi-même, « qu'éprouver le vague remords des péchés qu'il n'a pas encore commis[1] ».

Cette gravité, cet élan spiritualiste l'impressionnent si fortement qu'il considère cet ami envoyé par le ciel, sinon comme un maître à penser, du moins comme un frère aîné, plus mûr que lui. Il se demande seulement, avec mélancolie, ce que deviendra cette amitié lorsque Aubert ne sera plus à Paris, car il doit bientôt regagner Genève.

En attendant cette inéluctable séparation, les plaisirs agrémentent harmonieusement ses jours, l'empêchant de s'attarder en vains regrets, d'autant plus que des travaux se mêlent à ces plaisirs. Tout en suivant, avec une certaine nonchalance, les cours de la faculté de droit et ceux de l'École des Sciences politiques, qui ne paraissent pas l'absorber beaucoup puisque, de son propre aveu, il dort jusqu'à midi, Proust se prépare à une autre épreuve, celle de la publication de ses premiers essais.

Le mois de janvier 1892 a vu la naissance d'une petite revue baptisée, en hommage à M. Darlu et aussi par réminiscence platonicienne, *Le Banquet*. Les pères fondateurs en sont Fernand Gregh, Robert Dreyfus, Louis de La Salle, Daniel Halévy, Jacques Bizet, Marcel Proust et Horace Finaly, celui-ci plus intéressé par les opérations bancaires que par les spéculations intellectuelles et peut-être associé à l'affaire comme éventuel bailleur de fonds. Le comité de rédaction se compose de trois membres seulement : Halévy, Dreyfus et Proust, mais dès le deuxième numéro Fernand Gregh s'assure la direction de la revue. Henri de Rothschild, que tourmente la tarentule des lettres, a offert de prendre entièrement à sa charge les frais d'impression à la condition que la revue publie sa prose. Noblement, le comité de rédaction a décliné cette proposition,

1. G.D. Painter, *Marcel Proust*, tome I, p. 171.

qui compromettrait l'indépendance du *Banquet* ; il se contente d'accepter, pour se réunir, l'hospitalité de la Librairie Rouquette, 71, passage Choiseul, que le crédit d'Henri de Rothschild leur a obtenue.

C'est donc là que se retrouvent rédacteurs et collaborateurs, parmi lesquels Robert de Flers, Gaston de Caillavet, Gabriel Trarieux, Henri Rabaud, un musicien, Henri Barbusse et Léon Blum. En plus de sa contribution littéraire, chaque collaborateur s'engage à verser dix francs [1] par mois pour les frais d'impression, celle-ci étant réalisée, à prix d'ami, par Eugène Ritter, directeur de l'imprimerie du *Temps*. Après Fernand Gregh, infatigable fournisseur de copie, qui donne autant d'articles sous son nom que sous divers pseudonymes, Marcel Proust est le plus abondant collaborateur du *Banquet* où il fait ses gammes, apportant de courts essais, des notes de lecture, des portraits qui se retrouveront, soit tels quels dans *Les Plaisirs et les Jours*, soit dans *A la recherche du temps perdu*, ayant subi entre-temps la maturation qui conduit du simple talent encore malhabile au génie.

Dans le premier numéro du *Banquet*, au mois de mars 1892, il signe la critique d'un conte de Noël, *Les Petits Souliers*, paru le 1er janvier dans *La Revue des Deux Mondes*, article évidemment fort louangeur à l'égard de l'auteur, Louis Ganderax, un familier de la princesse Mathilde. Le mois suivant, il rend compte d'un livre contre l'élégance, *Sens dessous dessous*, titre déjà pris, d'ailleurs, par Jules Verne. Le principal mérite du livre est d'avoir pour auteur un parfait homme du monde, issu d'une famille qui s'est illustrée dans la finance aussi bien que dans la politique et les lettres : Édouard Delessert. L'article de Proust est plus original que le précédent, avec quelques passages assez piquants, par exemple lorsqu'il parle des trousseaux des riches Juives de l'époque, « trousseaux dont la description donne tant d'intérêt à la lecture des journaux catholiques », ou lorsqu'il conseille à M. Delessert, ennemi du luxe, de ne pas aller chercher l'élégance chez les femmes des officiels de la République : « Non, quoi qu'il en dise, nous ne pouvons pas nous représenter la Démocratie comme une personne possédant le privilège, selon lui détestable, des élégances. Nous l'envisageons plutôt comme une grave matrone assez bien vêtue si elle l'est solidement et chaudement, et brisant avec une ardeur stupide les flacons de parfums et les

1. Environ 170 francs 1990.

pots de fard sur l'autel du travail et de l'austérité[1]. » Enfin, au mois de mai, dans le numéro 3, paraît un article d'un tout autre ton, signé *Laurence,* et que Robert Dreyfus, dans ses *Souvenirs*, affirme avoir été écrit par Proust. Il s'agit d'un texte d'une singulière véhémence de la part d'un jeune auteur plus préoccupé jusque-là de raffinements esthétiques et de sentiments très distingués. La seule chose qui permette de confirmer l'attribution faite par Dreyfus est que Proust retrouvera le même ton pour déplorer, en 1903, la mort des cathédrales[2].

Sous ce titre révélateur, *L'Irréligion d'État*, il s'élève contre l'absurdité de vouloir une société sans Dieu, alors que cette volonté de déchristianisation est présentée comme une nouvelle foi, un nouveau credo. « On pourrait s'étonner seulement que la négation d'une religion ait le même cortège de fanatisme, d'intolérance et de persécution que la religion elle-même. Les radicaux qui détiennent actuellement la puissance publique, soit par les adeptes qu'ils comptent dans le gouvernement, soit par l'effroi qu'ils inspirent à de plus modérés, persécutent la religion sous toutes ses formes... » Et avec courage il rappelle que la France doit au christianisme ses plus grands chefs-d'œuvre alors que le matérialisme n'est qu'une « doctrine de destruction et de mort ». Et il souligne ironiquement que « tandis que les missionnaires français civilisent l'Orient, le plus hardi philosophe de ce temps pourrait scandaliser l'épicier matérialiste du coin par sa piété rigoureuse. Cette discipline rigoureuse à laquelle il se soumet, et qui ne gênait ni Descartes, ni Pascal serait une entrave, paraît-il, pour le libre génie de certains conseillers municipaux[3] ».

Avec l'ingénuité des débutants, il a en même temps une pensée pour l'Académie française, but de toutes les carrières traditionnelles, et propose à Robert Dreyfus de s'y préparer en écrivant, avec Gregh et Halévy, le discours d'accueil et celui de remerciement pour la future élection de l'un d'entre eux : « Halévy me recevant par exemple...[4] »

Malgré la propension des jeunes écrivains, engagés dans la même aventure, à former une société d'admiration mutuelle, la discorde s'installe parfois au sein du groupe. Elle se manifeste au mois de juin 1892 lorsque Proust s'indigne que le comité

1. *Contre Sainte-Beuve*, Pléiade, p. 347.
2. Voir lettre à Georges de Lauris du 29 juillet 1903, in Kolb, tome III, pp. 381-387.
3. *Contre Sainte-Beuve*, Pléiade, pp. 348-349.
4. Kolb, tome I, p. 167.

de rédaction ait accepté un texte qu'il estime déshonorant pour la revue et, avec l'indépendance d'esprit dont il saura faire preuve pour défendre ses idées, il proteste ainsi auprès de Fernand Gregh : « Faut-il que vous soyez tous assez bêtes pour avoir pris cette *Méditation sur le suicide d'un de mes amis*, par Monsieur je ne sais plus comment !... Cet article pourrait être écrit par le larbin de Barrès. Avec cela, il respire une indulgence à l'endroit des usuriers, des billets, des emprunts qui ne peut que déshonorer la rédaction du *Banquet*. Le jeune homme (Maxime) a-t-il réellement existé ? Si oui, je le plains de la chromo fin de siècle, la plus répugnante de toutes, dont il vient d'être le modèle. Mais non, il n'a jamais existé. Comment un Monsieur, dégoûté de tout, désabusé de tout (attitude pour laquelle l'auteur professe une admiration irritante qu'il croit évidemment tout à fait *distinguée* et *intelligente*) emprunterait-il de l'argent, signerait-il des billets, aurait-il recours aux usuriers ? [1] »

Le plus piquant dans cette affaire est que l'auteur dont Proust feint d'avoir oublié le nom, et à l'égard duquel il éprouvera toujours une vive antipathie, n'est autre que Léon Blum. Le motif de cette aversion presque viscérale vient sans doute de ce que Proust retrouve en Blum ses propres défauts et voit en lui la caricature de ce qu'il est en réalité. Alfred Fabre-Luce sera frappé de cette similitude de tempéraments : même faculté d'émotion ou, plus précisément, même facilité à susciter l'émotion chez autrui sans l'éprouver soi-même avec une égale intensité, même besoin d'être admiré, applaudi et surtout aimé, ce qu'il résume, en ce qui concerne Blum, par cette formule « Je ne vous aime pas, mais j'ai besoin de votre amour », concluant qu'il y avait chez eux plus de nerfs que de cœur : « Comme lui, mais d'une autre façon, avec une insistance gênante de courtisane, Proust réclamait plus qu'il ne donnait. Ces échanges inégaux sont une duperie, même pour celui qui les instaure [2]. » Il faut ajouter que Léon Blum, sans rancune, appuiera plus tard la demande des amis de Proust pour faire obtenir à celui-ci la Légion d'honneur.

*

En dépit de tant d'heures passées non sur les livres de ses

1. Kolb, tome I, p. 170.
2. A. Fabre-Luce, *Vingt-cinq années de liberté*, tome I, p. 114.

programmes, mais sur ceux qu'il veut écrire un jour, Proust réussit honorablement ses examens oraux de l'Ecole des Sciences politiques. Interrogé sur le cours d'Albert Sorel, il obtient 4,55 sur 6 avec la mention « Fort intelligent » ; il a 5 sur 6 pour son exposé sur les affaires d'Orient, d'après Albert Vandal, et 4,25 sur 6 pour celui qu'il fait sur le *Tableau de l'Europe contemporaine*, de Leroy-Beaulieu. « J'ai été reçu jusqu'à présent, écrit-il le 24 juin 1892 à Mme Straus, j'espère l'être encore demain et vous montrer que vous avez bien tort de me croire paresseux ou désireux d'être mondain. Je suis très travailleur. Je sais très bien que je suis très mal venu à faire moi-même mon apologie auprès de vous. Mais à qui laisser ce soin ? A M. Straus ? Je trouve Jacques (Bizet) très gentil en ce moment, et souhaiterais que vous ne portiez pas un jugement sévère sur votre respectueux, tendre et sincère, Marcel Proust[1]. »

Entre l'examen des sciences politiques et celui de droit, il va poser chez Jacques-Émile Blanche, occasion pour lui de retrouver l'Auteuil de son enfance. Après les séances de pose, pendant lesquelles ils échangent anecdotes et rosseries, jugements sur les œuvres et plus souvent sur leurs auteurs, Blanche amène Proust déjeuner chez son père qui, habitué au commerce des fous, traite un peu son fils et son ami comme des pensionnaires, leur parlant sur ce ton lénifiant qu'on prend pour calmer les énervés. Voyant que parfois Proust s'impatiente de quelque remarque perfide ou saugrenue de son fils, le docteur Blanche raisonne celui-ci : « Voyons, Jacques, ne le tourmente pas, ne l'agite pas... », puis, se tournant vers Proust, il ajoute : « Remettez-vous, mon enfant, tâchez de rester calme, il ne pense pas un mot de ce qu'il a dit ; buvez un peu d'eau fraîche à petites gorgées, en comptant jusqu'à cent...[2]. »

Hélas ! pour lui, il est moins heureux en droit qu'aux sciences politiques et n'obtient pas sa moyenne à l'examen. Afin de se distraire de cet échec, il accepte une invitation des Finaly qui ont loué à Trouville les Frémonts, la propriété où les Baignères l'avaient reçu l'année précédente. Cette fois, il s'y retrouve avec Louis de La Salle, dont la compagnie l'aide à supporter celle d'Horace Finaly, intelligent certes, et doué d'un sens précoce des affaires, mais d'une éducation qui laisse tant à désirer qu'il passe pour être le principal modèle de Bloch. Tout ce qu'il y a en lui de vanité, de morgue et même

1. Kolb, tome I, p. 172.
2. Préface à *Propos de peintre*, de J.-E. Blanche, in *Contre Saint-Beuve*, Pléiade, p. 572.

de grossièreté vulgaire est racheté par le charme et la distinction de sa sœur Marie, encore que Jeanne Pouquet trouve celle-ci ennuyeuse et « crampon ». D'après Fernand Gregh, Proust aurait éprouvé une certaine inclination pour Marie Finaly. Gregh parle même d'« amour enfantin », ce qui paraît un peu exagéré lorsqu'on sait que Proust a vingt et un ans et Marie Finaly, dix-neuf. Il s'agit plutôt d'amours puériles ou de simple marivaudage dans lequel entre aussi bien un excès de politesse à l'égard de la jeune fille de la maison que le souci de montrer à Jeanne Pouquet qu'il l'a facilement oubliée.

Proust est encore à Trouville lorsqu'il apprend la mort, survenue le 18 septembre, d'Edgar Aubert, le jeune Genevois dont il s'était institué l'ami de cœur quelques mois plus tôt. Aubert avait passé le mois d'août avec Robert de Billy à Saint-Moritz et, rentré à Genève, y avait succombé en quelques jours à une appendicite aiguë : « J'ai eu du chagrin, avoue-t-il à Billy, et je voudrais bien que vous soyez près de moi pour que nous puissions parler d'Aubert ensemble. Savez-vous que depuis le moment où j'ai commencé d'être seul à Paris... je m'étais mis à l'aimer tout à fait et son retour à Paris était une des joies sur lesquelles je comptais le plus... Avec cela, sa tristesse charmante, son incertitude défiante et presque inquiète sur tout ce qu'il allait faire me semblent maintenant comme des pressentiments... [1] »

Aubert mort, sa jeunesse est du même coup sauvée des atteintes du temps, immortalisée. Il ne reste plus à Proust qu'à célébrer les mérites du disparu et, sans le déifier comme l'empereur Hadrien l'avait fait pour Antinoüs, du moins lui rendre le culte auquel il a droit. Effectivement, il n'oubliera jamais le beau visage éphémère et, jusqu'à sa propre mort, gardera le souvenir du bonheur qu'il avait rêvé.

A son retour à Paris, il a pour consolation deux satisfactions d'amour-propre : se voir dédier par Anatole France une nouvelle, *L'Etui de nacre*, ce qui atteste à la face du public ses relations avec l'écrivain ; lire le portrait que Fernand Gregh a fait de lui sous le titre assez révélateur de *Fabrice a besoin d'être aimé* : « Fabrice, qui veut être aimé, l'est en effet. Pour les femmes et quelques hommes, il a la beauté... Il a aussi, ce qui suffit pour lui assurer l'amitié du commun des hommes, il a la grâce : une grâce enveloppante, toute passive en apparence, et très active. Il a l'air de se donner et il prend... Il a eu, tour à

1. Kolb, tome I, p. 187.

tour, pour amis, tous ceux qui l'ont connu. Mais, comme il aime moins ses amis qu'il ne s'aime en eux, il ne tarde pas à les quitter avec autant de facilité qu'il a déployé d'adresse pour se les attacher. Cette adresse est ineffable : dirai-je qu'il a la louange ingénieuse, qu'il sait toujours toucher le point sensible de chaque vanité ; bien mieux, ne pas flatter ceux qui n'aiment pas être flattés, ce qui est encore une manière de leur plaire ? Dirai-je qu'il sait attendre une heure, sous la pluie, ou la neige, un ami qu'il abandonnera quinze jours après et dont, dans un an ou deux, il se fera répéter le nom pour se rappeler sa figure ? Rien de tout cela ne saurait indiquer jusqu'où va son adresse à séduire... Il a plus que de la beauté, de la grâce, ou de l'esprit, ou de l'intelligence ; il a tout cela en même temps, ce qui le rend mille fois plus aimable que ses flatteries les plus géniales... [1] »

Il y a certes quelques épines sous ces roses, mais assez de compliments vrais pour faire passer quelques autres vérités moins agréables à lire, et que l'avenir confirmera, de l'aveu même de Proust qui finira par ne voir dans l'amitié que chimère et perte de temps. D'ailleurs, rien ne l'amuse plus que ces portraits à la manière du XVIII$^{e}$ siècle qui permettent d'entremêler flatteries et critiques, de distribuer l'éloge et le blâme sans lequel il n'y aurait pas de portrait ressemblant.

A cet égard, rien de moins fidèle à l'original que le portrait qu'il publie dans le numéro de novembre 1892 du *Banquet*. Ce court morceau, censé peindre Mme Guillaume Beer, paraît écrit avec le pinceau de Madeleine Lemaire tant la flatterie y est plate et le trait forcé. Mme Guillaume Beer, née Elena Goldschmitt-Franchetti, a débuté dans la vie parisienne en devenant l'égérie de Leconte de Lisle. Celui-ci l'a chantée dans un poème, *La Rose de Louveciennes*, qui lui servira de préface pour le roman de son existence, puis il aura, deux ans plus tard, la délicate attention de se laisser mourir chez elle, faisant ainsi autant honneur à la maison qu'à la maîtresse de maison. Moins artiste que comédienne, Mme Beer déploie pour rehausser une beauté discutable toutes les ressources de sa coquetterie. Fine mouche, elle sait que pour plaire il faut donner aux autres l'illusion qu'ils vous plaisent. Aussi n'épargne-t-elle rien pour flatter les écrivains, compositeurs ou simples artistes qu'elle invite à Louveciennes : « Mines, regards blancs et soupirs, note Ferdinand Bac, yeux jetés au ciel et seins

1. Cité par A. Maurois, *A la recherche de Marcel Proust*, p. 66.

gonflés, extases et cris, tout est mis en jeu pour séduire en dépit d'un strabisme accentué qui dément ses élans[1]. » Mme Beer est encore toute jeune et aura une curieuse destinée. Elle inspirera une grande passion à Paul Deschanel, le futur président de la République, puis, devenue veuve et auteur à son tour sous le nom de Jean Dornis, elle épousera un officier de marine, doublé d'un poète colonial, Alfred Drouin. Celui-ci, pressé de parvenir dans le monde littéraire, avait d'abord songé à Edmée Daudet, la fille d'Alphonse Daudet, tout juste divorcée d'André Germain, puis, ce projet ayant échoué, il se rabattra sur Mme Guillaume Beer et la paiera d'ingratitude en se montrant fort antisémite.

Entre deux essais, ou deux bals, Proust a quand même le temps de passer un examen de droit et de renouveler ses inscriptions à la faculté comme à l'École des Sciences politiques. Pour pallier ses insuffisances en matière juridique, il prend des leçons avec un de ses amis, Pierre Lavallée, chez un professeur de droit, M. Monot, tout en se replongeant avec délices dans la vie mondaine : bal XVIII^e^ siècle chez Laure Hayman, bal chez la baronne James de Rothschild, chez les Finaly...

Aux salons qu'il fréquente, il en a, depuis un an, ajouté un autre, vraiment littéraire celui-là, le salon de José-Maria de Heredia. Il y a loin des plantations perdues de Saint-Domingue et de Cuba, dont la nostalgie imprègne *Les Trophées*, à cet appartement si bourgeois de la rue Balzac, mais les jours de grande réception la grâce, l'exubérance et la fantaisie des trois filles du poète en font une île de volupté où l'odeur des havanes, mêlée à celles du punch et des fruits exotiques, rappelle les paradis perdus. Les trois demoiselles de Heredia sont d'une beauté sensuelle, étrange et presque provocante à laquelle se laissent prendre tous les jeunes artistes qui entourent le maître : Pierre Louÿs, Henri de Régnier, Jean de Tinan, Maxime Dethomas, Maurice Maindron, Auguste Gilbert de Voisins. La plupart succomberont aux sortilèges des trois sirènes et deviendront soit leurs maris, soit leurs amants, soit les deux à la fois... Marie de Heredia, la plus intelligente et la plus originale des trois sœurs, a eu l'idée de grouper ses adorateurs en une *Académie canaque* où les discours de réception et de remerciement sont remplacés par des cérémonies de grimaces, suivies de l'offrande d'un poème à la reine de l'Académie. C'est ainsi que Proust aurait dédié à Marie de

1. F. Bac, *Souvenirs inédits*, livre III.

Heredia son poème sur Chopin, qu'il publiera dans *Les Plaisirs et les Jours*, mais il semble avoir rapidement cessé d'aller dans un salon où, plus que le culte du poète des *Trophées*, c'est celui de la Femme que célèbrent les commensaux dont certains, comme Louÿs, pousseront l'érotisme jusqu'à l'érudition pornographique.

Il y a moins de danger à fréquenter l'avenue Hoche où l'érotisme d'Anatole France, à l'usage exclusif de la maîtresse de maison, ne transparaît dans ses œuvres que sous une forme dont le classicisme est un gage d'honnêteté. Pour lui rendre sa politesse, Proust dédie au Maître une longue nouvelle, *Violante ou la mondanité*, récit qui se déroule dans un décor de carton-pâte, analogue à celui qu'utilisent les photographes pour donner de la grandeur ou du pittoresque au sujet. En dépit de son prénom, Violante n'a rien de violent et semble plutôt faite pour être violée. C'est d'ailleurs ce qui lui arrive en se promenant dans un parc avec Honoré qui « lui apprit des choses fort inconvenantes dont elle ne se doutait pas. Elle en éprouva un plaisir très doux, mais dont elle eut honte aussitôt... [1] ». La honte se transforme vite en remords et le remords en regret, comme si ce premier faux pas était une incitation à en commettre d'autres, auxquels Violante aurait cette fois le plaisir de se préparer pour en mieux goûter l'ivresse : « Son souvenir lui était un oreiller brûlant qu'elle retournait sans cesse... [2] » précise l'auteur.

Abandonnant le domaine où elle a vécu jusqu'alors sous la garde d'un vieil intendant, Violante s'établit à Vienne et, « après avoir repoussé vingt altesses sérénissimes, autant de princes souverains et un homme de génie », elle épouse le duc de Bohème, aimable et riche. Elle se laisse alors emporter par le tourbillon du monde. « D'objet d'art, écrit Proust, elle devint objet de luxe par cette naturelle inclinaison des choses d'ici-bas à descendre au pire quand un noble effort ne maintient pas leur centre de gravité comme au-dessus d'elles-mêmes. » Bientôt elle rencontre la princesse de Misène, tumultueuse personne qui, sous prétexte qu'elle a jadis connu sa mère, l'embrasse si passionnément qu'elle a toutes les peines du monde à se dégager de cette étreinte saphique. Enfin, revenue en Styrie, elle y mène une existence stérile et regrette alors

1. *Les Plaisirs et les Jours*, in *Jean Santeuil*, Pléiade, p. 30.
2. *Ibidem*, p. 31.

celle de Vienne où elle finit par retourner pour y exercer de nouveau, mais en vain, la royauté de l'élégance. Elle meurt, victime « d'une force qui, si elle est nourrie d'abord par la vanité, vainc le dégoût, le mépris, l'ennui même : c'est l'habitude[1] ».

Faut-il voir dans ce texte un premier développement de l'aventure de Condorcet, lorsque Proust fut « brusqué » par un camarade entreprenant ? Anatole France, perspicace et plus expérimenté, devine-t-il ce qu'il peut y avoir d'autobiographique dans cet épisode où Proust, comme il l'a déjà fait plusieurs fois, prend pour héroïne une femme, à la personnalité de laquelle il lui est plus facile de s'identifier ? *Violante* ne suscite apparemment aucun écho perfide, aucun commentaire malveillant et la jeune pécheresse est vite oubliée avant de ressusciter, sept ans plus tard, dans *Les Plaisirs et les Jours*.

Autre texte paru dans le numéro de février 1893, *La Conférence parlementaire de la rue Serpente*, dédié à Robert de Flers, nouvel astre monté au firmament proustien.

*

Quelques étoiles filantes y avaient momentanément brillé, tel Jean Boissonnas, un camarade de l'École des Sciences politiques à qui Proust avait dédié ces vers qui pouvaient à la rigueur passer pour une déclaration :

*En tes cheveux revit l'automne :*
*Sous ton charme triste et somptueux*
*Luit dans l'éclat monotone,*
*Mélancolique et somptueux*
*De tes cheveux,*

*Mais le printemps mystérieux*
*Vert et lumineux qui nous donne*
*Les reflets les plus précieux*
*Dont notre œil jouit et s'étonne*
*Ravit aussi dans ta personne*
*C'est le pâle or vert de tes yeux*[2].

La disparition d'Edgar Aubert avait momentanément éclipsé

---

1. *Les Plaisirs et les Jours*, in *Jean Santeuil,* Pléiade, p. 37.
2. *B.S.M.P.* nº 27, 1977, p. 375.

les autres visages jusqu'au moment où l'apparition de Robert de Flers lui avait fait oublier Edgar Aubert lui-même. Depuis quelques mois en effet, ce nouvel élu remplit son cœur et sa correspondance.

Un peu plus jeune que lui, puisque né à la fin de 1872, Robert de Flers a suivi la même voie : élève à Condorcet, puis étudiant à la faculté de droit, il prépare aussi une licence de lettres et montre, dans les réunions de collaborateurs du *Banquet*, un goût très vif pour la littérature. Issu d'une famille de bonne noblesse normande, il compte parmi ses aïeux deux écrivains mineurs dont la réputation s'effacera devant la sienne. Né à Pont-l'Évêque, où son père était alors sous-préfet, il était venu de bonne heure à Paris et avait débuté chez Mme Aubernon. Au charme d'un physique assez rapidement épaissi, Robert de Flers joint une intelligence et surtout une prodigieuse fantaisie qui feront de lui, avec Gaston de Caillavet et Francis de Croisset, l'un des meilleurs vaudevillistes de l'époque.

A l'encontre de Proust, toujours si mal habillé, malgré les remontrances de sa mère, et si maladroit dès qu'il s'agit de faire autre chose que de parler, Robert de Flers est un homme équilibré aussi à l'aise dans une chasse à courre que dans un salon, sur un théâtre d'amateurs que dans une arène politique. Francis de Croisset l'appellera « la plus heureuse des victimes » car, ne cherchant rien, sinon le bonheur, il obtiendra sans efforts tout ce que les autres acquièrent au prix de leur tranquillité, aux dépens de leurs convictions ou de leurs goûts. Modeste, il se verra comblé d'honneurs, jusqu'à l'Académie française dont il s'est pourtant moqué dans *L'Habit vert* ; intègre et point dupe des machinations politiques qu'il méprise, il sera fort jeune élu conseiller général de la Lozère ; pas homme de lettres pour un sou, il sera poussé malgré lui jusqu'à la présidence de la Société des auteurs ; Parisien d'âme, il sera le héros de voyages pittoresques, de missions difficiles ; réformé, il aura une courageuse attitude pendant la Grande Guerre et, bien que sans illusions sur les vertus de la diplomatie, il sera chargé d'affaires de France à Bucarest, où il séduira la reine Marie. Merveilleux causeur, il sait écouter jusqu'à satiété, animé d'une curiosité profonde de la nature humaine qui lui fait supporter avec équanimité les pires raseurs. Ainsi comblé de tant de dons, plaisant à trop de femmes pour être tout entier à une seule, il est également trop recherché du monde pour se consacrer à un seul ami.

Or, en amitié comme en amour, Proust exige la présence

perpétuelle et au début de cette nouvelle amitié il ne se passe pas de jours qu'ils ne se voient, Robert de Flers ayant pris l'habitude d'aller presque quotidiennement boulevard Malesherbes visiter Proust à l'heure où celui-ci s'éveille enfin. Il est donc l'ami de cœur si longtemps espéré, le confident de toutes les pensées comme de tous les projets d'avenir, l'oreille complaisante pour écouter la lecture des premiers essais de Proust, l'homme de goût dont celui-ci attend le jugement, l'initiateur aussi à une vie mondaine un peu différente de celle qu'il a connue dans la bourgeoise plaine Monceau, bref Robert de Flers est le modèle idéal auquel les autres amis doivent essayer de ressembler : « Il n'y a rien d'extrêmement changé dans ma vie sentimentale, sinon que j'ai trouvé un ami, écrit Proust à Robert de Billy, j'entends quelqu'un qui est pour moi comme j'eusse été pour Cachard, par exemple, s'il n'avait été aussi sec. C'est le jeune et charmant, et intelligent, et bon et tendre Robert de Flers. Ah ! vous, autre Robert, revenez vite à Paris pour apprendre comment il faut aimer ses amis [1]. »

L'influence de Robert de Flers sur Proust est alors si grande qu'il parvient à l'entraîner aux conférences de Carême de l'abbé Vignot qui prêche sur un sujet peu fait pour les mondains, *La Vie pour autrui*. Proust se montre sensible à l'éloquence de l'abbé Vignot, qu'il reverra d'ailleurs chez ses amis Lavallée et il écrit un compte rendu de ces conférences qu'il adresse au *Banquet*, mais entre-temps la revue cesse de paraître et le manuscrit sera perdu.

Si Proust a été impressionné par la ferveur de l'abbé Vignot, il l'est plus encore par celle d'un jeune Anglais, Willie Heath, qui ressemble de manière si frappante à Edgar Aubert, au physique comme au moral, qu'il en paraît la résurrection [2]. Une seconde fois, il subit l'envoûtement d'un visage et s'abandonne aux délices d'une douce intimité de cœur et d'esprit. Le printemps est venu, les jours sont plus longs, les fins d'après-midi plus claires et déjà tièdes. Ce sont des promenades sans fin aux Tuileries ou au bois de Boulogne qui ravivent le souvenir de celles faites avec Edgar Aubert l'année précédente ; et ce sont les mêmes exaltations, les mêmes rêves d'avenir comme ce projet « de vivre de plus en plus l'un avec l'autre, dans un cercle de femmes et d'hommes magnanimes,

1. Kolb, tome I, p. 198.

2. En fait, les deux jeunes gens seraient cousins par leurs mères, ce que je n'ai pu vérifier.

assez loin de la bêtise, du vice et de la méchanceté pour [se] sentir à l'abri de leurs flèches vulgaires[1] ». Comme Aubert, Willie Heath, converti à douze ans au catholicisme, a une solide foi religieuse ; comme Aubert également, il semble trop beau, trop éthéré pour avoir un destin terrestre, pour faire carrière, se marier, vieillir et s'effacer lentement de la mémoire des hommes. Impressionné par la mort prématurée d'Aubert, Proust se rappelle aussi une remarque de Robert de Billy devant le tableau de Van Dyck représentant le duc de Richmond, voué à une mort tragique dont le peintre semblait avoir eu le pressentiment. L'écho de cette remarque se retrouvera dans le poème consacré plus tard par Proust à l'artiste :

*Tu triomphes, Van Dyck, prince des gestes calmes*
*Dans tous les êtres beaux qui vont bientôt mourir*[2].

Quel sera le sort de Willie Heath, se demande-t-il en songeant à cet avenir que désormais il n'envisage plus sans lui ? En attendant la réponse du destin, il fête le bel Anglais en réunissant chez lui pour un grand dîner ses meilleurs amis. Ainsi le docteur et Mme Proust sont-ils amenés à présider, le 6 juin 1893, une table autour de laquelle prennent place, par ordre de préséance, la beauté devant céder le pas aux titres, le comte Charles de Grancey, Robert de Flers, François de Carbonnel, Fernand Gregh, Louis de La Salle, le vicomte de Martel, fils de Gyp, Gustave de Waru, François Picot, Jacques Baignères et Robert Proust. Willie Heath est placé à gauche de Mme Proust. Après le dîner, viennent des personnages de moindre importance : Abel Desjardins, Pierre Lavallée, M. de Séligny, M. Pelletier, M. de Chamberet, Léon Yeatman et Paul Baignères.

Le grand ami d'il y a deux ans, Gaston de Gaillavet, n'a pas été convié ; d'ailleurs, il aurait fallu inviter sa femme puisqu'il s'est marié deux mois plus tôt, mettant ainsi fin au premier tome de son roman pour commencer le second, promis à toutes les vicissitudes des couples qu'il mettra bientôt en scène. Les relations de Proust avec les fiancés s'étaient, comme on l'a vu, beaucoup refroidies. A l'automne de 1892, Jeanne Pouquet, qui n'avait plus besoin de paravent, s'était montrée

1. Extrait de la dédicace des *Plaisirs et les Jours*, in *Jean Santeuil*, Pléiade, p. 6.
2. *Les Plaisirs et les Jours*, in *Jean Santeuil*, Pléiade, p. 81.

exaspérée de la conduite du « Proustaillon », comme elle l'appelait : « Gaston, pourrais-tu me dire si Marcel Proust devient fou ou s'il a parié de nous le faire croire ? » écrivait-elle le 4 septembre à son fiancé. « Figure-toi qu'hier nous recevons de lui une lettre incompréhensible adressée à *moi* et sans aucune préparation ! Je te la garde pour te la montrer. C'est un chef-d'œuvre d'incohérence ! Maman va y répondre de belle façon. Seulement toi, n'en parle pas, je te prie ; on pourrait soupçonner nos rapports[1]. »

Piqué par la réponse de Mme Pouquet, Proust avait réagi en citant des exemples de « mères très bien, de filles très bien » qui correspondaient avec lui. Et Jeanne avait conclu : « Drôle de garçon[2]... » Aussi Proust, tout à son ressentiment, avait-il décliné la proposition de Gaston de Caillavet d'être son garçon d'honneur et avait même refusé d'assister au mariage, béni par l'évêque de Jéricho, délicate attention vis-à-vis de Mme Arman de Caillavet qui retrouvait ainsi, dans cette cérémonie catholique, un lointain souvenir de la religion de ses pères.

Deux jours après ce mariage, le 11 avril 1893, Proust avait rencontré l'être auquel son nom devait rester pour toujours associé, l'homme destiné à jouer un rôle majeur dans sa vie comme lui, de son côté, allait assurer la survie devant la postérité, du gentilhomme-poète qui lui entrouvrira les portes du grand monde et à qui, en retour, il ouvrira toutes grandes celles de son enfer.

---

1. M. Maurois, *L'Encre dans le sang*, p. 304.
2. *Ibidem.*

# 6

## Juin 1893 - Octobre 1894

*Le dernier* Précieux : *Robert de Montesquiou - L'Aristée des* Chauves-souris - *Esthète et histrion - Les moyens de parvenir - Une reine de la République : la comtesse Greffulhe - Le vrai duc de Guermantes - Escapade alpestre - Mort de Willie Heath - Choix d'une carrière - Les noirs Natanson et la* Revue blanche - *Un ange musicien - Difficulté de plaire à M. de Montesquiou - Romance à Réveillon : Reynaldo Hahn - Dédicaces - Préfiguration d'*Un amour de Swann.

Presque aussi célèbre dans l'histoire des lettres que celle de Pétrarque et de Laure, du Dante et de Béatrice, ou de George Sand et de Chopin, la rencontre de Proust et de Montesquiou va changer leurs destins respectifs, mais en intervertissant les rôles, faisant du disciple un maître et du protecteur un obligé. Calcul, adulation et moquerie d'un côté, impatience teintée de mépris de l'autre, tels sont les sentiments qui vont naître de cette conjonction pour aboutir à la création d'un des plus fameux personnages romanesques du XXe siècle et assurer à Montesquiou la seule immortalité qu'il n'a pas cherchée, celle qu'il est loin d'imaginer en abaissant pour la première fois son regard sur le jeune homme émerveillé, craintif et faussement ingénu qui assure voir en lui le plus grand poète de l'époque, et même de tous les temps.

Aux yeux de Proust, pour qui l'histoire fait partie de la littérature, le comte Robert de Montesquiou est un poème épique, un d'Artagnan revu par Saint-Simon, et aussi par Salis, le cabaretier du *Chat noir* ; pour ses contemporains, il est une fleur étrange, poussée dans le pré carré du faubourg Saint-Germain comme une orchidée dans un potager. Mince et cambré dans ses admirables redingotes — l'air d'une levrette en paletot, dit-il lui-même — poncé, corseté, l'œil d'un noir fulgurant, les cheveux calamistrés, le teint mat avant de virer à l'olivâtre, la moustache cirée, Montesquiou, à trente-huit ans, est un symbole de l'élégance masculine à Paris tel que l'imaginent les gommeux de Buenos Aires rêvant sur les illustrations des revues « pschutt » qu'ils reçoivent d'Europe.

Rien de plus glorieux que la maison de Montesquiou qui compte dans ses rangs des personnages aussi divers que le héros d'Alexandre Dumas, l'abbé de Montesquiou, ministre de Louis XVIII et fait duc de Fezensac, la comtesse de Montesquiou, gouvernante du roi de Rome. L'origine de cette maison féodale se perd dans la nuit des temps ; celle des aïeux maternels du comte aussi, mais les Duroux en émergent avec huit siècles de retard, ce qui mortifie autant Montesquiou que son cousin germain Aimery de La Rochefoucauld, tous deux fort imbus de leur noblesse. Exaspéré par la vanité de ce La Rochefoucauld, et son snobisme, un de ses interlocuteurs aura ce mot cruel : « Comment avez-vous pu rester neuf mois dans le ventre de Madame votre mère ? » Lorsque après la mort de celle-ci, une bonne âme crut poli d'offrir ses condoléances à l'orphelin, elle s'entendit répondre : « Oh ! une mère très éloignée... »

Ces deux anecdotes sont dignes du comte Robert qui a pris le parti d'ignorer une famille à laquelle il doit non seulement la moitié de son sang, mais toute sa fortune. Ce qui lui manque d'un côté se trouve compensé par un étalage si complaisant de ses grandeurs et de l'antiquité de sa race qu'on pourrait croire, à l'entendre, que les Bourbons leur ont volé le trône de France. Évoquant ses ancêtres, il parle d'aïeules du XI$^{e}$ siècle comme s'il avait été bercé sur leurs genoux et des Mérovingiens comme de cousins croisés au Cercle.

A peine sorti de chez les Jésuites, ce jeune gentilhomme, qui s'intéresse plus aux lettres et aux arts qu'à la chasse et aux femmes, s'est lancé dans le monde avec le dessein de l'étonner par son mépris, de l'éblouir par son goût. Malgré son raffinement dans sa toilette et l'harmonie savante de ses cravates, il est la caricature de ce qu'il voudrait être, un arbitre de toutes les élégances. Un jour que le comte Alexis de Solms et Barbey d'Aurevilly le rencontrent sur les Champs-Élysées, Barbey, surpris que son compagnon ait rendu son salut à Montesquiou, déclare : « Pourquoi saluez-vous ce monstre ? Combien de vieillards se sont mis en commun pour le faire [1] ? »

Cette recherche vestimentaire est peu de chose en regard des

1. F. Bac, *Journal*, 5 mars 1922.

soins qu'il apporte à la décoration de ses demeures successives, trait qui a inspiré au romancier Huysmans le principal personnage d'*A rebours*, le duc Jean Floressas des Esseintes, dans lequel tout Paris a reconnu Montesquiou. Il a commencé d'installer des maisons comme Chauchard ou Boucicaut leurs magasins, c'est-à-dire en y entassant tout ce que peut souhaiter y trouver l'amateur le plus éclectique. Pour lui, une décoration n'est réussie que lorsque chaque élément arrache un cri de surprise au visiteur, promené de pièce en pièce sans qu'on lui fasse grâce d'aucun détail. Il suffit de lire dans ses Mémoires, *Les Pas effacés*, les fastidieuses descriptions de ses logis pour avoir l'impression de parcourir une exposition universelle en raccourci. Avec le mauvais goût de l'époque, il n'hésite pas à changer la destination d'un objet, faisant d'un sarcophage une baignoire, et poussant le sacrilège jusqu'à transformer des chasubles en *tea-gowns* ou en abat-jour. Les pièces dans lesquelles il entraîne le lecteur tiennent à la fois de la grotte et de la chapelle, du boudoir Louis XV et de la crypte médiévale, de la volière et du souk en passant par la salle des États de Bourgogne ou le Grand Trianon. Plus historiés qu'historiques, les objets sont si complaisamment exhibés, si pompeusement célébrés que, même vrais, leur authenticité paraît douteuse.

Le même bric-à-brac se retrouve dans sa littérature où l'étrange se mêle à l'équivoque, l'inutile à l'extravagant, le scatologique au clinquant. Ses poèmes ne sont le plus souvent que des énumérations de mots rares, tombés en désuétude ou tirés de vocabulaires ésotériques qui les font ressembler à des inventaires de joailliers ou des pharmacopées du docteur Faust. Toute sa poésie, celle déjà publiée, celle qui publiera jusqu'à sa mort, sans même respecter une trêve pendant la guerre, trahit cet esthétisme de bazar propre aux souverains orientaux qui emplissent leurs palais d'articles de Paris, de chromos de stations thermales, d'éventails faussement XVIIIe siècle disposés sur des pianos mécaniques ou des consoles outrageusement dorées. Le recueil des *Chauves-Souris*, qu'il a publié l'année précédente, est le modèle du genre dans lequel il persévérera si frénétiquement qu'il finira par écrire des vers dépourvus de tout sens intelligible. Après s'être hautement vanté de fuir les suffrages de la foule, incapable de le comprendre, il vient livrer ses *Chauves-Souris* au vulgaire, ce qui inspire au chroniqueur du *Journal des débats*, le 13 avril 1893, ce commentaire ironique : « Cette publication des *Chauves-Souris*, *ad usum populi*, trahit, d'une façon assez divertissante, une grosse inconséquence qui est particulière à beaucoup d'artistes et d'écrivains contemporains, mandarins avides de popularité. Dans la tour d'ivoire où il prétend s'enfermer, le poète a la nostalgie des applaudissements publics. Il proclame qu'il n'écrit que pour une élite, tout en souhaitant l'admiration de la foule. Des Esseintes finit toujours par avoir son éditeur. »

Une des erreurs de Montesquiou, c'est de vouloir être reconnu comme un grand seigneur par les gens de lettres et comme un écrivain par les gens du monde ; or ceux-ci lui reprochent ses compromissions avec la bohème littéraire et les écrivains le tiennent pour un amateur, non pour un des leurs. Si, non sans raison, Montesquiou reproche au faubourg Saint-Germain ses préjugés, son mépris de toute littérature moderne, hors celle de Bourget, il n'en modifie pas pour autant son attitude. Loin de le rendre plus souple, cette hostilité de l'aristocratie le renforce au contraire dans ses préjugés nobiliaires : plus il se veut et se dit « intelligent », plus il ressemble à ces hobereaux qui ne connaissent en fait de livres que leur catéchisme et leur généalogie, mais il est vrai que pour lui les catalogues de Bing, le grand expert en art d'Extrême-Orient, sont ses *Écritures*.

L'adulation de certaines femmes de la société, qu'il aide à choisir leurs toilettes ou leurs amants, le console un peu de l'incompréhension de ses pairs et l'encourage à persévérer dans ce rôle d'arbitre du bon goût qu'il s'est adjugé, se prononçant avec la même autorité sur l'ancienneté d'une famille ou celle d'une tapisserie, jetant l'anathème sur les créatures douteuses qui essaient de se faufiler dans les salons, conseillant des châtelains sur l'arrangement de leurs jardins, des collectionneurs sur l'achat de leurs tableaux, lançant des modes, imposant une couleur, organisant des soirées pour faire connaître un compositeur obscur ou faire jouer une œuvre inédite et, surtout, se montrant dans les fêtes qu'il donne chez lui le plus admirable imprésario qu'on puisse imaginer de son propre personnage. Sa manière d'imposer, ou de s'imposer, ne manque pas d'une certaine adresse dont Jacques-Émile Blanche expliquera le procédé : « Montesquiou agissait plus qu'en ami, il entendait être un régent, au sens que ce mot avait jadis. De même que certains hobereaux ajoutent une particule aux noms roturiers de voisins de campagne, afin de s'excuser en les invitant à la chasse, il semblait justifier à soi-même ses amitiés d'artiste par un excès de respect et d'admiration dont Marcel Proust a senti trop tard les dangers[1]. »

Il faut reconnaître que cet homme si dur à l'égard des arrivistes et des réputations usurpées montre du cœur et même une grande générosité en certaines circonstances. Il se donne beaucoup de mal pour faire rendre à Marceline Desbordes-Valmore la place qu'elle devrait occuper dans les lettres et, sachant le dénuement de Verlaine, il lui fait parvenir régulièrement des secours.

Ferdinand Bac, qui l'a beaucoup fréquenté avant de se brouiller avec lui, le décrit comme « un revenant prodigieux de Rambouillet, des Précieux, une survivance unique de cette France qui commence avec les mignons et avec le poète Desportes, qui continue avec Cinq-Mars et De Thou, puis avec l'entourage du comte de Provence, avec Cambacérès... » Mais, ajoute-t-il, « tout cela est bien pâle à côté de Robert de Montesquiou... Lui seul est vraiment le Précieux, intelligent, plein de talents et de secrets, souple, courtisan, flatteur, raffiné pour l'extérieur, aimant — sans grands moyens — la façade, l'élégance, lui sacrifiant tout[2] ». Barrès, pour ne citer qu'un de ses détracteurs, est sévère à l'égard d'un homme dont le succès lui paraît celui d'une imposture : « Un cuistre, écrira-t-il dans un passage supprimé de son Journal lors de la réédition de celui-ci en 1963, un cuistre, quoi qu'il en semble, qui cherche toujours des formules pour tout, qui professe, qui dogmatise, un esprit si aride, nulle souplesse[3]. »

En réalité, le drame de Montesquiou est son impuissance à créer une œuvre véritable, d'où ce besoin, dans sa jeunesse, d'accumuler livres et tableaux, objets rares et précieuses étoffes, comme pour y puiser une force créatrice, puis ensuite ce besoin de créer par procuration en protégeant des artistes, comme Gallé, en commandant son portrait à Whistler ou Boldini. Il est de ces artistes maudits qui, faute de pouvoir donner au monde un chef-d'œuvre, veulent en faire un de leur vie dont ils deviennent à la fois les dramaturges et les metteurs en scène, composant la musique, peignant les décors, interprétant tous les rôles et, surtout, donnant le signal des applaudissements. Élisabeth de Gramont décèlera fort bien en lui cette blessure d'amour-propre que lui cause son impuissance, « ce

1. J.-É. Blanche, *La Pêche aux souvenirs*, p. 197.
2. Lettre de Ferdinand Bac à l'auteur, 1er février 1950.
3. Barrès, *Mes cahiers*, tome IX, p. 362.

doute exaspéré de soi, [cette] angoisse perpétuelle de ne pouvoir être le créateur d'une beauté qu'il admire et dont il ressent éternellement le frisson sans pouvoir pleinement l'étreindre [1] ».

De l'esprit de Montesquiou, il ne reste que certains mots, toujours les mêmes, cités dans tous les Mémoires du temps, certains traits qui ne valent que replacés dans leur contexte et surtout ces pauvres distiques dont il émaillera ses recueils de vers et qui ne méritaient pas d'être si pieusement conservés. Que penser de celui-ci, destiné à stigmatiser l'esprit d'intrigue et l'arrivisme des époux Ganderax ?

*Le ménage Ganderax*
*A percé comme un anthrax.*

Son esprit, c'est dans sa conversation qu'il se trouve, dans cet art presque oriental du récit qui consiste à tirer du moindre incident des images cocasses, des comparaisons saugrenues, des développements fantaisistes qui l'entraînent hors du sujet, mais lui permettent ces variations brillantes qui ravissent ses auditeurs dans la mesure où ils n'en font pas les frais, pour finir par une conclusion en forme de moralité légendaire ou bien, par une ultime pirouette, en lâchant quelque énormité donnant une tout autre signification à l'histoire qu'il vient de conter.

Les modulations de sa voix accentuent l'effet de ses paroles et, à elles seules, constituent un numéro qui fait de lui l'égal de certains virtuoses. « En même temps qu'il élevait la main, écrira Élisabeth de Gramont, l'inflexion de sa voix montait d'une façon stridente, comme la trompette dans un orchestre, ou retombait, plaintive et pleurante, pendant que le front se plissait et que les sourcils faisaient un accent circonflexe aigu. »

Avec un rare bonheur, il pratique *the gentle art of making enemies*, cher à Whistler qui est, avec Gustave Moreau, un de ses peintres préférés. De chaque nouvel ennemi qu'il s'attache, il fait un repoussoir qui n'en sert que mieux l'image idéale qu'il veut donner de lui-même. Cet homme si voyant, d'une correction corsetée qui va jusqu'à un certain mauvais genre, affichant sans vergogne son goût des parfums, des pierres rares et des teintes mourantes, est un chaste, d'où son mépris, non moins affiché, pour les sujets de Sodome avec lesquels la malignité publique a tendance à le confondre.

1. E. de Gramont, *Robert de Montesquiou et Marcel Proust*, p. 126.

La pureté de ses mœurs est telle qu'il n'hésite pas à prendre pour secrétaire un ancien protégé du baron Doäzan, un certain Gabriel Yturri, Péruvien d'origine et, de son état, vendeur au *Carnaval de Venise*. Montesquiou lui a octroyé une particule pour le rendre plus présentable et depuis quelques années il s'en fait suivre partout sans que personne trouve trop à y redire, l'admiration du Péruvien pour son maître, son ingénuité, sa gentillesse attendrissant jusqu'aux cerbères du faubourg Saint-Germain, jusqu'au terrible Léon Daudet, bien que celui-ci éprouve à l'égard de Montesquiou une invincible répugnance. Si Gabriel de Yturri, dans son dévouement canin, peut écrire à Montesquiou : « Je voudrais tendre sous vos chers pas fatigués un tapis de roses sans épines », il s'est vite aperçu que tout n'est pas rose dans sa vie et que l'« illoustre connté », comme il l'appelle, lui réserve bien des épines. Le caractère de Montesquiou, dont bien des traits se retrouveront dans celui de Charlus, est d'une complexité qui rend son commerce difficile, et hasardeux. L'effervescence de passions inassouvies, un snobisme l'emportant sur l'instinct sexuel, bridant celui-ci, l'étouffent presque complètement ; ils lui font une sorte de corset moral d'où la chair martyrisée se venge sur l'âme, imprimant à celle-ci des élans plus monstrueux que ne le seraient certains plaisirs sensuels.

Ce qui d'ailleurs est monstrueux chez Montesquiou, et le sera de plus en plus au fil des ans, ce ne sont pas ses désirs, si pervers qu'ils puissent être, mais les compensations qu'ils suscitent en lui, les fantaisies parfois féroces qu'ils lui inspirent, les attitudes qu'ils lui font prendre et qui vont d'une hauteur insupportable envers les bourgeois du monde ou des arts, tous réputés philistins, jusqu'à une étonnante dureté, certains jours, envers le tendre Yturri. Être le bourreau de soi-même l'autorise, croirait-on, à se faire celui d'autrui.

Tel est le superbe, équivoque et perfide gentilhomme à qui Proust, qui l'a maintes fois entrevu, est enfin présenté le 13 avril 1893. Si Proust a depuis longtemps cherché cette rencontre, Robert de Montesquiou ne l'a pas refusée, manifestant même, semble-t-il, une certaine bonne grâce à l'égard de ce jeune homme sans nom, sans position et sans talent reconnu, qui n'a d'autre titre à sa bienveillance, ou à son intérêt, que ses grands yeux tout emplis d'une fervente admiration. Montesquiou daigne agréer ce brûlant hommage, peut-être avec l'arrière-pensée que ce petit Proust, qui parle bien, qui paraît intelligent, pourrait se révéler un disciple, un nouvel

Eckermann, alors que le cher Yturri n'est qu'une espèce d'intendant.

Déjà le hante le besoin d'avoir un fils spirituel à qui laisser l'héritage de son exemple, un confident de ses pensées, un dépositaire de ses trésors et surtout un témoin du cas singulier qu'il a conscience d'être, un chroniqueur intègre, émerveillé, qui enregistrera pour la postérité les hauts faits et dicts de M. le comte de Montesquiou. Ceux qui se croient de grands écrivains espèrent en effet trouver dans leurs admirateurs ce qu'un vieillard attend d'une jeune maîtresse, c'est-à-dire un don de soi par pur amour. Malheureusement, le disciple est rarement désintéressé ou, s'il l'est au début, il ne le reste pas longtemps. Le sentiment sincère cède la place au calcul et il s'arrangera pour qu'un rayon de la gloire du maître se pose sur lui, ce qui l'aidera peut-être à faire carrière.

De pareils rapports sont très souvent des marchés de dupes, chacun croyant avoir trompé l'autre et craignant sans cesse de l'être à son tour. Le grand écrivain soupçonne toujours la sincérité de la flatterie : excessive, elle n'est que mensonge inspiré par l'intérêt ; mesurée, c'est une réserve où il croit discerner de la jalousie. Le disciple, quant à lui, si ses intentions ne sont pas pures, a peur d'être découvert. Il redouble alors de zèle et c'est ce zèle qui devient suspect. Proteste-t-il de son innocence, il se justifie trop habilement pour ne pas laisser croire qu'il a préparé sa défense. Une défiance perpétuelle et mutuelle empoisonne à la fin leurs rapports et provoque des brouilles, suivies de réconciliations obligées, car l'un a trop pris l'habitude de la flatterie ou de menus services rendus, l'autre a encore besoin de l'appui que lui apporte l'écrivain célèbre. Il y a donc échange de déloyaux services qui finissent par aigrir les caractères.

Ce sera toute l'histoire des relations tortueuses entre Proust et Montesquiou qui dureront presque trente ans à travers une étonnante correspondance, double miroir reflétant avec assez de fidélité les arrogances, les dédains, parfois aussi les élans du gentilhomme des lettres et la constante platitude de son admirateur. Rarement celui-ci se rebiffe ou réplique sur le même ton devant la morgue incroyable de son maître à penser ; parfois un refroidissement s'ensuit puis, après un bref sursaut d'indépendance, il reprend son joug, amassant dans le secret de son cœur et de ses cahiers ces innombrables observations dont il fera sa vengeance avec le baron de Charlus.

*

Quelques jours après cette rencontre, Proust est invité chez Montesquiou, 8, rue Franklin, où l'Aristée des Chauves-Souris est tapi dans un rez-de-chaussée entre la rue et le jardin. Edmond de Goncourt, qui lui a rendu visite, a trouvé le logis « tout plein d'un méli-mélo d'objets disparates » et Proust, à son tour, doit admirer ce bric-à-brac en trouvant pour chaque objet le mot juste, l'épithète enthousiaste. Nul doute qu'il ait réussi cet examen de passage, car quelques jours après, il reçoit du maître de maison un certificat de bonne conduite, un exemplaire de l'édition de luxe des *Chauves-Souris*. Il en remercie l'auteur par un somptueux envoi de lys et d'iris, fleurs très fin de siècle, accompagné d'un mot dans lequel il assure Montesquiou que, pour s'élever dans son estime, il se suspend aux ailes de ses *Chauves-Souris*. Pour y réussir, il applique à la lettre le précepte de l'Évangile : « Quiconque s'abaisse sera élevé... », car, dès lors, ses lettres sont d'une telle humilité dans l'adulation qu'elles semblent écrites par un courtisan dans *La Périchole*.

Après *les Chauves-Souris*, Proust lit *Le Chef des Odeurs suaves*, recueil de poèmes abscons dont le titre est d'ailleurs emprunté à Flaubert, et il avoue se remettre à grand-peine de l'éblouissement éprouvé en découvrant une beauté si sublime : « Oui, j'admire tout dans *Le Chef des Odeurs suaves*, comme une brute *[sic]*, et je m'en veux d'avoir donné une préférence exclusive à une pièce intitulée *Pavanes*. J'en ai d'autant plus de regret que j'ai maintenant, sans peut-être l'admirer davantage, des tendresses toutes spéciales et dont la cause reste mystérieuse (c'est bien cela, n'est-ce pas, admirer comme une brute ?) pour sa voisine immédiate, *Paon, l'oiseau paon est mort*... Robert de Flers vous dira sans doute comment je la récite à tout moment... [1] »

Un bon disciple se doit de ne pas célébrer l'œuvre plus que l'auteur, ou vice-versa ; il lui faut tenir la balance égale entre les deux. Aussi, le 3 juillet 1893, encense-t-il un peu l'idole : « Il y a longtemps que je me suis aperçu que vous débordiez largement le type du décadent exquis sous les traits (jamais aussi parfaits que les vôtres, mais assez ordinaires pourtant à ces époques) duquel on vous a peint. Seul de ces temps sans pensée et sans volonté, c'est-à-dire au fond sans génie, vous excellez par la double puissance de votre méditation et de votre

1. Kolb, tome I, p. 217.

énergie. Et je pense que jamais cela ne s'était rencontré, ce suprême raffinement avec cette énergie et cette force créatrice des vieux âges, et cette intellectualité du dix-septième siècle, tant il y en eut peu depuis...[1] »

Et Proust, éperdu d'admiration, ajoute : « Corneille a-t-il fait plus beau vers que celui-ci :

*Elle y voit mieux en elle, au déclin des clartés...*

ou plus cornélien que cet autre :

*Ceux que la pudeur a voués au cil sec ?*

De tels vers semblent tirés d'un pastiche de Montesquiou par Reboux et Muller, mais le dieu, charmé de cet encens, ne voit pas, derrière les volutes de sa fumée, l'ironie de son correspondant. Avec la même impavidité, Montesquiou juge normal que Proust, dans une autre lettre, s'indigne de voir un obscur journaliste, William Ritter, oser évoquer Moréas à son propos : « Le nom de Moréas, même sans intention de comparaison, prononcé non loin du vôtre, me choque et me peine infiniment. A quoi bon monter jusqu'à ces sommets si l'on en aperçoit encore de tels pygmées[2] ? »

Montesquiou observe toutefois une certaine prudence dans ses relations avec Proust et s'il le félicite de la sûreté de son goût, il se garde d'accepter sa proposition de lui dédier une série de petites études destinées à *la Revue blanche*. Qu'Anatole France ait laissé mettre son nom en tête de *Violante ou la mondanité* ne lui paraît pas un précédent assez convaincant pour l'inciter à suivre cet exemple.

Devinant cette réticence, Proust n'insiste pas, mais il montre plus d'esprit de suite dans un autre projet, qui lui tient beaucoup plus à cœur : pénétrer, grâce à Montesquiou, dans ce faubourg Saint-Germain autour duquel il rôde sans trouver la porte — ou la faille — qui lui permettrait de s'y glisser.

Une des femmes les plus belles, les plus élégantes et les mieux nées du noble Faubourg, bien qu'elle n'y habite pas, est la comtesse Greffulhe. Plaire à celle-ci, se voir invité chez elle, ce serait entrer dans la place par la grande porte et Proust décide de frapper à celle de la comtesse. Dès la fin du mois de

1. Kolb, tome I, p. 220.
2. *Ibidem*, p. 224.

juin, alors qu'il ne connaît Montesquiou que depuis peu, il a lancé un coup de sonde dans cette direction : « ... Je vous demanderais aussi — si elles assistent à l'une ou l'autre de ces représentations [1] — de bien vouloir me montrer quelques-unes de ces amies au milieu desquelles on vous évoque le plus souvent (la comtesse Greffulhe, la princesse de Léon)... [2] »

Le comte ayant vraisemblablement fait la sourde oreille, Proust revient à la charge quelques jours plus tard en lui laissant entendre, non sans habileté, que s'il n'ose pas lui demander la faveur de le présenter à Mme Greffulhe, d'autres se chargeront de le faire, puisqu'il a déjà réussi à être invité dans une réception où elle se trouvait : « J'ai enfin vu (hier, chez Mme de Wagram) la comtesse Greffulhe. Un même sentiment, qui me décida à vous dire mon émotion à la lecture des *Chauves-Souris*, vous impose comme le confident de mon émotion d'hier soir. Elle portait une coiffure d'une grâce polynésienne, et des orchidées mauves descendaient jusqu'à sa nuque, comme les "chapeaux de fleurs" dont parle M. Renan. Elle est difficile à juger, sans doute parce que juger c'est comparer, et qu'aucun autre élément n'entre en elle qu'on ait pu voir chez aucune autre ni même nulle part *ailleurs*. Mais tout le mystère de sa beauté est dans l'éclat, dans l'énigme aussi de ses yeux. Je n'ai jamais vu une femme aussi belle. Je ne me suis pas fait présenter à elle, et je ne demanderai cela pas même à vous, car en dehors de l'indiscrétion qu'il pourrait y avoir à cela, il me semble que j'éprouverais plutôt à lui parler un trouble douloureux. Mais je voudrais qu'elle sache la grande impression qu'elle m'a donnée et si, comme je crois, vous la voyez très souvent, voulez-vous le lui dire ? J'espère vous déplaire moins en admirant celle que vous admirez pardessus toutes choses... [3] »

La comtesse Greffulhe, la seule femme qui trouve vraiment grâce aux yeux de Montesquiou, est un de ces êtres de perfection comme en produit une société parvenue au point extrême de son évolution, et qui sont l'apogée d'une race, d'une époque et d'une forme de civilisation. Cette femme admirablement belle, à l'allure de déesse, éclipsant ses rivales, même encore mieux nées ou plus riches, semble passée tout naturellement de l'Olympe au Gotha. Tout en elle n'est

1. Soirées chez Madeleine Lemaire et chez la princesse de Wagram.
2. Kolb, tome I, p. 216.
3. *Ibidem*, p. 219.

qu'harmonie, équilibre entre l'élégance de la silhouette et la séduction du visage, la grâce des gestes et la majesté des attitudes. Beauté rayonnante et gaie, sans rien d'alangui ou de recherché, sans coquetterie même, étant trop grande dame pour s'abaisser aux artifices, mais d'un tour d'esprit fantaisiste ou faussement ingénu, sachant rire et faire rire par son esprit, elle se trouve si haut placée qu'elle échappe non seulement à la critique, mais aux soucis du vulgaire, telle une reine dont la bienveillance s'étend à tous ses sujets sans faire entre eux de distinctions, enjouée avec le grand seigneur, aimable avec le déshérité. Intelligente, elle s'intéresse non seulement aux lettres, mais aux arts et aux sciences. Ainsi encouragera-t-elle Branly à poursuivre ses expériences de télégraphie sans fil. Elle a eu la tentation d'être auteur à son tour et a montré à Edmond de Goncourt des cahiers de notes et de réflexions, dont certaines trahissent chez elle un excusable narcissisme. Avec bon sens, Goncourt l'a détournée de vouloir publier des impressions trop personnelles pour ne pas nuire à son prestige : « Songez à toutes les jalouses, toutes les envieuses, toutes les enragées de vos triomphants succès sur la grande scène parisienne, lui a-t-il dit, et ce qu'elles clabauderont contre l'orgueil de cette beauté, orgueil que toutes les belles créatures, depuis Eve, ont eu de tout temps, oui, mais qu'elles taisaient, qu'elles renfermaient en elles-mêmes, qu'elles n'imprimaient pas [1]. »

Elle n'a pas seulement des succès, mais des triomphes. Ses apparitions dans une fête ou une soirée en constituent l'événement majeur, celui qui vient en premier sous la plume des journalistes chargés du compte rendu. Elle est toujours merveilleusement habillée, sans rien devoir à la mode, qu'elle crée plutôt qu'elle ne la suit, et même sans passer par les mains d'un grand couturier. Inimitable dans ses toilettes, elle n'en partage les secrets qu'avec ses deux sœurs, la comtesse Hélène de Caraman-Chimay et la générale de Tinan, qui, lorsqu'elles sont à Paris, viennent l'aider à préparer ses « entrées » et jouent un peu auprès d'elle le rôle de dames d'honneur.

Ses arrivées sont toujours précédées d'un murmure qui enfle au fur et à mesure qu'elle avance à travers halls et salons tandis que tous les yeux se tournent vers elle, que toutes les lèvres répètent son nom en ajoutant : « La voilà... » Avec un étonnant sens théâtral, qui rappelle celui de Sarah Bernhardt, elle soigne ses effets, arrivant toujours en retard pour laisser à

1. Goncourt, *Journal*, tome IV, p. 624.

la curiosité le temps de devenir impatience et ferveur, et elle ne réussit pas moins ses sorties, en partant chaque fois la première, escortée du même murmure flatteur. Albert Flament se rappelait qu'à une réception donnée par l'ambassadeur de Russie, le prince Ourousoff, celui-ci, debout avec sa femme au sommet du grand escalier à double révolution, avait eu la surprise de voir la comtesse Greffulhe monter majestueusement par le côté droit, puis, après avoir échangé quelques paroles avec les maîtres de maison, redescendre par le côté gauche, sans pénétrer dans les salons. A Flament qui s'étonnait d'une aussi brève apparition, elle avait répondu : « Je serais certainement restée, mais Henri désirait que je sois rentrée avant minuit. »

Née comtesse Elisabeth de Caraman-Chimay, elle était fille du prince de Chimay, marié en premières noces à une Montesquiou, et descendait par son père de Mme Tallien. Plus tard, la princesse Bibesco devait la persuader qu'elle descendait aussi, par sa grand-mère Chimay, née Pellapra, de Napoléon, mais la chose est moins sûre et la comtesse Greffulhe n'avait pas besoin de cet ancêtre imprévu pour exercer son empire sur le monde. A dix-huit ans, elle avait épousé le comte Greffulhe. Physiquement du moins, le couple était si parfaitement assorti, et si beau, que la foule avait applaudi frénétiquement à leur sortie de l'église.

Divinité de l'Olympe, Elisabeth de Caraman-Chimay a trouvé dans son mari un Jupiter flamboyant de tous ses cheveux roux, de sa barbe majestueusement étalée, de tout l'or qui fait de lui un des hommes les plus opulents de France. Ses aïeux, banquiers des stathouders de Hollande, lui ont légué, en plus de cette immense fortune, un tempérament sanguin, un gros bon sens, de grandes dispositions pour tous les plaisirs et une bonne conscience que n'a pas entamée le cataclysme de la Révolution. Il n'a pas d'esprit, ou, du moins, il n'a pas cet esprit parisien des cercles et des salons, mais de la franchise, parfois brutale, et de la ruse. Il sait fort bien, en joignant les deux, triompher de l'esprit des autres, décontenancés par ses réflexions judicieuses ou perfides. Bien qu'il descende de Louis XIV par Mlle de Vintimille, et des La Rochefoucauld par sa mère, il est surtout batave et même germanique, massif et rutilant comme ces pièces d'argenterie d'Augsbourg faites pour montrer la puissance et l'éclat de leurs possesseurs. Lorsqu'il revêt un costume d'époque pour assister au bal Renaissance du prince de Sagan, il n'a pas l'air déguisé tant il ressemble à un patricien du XVIe siècle. Malgré l'apport de sang français, il a conservé bien des traits de sa race et même un côté nouveau riche qui choque un peu ses pairs. Fier de ce qu'il est, de ce qu'il possède et de l'influence qu'il exerce, il en tire une satisfaction intense, à peine estompée par un air de fausse bonhomie. Dans la société du faubourg Saint-Germain, il est un figure haute en couleur et incongrue, un cousin auquel on ne se fie pas trop. Lorsqu'il mariera son fils, le duc de Guiche, à la fille unique du comte Greffulhe, le duc de Gramont fera quelques réserves sur ce grand seigneur désinvolte, échappant aux normes de l'aristocratie française : « Oui, c'est un homme intelligent, dira-t-il à Ferdinand Bac, mais c'est un homme plein d'insécurité. Nulle confiance, nulle sincérité. Il faut s'en méfier sans cesse. Ce n'est pas qu'il ait des choses à se reprocher. Non, c'est un ensemble de traits de caractère difficile à définir. Il est plutôt dans les nuances que dans les gros faits, mais il a abouti à cette méfiance, envers lui, de toute la société. Nous nous voyons, mais nous ne sommes pas liés [1]. »

Au moral, celui qui servira de modèle pour le duc de Guermantes est tout d'une pièce, sans nuances et scrupules. Lui manquent essentiellement ces qualités modestes que l'on s'efforce d'inculquer aux enfants « pour leur bien » et qui se révèlent la plupart du temps fort gênantes pour faire carrière. Il n'a ni discrétion, ni délicatesse, ni pudeur ni souci d'en montrer lorsqu'une élémentaire décence l'exigerait. Il ne semble connaître que par ouï-dire ces vertus que sont la charité, la douceur ou l'abnégation, mais il y a tant de pittoresque dans son égocentrisme, tant d'allure dans son royal sans-gêne et tant de naïveté dans son plaisir lorsqu'il obéit à ses impulsions qu'on est presque attendri devant un si grand naturel. C'est un homme heureux à qui tout réussit et qui voit dans la plus légère entrave à ce bonheur de vivre une odieuse injustice du sort à son égard, un crime de lèse-majesté : la maladie, la mort, la chute de la Bourse, les drames de famille sont des inconvénients qui doivent lui être épargnés. Loin de savoir gré à la Providence d'échapper au destin des simples mortels, il n'y voit que la reconnaissance par le ciel de son statut privilégié. Rien ne peut troubler sa sérénité, qui est vraiment pour lui une cuirasse dorée : ni les cris de paon de son cousin Montesquiou, ni les bombes des anarchistes, ni même la laideur de Bois-Boudran, son château dans la Brie — il estime que

1. F. Bac, *Souvenirs inédits*, tome III.

cette bâtisse est la plus belle de toutes puisqu'elle lui appartient. Indifférent aux arts et aux lettres, il ne cache pas l'aversion qu'il éprouve pour Montesquiou et ceux de son espèce, traités par lui de « Japonais », c'est-à-dire d'esthètes décadents.

Peu de grands seigneurs français jouissent alors d'une telle position sociale qui s'approche beaucoup plus de celle des Esterhazy, rayonnant d'Esterhaza ou de Kismarton sur toute l'Europe, ou des Marlborough dans leur fastueux mausolée de Blenheim, que de la situation, enviable certes, mais infiniment moins brillante d'un duc de Broglie ou d'un prince de Beauvau.

Avec une remarquable acuité psychologique, Proust saura décrire le caractère égocentrique et madré du personnage, la joie sans mélange qu'il éprouve à être le comte Greffulhe, et très riche, le côté souverain, bien qu'il fasse un peu roi de jeu de cartes ou, comme il l'écrira, bon roi d'Yvetot en goguette. Apre et frivole en même temps, il sait montrer une bonté occasionnelle, analogue à celle de ces monarques faisant, certains jours, bonne mine à leurs sujets parce qu'ils savent que chaque vassal aimablement accueilli s'empressera de célébrer ensuite la bonne grâce et la simplicité de son suzerain. Il en use ainsi avec ses visiteurs, leur abandonnant sa main, ou gardant longuement la leur dans les siennes, en songeant à tout autre chose qu'à l'objet de leur visite et se souciant fort peu de leurs réponses aux questions qu'il leur pose machinalement sur leur famille ou leur santé.

Cet homme qui n'aime pas entendre parler de la mort a, en revanche, une passion pour les enterrements, où sa présence est pour le défunt comme un avant-goût des félicités célestes. Il y rayonne, heureux de se sentir en vie et faire un tel honneur à la famille endeuillée. Il tient seulement à être le premier à condoléancer celle-ci, et, avant que le maître des cérémonies ait invité la foule à défiler, il enjambe avec une étonnante agilité la balustrade qui sépare le chœur de la nef pour se précipiter, le sourire aux lèvres, la main tendue, vers le veuf ou la veuve, le père ou l'orphelin. Les employés de Borniol ou de Roblot le laissent faire et à quelqu'un qui s'étonnait de cette complicité de leur part pour l'aider à bousculer le protocole, l'un d'eux répondit : « Monsieur le Comte est si bon pour la maison... »

Dans cet immense prestige, sa femme entre pour beaucoup ; elle en est même le principal artisan et Greffulhe, qui le sait, se montre très fier d'elle. Cela ne l'empêche pas de la tromper outrageusement, sans même essayer de lui cacher ses aventures qui sont pour lui comme l'achat de petites toiles pour un collectionneur, tableaux secondaires qui ne peuvent éclipser le chef-d'œuvre, orgueil de leur galerie.

Comme les goûts de la comtesse diffèrent entièrement des siens, ils ont chacun leurs amis, leurs relations et, à Paris comme à Bois-Boudran, ils tiennent deux cours distinctes. Le comte Greffulhe, écrit Ferdinand Bac dans ses *Mémoires*, « avait établi un principe que lorsqu'on était son ami, on ne pouvait pas apprécier sa femme, et que lorsqu'on était le confident de celle-ci, il fallait renoncer à le connaître [1] ».

La résidence à Paris des Greffulhe — trois hôtels rue d'Astorg reliés entre eux par un dédale de couloirs — est une espèce de cité d'Angkor de l'aristocratie, un morceau du faubourg Saint-Germain à mi-chemin entre la plaine Monceau et le faubourg Saint-Honoré. C'est aussi le pied-à-terre de certains souverains lorsqu'ils viennent incognito à Paris, une ambassade de l'Europe monarchique et princière auprès de la République française avec qui les Greffulhe, au rebours de tant de leurs semblables, entretiennent des relations assez cordiales. La comtesse Greffulhe est une des rares maîtresses de maison à réunir chez elle les deux sociétés, le grand monde et le personnel politique, à ouvrir son salon à toutes les influences et toutes les idées, mais en gardant un ton de cour qui réalise l'égalité par le haut. Etre reçu rue d'Astorg est une faveur souvent désirée, rarement accordée. Robert de Montesquiou veille jalousement à ce que ce privilège ne soit pas galvaudé, poussant la sévérité jusquà l'insolence : « Pourquoi voulez-vous être invitée chez la comtesse Greffulhe ? aurait-il dit à une dame qui le harcelait pour qu'il la présentât. Parce que son salon est un des plus élégants de Paris ? Mais, chère Madame, comprenez donc que du fait de votre présence, ce salon cesserait immédiatement d'être ce qu'il est... »

*

Proust s'aperçoit donc qu'il lui sera malaisé de forcer la porte de la rue d'Astorg et qu'il lui faudra trouver un autre introducteur que Montesquiou, bien que celui-ci risque, en apprenant cette manœuvre, de prévenir sa cousine contre lui de manière à lui en interdire à jamais l'accès. Un allié possible

1. F. Bac, *Souvenirs inédits*, livre III.

s'offre alors à lui en M. de Saussine, un excellent homme qui s'essaie lui aussi à faire des livres, mais avec plus de simplicité que Montesquiou. « Hirsute, grand, d'une maigreur effrayante, avec d'énormes yeux ombragés d'énormes sourcils, une moustache tombante, il est verbeux, étourdissant, spirituel, épileptique », dit de lui, dans son *Journal*, Ferdinand Bac qui a toujours du mal à lui échapper : « Son monocle à ruban noir incrusté dans l'orbite creuse, il se penche sur vous, pose ses deux mains sur votre épaule, laisse tomber les mèches de ses cheveux dans vos yeux et là, contre vous, haleine contre haleine, il débite avec une rapidité effrayante des choses très bonnes à retenir... »

Saussine est un familier du noble Faubourg, il en connaît la plupart des grandes hôtesses. Proust, qui vient de rendre compte dans le *Gratis Journal* de son livre, *Le Nez de Cléopâtre*, espère ne pas avoir obligé un ingrat et tâte le terrain auprès de lui : « On dit que la princesse de Léon [1] que je vais voir à Saint-Moritz et Mme de Bassano sont délicieusement intellectuelles. Est-ce vrai [2] ? » Il est à craindre que Saussine n'ait pas répondu de manière satisfaisante à cette question ou bien que, tel Legrandin, il l'ait découragé de voir ces dames plus mondaines qu'intellectuelles, car Proust continue de piétiner à la porte des salons entrevus. Il a heureusement plus de succès en droit, car il réussit ses examens tandis que son frère est reçu à sa licence de lettres.

Débarrassé de ce souci, il peut partir pour Saint-Moritz où il retrouve Louis de La Salle et Robert de Montesquiou, celui-ci accompagnant Mme Howland, femme curieuse et chargée de souvenirs littéraires car elle a connu dans sa jeunesse Lamartine, Baudelaire et cette société du Second Empire qui commence à entrer dans l'Histoire. Si Montesquiou étonne les indigènes, les hôteliers et même les estivants par son élégance, ses attitudes et ses cris stridents, Proust ne les surprend pas moins par la manière dont il est affublé pour ce séjour à la fois mondain, champêtre et littéraire. Comme Tartarin, il fait la traditionnelle ascension du Righi, en funiculaire, il est vrai, puis, à pied, celle de l'Alpe Grün pour terminer par un pèlerinage à Sils-Maria, où vécut Nietzsche.

A la fin du mois d'août, Proust et ses amis gagnent Genève où ils passent une semaine, allant à Clarens chez les Baignères, à Amphion chez les Brancovan qui possèdent, au bord du lac,

1. Herminie de Verteillac, bientôt duchesse de Rohan.
2. Kolb, tome I, p. 228.

un grand chalet, sur le lac, un petit yacht. A l'hôtel de Genève, ils revoient les Fould et Clarence Barker qui avaient passé comme eux une partie du mois d'août à Saint-Moritz. Il y a également une certaine Mrs. Jameson, pianiste mondaine en qui Mme Strauss ne voit qu'une « musicienne ménagère », fabriquant ses notes avec plus de vigueur que de talent et s'activant sur le piano comme si elle l'encaustiquait.

Pendant son séjour à Saint-Moritz, il a écrit une nouvelle, *Mélancolique villégiature de Mme de Breyves,* qu'il dédie à Mme Howland et publiera dans le numéro 23 de la *Revue blanche,* le 15 septembre.

L'intrigue en est mince et le style assez mièvre, encore qu'il ait été considérablement amélioré par rapport à la première version. Par une curieuse coïncidence, qui confirmerait chez Proust un don de visionnaire, l'aventure de son héroïne préfigure celle de Mme de Chevigné lorsque celle-ci s'éprendra du chanteur mondain Jean de Reszké. La similitude de certains détails serait même, affirme M. Yves Sandre, tout à fait étonnante.

Jeune veuve, belle et désœuvrée, Mme de Breyves rencontre dans une soirée un certain M. de Laléande, ni beau, ni distingué, ni même intelligent, qui disparaît alors qu'elle veut se le faire présenter. Elle le retrouve par hasard au vestiaire, leurs coudes se frôlent et Laléande lui murmure tout à trac : « Venez chez moi, 5, rue Royale. » Abasourdie par le cynisme et la grossièreté du procédé, elle se garde d'aller au rendez-vous, mais revoit deux ou trois fois Laléande qui s'éclipse toujours au moment où elle espère une présentation officielle. Il n'en faut pas plus pour la rendre amoureuse. Elle invente des prétextes pour retrouver Laléande, mais il est parti pour Biarritz ; elle-même est obligée de se rendre à Trouville, où elle passe l'été en proie à une véritable obsession : revoir ce M. de Laléande dont elle est d'autant plus passionnée qu'il n'existe aucune raison valable à cet engouement. Laléande restera insaisissable et Mme de Breyves en mourra de chagrin.

C'est à Trouville, où il séjourne lui-même avec sa mère, que parvient à Proust la nouvelle de la mort de Willie Heath, survenue presque un an, jour pour jour, après celle d'Edgar Aubert. Le bel Anglais a été emporté par une fièvre typhoïde, justifiant ainsi les pressentiments funèbres qu'inspirait sa beauté pensive et donnant à Proust l'impression qu'un destin cruel lui ravit les êtres qu'il a élus.

Le cœur encore tout meurtri, il se présente à son dernier

examen de droit, obtient sa licence et doit choisir sa future carrière. Son père l'a pressé d'y réfléchir, mais les innombrables conseils qu'il a demandés à ses amis le gênent dans sa décision au lieu de la faciliter. Comme il l'écrivait au début du mois de septembre à Robert de Billy, il ne veut absolument pas devenir avocat, prêtre *(sic)* ou médecin. Restent la magistrature — « mais n'est-elle pas trop déconsidérée ? » —, la Cour des comptes et les Affaires étrangères. A son père, qui le verrait volontiers entrer chez un avoué, il ne cache pas qu'il n'y resterait pas trois jours et qu'il préférerait alors un agent de change : « Mais entre plusieurs maux, il y en a de meilleurs et de pires. Je n'ai jamais conçu de plus atroce, dans mes jours les plus désespérés, que l'étude d'avoué. Les ambassades, en me la faisant éviter, me sembleront, non ma vocation, mais un remède[1]. »

La carrière, il est vrai, l'obligerait à vivre à l'étranger, loin de sa mère et de ses amis, perspective qui lui sourit peu. En attendant, et sans doute pour obéir au docteur Proust, il commence un stage comme clerc d'avoué chez M^e^ Gustave Brunet où il reste, non pas trois jours, mais quinze. Après cette brève expérience, qui lui inspire une horreur définitive de la vie de bureau, il persuade son père que le mieux est d'entreprendre une licence de lettres, plus conforme à ses goûts. Sa préparation lui laisserait suffisamment de temps libre pour mener de front des travaux littéraires et une vie mondaine. Poussé par son père, il sollicite également l'avis de M. Charles Grandjean, bibliothécaire du Sénat, qui ne prévoit guère, en recevant cette demande de consultation, l'ennui et les tracas que ce jeune homme insatiable va lui causer.

En effet, à compter du 4 novembre, date de sa demande d'un rendez-vous, Proust va lui écrire onze lettres en un mois pour réussir, non à lui faire donner son avis, mais à le rallier au sien en lui faisant dire ce qu'il souhaite entendre. Dans un premier temps, on passe en revue toutes les carrières possibles, envisagées sous l'angle de leurs inconvénients plutôt que sous celui de leurs avantages. L'Ecole des chartes, l'Ecole française à Rome, la Cour des comptes, le Quai d'Orsay sont successivement éliminés. « Mais je pense que si vous rasez ainsi tout, lui écrit Proust, c'est pour édifier sur ces ruines la cité indépendante et esthétique que nous rêvions ensemble...[2] »

1. Kolb, tome I, p. 238.
2. *Ibidem*, p. 255.

On peut penser que M. Grandjean, qui découvre peu à peu le caractère de Proust, a suffisamment de bon sens pour ne pas vouloir encombrer l'un des grands corps de l'Etat d'une pareille recrue qui ne pourrait être qu'un coûteux parasite. Il ne s'en tire pas à si bon compte, car Proust lui soumet bientôt d'autres projets : rédacteur au Sénat, inspecteur des Beaux-Arts... « Vous allez trouver que mes courriers se multiplient avec une rapidité inquiétante », reconnaît-il. Dans la lettre suivante, il s'inquiète d'une autre question, primordiale à ses yeux : « Enfin a-t-on autant de temps pour écrire dans un musée qu'à la Cour des comptes, voilà bien des questions que la confiance en votre gentillesse et votre patience à m'écouter m'empêchent d'éprouver quelque embarras à vous poser[1]. »

Sur ces entrefaites, Proust reçoit une offre, due peut-être à l'influence de son père et à ses relations : une place, sans concours, aux archives des Affaires étrangères, ce qui lui laisserait le loisir de préparer sa licence et même, éventuellement, un doctorat. Il ne recevrait aucun traitement pendant deux ou trois ans, puis toucherait ensuite 1 800 francs par an[2], avec l'espoir d'aller jusqu'à 3 000[3]. Faut-il accepter ou refuser ? demande-t-il à son mentor. Est-ce un emploi subalterne ou comparable aux ambassades et de plain-pied *(sic)* avec celles-ci ? Est-ce mieux que les musées, etc. ? « Dictionnaire du savoir humain, du tact et de l'intuition universels, je vous feuillette à toutes les pages, sans crainte — puisque votre bonté est sans bornes — comme elle est sans exemple[4]. »

Enfin, ce harcèlement cesse avec un dernier billet pour avertir Charles Grandjean qu'il « en reste au plan des musées », projet qui ne se réalisera jamais. En attendant, il entre comme bibliothécaire, non rémunéré, à la Mazarine où sa principale activité sera d'y rédiger des demandes de congé temporaire, ou de mise en disponibilité.

*

Il se montre plus assidu à la *Revue blanche*, où il espère la gloire que *Le Banquet* n'a pu lui donner. Fondée en 1891 par les frères Alexandre et Thadée Natanson, la *Revue blanche* est déjà réputée pour sa tenue littéraire et par un intellectualisme

1. Kolb, tome I, p. 258.
2. Environ 29 000 francs 1990.
3. Environ 48 000 francs 1990.
4. Kolb, tome I, p. 261.

dans lequel certains collaborateurs ne voient que snobisme mondain. Là, écrit Camille Mauclair dans *Servitudes et grandeurs littéraires,* « sous la direction des imposants et snobs Natanson, on était rosse, chic et plein d'ambitions boulevardières ». Henry Bordeaux, lui, s'étonne de n'y entendre parler que de « courses et réceptions », alors que l'austère Julien Benda juge la revue « systématiquement avancée dans tous les ordres ». En réalité, elle se situe entre un anarchisme élégant et un esthétisme décadent, accueillant des talents aussi divers que ceux de Félix Fénéon, Stéphane Mallarmé, Verlaine, Barrès, Léon Blum, Jean Lorrain, André Gide et José-Maria de Heredia.

Les Natanson règnent sur cette petite république des lettres comme deux consuls antiques, voire deux augures. Thadée, aux dires de Léon Daudet, « ressemblait à un prêtre syrien. Lent d'allure, corpulent et grave, il possédait une belle barbe d'un noir brillant, d'où sortaient des aphorismes humanitaires ou ironiques dont se délectaient, paraît-il, ses intimes. On le disait aussi habile en affaires, sous des dehors affables et cordiaux. Alexandre était muet, de faciès glacé, avec des yeux presque blancs, à reflets de cuivre [1] ».

Au mois de juillet 1893, Proust avait publié dans le numéro 21-22 de la *Revue blanche* une série de morceaux, pièces ou essais, qui seront repris dans *Les Plaisirs et les Jours : Contre la franchise, Scénario, Eventail,* dédié à Henri de Saussine, *Gladys Harvey,* dédié à Laure Hayman, *Reliques, Sources de larmes qui sont dans les amours passées, Amitié, Ephémère efficacité du chagrin* et enfin *Mondanité de Bouvard et Pécuchet,* ce dernier morceau dédié « à mes chers trois petits Robert », c'est-à-dire son frère, Billy et de Flers. Cette mièvre dédicace consacre officiellement l'emploi permanent du terme « cher petit » dont ce garçon de vingt-deux ans se sert à l'égard de jeunes gens du même âge, aussi bien dans sa correspondance que dans sa conversation, afféterie qui trahit une singulière survivance infantile et serait de nature à faire se froncer les sourcils jupitériens du comte Greffulhe. Vis-à-vis de ses amis, notamment de Reynaldo Hahn et de Lucien Daudet, il usera toujours de ce langage de douairière et aura pour eux les manières d'une tendre aïeule plutôt que celles d'un ami ou, lorsque c'est le cas, d'un amant.

*Mélancolique Villégiature de Mme de Breyves* paraît au mois de septembre 1893 et Proust propose d'autres textes, antérieurs à ceux-là, aux frères Natanson : il s'agit, entre autres, de *Contre*

---

1. L. Daudet, *Souvenirs des milieux littéraires, etc.,* tome II, p. 71.

*une snob, A une snob, Rêve, Présence réelle* et *Souvenir,* qui paraîtront au mois de décembre, dans le numéro 26.

Ce qu'il voudrait surtout, c'est publier dans la *Revue blanche* une étude sur Montesquiou afin de montrer le personnage dans sa vérité, qu'il estime encore plus belle que sa légende : « ... L'incomplet Montesquiou que la plupart se figurent suffit à enchanter les sensitifs, écrit-il au mois d'octobre à son futur modèle. Je crois, au contraire, que les intellectuels sont encore pour un bon nombre à rallier. Je ne l'entreprendrais pas, n'ayant pas l'autorité et n'ayant pour moi que l'amour, mais qu'importe la voix qui dit *Lisez,* si, dès qu'on a lu, on aime... Dans le cas où ce projet vous plairait, trouvez-vous que le titre (qui semblerait paradoxal avec le Montesquiou de la légende, mais dont l'article justifierait vite qu'il est conforme à celui de la réalité), *De la simplicité de M. de Montesquiou* serait bien ? Vous plairait ou vous déplairait-il que je raconte (sans dire, bien entendu, que c'est à moi que vous l'avez dit) vos idées sur le *succès,* que l'homme de talent doit être en même temps celui qui gagne de l'argent avec ses livres[1] ? »

Montesquiou n'est pas un sujet facile, aux deux sens du mot. Il est à craindre que les compliments les plus outrés, les flatteries les plus ingénieuses, les comparaisons les plus grandioses ne demeurent en dessous de ce que l'idole attend de ses thuriféraires. L'idée sourit néanmoins à Montesquiou qui déplore justement qu'aucune étude sérieuse n'ait jamais été consacrée à sa personne et à son œuvre, hormis le portrait plutôt discutable que Huysmans a fait de lui dans *A rebours.*

Étonné que Montesquiou accepte sans que le texte lui soit préalablement soumis pour l'*imprimatur,* Proust se hâte de l'envoyer à la *Revue blanche* avant qu'il n'ait changé d'avis, insistant auprès de Thadée Natanson pour qu'il passe en priorité, quitte à reporter la publication de ses esquisses. Natanson refuse, puis se ravise pour revenir à son refus primitif, vraisemblablement parce que sa revue n'aurait rien à gagner en publiant cette glorification alors qu'un éreintement aurait plus de chance de plaire à ses lecteurs. Proust songe alors à la *Revue de Paris,* dont Louis Ganderax vient de prendre la direction, mais celui-ci se récuse. Il ne sait plus à qui proposer cet article qui, non publié, lui cause plus d'ennuis que s'il avait paru.

Pour le moment, Montesquiou ne fulmine pas contre ce

1. Kolb, tome I, p. 241.

disciple assez maladroit pour se faire éconduire par des revues auprès desquelles son seul nom aurait dû faire l'effet d'un sésame. Il est trop occupé à préparer sa conférence sur Marceline Desbordes-Valmore, qu'il prononce le 17 janvier 1894 à la Potinière, rue Saint-Lazare, en présence d'altesses et de femmes du monde, de gens de lettres et de cercleux, c'est-à-dire une humanité parfaitement indifférente aux effusions d'âme de la plaintive et meurtrie Marceline. Les gens ne sont venus là que pour assister au spectacle, toujours divertissant, de voir Montesquiou dans le rôle de Montesquiou. Edmond de Goncourt n'a pu s'y rendre, étant malade, mais il en recueille les échos dans son *Journal* : « Yriarte est revenu ce soir dans un état d'exaspération de la conférence de Montesquiou-Fezensac, se plaignant qu'on était forcé d'admirer le cousin de la comtesse Greffulhe par ordre et que si on échappait à la pression de la comtesse, on ne pouvait se dérober aux sollicitations de salons amis faisant des enrôlements. Et il faisait une très amusante description du tapis *esthète* et de l'encrier aux armes du conférencier[1]. »

En revanche, Montesquiou, qu'on s'attendait à voir paraître dans la plus extravagante des tenues, s'est contenté d'arriver en redingote noire, austère et boutonnée, qui lui donne l'allure d'un clerc de notaire, en précisant à quelques intimes qu'il a ainsi procuré à l'auditoire une émotion supplémentaire : « l'attente du ridicule déçue ».

Au lieu de la longue lettre qu'il devrait adresser à Montesquiou pour le féliciter de cette conférence, en relever les beautés, en distiller le suc, Proust se borne à un télégramme exprimant sa « joie émue », ce qui est un peu court alors qu'on lui a fait l'honneur de l'inviter avec toutes ces femmes du grand monde qu'il brûle d'approcher.

Sans doute est-ce pour se faire pardonner ce manquement qu'il signale à Montesquiou un autre de ses admirateurs, un jeune pianiste nommé Léon Delafosse, qui a composé des mélodies sur certains poèmes des *Chauves-Souris* : « Comme il n'a pas l'honneur de vous connaître, ajoute Proust, il m'a chargé de solliciter auprès de vous l'autorisation de les publier ; à mon humble avis, elles sont exquises[2]. »

Ce que Proust ne dit pas, c'est que le pianiste est beau, du moins aux yeux des femmes d'un certain âge et des hommes

1. Goncourt, *Journal,* tome IV, p. 506.
2. Kolb, tome I, p. 276.

d'un certain goût qui, dans ces jeunes gens minces et d'une beauté un peu évanescente, voient des proies plus faciles à ravir ou, du moins, pas assez vigoureuses pour opposer une longue résistance. Avec des cheveux blonds et un regard bleu de ciel du Nord, Delafosse a ce teint d'une blancheur anémique propre à ceux qui vivent dans des entresols sans lumière et s'épuisent à courir le cachet. Dans ses Mémoires, Robert de Montesquiou écrira que ce nouveau Chopin, « fruit unique et tardif d'un ménage de vieux, [avait été dès l'enfance] attaché à un tabouret de piano par les cordons de son béguin [1] » et s'était tout de suite mis à jouer des choses merveilleuses, mais l'intelligence qu'il apporte à son jeu ne l'empêche pas, écrira toujours Montesquiou, d'avoir « un petit visage au rire niais » qui se transfigure, il est vrai, lorsque le dieu de la musique descend en lui.

Le prodige habite avec sa mère un sombre appartement près de la Trinité. Dans la salle à manger trône un grand piano « véritable dolmen de palissandre, teint du sang luisant et noirci des victimes du concert payant ».

C'est seulement un mois et demi après avoir été averti de son existence que Montesquiou accorde audience à Léon Delafosse, accompagné de Proust, dans le pavillon de Versailles où il vient de s'installer. Pour mettre le musicien à l'épreuve, Montesquiou prétend que la musique l'ennuie et qu'il aime seulement l'orgue de Barbarie. Les voilà tous les trois, car Yturri est là, traînés par le comte à la foire de Viroflay où il leur faut s'extasier sur les rengaines moulues par les limonaires jusqu'à ce qu'Yturri, qui a bon cœur, intervienne, estimant que son maître a poussé trop loin la plaisanterie. On regagne Versailles et Delafosse peut enfin donner un échantillon de ses talents. Il chante, en s'accompagnant au piano, quelques-unes des mélodies qu'il a composées sur des pièces des *Chauves-Souris*. Montesquiou apprécie la virtuosité de jeu, mais se montre sévère pour la voix, qu'il compare au miaulement d'un chat écrasé. Malgré cette réserve, il trouve le jeune homme intéressant, va le voir à Paris et en parle avec suffisamment de bienveillance pour assurer la réussite du concert que Delafosse donne à la salle Erard le 27 avril 1894.

Bientôt il fait du pianiste le favori du jour, en attendant de se lasser de lui, comme il s'est déjà lassé de tant de protégés, puis de le haïr, allant jusqu'à professer à son égard une espèce

---

1. Montesquiou, *Les Pas effacés,* tome II, p. 287.

de répugnance physique : « Tâchez, lui dira-t-il, alors que leurs relations commencent à se détériorer, que mon amour pour votre art l'emporte sur mon horreur pour votre personne[1]. »

Pour l'instant, le comte est dans l'enchantement de cette trouvaille et semble oublier complètement qu'il la doit à Proust, que celui-ci lui a présenté Delafosse en victime propitiatoire pour apaiser le ressentiment qu'il sentait naître à son égard chez l'oiseleur des chauves-souris. Déjà, dans une lettre du 11 mars 1894, antérieure à leur visite à Versailles, il s'étonnait de l'incompréhension de Montesquiou, du malentendu qui, par la faute de l'un ou de l'autre, avait un peu faussé leurs rapports : « Nos destinées à tous sont sans doute faites pour être vécues, non pour être comprises. Si ceux qui les méconnaissent, les embellissent d'autre manière, pourquoi les lasser par des reproches inévitablement inécoutés et incompris, de toute façon fort ennuyeux ? Un malentendu (que je croyais à tort dissipé) qui s'est renouvelé après un an, est un malentendu éternel. Tant il y a de lois originales dans l'arithmétique et la chronologie des sentiments. Est-ce incompétence sur un point de votre part — ou inconstance de la mienne ? Je ne saurais même le discuter. Mais ou, pour réessayer de jamais vous convaincre, je manque d'accent — ou vous d'oreille. Quoi qu'il en soit, renonçant à jamais à une confiance plus étroite, plaignant seulement, sans cesser de l'admirer, celui qui flétrit ainsi sous ses doigts défiants le dévouement le plus ému et la tendresse la plus sincère, je garde un goût trop profond pour le charme de votre esprit, une reconnaissance trop sincère pour votre bonté pour moi, pour cesser à cause de ce renoncement sentimental à jouir si vivement de votre commerce, si vous le daignez entretenir[2]. »

Ces phrases ne sont pas simples, ni les sentiments qu'elles expriment. Les unes et les autres trahissent chez Proust le désir d'occuper la première place dans l'esprit, sinon dans le cœur, de Montesquiou, la crainte aussi d'une rupture qui, au point de vue mondain, lui serait infiniment plus nuisible que la protection du comte ne lui a été utile jusqu'alors. Et Montesquiou, qui devine ces sentiments, s'amuse avec un certain cynisme à souffler le chaud et le froid sur cet admirateur intéressé, moins pour éprouver la sincérité de son zèle que pour voir jusqu'où peut aller sa soumission. Il ne semble guère

1. G.D. Painter, tome I, p. 196.
2. Kolb, tome I, p. 278.

soucieux, en tout cas, de dissiper le malentendu. Aussi Proust revient-il à la charge avec l'insistance maladroite de ceux qui croient avoir la conscience tranquille et ne se doutent pas qu'on leur reproche moins leurs intentions que la manière de les exprimer. Proust a eu en effet l'ingénuité d'appeler Delafosse « notre petit musicien », comme si le pianiste, une fois offert au comte et devenu la propriété de celui-ci, pouvait encore lui appartenir, si peu que ce fût ! Pire, il a eu le mauvais goût de lui envoyer un petit ange de crèche du XVIIIe siècle qu'il a osé comparer à l'ange en chair et en os qui, sous les auspices de son nouveau protecteur, va s'élever jusqu'aux cimes de l'art et de la mondanité. L'envoi était accompagné d'une nouvelle protestation d'amour à laquelle Montesquiou était resté insensible. Proust ne se laisse pas décourager : « Dans chaque circonstance, cher Monsieur, lui écrit-il le 22 mars 1894, je vous vois, je vous découvre un peu mieux, plus vaste encore, ainsi qu'un voyageur émerveillé qui gravit une montagne et dont le point de vue s'élargit sans cesse. Le *tournant* d'avant-hier était le plus beau. Suis-je au sommet ? »

Cette fois, Montesquiou se montre magnanime et invite Proust à déjeuner à Versailles : « Le subtil citharède, lui écrit-il en parlant de Léon Delafosse, est venu joliment et poliment hier me présenter sa joie qui m'a d'autant mieux payé de ma peine que celle-ci fut un plaisir. Nous parlerons de lui à lui-même mardi ; et je vous révélerai alors à tous deux mes psychiques augures [1]. »

Soit par coquetterie, pour se faire désirer, soit pour un autre motif, resté inconnu, Proust ne se rend pas à ce déjeuner. Cette dérobade offense Montesquiou qui de nouveau se rembrunit et manifeste sa mauvaise humeur de manière olympienne. Proust feint de ne pas comprendre ce mécontentement et, surpris, réclame des explications : comment doit-il interpréter ce mot, cette réticence, ce silence qui lui paraissent autant de reproches qu'il n'a pas conscience de mériter ? Quel est donc son crime ? Il ne demande qu'à l'apprendre pour implorer son pardon et ne pas recommencer. « Après un an où tant de joies rares furent coupées de tant d'incertitudes douloureuses et parfois tragiques, écrit-il à Montesquiou le 28 mars 1894, ne suis-je pas au port ? Je ne suis pas de ceux qui pensent que les amitiés, si rares soient-elles, doivent être aisément cueillies ou laissées sur le chemin. Mais si sentir *pour* un ami mille peines

1. Kolb, tome I, p. 284.

est une grande douceur, les subir *par* cet ami mêle trop d'amertume à l'amitié. J'espère, cher Monsieur, que vous saurez et voudrez bien dissiper tant de nuages que mon imagination seule peut-être a assemblés. Ils m'oppressent de façon bien orageuse et puisque vous avez été celui qui fait luire les eaux, j'espère que vous serez aussi "celui qui dissipe les nuées" [1]. »

Une trêve épistolaire pendant le mois d'avril permet aux ressentiments mutuels de s'apaiser un peu, mais sans doute les deux correspondants ont-ils une explication verbale, car, au début du mois de mai, Proust constate avec mélancolie qu'il est bien malaisé de plaire à M. de Montesquiou. Il est encore plus malaisé de s'entendre avec lui, trop exigeant qu'il est sur la qualité de l'admiration, voire de l'amour qu'on lui porte. Ne croirait-on pas qu'il ne réclame autant que pour mieux prouver qu'il n'y a pas au monde un être capable de le comprendre et de l'apprécier ? Proust laisse poindre un certain découragement dans une lettre à Montesquiou du 1er mai 1894 : « Je commence à craindre qu'un jour ou l'autre je ne réalise involontairement le personnage si différent de moi que vous évoquez sans cesse, compliqué et à tant de fonds. A force que l'ombre en soit par vous agitée, elle voudra s'incarner... et que me restera-t-il alors ? Simple d'esprit et compliqué de caractère, c'est trop. Ne pourrions-nous renverser les termes et obtenir enfin une identité [2] ? »

Proust est néanmoins convié à la fête que Montesquiou donne à Versailles le 9 mai, puis à une autre, fixée d'abord au 24 et reportée au 30 en raison du mauvais temps. Ces invitations sont moins flatteuses qu'elles ne le paraissent, car il est surtout prié pour en faire le compte rendu dans *Le Gaulois* ou tout autre journal mondain. Il s'acquitte d'ailleurs consciencieusement de sa tâche, notant au dos des programmes les toilettes des dames, dont il fait de longues descriptions dans son article avant de passer aux détails secondaires, ceux que personne ne lira le lendemain, c'est-à-dire les titres des morceaux joués ou le nom de leurs interprètes.

Non content de faire dire ses vers par Mme Bartet, Sarah Bernhardt ou Mlle Reichenberg, Montesquiou en fait chanter par Bagès que Delafosse accompagne au piano. Pour rendre encore plus complet cet hommage de Montesquiou le grand

---

1. Kolb, tome II, p. 286.
2. *Ibidem,* p. 291.

seigneur à Montesquiou le poète, Proust signale en passant qu'un barde breton, Yann Nibor, qui a déclamé ses propres compositions au début de la fête, a eu moins de succès lorsqu'il a récidivé. Avec le même zèle, et dans le même style, il envoie à la presse un « *écho* » où chaque mot est flanqué de deux adjectifs, comme une barque de sa paire de rames : « M. Bagès a chanté hier avec une grâce savante et délicieuse, chez le comte Robert de Montesquiou-Fezensac, les mélodies que six pièces des *Chauves-Souris* ont inspirées à M. Léon Delafosse et où semble avoir passé l'âme mélancolique et rare qui anime ces vers doctes, désolés et charmants. La musique, naturelle et raffinée, comme la poésie avec laquelle elle fait corps et avec laquelle elle fait âme, imite avec une grâce multiple et unique ses élans spontanés et ses retours réfléchis. On regrette en l'écoutant que l'usure ait fait perdre de sa valeur au mot "exquis", et l'ait rendu presque sordide tant on le lui aurait volontiers appliqué avec tout son prix et dans son éclat tout neuf[1]. »

Bien que réduite dans les descriptions des toilettes et surtout amputée de son nom, glissé modestement à la dernière ligne, la chronique du *Gaulois* donne à Proust, qui ne cache pas en être l'auteur, une possibilité d'être invité chez les dames qu'il a célébrées. Ce n'est pas entrer dans le monde par la grande porte, mais l'essentiel est d'y entrer. Il se voit donc invité, sinon par la comtesse Greffulhe, du moins par des dames qui, moins sûres de leur puissance mondaine, ne dédaignent pas les bons offices de ce jeune homme si aimable et si habile à saisir le subtil accord d'une robe gris perle, d'une ombrelle bleue et d'une aigrette jaune.

C'est évidemment une condition un peu servile que d'être invité en bouche-trou, de faire le quatorzième à table ou encore d'assister à une réception pour en être l'historiographe, mais Proust, avec une infinie complaisance, plus feinte que réelle, ne semble-t-il pas indiquer lui-même qu'il est tout disposé à jouer ce rôle d'« *utilité* » ? Apprenant par Mme de Saussine que Montesquiou a été souffrant, il déplore de ne l'avoir pas su pour être accouru à son chevet comme garde-malade : « J'aurais eu un plaisir infini à vous tenir compagnie, lui écrit-il le 30 juillet, à vous apporter vos tisanes, à répondre aux gens qui demandaient de vos nouvelles, à vous lire haut, à vous retourner votre oreiller ou à ramener votre couverture, à

1. *La Presse,* 2 juin 1894.

noter les impressions que la maladie pouvait vous donner. Je vous aurais apporté des fleurs...[1] »

L'ennui est que ce jeune homme serviable et empressé sollicite sans cesse des recommandations, des introductions, sinon pour lui, du moins pour des amis qui ont pourtant des positions sociales assez importantes pour n'en avoir pas besoin. Mme de Caillavet doit-elle vraiment passer par Proust pour obtenir la faveur de visiter la collection de tableaux de M. Groult ?

*

Empêché de quitter Paris plus tôt, car il a été malade à son tour, Proust ne part que le 18 août pour Réveillon, en Seine-et-Marne, chez Madeleine Lemaire. Le château, belle construction de briques et de pierres du XVIIe siècle, a un air de noblesse et de dignité un peu hautaine qui contraste avec l'allure de sa propriétaire, loquace, agitée, trop aimable avec tout le monde comme le sont les gens que les nécessités du commerce obligent à ménager leur clientèle. Bien qu'elle ait pour souci majeur de « caser » sa fille Suzette, Mme Lemaire invite à Réveillon toute sorte de jeunes gens dont beaucoup sont peu faits pour devenir éventuellement le gendre désiré. Parmi les invités, cet été-là, se trouve un jeune Vénézuélien de dix-neuf ans, beau et plus charmeur encore que beau, dont le type exotique est bien fait pour éveiller la curiosité chez les uns, les sens chez d'autres.

Son origine est à elle seule une petite Odyssée. Israélites établis dans les Provinces-Unies de Hollande, les Hahn étaient passés ensuite à Hambourg, ville hanséatique accueillante à toutes les races et toutes les confessions. Carlos Hahn, petit-fils du rabbin d'Altona, s'était expatrié au Venezuela où il avait exercé des activités multiples autant que rentables : il y avait successivement ou simultanément créé des voies ferrées, établi des lignes télégraphiques, exploité des plantations de café, puis, en 1853, construit le théâtre de Caracas. Dans cette ville, où il s'était établi, il avait épousé Elena Maria Echenagucia, une riche héritière descendante de Basques venus chercher fortune dans ce pays vénéneux. Reynaldo Hahn y était né, le 9 août 1875, et avait donc trois ans lorsque sa

1. Kolb, tome I, p. 311.

famille, abandonnant définitivement le Venezuela, s'était fixée à Paris, dans un hôtel particulier au 6, rue du Cirque.

Enfant prodige de la musique, entré tout jeune au Conservatoire où il a été l'élève de Massenet, Reynaldo Hahn a eu des succès précoces qui ont fait de lui, à dix-neuf ans, la vedette de nombreux salons. Aussi brun que Delafosse est blond, avec des yeux sombres, un teint mat, une bouche aux lèvres lourdes et sensuelles, il évoque en même temps, écrira Maurice Duplay, « un mignon d'Henri III et un compagnon de César Borgia [1] », car il y a chez lui un fond de cruauté qui affleure parfois sur son visage, trahissant ainsi « des rancunes noires et des vengeances ténébreuses [2] ». Tout en faisant une certaine réserve sur cet aspect caché de sa personnalité, Ferdinand Bac, qui le fréquentera beaucoup au lendemain de la guerre de 1914-1918, le décrira comme « délicieux, généreux, attentif, plein d'esprit et de fantaisie, d'une intelligence profonde, d'une expérience consommée de la vie et des hommes [3] ». S'il est encore trop jeune pour avoir cette expérience, il a les moyens de l'acquérir, possédant une finesse psychologique et une intuition qui s'amalgameront merveilleusement avec celles de Proust. « Vous avez des sens de mouche… », lui dit un jour Alphonse Daudet, surpris de le voir saisir l'imperceptible et les nuances les plus subtiles.

En lui, comme naguère avec Daniel Halévy et Jacques Bizet, Proust voit une image idéale de celui qu'il voudrait être, un autre Proust devant qui s'ouvrent toutes les portes, et aussi tous les bras. Comment résister à un si joli jeune homme qui compose, et les chante en s'accompagnant au piano, des mélodies ravissantes qu'applaudissent les amateurs de Wagner comme ceux d'Offenbach ? Dans son *Salon de Madeleine Lemaire* Proust décrira sa manière de jouer, telle que Cocteau la croquera dans ses *Portraits-Souvenirs* : « La tête légèrement renversée en arrière, la bouche mélancolique, un peu dédaigneuse, laissant s'échapper le flot rythmé de la voix la plus belle, la plus triste et la plus chaude qui fut jamais, cet *instrument de musique de génie* qui s'appelle Reynaldo Hahn, étreint tous les cœurs, mouille tous les yeux, dans le frisson d'admiration qu'il propage au loin et qui nous fait trembler, nous courbe

1. Duplay, *Mon ami Marcel Proust,* p. 48.
2. F. Bac, *Journal,* 10 octobre 1920.
3. *Ibidem.*

tous l'un après l'autre, dans une silencieuse et solennelle ondulation des blés, sous le vent[1]. »

Pour des observateurs perspicaces, les mœurs de Reynaldo Hahn ne font pas plus mystère que celles de Proust. Un jour, lors d'une soirée assez terne chez Madeleine Lemaire, Forain dit à celle-ci en désignant Proust et Reynaldo Hahn : « Il y a là deux charmantes jeunes filles qui ne demanderaient pas mieux que de faire de la musique[2]. »

Pendant les quatre semaines qu'ils passent ensemble à Réveillon, les deux jeunes gens vivent, sous l'œil attendri de leur hôtesse, une véritable lune de miel, avec de longues promenades dans le parc ou dans la forêt voisine, des lectures communes, entre autres celle d'*Anna Karénine,* des conversations pendant lesquelles Proust interroge habilement Reynaldo sur son art, peut-être en songeant à la place qu'il fera plus tard à la musique dans cette symphonie qu'est *A la recherche du temps perdu.* Proust étonne son nouvel ami par son intelligence d'analyse et par l'intensité d'une sensibilité encore plus vive que la sienne. Un jour que tous deux se promènent dans le jardin, Proust, avisant une bordure de rosiers rouges du Bengale, dit très sérieusement à son compagnon, comme s'il sollicitait un service important : « Est-ce que ça vous fâcherait que je reste un peu en arrière ? Je voudrais revoir ces petits rosiers... » Étonné, Reynaldo poursuit son chemin, fait le tour du château et retrouve Proust, toujours abîmé dans la contemplation des petits rosiers. Celui-ci s'attarde encore quelques minutes, puis rejoint Reynaldo qui se tenait à l'écart, devinant que toute question serait maladroite et n'osant lui demander le motif de cette espèce de transe.

Leurs deux sensibilités, plus que leurs caractères, sont faites pour s'entendre. Pendant ces semaines d'intimité intellectuelle, et vraisemblablement charnelle aussi, Proust va beaucoup apprendre de Reynaldo Hahn sans toutefois se laisser détourner par lui de son admiration pour Wagner. Très classique de goût, mozartien par sa formation, Reynaldo Hahn préfère Saint-Saëns à Fauré, prôné par son ami, et, pour le lui faire aimer, il lui joue la *Sonate en ré mineur* de Saint-Saëns pour piano et violon dont une phrase l'a frappé au point qu'elle deviendra non seulement « l'air national de leur liaison », mais

1. *Essais et articles,* in *Contre Sainte-Beuve,* Pléiade, p. 463.
2. Récit de la duchesse de Clermont-Tonnerre à Philippe Jullian, noté dans le *Journal* inédit de celui-ci, le 27 juin 1942.

la petite phrase de Vinteuil, encore qu'il y ait divergence sur ce point d'exégèse proustienne entre les connaisseurs. Chez Reynaldo Hahn ou chez lui, chaque fois que Reynaldo joue pour lui, il lui redemande ce morceau qu'il écoute avec une attention concentrée, faite de plaisir certain et d'une certaine souffrance.

Quittant la morne Brie et les enchantements de Réveillon, Proust, à la mi-septembre, rejoint sa mère à Trouville où elle est descendue, comme chaque année, à l'hôtel des Roches noires. Il va passer avec elle une dizaine de jours, se partageant entre une abondante correspondance, de fréquentes visites à Mme Straus, centre d'un petit « Tout-Paris », et le travail littéraire. Il veut publier un recueil de ses premiers essais, mais se rend compte que l'ensemble est un peu hétéroclite et qu'il lui faut opérer un tri, sacrifier un morceau, en réécrire un autre. Il commence une longue nouvelle, *La Mort de Baldassare Silvande,* qu'il achèvera le mois suivant à Paris, compose deux essais sur le clair de lune et réfléchit aux moyens à employer pour être imprimé, vendu, lu peut-être et salué par les critiques comme le nouvel espoir des lettres françaises.

Pour s'attirer la bienveillance des maîtres de l'heure, il a d'abord songé à dédier chacun des textes du futur recueil à un auteur célèbre qui, s'il ne louera pas obligatoirement l'ouvrage, du moins n'en dira pas de mal. Il a déjà enrôlé Anatole France en lui faisant hommage de *Violante ou la mondanité.* Il s'agit maintenant d'amener Montesquiou dans ses filets. Celui-ci lui garde une sourde rancune de l'affront qu'il a subi indirectement par le refus de plusieurs directeurs de revue de publier *De la simplicité de M. de Montesquiou*. Gabriel de Yturri, sur l'ordre de son maître, avait alors mis Proust en garde : « Plus de plaisanteries d'articles... » A quoi l'auteur malheureux avait répliqué : « Je me suis en effet très bien conduit dans cette affaire. M. de Montesquiou ne le sait pas complètement... Donc, étant donné que j'ai bien agi, je prise trop la perspicacité et le noble caractère de M. de Montesquiou pour ne pas être assuré qu'il m'en est reconnaissant. Donc, je vous retourne le *Plus de plaisanteries d'articles* qui perd d'ailleurs à peu près tout son sens puisque vous ne plaisantez pas sur tout ce qui touche à votre glorieux ami — et comme vous avez raison[1] ! »

Il n'a pas fallu moins de l'intervention d'Anatole France pour incliner le poète à plus de justice en faveur de son

1. Kolb, tome I, p. 313.

Eckermann. Celui-ci, pensant être rentré en grâce, écrit donc à Montesquiou pour lui proposer qu'une des nouvelles du recueil lui soit dédiée, mais il ne peut s'empêcher de mêler quelques reproches aux flagorneries : « Depuis quelque temps, en effet, jamais un mot d'amitié ne commence ni ne conclut vos lettres au prix intellectuel et esthétique desquelles je reste sensible, dans le même temps que je souffre de leur dureté sentimentale[1]. » Montesquiou daigne accepter l'hommage, mais, instruit par l'expérience et craignant que la nouvelle ne soit indigne de lui, il demande s'il pourra en avoir la primeur : « Connaîtrai-je l'œuvre d'avance ? (C'est, je l'espère bien, la plus belle !) — ou bien réserverez-vous quelque nouvelle surprise de soi-disant naïveté oursonne à l'amateur de jardins[2] ? »

Pressenti pour en écrire la préface et chargé de voir si Calmann-Lévy prendrait éventuellement l'ouvrage, Anatole France ne lui donne pas de réponse positive. Le recueil demeure à l'état de projet, tout en s'accroissant régulièrement de nouvelles pages, certaines, jugées meilleures, en remplaçant d'autres, comme ce récit, *L'Indifférent,* qu'il estime trop faible pour être publié, mais qui n'en paraîtra pas moins dans le numéro du 1er mars 1896 de *La Vie contemporaine,* une revue à la solde d'Henri de Rothschild qui a commencé, sous le pseudonyme d'André Pascal, une carrière d'auteur dramatique et d'écrivain. On retrouve dans ce texte dont le thème et l'écriture sont d'une égale médiocrité, non seulement une réminiscence de *Mélancolique Villégiature de Mme de Breyves,* ce qui explique aussi que Proust l'ait écartée, mais, ce qui est plus intéressant, la préfiguration d'*Un amour de Swann.*

Alors que Swann comprendra soudain qu'il aime Odette de Crécy parce qu'il a été désespéré de ne pas la retrouver à une soirée chez les Verdurin, Mme de Gouvres s'éprend d'un certain Lépré, aussi dénué d'intérêt que M. de Laléande, parce que celui-ci montre à son égard une parfaite indifférence. Malgré tous ses efforts, elle ne réussit pas à vaincre cette froideur et tentera de s'en consoler en épousant le duc de Mortagne qui a « de la beauté et de l'esprit », deux qualités que les femmes exigent rarement d'un homme pour l'épouser.

Dans cette nouvelle, dont l'héroïne a pour modèle, au physique du moins, la comtesse Greffulhe, triomphe encore le

---

1. Kolb, tome II, p. 332.
2. *Ibidem,* p. 341.

goût de Proust pour des noms de famille qui semblent choisis dans Maeterlinck ou Francis Jammes, plutôt que dans le *Grand Armorial de France* ou l'*Annuaire de la noblesse,* travers propre d'ailleurs à tous les romanciers de l'époque : de Mme de Buivres, née d'Alériouvre, à Mme de Breyves, née Voragynes, ces femmes ont toutes des noms aux consonances fin de siècle, noms qui s'étirent comme les lianes sur les vases de Gallé ou bien rappellent les guivres, chères aux Symbolistes.

Depuis son retour à Paris, Proust n'a guère le loisir de travailler autant qu'il le voudrait à son recueil, trop occupé qu'il est par une vie mondaine accrue et des études qu'il semble fort négliger puisqu'il renonce, au mois d'octobre, à se présenter à l'examen pour sa licence de philosophie.

# 7

## Novembre 1894 - Août 1895

*Mythe et mystique - Du* bon *snobisme - Le vrai Faubourg - Progrès dans le grand monde - Mme Louis Stern - Le cénacle de la rue de Bellechasse - Les Daudet - Edmond de Goncourt - Quelques clés pour Mme de Saint-Euverte - Le monde tel qu'il est - Aigreurs et hauteurs de M. de Montesquiou - Une sinécure à la Mazarine - Naissance de* Jean Santeuil.

Plus grande que celle apportée à ses études, l'application de Proust à faire son chemin dans le monde a déjà donné des résultats appréciables, mais sans le rapprocher vraiment du but qu'il s'est fixé : le faubourg Saint-Germain dont l'image exerce sur lui la même fascination que celle des oasis pour les voyageurs en Orient qui, lorsqu'ils croient y parvenir enfin, s'aperçoivent que, victimes d'une illusion d'optique, ils ont pris un mirage pour la réalité.

A propos de cette quête mystique et passionnée de Proust pour atteindre cette région inaccessible, on a beaucoup parlé de son snobisme. Il est certain que, dès son adolescence, il a eu pour ambition de pénétrer dans le monde et, au-delà du monde intellectuel ou artistique, dans ce faubourg Saint-Germain, qui, le monarque en exil, la cour disparue, tient lieu de l'un et de l'autre. Dans cette France de la fin du XIXe siècle, il n'y a plus de souverain dynastique, mais chacun porte en soi un Versailles imaginaire où il peut rêver à son aise. Dans tout snob, il existe à la fois un courtisan nostalgique et un révolutionnaire qui, préférant les moyens doux aux violents, cherche d'abord à s'assimiler à ceux qu'il voudrait égaler, puis remplacer, avant de les mépriser pour mieux asseoir sa supériorité.

Proust n'échappe pas à la règle et si parfois son snobisme

est naïf, tel qu'il éclate dans certaines de ses lettres à Montesquiou, du moins lui est-il inspiré, non par le désir brutal de se faire une place au soleil, mais par un intérêt plus raffiné, celui d'entrer dans l'intimité d'une société qui est pour lui comme une Histoire encore vivante où chaque personnage portant un grand nom a son double dans une autre époque, son écho dans Commynes, Saint-Simon ou Chateaubriand, ambition qui n'est pas plus condamnable que celle de vouloir visiter un pays étranger, une cathédrale ou un musée.

Là où commence le péché contre l'esprit de caste, c'est lorsque le nouvel admis dans un tel cercle en tire une vanité qui lui fait voir ses nouveaux pairs comme inférieurs à lui, puisqu'ils ont eu la faiblesse de l'accepter parmi eux. Alors succède en lui, à l'admiration pour la haute société, une affectation de dédain du vainqueur pour celui qu'il a vaincu, plus sûr moyen de forcer les dernières portes que l'adulation servile. Le monde aime celui qui le recherche ; il aime plus encore celui qui le fuit. La personne qui refuse une invitation pique l'amour-propre de celle qui l'invite et acquiert à ses yeux un surcroît de valeur. Enfin, le snob qui a réussi devient l'arbitre des convenances, intraitable sur le chapitre des mésalliances et des exclusives, car il lui importe de défendre sa position contre ceux qui voudraient suivre son exemple. Ainsi Bloch, dans *A la recherche du temps perdu*, finira-t-il par devenir, après avoir changé son nom en du Rozier, un modèle de bon ton. Le petit-bourgeois arrivé qui déclare : « On ne peut pas voir la duchesse de Montmorency parce qu'elle n'est pas née... », fera sourire cent personnes, mais il y en aura toujours quelques-unes qui le prendront au sérieux et répéteront ce verdict en étant persuadées de l'autorité mondaine de celui qui l'a rendu.

En attendant de se muer en censeur austère des mœurs des grands et de leurs mésalliances, Proust fait preuve d'un snobisme que l'on pensait qualifier de « scolaire », car il veut seulement se mettre à l'école de la haute aristocratie afin d'en retirer un bénéfice esthétique. Orfèvre en la matière, Montesquiou, dans son livre *Assemblée de notables*, verra dans *le bon snobisme* « celui qui consiste à se sentir amplifié par la fréquentation des êtres de valeur mentale et morale » et il précisera : « C'est de celui-là qu'on peut dire qu'il faudrait être bien sot pour ne pas le ressentir et le pratiquer. » C'est ce qu'il écrira, en termes presque identiques, à Mme Arman de Caillavet : « Nous voilà loin du snobisme, comme vous voyez, j'entends du mauvais, car il y en a un bon, celui qui consiste à se sentir charmé, sinon accru, par le voisinage des grands — d'esprit et de cœur. Celui-là, on s'en voudrait d'en être exempt[1]. »

C'est ce genre de snobisme que pratique l'abbé Mugnier, aumônier des salons et petit frère des riches, ingénument charmé par la fréquentation d'une aristocratie dont les tares et les lacunes — entre autres une extraordinaire indigence intellectuelle — lui paraissent largement rachetés par le faste des fêtes et l'apparat de la vie quotidienne. Avec une lucidité qui touche à la cruauté, l'abbé Mugnier a, un jour, admirablement défini le faubourg Saint-Germain à l'intention d'un snob qui, chaque fois qu'il le croisait dans un salon, lui demandait si c'était là le vrai faubourg Saint-Germain. Chaque fois, l'abbé lui répondait que non, si bien qu'une fois le parvenu s'était écrié :

— Mais alors ? Qu'est-ce que c'est que le faubourg Saint-Germain ? Serait-ce l'endroit où je ne suis pas ?

— Je ne voulais pas vous le dire..., lui avait benoîtement répondu l'abbé.

Il en est un peu de même en ce qui regarde Proust. Très vite, aux difficultés qu'il éprouve pour y pénétrer, il s'aperçoit que le prestige d'un salon tient plus aux gens qui n'y sont pas reçus qu'à ceux, même illustres, qu'on y accueille. Aussi déploiera-t-il tous ses efforts, fera-t-il agir toutes ses relations pour être accepté dans ces salons, où, une fois qu'il y sera, le mirage se dissipera. Il lui faudra partir à la conquête d'un autre salon, plus difficile encore d'accès, mais où sa réussite aura l'avantage, par la gloire qu'il en recueillera, de consolider sa position dans les salons déjà conquis. La plupart du temps le succès viendra trop tard, sans apporter le bonheur attendu, comme c'est également le cas pour l'amour, et Proust s'en fera l'écho dans *A la recherche du temps perdu*, écrivant mélancoliquement : « Nos désirs vont s'interférant et, dans la confusion de l'existence, il est rare qu'un bonheur vienne justement se poser sur le désir qui l'avait réclamé. »

Parfois le succès ne viendra jamais, certains salons, certaines maisons lui resteront obstinément fermés. Il faut aussi faire une distinction entre une invitation à un bal, à une réception où se trouvent conviées la Cour et la Ville, suivant l'expression

1. Pouquet, *Le Salon de Mme A. de Caillavet*, p. 227.

de l'Ancien Régime, et le fait d'être reçu dans l'intimité, en familier, comme l'est Swann chez les Guermantes. S'il peut arriver à Proust de recevoir un « carton » pour quelque garden-party dans un hôtel du noble Faubourg, il ne sera jamais invité en intime. Après la Grande Guerre, Thérèse d'Hinnisdaël, éprise de littérature et avide de nouveauté, invitera Proust à déjeuner dans l'antique hôtel familial, rue de Varenne, un des bastions du Faubourg. Lorsque son père apprendra la chose, il lui enjoindra de décommander Proust : « On ne reçoit pas des écrivains... », rappellera-t-il à cette fille émancipée.

S'il est un original connu, M. d'Hinnisdaël n'est pas une exception dans ce milieu où l'on mène une existence patriarcale, entre chasses et châteaux de juin à novembre, et Paris le reste du temps, mais sans participer à la vie parisienne telle que la décrit *Le Gaulois* ou tout autre journal mondain. Le véritable faubourg Saint-Germain est prude, austère et pieux, tout occupé de bonnes œuvres, de concerts et de ventes de charité. On y tient table ouverte, mais pour recevoir une innombrable parenté. Lorsqu'il faut donner un grand bal, pour la sortie officielle dans le monde d'une fille à marier, on verse scrupuleusement aux œuvres de l'Archevêché une somme équivalente à celle que l'on a dépensée pour cette fête où généralement la pauvreté du buffet contraste avec la richesse des boiseries ou du mobilier. L'argent, pourtant, ne manque pas, mais il est sagement placé, de manière à permettre de vivre des revenus du revenu. Une fois par mois, l'homme d'affaires de la famille vient apporter ce qu'il faut pour le train de vie courant. On le fait asseoir, ce qui est une grande marque d'estime pour son étude ou pour lui. Lorsque Mme de M..., fille d'un illustre maréchal et duc, convoque son banquier, elle le reçoit debout, dans le vestibule. Faubourg Saint-Germain, on ne reçoit qu'une catégorie de gens, ceux qui par leur naissance, leur fortune, leurs alliances, leurs opinions, leurs habitudes et leurs goûts ressemblent trait pour trait aux maîtres de maison. Les autres, c'est-à-dire ceux qui descendent d'acquéreurs de biens nationaux ou ont fait une fortune suspecte, ceux qui travaillent ou se sont ralliés à la République, ceux qui ont épousé leur cuisinière ou vivent avec une danseuse, ceux-là ne sont pas reçus. On fait quelques exceptions en faveur des orléanistes ou des bonapartistes, de même qu'on fait bon accueil à des cousins ruinés par le krach de l'Union générale, car on n'oublie jamais les liens du sang. De temps à autre, un souffle de libéralisme passe sur la jeunesse, avant que mûrie par l'expérience elle ne rentre dans le rang. Ainsi le comte de D... défend-il un jour le principe des mésalliances, ajoutant : « Il y a d'excellents partis dans la noblesse d'Empire... »

C'est ce faubourg Saint-Germain que la princesse Bibesco a décrit dans son roman *Égalité*, avec une justesse de trait qui a nui au succès du livre car elle y montrait une vérité désagréable aux modèles, trop éloignée de la légende pour le public.

Admirablement disposé par son intelligence et son esprit critique pour être le témoin de la société de son temps, Proust l'est aussi par le hasard de sa naissance qui, tout en étant un handicap, est aussi un avantage dans la mesure où elle lui donne le recul nécessaire pour observer un monde qu'il verrait beaucoup moins bien s'il lui appartenait. Issu de deux races et déjà passé d'un milieu dans un autre, encore éloigné de celui auquel il aspire, il aura sur les chrétiens l'œil ironique et sagace du Juif, et sur les Juifs le regard d'un chrétien sans tendresse et même sans charité. En bourgeois fraîchement promu, il jugera la noblesse sans complaisance, puis avec une certaine amertume, car elle l'aura déçu. Aristocrate intellectuel, il sera sans pitié pour cette bourgeoisie avide et jalouse qui ne dédaigne la noblesse que faute de pouvoir en faire partie. A cet égard, Mme Verdurin sera la plus féroce caricature que l'on puisse faire d'une classe sociale, imbue de sa force et incertaine de sa valeur.

A l'exemple de Saint-Simon, duc un peu nouveau riche, ou de Chateaubriand affectant de mépriser un monde auquel il ne s'est jamais senti complètement incorporé, n'étant pas né à Versailles, Proust se trouve placé suffisamment en dehors de la société parisienne pour la voir avec un œil neuf, propre à en saisir tous les détails et toutes les nuances. En plus de cet œil, qui est celui d'un scientifique, il a le regard d'un visionnaire qui lui fera mieux décrire ce qu'il a deviné que ce qu'il a vu, comme ces grands illustrateurs du XIXe siècle qui ont recomposé des paysages à partir de plates descriptions au-delà desquelles leur imagination entrevoyait la réalité. C'est ainsi que Proust aura du monde une vision qui, malgré son pessimisme, est infiniment plus vraie que celle, si falote ou si fausse, laissée par tant d'auteurs de Mémoires, incapables de se détacher de leur milieu pour le peindre sous ses couleurs véritables. « Un aristocrate n'aura jamais un vrai et original talent d'écrivain, note l'abbé Mugnier. Il est trop comme il faut. Il y a trop de domestiques entre lui et la réalité. Voyez les Broglie, d'Haussonville... Ils ne fraternisent pas avec les choses. Il n'y a pas de communion. Le talent tutoie[1]. »

L'art de Proust se manifestera de façon particulièrement éclatante dans son habileté à interpréter, à travers certains personnages porteurs de forces inconnues ou de grâces mystérieuses, un message dont eux-mêmes ignorent le contenu et, le connaîtraient-ils, seraient bien incapables d'en comprendre le sens. Que serait *A la recherche du temps perdu* écrite par le marquis de Saint-Loup, symbole pour le Narrateur de tout ce que celui-ci voudrait être ou posséder ? Mais l'œuvre ne serait pas non plus ce qu'elle est s'il n'y avait pas eu des jeunes hommes à l'image de Saint-Loup pour fournir au Narrateur son inspiration.

Rien n'illustre mieux la manière de Proust que son jugement sur ceux qui, à l'instar de Saint-Loup, parce qu'ils n'ont rien à prouver, veulent constituer, à l'intérieur de leur caste, une autre élite, applaudie et reconnue par les ennemis mêmes de l'aristocratie, ce qui est le snobisme des gens du monde, analogue à celui de certains aristocrates de la Révolution qui s'imaginaient, par un libéralisme affiché, voire des prises de position contre la noblesse, rallier les suffrages de leurs adversaires : « Elevée dès l'enfance à considérer son nom comme un avantage intérieur que rien ne peut lui enlever [une certaine aristocratie sait] qu'elle peut s'éviter, car ils ne lui ajouteraient rien, les efforts que sans résultat ultérieur appréciable font tant de bourgeois pour ne professer que des opinions bien portées et ne fréquenter que des gens bien-pensants. En revanche, soucieuse de se grandir aux yeux des familles ducales ou princières au-dessous desquelles elle est immédiatement située, cette aristocratie sait qu'elle ne le peut qu'en augmentant son nom de ce qu'il ne contenait pas, de ce qui fait qu'à nom égal, elle prévaudra ; une influence politique, une réputation littéraire ou artistique, une grande fortune. Et les frais dont elle se dispense à l'égard de l'inutile hobereau recherché des bourgeois et de la stérile amitié duquel un prince ne lui saurait aucun gré, elle les prodiguera aux hommes politiques, fussent-ils francs-maçons, qui peuvent faire arriver dans les ambassades ou patronner dans les élections, aux artistes et aux savants dont l'appui l'aide à « percer » dans la branche où ils priment,

1. Mugnier, *Journal*, 28 septembre 1905.

à tous ceux enfin qui sont en mesure de conférer une illustration nouvelle ou de faire réussir un riche mariage [1]. »

C'est cette aristocratie dans laquelle, en vertu même du principe qu'il a énoncé, ses talents vaudront à Proust d'être reçu, mais c'est souvent l'autre — où il se serait tellement ennuyé — qu'il tentera de décrire en poète plutôt qu'en mémorialiste. Sans renier les salons de Mme Aubernon, de Mme Straus ou de Mme de Caillavet, qui ont vu ses débuts, il en fréquente d'autres où il est plus difficile, et par suite plus flatteur, d'être reçu, encore que parfois le grand public s'y trompe et croie plus glorieux d'aller chez la princesse Mathilde, où de tristes universitaires remuent les cendres de l'Empire, que chez Mme Lebaudy ou Mme Legrand, une des femmes les plus « lancées » de Paris, chez Mme de Brantes ou Mme Stern.

Celle-ci représente un autre monde, celui du faubourg Saint-Honoré, déjà plus proche du faubourg Saint-Germain que de la société de la plaine Monceau. Dans son palatial hôtel [2] où la somptuosité de Byzance s'enveloppe du mystère des cathédrales, elle reçoit beaucoup, c'est-à-dire beaucoup de monde, d'un air majestueux qu'elle tient de l'impératrice Eugénie, sa voisine sur la Riviera. Née à Trieste, d'une opulente famille établie dans cette ville, carrefour de races et de civilisations, elle a épousé le banquier Louis Stern qui, en 1871, avait avancé au gouvernement provisoire une partie de l'indemnité de guerre exigée par Bismarck. « Grande et forte femme... au masque blême et autoritaire, écrit Ferdinand Bac qui fut un de ses intimes, son origine judaïque et son sexe s'effaçaient parfois pour donner l'impression parfaite d'une de ces figures énigmatiques de la Renaissance, faites de passion, de ruse, de charme et d'inquiétude... D'une politesse raffinée et italienne, tour à tour enjôleuse et onctueuse, elle savait la mesure exacte qui revenait à chacun... » Éclectique en art, elle ne l'est pas moins en amitié ou dans le choix de ses relations mondaines qui ne sont jamais assez nombreuses, assez brillantes : « Elle eût voulu tout dominer, poursuit Ferdinand Bac, tout absorber et tout aimer, le présent et l'avenir, le temps et l'espace. En attendant, elle dominait les princes et elle absorbait les évêques... elle aimait les poètes et les pianistes [3]. »

---

1. Pléiade, tome I, p. 427
2. Aujourd'hui le siège de l'Electricité de France, 68, rue du Faubourg-Saint-Honoré.
3. F. Bac, *Souvenirs inédits*, livre IV.

Au goût du monde, elle joint celui de l'ésotérisme et des mages, s'entourant de personnalités parfois étranges. Elle est bonne et généreuse, en dépit de l'ingratitude de ceux qu'elle a discrètement aidés. L'expérience atavique des tribulations d'Israël l'a rendue indulgente aux faiblesses humaines et plus curieuse des mystères du sacré que des misères du quotidien. L'entendant un jour critiquer par Mme Poncet, Ferdinand Bac prend sa défense en assurant que c'est « une brave femme », expression qui convient mal à son allure de hiérophante et l'abbé Mugnier rectifie doucement : « Oui, c'est une brave femme... une brave femme du Bas-Empire... [1] »

Sans doute est-ce Reynaldo Haln qui a présenté Proust à Mme Stern que ses familiers désignent sous le prénom viril d'Ernesta et qui signera ses livres du pseudonyme de Maria Star. C'est lui aussi qui amène Proust chez Alphonse Daudet à qui, naguère, celui-ci avait été présenté chez les Baignères.

Alors que Madeleine Lemaire ou Mme de Caillavet ne tiennent un salon que pour en tirer gloire et tâcher d'entrer ainsi dans l'histoire de leur temps, Alphonse Daudet a, rue de Bellechasse, à l'instar d'Edmond de Goncourt à Auteuil, un véritable salon littéraire où se retrouvent, attirés par sa séduisante personnalité, des peintres, des écrivains, des journalistes et même des notabilités du monde politique. C'est un pittoresque et brillant échantillonnage d'humanité que le maître de maison observe avec un double sentiment, fait de sympathie sincère pour l'être humain, quel qu'il soit, même pitoyable, et d'intérêt quasi scientifique à l'égard de ce que ces êtres si divers peuvent lui offrir en traits de caractères ou de mœurs.

A l'apogée de sa carrière, Alphonse Daudet touche, sans qu'il le sache, au terme de sa vie. Une syphilis contractée dans sa jeunesse a fait en lui des ravages auxquels les praticiens les plus renommés s'efforcent de remédier sans obtenir autre chose que de brefs répits dans le progrès du mal. Malgré des crises telles qu'il a failli plusieurs fois se suicider, malgré l'humiliation de se voir diminué physiquement, marchant avec peine ou soutenu par ses fils, obligé quelquefois de s'interrompre et de quitter la pièce tant il souffre, il a gardé son charme et la grâce juvénile qui lui ont valu tant de succès auprès des femmes. Nombreuses sont encore celles qui viennent l'assiéger sous différents prétextes, mais Mme Daudet veille et déjoue les manœuvres des intrigantes. Sa réussite, comparable à celle

1. F. Bac, *Journal*, 28 juin 1920.

de Dickens, ne l'a pas grisé. Il a conservé des manières simples et une fantaisie qui était un de ses attraits lorsqu'il avait débuté, sous l'Empire, comme secrétaire chez le duc de Morny. En dépit de ses fastueux droits d'auteur, que lui envient ses confrères, il a une générosité d'homme pauvre, insouciant de l'argent, toujours prêt à secourir un malheureux en difficulté, à lui trouver une place et même à lui pardonner son ingratitude. Courageux dans l'épreuve physique, aimant ses amis, leur restant fidèle malgré leurs défaillances, aimant plus encore la littérature et déplorant de la voir sans cesse trahie par des arrivistes sans talent, il est une belle figure du monde des lettres, infiniment plus noble que celle d'un Anatole France ou même d'un Maurice Barrès, bien que celui-ci soit déjà sacré « prince de la jeunesse ».

Creusé par la douleur au point qu'il a certains jours l'aspect d'un Christ crucifié, son beau visage un peu arabe s'est réincarné assez curieusement dans celui de ses deux fils, mais chacun ayant hérité d'un des types de la race : Léon, précocement empâté, gras, sonore et jovial, a l'air d'un marchand d'huile à Mostaganem et Lucien d'un jeune émir trop longtemps caché dans le harem pour échapper au poignard des assassins. Quant à leur sœur cadette, Edmée, filleule d'Edmond de Goncourt, elle est encore trop jeune pour paraître aux dîners ou aux réceptions de ses parents.

Rue de Bellechasse, toute le monde, à l'exemple du maître de maison, cultive les lettres. Mme Daudet prend des notes, les polit et prépare des souvenirs prématurés, ignorant qu'elle dépassera les quatre-vingt-dix ans et ne mourra qu'en 1940. Léon, qui a fait des études de médecine et vient d'épouser Jeanne Hugo, petite-fille du poète, a publié récemment un roman, *Les Morticoles*, fort dur à l'égard de la gent médicale. Enfin Lucien, qui n'a que quinze ans, se croit une vocation de peintre et, avant de se tourner vers la littérature, suit les cours de l'académie Julian.

Conduit par Reynaldo Hahn au 31, rue de Bellechasse, Proust y fait aussitôt la conquête de Mme Daudet qui, bien qu'habituée à la haute société depuis l'ascension de son mari, reste par certains côtés une petite bourgeoise sensible aux compliments exagérés qui lui paraissent le comble de la politesse alors qu'ils n'en sont qu'une mauvaise copie, sentiment partagé d'ailleurs par sa mère, la prude Mme Allard : « Je n'ai jamais rencontré un jeune homme aussi bien élevé que ce petit M. Proust... », déclare celle-ci. Plus fin, Alphonse Daudet discerne sous la banalité des propos du nouveau venu son acuité psychologique et dit un jour : « Marcel Proust, c'est le diable ! »

Sans doute ces dames réviseraient-elles leur jugement si elles pouvaient lire ce que ce jeune homme si bien élevé pense réellement de la maîtresse de maison. Relatant à Reynaldo Hahn un dîner chez les Daudet, au mois de novembre 1895, il juge avec sévérité les affectations de Mme Daudet, « charmante, mais combien bourgeoise » et raconte comment elle a tout fait pour embarrasser un ami de Léon, venu voir son fils sans le trouver, et qu'il avait fallu garder à dîner : « Au bout de cinq minutes, il était *l'intrus* et de temps en temps elle disait "Je ne connais pas Monsieur, je le vois pour la première fois". A moi déjà la première fois qu'allant la voir je la remerciais de m'y avoir autorisé elle me répondait : "M. Hahn me l'avait demandé", mot énorme ! L'aristocratie, qui a bien ses défauts aussi, reprend ici sa vraie supériorité, où la science de la politesse et l'aisance dans l'amabilité peuvent jouer cinq minutes le charme le plus exquis, feindre une heure la sympathie, la fraternité [1]. » Alphonse Daudet ne serait pas non plus très content d'apprendre que si Proust le trouve « délicieux, le fils d'un roi maure qui aurait épousé une princesse d'Avignon », il voit en lui, par allusion à une comédienne alors en vogue, « la Céline Chaumont du roman [2] ». Il se montre encore plus sévère en ce qui concerne le niveau de la conversation à table, « un affreux matérialisme, si extraordinaire chez des *gens d'esprit* » et une absence de réel bon goût qui fait préférer Musset à Baudelaire. Ce qui le frappe le plus est un certain esprit, faussement scientifique, au nom duquel Goncourt. François Coppée et le maître de maison expliquent le génie d'un auteur ou d'un artiste par les « habitudes physiques ou la race ». Ces théories le choquent, comme plus tard celles de Sainte-Beuve pour qui l'homme et l'œuvre forment un tout, l'un répondant de l'autre, sans dissociation possible. Ainsi apparaît dans cette lettre de jeunesse une première esquisse de ce qui lui inspirera douze ans plus tard son *Contre Sainte-Beuve*.

Devenu familier des Daudet, il est invité au fameux banquet offert le 1er mars 1894, par plus de trois cents personnalités du monde des lettres et des arts au vieil Edmond de Goncourt, occasion pour tous ces gens, dont la plupart se détestent, d'une

1. Kolb, tome I, p. 444.
2. *Ibidem*, p. 443.

éphémère réconciliation dans l'attendrissement général. C'est un beau coup d'œil pour un jeune homme aspirant à la gloire, humant son odeur mêlée à celle des vins, des cigares et des fleurs, avec la perspective de pouvoir dire un jour, en guise de consolation s'il n'a pas atteint son but : « J'y étais », comme l'antique Astier-Réhu, ce personnage de *L'Immortel*, répétant : « J'ai vu ça, moi. »

Au début de cette année 1894, il dîne à plusieurs reprises chez les Daudet, ce qui vaut infiniment mieux pour sa réputation que d'être vu chez Mme Aubernon ou chez Mme Beer, car rue de Bellechasse il est vraiment dans le sanctuaire des lettres, auprès du Dieu vivant, et non chez une de ces prêtresses qui ont une tendance fâcheuse à encenser de fausses idoles. Il le sent si bien qu'il écrira dans *Jean Santeuil* : « Elle avait vu dans un journal qu'à un dîner chez Alphonse Daudet, Jean Santeuil était parmi les convives, et elle déplorait que ses parents n'eussent pas gardé de relations avec un jeune cousin qui connaissait des gens de lettres et des artistes[1]. »

Une autre importante maison où ce bon génie de Reynaldo Hahn l'introduit également est celle de la princesse Edmond de Polignac, une Américaine brusquement passée de l'âge industriel à l'époque féodale en épousant successivement deux représentants d'illustres maisons.

Beauté métallique et froide, que n'ont point réchauffée de premières noces, vite annulées, avec le prince Louis de Scey-Montbéliard dont le titre n'existait pas plus que la fortune, la princesse Edmond de Polignac est la fille d'Isaac Singer, inventeur de la machine à coudre qui porte son nom, et d'une mère à demi française, Isabelle Boyer, dont on peut dire qu'elle n'est Américaine que par l'idée qu'elle se fait de l'Europe. Elle finira, comme une héroïne de Henry James ou d'Edith Wharton, remariée pour la troisième fois à un aventurier, un Belge, orné d'abord d'un titre luxembourgeois de vicomte d'Estenburg, puis d'un titre pontifical de duc de Camposelice.

Winaretta Singer, déjà connue pour son goût en peinture — elle achète à vingt ans une toile de Manet — a été fort liée avec Montesquiou qui, après qu'elle eut répudié Louis de Scey-Montbéliard, l'avait persuadée de se refaire une grande situation mondaine en épousant le prince Edmond de Polignac. Fils du ministre de Charles X, auteur des fatales ordonnances qui avaient déclenché la révolution de 1830, le prince Edmond

---

1. *Jean Santeuil*, Pléiade, p. 713.

est un compositeur d'un certain talent, qui a eu le premier l'idée d'auditions musicales accompagnées de projections d'images d'art au moyen d'une lanterne magique. Candidat boulangiste à Nancy en 1889, il s'était désisté en faveur de Maurice Barrès, en quoi il avait agi sagement, car il s'entend mieux aux arts qu'à la politique, encore qu'il ne soit pas dénué de cet esprit de repartie indispensable aux joutes des réunions électorales. Entendant la femme du docteur Blanche dire, le jour de ses tardives noces avec Miss Singer : « C'est le mariage de la machine avec la lyre », il avait répliqué : « Non, c'est le mariage du dollar avec le sou ! »

Malheureusement, Winaretta Singer a commis l'erreur de se brouiller, avant son remariage, avec Robert de Montesquiou et celui-ci, qui en avait été l'instigateur, se pose désormais en ennemi déclaré du couple, qu'il crible d'épigrammes. A propos d'un dîner par petites tables donné par la princesse, il approuve hypocritement l'idée : « Ce devait être charmant, ce dîner par petites tables de machines à coudre ! » Plus tard, dans son livre *Les Quarante Bergères*, il fera d'elle un portrait acide sous le nom de Vinaigretta. Olympienne, la princesse ignore ces flèches qui s'émoussent sur sa cuirasse d'indifférence. Elle n'est sensible qu'au charme des jolies femmes, comme le prince, en dépit de son âge avancé, l'est encore à celui des jeunes hommes.

Autres salons musicaux où l'amour de Reynaldo, si ce n'est toujours celui de la musique, entraîne Proust, ceux de la marquise de Feydeau de Brou, de Mme de Saint-Marceaux et de la marquise de Saint-Paul qui, toutes trois, fourniront bien des traits, en général des traits de ridicule, au personnage de Mme de Saint-Euverte dans *A la recherche du temps perdu*.

Mme de Saint-Marceaux est née Mlle Jourdain, fille d'un drapier d'Elbeuf. Elle a épousé en premières noces un Belge, M. Baugnies, puis le sculpteur René de Saint-Marceaux, auteur de la *Jeanne d'Arc* érigée sur le parvis de la cathédrale de Reims. Dans son hôtel du 100, boulevard Malesherbes, elle reçoit chaque vendredi, se partageant entre ses deux salons, l'un réservé aux véritables mélomanes, l'autre à ceux qui croient en être et le proclament si fort qu'ils en troublent les auditions.

Mme Feydeau de Brou, qu'on appelle familièrement « le vieux Zouave » parce qu'elle avait suivi le duc d'Aumale en Algérie, est moins célèbre par ses réunions musicales hebdomadaires que par la grande fête donnée chaque année pour son anniversaire, car elle ne craint pas de rappeler son âge. Peut-être en souvenir du siège de Paris, ou simplement par esprit d'économie, les invités sont priés d'apporter victuailles et rafraîchissements. Tous le font d'assez bonne grâce, en dépit de l'étrangeté du procédé, car la réunion est toujours amusante et si prisée que les ambassadeurs étrangers se croient tenus d'y aller en corps, comme pour la réception du premier janvier à l'Élysée.

Sa fille, la marquise de Saint-Paul, a hérité de ses habitudes, d'une partie de son salon ainsi que de son art de recevoir, servi par un esprit piquant qui lui a valu le surnom de *Serpent à sonates*. Comme toute femme qui se respecte, elle aime les princes, mais il lui est indifférent qu'ils soient Bonaparte ou Bourbons. Il lui est même agréable de les mêler si possible. Elle a été la maîtresse du prince Napoléon, le frère de la princesse Mathilde, et lui a fermé les yeux à Rome, d'où elle avait été priée de déguerpir par le roi Victor-Emmanuel. Hospitalière, elle est aussi très insistante, prête à toutes les flagorneries et toutes les concessions pour remplir son salon et s'assurer le concours de musiciens connus, terminant toujours ses lettres aux personnalités qu'elle invite par cette formule « Votre fervente admiratrice ». Exaspéré d'être persécuté par elle d'invitations, Saint-Saëns a fini par lui envoyer sa carte de visite avec cette réponse, écrite d'une plume rageuse : « Merde, re-merde et re-re-merde ! » Belle joueuse, elle a fait encadrer cet autographe incongru dont elle réussit à tirer fierté, car il n'est rien qu'elle ne sache faire servir à sa gloire.

*

De ces incursions musicales, Proust gardera davantage le souvenir du ridicule des extases, des cris de pâmoison, ou de la sottise des jugements que celui d'une intense communion avec le compositeur ou les exécutants, mais il apprécie de pouvoir ainsi entendre certains musiciens modernes encore contestés comme Debussy ou Fauré dont la *Sonate pour violon et piano* passe pour avoir inspiré, elle aussi, la sonate de Vinteuil.

Les salons littéraires, dont ceux de Mme Aubernon, de Mme de Caillavet ou de tant d'autres rivales lui ont déjà donné une idée, se révèlent aussi décevants que les salons musicaux pour ceux qui aiment vraiment soit les lettres, soit le monde. De lettres, beaucoup de ces dames ne connaissent que celles qu'elles écrivent chaque matin pour inviter, décommander, remercier, bref pour suffire à cette bureaucratie qu'impose l'art de recevoir. A force de régenter leurs salons, certaines de ces femmes sont devenues de véritables adjudants de service, passant d'un œil soupçonneux la revue de détail, comptant les petits fours, faisant l'appel des recrues, mobilisant les invalides ou les troupes les plus lointaines en cas d'urgence, jugeant sévèrement les défections et regrettant de ne pouvoir faire fusiller les déserteurs, surtout lorsque ceux-ci sont passés dans un autre camp, débauchés par une concurrente effrontée.

Innombrables alors dans une ville où toute bourgeoise arrivée veut avoir son jour, ces salons sont parfois utiles pour les écrivains qui les fréquentent, dans la mesure où ils y trouvent des modèles pour un roman, des anecdotes pour leur Journal, mais, en échange, ils doivent se plier aux caprices de femmes despotiques qui ne voient en eux qu'autant d'appâts pour attirer d'autres célébrités.

L'écrivain, ou l'artiste, est traité à la fois comme un dieu et comme un domestique, car tout en étant fêté, adulé, flagorné, il doit « servir », c'est-à-dire concourir par la plume, le geste et le verbe à la célébration de la maîtresse de maison qui, ce dieu lare venant à mourir, consacrerait moins de temps à le pleurer qu'à lui chercher un successeur. A cet égard, Mme Verdurin reste un modèle inégalé, mais souvent imité. Quant aux hommes et aux femmes qui font leur cour au grand homme attaché à la maison, comme un maître d'hôtel de ce bureau d'esprit, il n'y a pas chez eux plus de sincérité dans l'admiration, ou de désintéressement dans les rapports. On s'empresse autour d'un auteur illustre pour qu'il dise ce qu'il faut penser d'une pièce sans l'avoir vue, d'un livre sans l'avoir lu, d'un pays sans y être allé. Avec l'habitude vient la familiarité, puis l'indiscrétion. Il arrive aussi qu'on lui demande d'être un amant, et c'est la situation la plus fatigante, ainsi qu'Anatole France commence à le constater.

Même lorsqu'elles n'exigent pas cette marque d'allégeance, les femmes sont infiniment plus contraignantes que les hommes qui, même sans être très intelligents, ont en général un certain sens du ridicule et devinent obscurément la limite à ne pas franchir. Or, rien ne peut arrêter des femmes se disant férues de littérature. Il faut leur livrer ses idées, faciles à digérer, comme des pâtés de Chevet ou des petits fours de Boissier, donner sur toutes choses un avis bien net, facile à mettre en circulation, une opinion que l'on peut ensuite faire sienne, comme on enfilerait une robe de Worth ou de Redfern. Affamées de gloire et assoiffées de nouveau pour se renouveler elles-mêmes, éprises de bel esprit pour faire valoir le leur, ces monstres omnivores que sont les dames à salon possèdent néanmoins assez de finesse pour se rendre compte qu'elles fournissent ainsi à leurs commensaux mille raisons de se venger de leur tyrannie dans leurs œuvres, où elles sont parfois aisément reconnaissables, en dépit de certains travestissements, mais elles préfèrent encore ce martyre à l'éternel oubli auquel, sans cela, leur médiocrité les auraient vouées.

A cet égard, que de femmes, un moment célèbres pour leurs salons, doivent de reconnaissance à Proust qui les a sauvées des limbes, où elles auraient fini par s'effacer complètement, pour les précipiter dans son enfer où elles sont assurées de survivre, au prix de leur amour-propre.

Pour être juste, il faut reconnaître que les artistes, qu'ils soient peintres, écrivains ou musiciens, sont une espèce ingrate, difficile à satisfaire. Les compliments les plus gros glissent sur eux et ne laissent pas plus de traces que ces averses qui, après s'être abattues sur un désert, semblent un quart d'heure plus tard ne s'être jamais produites, tant leurs traces se sont vite effacées. Louer un artiste est une tâche aussi fastidieuse que de vouloir remplir le tonneau des Danaïdes. La vanité humaine est un abîme sans fond où s'engloutissent les meilleures dispositions, où se perdent les flatteries les plus ingénieuses et les attentions les plus délicates.

L'expérience de la vie mondaine ouvre à la fin les yeux de l'homme le plus aveuglé par l'éclat de ce monde et ferme les cœurs les plus enthousiastes, ce qui sera, dans ses dernières années, le cas de Proust. Déjà, en 1907, il laissera percer quelque chose de la déception que lui aura causée le commerce des grands noms et des gloires éphémères : « Sans doute, écrira-t-il dans un article sur les Mémoires de Mme de Boigne publié par *Le Figaro*, sans doute, bien souvent, cette impression moyenâgeuse donnée par leurs noms ne résiste pas à la fréquentation de ceux qui les portent et qui n'en ont ni gardé ni compris la poésie ; mais peut-on raisonnablement demander aux hommes de se montrer dignes de leur nom quand les choses les plus belles ont tant de peine à ne pas être inégales au leur, quand il n'est pas un pays, pas une cité, pas un fleuve dont la vue puisse assouvir le désir de rêve que son nom avait fait naître en nous ? La sagesse serait de remplacer toutes les relations mondaines et beaucoup de voyages par la lecture de *L'Almanach de Gotha* et de l'indicateur des chemins de fer... [1]. »

---

1. *Journées de lecture*, dans *Contre Sainte-Beuve*, Pléiade, p. 531.

Proust n'a pas atteint ce degré de désenchantement et s'il a déjà jugé le monde pour ce qu'il vaut, du moins trouve-t-il encore plaisir à y aller pour y trouver les éléments de l'œuvre, vague et confuse, qu'il entrevoit comme seul moyen de justifier ce gaspillage d'énergie et de temps.

Il rapporte en effet de ces soirées des anecdotes, des histoires, des visions de personnages qu'il évoque devant Montesquiou pour mesurer la portée d'un trait, la véracité d'une intuition ou simplement compléter son information, car le comte est une source inégalable de renseignements, sachant tout des familles et surtout ce que celles-ci veulent cacher. Dans sa superbe ingénuité, Montesquiou se moque volontiers des autres, du ridicule de leurs exhibitions, sans se douter que les siennes sont ensuite l'objet de commentaires encore plus cruels.

Pour le moment, il est fort occupé par la publication d'un recueil de poèmes, *Le Parcours du rêve au souvenir*, pour s'intéresser à autre chose qu'à sa propre gloire. En ridicule, ce nouveau livre ne le cède en rien au précédent. On y trouve des perles, comme celle-ci, dite *Cantonnade* :

*Depuis trop longtemps la Suisse*
*Fait sa cuisse,*
*Et je veux baisser les tons*
*Des Cantons.*

*Depuis trop longtemps, de Berne*
*Qui nous berne*
*Nous avons subi le joug,*
*Et le Zug...*

Lorsque Montesquiou lui avait proposé de lui dédier un poème, *Sérée*, Proust avait accepté, tout en lui reprochant de vouloir panser ainsi, par une gentillesse anodine, les blessures d'amour-propre qu'il ne cesse de lui infliger. « Mon admiration pour vous donne le prix prodigieux que vous imaginez à une dédicace de vous, écrit-il à son bourreau. Je ne vous prie pas pourtant de vous y décider si, m'ôtant d'une main ce que vous me donnez royalement de l'autre, vous mêlez à l'indulgence pour l'esprit la mésestime pour le cœur. Penser que vous vous intéressez curieusement aux diverses formes de l'être et n'avez pas plus de mépris pour le fourbe que pour le brave, l'un et l'autre dessinent inévitablement devant vos yeux une figure originale, qui cela consolerait-il ? » Et il ajoute, en conclusion :

« L'urne de votre souvenir a continué, depuis hier, à me verser le lait et l'encre que la magie du poète sait faire aussi suave que le lait — Votre méconnu et comblé, Marcel Proust [1]. »

Lorsque le livre paraît, au mois de juin 1895, il en remercie officiellement l'auteur en lui écrivant : « Me voici bien glorieux pour l'avenir et, revêtu maintenant par vous de la robe nuptiale, je pourrai cacher mes difformités... [2] » En fait, pauvre d'inspiration, et si mauvais de forme, un tel poème n'est qu'un haillon qui rendrait plus misérable encore la nudité qu'il devrait cacher. Qu'on en juge :

*Sous ces vivants colliers faits de fleurs d'oranger,*
*Elle venait aux rendez-vous de l'étranger,*
*Rieuse, insoucieuse, et singesse jolie.*
*Avec sa bouche large où le rire déplie*
*L'autre collier de fleurs d'oranger de ses dents.*
*Son teint de fleur d'orange, aussi, ses yeux dedans*
*Comme deux gros tirets de plumes allongées,*
*De sourires cillants et de regards frangées.*
*Elle me racontait des histoires :* Poucet,
Ma bouche sur ta joue, *et* La Femme à sept têtes !
*Elle avait la grâce élégante des bêtes*
*Spirituelles ; son bavardage poussait*
*Des cris comme des fleurs ; et pour son diadème*
*Demandait un ruban qui fût* couleur je t'aime !
*Ses colliers en marchant parfumaient le chemin*
*Jusqu'à l'heure d'ôter sa chemise en jasmin* [3].

Le pire est que cette pauvreté se trouve entre une fantaisie arabe d'un niveau inférieur à celui d'une comptine pour enfants et une autre pièce, intitulée *L'Homme-Femme*, qui ressemble à du Mallarmé concocté par un instituteur prétentieux.

Le mois suivant, convié à deux reprises à Versailles pour des matinées littéraires, il remplit son rôle de thuriféraire, mais on peut se demander s'il ne commence pas à se venger perfidement de cette sujétion en poussant Montesquiou dans la voie de cette extravagance par laquelle il finira par se discréditer. En effet, ses compliments hyperboliques semblent inciter Montesquiou à se compromettre encore davantage, à

1. Kolb, tome I, p. 372.
2. *Ibidem*, p. 401.
3. Montesquiou, *Parcours du rêve au souvenir*, p. 308.

gâter le peu de talent qu'il a par l'idée fort exagérée qu'il s'en fait. N'y a-t-il pas une discrète et en même temps perfide ironie dans cette lettre si laudative qu'il lui adresse après une visite au nouveau *Pavillon des Muses* pendant laquelle, une fois de plus, Montesquiou s'est imprudemment livré ? « On ne peut dire de choses que vous n'ayez mieux dites, et quand on vient de vous quitter, on sent que mille ombres vagues de pensées qui, au fond de nous, appelaient l'existence comme les ombres des êtres à venir dans *L'Énéide*, se sont enfin incarnées, de par vous qui les avez amenées à la lumière. Même sur des points d'expérience, une théorie comme celle de *l'épreuve de la très grande amabilité* est un des clous d'or par lesquels toute pensée indécise, toute conversation vacillante de nous autres qui sommes encore si peu fermes et sûrs de nous, est éblouie et fixée. C'est ainsi que sur chaque point de la vie, si j'aimais ou avais à disserter, je ne pourrais toujours que paraphraser ou affaiblir une épigraphe tirée d'une de ces causeries qui semblent être écrites sur la matière inaltérable d'un arc de triomphe, d'une cathédrale ou d'un tombeau. Votre sagesse a le feu de la passion. Aussi n'écrit-elle pas : elle grave[1]. »

*

Pendant ces premiers mois de l'année 1895, Proust a, de son côté, travaillé à sa propre gloire en réussissant à faire publier par *Le Gaulois*, le 21 juin, les *Portraits de peintre* que Louis Ganderax avait refusés pour la *Revue de Paris*. Ce sont des poèmes d'inspiration baudelairienne qu'il prétendra plus tard avoir écrits, du moins celui de Cuyp, en sortant d'une visite au Louvre alors qu'il était élève à Condorcet. Ces trois morceaux ne doivent en réalité dater que de 1891 et ils ont été remaniés avant leur publication. Proust les a d'ailleurs « essayés » sur le public en les récitant, le 21 mai 1895, à une soirée chez Madeleine Lemaire. Il semble que sa diction ait nui à l'effet, si l'on en juge par ce mot de Colette Willy à Proust : « Je veux vous dire maintenant combien nous avons trouvé fines et belles vos gloses de peintres, l'autre soir. Il ne faut pas les abîmer comme vous faites en les disant mal, c'est très malheureux...[2] »

---

1. Kolb, tome I, p. 410.
2. *Ibidem*, p. 385.

Proust lui donnera raison et, la semaine suivante, à une autre soirée chez Madeleine Lemaire, ses poèmes seront récités cette fois par l'acteur Le Bargy. Reynaldo Hahn les a mis en musique et le pianiste Risler, venu tout exprès de Chartres où il fait son service militaire, avait accompagné Reynaldo Hahn lorsque celui-ci les avait chantés à une autre soirée, le 21 mai.

Les quatre peintres ainsi livrés au public sont Albert Cuyp, Paul Potter, Watteau et Van Dyck dont Proust a écrit, en songeant à Edgar Aubert comme à Willie Heath :

*Tu triomphes, Van Dyck, prince des gestes calmes,*
*Dans tous les êtres beaux qui vont bientôt mourir...*

Aux peintres vont succéder des musiciens, Gluck, Mozart, Schumann et Chopin, mis également en musique par Reynaldo Hahn, mais leurs portraits sont moins bons, avec dans certains des vers déplorables, comme ceux-ci, dignes de Montesquiou :

*Dans ses jardins frileux il tient contre son cœur*
*Ses seins mûris à l'ombre, où téter la lumière...*

En revanche, on trouve dans le portrait de Schumann une ravissante allitération :

*Schumann, soldat songeur que la guerre a déçu...*

Ces poèmes, qui seront repris ultérieurement dans *Les Plaisirs et les Jours*, ne sont pas les seuls fruits de ses loisirs ; il a écrit une nouvelle, également refusée par Louis Ganderax, et il envisage de réunir ses divers essais pour les faire prendre par Arthur Meyer, au *Gaulois*, sous le titre général de *Château de Réveillon*. Stimulée par cette référence à sa châtellenie et se voyant déjà comme la duchesse du Maine à Sceaux, Madeleine Lemaire intervient auprès d'Arthur Meyer pour lui recommander son protégé, mais le directeur du *Gaulois*, qui n'aime que les grands noms, doit juger celui de Proust trop obscur, car il ne donne pas suite à ce projet.

Si l'on tient compte des nombreuses démarches qu'il effectue pour essayer d'entrer dans le sérail littéraire, de ses visites à tant de personnages influents, des concerts, des soirées dans le monde ou bien au théâtre auxquelles il assiste, de son abondante correspondance et surtout des heures tardives auxquelles il se lève, on se demande ce que Proust consacre de temps à ses études.

A la fin de mars 1895, il a pourtant été reçu à l'épreuve de philosophie de sa licence de lettres, effort dont il s'est remis en allant se reposer quelques jours au château de Segrez, chez son ami Pierre Lavallée. La sœur de son hôte, Anne-Marie Lavallée, une des nombreuses jeunes filles auprès desquelles Proust feint de soupirer, ne cache pas son antipathie pour cet invité si peu adapté aux séjours champêtres et le trouve « nonchalant et accablant », sans doute parce qu'il se lève tard et l'accable de ses fades galanteries.

Au retour, apprenant que trois postes non rémunérés d'attaché à la bibliothèque Mazarine vont être attribués par concours, il décide de tenter sa chance. Lorsqu'il apprend qu'il a été reçu, mais en troisième position seulement, ce qui le destine au dépôt légal, poste sans gloire, il invoque son état de santé pour demander au ministère de changer de place avec le deuxième candidat. L'administrateur de la Mazarine, M. Franklin, refuse en ajoutant : « M. Proust m'a paru jouir d'une très belle santé. » Finalement, le 24 juin, Proust est nommé par arrêté troisième attaché non rétribué à la Mazarine avec prise de fonctions au 1er août. Entre-temps, il est informé que le ministère le détache pour une période indéterminée au dépôt légal de l'instruction publique. Aussitôt, il réagit avec vigueur auprès de M. Franklin en lui disant que ce transfert est inacceptable : M. Hanotaux, le ministre des Affaires étrangères, que son père connaît très bien, appuiera, s'il le désire, une demande de congé, faute de quoi il donnera purement et simplement sa démission. L'affaire monte jusqu'au ministre de l'Instruction publique, M. Poincaré, qui lui accorde un congé de deux mois. Il n'a d'ailleurs pas attendu cette auguste permission pour accompagner sa mère à Kreuznach où il passera une partie du mois de juillet.

Il y retrouve, venu en voyage de noces, Robert de Billy qui a épousé le 4 juin Jeanne Mirabaud, fille de Paul Mirabaud, grand financier devenu régent de la Banque de France et, tout en se consacrant au couple, il commence son roman *Jean Santeuil,* première esquisse de *A la recherche du temps perdu*.

Dans la seconde quinzaine de juillet, il est de nouveau à Paris et rejoint l'ami de cœur, Reynaldo Hahn, chez la sœur de celui-ci, Mme Seminario, qui habite Saint-Germain-en-Laye. De là, tous deux font de petits voyages de découverte en Normandie. Un jour, c'est une excursion à Dieppe, chez « la Veuve », comme ses amis appellent entre eux Mme Lemaire et même sa fille ; une autre fois, on part à l'aventure dans la forêt normande, près d'Appeville-le-Petit, ce qui inspire à Proust une page, *Sous-Bois*, réminiscence d'un après-midi pendant lequel les deux jeunes gens, « couchés sur le dos, la tête renversée dans les feuilles sèches », contemplent le faîte des arbres oscillant sous la brise en « balançant la lumière sur leurs cimes et remuant l'ombre à leurs pieds [1] ». Lors d'une seconde visite aux Lemaire, à Dieppe, Proust est présenté par Reynaldo Hahn à Saint-Saëns, figure magistrale de la musique contemporaine, figure énigmatique aussi car, séparé de sa femme, il passe pour avoir les goûts qui viennent d'envoyer Oscar Wilde au bagne, mais, plus prudent, il a toujours eu la chance d'échapper aux maîtres chanteurs. Protégé en haut lieu, il mène une existence assez libre, mais il est assez avisé pour ne pas lasser la patience de la police et fait en Afrique du Nord de longs séjours qui sont pour lui de vivifiants bains de jouvence.

1. *Jean Santeuil*, Pléiade, p. 141.

# 8

# Septembre 1895 - Décembre 1897

*Séjour à Beg-Meil - Triste exemple d'Oscar Wilde -* Les Plaisirs et les Jours *- Progrès rétrospectifs de la jalousie - Un nouveau Narcisse : Lucien Daudet - Désir de revanche :* Jean Santeuil *- Mélancolique villégiature à Fontainebleau - Un malade intéressant - Un marinier d'égout : Jean Lorrain - Duel avec Proust - Humeurs de Montesquiou - Mort d'Alphonse Daudet.*

Revenus de Dieppe avec les deux *veuves*, Proust et Reynaldo Hahn repartent seuls pour Belle-Isle-en-mer où Sarah Bernhardt, l'été, transporte sa cour dans un vieux fort racheté à l'État. Coûteusement réaménagé par ses soins, l'endroit tient de l'atelier d'artiste et du cirque car on y voit, en plus des personnages bizarres qu'elle collectionne, toute une ménagerie d'animaux empaillés ou vivants, de l'alligator au chat-huant, du perroquet au boa. Le peintre Clairin, dit *Jojotte*, est son grand chambellan, Louise Abbéma sa dame d'honneur.

Comme celle d'un souverain, la présence de l'actrice est signalée aux populations par une bannière blanche portant la devise *Quand même* et flottant au sommet d'un grand mât. Ainsi prévenus, les indigènes assiègent le fort pour essayer d'apercevoir l'idole des Parisiens, mais celle-ci, vite lassée de cette curiosité, délègue la corvée à quelque amie qui, de loin, peut être prise pour elle. Très pénétrée de ses devoirs de châtelaine, elle se rend le dimanche à l'église du village pour se montrer aux fidèles, « bouleversante de simplicité ».

Les deux amis ne s'attardent pas dans ce pandémonium et le 6 septembre arrivent à Beg-Meil, petite station balnéaire du Finistère peu fréquentée, surtout en cette fin de saison, et ils descendent au petit hôtel Fermont. Bien que la Bretagne ait changé depuis l'époque où Gustave Flaubert la parcourait à pied, *par les champs et par les grèves* [1], le confort des hôtelleries laisse encore à désirer : « lieux charmants, écrit Proust à Gabriel de Yturri, où les pommes mûrissent presque sur les rochers mêlant l'odeur du cidre au parfum des goémons, au bord d'un lac de Genève fantastique, mais où n'existent même pas de cabinets [2] ».

Ils vont y passer un mois, dans une intimité de cœur et d'esprit qu'ils n'ont pu connaître à Paris où Proust est trop inféodé à ses parents, ni même à Réveillon, où Madeleine Lemaire est trop curieuse des intrigues sentimentales de ses amis, trop accaparante aussi. Dans ce coin perdu de Bretagne, où l'on ne sait rien de la dépravation des grandes villes, il leur est possible de vivre à deux sans faire scandale, l'ignorance des villageois leur conférant une espèce d'innocence. Ils peuvent d'autant mieux apprécier cette quiétude qu'ils ont tout frais à l'esprit le souvenir de l'affaire Oscar Wilde dont la condamnation s'est abattue sur Londres, et même sur Paris, comme le feu du ciel sur Sodome et Gomorrhe. Cela les incite à méditer sur les dangers de « l'amour qui n'ose pas dire son nom », comme l'a écrit lord Alfred Douglas dans un de ses poèmes.

Si bien des gens du monde et même des artistes naïfs ont pu croire que l'amour grec était la chaste prédilection d'un homme pour un adolescent, une source d'inspiration pour l'aîné, s'il est peintre ou écrivain, une école de sagesse et de science pour le cadet, les comptes rendus des journaux ont dissipé cette illusion. Des millions de lecteurs, passionnés par l'affaire, ont pu constater que le voile de l'antiquité grecque était un pavillon de complaisance couvrant de sordides marchandages, des vices qu'on croyait disparus depuis Tibère, ou du moins Gilles de Rais, des compromissions infâmes assorties de chantages pouvant mener au suicide ou au déshonneur, parfois aux deux, bref, ces honnêtes gens ont découvert un monde inconnu, souterrain, de véritables enfers dont ils ne soupçonnaient pas l'existence. Parmi ces lecteurs brusquement tirés de leur ignorance, les uns, les bien-pensants, sont effarés de voir cités par les chroniqueurs des noms de la haute noblesse, persuadés qu'ils étaient jusqu'alors que les grands seigneurs n'appartenaient pas tout à fait à l'espèce humaine et ne pouvaient en avoir les faiblesses ; les mal-pensants, au contraire, ceux dont les sympathies vont au peuple, s'indignent de voir

---

1. Titre du récit de ce voyage à pied fait avec Maxime Du Camp.
2. Kolb, tome I, p. 427.

celui-ci mêlé à l'affaire, de trouver de petits télégraphistes, des gâte-sauce, des domestiques convaincus de relations coupables avec d'autres hommes, de la classe supérieure ; enfin, l'armée frémit en apprenant que des soldats, pour arrondir leur solde, font concurrence, le soir, aux prostituées. La révélation de l'existence de maisons spécialisées, dont les pensionnaires étaient de jeunes hommes, a porté à son comble l'indignation teintée de quelque regret chez ceux qui, tout en joignant leur voix au concert réprobateur, regrettent de ne pas l'avoir su plus tôt. A peine la condamnation de Wilde à deux ans de travaux forcés a-t-elle été prononcée, le 22 mai 1895, que plusieurs membres de la haute société londonienne ont pris le train-paquebot pour Paris et certains, ne se jugeant pas suffisamment à l'abri en France, ont gagné l'Italie, voire l'Égypte.

Pour un jeune homme qui a rencontré Oscar Wilde et a déjà fréquenté des personnages de mauvais aloi, il y a là matière à reflexion. A Paris où, pour quelques esprits avertis, l'homosexualité de Wilde était patente, il y avait davantage de gens pour l'acquitter au bénéfice du doute, la plupart voyant dans ses allures et ses propos une attitude plutôt qu'une preuve. N'avait-il pas dit un jour : « Je ne crois pas que les gens qui se livrent à ces choses y trouvent autant de plaisir que moi à en parler... [1] » ?

Si Proust vit sa première liaison masculine avec Reynaldo Hahn, celui-ci, malgré sa jeunesse, a plus d'expérience en ce domaine puisqu'il a été l'amant de Saint-Saëns, et il sait par les chantages dont l'auteur de *Samson et Dalila* est régulièrement l'objet que ces amours illicites ne sont pas sans risques dès que l'on s'adresse à des partenaires hors de son propre milieu. Même si la loi française est moins sévère que la britannique, l'exemple de Wilde incite à la prudence, voire à l'hypocrisie. A cet égard, Proust aura toujours celle de nier son homosexualité, tout en laissant une œuvre qui n'est qu'une longue dénonciation de celle des autres, au point qu'à la fin de *La Recherche* le lecteur découvre que la plupart des personnages, en dépit des apparences, appartiennent soit au côté de Sodome, soit à celui de Gomorrhe.

A la condamnation judiciaire et mondaine s'ajoute l'interdit religieux et, dans le cas de Proust, cet interdit est double. Le *Lévitique*, au chapitre XX, 13, prévoit la mort pour cette

1. H. Montgommery, *Les Procès d'Oscar Wilde*, p. 142.

*abominable* infraction à la loi divine et saint Paul a prononcé la même interdiction. Malgré un certain relâchement de la morale chrétienne, la France républicaine ne se montre pas plus indulgente aux pécheurs de cette espèce, en qui les esprits les plus libéraux voient des malades, qu'il faut soigner, ou bien des fous, qu'il faut enfermer. Devant un tel ostracisme, il ne reste plus qu'à vivre en cachant soigneusement ses tendances et, si l'on y cède, ses amours, de manière à offrir à l'opinion publique une façade sans faille. Personne mieux que Proust ne saura montrer ce qu'est, dans ces conditions, l'existence d'hommes ou de femmes, murés vivants dans leur secret, mais s'en évadant parfois pour mener une autre vie, pleine d'embûches et de périls, avec la perpétuelle hantise d'être découverts, bien que pour certains cette crainte ajoute au plaisir. Enfin, Proust doit compter avec ses parents dont il lui faut ménager les sentiments. Certes, son père n'avait pas attaché d'importance exagérée à l'incident de Condorcet, n'y voyant à juste titre qu'une peccadille de collégien que le héros devenu grand, marié, oubliera complètement, mais sa mère, plus fine, plus proche de lui, a-t-elle deviné quelque chose ? Qu'a-t-elle pensé de son enthousiasme pour Edgar Aubert, puis pour Willie Heath ? Est-elle de ces mères qui, pour garder leur fils, préfèrent le voir trop lié avec un autre garçon qu'avec une femme qui deviendrait sa rivale et le lui ravirait ? Ce que l'on sait du caractère de Mme Proust le fait supposer, comme une nouvelle de Proust, *Confession d'une jeune fille*, permet de penser qu'elle a surpris quelque chose des amours hétérodoxes de son fils.

Dans cette nouvelle, l'héroïne, dont l'enfance rappelle étonnamment celle de l'auteur, est d'abord en butte aux sollicitations d'un cousin « déjà très vicieux » qui passe rapidement des paroles aux actes. Lui échappant, la jeune fille va trouver sa mère et lui raconte « toutes ces vilaines choses qu'il fallait l'ignorance de [s]on âge pour lui dire et qu'elle sut écouter divinement, sans les comprendre, diminuant leur importance avec une bonté qui allégeait le poids de [s]a conscience [1] ». Deux ans plus tard, l'héroïne, qui a seize ans, se fait détourner du droit chemin par un autre jeune homme aux « manières à la fois douces et hardies » et, en expliquant comment elle se laisse aller au plaisir par habitude, sans volonté assez forte pour briser celle-ci, Proust a ce commentaire significatif :

1. *Les Plaisirs et les Jours*, dans *Jean Santeuil*, Pléiade, p. 87.

« Alors je commettais envers ma mère le plus grand des crimes ; on me trouvait, à cause de mes façons tendrement respectueuses avec elle, le modèle des filles [1]. » Ainsi pervertie, la jeune fille, quatre ans plus tard, pour faire plaisir à sa mère, atteinte d'une maladie de cœur, se fiance. Un soir, en l'absence de son fiancé, elle retrouve son ancien séducteur et accepte de suivre celui-ci dans une petite pièce. Ils en verrouillent les deux portes et reprennent leurs jeux de naguère, lui avec le plaisir du *revenez-y*, elle avec ce sentiment de profanation qui sera un des *leitmotive* de l'œuvre proustienne : « Il m'apparaissait confusément maintenant que, dans tout acte voluptueux et coupable, il y a autant de férocité de la part du corps qui jouit et qu'en nous autant de bonnes intentions, autant d'anges purs sont martyrisés et pleurent [2]. » S'ils ont pensé aux portes, les amants ont oublié la fenêtre. Soudain, dans la glace, la jeune fille voit se refléter la silhouette de sa mère, passée par le balcon et regardant la scène, hébétée, avant de s'évanouir, terrassée par une crise cardiaque. Certaine ainsi d'avoir tué sa mère, la malheureuse héroïne veut se tuer à son tour, mais se manque et avant de mourir quelques jours plus tard, elle a tout le loisir de savourer sa fin, avec un masochisme indéniable.

Dans cet étrange récit, certains passages, par leur invraisemblance même, résultat d'une maladroite transposition, ont un accent de vérité. Il est fort possible que Proust ait été surpris par sa mère dans ce que les Anglais appellent si littérairement *a criminal conversation* et que Mme Proust en ait été, sinon tout à fait renseignée, du moins navrée, tout en gardant l'espoir qu'un jour une aimable jeune fille ramènerait son fils dans le droit chemin. On peut conjecturer qu'elle n'ignorait pas la nature de certaines amitiés de Proust par ce passage d'une lettre que celui-ci lui écrira d'Évian le 22 septembre 1899 : « Je ne te cacherai pas que le docteur Cottet me paraît tout à fait emballé sur mon compte. Habite-t-il Paris l'hiver ? Bien entendu (et je n'ajoute cette remarque stupide qu'à cause de l'imagination de ma mère), je dis emballé dans un bon sens et ne va pas t'imaginer que c'est une mauvaise relation, grand dieu ! ! ! ! » De son côté, Maurice Duplay affirme dans ses *Souvenirs* que Mme Proust connaissait les mœurs de son fils et en souffrait, tout en gardant l'espoir d'une conversion. Lorsque Duplay passait chercher Proust pour dîner tous deux en ville,

---

1. *Les Plaisirs et les Jours*, dans *Jean Santeuil*, Pléiade, p. 91.
2. *Ibidem*, p. 95.

elle lui disait parfois : « Quand vous sortez avec Marcel, que vous allez ensemble au restaurant ou au théâtre, tâchez d'emmener de jolies femmes [1] ! » Peut-être aussi pensait-elle que la présence de celles-ci avait au moins l'avantage de détourner les soupçons et de désarmer la malveillance.

*

A son retour de Beg-Meil, où il a commencé d'écrire *Jean Santeuil*, Proust retrouve avec davantage d'esprit critique une société dont l'éclat lui avait jusqu'alors caché certaines lacunes. Cet esprit critique s'exerce en particulier sur Montesquiou qu'il singe à la perfection, attendant à peine le départ du comte pour faire de celui-ci des imitations d'autant plus piquantes que le modèle était encore là, quelques secondes plus tôt, et qu'on entend sa voix stridente dans le vestibule. Rien n'amuse davantage Lucien Daudet, volontiers moqueur, et tous deux rivalisent si bien à imiter Montesquiou qu'ils ne peuvent plus voir celui-ci sans être pris de fou rire. A un geste pompeux du gentilhomme, à une inflexion cocasse de sa voix, une déplorable hilarité les saisit, qu'un regard soupçonneux et courroucé de leur victime achève de déchaîner. C'est une situation fort gênante pour des jeunes gens ambitieux qui, s'ils veulent faire carrière dans le monde, doivent éviter de se brouiller avec Montesquiou. Aussi prennent-ils l'initiative d'écrire à celui-ci pour le prier d'excuser ce qui n'est chez eux qu'un mal passager, une espèce de danse de Saint-Guy de l'esprit : « Il faut, puisque vous êtes si gentil, expliquent les deux larrons, que vous nous rendiez un service ce soir, dont comprendront seulement l'importance ceux qui connaissent l'horreur *inéluctable* de certaines calamités physiques. Depuis huit jours, nous ne pouvons, Lucien ni moi, nous retrouver en présence l'un de l'autre sans être pris et gardés par le plus aveugle, le plus douloureux et le plus irrésistible fou rire. Et si nous ne savions pas maintenant que vous seriez chez Delafosse, nous n'y serions pas allés à cause de cela. Comme Delafosse ou Gregh pourraient s'en blesser, vous serez bien gentil de leur dire de ne pas être plus susceptibles que M. et Mme Daudet qui depuis huit jours supportent avec patience et calment par leurs consolations ce mal d'autant plus hideux qu'il prend une des expressions de l'âme et peut tromper par là sur les intentions de celle-ci. La

1. M. Duplay, *Mon ami Marcel Proust*, p. 138.

nôtre est pour vous pleine d'affection et de respect. Marcel Proust, Lucien Daudet[1]. »

Malgré son hypocrisie, le procédé ne semble pas avoir abusé Montesquiou qui a d'ailleurs peut-être été informé par quelque bonne âme des cruelles parodies dont il est l'objet. En tout cas, il manifeste de l'aigreur et brandit ses foudres, que Proust se hâte de détourner par une autre lettre pour lui dire, d'une manière un peu embarrassée, que ces imitations ne sont qu'un excès d'admiration et que seuls les méchants peuvent y voir autre chose. « Quant au rôle de commis voyageur de votre esprit, qui n'en avait pas besoin, j'y ai dès longtemps renoncé, lui écrit-il le 13 décembre 1895, et, même pour vous faire plaisir, le reprendre est la seule chose que je ne ferais pas... Si l'on vous a dit plus, et si l'on a parlé de caricature, j'invoque votre axiome : *Un mot répété n'est jamais vrai*. Je suis fort à l'aise, moi si scrupuleux et inquiet pour le reste de ma vie, quand il s'agit de vous, n'ayant jamais laissé déborder sur les autres que mon admiration pour vous qui, Dieu merci, n'est pas près de tarir. Aussi j'ai été un peu humilié en voyant que mes *dernières créations*, comme vous dites, étaient prises en un sens fort peu créateur et que vous me parliez avec la bonne grâce méprisante qu'un Fuster[2] peut inspirer... [3]. »

Il serait d'autant plus fâcheux pour lui de s'aliéner Montesquiou qu'il s'apprête à faire un début officiel dans les lettres et si l'appui de Montesquiou ne peut l'y aider beaucoup, son hostilité, surtout traduite en une de ces formules dont il a le secret, pourrait en revanche faire sombrer le livre dans l'oubli, son auteur dans le ridicule. Pour le succès de cette opération, Proust a tout mis en œuvre. Après s'être fait longtemps prier, Madeleine Lemaire a livré les illustrations promises, d'une fadeur insigne et d'un conventionnel au-delà du convenu. Pour être sûre qu'Anatole France, récemment élu à l'Académie française, écrirait la préface, Mme Arman de Caillavet en a rédigé une partie. Reynaldo s'est exécuté pour la musique. Proust n'attend plus que les épreuves, mais Calmann-Lévy, qui a fini par accepter le recueil, tarde à les envoyer. Il réussit à en obtenir un jeu, titré *Château de Réveillon*, puis, au mois d'avril 1896, un second jeu, avec le titre définitif, *les Plaisirs et*

1. Kolb, tome I, p. 450.

2. Poétereau suisse, directeur de *l'Année des poètes*, revue dans laquelle Proust vient de faire paraître trois de ses *Portraits de peintres*.

3. Kolb, tome I, p. 451.

*les Jours.* Anatole France a poussé la complaisance jusqu'à se pencher sur le texte et en chasser quelques fautes.

Pour assurer une certaine publicité à cette naissance au monde littéraire, Proust a obtenu que la préface passera en prépublication dans *Le Figaro.* Les lecteurs de ce journal apprennent donc, le 9 juin, que si ce recueil, qui paraîtra le 12, est « jeune de la jeunesse de l'auteur... [il] est vieux de la vieillesse du monde ». Après avoir rappelé ce que le titre doit à Hésiode, France souligne que Proust « excelle à conter les douleurs élégantes, les souffrances artificielles, qui égalent au moins en cruauté celles que la Nature nous accorde... ». Et il le loue pour son art qui « n'est pas tout à fait innocent. Mais il est si sincère et si vrai qu'il en devient naïf et plaît ainsi. Il y a en lui du Bernardin de Saint-Pierre dépravé et du Pétrone ingénu...[1] ».

Malgré le hiatus de la dernière phrase, celle-ci a du trait. Elle restera longtemps fichée dans le personnage que Proust donne ainsi de lui-même, un personnage falot et précieux qui ne correspond plus à ce qu'il est devenu, à celui qui vient d'écrire une remarquable étude sur Chardin dans laquelle apparaît non seulement le futur auteur d'*A la recherche du temps perdu*, mais sa méthode : révéler au grand jour la face cachée des choses : « Dans ces chambres où vous ne voyez rien que l'image de la banalité des autres et le reflet de votre ennui, Chardin entre comme la lumière, donnant à chaque chose sa couleur, évoquant de la nuit éternelle où ils étaient ensevelis tous les êtres de la nature morte ou animée, avec la signification de sa forme, si brillante pour le regard, si obscure pour l'esprit[2]. »

A la préface de France succède la dédicace du livre, écrite avant le scandale Oscar Wilde et bien faite pour achever de compromettre son auteur au regard de ceux qui ont décelé en lui quelques points communs avec l'auteur du *Portrait de Dorian Gray.* A l'origine, Proust voulait associer Edgar Aubert et Willie Heath dans la même dédicace, mais les parents d'Aubert, consultés, avaient prudemment décliné l'offre, comme plus tard la princesse Edmond de Polignac refusera de voir le nom de son mari en tête d'*A l'ombre des jeunes filles en fleurs.*

En effet, dans sa longue dédicace, Proust laisse clairement paraître qu'il n'était pas seulement sensible à l'élégance morale

1. *Les Plaisirs et les Jours*, dans *Jean Santeuil*, Pléiade, p. 4.
2. *Essais et articles*, dans *Contre Sainte-Beuve*, Pléiade, p. 374.

de Heath, mais aussi à son charme adolescent qu'il compare à celui du *Saint Jean Baptiste* de Léonard de Vinci. Bref, cet hommage est un peu une déclaration d'amour posthume et il faut reconnaître à Proust du courage pour l'avoir maintenue. Il est vrai que si peu de gens lurent le livre qu'à l'époque elle passa presque inaperçue.

Quand Proust deviendra célèbre et que ses admirateurs rechercheront tout ce qu'il avait écrit avant de l'être, ils découvriront qu'*A la recherche du temps perdu* se trouvait en germe dans ce recueil où figuraient déjà quelques-uns des thèmes qu'il développera dans son roman, mais c'est seulement à la lumière du génie de *La Recherche* que ses exégètes en distingueront les prémices dans *Les Plaisirs et les Jours*. Pour le lecteur contemporain de sa parution, ce premier ouvrage n'est ni un chef-d'œuvre ni même une œuvre, mais un assemblage composite, ressemblant moins à un livre qu'à un comptoir de vente de charité où s'entassent ces bibelots, inutiles et démodés, dont les propriétaires se débarrassent tout en se donnant bonne conscience : aquarelles fanées, miroirs ternis, saxes ébréchés, argenterie d'un mauvais titre ou, pire, souvenirs de villes d'eaux, de voyages ou séjours en Suisse.

Il y a en effet dans *Les Plaisirs et les Jours* un disparate de fond de tiroir, les épaves d'une jeunesse oisive et gaspillée. Le recueil s'ouvre par une longue nouvelle, *La Mort de Baldassare Silvande*, écrite à Réveillon l'année précédente et publiée le 28 octobre 1895 par la *Revue hebdomadaire*. Des épigraphes tirées de Shakespeare en relèvent la fadeur. *Violante ou la mondanité* se voit suivie par *Fragments d'une comédie italienne* avec, parmi ceux-ci, un texte, *Les Amis de la comtesse Myrto*, première esquisse du mécanisme mondain que Proust saura si bien démontrer. *Mélancolique villégiature de Mme de Breyves* et la *Confession d'une jeune fille* apportent comme *Violante* et *La Fin de la jalousie* une note plus personnelle, mais les *Rêveries couleur de temps*, si elles donnent une impression d'amateurisme distingué, révèlent une sensibilité artistique et une acuité d'observation plus intéressantes que la psychologie assez sommaire des nouvelles mondaines. Dans un *Éloge de la mauvaise musique* apparaît une note vraie, qui frappe par sa justesse et sera la clef de la théorie de la mémoire involontaire. A propos d'un « cahier de mauvaises romances, usé pour avoir trop servi », Proust déclare qu'il doit nous toucher « comme un cimetière ou comme un village », car il est intimement lié à la vie de ceux qui ont aimé ses refrains populaires et sentimentaux, à ces « âmes tenant au bec *(sic)* le rêve encore vert qui leur faisait pressentir l'autre monde, et jouir ou pleurer dans celui-ci[1] ».

Il y a beaucoup de maladresse, d'enfantillage et de naïvetés dans ce livre, d'invraisemblances aussi lorsque Proust effectue des transpositions. Négligeant le certificat de talent délivré par Anatole France, le premier d'ailleurs à se plaindre des phrases interminables de l'auteur, les critiques se montrent sans indulgence à l'égard du livre, lorsqu'ils veulent bien en parler.

Seuls deux d'entre eux discernent l'originalité de ce nouvel écrivain. Dans la *Revue encyclopédique* du 22 août 1896, Charles Maurras juge la langue « pure, transparente, sans rythme trop sensible, mesurée par un goût exquis », et il reconnaît à l'auteur « une sagesse drue et malicieuse ». L'hommage est curieux venant d'un homme qui, cinquante ans plus tard, dénoncera en Proust un des corrupteurs de la pensée française. Peut-être, comme le suggère M. Yves Sandre, Maurras, alors débutant lui aussi dans la carrière des Lettres, a-t-il voulu se concilier un protégé de Mme Arman de Caillavet pour avoir ses entrées avenue Hoche.

Dans *La Liberté* du 26 juin 1896, Paul Pertet voit prophétiquement un auteur moderne en Proust parce que celui-ci « exprime des sentiments que l'on a dans le moment où nous sommes et qu'on n'eut point en d'autres moments », phrase un peu gauche, mais qui montre en quoi l'art de Proust sera vraiment original, c'est-à-dire en exprimant l'impression réellement éprouvée au lieu de plier celle-ci aux règles traditionnelles du style ou du conformisme littéraire. C'est ce que Proust résumera par cette formule : « Si j'écris que j'aime Albertine, je biffe et j'écris que j'ai envie d'embrasser Albertine. » Paul Pertet juge les nouvelles « très psychologiques, passablement hardies, toujours attachantes » bien que les personnages en soient revêtus d'« oripeaux » et que les décors en restent « vagues ». Pour conclure, il prédit à l'auteur un bel avenir d'écrivain, car « il a mis dans son premier ouvrage tout ce qu'il a vu, pensé, observé. *Les Plaisirs et les Jours* deviennent *(sic)* ainsi le miroir littéraire d'une âme et d'un esprit. Tant d'autres ne remplissent ou ne farcissent leurs premiers écrits que d'imitations inconscientes ou d'emprunts sans vergogne ».

Bien entendu, les amis font leur devoir en disant du bien du livre, mais ils le disent sans grande conviction. Dans le numéro du 1er juillet 1896 de la *Revue blanche*, Léon Blum écrit

1. *Les Plaisirs et les Jours*, dans *Jean Santeuil*, Pléiade, p. 122.

que « M. Proust a réuni tous les genres et tous les charmes », mais il laisse entendre que le livre « trop coquet et trop joli » est un peu inférieur à ce que l'on pourrait attendre de son auteur qui devra faire mieux la prochaine fois.

Dans la *Revue de Paris*, Fernand Gregh se montre ambigu, soulignant avec une certaine ironie les artifices employés par Proust pour attirer l'attention du public : « ... il a fait appel, avec une sorte de timidité, aux amitiés les plus précieuses pour l'introduire dans la vie littéraire. On pourrait dire qu'il a réuni autour du livre nouveau-né toutes les fées bienfaisantes. L'usage est d'en oublier une ; il nous semble pourtant qu'ici elles étaient toutes conviées. Chacune a donné à l'enfant une grâce : la première une mélancolie, la seconde une ironie, la troisième une mélodie particulière. Et toutes ont promis le succès... »

Hélas ! le succès se fait attendre et les exemplaires restent enfouis dans les caves de l'éditeur. Le livre a un défaut majeur, qu'aucun critique n'a relevé : il coûte 13,50 francs, ce qui est presque inconvenant pour un auteur débutant[1]. Les amis de Proust, navrés de le voir tomber, définitivement croient-ils, dans l'amateurisme, lui donnent une petite leçon en consacrant à son recueil un des sketches d'une revue jouée chez Jacques Bizet. Imitant la voix de Proust, Léon Yeatman dialogue avec un comparse, censé représenter le critique Ernest La Jeunesse, affreux nabot dont l'air vieillot contredit le nom et qui a débuté en commençant par injurier tous les auteurs à la mode :

PROUST — Est-ce que vous avez lu mon livre ?
LA JEUNESSE — Non, monsieur, il est trop cher.
PROUST — Hélas ! c'est ce que tout le monde me dit... Et toi, Gregh, tu l'as lu ?
GREGH — Oui, je l'ai découpé pour en rendre compte.
PROUST — Et toi aussi tu as trouvé que c'était trop cher ?
GREGH — Mais non, mais non, on en avait pour son argent.
PROUST — N'est-ce pas ?... une préface de M. France : quatre francs... des tableaux de Madame Lemaire : quatre francs... De la musique de Reynaldo Hahn : quatre francs... De la prose de moi : un franc... Quelques vers de moi : cinquante centimes... Total : treize francs cinquante ; ça n'était pas exagéré ?
LA JEUNESSE : Mais, Monsieur, il y a bien plus de choses

1. Environ 220 francs 1990.

que ça dans l'*Almanach Hachette*, et ça ne coûte que vingt-cinq sous !

PROUST *(éclatant de rire)* : Ah ! que c'est drôle !... Oh ! que ça me fait mal de rire comme ça[1] !

En fin de compte, c'est un double échec : des 1 500 exemplaires tirés par Calmann-Lévy, il ne s'en vendra que 329 en vingt-deux ans. De plus, ce livre que personne n'a lu, ou peu s'en faut, va donner à Proust une réputation de dilettante qui non seulement persistera presque jusqu'à la fin de sa vie, mais lui nuira lorsqu'il essaiera de faire publier *Du côté de chez Swann*.

*

Rien ne lui réussit d'ailleurs en cette année 1896 où les deuils s'ajoutent aux déceptions. Ses rapports avec Montesquiou demeurent à la fois tortueux et tendus. D'une susceptibilité toujours en éveil, le comte prend ombrage de la moindre parole imprudente, d'une flatterie qui ne lui paraît pas assez ingénieuse, d'une divergence d'opinions ou simplement d'un manque d'enthousiasme pour épouser une de ses querelles ou partager une de ses phobies. Ce sont de perpétuelles chicanes, d'aigres disputes dans lesquelles Proust laisse le dernier mot à Montesquiou « Votre mécontentement... ne peut m'inspirer que des regrets et des remords, lui écrit-il le 30 avril 1896. Mais voici ce qui m'a peiné et tant étonné de vous. J'ai toujours été le plus gentil que j'aie pu avec vous et, si ennuyeux, si peu agréable que vous me trouviez, vous devez reconnaître l'excellence, l'ardeur de mes intentions pour vous. Or la façon dont vous avez répondu à Mme Lemaire au Champ-de-Mars pour les hortensias pouvait, si elle était moins bonne et moins inattentive, me causer... *un tort véritable*[2]. »

Montesquiou n'a cure de ces protestations et continue de laisser tomber sur son disciple la grêle de propos durs et parfois très méprisants jusqu'au moment où la victime regimbe et tient tête à son persécuteur. C'est ce qui se produit un jour que le comte a dû faire des réflexions désobligeantes sur les Juifs et attendre son approbation, car Proust lui écrit le lendemain : « Je n'ai pas répondu à ce que vous m'avez demandé hier des Juifs. C'est pour une raison très simple : si

1. Cité par A. Maurois, *A la recherche de Marcel Proust*, p. 85.
2. Kolb, tome II, p. 57.

je suis catholique comme mon père et mon frère, par contre ma mère est juive. Vous comprenez que c'est une raison assez forte pour que je m'abstienne de ce genre de discussion. J'ai pensé qu'il était plus respectueux de vous l'écrire que de vous répondre de vive voix devant un second interlocuteur [1]. »

La mort de son oncle Louis Weil, le 10 mai, en ravivant ses souvenirs d'Auteuil, a peut-être aussi réveillé en lui la conscience de son appartenance à une race que la condamnation de Dreyfus, l'année précédente, a soudain mise en question devant l'opinion publique. Louis Weil est mort comme il a vécu, en épicurien, sans souffrir et presque sans se rendre compte de son état. Ne voulant pas qu'elle apprenne cette disparition par les journaux, Proust en a prévenu personnellement Laure Hayman qui, pour ne pas choquer la famille, n'a pas voulu assister à l'inhumation au Père-Lachaise, mais a envoyé des fleurs. Cette discrétion et cet ultime hommage au vieil homme touchent vivement son neveu qui l'en remercie avec émotion : « Quand le bicycliste a eu rejoint avec votre couronne l'enterrement sans fleurs (c'était la volonté de mon oncle), quand j'ai su que c'était de vous, j'ai éclaté en sanglots, moins de chagrin que d'admiration. J'espérais tant que vous seriez au cimetière pour y tomber dans vos bras... [2]. »

Un mois et demi plus tard, le 30 juin 1896, c'est son grand-père, Nathé Weil, qui disparaît à son tour, emportant avec lui une autre partie de ses souvenirs d'enfance, figure familiale dont il essaiera de figer l'image dans *Jean Santeuil*. Enfin, le 16 juillet, Edmond de Goncourt meurt chez les Daudet, à Champrosay. Proust adresse ses condoléances à Lucien Daudet qui, dans son cœur, commence à supplanter Reynaldo Hahn : « C'est un bien grand malheur et je vous plains tout particulièrement parce que vous avez si bon cœur et que Monsieur de Goncourt vous aimait beaucoup. Il aura dû à vos parents les seules douceurs de sa vieillesse et sans doute de sa vie... [3]. »

Le vieil homme amer s'est montré d'ailleurs moins reconnaissant de ces « douceurs » que les Daudet pouvaient légitimement l'espérer. Son testament réservera des surprises. Mme Daudet aura celle de se voir léguer une grue en tôle peinte, perfide symbole et peut-être vengeance d'outre-tombe.

Depuis quelques mois M. de Goncourt n'était pas le seul à

---

1. Kolb, tome II, p. 66.
2. *Ibidem*, p. 64.
3. *Ibidem*, p. 96.

« aimer beaucoup » Lucien Daudet. Sensible au charme oriental de l'adolescent, Proust s'était vite aperçu que celui-ci était encore plus sensible à l'impression qu'il pouvait produire sur autrui, Narcisse épris de sa propre image. Lorsque Proust avait commencé de fréquenter la rue de Bellechasse, Lucien était encore trop jeune pour assister aux soirées de ses parents, mais il l'avait néanmoins souvent rencontré, l'avait emmené au concert et même invité à goûter boulevard Malesherbes. Pour le 1er janvier 1896, il lui avait offert une boîte en ivoire, un travail du XVIIIe siècle, dont le couvercle portait gravés sous un motif antique ces mots *A l'amitié.* Une nouvelle passion couvait alors que celle pour Reynaldo Hahn commençait à décroître. Si, au mois de juillet, Proust écrit encore à celui-ci qu'il est, avec sa mère, la personne qu'il aime le plus au monde, il n'en est plus de même à la fin de l'été, soit que Reynaldo ait cédé la place, excédé par la jalousie maladive de Proust, soit que celui-ci ait trouvé en Lucien Daudet un admirateur plus facilement influençable et surtout plus disponible.

Certes, par la chaude sensualité de son regard et de sa voix, par son charme et un esprit si proche du sien, Reynaldo Hahn a été un moment pour lui l'ami si désiré depuis son adolescence, mais il lui faut sans cesse l'arracher à son travail, à ses engagements musicaux qui l'obligent à des tournées à l'étranger, aux femmes du monde qui le veulent pour leurs soirées, occasions multiples de rencontres qui peuvent être dangereuses pour leur amitié. Et comme si disputer Reynaldo Hahn au monde ne suffisait pas, Proust, non content d'avoir la présence intermittente du jeune compositeur, et sa fidélité présumée, veut posséder aussi le Reynaldo qu'il n'a pas connu, lui faire confesser le secret de ses premières amours, bref reconquérir un passé qui lui échappe. Rien de plus éprouvant, pour celui qui en est l'objet, que cette jalousie rétrospective, car tout ce qu'il avoue, ne serait-ce que par lassitude, se retourne contre lui, ouvrant ainsi la voie à de nouvelles interrogations, plus pressantes puisqu'elles s'appuient désormais sur des aveux. Si par malheur il cache quelque chose et se trouve démasqué, cette dissimulation, en ajoutant un nouveau grief aux anciens, enlève tout crédit aux aveux qu'il a pu faire et rouvre ainsi son procès.

Pour son tourment, Reynaldo Hahn est soumis depuis quelque temps à une semblable inquisition à laquelle il s'est d'abord prêté de bonne grâce, flatté sans doute d'inspirer un intérêt aussi passionné, puis il s'est lassé en voyant que chaque aveu suscitait un nouveau soupçon et qu'un jour, n'ayant plus rien à révéler, il lui faudrait inventer pour nourrir le monstre affamé de la jalousie proustienne. Après avoir, le 20 juin 1896, solennellement juré à Proust qu'il lui dirait tout, sans rien lui cacher, il refuse désormais de se prêter à ce jeu, ce qui lui vaut une lettre éplorée dans laquelle son inquisiteur essaie de justifier son obsession : « Aussi m'avez-vous dit la seule chose qui soit pour moi *blessante*. J'aimerais mieux mille injures. J'en mérite souvent, plus souvent que vous ne croyez. Si je n'en mérite pas, c'est dans les moments d'efforts douloureux où, en épiant une figure, ou en rapprochant des noms, en reconstituant une scène, j'essaie de combler les lacunes d'une vie qui m'est plus chère que tout, mais qui sera pour moi la cause du trouble le plus triste tant que dans ses parties les plus innocentes elles-mêmes je ne la connaîtrai pas. C'est une tâche impossible, hélas ! et votre bonté se prête à un travail de Danaïdes en aidant ma tendresse à verser un peu de ce passé dans la curiosité. Mais si ma fantaisie est absurde, c'est une fantaisie de malade, et qu'à cause de cela il ne faut pas contrarier. On est bien méchant si on menace un malade de l'achever parce que sa manie agace [1]. »

Il est symptomatique de voir Proust brandir la maladie — et cette fois il ne s'agit pas d'asthme — comme une arme pour obliger autrui à se plier à sa volonté, sans songer un instant qu'il serait plus normal d'essayer de guérir cette maladie plutôt que de contraindre son entourage à la partager. Cette explication ne suffit d'ailleurs pas à rétablir l'harmonie de leurs rapports, sans cesse troublés par les exigences de Proust et les dérobades de Reynaldo Hahn. Peu après, celui-ci, secouant le joug, manifeste son indépendance en refusant un soir, au sortir d'une réception, de rentrer avec Proust, épisode qui se retrouvera, transposé, dans *Un amour de Swann* lorsque Odette de Crécy reviendra d'un dîner au Bois, non dans la voiture de Swann, comme elle le faisait d'habitude, mais dans celle des Verdurin. Bien entendu, un tel crime ne demeure pas impuni. Le coupable reçoit une longue et douloureuse lettre, pleine de reproches et de bonnes raisons pour justifier ces reproches, pleine de menaces aussi, comme celle de lui rendre un jour tout le mal qu'il lui a fait. Au grief de lui avoir si cavalièrement faussé compagnie, pour préférer ostensiblement celle de quel-

1. Kolb, tome II, p. 97.

qu'un d'autre, s'ajoute le ressentiment de voir que Reynaldo s'obstine à ne pas « tout lui dire » et lui a même déclaré une fois qu'il se repentirait de cette exigence. Avec acrimonie, il déplore le changement survenu dans les sentiments de Reynaldo à son égard : « Vous ne sentez pas le chemin effrayant que tout cela a fait depuis quelque temps que je sens combien je suis devenu peu pour vous, non par vengeance ou rancune, vous pensez que non, n'est-ce pas ? et je n'ai pas besoin de vous le dire, mais inconsciemment, parce que ma grande raison d'agir disparaît peu à peu. Tout au remords de tant de mauvaises pensées, de tant de mauvais et bien lâches projets, je serais bien loin de dire que je vaux mieux que vous... » mais Proust le lui laisse entendre et, après quelques considérations attristées sur ce déclin d'affection, il achève en usant encore du langage enfantin qu'il avait adopté dans ses rapports avec l'ingrat pour signer : « Votre petit poney qui après cette ruade rentre tout seul dans l'écurie dont vous aimiez jadis à vous dire le maître [1]. »

Ces nuages se dissiperont un peu au cours de l'été. Du Mont-Dore, où il séjourne avec sa mère, il lui adresse une lettre plus tempérée pour se faire pardonner de l'avoir peiné, pour lui annoncer aussi qu'il le délie de son serment du 20 juin : « ... à l'avenir ne me dites plus rien, si cela vous agite », mais il se hâte d'ajouter qu'il sera toujours à sa disposition pour recueillir ses confidences. Pour expliquer ce besoin de tout exiger d'un être, il a cette phrase étonnante, et digne du futur Narrateur d'*A la recherche du temps perdu* : « A tous les moments de notre vie, nous sommes les descendants de nous-mêmes et l'atavisme qui pèse sur nous, c'est notre passé, conservé par l'habitude [2]. »

Lucien Daudet, qui tient désormais la place de Reynaldo Hahn, a moins de génie, et même de talent que celui-ci, mais une conscience encore plus vive de son pouvoir de séduction. De sa beauté parfaite, quoiqu'un peu apprêtée, il est le premier séduit au point d'avouer qu'il ne peut passer devant une glace sans s'y regarder. « Il était beau, écrira Ferdinand Bac, mince, brun à peau mate, au masque impénétrable, à la voix chaude et métallique. Sa beauté physique et toute méridionale s'alliait à une élégance soulignée et aussi violente que la contrainte de

1. Kolb, tome II, p. 101.
2. *Ibidem*, p. 105.

ses ressentiments[1]. » Il s'habille en effet avec une recherche et en même temps une rigueur qui le vieillissent un peu, lui ôtant le naturel de la jeunesse pour lui donner la silhouette un peu compassée d'une gravure de mode.

Portant un nom célèbre, il regrette de n'appartenir qu'à l'aristocratie de l'esprit et en fera un jour l'aveu : « J'aurais tout donné pour que notre nom s'écrivît avec un d'...[2]. » Il est passionnément snob, avec cette ferveur mystique des martyrs, prêt à tous les sacrifices d'amour-propre pour un succès mondain : « Lorsque je dîne en ville, explique-t-il, j'aime être en bout de table. C'est la preuve que je suis chez des gens bien. »

Intelligent, mais d'une sensibilité presque hystérique et d'une susceptibilité digne de Montesquiou, il offre un déconcertant mélange d'élans charmants et de rancœurs inavouées, de gentillesses sincères et de noirs soupçons qui fait de lui, avec une précoce et prodigieuse culture, un sens raffiné de l'Art, un personnage un peu inquiétant, comme pouvait l'être un favori d'Henri III, cachant un stylet sous ses dentelles et offrant des dragées empoisonnées avec une exquise politesse. « Son raffinement, dira Ferdinand Bac, relevait de toute une harmonie esthétique, commune aux anormaux supérieurs, son goût avait un fumet de mépris. C'est le propre des générations arrivées rapidement à un grand bien-être, à une grande culture ou à une grande puissance[3]. »

Son drame, car c'en est un dont il finira par mourir, c'est d'être « écrasé par le nom de son père et la bruyante renommée » de son frère aîné, « double gloire dont l'une était un honneur et l'autre un éteignoir », mais toutes deux ne lui laissent aucune place personnelle et feront de lui « un révolté supérieur.. dont le génie fut avorté dès la puberté, étiolé par trop d'éléments contraires à son éclosion ». Il y a en lui, diagnostique Ferdinand Bac, « une lutte sourde et continue contre la tradition bourgeoise de son ascendance maternelle, contre les idées toutes faites de son temps, contre la violence apostrophante de son frère et même contre les lois établies par la nature[4] ».

André Germain, qui fut quelque temps son beau-frère, confirme ce jugement de Bac en lui reconnaissant le même

1. F. Bac, *Souvenirs inédits*, livre II.
2. R. de Saint-Jean, *Passé pas mort*, p. 274.
3. F. Bac, *Souvenirs inédits*, livre II.
4. *Ibidem*, livre II.

don qu'à Proust : celui d'une « sensibilité excessive qui colore toutes choses, avive les couchers de soleil, surexcite les musiques, rend presque hystériques les deuils et les joies ». Comme Proust, dont la gloire achèvera d'éteindre la sienne, « Lucien trouvait pour parler des livres qu'il avait lus, des tableaux qu'il avait regardés, des épithètes jaunes comme le soleil, ou violemment rouges, qui incendiaient soudain livres et tableaux. Ses jugements sur les êtres, ses aveux sur lui-même étaient d'une extraordinaire acuité qui — si elle ne réveillait jamais l'âme et n'atteignait jamais à l'essentiel — vous offrait cependant l'illusion d'un kaléidoscope fascinant et bigarré. Enfin, comme Proust dans maints passages de ses livres, il pleurait sans cesse... [1] ».

En attendant que leurs caractères trop semblables ne s'affrontent et qu'une certaine lassitude espace leurs rapports, les deux jeunes gens sont dans l'enchantement de leur mutuelle découverte. Chacun de ces deux Narcisse prend l'autre pour un miroir et s'y regarde avec complaisance. Leur enchantement est-il allé au delà du miroir ? Il est difficile de le dire et l'on peut imaginer qu'existe entre eux cette intimité qu'ont les femmes de harem, intimité poussée parfois jusqu'aux plus tendres épanchements, mais faite surtout de confidences, de potins, d'échanges d'adresses ou de cadeaux, bref un commerce frivole et presque infantile qui n'exclut pas cependant chez Proust une réelle tendresse pour ce garçon de dix-huit ans semblable à celui qu'il aurait voulu être au même âge et à qui la vie semble tout offrir pour s'être seulement donné la peine de naître.

Son engouement pour Lucien ne l'empêche pas d'apprécier aussi Léon Daudet, si différent, au moral comme au physique, de son jeune frère. Malgré sa carrure de charretier et son verbe d'imprécateur, Léon Daudet a de la finesse d'esprit, de la drôlerie et parfois une désarmante ingénuité, comme celle de ne jamais en vouloir à ses victimes et de s'étonner que celles-ci ne fassent pas preuve à son égard de la même longanimité. Volcan bouillonnant d'injures, d'épithètes incongrues, mais cocasses, il n'a pas son pareil pour tracer en quelques mots la caricature d'un ennemi, d'un adversaire politique ou simplement de quelqu'un qu'il a pris subitement en grippe, sans savoir pourquoi, possédant comme son frère et Proust un remarquable don d'imitation et partageant leur

1. A. Germain, *Les Clés de Proust*, p. 165.

horreur des lieux communs, des *louchonneries*, c'est-à-dire des phrases toutes faites comme « la grande bleue », pour la Méditerranée, « nos petits soldats », pour l'armée française, « la verte Érin », pour l'Irlande, expressions qui sont censées faire loucher d'horreur les gens d'esprit.

Bien que d'une virilité agressive et toujours prêt à pourfendre la race de Sodome, il ne soupçonne rien de la véritable nature de son frère, ni de celle de Proust, ne voyant en eux que des créatures délicates et charmantes qu'il est de son devoir de protéger, d'aider, d'encourager. A leur égard, il montre la bonne volonté fraternelle et pataude d'un vieux sergent pour de jeunes recrues. Lorsque, bien des années plus tard, Lucien, dans les affres d'une passion malheureuse et au bord du suicide, aura la malencontreuse idée de confier ses tourments à son frère, celui-ci tombera de son haut : « Il en reçut un tel choc, raconte André Germain, qu'il en pleura, sans interruption, pendant trois jours... [1]. »

Ce n'est pas avec l'ensorcelant Lucien, mais avec l'orageux et vivifiant Léon que Proust, au mois d'octobre 1896, va passer quelques jours à Fontainebleau pour y travailler en paix au roman qu'il a promis à Calmann-Lévy, bien que l'éditeur, échaudé par la mévente des *Plaisirs et les Jours*, ne lui ait vraisemblablement rien demandé. Ce roman, il l'a commencé à Beg-Meil l'année précédente ; il a tenté de le continuer à Paris et il en a déjà écrit une bonne partie, mais sous une forme fragmentaire, et il a encore beaucoup à faire s'il veut remettre le manuscrit à l'éditeur le 1er février 1897.

*

Ce roman, Proust, le premier, se demande si c'en est un. Dans un projet de préface, il écrit : « C'est moins peut-être et bien plus, l'essence même de ma vie, recueillie sans y rien mêler, dans ces heures de déchirure où elle découle. Ce livre n'a jamais été fait, il a été récolté [2]. » C'est d'ailleurs ce qui en fait son intérêt, car outre qu'il apporte de précieux renseignements sur la jeunesse de son auteur, il éclaire sa psychologie à cette époque de sa vie en montrant chez lui un besoin de revanche, contrepartie d'une profonde insatisfaction, causée peut-être par des humiliations jamais avouées.

---

1. A. Germain, *Les Clés de Proust*, p. 165.
2. *Jean Santeuil*, Pléiade, p. 181.

*Jean Santeuil* se présente, dans sa forme inachevée, comme un conte de fées dans lequel le héros, prince égaré chez de braves gens qui ne le comprennent pas, retrouve avec le duc et la duchesse de Réveillon ses véritables parents, avec leur fils Henri le frère qui lui a toujours manqué, n'en déplaise à Robert Proust. Cette éclatante revanche sur le sort a pour apothéose, un soir à l'Opéra, son apparition au bras du roi du Portugal qui lui fait faire le tour de la salle, à la confusion et au dépit de tous ceux qui avaient cru pouvoir dédaigner ce petit jeune homme insignifiant.

En mélangeant souvenirs et rêves, Proust a essayé de recréer un passé tel qu'il aurait voulu l'avoir vécu. La première rectification qu'il impose à son destin est de supprimer son ascendance juive en faisant de sa mère une chrétienne de souche. Évoquant Mme Marie, épouse d'un familier des Santeuil, il écrit : « C'était une Juive, et il avait fallu l'ascendant de son charme et l'expérience de ses vertus pour que Mme Santeuil, issue d'un milieu où pesait sur les Juifs la défiance la plus profonde, ait pu s'attacher à une Juive comme à une sœur. Mais à toute créature de bonne foi, une intelligence et une bonté divine, un charme surhumain produisent immédiatement leurs titres [1]. »

Le récit de son enfance annonce celui qu'il en fera dans *Du côté de chez Swann*, avec la scène du baiser du soir, les souvenirs d'Illiers, de la lanterne magique au jardin du Pré-Catelan, sans oublier les aubépines et la cuisinière Ernestine, préfiguration de la fameuse Françoise. Les chapitres consacrés à son adolescence, ses amours juvéniles avec Marie Kossichef, première incarnation de Gilberte Swann, se retrouveront, après de multiples modifications dans *A la recherche du temps perdu*, mais amputés des souvenirs d'une vie de collège, si bien que le Narrateur passera brusquement de la campagne aux salons, de l'enfance à la mondanité.

Cet éveil au grand monde aristocratique a pour Jean Santeuil une importance encore plus grande que celui de ses sens. Le véritable tournant de sa vie est le jour où, au lycée Henri-IV, il se lie avec Henri de Réveillon, héritier d'une des plus anciennes maisons de France. Inversant une fois de plus le cours du destin, Proust ne montre pas le modeste Jean Santeuil attiré par le fils des Réveillon, mais celui-ci voulant à toute force acquérir l'amitié du jeune bourgeois, sans grand espoir

1. *Jean Santeuil*, Pléiade, p. 581.

d'y parvenir : « Mon pauvre petit, fait observer la duchesse à son fils, je suis bien triste de te voir épris d'un ami, charmant peut-être, mais qui doit être élevé à nous détester tous. On dit que son père a des idées très avancées. Mais si ses parents le lui permettent, amène-le ici [1]. »

Et voilà Jean Santeuil introduit, presque malgré lui, au cœur du faubourg Saint-Germain, au sens mythique du mot, car l'hôtel de Réveillon doit se situer quelque part du côté de l'enceinte de Philippe-Auguste, à en juger par ce que Proust écrit du *Salon des adieux*, ainsi nommé en souvenir de la visite faite par Saint Louis, avant de partir pour une croisade, à Geoffroy III, duc d'Aquitaine et de Réveillon. Comme dans un roman d'Hector Malot, le jeune bourgeois séduit toute la maison, de la duchesse au dernier valet de pied, par son air « simple, pensif et doux ». Dans son enthousiasme pour ce lycéen si modeste, la duchesse lui accorde « toutes les qualités longtemps tenues assemblées en réserve comme dans une layette, toutes prêtes pour l'ami d'Henri, s'il lui en naissait un [2] ».

Bien entendu, ce sont les Santeuil qui se montrent difficiles en apprenant cette nouvelle relation de leur fils. Pour eux, Jean se déclasse, en attendant de se corrompre, avec ces aristocrates qu'ils imaginent comme ceux d'Émile Augier ou de Jules Sandeau, c'est-à-dire vaniteux et sots, entichés de leur noblesse et incapables de s'intéresser au reste du genre humain. Un soir que Jean doit dîner « en famille » chez les Réveillon, Mme Santeuil, sous prétexte que ses sorties nuisent à son travail, lui interdit de s'y rendre. Comme Jean s'étonne et regimbe, elle fait appel à l'autorité de son mari, qui confirme la sentence, ajoutant que si Jean ne veut pas travailler mieux, il n'aura plus qu'à quitter la maison... En même temps, Mme Santeuil envoie un domestique porter un mot à l'hôtel de Réveillon pour prévenir que son fils n'ira pas dîner ce soir-là, ni quelque autre jour. Blanc de colère, humilié de cette algarade en présence du maître d'hôtel, Augustin, qui voit ainsi que « la situation de fils de famille n'était pas exempte des vicissitudes qui marquent la vie des vieux domestiques », Jean Santeuil éprouve une froide colère qui lui fait crier à ses parents : « Vous êtes deux imbéciles ! » et il sort en claquant la porte dont l'applique de verre se fracasse. Réfugié dans sa

---

1. *Jean Santeuil*, Pléiade, p. 234.
2. *Ibidem*, p. 406.

chambre, il se laisse aller à toute la haine qui a envahi son cœur au point que se souvenir « d'une heure où il eût pensé tendrement à ses parents lui était intolérable [1] ». Cherchant sur qui, ou sur quoi, assouvir cette rage, il casse un verre de Venise que sa mère lui avait offert, mais ce geste, qu'il veut sacrilège, au lieu de le soulager, ne lui fournit qu'un nouveau grief contre ses parents dont la conduite l'a poussé à cette extrémité.

Cette scène est intéressante, car Proust ne l'aurait pas écrite avec une telle intensité s'il n'avait réellement éprouvé les sentiments qu'il attribue à son héros et qui rendent ces pages frémissantes de violence et de vérité. Certes de tels accès sont fréquents chez des adolescents lorsque leurs parents contrarient maladroitement leurs désirs, mais l'élément neuf, qui annonce l'art de Proust, est la scène suivante dans laquelle Jean Santeuil, ayant soudain froid, cherche un vêtement dans la penderie. Fouillant au hasard, il décroche un manteau de velours noir dont la seule odeur lui rappelle sa mère lorsque celle-ci, dix ans plus tôt, vêtue de ce manteau, venait l'embrasser dans son lit avant de sortir. L'image de Mme Santeuil, encore jeune et belle, sans l'altération de la maladie, de la souffrance qu'il a pu lui causer depuis quelques années, s'impose avec une telle force à sa mémoire qu'il sent sa haine s'apaiser pour céder la place à « l'irrésistible envie d'embrasser encore sa mère ainsi ». Et, foudroyé par cette brusque résurgence du passé, d'un bonheur oublié dont il prend conscience maintenant qu'il l'a perdu, il tombe à genoux au pied de son lit, pleurant sur la jeunesse et la beauté de sa mère, emportées toutes deux par la fuite du temps, de ce temps qui finira par emporter aussi sa mère « sans que rien d'elle ne subsistât comme si elle n'avait jamais été [2] ».

Aux larmes de rage succèdent des pleurs d'attendrissement sur sa mère, qui donnerait sa vie pour lui, sur son père, incompréhensif mais prévoyant, qui ne travaille tant que pour assurer à ce fils un avenir à l'abri des soucis financiers, si bien qu'aux pleurs d'attendrissement succèdent enfin des larmes de repentir. Traînant le manteau de velours, instrument de cette conversion, il gagne la salle à manger, où ses parents commencent de dîner, pour faire amende honorable. Sa mère, d'abord récalcitrante, cède devant ce baiser de paix qu'il va

1. *Jean Santeuil*, Pléiade, p. 416.
2. *Ibidem*, p. 420.

déposer ensuite sur le visage de son père, « malgré l'expression farouche et bornée de celui-ci ». Tout rentre dans l'ordre, mais le dernier mot revient à Mme Santeuil qui, bien que catholique dans le roman, murmure à l'oreille de Jean, lorsque celui-ci lui avoue avoir cassé exprès le verre de Venise : « Ce sera comme au temple le symbole de l'indestructible union[1]. »

En signe de réconciliation, les Santeuil consentent à ce que leur fils fréquente l'hôtel de Réveillon où Jean va donc trouver son véritable foyer, avec des parents adoptifs plus intelligents et surtout plus flatteurs que les siens, un frère idéal et enfin des succès propres à le venger de toutes les avanies essuyées au lycée comme des affronts reçus dans le monde lorsqu'on ignore ses liens avec les Réveillon.

En lisant *Jean Santeuil* — ou plutôt les fragments de ce livre collationnés de manière à leur donner la structure d'un roman — on y voit, comme dans *Les Plaisirs et les Jours*, la même incapacité de l'auteur à créer un héros typiquement masculin. Jean Santeuil est un homme, certes, pris entre sa quinzième et sa vingtième année, mais c'est aussi une jeune fille tendre et calomniée à la recherche d'un protecteur, une orpheline virtuelle à qui manque un bras robuste pour affronter un monde hostile et rendu plus acerbe encore devant son incroyable ascension sociale. Pour imposer silence aux mauvaises langues, la duchesse de Réveillon part en guerre contre son propre entourage et mobilise tous ses fidèles, sommés de suivre ses mots d'ordre ou d'obéir à ses arrêts de proscription. Une femme qui s'est mal conduite vis-à-vis de Jean est ainsi vouée à l'ostracisme. Craignant que le bon cœur de Jean ne s'émeuve de cette mise à l'index, la duchesse lui interdit d'aller chez elle par charité : « Mon petit Jean, je vous le défends, entendez-vous. Je vous aime comme mon fils, je peux bien vous parler comme votre mère, et quand vous le lui raconterez, je suis sûre qu'elle me donnera raison. Depuis que je sais ce qu'elle vous a fait, je défendrai à tous nos amis d'aller jamais chez elle. Je ne parle pas de mes amies, car je sais qu'il n'en est pas une, excepté cette folle d'Éléonore, qui soit allée se fourrer dans cette souricière. N'allez pas chez tous ces gens-là. Vous aurez bien assez, si vous voulez sortir, de nos amis qui vous adorent déjà tous, qui vous traiteront comme si vous étiez le

---

1. *Jean Santeuil*, Pléiade, p. 432. Cette phrase de Mme Santeuil a été réellement prononcée par Mme Proust, faisant ainsi allusion à un usage de la religion juive. L'incident est corroboré par la Correspondance.

frère d'Henri, un frère plus intelligent et qui me flatte beaucoup en voulant bien causer avec nous. N'est-ce pas que j'ai raison, Sire ? » Et elle prend à témoin le roi du Portugal, de passage à Paris, qui rejoint aussitôt la coalition formée pour assurer le triomphe de Jean Santeuil sur ses contempteurs [1].

Accusé par l'un de ceux-ci de tricher aux cartes, Jean est obligé de se battre en duel. Le duc de Réveillon ne laisse à personne l'honneur d'être son premier témoin et lui indique, comme second, un général des plus connus qui sera trop heureux d'assister un jeune homme si lancé.

Ce duel est évidemment un nouveau triomphe pour Santeuil qui sort vainqueur de cette épreuve, mais son plus grand triomphe est son apparition à la soirée des Lustaud, où une société malveillante attendait avec curiosité son arrivée, car une cabale s'était formée pour lui infliger une humiliation définitive. Aussi Jean, qui le sait, se présente-t-il à la porte de l'hôtel Lustaud comme un condamné montant à l'échafaud. En génie bienfaisant qu'il est, le duc a déjoué les complots des méchants ; il a chargé un domestique de dire à M. Jean de renvoyer sa voiture, car il espérait que M. Santeuil lui ferait l'honneur de revenir dans la sienne. Cette marque de faveur, répétée par le domestique à ses camarades, a fait grande impression sur la livrée, mais malgré l'accueil empressé de celle-ci, celui des invités se révèle froid et même hostile. On dévisage Jean avec insolence, on le toise avec mépris. Santeuil, pour se donner une contenance, offre son bras à Mme de Cygnerolles qui lui fait comprendre qu'elle n'a besoin de personne et accepte aussitôt celui de M. Marmet. Alors paraît la duchesse elle-même, au bras d'une altesse royale, le duc de Lituanie : « Souffrant comme vous êtes ces temps-ci, vous avez besoin d'un bras plus fort que celui de Mme de Cygnerolles pour vous soutenir... », dit-elle à Jean et, quittant le bras de l'altesse, elle lui tend le sien : « Mais je crois que Votre Altesse ne connaît pas M. Santeuil, poursuit-elle, c'est mon second fils, Monseigneur... Vous l'aimerez, car tous ceux qui m'aiment savent qu'il faut l'aimer. Il est trop supérieur pour ne pas avoir d'ennemis, et trop au-dessus d'eux pour avoir envie de les punir. Aussi, cela, c'est moi qui m'en charge », ajoute-t-elle en riant [2].

Et la duchesse de Réveillon, narguant l'assistance confondue,

---

1. *Jean Santeuil*, Pléiade, p. 681.
2. *Ibidem*, p. 693.

prie l'un des invités d'aller chercher un verre d'orangeade pour M. Santeuil. L'un des pires ennemis de celui-ci, M. Marmet, se précipite avec servilité, mais le duc de Lituanie le devance en présentant à Jean son propre verre... Après cela, que peut-on offrir de plus à Jean Santeuil, si ce n'est un trône ?

Il y a dans cet essai de roman, si largement autobiographique, suffisamment de scènes de ce genre pour y discerner, obsession tenace et lancinante, le regret de ne pas avoir trouvé au berceau la position sociale à laquelle l'auteur aspire et que tant d'autres ont reçue à leur naissance, qui n'ont ni son intelligence ni son esprit. Il faut aussi n'avoir jamais mis les pieds dans le monde, le vrai, pour imaginer des scènes pareilles, impossibles dans la réalité. Lorsqu'il écrira *A la Recherche du temps perdu*, Proust aura la sagesse de les rendre vraisemblables : le bras sauveur de la duchesse de Réveillon sera celui que la reine de Naples offrira au baron de Charlus pour l'aider à sortir avec dignité du salon où Morel vient de l'insulter, mais les rapports sociaux ne seront pas les mêmes et l'acte charitable de la souveraine à l'égard d'un grand seigneur maltraité par des goujats sera beaucoup plus naturel.

Dans ce roman avorté, Jean Santeuil, être fragile et délicat, n'est ni un Julien Sorel ni un Rastignac, mais plutôt un Rubempré faisant carrière par les femmes, sans les aimer vraiment, et par les hommes, en les émouvant par ce qu'il y a de féminin en lui. C'est ce charme ambigu qui opère dans d'autres milieux que celui des Réveillon, par exemple à l'École de médecine où Jean compte des camarades. Il y va quelquefois déjeuner avec eux et, tel Proust au régiment, impose calme et ferveur à une tablée de fauves en général déchaînés : « Et les voix criant des injures s'estompaient et se faisaient douces pour demander à Jean avec politesse s'il ne voulait pas d'un autre plat, si le vent qui venait de la porte ne le gênait pas [1]. »

Assez curieusement, ce jeune homme si fêté n'a pas d'amours, hormis sa passion juvénile pour Marie Kossichef, transposition de celle éprouvée jadis pour Marie de Bénardaky, et la tendresse éperdue qu'il inspire à Henri de Réveillon qui l'appelle couramment : « mon chéri... » ou « mon cher petit... ». C'est le langage dont Proust use à l'égard de Lucien Daudet ou de Reynaldo Hahn, qui a fourni certains traits au personnage d'Henri de Réveillon. Au mois de mars 1896, il lui écrit en effet : « Je vous avais apporté de petites choses de moi et le

1. *Jean Santeuil*, Pléiade, p. 696.

début du roman que Yeatman lui-même, près de qui j'écrivais, a trouvé très *poney*[1]. Vous m'aiderez à corriger ce qui le serait trop. Je veux que vous y soyez tout le temps, mais comme un dieu déguisé qu'aucun mortel ne reconnaît[2]. »

Dans le roman, Jean Santeuil paraît se contenter d'aventures furtives, comme cette liaison, pendant un séjour chez les Réveillon, avec une fille de service, « grande jeune femme de vingt-deux ans, bonne et gaie, forte et franche », qui vient le rejoindre la nuit dans sa chambre et montre tant de promptitude pour se déshabiller en un tour de main avant de sauter dans son lit que cette absence de manières et son côté bon garçon font un peu douter de son sexe.

L'invraisemblance de certains épisodes de Jean Santeuil, revanche de la vie rêvée sur la réalité, n'empêche pas le livre, malgré son absence de construction, d'être très supérieur au recueil disparate des *Plaisirs et les Jours*. Le Proust futur s'y manifeste aussi bien dans l'analyse du snobisme que dans l'évocation d'un passé encore trop proche pour être retrouvé avec la même intensité d'émotion que dans *A la recherche du temps perdu*, mais déjà perçu avec une acuité qu'on ne trouve chez aucun romancier contemporain. Certains thèmes de l'œuvre future apparaissent, traités avec une grande sûreté, celui des aubépines, du plaisir des journées passées à lire, sans oublier une première incarnation de Charlus sous le nom du vicomte de Lomperolles. Celui-ci déteste les jeunes gens et n'a pas assez de mots pour flétrir à tout propos leur manque d'éducation, leur impolitesse, tandis que sa femme, qui regarde Jean Santeuil « avec une méfiance timide », en parle moins, mais ne semble pas les aimer beaucoup non plus, voyant sans doute en chacun de ceux-ci un nouveau rival. Or cet ennemi déclaré du sexe fort, qui aurait payé 200 000 francs[3] une nuit passée avec un violoniste polonais, réminiscence des amours du baron Doäzan, finit par se suicider pour échapper à un chantage.

*

1. En dialecte proustien, le mot caractérise la dépendance affective de Proust à l'égard de Reynaldo Hahn.
2. Kolb, tome II, p. 52.
3. Ce qui équivaudrait à environ 3 200 000 francs de 1990, chiffre absolument fantaisiste, aucune nuit de Paris, même avec musique, n'ayant jamais été payée à ce prix.

*Jean Santeuil* n'est encore qu'à l'état de notes, de portraits, ou de récits sans liens entre eux et c'est pour y travailler en paix que Proust se réfugie à Fontainebleau où il a l'intention de passer la seconde quinzaine du mois d'octobre. Dès son arrivée à l'hôtel de France et d'Angleterre, il est saisi d'une telle angoisse en se retrouvant dans une chambre inconnue qu'il appelle sa mère au téléphone, comme un naufragé se raccrocherait à une bouée. L'épisode occupera plusieurs pages d'*A la recherche du temps perdu*, mais il y substituera sa grand-mère à sa mère. L'observateur lucide côtoyant sans cesse en lui le névrosé, il analyse sa souffrance au fur et à mesure que celle-ci grandit, mais sans l'oublier lorsqu'elle s'apaise enfin, ce qui lui permet d'en faire un récit vraiment pris sur le vif, avec en plus une satisfaction d'artiste en pensant que rien n'est perdu de cette souffrance et qu'elle enrichira l'œuvre future : « Je ne peux pas te dire, écrit-il à Mme Proust le 21 octobre 1896, l'heure épouvantable que j'ai passée hier de quatre à six heures (moment que j'ai rétroplacé avant le téléphone dans le petit récit que je t'ai envoyé et que je te prie de *garder*, et en sachant où tu le gardes, car il sera dans mon roman). Jamais je ne crois aucune de mes angoisses d'aucun genre n'a atteint ce degré [1]. »

Au milieu de visages nouveaux, donc hostiles, tout devient pour lui motif d'anxiété ou d'irritation. Craignant d'avoir froid, il exige du feu toute la journée dans sa chambre, mais s'inquiète de ce que cela lui coûtera. Il s'en préoccupe d'autant plus qu'il a perdu de l'argent, ou qu'on le lui a volé, nouveau sujet d'angoisse en imaginant aussitôt que quelqu'un rôde autour de lui pour dérober le reste. Ensuite, il a mal à l'estomac. Enfin, Léon Daudet, lui aussi en séjour à Fontainebleau, le fatigue par sa verve et sa vitalité. Un soir, il l'amène se promener en voiture dans la forêt jusqu'à minuit passé, ce qui a dérangé son horaire ; aux repas, il ne cesse de parler, ce qui est lassant. Lucien Daudet, venu le voir, lui a fait perdre toute sa journée ; ils se sont quittés en froid... Bref, le séjour est moins enchanteur qu'il ne l'espérait : « Ce soir, écrit-il à sa mère le 22 octobre, courant comme le Père Grandet après mon argent, je suis exténué par le remords [2], harcelé par le scrupule, écrasé par la mélancolie [3]. »

1. Kolb, tome II, p. 137.
2. Remords d'avoir quitté ses parents.
3. Kolb, tome II, p. 147.

Aussi retrouve-t-il avec soulagement le boulevard Malesherbes, la *Revue blanche* et ses amis, jugeant d'après l'expérience de Fontainebleau que l'on ne saurait être mieux qu'au sein de sa famille, même lorsque celle-ci n'est ni suffisamment élégante ni assez compréhensive. Les orages familiaux qui s'élèvent parfois boulevard Malesherbes viennent surtout du genre d'existence qu'il a peu à peu adopté, rentrant de plus en plus tard et menant une vie nocturne aux dépens de sa santé, du bon sens et du repos des domestiques dont il empêche ou trouble le service, car ceux-ci, obligés de répondre à son appel lorsqu'il a besoin d'eux la nuit, doivent en revanche respecter un sommeil qui se prolonge au-delà de midi. La plupart du temps, le docteur et Mme Proust déjeunent sans lui, ne sachant sa présence sous leur toit que par l'atmosphère de recueillement de la maison où l'on veille à étouffer le bruit de la sonnette, à parler bas et à fermer les portes avec précaution. Pour le docteur Proust, grand travailleur, cette vie oisive est un scandale auquel il s'est résigné, non sans le déplorer. La pitié a fini par l'emporter chez lui sur l'irritation, devinant que ce garçon pâle, anxieux, tour à tour excité ou abattu, est un malade, un éternel enfant qui ne pourra jamais affronter les difficultés de l'existence et encore moins faire une grande carrière. Non seulement il n'est plus question pour lui d'entrer au Quai d'Orsay ou à la Cour des Comptes, mais sa modeste sinécure à la Mazarine semble encore au-dessus de ses forces. Au mois de janvier, Proust obtient du ministère un nouveau congé, dont il demandera le renouvellement à la fin de l'année, jusqu'à ce que l'administration, lassée de cet employé qu'elle ne voit jamais, le considère, le 1er mars 1900, comme démissionnaire.

Que va-t-il faire ? peut se demander avec une légitime inquiétude le docteur Proust. Que va-t-il devenir ? Sans doute un incapable, même pas un écrivain, car l'accueil fait à son premier livre a bien montré qu'il n'a pas les moyens de se faire une place dans les Lettres, en dépit des relations utiles qu'il y cultive. Sans doute ne sera-t-il qu'un amateur, un écrivain sans lecteurs, un homme du monde sans prestige mondain, éternel invité des dîners où son nom roturier ne lui donne droit qu'aux bouts de table. « Mon pauvre garçon... », soupire parfois le docteur Proust en pensant à ce fils aîné qui lui fait si peu honneur. En sa qualité de médecin hygiéniste, il est bien placé pour diagnostiquer le mal dont ce fils est atteint, un manque de volonté qui semble d'ailleurs moins combattu qu'entretenu par une complicité involontaire entre Proust et ses parents. A force de critiquer en lui cette absence de volonté, le docteur Proust et sa femme ont certainement contribué à renforcer chez leur fils l'idée qu'il ne pouvait rien faire pour lutter contre le mal, puisque précisément il lui manque cette volonté indispensable. De son côté, Proust s'est aperçu que cette déficience était pour lui le meilleur des prétextes et il s'en sert pour imposer finalement sa volonté à ses parents, vivant à sa guise et pliant toute la maison à ses habitudes ou ses fantaisies. On peut dire, assez paradoxalement, qu'il a mis cette absence pathologique de volonté au service d'une forte volonté de puissance qui ne cessera d'augmenter au fil des ans pour s'imposer à tout son entourage.

A vingt-six ans, il commence à mener la vie d'un infirme, en attendant de mener celle de sa Tante Amiot, gouvernant tout de son lit. S'il consacre une grande partie de sa journée au sommeil que l'aident à trouver somnifères et calmants, il emploie le reste et le début de la nuit à son travail pour sortir enfin lorsque les autres commencent à quitter les réceptions auxquelles il se rend. Il a déjà pris l'habitude d'arriver tard, très tard, et souvent le dernier, dans la plupart des soirées, mais, au témoignage d'un Anglais qui vient de faire sa connaissance, « en expliquant de la façon la plus pittoresque pourquoi il avait dû en être ainsi[1] ». Une des raisons de ces arrivées tardives est la difficulté qu'il éprouve à s'habiller une fois qu'il a décidé de sortir. Il lui faut revêtir, tant il craint d'attraper froid, même au mois de juillet, un tricot, voire deux, sous sa chemise, en dissimuler l'épaisseur, nouer sa cravate en essayant de boutonner en même temps ses bottines, abandonnant l'une de celles-ci pour revenir à sa cravate dont le nœud s'est défait, puis recommencer la tâche épuisante de boutonner l'autre bottine tandis que Mme Proust, qui préside à ces apprêts, l'œil critique, lui rappelle l'heure tout en lui faisant observer qu'il a oublié un de ses boutons de manchettes ou qu'il s'est trompé de chaussettes.

Il ne suffit pas de partir, encore faut-il arriver. Avec Proust, le trajet le plus court présente des complications imprévues. S'il s'est fait accompagner par un ami, il en profite pour deviser si bien avec lui le long du chemin qu'il allonge celui-ci de nombreux arrêts pour improviser, sur un thème ou une anecdote, d'infinies variations qu'il lui faut laisser achever

1. D. Ainslie, *Hommage à Marcel Proust*, p. 259.

avant de reprendre la marche. Lorsque tous deux se trouvent enfin devant le lieu où est donnée la réception, il n'y a « plus une voiture sur le seuil », tout est obscur et silencieux : « *Il semble que la fête soit finie*, constate Proust qui n'en sonne pas moins à la porte, ouverte bientôt par un domestique effaré, car, écrira Maurice Duplay, les invités étaient loin, les serveurs débarrassaient le buffet, les maîtres de maison s'apprêtaient à se coucher. Tout ce monde recevait d'abord Marcel comme un importun. Les maîtres réprimaient à peine leurs bâillements ; un des serveurs lui présentait de mauvaise grâce un assemblage de sandwiches et de petits fours hâtivement racolés dans différents compotiers. Marcel, par une extrême courtoisie corsée de quelque réflexion imprévue, changeait l'atmosphère. Il réveillait ces gens engourdis, se conciliait ces gens hostiles. De l'importun se dégageait un charmeur. Quand, vers trois heures, il prenait congé, on l'adjurait de demeurer encore [1]. »

Comme certains brillants causeurs, Proust, ainsi qu'il l'avouera plus tard à Céleste Albaret, préférait éviter ainsi la cohue des grandes réceptions et s'assurer un auditoire restreint devant lequel il pouvait parler sans être gêné, voire réduit au silence par des invités auxquels leur nombre donne à la fois assurance et impunité pour faire se succéder lieux communs et banalités d'usage.

Ailleurs que dans les salons, c'est la même comédie, imitée de Sarah Bernhardt ou de certaines dames qui se croient plus importantes en ne rejoignant des amis qu'avec une heure de retard sur celle du rendez-vous. Douglas Ainslie évoque ainsi Proust arrivant toujours en retard au café Weber, engoncé dans un lourd paletot de velours au col relevé au-dessus de ses oreilles ; « Il s'empressait aussitôt de dire qu'il avait l'intention de ne rester qu'un moment, et il restait souvent jusqu'à ce que tout le monde fût parti, de sorte que la soirée prenait des proportions de plus en plus vastes... Une fois le fiacre arrivé à destination, Proust jetait l'ancre et comme stimulé par l'imminence du moment où il faudrait se quitter, il se lançait dans de nouvelles improvisations toujours plus étincelantes, et les demi-heures passaient, tandis que le cocher se retournait sur son siège et regardait avec ébahissement ces deux jeunes gens qui discutaient et gesticulaient, sans qu'on sût pourquoi, sous le ciel étoilé de Paris [2]. »

---

1. M. Duplay, *Mon ami Marcel Proust*, p. 27.
2. D. Ainslie, *Hommage à Marcel Proust*, p. 280.

Un des inconvénients de ce noctambulisme est de rendre bien pénible l'obligation de se lever tôt pour se battre en duel, même si celui-ci a lieu l'après-midi, bien qu'en général il soit de tradition, pour dépister la police, de se livrer à ce genre d'exercice au petit matin [1].

Or Proust se voit justement contraint, pour défendre son honneur aux yeux du tout-Paris, de croiser le fer avec Jean Lorrain qui, le 3 février 1897, a publié dans *Le Journal*, sous le pseudonyme de Raitif de la Bretonne, un compte rendu assez équivoque des *Plaisirs et les Jours*. Non content de critiquer l'ouvrage, il s'est efforcé de jeter le discrédit sur l'auteur en faisant une allusion à ses rapports avec Lucien Daudet, achevant ainsi son article : « M. Marcel Proust n'en a pas moins eu sa préface d'Anatole France qui n'eût préfacé ni Marcel Schwob, ni M. Pierre Louÿs, ni M. Maurice Barrès ; mais ainsi va le train du monde, et soyez sûrs que pour son prochain volume, M. Marcel Proust obtiendra sa préface de l'intransigeant M. Alphonse Daudet lui-même, qui ne pourra la refuser ni à Mme Lemaire, ni à son fils Lucien. »

Ignorer l'attaque eût paru lâche, mais la relever semble accepter de considérer le propos comme insultant, signe d'une certaine mauvaise conscience, et l'insulteur comme son égal. Proust décide malgré tout d'envoyer ses témoins à Jean Lorrain, encore que se battre avec celui-ci soit presque aussi compromettant que de figurer au nombre de ses amis.

Avec son torse de débardeur, moulé dans les maillots qui en soulignent la musculature, sa frange oxygénée sur le front et ses yeux glauques cernés de khôl, Lorrain a l'air, suivant les jours et les circonstances, soit d'un marinier d'égout explorant les bas-fonds de Paris, soit du bœuf gras promené dans Paris au temps du Carnaval. Cette silhouette de Viking efféminé donne un peu l'impression, comme chez Oscar Wilde, qu'il s'agit d'une métamorphose inachevée où la bête cohabite avec le prince charmant. Illustration burlesque et poignante de Krafft-Ebing, mauvais ange du bizarre et démon des luxures inavouables, Jean Lorrain, fils de braves gens de Fécamp, fait profession de haïr les bourgeois, ce qui est une manière d'en être un en obéissant à un conformisme opposé. Avec ce zèle touchant des provinciaux fixés à Paris et qui craignent toujours de ne pas être assez parisiens, il se donne beaucoup de mal

1. Il est difficile de savoir si le duel a eu lieu à l'aube ou l'après-midi, les relations qui en ont été faites étant contradictoires sur ce point.

pour pratiquer tous les vices à la fois et se faire une affreuse réputation. Talent, car il en a ; savoir-faire, dont il ne manque pas ; introductions auprès de la pègre, qui lui procurent ses plus douteuses relations, il a tout mis en œuvre pour réussir, s'affichant sans vergogne avec des forts de la Halle, des souteneurs ou des travestis, comme d'autres avec des altesses ou des courtisanes célèbres.

Ayant brûlé ses vaisseaux, cet amateur de marins n'a pas grand-chose à perdre et, sous prétexte de pourfendre l'hypocrisie sociale, il s'attaque, avec drôlerie souvent, à tous ceux qui n'ont pas comme lui le courage d'avouer leurs goûts. Épris de force, et même de brutalité, il n'a que dédain pour tous les petits-maîtres de la littérature, les faux talents, les réputations surfaites et les sots qui s'y laissent prendre.

A la recherche de ses deux témoins, Proust ne trouve pas un duc et un général, comme Jean Santeuil, mais le peintre Jean Béraud et Gustave de Borda, un bretteur quasi professionnel. Lorrain, lui, est assisté d'Octave Uzanne, un critique d'art, et de Paul Adam, romancier dont *Les Mystères des foules* ne passionnent cependant pas celles-ci. Pour lieu de la rencontre, on a choisi la tour de Villebon, un endroit calme et discret, dans la forêt de Meudon, près d'une maison du XVIIIe siècle qui a jadis appartenu aux Hugo. Robert de Flers et Reynaldo Hahn sont venus sur le terrain pour encourager Proust qui, malgré ses nerfs, montre du sang-froid et même de la détermination. Compte tenu de la nature de l'offense, on a préféré le pistolet à l'épée. A vingt-cinq pas l'un de l'autre, les adversaires échangent deux balles sans résultat, ce qui était prévisible, aucun des deux ne voulant avoir sur la conscience la mort de l'autre.

Les témoins de Proust empêchent celui-ci de serrer la main chargée de bagues de Lorrain qui, après cette affaire, lui épargnera ses traits empoisonnés pour les réserver à Montesquiou, une de ses bêtes noires.

*

L'illustre comte s'attire en effet de plus en plus d'ennemis auxquels il fournit, par ses publications trop fréquentes, d'amples motifs de se moquer de lui. L'année précédente, ses *Hortensias bleus*, que Proust et Lucien Daudet ont lu ensemble, sans doute pour mieux rire de certains vers grotesques, lui ont valu de Léon le surnom d'*Hortensiou*, qui concurrence celui de

*Grotesquiou*, donné par Lorrain. Devinant les critiques et les commérages qu'il suscite, le comte en devient plus agressif, comme pour mieux justifier les attaques dont il est la cible.

Au début de cette année 1897, Proust n'a pas manqué de lui adresser ses vœux, empreints d'amertume : « Les anniversaires humbles invitent à renouveler l'hommage des sentiments constants ; je ne veux pas manquer, quelque blessé que j'aie pu l'être de l'imméritée désaffection dont j'ai été l'objet de votre part, et dont vous avez donné à tant de personnes des marques qui m'ont été trop sensibles[1]. » Peu touché de cette plainte, Montesquiou lui a rétorqué : « C'est la petite malice cousue de fil blanc de ceux qui se sentent en faute de feindre de se croire lésés et d'essayer de cacher derrière une fausse susceptibilité leur réelle coulpe...[2]. »

Montesquiou nourrit contre son disciple de nombreux griefs, avoués ou non. Le premier, c'est de n'avoir pas loué comme il méritait de l'être son recueil *Les Hortensias bleus* ; le deuxième, c'est de n'être pas allé, en raison de ses deuils familiaux, à une commémoration de Marceline Desbordes-Valmore qu'il avait orchestrée à grand fracas ; enfin le troisième, le plus subtil, c'est qu'il le soupçonne de lui en vouloir parce qu'il ne lui a pas écrit après avoir reçu *Les Plaisirs et les Jours* et il s'offense qu'un aussi piètre écrivaillon puisse avoir quelque chose à lui reprocher. Aussi lui bat-il froid, de toute sa hauteur.

Pour tenter un rapprochement, Proust a fait au début de janvier un nouvel acte d'allégeance, mais sans pouvoir s'empêcher d'entremêler à ses flatteries quelques pointes qui font écrire au destinataire, en marge de sa prose, des observations telles que *Impertinent... Pipi... insolent et bête*. La dernière phrase lui vaut une cinglante riposte : « Cher Monsieur, concluait Proust, j'avais la même admiration pour vous, je l'aurais toujours. J'avais seulement cessé de ne plus ressentir aucune amitié. Il me semble que vous m'en témoignez encore et ce n'est que trop facilement, comme un personnage de comédie, que je me *rengage*. » D'une plume rageuse, Montesquiou a noté, au regard de cette déclaration : « Insolent et *faux*. L'amitié peut descendre, non monter. » Puis il a renvoyé sa lettre à Proust avec cette note : « Le maximum étant 20, ce petit devoir épistolaire ne mérite que moins 15. Le Professeur[3]. »

---

1. Kolb, tome II, p. 164.
2. *Ibidem*, p. 165.
3. *Ibidem*, p. 170.

De tels procédés sont peu faits pour s'attacher des amis et il faut toute l'insistance enveloppante de Proust pour fléchir le gentilhomme en le flattant outrageusement. Au début du mois d'avril, il le complimente de poèmes parus dans *Le Figaro* et mis en musique par Delafosse avec qui Montesquiou va bientôt se brouiller. Il court ensuite admirer le portrait que Boldini vient d'achever, une toile étonnante où Montesquiou sert de fond, en gris-vert, avec quelques touches noires et blanches, à une canne qui, pour parodier un vers célèbre de l'obscur Lemierre, sans être le trident de Neptune, est bien en l'occurrence le sceptre du monde.

Hélas ! cette belle canne, si voyante et si vue du tout-Paris, va se révéler fatale à Montesquiou. Le 4 mai 1897, dans l'incendie du Bazar de la Charité, rue Jean-Goujon, périssent carbonisées plusieurs centaines de personnes, dont la plupart appartiennent à la haute société parisienne, à la vive satisfaction de Léon Bloy qui voit dans ce feu celui d'un ciel justicier. Bientôt circulent des rumeurs selon lesquelles des messieurs, suffoquants, affolés, se seraient frayé un chemin vers la sortie en forçant le passage à coups de canne. Montesquiou ne se trouvait pas au Bazar de la Charité au moment de la catastrophe, mais nombre d'esprits malveillants affirment ou répètent qu'il était de ces hommes qui ont assommé des femmes pour se sauver. Lorrain saute sur l'occasion et, décrivant le tableau de Boldini, il évoque la fameuse canne, « matraque pour les femmes vivantes, pincettes pour les femmes mortes, désormais tristement célèbre dans les annales de l'élégance masculine ».

Quelques jours plus tard, à une réception chez la baronne Gustave de Rothschild, Henri de Régnier, agacé par les attitudes grandiloquentes de Montesquiou, lui fait une réflexion désobligeante sur sa canne, en ajoutant qu'un éventail lui conviendrait mieux. Une rencontre sur le terrain est aussitôt résolue, dans laquelle Régnier a pour témoin le peintre Béraud, décidément très demandé. Là aussi l'affaire se vide au pistolet avec, comme seule conséquence, une légère blessure à la main que Régnier inflige à Montesquiou qui affecte de considérer ce duel comme une des fêtes les plus réussies qu'il ait données.

Après avoir réglé ce différend avec Henri de Régnier, Montesquiou règle son compte à Léon Delafosse, qui a cessé de plaire, et il le fait d'une manière qui annonce le Charlus d'*A la recherche du temps perdu*. Un peu lassé de sa tutelle, Delafosse a découvert les charmes d'une semi-liberté auprès des Brancovan, chez qui l'on mêle harmonieusement musique, monde et littérature en s'amusant beaucoup plus que chez l'atrabilaire gentilhomme, où l'on est toujours sur le qui-vive, attendant l'algarade. Sentant la défection prochaine, Montesquiou prend les devants et se donne le plaisir de chasser l'ingrat, congédié avec des phrases qui, dans sa pensée, le marqueront au fer rouge pour la postérité : « Les petites gens ne voient jamais l'effort qu'on fait pour descendre jusqu'à eux et ne montent jamais jusqu'à nous... » Il lui prédit qu'il retombera dans le néant d'où il lui avait plu de le tirer : « Toutes les maisons qui vous ont été ouvertes par ma souveraine protection vous seront fermées et vous serez réduit à tapoter au rabais quelque clavier moldave ou bessarabique. Vous n'avez été qu'un instrument de ma pensée, vous ne serez plus qu'une mécanique musicale [1]. »

Effectivement Delafosse, bien que choyé par les Brancovan et défendu par Mme de Saint-Paul, voit le nombre de ses relations se réduire aussitôt. Il trouvera plus tard un terne bonheur auprès des Bartholoni, en Suisse, et il serait aujourd'hui complètement oublié s'il n'avait donné certains traits au pianiste Charlie Morel, mauvais ange du baron de Charlus.

En revanche, Proust et Montesquiou se sont réconciliés. La disgrâce de Léon Delafosse a montré au premier que Montesquiou, sans guère l'aider à faire son chemin dans le monde, est capable de le lui barrer impitoyablement. En gage d'apaisement, Proust donne le 24 mai 1897 un grand dîner dont le comte est le principal invité. Les autres sont le marquis de Castellane, qui ne pourra venir, le comte Louis de Turenne, ses deux témoins, Jean Béraud et Gustave de Borda, Anatole France, Georges de Porto-Riche, Edouard Rod, qui vient de publier *Là-haut*, d'un sublime ennuyeux, Gaston de Caillavet, Reynaldo Hahn et le portraitiste La Gandara. C'est donc un dîner d'hommes, à la Goncourt, et où, assure *Le Figaro*, vraisemblablement renseigné par l'amphitryon lui-même, « l'esprit parisien n'a cessé de pétiller ».

A son tour, Montesquiou fait un geste aimable en citant un passage des *Plaisirs et les Jours* dans son nouveau recueil de vers, *Les Roseaux pensants*, et Proust apprécie à son juste titre l'étendue de cette faveur : « Tout ce que vous écrivez est, comme vous, *entaché d'immortalité* ; me voici immortel comme tout le reste, lui écrit-il le 23 juin, pris dans le bloc, objet des

1. Ph. Jullian, *Robert de Montesquiou*, p. 196.

recherches des commentateurs futurs qui se demanderont qui pouvait être cet inconnu que vous appeliez votre *ami*...[1]. » Il ne faut pas moins de tant de fausse modestie pour apaiser la vraie vanité du poète.

Leurs relations reprennent le rythme de naguère avec ses invitations pompeuses auxquelles Proust a parfois l'impertinence de se soustraire en invoquant sa santé. Elles sont presque au beau fixe lorsque Montesquiou part pour l'Engadine dont les hauteurs conviennent à la sienne. Proust, lui, accompagne sa mère à Kreuznach où elle doit faire une cure. Il emporte avec lui *Jean Santeuil*, pour y travailler, Balzac, pour y trouver des modèles et aussi des méthodes de travail. A Mme de Brantes, qu'il consulte souvent pour se faire expliquer certains mécanismes mondains, il fait part de ses réflexions : « J'ai lu, parce que vous m'avez dit l'aimer, *La Duchesse de Langeais*, mais je ne l'ai pas trouvé si bien. Et je viens de finir *Une ténébreuse affaire*. J'ai trouvé dans *Gobseck* de ces portraits de vieux nobles comme il m'en faut pour mon roman et pour lequel je glane des mots à la Aimery de La Rochefoucauld, et des traits de caractère, bien entendu non pour les copier, mais pour m'en inspirer. » Mme de Brantes a dû montrer quelque réticence pour livrer ses secrets du monde, car il lui reproche son absence de coopération : « Vous ne m'avez pas aidé pour cela du tout ; vous n'avez jamais rien voulu me dire, me raconter. Mme de Béarn m'a conseillé de tâcher de voir une Mme de Laubespin qui, paraît-il, est tout à fait comme cela. Mais j'aime mieux les récits. En cinq minutes, une femme d'esprit, un homme de goût vous donnent le résumé d'une expérience de plusieurs années. Du reste, je vous montrerai mon duc de Réveillon (le nom ne restera pas) et vous me direz si les tics, les préjugés, habitudes que je lui suppose sont trop exagérés... Je voudrais savoir si une chose comme la main gauche (et sa femme à gauche dans la voiture), etc., de votre ami sont fondées sur quelque chose, sinon pour lui, du moins pour d'autres. Y a-t-il des gens que vous ayez pu connaître qui fissent cela ? Et quand on entrait dans leur intimité, cela subsistait-il ? N'auraient-ils donné que la main gauche (ou d'autres marques de mépris que j'aimerais bien savoir) à M. Haas ou M. Schlumberger ? En un mot, était-ce bien le fait de n'être pas *né* ou de ne pas être du monde[2] ? »

1. Kolb, tome II, p. 196.
2. *Ibidem*, p. 214.

Lorsqu'il regagne Paris, le 9 septembre, la seconde affaire Dreyfus est à la veille d'éclater, mais la société vit encore sans pressentir le cyclone qui va la secouer, brisant de vieilles amitiés, ravageant des salons, séparant des amants, dressant les uns contre les autres les membres d'une même famille et obligeant, comme en temps de guerre civile, chaque Français à choisir son camp.

Le charmant Alphonse Daudet n'aura pas à choisir, ni à souffrir de cette déchirure, car il meurt brusquement le 16 décembre 1897. Dans son *Journal*, Jules Renard rapporte que Daudet, se doutant de sa fin prochaine, avait dit qu'il aurait voulu mourir de pitié, comme ce monarque auquel on avait présenté des captifs si misérables que son bon cœur en avait été ému au point de tomber malade [1].

Proust, qui lui avait consacré un article dans *La Presse* du 11 août, l'avait revu un mois plus tôt et avait longuement parlé avec lui de Goethe et de Barrès. Bouleversé par cette nouvelle, il écrit aussitôt un article d'adieu que publie *La Presse* le 19 décembre et dans lequel, après l'avoir comparé au Christ pour ses souffrances, il évoque le désespoir de cette *Sainte-Famille* que constituent sa veuve et ses deux fils, oubliant ainsi leur sœur Edmée. La veille, Albert Flament avait fait paraître dans le même quotidien un hommage à Daudet dont Proust fait la critique à son auteur, avec déjà le ton d'un maître : « A côté de cela, des riens de prétention dont il faudra vous défaire (dans les choses très jolies, au contraire, j'oubliais la patine de Rembrandt). Je vous prie de croire que je n'en écris pas autant à tous ceux de mes amis illustres ou peu notoires, comme vous dites, qui font des articles. Mais nous sommes l'un et l'autre, n'est-ce pas ?, à un âge où il faut être encouragé. Moi, je n'ai personne pour cela. Vous, du moins, vous m'avez... [2]. »

1. J. Renard, *Journal,* p. 57.
2. Kolb, tome II, p. 224.

# 9

# Janvier 1898 - Octobre 1899

*Une ténébreuse affaire - Proust, reporter passionné - Un monde éclaté - Intermède hollandais - Adresse en faveur de Picquart - Un séduisant cynique : Antoine Bibesco - Le clan roumain - Une alouette levantine : Anna de Noailles - Châteaux en Savoie - Souvenir d'un capitaine.*

L'année 1898 sera placée entièrement sous le signe de l'Affaire Dreyfus dans laquelle Proust va s'engager, aux dépens de son travail et parfois de ses amitiés, avec le sentiment de participer non seulement à la dénonciation d'une injustice, mais à un grand moment de l'Histoire de France, tel qu'on n'en avait pas vécu depuis 1870. Bien que l'armée soit en cause, ce sont des civils qui s'affrontent. En réalité, l'« Affaire », exploitée à plaisir pour servir maints ténébreux intérêts, ou assouvir des rancunes plus ténébreuses encore, est une de ces convulsions sociales comme la France en connaît régulièrement à chaque siècle au point qu'on peut se demander si, loin d'être la cause de cette désunion nationale, le capitaine Dreyfus n'en a pas été le prétexte.

Le 15 octobre 1894, le commandant du Paty de Clam avait arrêté dans les bureaux du ministère de la Guerre le capitaine Alfred Dreyfus, un officier bien noté qui effectuait un stage à l'état-major et que l'on soupçonnait fortement d'avoir livré à l'attaché militaire de l'ambassade d'Allemagne des documents intéressant la sûreté de l'État. Conduit à la prison du Cherche-Midi, le capitaine Dreyfus y avait été interrogé sans qu'il fît le moindre aveu, protestant au contraire de son innocence. A part le plaisir purement intellectuel de trahir, on ne voit pas quel motif aurait pu conduire le capitaine Dreyfus à vendre des documents militaires à l'Allemagne, car on ne lui savait ni dettes ni besoins particuliers d'argent. Fils d'un industriel de Mulhouse, il avait épousé en 1890 Louise Hadamard, fille d'un diamantaire parisien et semblait suffisamment à son aise pour ne pas avoir de tentations. En revanche, d'aspect peu sympathique et de manières un peu gauches, il tenait des propos qui parfois choquaient ses camarades et, sans doute pour contrebalancer cette fâcheuse impression, il essayait de se donner une certaine importance en se mêlant de ce qui ne le regardait pas.

A l'issue de son procès, du 19 au 22 décembre 1894, on avait attendu un acquittement au bénéfice du doute, faute de preuves suffisantes, lorsque la communication d'un dossier secret, dont ses défenseurs n'avaient pas eu connaissance, avait emporté la conviction des juges. Reconnu coupable, l'accusé s'était vu condamner, puisque la peine de mort n'existait plus en matière politique, à la dégradation militaire et à la déportation à vie. Ce verdict n'avait soulevé aucune indignation dans le pays. Seul s'en était ému Clemenceau qui, dans *La Justice* du 25 décembre 1894, avait déploré que « le traître » n'eût pas été pendu tandis que Jaurès regrettait qu'on ne pût le faire fusiller.

La dégradation avait eu lieu le 5 janvier 1895, dans la cour de l'École militaire, sans aucun incident, bien que d'après des témoins, disparus ensuite dans des circonstances bizarres, Dreyfus eût confié que s'il avait livré des documents, d'ailleurs sans réel intérêt stratégique, c'était pour en obtenir d'autres, beaucoup plus importants.

Dans toute cette affaire, rondement menée, le ministère et le gouvernement avaient eu comme principal souci d'éviter toute complication diplomatique avec l'Allemagne qui démentait énergiquement avoir entretenu le moindre rapport avec le capitaine Dreyfus. Détail scabreux, mais connu seulement de quelques initiés, l'attaché militaire allemand, le beau et fringant Maximilian von Schwarzkoppen, en avait de fort intimes avec l'attaché militaire italien, le colonel Alessandro Panizzardi. Par galanterie, si l'on peut dire, le gouvernement français avait occulté ce côté de l'affaire, évitant ainsi au gouvernement de Berlin un scandale dans le genre de celui qui éclatera en 1907 autour du prince Philippe Eulenburg. Envoyé à l'île du Diable, au large de la Guyane, Dreyfus y aurait été vite oublié sans ses deux frères, Mathieu et Léon, décidés à tout entreprendre pour faire reconnaître son innocence.

Soutenues par quelques personnalités politiques, leurs démarches étaient demeurées discrètes, mais suffisantes pour qu'en haut lieu on se souvînt du prisonnier de l'île du Diable. Peut-être, malgré tout, n'auraient-elles rien donné, si la femme de ménage française de l'ambassade d'Allemagne, qui avait remis au service du contre-espionnage le fameux « bordereau », d'où était sortie toute l'« Affaire », n'avait procuré au même service, à la fin du mois de février 1896, les fragments d'un « petit bleu »[1] destiné, mais non envoyé, au commandant Esterhazy. On s'était aussitôt intéressé à ce militaire, personnage remuant et douteux, vivant d'expédients, notamment de secours accordés par des membres de la communauté israélite de Paris, tels que les Rothschild et le Grand Rabbin. Cet officier n'avait d'autre droit au nom illustre d'Esterhazy que le fait d'avoir pour ancêtre un bâtard d'une fille de cette maison.

Après quelques mois d'enquête, le nouveau chef des Renseignements, le colonel Picquart, après une nouvelle étude, en était arrivé à la conviction qu'Esterhazy et non Dreyfus était l'auteur du bordereau. Il avait conseillé au gouvernement d'ordonner la révision du procès de 1894 avant que la presse, dans laquelle les frères Dreyfus avaient des appuis, revélât au public ce nouvel aspect de l'« Affaire ». Cette prise de position avait été mal appréciée de ses supérieurs qui l'avaient écarté de la scène en le chargeant d'une mission dans le midi de la France, puis en Afrique du Nord.

Il n'était pas le seul à concevoir des doutes sur la culpabilité d'Alfred Dreyfus. Depuis le mois de juillet, commençait à se répandre dans les sphères officielles une rumeur selon laquelle Esterhazy serait sans doute le vrai coupable. Prévenu par le colonel du Paty de Clam qu'un orage s'amassait au-dessus de sa tête, Esterhazy avait demandé audience au ministre de la Guerre, mais n'avait été reçu que par le directeur de l'Infanterie. Déçu, il avait écrit à plusieurs reprises au président de la République, Félix Faure.

Le 29 octobre 1897, *Le Matin* avait publié une interview de Scheurer-Kestner, vice-président du Sénat, affirmant qu'il était convaincu de l'innocence de Dreyfus : changeant d'avis, Clemenceau demandait dans *L'Aurore* la révision du procès. Un autre journaliste, Bernard Lazare, qui au mois de novembre 1896 avait édité à Bruxelles une brochure confidentielle en faveur de la thèse de l'innocence, avait rédigé un second

1. Lettre de format réduit acheminée par pneumatique et livrée par porteur.

mémoire, vendu désormais dans les rues de Paris. Successivement *Le Figaro, la Liberté, L'Intransigeant, Le siècle* et *Le Temps* étaient entrés en lice et dès lors cette deuxième phase de l'affaire Dreyfus recevait toute la publicité que le ministère et le gouvernement voulaient précisément éviter.

*

En ce début d'année 1898, l'abondance des placards, appels, livres, périodiques et revues exigeant la révision du procès est si grande que les nationalistes, qui se demandent où les partisans de Dreyfus trouvent l'argent nécessaire à une telle campagne, y voient la main puissante d'un syndicat, émanation de la banque israélite. Placée sous l'autorité du général commandant la place de Paris, une commission examine à nouveau les éléments de l'accusation ; elle entend Esterhazy, Picquart, rappelé d'Afrique du Nord, Mathieu Dreyfus et le lieutenant-colonel Henry, un officier du service des Renseignements qui, par excès de zèle patriotique, a fabriqué le 31 octobre 1896 un faux document pour établir de manière irréfutable la culpabilité de Dreyfus. Bien que la publication par *Le Figaro* de lettres intimes, et fort déplaisantes, d'Esterhazy à sa maîtresse donne une piètre opinion de ses sentiments d'officier, celui-ci est néanmoins acquitté le 12 janvier 1898 par le conseil de guerre devant lequel il a été traduit. Il est remis en liberté tandis que Picquart, dont le rôle a paru suspect, est écroué au Mont-Valérien.

Dès le lendemain, 13 janvier, Zola, qui a fait campagne pour Dreyfus, publie dans *L'Aurore* une lettre ouverte au président de la République commençant par le célèbre : « J'accuse... », ce qui fait bondir le tirage du quotidien à 300 000 exemplaires qu'on s'arrache dans la rue. Le même soir, Proust, qui se vantera plus tard d'avoir été « le premier dreyfusard », prend l'initiative d'un *Manifeste des Intellectuels* pour lequel il sollicite la signature de toutes ses relations. Anatole France y consent, tandis que Mme de Caillavet, un peu ennuyée car elle est assez liée avec le président de la République, émet une protestation : « Mais, Monsieur, vous allez nous brouiller avec les Félix Faure ! » Pour la même raison le docteur Proust, qui compte tant de clients et d'amis dans le haut personnel de l'État, refuse de signer, convaincu d'ailleurs qu'il est de la culpabilité de Dreyfus.

En quelques heures, les signatures se multiplient : Fernand

Gregh, Jacques Bizet, Daniel Halévy, Robert de Flers, Léon Yeatman, Louis de La Salle, puis viennent celles, plus illustres, de Pasteur, Darlu, Desjardins et d'une grande partie des professeurs de la Sorbonne, suivie d'artistes comme Clairin, Gallé, le maître verrier de Nancy, Claude Monet, en tout cent quatre personnalités du monde des Lettres et des Arts que Barrès, passé dans l'autre camp, qualifiera de nigauds et « demi-intellectuels ».

Accusé à son tour, l'auteur de « J'accuse... » se voit déférer devant la cour d'assises, occasion de houleux débats que Proust suit avec passion et qui fourniront pour *Jean Santeuil* des pages remarquables, bien supérieures comme esprit d'observation et comme style à tout ce que les journalistes professionnels donnent à leurs rédactions.

Pour assister aux séances, Proust doit bouleverser son mode de vie et se lever tôt, du moins pour lui, car les places sont rares et il ne peut envoyer un domestique lui en garder une, à l'instar des femmes du monde qui, pour les cours de M. Bergson, font occuper la leur, une ou deux heures en avance, par un valet de pied. Un jeune écrivain dont il vient de faire la connaissance, Louis de Robert, passe le prendre boulevard Malesherbes et ils partent tous deux avec des sandwiches, un thermos de café, pour déjeuner sur place.

Le procès s'ouvre le 7 février 1898. La cour est présidée par le conseiller Delagorgue, le ministère public est assuré par l'avocat général Van Cassel et le prévenu, Zola, est défendu par Me Labori, assisté des frères Clemenceau. La défense voulait faire citer un nombre impressionnant de témoins — Dreyfus lui-même, Esterhazy, les généraux impliqués dans l'affaire et les conseillers ou attachés des ambassades d'Allemagne, d'Italie, de Russie et d'Autriche-Hongrie, ainsi que l'ancien président de la République, Casimir-Perier, habile tactique pour donner aux débats une importance internationale et faire évoquer l'affaire Dreyfus en fond, malgré l'autorité de la chose jugée. L'avocat général s'y oppose et circonscrit le procès à la seule inculpation de Zola, mais l'opinion publique ne s'y trompe pas et les journaux de diverses tendances reviennent sans cesse sur le vrai problème : Dreyfus est-il ou non coupable ?

A la troisième audience, le 16 février, on fait chercher le général de Boisdeffre qui déposera le lendemain, occasion pour Proust d'un portrait pris sur le vif, digne de ceux de *A la recherche du temps perdu* : « Un fiacre s'arrêta, un officier en descendait et un monsieur en civil... Le monsieur en civil était très grand, et surtout on voyait incliné sur sa tête un très long chapeau haut de forme. Semblant écouter avec attention l'officier qui était à côté de lui, il avançait lentement, la jambe raide et comme ayant été cassée, s'arrêtant tout à fait par moments. Quoiqu'il eût l'air encore assez jeune, ses joues étaient revêtues d'une fine lèpre rouge ou violacée comme [celle] dont la vigne vierge ou certaines mousses revêtent les murs à l'automne. Les yeux qui semblaient fixés avec attention, clignaient par moments, dans une sorte de tic, et de temps en temps il levait sa main sans gant pour tirer sa petite moustache. L'autre tenait un petit papier et un crayon ; il les remit avec sa main dans la poche de son paletot, qui avait l'air assez vieux et qui bâillait au cou, le bouton d'en haut n'étant pas boutonné. Il avait l'air très calme, très lent, quoique évidemment assez préoccupé, et on sentait que le tic des yeux qui clignaient, des mains qui tiraient la moustache, comme la rouge broderie des joues, comme le mauvais air du pardessus, comme le raidissement de la jambe, souvent cassée sans doute par les chutes de cheval, étaient des particularités, habituelles de cette chose auguste qui s'appelait *le général de Boisdeffre*, à qui elles prenaient de la grandeur, puisqu'elle les avait toujours à elle, avec elle, que c'était avec ces yeux clignotants qu'il regardait, que c'était en fumant des cigares, en buvant du cognac après des journées trop longues de travail qu'il avait doré et rougi ses joues. Sur son passage on se découvrait et il saluait avec beaucoup de politesse, comme un homme d'un rang tout à fait prépondérant, un aristocrate clérical qui pouvait exciter l'envie et tenait à [la] désarmer en étant très poli[1]. »

Le général Gonse, le général Mercier, le lieutenant-colonel Henry, l'auteur du faux petit bleu, le général de Pellieux lui succèdent à la barre, les uns brillants, comme Pellieux, les autres bafouillants, comme Henry, mais tous, à l'exemple de Boisdeffre, invoquent la raison d'État pour éluder les questions trop précises et du Paty de Clam refuse même de répondre.

A la sixième audience, Picquart, extrait du Mont-Valérien, est sommé de s'expliquer sur le petit bleu. L'entrée du colonel, dont c'est en fait autant le procès que celui de Zola ou même de Dreyfus, provoque un remous dans la salle et inspire à Proust un autre portrait où la notation quasi photographique du détail s'accompagne d'une analyse de l'impression produite

1. *Jean Santeuil*, Pléiade, p. 625.

par Picquart sur Jean Santeuil : « Et Jean éprouvait une sensation singulière en voyant là-bas, libre, mêlé à la foule, cet homme qu'il savait prisonnier, un homme donné là, devant lui, entre tant d'autres, dont l'aspect jeune, le nez un peu trop busqué, la tête jouant assez de côté et d'autre étaient là, données dans une réalité physique qu'il ne pouvait pas modifier et dont chaque trait, ce blond roux de la peau, ce dégagement de la tête, le gênaient presque par la violence qu'ils faisaient à son imagination, habituée à l'imaginer, à le retoucher à sa guise, et obligée de se soumettre là devant une donnée qu'il ne pouvait modifier...[1]. »

Le bruit fait depuis plusieurs mois autour du colonel Picquart, tenu par l'état-major pour un traître ou du moins pour un idéaliste dangereux, regardé par une certaine opinion publique comme un martyr de la Justice et de la Liberté, a donné une stature historique à ce militaire qui, en raison de sa fonction, n'aurait jamais dû sortir de l'ombre. Cette silhouette élégante et mince ne correspond guère en effet à l'idée que le public se fait d'un redresseur de torts, chargé par un dieu vengeur de faire triompher le Droit. « Jean se l'était figuré alternativement assez vieux, calme, droit, l'air du Devoir mûr, et jeune, beau, ardent, l'air du Devoir jeune. Et il était assez déçu et captivé pourtant par cet homme qui était là-bas devant lui, de temps en temps caché par d'autres personnes, circulant lentement, l'air ni jeune ni vieux, blond, mais sans moustache, un peu comme l'air d'un ingénieur israélite. En cet homme qui circulait ainsi dans les groupes résidait l'étrangeté de l'absence de signes de sa captivité (rien ne marquait que ce monsieur ganté et à chapeau haut de forme, qui n'avait ni l'air malheureux ni l'air oisif ni l'air résigné des captifs, vînt de quitter le Mont-Valérien pour venir ici) — de l'absence de signes de toute marque intérieure que Jean lui imaginait (rien ne marquait chez lui l'indignation d'un crime judiciaire perpétré par l'état-major, ni la ferme décision de faire son devoir jusqu'au bout, ni même l'indécision, la réflexion, la lutte de conscience), et cet homme élégamment coiffé d'un chapeau haut de forme brillant et qui ne regarde nulle part en laissant... flotter un regard paisible et comme sans pensée, comme la petite fumée qui s'élève des villages dans le bleu, par les temps ensoleillés comme celui-ci où le soleil faisait miroiter son chapeau, de telle sorte que nul

1. *Jean Santeuil*, Pléiade, p. 634.

ne pouvait deviner s'il venait pour parler ou pour se taire, s'il répondrait ou non aux questions, etc. [1] »

Bref, de même qu'Alfred Dreyfus, tout en protestant de son innocence, avait l'air d'un coupable, le colonel Picquart n'a pas, lui, l'air farouche et révolté du héros qui va faire éclater la vérité. Lorsqu'il commence à parler, son sang-froid et sa modération déçoivent l'auditoire qui s'attendait à une philippique. Il n'en oppose pas moins un démenti formel au lieutenant-colonel Henry qui réplique en affirmant : « Le colonel Picquart en a menti. » En vain Me Labori demande-t-il ensuite la production du bordereau. La raison d'État, une fois de plus, s'y oppose. L'expert en graphologie, M. Bertillon, après une démonstration embrouillée qui s'achève par un éclat de rire général, refuse finalement de s'expliquer sur l'écriture du bordereau, si bien que les témoins cités contribuent à obscurcir davantage l'affaire qu'à l'éclaircir.

Après quinze jours d'audiences, marquées les unes par de fastidieuses controverses d'experts, les autres par de confuses dépositions, contradictoires ou incomplètes, la vérité stagne toujours dans son puits. Seules quelques interventions ont réveillé l'intérêt : le général de Boisdeffre en déclarant que si la Nation n'avait pas confiance dans les chefs de son armée, ceux-ci étaient prêts à se retirer ; Esterhazy, en affirmant avec une étrange pudeur qu'il ne répondrait pas aux questions de la défense ; Picquart, en lançant des insinuations troublantes contre ses supérieurs ; enfin Zola, en jurant solennellement « par tout ce qu'il avait conquis, par le nom qu'il s'était fait, par ses œuvres qui avaient aidé à l'expansion des lettres françaises », que Dreyfus était innocent. Malgré la plaidoirie de Me Labori, puis celle de Georges Clemenceau pour le gérant de *L'Aurore* qui avait publié « J'accuse... », le jury, après une courte délibération qui laisse à penser que sa conviction était déjà faite, reconnaît Zola coupable, sans circonstances atténuantes : « Ce sont des cannibales ! » s'exclamera le père de *Nana* en apprenant ce verdict qui le condamne à un an de prison et 3 000 francs d'amende [2].

Zola fait appel et l'affaire revient devant la cour le 31 mars, mais il ne semble pas que Proust ait assisté aux audiences de ce nouveau débat qui est rapidement mené puisque le 2 avril la cour casse la décision de la cour d'assises, mais sans renvoi,

1. *Jean Santeuil*, Pléiade, p. 634.
2. Environ 50 000 francs de 1990.

ce qui oblige à convoquer un second conseil de guerre pour décider de l'opportunité d'une plainte en diffamation contre Zola. Le 10 avril, le conseil de guerre fait assigner Zola devant la cour d'assises de Versailles, mais en limitant sa plainte à l'outrage fait au conseil de guerre qui avait acquitté Esterhazy, ce qui évite de revenir sur le fond du problème. La cour de Versailles rejette l'exception d'incompétence soulevée par Me Labori, qui se pourvoit en cassation. L'« Affaire », que le gouvernement croit définitivement réglée, n'a pas encore pris toute l'importance qu'elle va bientôt connaître.

*

En attendant que l'arrestation et le suicide du lieutenant-colonel Henry, le 31 août 1898, ne viennent ranimer le débat et donner un nouvel essor à l'« Affaire », Proust retourne au monde où les rapports sociaux, à peine altérés par la Révolution de 1789, se trouvent brusquement bouleversés par le cas Dreyfus qui crée un ordre nouveau, modifiant les hiérarchies traditionnelles et substituant aux plus forts préjugés, comme celui de la naissance, un préjugé nouveau : le « dreyfusisme », ou son contraire.

Désormais, il ne suffit plus d'être bien né, bien élevé, bien allié pour avoir une position dans le monde, il faut aussi « penser bien ». Il faut choisir son camp, être pour ou contre Dreyfus et, suivant l'option faite, on voit se fermer tel salon, où l'on allait depuis vingt ans, ou s'ouvrir les portes de tel autre où jamais, même dans la plus folle ambition de la jeunesse, on n'aurait espéré pénétrer un jour. Les déserteurs ou les exclus d'un salon renforcent la clientèle d'un autre. On se dispute des recrues de choix, on somme des indécis de prendre parti et, dans les deux camps, les maîtresses de maison, débordantes d'ardeur belliqueuse, appliquent à la lettre la parole du Christ en vomissant les tièdes.

Naguère si accueillant aux hommes du faubourg Saint-Germain, le salon de Mme Straus est un des premiers où s'opère le fatal clivage. Après une discussion fort vive avec Émile Straus, soutenu par Joseph Reinach et Porto-Riche, le byzantinologue Gustave Schlumberger part en claquant la porte d'une maison où il jure de ne plus remettre les pieds, ces larges pieds dont Proust, qui le déteste, ne cessera de se moquer. Du coup, Schlumberger se brouille avec tous ses amis juifs, leur reprochant de prendre fait et cause pour leur coreligionnaire non parce qu'ils croient à son innocence, mais parce qu'il est juif. C'est un peu aussi l'opinion de Boni de Castellane qui reproche aux Juifs, pour sauver Dreyfus, de ne pas hésiter « à démolir tous les corps constitués de la nation [1] ». Son esprit frivole est vite excédé par ces incessants ratiocinages sur Dreyfus et il restera le plus possible hors de la mêlée, se contentant de faire des mots, comme le jour où, un Dreyfus d'une autre famille lui étant présenté, il lui déclare poliment : « Votre nom, Monsieur, ne m'est pas pas tout à fait inconnu... »

Paul Bourget, enfant chéri des Kann qui lui avaient longtemps donné le couvert, et même le lit puisqu'on murmurait qu'il était l'amant de Marie Kann, a montré l'exemple de l'ingratitude en rejoignant le camp des antidreyfusards et le salon de Mme de Loynes, égérie de Jules Lemaitre et des nationalistes. Charles Maurras, renonçant à briller dans le salon de Mme Arman de Caillavet, rejoint également celui de Mme de Loynes qui, bonne fille, lui donnera l'argent nécessaire pour fonder l'Action française.

A l'exception d'Arthur Meyer, le visqueux directeur du *Gaulois* qui tient trop à ses lecteurs du faubourg Saint-Germain pour leur faire de la peine et se proclame antidreyfusard, la plupart des personnalités de la société israélite accueillies dans le monde de l'aristocratie ou de la haute bourgeoisie rallient la tribu sacrée dès lors que celle-ci est attaquée. C'est le cas de Charles Haas, le modèle de Swann, dont le duc de Guermantes estimera qu'il aurait dû se désolidariser de ses frères de race par simple devoir de courtoisie « comme une espèce de remerciement pour la façon dont [il] avait été reçu dans le faubourg Saint-Germain [2] ».

En revanche, on trouve dans le noble faubourg des aristocrates qui mettent la Justice avant l'honneur de l'armée au point de rompre avec leur milieu pour adopter les vues du camp opposé sans s'apercevoir toujours que règne dans celui-ci le même sectarisme. La comtesse Greffulhe, qui prétend savoir par le prince de Galles que Dreyfus est innocent, affirme hautement sa conviction et la communique à Montesquiou que ce problème, à vrai dire, intéresse beaucoup moins que l'Art, la poésie ou, tout simplement, sa propre personne.

Depuis que la condamnation de Zola et l'acquittement

1. B. de Castellane, *Mémoires*, p. 150.
2. *A la recherche du temps perdu*, Pléiade, tome III, p. 77.

d'Esterhazy ont donné à l'affaire une publicité sans précédent, le cas personnel de Dreyfus est largement dépassé. Ses adversaires et ses partisans ne s'affrontent pas pour le tirer ou non de l'île du Diable, mais au nom de valeurs intellectuelles et morales qui représentent les deux tendances de la société française. Désormais talent, réputation, honorabilité dépendent du camp choisi, l'un faisant du dreyfusisme un certificat d'intelligence, l'autre de l'antidreyfusisme un brevet de patriotisme. Aux yeux d'une grande partie du public, surexcité par une presse dont la partialité le dispute à la vulgarité, un dreyfusard est un traître en puissance, un agent de l'étranger, un suppôt de la finance internationale ; pour une minorité, faite surtout de ces intellectuels odieux à Barrès, défendre Dreyfus, c'est défendre les valeurs essentielles de l'Humanité, au-dessus de la Nation. Au-delà de la falote personne du capitaine Dreyfus, deux forces politiques, deux idéologies se combattent, l'une représentant la tradition, l'autre ce que l'on baptise du terme vague et généreusement optimiste de « Progrès ». La personne du commandant Esterhazy n'est pas plus sympathique, en dépit de l'enthousiasme qu'elle inspire, avec son passé fort louche, ses dettes et ses mensonges, ses escroqueries et ses rodomontades, mais ses partisans, comme ceux de Dreyfus, négligent l'homme pour ne s'attacher qu'à une certaine idée qu'ils se font de la France.

C'est en fait la question juive, celle de l'implantation en France d'étrangers de plus en plus nombreux, qui est au cœur du débat, qui envenime celui-ci, et transforme une banale affaire de trahison en guerre civile. Dans les beaux sentiments que cultivent les antidreyfusards, devenus nationalistes, entre beaucoup de ressentiment, celui d'avoir vu depuis une trentaine d'années une communauté juive, arrivée d'Europe centrale et même orientale, prendre rapidement les premières places dans le monde des affaires comme dans celui des arts et de la presse. Étonnante réussite sociale, concrétisée, de manière éclatante, par les mariages de fils de famille épousant des héritières de grands financiers. Celles-ci, d'ailleurs, se sont en général fort bien adaptées à leur nouveau rang qu'elles tiennent souvent mieux, et avec plus d'élégance, que leurs belles-mères, comme la duchesse de Gramont, née Rothschild. Le triomphe de cette nouvelle caste est parfaitement symbolisé par l'arrogante silhouette de la tour métallique érigée pour l'Exposition universelle de 1889 et qui consacre à la fois l'avènement du capitalisme international et celui d'un âge de fer dans lequel le laboureur, le soldat, l'artisan, le prêtre et même Dieu doivent céder la place à l'agioteur, au boursier, à l'industriel et à l'athée.

Certes, des réussites spectaculaires, l'étalage maladroit, voire insolent, d'argent trop vite gagné, des Légions d'honneur décrochées dans des banquets ont exaspéré le sentiment populaire comme, un siècle plus tôt, les fortunes des fermiers généraux. Cette exaspération s'est accrue par le krach, en 1882, de l'Union générale, la grande banque catholique qui a entraîné dans sa chute des milliers de petits épargnants. Des scandales, comme celui du Panama où se trouvèrent impliqués nombre d'aventuriers juifs, les agissements fâcheux de personnalités comme le journaliste Jacques Saint-Cère, né Jacob Rosenthal, condamné pour escroquerie en Allemagne avant de transporter ses activités en France, ont achevé d'enrager maints Français, partagés entre la fureur d'avoir été trop souvent floués et l'amertume de n'avoir pas eu l'esprit d'en faire autant. A Paris, l'esprit de domination de certaines dames juives, trop sûres d'elles-mêmes et donnant l'impression qu'elles pouvaient tout acheter, jusqu'à l'Académie française, a indisposé des écrivains qui se sont rangés sous la bannière de Paul Déroulède, dans cette fameuse Ligue des Patriotes dont *La France juive*, d'Édouard Drumont, est l'évangile.

A un siècle de distance, on se demande comment ce livre, indigeste fatras de légendes et d'accusations désordonnées, a pu galvaniser les foules. Drumont est un énergumène, au soupçon facile, à l'injure prompte. Il a déjà rompu des lances avec des confrères, notamment avec Edmond de Goncourt qui lui reprochait d'avoir une mentalité de Juif... Son livre a néanmoins exercé une influence déterminante sur ses contemporains, chacun y trouvant, comme dans une auberge espagnole, ce qu'il y apportait. En fait, la cristallisation du sentiment national contre les Juifs, en cette fin du XIX^e siècle, apparaît un peu comme la rébellion d'un peuple colonisé. C'est un des paradoxes de la III^e République, en effet, que de voir des milliers de Français, bravant les pires dangers, se perdre en Afrique ou en Indochine pour y fonder des colonies, dans des conditions le plus souvent déplorables, alors qu'autant d'étrangers, notamment beaucoup de Juifs, créent des chemins de fer, des usines, des compagnies de commerce ou de navigation dans une France où ils n'ont à redouter ni la fièvre jaune, ni les serpents, ni la chaleur extrême ou les inondations, ni les anthropophages ou les cyclones. Les Français ont l'impression, qui n'est point fausse, d'avoir lâché la proie pour l'ombre.

Enfin, comme le note finement Jules Renard dans son *Journal*, c'est « chez le Juif que nos défauts nous apparaissent le mieux[1] » et les antidreyfusards se déchaînent avec la conscience de faire non seulement œuvre de salut national, mais de se régénérer eux-mêmes en dénonçant ces défauts que Drumont leur a signalés.

*

Cette division de la France en deux camps se retrouve jusque chez les Proust où le docteur Proust croit à la culpabilité de Dreyfus tandis que sa femme, soit par solidarité de race, soit plutôt par sensibilité féminine, pense, à l'instar de Mme de Staël, que « c'est être innocent que d'être malheureux ». On trouve un écho de ce clivage familial dans *Jean Santeuil* lorsque la mère du héros, apprenant que le colonel Picquart risque cinq ans de forteresse, trahit sur son visage une telle souffrance que son mari lui dit : « Allons, calme-toi... » et Mme Santeuil, par respect pour celui dont elle admire la grande sagesse, fait taire ses sentiments personnels afin de ne pas le contrarier.

A cette époque, c'est d'un autre mal que souffre aussi Mme Proust qui doit entrer au début du mois de juillet à la clinique de la rue Bizet pour s'y faire opérer d'un cancer. Son cas est plus grave qu'elle ne le pensait ou voulait bien l'avouer. L'opération dure trois heures et, après l'avoir faite, le docteur Terrier avoue qu'il ne l'aurait pas tentée s'il avait su les dangers qu'elle comportait. Mme Proust demeure trois mois dans cette clinique et n'en sortira qu'au mois de septembre pour aller finir sa convalescence à Trouville. Son fils lui tient compagnie quelques jours à l'Hôtel des Roches noires avant de faire en Hollande un voyage qui n'a guère laissé d'autres traces dans son œuvre que l'épisode de *La Religieuse d'Anvers*, histoire un peu incohérente et inachevée d'un amant qui rend visite à une ancienne maîtresse, entrée au couvent.

Entre ce bref séjour à Trouville et ce voyage en Hollande, vraisemblablement pour y voir une exposition de Rembrandt, il a passé des journées fiévreuses à Paris où le suicide du lieutenant-colonel Henry a fait rebondir l'« Affaire ».

Nommé ministre de la Guerre en remplacement du général

1. J. Renard, *Journal*, p. 441.

Billot, Cavaignac avait proposé la constitution d'une Haute Cour afin de traduire devant celle-ci les fauteurs de trouble qui réclamaient une révision du procès d'Alfred Dreyfus. En même temps, il avait donné mission à son ordonnance, le capitaine Cuignet, de faire la synthèse des pièces du procès. En procédant à l'examen minutieux du « petit bleu », Cuignet s'était aperçu qu'il s'agissait d'un montage et en avait averti le général Roget, chef du cabinet du ministre. Informé de cette consternante découverte, Cavaignac avait convoqué les généraux de Boisdeffre et Gonse qui s'étaient rendus à l'évidence. Convoqué à son tour, Henry avait commencé par fournir des explications embarrassées, puis il était passé aux aveux, disant qu'il n'avait forgé ce document que par souci de l'intérêt du pays et de l'armée, intérêt supérieur pour lui à toute autre considération. Convaincu de faux, Henry avait remplacé Picquart au Mont-Valérien et, le lendemain, il se tranchait la gorge avec son rasoir.

Devant cette accablante révélation, le général de Boisdeffre avait démissionné, imité par Cavaignac qui, persuadé de la culpabilité de Dreyfus, ne voulait pas conserver le portefeuille de la Guerre si son innocence devait être reconnue. Il avait eu pour successeur à la Guerre le général Zurlinden. Entre-temps, Esterhazy, impliqué dans une affaire d'escroquerie, s'était réfugié à Londres et Mathieu Dreyfus avait déposé une demande en révision du procès de son frère auprès du garde des Sceaux.

Cette série de coups de théâtre avait réveillé l'espoir chez les partisans de Dreyfus et stimulé leur ardeur belliqueuse. A peine revenu de Trouville, Proust s'était démené pour faire signer une adresse de soutien au colonel Picquart. Anatole France, qui avait renvoyé sa Légion d'honneur après qu'on eut retiré la sienne à Picquart, avait signé en premier. Proust avait demandé à Mme Straus de l'aider à trouver d'autres personnalités : « M. d'Haussonville, qui a tant de cœur, d'élévation d'esprit, ne vous le refusera peut-être pas [1] », lui écrivait-il au mois de septembre, mais, comme M. d'Haussonville, cela lui paraissait trop beau pour être possible, et il la priait de se rabattre sur des personnalités de moins grande envergure comme le docteur Pozzi, Ganderax, le directeur de la *Revue de Paris*, ou Dufeuille, chef du cabinet politique du prétendant royal, le duc d'Orléans.

1. Kolb, tome II, p. 251.

En quelques jours l'adresse, volant de mains en mains, s'était couverte de noms illustres ou destinés à l'être : Edmond Rostand, Georges de Porto-Riche, le professeur Brochard, le compte Mathieu de Noailles, l'actrice Réjane, Sarah Bernhardt, Fernand Gregh, Robert de Flers. Lorsque *L'Aurore* l'avait publiée, Proust, qui s'était donné tant de mal pour recueillir des signatures, s'était aperçu qu'on avait omis son nom et il avait protesté auprès du directeur du journal : « Je sais que mon nom n'ajoutera rien à la liste. Mais le fait d'avoir figuré sur la liste ajoutera à mon nom : on ne laisse pas passer une occasion d'inscrire son nom sur un piédestal[1]. » Aveu d'un ambigu qui laisserait à penser qu'il s'est servi du nom de Picquart pour faire parler de soi alors qu'en l'occurrence son zèle est sincère, si son expression est maladroite.

Diverses interventions en faveur du colonel Picquart avaient réussi à le soustraire au conseil de Guerre et à le faire remettre en liberté. Entre-temps, cette ténébreuse affaire qui, suivant l'expression de Proust, de balzacienne était devenue shakespearienne, avait été renvoyée devant la cour de Rennes.

Depuis que l'« Affaire » a divisé la France, il est plus difficile que jamais de réunir pour un déjeuner ou un dîner, des gens assez bien élevés pour n'en point parler ou assez maîtres d'eux pour le faire sans passion ni violence. Il importe donc de n'inviter que des personnes « sûres », c'est-à-dire toutes de la même opinion, avec lesquelles on puisse goûter la volupté d'une approbation entière, sans la moindre réserve, sans la moindre discordance.

C'est ce que fait Proust en conviant pour le 24 avril 1899, à un dîner auquel ses parents auront l'honneur d'assister, des personnalités toutes persuadées de l'innocence de Dreyfus ou du moins favorables à la révision de son procès. Les invités sont Anatole France et Mme Arman de Caillavet, le comte et la comtesse Mathieu de Noailles, Mme Lemaire et Robert de Montesquiou et enfin Léon Bailby, directeur de *La Presse*. Ce dîner intime est suivi d'une « soirée littéraire » où se retrouvent la comtesse de Briey, la comtesse Potocka, Mme de Brantes, le marquis de Castellane, Abel Hermant, le prince Giovanni Borghèse, Mme Léon Fould, le comte de Gontaut-Biron, Jean Béraud, Charles Ephrussi, Albert Flament, etc. Une jeune actrice, Cora Laparcerie, récite des vers d'Anatole France, de Mme de Noailles et de Robert de Montesquiou.

---

1. Kolb, tome II, p. 268.

Celui-ci n'est pas très content que la soirée ne lui soit pas entièrement consacrée, après l'effort qu'il a fait en acceptant d'aller dîner chez ces gens si mal meublés. Il n'a pas fallu moins de quatre lettres pour le décider à venir, sans compter une cinquième pour le remercier d'avoir bien voulu céder aux instances du maître de maison. Il est de ceux qui considèrent que toute invitation qu'ils acceptent est une faveur qu'ils accordent. Aussi, pour Montesquiou, ne pas être le seul objet de l'attention générale est presque un affront, une noire ingratitude après le sacrifice qu'il a fait en voulant bien dîner chez des bourgeois.

Il est facile d'imaginer sa fureur lorsque le lendemain, en lisant *Le Figaro*, il s'aperçoit que le chroniqueur mondain, en citant les noms des invités, a omis le sien ! Le nouvel Orphée avait pourtant pris la peine, après que Cora Laparcerie eut récité ses poèmes, de la remplacer pour les déclamer lui-même, « à la demande des invités », comme le précisera *Le Figaro* dans la rectification qu'il publiera le surlendemain. On peut penser que les invités, connaissant Montesquiou, ont malignement voulu jouir du spectacle de l'auteur faisant lui-même la publicité de ses *Perles rouges* et les récitant avec ses glapissements, ses rengorgements et surtout ses piaffements, frappant le sol comme Pégase pour affirmer la supériorité de son génie.

Grâce à de fiévreuses démarches auprès du *Figaro*, l'erreur a donc été réparée ; d'autres journaux rendent également compte de cette fête de l'Art et de l'esprit de telle manière que la fureur du comte s'apaise.

Lorsque paraît *Les Perles rouges*, le 6 juin, Proust, qui estime sans doute avoir suffisamment loué l'œuvre verbalement, remercie l'auteur de son envoi en s'extasiant sur l'aspect somptueux du livre, sans rien dire des sonnets eux-mêmes, promettant de le faire dans un article. Il tiendra sa parole, assurant que ces beaux vers seront « pour tout lettré un émerveillement à la fois violent et délicat », mais l'article ne sera pas accepté par *La Presse*, qui avait déjà publié celui d'Albert Flament. Il ne semble pas que Montesquiou s'en irrite, ni que Proust s'en excuse, ce détail étant vite emporté par le tourbillon des événements qui agitent Paris et la société.

Le 31 mai, la cour d'assises a prononcé l'acquittement de Déroulède, accusé d'avoir voulu marcher sur l'Élysée pour renverser le régime ; le président de la Ligue des Patriotes a été porté en triomphe par la foule massée devant le Palais de justice. En même temps, du Paty de Clam a été arrêté, remplaçant Picquart dans sa cellule du Mont-Valérien ; enfin, la chambre criminelle de la Cour de cassation, saisie d'une demande de révision par la femme d'Alfred Dreyfus, casse et annule, le 3 juin, le jugement du 28 décembre 1894, renvoyant l'accusé devant un nouveau conseil de guerre. Le même jour, *Le Matin* publie une interview d'Esterhazy avouant être l'auteur du bordereau, mais précisant qu'il l'avait écrit à la demande de ses supérieurs.

Tandis que le gouvernement envoie un croiseur chercher Dreyfus à l'île du Diable et que Zola revient de Londres où il s'était réfugié, le colonel Picquart, qui avait été de nouveau incarcéré, se voit libérer. Quelques jours après, Proust est présenté par Louis de Robert au colonel Picquart qui va bientôt connaître, lors du procès de Rennes, un regain de célébrité.

Cette succession d'événements a plongé Paris dans une effervescence qui rappelle un peu celle du printemps de 1789. Désormais certains de l'acquittement du capitaine Dreyfus, ses partisans pavoisent, un peu trop vite d'ailleurs. Les anti-dreyfusards et le parti nationaliste, qui se confondent de plus en plus, voient dans cette décision de la Cour de cassation une défaite infligée à l'Armée et rêvent d'une revanche. L'excitation des esprits est si forte que le 4 juin le président de la République, Émile Loubet, venu assister au grand *steeple-chase* d'Auteuil, est accueilli par des huées, des insultes et des cris de « Démission ! Démission ! » Un jeune homme du monde, le baron Christiani, l'agresse à coups de canne et ne réussit qu'à bosseler son haut-de-forme.

Aucun écho de cette atmosphère d'émeute ne se retrouve dans la correspondance de Proust de cette époque, mais la diminution de celle-ci pendant cette période permet de supposer qu'il a consacré aux événements et à leur discussion entre amis trop de temps pour avoir celui d'écrire ses innombrables lettres.

Pour lui, en ce printemps 1899, l'événement majeur serait plutôt d'avoir fait la connaissance d'un nouvel ami destiné à jouer un grand rôle dans sa vie, sinon dans son œuvre : Antoine Bibesco.

*

Antoine Bibesco est le fils d'Alexandre Bibesco qui, désavoué à sa naissance par son père, le prince régnant de Valachie, a d'abord vécu sous le nom de Maurocordato, celui de sa mère, jusqu'à ce qu'un arrangement familial lui permît de prendre celui de Bibesco. Marié à Hélène Kostaki Epureano, fille d'un homme politique roumain, il habite rue de Courcelles où sa femme, qui dispute Ignace Paderewski à sa cousine Brancovan, tient elle-même un salon musical. Alexandre Bibesco, qui n'aime que les livres, est un bohème attardé, demeuré longtemps sous la tutelle de son précepteur, l'être qu'il a sans doute le plus aimé dans sa vie puisqu'il exigera d'être enterré près de lui. Il a gardé de sa jeunesse au Quartier latin une silhouette estudiantine qui surprend les invités de sa femme. Beaucoup croient d'ailleurs que cet individu aux cheveux argentés, flottant sur une vieille veste de velours côtelé, ne peut être qu'un artiste impécunieux, reçu par charité : « Quel est ce vieux violoneux en retard ? » avait un jour demandé quelqu'un au fils aîné du prince, Emmanuel, qui, tout honteux, n'avait pas osé dire que c'était son père.

Lorsque Proust, au mois de juin 1899, est invité pour la première fois rue de Courcelles, une scène fort pittoresque vient de s'y produire. Encore muets d'émotion après avoir eu la primeur d'une œuvre de Debussy, les invités ont vu soudain le maître de maison paraître, furieux, et hurlant : « Je me fous de Debussy ! » A quoi son second fils, Antoine, avait répliqué : « Et lui, de toi ! »

Proust est aussitôt séduit par Antoine Bibesco, alors âgé de vingt-huit ans, qui mène une double carrière de séducteur et de diplomate. Comme il le proclame avec cynisme, « le bonheur d'être diplomate roumain, c'est qu'on ne peut pas être envoyé à Bucarest », et lorsqu'il évoque cette Roumanie qu'il fuit, il l'appelle « l'amère patrie ». La sienne, c'est la France et surtout Paris où ses parents se sont fixés après leur mariage avec la ferme intention de n'en plus jamais bouger.

Très beau, avec un profil presque trop net, un regard dominateur et un sourire qui durcit ses traits au lieu de les adoucir, Antoine Bibesco, par sa verve, son impudeur et son insolence a tout pour fasciner Proust et lui inspirer, avec le désir d'en faire un ami de prédilection, le regret de ne pas lui ressembler. Sa cousine Marthe Bibesco, qui le connaît bien, relève parmi ses nombreux défauts une incommensurable vanité ainsi qu'un rayonnant égoïsme, « le merveilleux égoïsme de l'homme qui attend tout de ceux qui l'aiment, mais qui ne donne rien [1] ».

Toujours préoccupé de l'impression qu'il produit, Antoine

1. *Papiers Bibesco*, Bibliothèque nationale.

Bibesco ne perd jamais l'occasion de se rassurer lorsqu'il passe devant une glace, même celle de l'ascenseur du Ritz. Dans ses notes, Marthe Bibesco raconte que, venu la voir un matin chez elle et arpentant sa chambre d'un pas nerveux, il poussait la coquetterie jusqu'à se baisser chaque fois qu'il passait devant le miroir de la coiffeuse pour ne pas perdre le mondre reflet de sa jolie taille ! Agacée par cet enfantillage, sa cousine lui avait demandé s'il finirait bientôt de s'admirer, à quoi Antoine, étonné, lui avait avoué : « Mais je ne m'admire pas ! Je me trouve affreux ! » Surprise à son tour, Marthe Bibesco lui avait alors demandé comment il aurait voulu être et il avait eu cette réponse, qui trahit l'inquiétude des récentes aristocraties à l'égard de celles consacrées par le temps : « Comme n'importe quel Anglais passant dans la rue ! »

Avec les femmes, Antoine Bibesco se conduit en despote oriental, doublé d'un Parisien de boulevard. Sa cousine s'étonne qu'il puisse abuser, aussi effrontément qu'il le fait, de la sensibilité fémnine et parler si bien le langage de l'âme pour arriver plus vite à la possession des corps : « J'ai appris de lui, écrira-t-elle au soir de sa vie, ce qu'est un séducteur, un homme aimé des femmes, ce qu'il pense d'elles et combien il leur en veut d'être ses victimes, combien il se moque d'elles et les déteste, dans quel enfer il les entraîne, comment il finit par s'en faire haïr, sauf de quelque-unes qui lui sont demeurées reconnaissantes... qui regrettent sincèrement la terreur qu'il leur inspirait et ne veulent, ni ne peuvent, s'en délivrer complètement. Peut-être leur a-t-il révélé quelque chose d'elles-mêmes qui leur paraît irremplaçable... [1]. »

Dans cette analyse du caractère de son cousin, Marthe Bibesco dégage une vérité psychologique applicable non seulement aux femmes qu'il a séduites, mais à toutes ses conquêtes en général, à tous ceux qui se sont laissé charmer, éblouir et duper par Antoine Bibesco.

Pour l'instant, Proust ne voit que le côté brillant du personnage. Avec son profil de jeune empereur romain, sa fortune, ses relations, son esprit, Antoine Bibesco, comblé de tous les dons, est un astre dont il serait vain de vouloir influencer la course et qu'il faut se contenter de suivre, admiratif, dans son ascension.

Très différent est Emmanuel Bibesco, son frère aîné, que Proust surnommera l'« Almée » pour ses yeux sombres, sa

1. *Papiers Bibesco*, Bibliothèque nationale.

grâce orientale et surtout le mystère dont il s'entoure, énigme vivante que Proust ne parviendra jamais à déchiffrer. Assez curieusement, des deux frères, c'est Antoine, le cadet, qui joue le rôle d'aîné. Enfants, ils se ressemblaient beaucoup, mais au sortir de l'adolescence leurs physiques et leurs caractères s'étaient modifiés. Loin de s'en trouver diminuée, leur affection s'en était accrue au point de devenir, chez Antoine, un amour exclusif, ombrageux pour ce frère aîné, plus cher à ses yeux que la femme dont il est momentanément épris.

Avec les frères Bibesco, Proust achève d'entrer dans le clan familial de leurs cousins Brancovan, qu'il a connus deux ans plus tôt. Portant un nom illustre dans l'histoire des principautés danubiennes de Moldavie et de Valachie auxquelles ils ont donné de nombreux princes, aux ordres de leur suzerain, le Grand Turc, les Brancovan sont de ces familles, jadis régnantes, qui, voyant leur place prise par un autre, en l'occurrence un Hohenzollern de Sigmaringen, devenu le roi Carel Ier de Roumanie, préfèrent vivre à Paris où elles règnent sur les arts et les lettres, plus faciles à gouverner que leurs anciens sujets.

Le prince Grégoire de Brancovan, qui s'était installé à Paris sous le Second Empire, avait épousé Rachel Musurus, fille de Musurus Pacha, l'un des derniers grands diplomates de l'Empire ottoman. Pendant une trentaine d'années, Musurus Pacha, de Londres où il était ambassadeur, avait courageusement et habilement défendu son pays devant les convoitises des grandes puissances. Depuis la mort de son mari, en 1886, la princesse de Brancovan partageait son existence entre la villa Bessaraba [1], près d'Amphion, et son hôtel de l'avenue Hoche, somptueux mausolée où ses enfants périssaient d'ennui. Elle y avait créé un salon musical et avait eu un moment, comme grand homme de ce salon, un jeune Polonais de génie, Ignace Paderewski, que toutes ses rivales s'étaient efforcées de lui arracher.

Bien qu'uniquement férue de musique, la princesse de Brancovan n'a enfanté que des écrivains. Le plus célèbre est déjà sa fille aînée, Anna, qui vient d'épouser le comte Mathieu de Noailles, mais la cadette, Hélène, mariée au prince Alexandre de Caraman-Chimay, possède aussi un certain talent, qu'elle exerce avec plus de discrétion. Son fils, Constantin, écrit moins qu'il ne fait écrire, s'entourant de gens de lettres

---

1. Ainsi nommée en souvenir de l'antique maison valaque de Bessaraba, première souche de celle des Brancovan. Après son extinction, au début du XIXe siècle, Grégoire Bibesco, un des frères d'Alexandre, avait succédé aux nom, armes et titres des Brancovan.

auxquels il demande des textes pour sa revue, *La Renaissance latine*, qu'il a fondée avec son ancien précepteur, Alexandre Mielvaque. Constantin de Brancovan est de ces étrangers passionnés de culture française et de bel esprit que l'on reconnaît à tous les vernissages, à toutes les conférences, à toutes les manifestations où le goût de la littérature sert de paravent à celui, plus réel, pour les mondanités. Il a pour introducteur dans la république des lettres Abel Hermant, qui s'y est lui-même introduit en épousant la fille de l'éditeur Georges Charpentier. Abel Hermant s'est implanté chez les Brancovan avec presque autant d'habileté que chez les Charpentier, au point qu'il fait partie de la famille. A cette réussite mondaine s'ajoute une incontestable réussite littéraire, due au scandale du *Cavalier Miserey*, interdit dans les casernes, comme au succès de *La Carrière* et des *Transatlantiques*. S'il a su se faire beaucoup d'amis utiles, les détracteurs ne lui manquent pas, qui rabaissent sa vanité en lui rappelant sa petite taille qu'il s'efforce désespérément d'allonger. En cela, il ressemble un peu à Loti, « marchant raide, sur des talons trop hauts, et un peu renversé en arrière », note Ferdinand Bac qui relève aussi « le timbre de voix aigu maîtrisé en parlant avec lenteur » tandis que Léon Daudet raille son ton précieux et nasillard qui lui fait accentuer « de façon comique la dernière syllabe des mots en *en* ou *an* prononçant *étonnint*, un *serpint*, un *éléphint*[1] ».

Passionné par la vie de la haute société, surtout par ce que celle-ci voudrait dissimuler, Hermant recherche, poursuit Ferdinand Bac, « les vices plutôt que les tares, les ridicules méticuleux plutôt que les gestes d'une grande ampleur malfaisante [semblant] les reconnaître un peu comme on reconnaît ses enfants et les enfants de ses plaisirs... ». Ce tout petit homme, bien peigné, presque verni, aux moutaches de chat, au sourire crispé, a l'air d'un automate et n'inspire qu'une confiance limitée. « Sur toute sa personne il portait l'aveu de sa finesse et de son insécurité, dira Ferdinand Bac. Il le fit bien voir à la famille dans laquelle il était entré. Sur les honnêtes Charpentier il avait fait ses premiers essais et il ne semblait avoir pénétré dans leur intimité que pour les trahir. On le sentait déguisé en gendre pour surprendre le comique de sa belle-mère, et en époux pour démarquer celui de l'épousée[2]. »

---

1. L. Daudet, *Souvenirs*, tome I, p. 82.
2. F. Bac, *Souvenirs inédits*, livre II.

Abel Hermant trahira les Brancovan comme il a trahi les Charpentier en publiant deux livres, *Le Faubourg* et *La Discorde*, dans lesquels le Tout-Paris de l'époque découvrira des ressemblances avec maints personnages ayant existé ou, pire, existant encore.

Plus que Paul Bourget, lui aussi un peu ridicule lorsqu'il veut jouer à l'homme du monde, Abel Hermant est pour Proust ce que l'on peut appeler un modèle à rebours. Cette étude de la haute société, c'est justement ce que Proust veut faire et, en lisant les romans d'Abel Hermant, il peut mesurer l'écart entre les personnages décrits par l'auteur et ceux qu'il observe lui-même, dans l'espoir de leur arracher, non le secret de leurs vices, mais celui de la manière dont ils les pratiquent. Les personnages d'Hermant ne sont qu'un reflet dans un miroir et Proust a déjà pressenti que la réalité d'un être se trouve au-delà du miroir, là où ni les romanciers du monde, ni même ceux du cœur, comme Bourget se flatte d'en être un, n'ont jamais pénétré.

Les Brancovan passent toujours l'été dans leur villa d'Amphion et comme le docteur et Mme Proust doivent faire une saison à Évian, leur fils songe à les y rejoindre, conciliant ainsi le devoir familial et les plaisirs du monde. Ce n'est qu'aux environs du 15 août qu'il se préoccupe de trouver un hôtel là-bas. Il lui faut un établissement calme, à peu près sans clients, ce qui est beaucoup demander à un hôtel pendant la saison : « Ce que je voudrais savoir, c'est pour moi le point le plus important, écrit-il à Constantin de Brancovan à propos d'un hôtel à Amphion, c'est s'il est assez vide pour qu'on puisse y avoir une chambre isolée, où l'on puisse dormir aussi tard qu'on veut, *sans entendre marcher au-dessus de sa tête et dans les chambres contiguës* ». En post-scriptum, il prie Brancovan de lui préciser s'il y a d'épais volets, ainsi que d'épais rideaux qui lui permettent de rendre la chambre complètement obscure et si les gens de l'hôtel « sont aimables et sympathiques ». Un souverain en voyage n'aurait pas plus d'exigences. Brancovan fait son enquête, avec le résultat négatif que l'on devine, et, croyant que Proust cherche tout simplement à se faire inviter, il lui offre l'hospitalité de la villa Bessaraba. Proust décline cette invitation et le remercie de tous les renseignements qu'il lui a fournis « avec la minutie d'une mère et l'intelligence d'un médecin ».

Arrivée sur les lieux avec son mari, Mme Proust est chargée de vérifier les renseignements envoyés par Brancovan : elle découvre que l'hôtel d'Amphion a un inconvénient dont le traître n'avait pas soufflé mot : les cloisons des chambres sont trop minces. Aussi conseille-t-elle à son fils de descendre plutôt à l'Hôtel Beaurivage, à Évian. C'est ce qu'il va faire, annonce-t-il à Constantin de Brancovan qu'il prie de venir l'y voir pour adoucir l'horrible tristesse du dépaysement : « Car les premiers soirs je suis aussi malheureux, aussi profondément, aussi mystérieusement, aussi physiquement, aussi maladivement malheureux que sont au crépuscule ces animaux dont parlait — est-ce Barrès ? — je crois[1]. »

Finalement, c'est au Splendide et Grand Hôtel des Bains qu'il s'installe au début de septembre 1899, peu avant que le docteur et Mme Proust repartent eux-mêmes pour Paris. Il va passer un mois à Évian, d'où il écrira quasiment tous les jours à sa mère pour la tenir au courant de sa santé, de ses insomnies, de ses dépenses et surtout de ses mondanités, flatteuses certes, mais trop accaparantes à son gré, trop onéreuses aussi car chaque course en voiture lui coûte, se plaint-il, de 10 à 20 francs[2].

L'hôtel est moins vide et moins calme qu'il ne l'espérait, car « une nuée de Constant Halphen » s'est abattue sur le Splendide, tous venus pour le mariage d'une fille du baron Vitta, qui possède une propriété aux environs, avec l'explorateur Édouard Foa. Ces Halphen sont suivis par des Oppenheim, des Lazard, bref, écrit-il à sa mère en faisant allusion à l'affaire Dreyfus, « tout le Syndicat ». En même temps que ces opulentes familles, séjournent à l'hôtel le comte et la comtesse d'Eu, lui petit-fils de Louis-Philippe, elle fille de l'empereur du Brésil, don Pedro. C'est sans doute la première fois que Proust se trouve en présence d'altesses royales, du moins de façon constante, et son étonnement devant la courtoisie de leurs manières trahit les préjugés de petit-bourgeois qu'il nourrissait à leur égard, persuadé qu'il était jusqu'alors que des altesses n'éprouvaient que dédain pour le reste de l'humanité : « Les *Eu* ont l'air de bonnes gens très simples, avoue-t-il à sa mère. Bien que j'affecte le chapeau sur la tête et l'immobilité en leur présence, *brouillés depuis Rennes*, m'étant trouvé avec le vieux devant une porte à avoir à passer l'un ou l'autre le premier, je me suis effacé sans d'ailleurs toucher mon chapeau, c'est-à-dire ce que je fais ici, même pour les gens de mon âge. Et il a passé, mais en ôtant son chapeau avec un grand salut pas du tout condescendant, mais de vieux brave homme très poli,

1. Kolb, tome II, p. 302.
2. Environ 180 et 360 francs 1990.

salut que je n'ai encore eu d'aucune des personnes devant qui je m'efface de même, qui sont de *simples bourgeois* et passent raides comme des princes [1]. »

*

La phrase *brouillés depuis Rennes* fait allusion à l'effet produit sur les « *révisionnistes* » depuis que le conseil de Guerre, réuni à Rennes a, comme en 1894 celui de Paris, déclaré Dreyfus coupable.

Si certaines personnes, pour ne pas troubler leur cure, ignorent volontairement l'« Affaire » ou n'en parlent que de manière lénifiante, les Brancovan, très dreyfusards, ont suivi jour par jour les séances du conseil de Guerre de Rennes appelé à se prononcer, en fonction de nouveaux éléments versés au dossier, sur l'innocence ou la culpabilité de Dreyfus. Celui-ci avait quitté le 9 juin l'île du Diable pour arriver le 1er juillet à Rennes, fatigué par le voyage et cherchant beaucoup plus la paix, voire l'oubli, qu'un nouveau débat. Il semblait n'avoir pas très bien compris ce qui lui était arrivé, comme ce qui s'était passé depuis son départ de France : « Comment a-t-on pu faire tout cela à un homme qui porte l'uniforme ? » avait-il dit à ses avocats. Choqué de ce défaitisme, Clemenceau avait publié le 5 juillet, dans *L'Aurore*, un article assez violent contre l'attitude de Dreyfus « cocardier, militariste, partisan de l'infaillibilité des conseils de Guerre, antidreyfusard en un mot ». En réalité, Dreyfus n'avait pas compris que son procès dépassait sa personne et que des partisans comme ses adversaires livraient en son nom un combat dont le véritable objectif était de savoir au nom de quelles valeurs morales et spirituelles la France serait désormais gouvernée.

Il serait oiseux d'entrer dans le détail de ce nouveau procès avec ses dépositions contradictoires, les volte-face de certains témoins, la fameuse déclaration du général Mercier, l'attentat pénétré par un inconnu contre Me Labori, la menace de celui-ci de rendre son dossier, l'altercation de Mme Henry avec le juge Bertulus traité par elle de « Judas », les dénégations, plates et monocordes, d'Alfred Dreyfus dont le comportement déçoit tout le monde, les exposés interminables des experts, la lecture des verbeuses lettres d'Esterhazy, toujours réfugié à Londres, le réquisitoire du commandant Carrière, la plaidoirie de

1. Kolb, tome II, p. 319.

Me Demange, habile, mais manquant de fierté au gré des plus ardents dreyfusards, le désistement de Me Labori en raison, dira-t-il plus tard, « de négociations politiques pour paralyser le procès ». Il suffit de dire que le 9 septembre 1899, après trente-trois jours d'audience, les membres du conseil de Guerre rendent le plus étonnant verdict qu'on puisse imaginer en déclarant Dreyfus coupable, avec admission de circonstances atténuantes, et en le condamnant par cinq voix contre deux à dix ans de détention.

Dès le lendemain, ce verdict est affiché dans toutes les communes de France et les Brancovan le voient placardé au Casino, « à la grande joie de tous les employés de l'établissement ». Un peu plus tard dans la journée, alors qu'ils sont tous revenus à la villa Bessaraba, Proust, voulant s'isoler dans un petit pavillon du jardin pour y faire ses fumigations, entend des gémissements. « C'était la petite Noailles qui passait en sanglotant de toutes ses forces, en gémissant d'une voix entrecoupée : *Comment ont-ils pu faire cela, comment ont-ils osé venir le lui dire, et, pour les étrangers, pour le monde, comment a-t-on pu ?* Elle pleurait avec tant de violence que c'était attendrissant et cela me l'a réhabilitée[1] », avoue Proust à sa mère.

Ces derniers mots laissent à penser que jusqu'alors Proust a regardé Mme de Noailles comme la plupart des hommes et surtout des femmes de la société la considèrent, c'est-à-dire sans grande considération. Bien que sa renommée d'auteur soit encore limitée à quelques cercles littéraires, à quelques salons, Mme de Noailles inquiète et agace ceux qu'elle n'a pas subjugués. Sa belle-famille et le faubourg Saint-Germain sont d'accord pour juger sévèrement sa façon de se conduire, avec une légèreté délibérée, comme si elle voulait rendre moins lourd le poids du grand nom qu'elle porte. Tout ce qu'elle dit, tout ce qu'elle fait, semble l'être à seule fin d'étonner, d'attirer sur soi l'attention. Ses opinions dreyfusardes, qu'elle a fait partager à son mari, scandalisent le Faubourg. Avec cette divination propre aux poètes, elle s'était écriée, le jour de la dégradation de Dreyfus : « Je jure que cet homme est innocent ! », puis elle avait fondu en larmes. Depuis elle n'avait cessé de militer pour la défense du déporté de l'île du Diable au point que l'on pouvait se demander parfois si elle était dreyfusarde par conviction sincère ou seulement par réaction contre son milieu, pour affirmer son indépendance d'esprit. Sa

1. Kolb, tome II, p. 304.

sœur Hélène avait adopté la même attitude et dénonçait comme elle l'obscurantisme des bien-pensants. Un jour qu'elles défendaient passionnément Dreyfus dans le salon de Mme de Montebello, celle-ci, indignée, s'était exclamée : « Vous vous dites Françaises ! Vous n'êtes qu'une paire de gavroches de Byzance[1] ! »

Proust, qui lui a été présenté au début de l'année 1898, a été plus intéressé que vraiment séduit par cette jeune femme, vive et menue, intelligente et moqueuse, qui ne se soucie ni de logique ni d'exactitude. Bien qu'elle affecte une superbe indifférence à l'égard des grandeurs, des positions et de la fortune, elle ne peut se passer ni des unes ni des autres et, malgré l'indulgence qu'on lui prodigue, elle ne réussit pas à faire prendre pour de la simplicité son mépris des règles élémentaires de la bienséance.

Toute sa parenté déplore hautement « son triste oubli des devoirs attachés à son nom » et, précise Proust en traçant son portrait dans *Jean Santeuil*, « pouvait-il en être autrement avec une femme qui foulait aux pieds les plus saintes choses, qui parlait légèrement de la religion, de la noblesse, qui arrivait à dîner une heure trop tard, qui écrivait, qui portait des pierres extraordinaires comme les personnes qui n'étaient pas du faubourg Saint-Germain, qui recevait une quantité d'auteurs de fort mauvais livres, qui, dans l'affaire Dreyfus, avait pris ouvertement parti contre l'armée et fait cause commune avec les pires anarchistes[2]... ».

Depuis des années, elle écrit des poèmes dont certains ont paru dans des journaux ou des revues, qui ont révélé chez cette jeune femme un lyrisme auprès duquel paraît fade ou désuet celui des poètes du Parnasse. Il y a chez elle un don prodigieux, d'une force et d'une vérité qui s'expliquent peut-être par ses origines, par le côté primitif encore des Roumains, plus proche du sol et de la nature et, par conséquent, des valeurs essentielles que sont la vie et la mort. Le bonheur d'exister, aussitôt assombri par la pensée de la mort, est déjà le leitmotiv d'une œuvre dont les prémices annoncent la naissance d'un poète véritablement inspiré, même si ses poèmes ne sont pas parfaits. Ce côté tragique de son génie contraste avec sa conversation primesautière, vive et souvent méchante, provoquant le rire « par des rapprochements comiques, une

1. M. Barrès, *Journal 1898*.
2. *Jean Santeuil*, Pléiade, p. 524.

manière spirituelle de raconter la moindre chose, si bien qu'elle n'a [vait] nul besoin de raconter des histoires drôles et qu'un mot drôle raconté par elle ne l'eût pas été plus, mais bien plutôt que dans toute circonstance de la vie elle découvrait quelque chose de drôle, dans toute conversation qu'elle entendait, dans toute action[1] ».

Cet esprit, burlesque et brillant, lui vaut des succès dont elle se grise au point de perdre toute retenue, accumulant les épithètes saugrenues, tournant en dérision les personnalités de son entourage, parlant pour le plaisir de parler, d'admirer son propre feu d'artifice, coupant la parole aux personnes âgées et, une fois qu'elle s'est assuré le monopole de la conversation, ne laissant personne le lui arracher.

Ce qui choque peut-être le plus chez la jeune Anna de Noailles, ce n'est pas cette dictature du verbe ou cet accaparement de tout ce qui passe à sa portée, véritable gloutonnerie de vivre, mais sa prétention de se vouloir plus française que les Français. Élevée à Paris, mariée à un Français d'illustre maison, elle estime avoir fait beaucoup en se donnant à la France, surtout depuis qu'elle a pris le parti de Dreyfus, et elle partage absolument le point de vue de son cousin Georges Bibesco, persuadé que la France a une dette de reconnaissance à son égard depuis que son père a servi dans l'armée française sous le Second Empire. Anna de Noailles se veut française par voie de conquête, revanche de l'Orient sur les Croisades et, en attendant de s'immiscer dans la politique, elle n'est pas loin de penser qu'en elle la IIIe République a trouvé une compensation à la perte de l'Alsace-Lorraine. « Dans le domaine de la pensée, écrira-t-elle, la France s'accroît par la dévotion de ceux qui la choisissent et la servent... » Elle restera malgré tout étrangère au génie particulier de la race pour n'en voir qu'un seul aspect. Comme la comtesse de Montebello le souligne avec une cruelle perspicacité, elle voit Versailles « avec les yeux de Zamore » et Jean Giraudoux constatera de son côté : « Éblouissante, mais pas française. C'est une alouette levantine[2]. » C'est surtout une femme de la Sublime Porte, une Schéhérazade éprise de pouvoir et qui voit dans chaque homme investi d'une parcelle, même infime, de puissance, un sultan digne d'être aimé.

Les sortilèges de cette jeune fée n'empêchent pas Proust de

1. *Jean Santeuil*, Pléiade, p. 522.
2. P. Morand, *Journal*, p. 173.

rendre ses devoirs à d'autres femmes, moins subtiles ou moins divertissantes, mais plus posées. Un jour, Constantin de Brancovan et Abel Hermant l'emmènent en automobile à Genève d'où l'on gagne Copet, tout chargé du souvenir de Mme de Staël. Sa châtelaine, la comtesse d'Haussonville, est malheureusement absente. La baronne Adolphe de Rothschild est également absente de Prégny, en vertu de cette loi sociale qui fait que les châtelains opulents sont rarement chez eux, tandis que les autres y sont enterrés vifs, malgré tout le désir qu'ils ont d'en sortir, mais ils sont plus rarement invités. Une autre fois, il se rend à Humilly, où son propriétaire, le vieux M. de Chevilly, antidreyfusard acharné, s'étonne qu'il soit descendu à l'Hôtel Splendide, infesté de Juifs, et lui conseille, la prochaine fois, de choisir plutôt un hôtel à Thonon où, dit-il, « la société est plus française, moins cosmopolite ». Par déférence pour l'âge de M. Chevilly, Proust ne relève pas le propos qui aurait certainement provoqué, s'il l'avait tenu devant elle, une réaction fulgurante de Mme de Noailles.

Tout au contraire, Proust s'efforce de désarmer les préventions du vieux gentilhomme. Un jour qu'il est invité à déjeuner chez celui-ci, il esquive habilement le sujet dangereux pour mettre la conversation sur la chasse, puis il fait conter au châtelain ses exploits guerriers en 1870. A l'exception de l'irascible aïeul, les Chevilly sont des gens charmants qu'il voit avec plaisir, car il ne les imaginait pas tels qu'ils lui apparaissent, c'est-à-dire simples et gais : « Votre frère ne cherche pas à faire valoir sa famille, déclare-t-il à Marie de Chevilly, mais c'est un malin, il vous réserve des surprises charmantes... [1] » Il fait la conquête de toute la famille, et surtout celle de Marie de Chevilly, qu'il reverra parfois à Paris.

Il rend également visite aux Bartholoni qui habitent, dans le voisinage, le château de Coudrée. Mme Anatole Bartholoni, à la flamboyante chevelure rouge, avait été une beauté célèbre du Second Empire et se consolait du déclin de cette beauté par l'éclat de son esprit, qui continuait d'attirer chez elle des admirateurs. Une de ses filles, dite Kiki, également fort jolie, a elle aussi des soupirants au nombre desquels Proust s'inscrit aussitôt, prétendant même être fort amoureux.

Chez les Bartholoni, il retrouve Léon Delafosse, devenu le Paderewski de cette famille au sein de laquelle il finira ses jours. Proust et lui se lancent dans de brillantes improvisations

---

1. *B.S.M.P.*, n° 23, 1973, Souvenirs de Marie de Chevilly.

sur la musique et la littérature, à la grande joie des invités, rarement gratifiés de pareilles joutes oratoires : « Je remarquai, dira Marie de Chevilly, que si on n'avait pas connu Marcel et Delafosse, on aurait pu croire que Marcel était le musicien, Delafosse l'écrivain. Ils parlaient avec une égale compétence des deux arts qui n'étaient pas le leur...[1] »

La figure la plus originale des environs est la vicomtesse de Maugny, au château de Lausenette, près de Thonon. Allemande, de mère polonaise, c'est une très belle femme blonde au visage typique des Slaves, avec ses pommettes un peu saillantes et ses yeux légèrement étirés vers le haut. Riche, elle a restauré le château et y tient un certain état de représentation. Fort douée pour la caricature, elle fait des portraits trop ressemblants pour plaire aux modèles et les montre trop volontiers aux curieux, ce qui plaît encore moins aux intéressés : « Quand on allait chez les Maugny, dira Marie de Chevilly, on vous faisait, avant tout, les honneurs de gros albums bourrés de personnages férocement contorsionnés, généralement politiques, soulignés de légendes adéquates, et ils devaient être terriblement ressemblants à en juger par les quelques paysans voisins qui figuraient dans la collection. Mais ces caricatures étaient beaucoup trop chargées pour le goût français. Rita accusait les défauts du visage avec une cruauté qui dépassait les bornes... elles inspiraient l'horreur plutôt que l'amusement[2]. »

Très fier du talent de sa femme, Clément de Maugny voudrait faire publier un recueil de ses caricatures et demande à Proust s'il pourrait lui trouver un éditeur. Sollicité d'abord de donner son avis personnel, Proust, qui n'aime pas la cruauté du trait, se dérobe et se retranche dans des considérations vagues dont Maugny n'est pas dupe. D'après Marie de Chevilly[3], témoin de la scène, il y aurait eu entre les deux amis une explication assez vive tandis que les autres invités allaient voir dans l'atelier les dernières œuvres de la maîtresse de maison.

La fin de la saison approche ; le temps fraîchit, le ciel se couvre et l'hôtel se vide, mais Proust s'y maintient, moins peut-être par plaisir que par ennui de partir, de s'occuper des bagages, des billets, des pourboires, toutes questions qui l'excèdent. Un des clients attardés de l'hôtel, M. de Ferrières,

1. *B.S.M.P.* n° 23, 1973.
2. *Ibidem.*
3. *B.S.M.P.*, n° 24, 1974.

se charge de lui obtenir un délai de grâce, « par des combinaisons inouïes et à la fureur du personnel attendu soit à Nice, soit ailleurs... ». Enfin il se décide à partir, après avoir distribué les pourboires habituels avec une largesse qui apaise la fureur du personnel. Ravi des dix francs qu'il lui a donnés, le conducteur de l'omnibus lui déclare, ému, que depuis qu'il travaille dans l'hôtellerie il n'a jamais vu quelqu'un de si bon pour les employés, ajoutant que ceux-ci l'adorent et que lui-même est bien triste de le voir si souffrant et que si quelqu'un méritait de ne pas l'être, c'est bien lui... et l'automédon achève son discours en lui demandant la permission de lui serrer la main.

Lorsqu'il retrouve Paris, vers le 12 octobre, les remous de l'affaire Dreyfus commencent à se calmer. Dreyfus, qui avait formé un recours en révision contre la décision du conseil de Guerre de Rennes, avait accepté de le retirer, au vif mécontentement de certains de ses partisans qui l'accusaient d'avoir trahi sa propre cause. En échange de ce désistement, le président de la République avait signé sa grâce, ce qui lui rendait définitivement sa liberté, sinon son honneur. Par sagesse, et par lassitude, Dreyfus et sa famille s'étaient résolus à ce compromis, mais cette solution laisse aux deux partis l'impression qu'ils ont été dupés : « Au fond, quels furent les vaincus ? écrira Georges de Lauris dans ses *Souvenirs*. Les gens de bonne foi, au profit des autres[1]. »

Pour beaucoup, l'innocence de Dreyfus restera douteuse, au même titre que la culpabilité d'Esterhazy. Longtemps encore on en discutera, car il est possible que Dreyfus, sans avoir été l'auteur du bordereau, ait malgré tout été mêlé à des activités de contre-espionnage que lui facilitait sa connaissance de l'allemand, langue peu familière aux officiers d'alors. Dans ce genre d'opérations, les officiers chargés d'une mission agissent sous leur propre responsabilité, sachant qu'ils seront désavoués par les services s'ils se font prendre. En ce cas, Dreyfus, en ne cessant d'affirmer son innocence, mais sans jamais rien révéler d'une mission secrète qui lui aurait été confiée, serait effectivement un martyr de la parole donnée. C'est ce qui pourrait expliquer les propos tenus le jour de sa dégradation devant le capitaine Eugène d'Attel, trouvé mort mystérieusement dans un wagon de chemin de fer quelques mois plus tard, et le capitaine Lebrun-Renaud, qui les avait répétés à M. Chaulin-

1. G. de Lauris, *Souvenirs d'une belle époque*, p. 103.

Servinière, député de la Mayenne, trouvé mort sur une voie ferrée le 25 juillet 1898.

Proust lui-même semble avoir eu parfois des doutes, non sur l'innocence de Dreyfus, mais sur le fond de l'« Affaire ». Un écho s'en trouve dans *Jean Santeuil* lorsqu'il relate, après un dîner, une conversation entre un général et un homme du monde, celui-ci s'étonnant qu'on ait pu pendant quatre années soutenir la culpabilité de Dreyfus et l'innocence d'Esterhazy :

— Ah ! mais, c'est vrai, général, vous étiez aux Affaires au moment de la liquidation de l'affaire Dreyfus.

— Aussi je peux vous dire que je ne crois pas que Dreyfus fût coupable, mais je suis certain d'Esterhazy ne l'était pas...

Et dans ce passage, intitulé *Révélations*, Proust se fait l'écho d'une thèse selon laquelle Dreyfus comme Esterhazy auraient été sacrifiés pour sauver le vrai coupable, une personnalité trop importante pour que son nom fût révélé [1].

Le mot de la fin reviendra malgré tout aux militaires et le général de Galliffet, ministre de la Guerre, le prononcera dans son ordre du jour de l'armée lorsqu'il aura cette phrase lapidaire, qui résume assez bien le sentiment de la majorité du pays : « L'incident est clos ! »

---

1. Il faut lire l'intéressante thèse de Michel de Lombarès, selon qui c'est un agent allemand qui aurait fabriqué le bordereau en imitant l'écriture d'Esterhazy. (*L'Affaire Dreyfus*, Laffont, 1972.)

# 10

## Novembre 1899 - Août 1902

*Le temps de Ruskin - Un esthète encyclopédique - La Bible d'Amiens - Dans les pas de Ruskin - Amiens et Rouen - Une ville immergée dans le Temps - Les plaisirs et les nuits de Venise - Installation rue de Courcelles - Périlleuse amitié d'Antoine - La maladie comme un art de vivre.*

L'œuvre entreprise à Beg-Meil et continuée à Paris dans la salle à manger du boulevard Malesherbes, à Évian dans une chambre du Splendide, n'est pas le chef-d'œuvre entrevu dans l'extase de sa conception. A certains égards, *Jean Santeuil* est un roman d'aventures et de formation, mais son héros, loin d'imiter celui de Goethe ou, plus tard, de Hermann Hesse, n'est pas le *wanderer*, irrésistiblement attiré par le Sud et l'antique Italie pour y acquérir l'expérience de la vie. Le héros de Proust, fragile et naïf, vaniteux et dévoré d'ambition, ne va que dans le monde, terre inconnue pour lui, défendue contre les explorateurs de sa sorte par l'inextricable enchevêtrement de ses arbres généalogiques et remplie d'embûches auxquelles succombe le voyageur imprudent avant d'atteindre son but. Certains croient en approcher, mais c'est alors qu'ils commettent le faux pas qui les discrédite. Plus haute a été leur ascension sociale, plus spectaculaire est alors leur chute, qui sert d'avertissement à leurs rivaux. Ce monde, dont la capitale est l'étroit quadrilatère du faubourg Saint-Germain, est habité par des hommes féroces, sinon barbares, qui, forts de leur appartenance au clan, avec ses usages déroutants, son langage hermétique, percent de leurs flèches ceux qui se montrent assez hardis pour les approcher, assez impudents pour vouloir partager leurs jeux ou, surpême insolence, vouloir leur ressembler.

Dans des pages frémissantes de vérité, car elles correspondent à ses propres expériences, à des humiliations subies, à des échecs durement ressentis, Proust a raconté les débuts mondains de Jean Santeuil. La part de l'imaginaire est la réussite même de son héros qui triomphe enfin des complots des méchants, confond les imbéciles, humilie les orgueilleux et domine les superbes au point que de protégé il devient protecteur. C'est vraisemblablement parce qu'il a conscience du côté artificiel de son roman, de l'absence de liens entre certains épisodes, de son impuissance à découvrir le fond des caractères et le mécanisme des rapports sociaux, encore qu'il ait déjà distancé les meilleurs romanciers contemporains, que Proust renonce à terminer *Jean Santeuil*.

Pendant son séjour à Évian, il avait parlé à Marie de Chevilly de cette œuvre qui le hantait, mais que l'empêchaient d'écrire sa mauvaise santé autant que l'obligation de fréquenter pour cela des gens qui l'ennuyaient, et même le fatiguaient. « Mais alors, pourquoi écrivez-vous sur ces gens-là ? » lui avait demandé Marie de Chevilly. Proust avait réfléchi quelques secondes avant de lui répondre : « C'est justement parce que je ne les aime pas que je veux écrire sur eux[1]. »

Mais les gens du monde ne constituent pas le monde à eux seuls et Proust a depuis longtemps le désir de peindre aussi le monde visible, l'émotion que l'on éprouve en présence d'un paysage ou d'un tableau, en écoutant un morceau de musique, et qui fait s'écrier : « Que c'est beau ! » tout en étant incapable de dire pourquoi. Comme le montrent ses remarquables études sur Rembrandt et Chardin, il s'était aperçu que si certaines œuvres s'imposent spontanément à l'admiration, d'autres ont besoin d'être expliquées, ou plutôt dévoilées. Tel effet de lumière, tel détail invisible au premier coup d'œil éclate alors comme une vérité nouvelle, si manifeste qu'on s'étonne alors de ne pas l'avoir remarqué. La plupart des œuvres d'art — livres, tableaux, symphonies ou monuments — exigent ainsi, même pour un public cultivé, des intercesseurs qui projettent le rayon lumineux de leur intelligence ou de leur sensibilité sur ces œuvres méconnues.

*

1. *B.S.M.P.*, n° 23, 1973.

Au début du siècle, un homme s'était assigné ce rôle d'intercesseur, John Ruskin, esthète aux allures rustiques et pèlerin passionné de la Beauté, cheminant à travers l'Europe pour en voir les chefs-d'œuvre de la nature ou de l'homme et les sauver de l'indifférence des foules, abruties par le mercantilisme victorien. Né en 1819, John Ruskin était le fils d'un fortuné négociant de la cité de Londres. Il avait fait de bonnes études, achevées à Oxford. Chaque année, depuis son enfance, son père emmenait sa famille sur le Continent pour visiter des lieux ou des monuments propres à former le goût. Très jeune donc, Ruskin « éprouvait déjà des passions pour les choses à un âge où généralement on n'en ressent pas encore pour les personnes », écrira Proust dans l'article nécrologique qu'il lui consacrera.

Dans son adolescence, Ruskin a eu la révélation de la Beauté en voyant un effet de soleil sur la cime des Alpes et en découvrant l'œuvre du peintre Turner, alors très contesté. C'est en dessinant un lierre à Oxford qu'il a conçu la première base de son esthétisme, éprouvant à transposer cette plante sur son papier un peu de la joie divine du créateur, car, avant de perdre la foi, il a professé que toute beauté procède de Dieu ou qu'elle doit y conduire. Pour lui, l'art véritable est chrétien, c'est celui des bâtisseurs de cathédrales, ces monuments de la foi où le plus modeste détail, même condamné à demeurer ignoré, témoigne, dans sa maladresse ou son ingénuité, du sentiment religieux qui animait son auteur. Ce qui dominait alors dans le cœur de l'homme, c'était cette puissance d'aimer qu'il avait célébrée dans *Les Sept Lampes de l'architecture* en rendant hommage aux artistes médiévaux : « Ils ont emporté dans leurs tombes leurs pouvoirs, leurs honneurs et leurs fautes, mais ils nous ont laissé leur adoration. » A ses yeux, l'art est lié à la moralité de la société dans laquelle il s'épanouit ; il s'avilit lorsque les âmes s'altèrent et que décroît leur force spirituelle, thèse qu'il avait brillamment développée dans *Les Pierres de Venise*, en soulignant qu'à partir de la Renaissance, la religion de la Beauté avait remplacé celle du Christ.

L'originalité de Ruskin est d'avoir surtout dénoncé le premier l'erreur universelle dans laquelle vivent les artistes et ceux qui les admirent, ou croient les comprendre. Ennemi des lieux communs, des conventions et des préjugés, Ruskin exige de tout homme, et *a fortiori* de tout artiste, qu'il juge par ses propres yeux, ses propres oreilles et son tempérament, non par ceux d'autrui. Depuis qu'il a découvert l'art révolutionnaire de Turner, il s'est donné pour mission de nettoyer la Nature de tout ce que les regards des hommes y ont laissé depuis des siècles, c'est-à-dire ces descriptions répétées par des générations de voyageurs, ces toiles entassées par habitude, par la paresse d'innover ou le désir de plaire au maître en peignant comme lui. Il faut rendre à la Nature sa pureté primitive, faire le portrait d'un homme ou d'une femme comme l'artiste voit le modèle et non comme celui-ci s'imagine être.

Ruskin se veut ainsi le rédempteur d'une nouvelle génération d'artistes auxquels il ouvre le Paradis d'avant la faute originelle, qui est, dans son esprit, la première liberté prise avec la vérité, le premier mensonge commis pour faire coïncider le sujet traité avec l'idée que le public s'en fait. La découverte de la tricherie, ou de cette incapacité de la plupart des artistes à voir la réalité, Ruskin l'a faite en examinant les compositions de Turner, alors si violemment critiqué par les soi-disant connaisseurs. Le peintre des fameuses marines — ruissellement de soleil à travers la poussière d'eau — ou de cette locomotive éclairant comme une lumière noire l'opacité laiteuse du brouillard, a été le premier à faire, en décomposant la lumière, ce que Proust, pour qui la leçon n'aura pas été perdue, fera plus tard avec le Temps. « Claude Lorrain et Cuyp ont su peindre le rayonnement du soleil, seul Turner, la couleur du soleil », écrit Ruskin dans cet article d'où sortiront les cinq volumes de ses *Peintres modernes*. Les peintres du passé, de Cuyp à Velasquez, de Rubens à Reynolds, avaient tous, devait-il remarquer, substitué à la lumière un effet de convention et peint, non ce qu'ils voyaient vraiment, mais ce qu'ils croyaient voir, sur la foi des tableaux de leurs prédécesseurs.

Vingt ans plus tard, Proust jouera le même rôle que Ruskin en décapant la littérature de tous les poncifs, conventions et clichés que tant d'écrivains avaient accumulés, croyant ainsi mieux conserver la tradition romanesque.

Tout en recommandant à chacun de voir par soi-même, Ruskin était si heureux de sa propre manière de voir qu'au mépris de la logique il entendait l'imposer à ses lecteurs. Son influence avait été si forte qu'elle avait révolutionné le monde artistique et son esthétisme avait débordé du domaine de l'art pour s'étendre au social, à l'économique et même au religieux. Prêchant sa doctrine avec l'enthousiasme d'un néophyte et l'autorité d'un vieux maître, il s'était fixé le double but d'apprendre à l'homme à faire coïncider sa vision interne avec sa vision externe et aussi de réconclier l'Art et la Vie.

Esprit d'une prodigieuse culture, sans cesse accrue par une dévorante curiosité, il s'était intéressé à toutes les formes de l'activité humaine et avait écrit sur des sujets aussi divers que l'économie politique, la littérature, l'éducation, les mythes, l'architecture, la peinture, la sculpture, la géologie, la botanique et la théologie, servi par une plume facile, un don pour le dessin et surtout une mémoire tout imprégnée de la Bible qui donnait à son style l'éloquence sacrée des grands prophètes de l'Ancien Testament. L'originalité de ses vues et sa véhémence de ton confèrent à ses écrits un souffle quasi biblique, frémissant d'indignation devant les sacrilèges commis par l'homme envers la Nature ou envers son semblable. Contrairement à certains agitateurs socialistes de son temps, il ne voulait pas mettre l'art à la portée du peuple, mais seulement ouvrir l'intelligence et les yeux de celui-ci pour lui inculquer le sens de la Beauté, la lui faire comprendre et respecter.

Depuis le déclin de l'esprit religieux du Moyen Age, il y a pour Ruskin divorce entre l'art et le peuple, celui-ci ayant été écarté du courant artistique pour être abandonné à son ignorance. Il ne faut pas, proclamait-il, laisser les artistes former une caste de grands prêtres, seuls détenteurs des secrets, ou plutôt des recettes d'un art de plus en plus conventionnel, recettes imposées au peuple comme autant d'articles de foi alors que ces artistes renégats n'ont pour ambition que d'acquérir avantages financiers et honneurs officiels en échange desquels ils ont vendu leur âme.

De même qu'il s'oppose au clivage entre l'art et la littérature, les deux étant pour lui étroitement liés, Ruskin ne se pose pas en chef d'école, mais en unificateur. Tout en dénonçant les méfaits du victorianisme, il a créé une esthétique victorienne en fusionnant dans une même doctrine des conceptions classiques, romantiques, néo-classiques et chrétiennes, ralliant tous les courants et toutes les tendances pour réconcilier dans une communion de la Beauté tous ceux qui professent son culte. Il a donné l'exemple en défendant les Préraphaélites avec la même passion qu'il avait montrée, trente ans plus tôt, en se faisant le champion de Turner. « L'art le plus haut, affirmait-il, c'est toujours celui qui, par un mouvement d'âme sincère et spontané de l'artiste, exprime le plus grand nombre d'idées. »

Ses livres ont valu à Ruskin une audience considérable et une chaire d'esthétisme à Oxford tandis que ses idées, reprises par des disciples aussi différents que William Cobden ou William Morris, ont transformé peu à peu les conditions de la vie sociale en Grande-Bretagne. Cet enthousiaste grondeur, qui par certains côtés rappelle Jean-Jacques Rousseau et par d'autres annonce Lanza del Vasto, tient aussi de Nietzsche par une indiscutable névrose et par son idée fixe de l'« homme idéal », plus proche des héros de Kipling que des futurs personnages de Proust.

Contempteur de la richesse mal acquise, et plus encore de la richesse mal employée, Ruskin apparaît comme un élitiste, plutôt que comme un aristocrate, car il cherche à substituer à la puissance économique la supériorité des talents. En dépit de ses violentes algarades contre les riches, il est néanmoins le chantre ému de l'aristocratie, en raison de ce qu'elle représente de force vive à travers l'histoire britannique, mais ce fils de marchand s'inquiète de voir cette classe envahie par les banquiers, les affairistes, les négociants à qui leur fortune a permis d'acheter une terre et d'y vivre noblement du travail de milliers de pauvres diables entassés dans les ateliers de Birmingham ou les filatures de Manchester et réduits par le système économique au plus bas salaire possible. Alors qu'une fraction de la classe politique réclame la suppression de la noblesse héréditaire et de la Chambre des Lords, Ruskin, lui, veut la régénération de l'aristocratie, beaucoup plus disposé qu'il est à enseigner à celle-ci ses devoirs qu'à reconnaître au peuple des droits quelconques, hors celui de vivre décemment.

Avec l'âge et le succès, Ruskin avait fini par exercer une espèce de magistrature de la vérité qui avait fait de lui un pontife écouté, parfois raillé, car certaines de ses idées tournaient chez lui à la manie, voire à l'absurdité. Sa vie privée projette une curieuse lueur sur son tempérament. Sa première femme l'avait quittée après quelques années d'une union qui, prétendait-elle, n'avait jamais été consommée, pour épouser en secondes noces le peintre Millais. Il s'était consolé de cet abandon avec une jeune Irlandaise, Rose La Touche, qui devait mourir folle en 1875. Trois ans après, Ruskin avait eu son premier accès de folie, suivi d'une assez longue rémission pendant laquelle il avait commencé son autobiographie. Depuis environ douze ans, il avait sombré, comme Nietzsche, dans la démence et il était assez curieux de constater que tant d'idées nouvelles apportées au genre humain comme un évangile de sagesse étaient nées dans le cerveau d'hommes que guettait la folie.

*

Comment Proust, qui ne savait guère l'anglais, avait-il découvert Ruskin, encore peu connu en France bien que l'écrivain britannique eût consacré un de ses premiers livres à la cathédrale d'Amiens ? C'est Paul Desjardins, dont Proust avait suivi les cours à l'École de droit, qui lui avait signalé cet auteur original dont il publiait des textes dans sa revue, elle-même peu connue et au titre guère alléchant de *Bulletin de l'Union pour l'action morale*. De son côté, Montesquiou lui avait révélé un aspect moins idéaliste de Ruskin en lui donnant le livre de Whistler, *The Gentle Art of Making Enemies*, dans lequel le peintre américain, grossièrement attaqué par Ruskin, racontait l'histoire de ce différend qui avait, un moment, agité toute la société londonienne. L'ouvrage qui avait achevé de convaincre Proust que Ruskin était pour lui un personnage essentiel avait été l'étude de Robert de La Sizeranne, *Ruskin et la religion de la Beauté*, publiée d'abord en livraisons dans *La Revue des Deux-Mondes* de décembre 1895 au mois d'avril 1897 avant de paraître en volume cette même année 1897.

Douglas Ainslie, connu grâce à Robert de Billy, lui avait longuement parlé de Ruskin, cloîtré désormais dans la solitude de sa chambre, à Brantwood, après avoir tant parcouru le monde. Il avait été séduit par la manière de conter de l'écrivain, cet art de toucher, comme un enchanteur de sa baguette, des choses apparemment mortes pour les ramener à la vie. Robert de Billy, alors en poste à Londres, lui avait aussi parlé de Ruskin et décrit ses propres pèlerinages en Auvergne et en Poitou pour y voir des églises romanes dont la curiosité lui était venue après la lecture de *l'Art religieux du XIIIe siècle en France*, d'Émile Mâle. Il avait même prêté ce livre à Proust qui ne le lui rendra que quatre ans plus tard, dans un état de délabrement prouvant qu'il l'avait assidûment consulté.

Pendant l'été de 1899, mettant ses pas dans ceux de Ruskin, Proust était allé contempler, avec Clément de Maugny, le panorama des Alpes tel qu'on le découvre des collines de Thonon et il s'était aperçu, écrit Painter, « d'une dissonance entre ses propres émotions et le magnifique passage de *Praeterita* » dans lequel Ruskin raconte l'éveil de sa vocation à la vue de ce paysage sublime. A son retour à Paris, Proust avait décidé de se consacrer à la recherche de Ruskin, à l'étude de ses œuvres en essayant, chaque fois qu'il le pourrait, de confronter ses propres impressions avec celles du maître de Brantwood.

Rien n'est meilleur, pour connaître un écrivain et se pénétrer de sa pensée, que de le traduire. Le simple effleurement de la page par l'œil, comme c'est le cas lorsqu'on lit un texte dans sa langue, est remplacé par l'application nécessaire au déchiffrage de phrases obscures, à la quête de certains mots dans le dictionnaire, et l'hésitation devant plusieurs termes entre lesquels il faut choisir impose une lenteur favorable à la réflexion, à l'approfondissement de la signification de la phrase. En compensation de ces peines, il y a le plaisir d'avoir vaincu l'obstacle et de voir les mots s'ordonner suivant une logique, la pensée de l'auteur jaillir soudain, comme un rayon de soleil perçant les nuées. De là, d'ailleurs, à se sentir un peu l'auteur de ce qu'on vient de traduire, il n'y a qu'un pas que le disciple franchit parfois dans l'ivresse de sa trouvaille, tel un archéologue regardant comme son œuvre une antique remontée au grand jour.

Le plus ardu pour lui, au début de cette entreprise, n'est pas la difficulté de la traduction, mais celle qu'il éprouve à se procurer les ouvrages qu'il veut traduire. Il a commencé par lire diverses traductions, la plupart fragmentaires, de certains livres de Ruskin. Au mois d'octobre 1895, il avait lu dans la *Revue générale* un passage des *Sept Lampes de l'Architecture*, puis il avait demandé à Pierre Lavallée, bibliothécaire à l'École des Beaux-Arts, de lui trouver un exemplaire de *La Reine de l'air* dont une citation, faite par La Sizeranne, l'avait frappé : « Une personne vraiment modeste admire d'abord les œuvres des autres avec des yeux pleins d'émerveillement, et si enchantés qu'elle ne prend pas le temps de se lamenter sur les siennes. » La phrase, en dépit de sa médiocre traduction, semblait s'adresser à lui, comme une mise en garde ironique, et peut-être aussi comme un encouragement.

A la fin du mois de novembre 1899, il s'était mis au travail, ainsi qu'en témoigne une lettre du 5 décembre à Marie Nordlinger, une cousine de Reynaldo Hahn qu'il avait connue chez celui-ci en 1896. « Depuis une quinzaine de jours, je m'occupe à un petit travail absolument différent de ce que je fais généralement, à propos de Ruskin et de certaines cathédrales. Si je parviens à le faire publier par une revue, comme j'espère y réussir, je vous l'enverrai aussitôt qu'il sera paru [1]. »

La décision de Proust de traduire *La Bible d'Amiens* ne paraît pas un choix très heureux, ce que confirmera l'insuccès du

1. Kolb, tome III, p. 377.

livre lorsqu'il sera publié. Ecrit entre 1880 et 1886, cet ouvrage reflète, par sa confusion, celle de l'esprit de son auteur, victime en 1878 d'un premier accès de folie. Au lieu de décrire la cathédrale d'Amiens, comme tout acheteur du livre pourrait s'y attendre, *La Bible d'Amiens* est, dans sa majeure partie, un long et diffus bavardage sur le déclin de la civilisation romaine et l'apparition des Francs dans l'ouest de l'empire, avec quelques disgressions plus empruntées à la légende qu'à l'histoire, et des considérations sur le christianisme faites sur le ton d'un pasteur s'adressant à des ouailles particulièrement bornées. On ne perçoit pas très bien les intentions de Ruskin, qui a pillé sans vergogne des auteurs plus sérieux, notamment Edward Gibbon. Il est vrai que ce bavardage a pour titre général *Nos pères nous ont dit* et pour sous-titre *Esquisses de l'histoire de la Chrétienté pour les garçons et les filles qui ont été tenus sur les fonts baptismaux*. En le lisant attentivement, on y découvre des choses curieuses, qui montrent un Ruskin brouillé avec les chiffres. Evoquant l'arrivée de saint Firmin à Amiens en 301, il ne craint pas d'écrire que douze cents ans après sa venue en leur ville, les Amiénois ont, au XIIe siècle, rappelé son souvenir dans certaines sculptures de leur cathédrale. On y apprend aussi que saint Martin, après être resté soixante-dix ans dans l'armée, avait démissionné pour se consacrer à l'apostolat. Il est étrange que Proust n'ait pas songé à rectifier ces assertions.

La partie purement descriptive est un simple catalogue des statues et des sculptures de la cathédrale, sec inventaire auquel Proust donnera quelque intêret par ses commentaires, la plupart empruntés au livre d'Emile Mâle sur l'art religieux en France au XIIIe siècle ou bien à Ruskin lui-même, mais dans des ouvrages antérieurs, d'une meilleure qualité. Il s'expliquera sur sa méthode dans sa préface : « En mettant en bas du texte de *La Bible d'Amiens*, chaque fois que ce texte éveillait par des analogies le souvenir d'autres ouvrages de Ruskin, et en traduisant dans la note le passage qui m'était ainsi revenu à l'esprit, j'ai tâché de permettre au lecteur de se placer dans la situation de quelqu'un qui ne se trouvait pas en présence de Ruskin pour la première fois, mais qui, ayant eu avec lui des entretiens antérieurs, pourrait, dans ses paroles, reconnaître chez lui ce qui est permanent et fondamental. Ainsi j'ai essayé de pourvoir le lecteur comme d'une mémoire improvisée où j'ai disposé des souvenirs d'autres livres de Ruskin — sorte de caisse de résonance, où les paroles de *La Bible d'Amiens* pourront prendre plus de retentissement en y éveillant des échos fraternels[1]... » A vrai dire, ainsi copieusement annotée, *La Bible d'Amiens* fait songer à un navire que l'on empêche de sombrer en l'entourant de bouées ou de tonneaux vides.

Au retour d'une visite à cette cathédrale, en 1898, Marie Nordlinger lui avait traduit *aperto libro* un chapitre de l'édition condensée à l'usage des touristes. A la fin de l'année 1899, il avait lui-même entrepris le pèlerinage d'Amiens, le livre à la main, en suivant l'un des itinéraires recommandés par Ruskin sur ce ton tour à tour grondeur ou bonasse d'un magister menant ses élèves en promenade: « Si vous ne pouvez ni voulez marcher, ou si vraiment il faut que vous alliez à Paris cet après-midi, et en supposant que, malgré ces faiblesses, vous êtes encore une assez gentille sorte de personne pour laquelle il est de quelque conséquence de savoir par quelle voie on arrivera à une jolie chose[2]... »

Suivant donc les recommandations de Ruskin, il avait d'abord acheté un gâteau à la pâtisserie où le maître en avait lui-même avalé quelques-uns, puis, devant le porche, il avait fait la charité à des mendiants assez vieux pour avoir reçu jadis des aumônes de Ruskin. Après s'être plié à ces rites propitiatoires, il avait longuement erré à l'intérieur de la cathédrale, admiré les stalles sculptées du chœur, l'envol de la voûte et les jeux de la lumière à travers les vitraux. Dehors, cette même lumière transformait l'édifice en le faisant flamber comme le *Buisson ardent*.

Le pèlerinage dont il devait garder le souvenir le plus intense sera celui de Rouen qu'il fait en compagnie de Léon Yeatman et de sa femme, bons connaisseurs tous deux et capables de partager ses émotions esthétiques, capables surtout de lui donner les détails archéologiques nécessaires pour étoffer son travail. Le prétexte de ce voyage était de retrouver une petite figure malicieuse, sculptée par un artiste anonyme et que Proust avait d'abord découverte dans *Les Sept Lampes de l'architecture* qu'il relisait le jour précis où, le 20 janvier 1900, Ruskin s'éteignait dans sa maison de Brantwood. Cette coïncidence l'avait impressionné au point d'y voir comme un message envoyé par Ruskin de l'autre monde : « J'allai à Rouen, écrira-t-il, comme obéissant à une pensée testamentaire, et comme si Ruskin, en mourant, avait en quelque sorte confié à ses lecteurs la pauvre créature à qui il avait, en parlant d'elle, rendu la vie[3]. »

1. Edition 10/18 de *La Bible d'Amiens*, p. 10.
2. *Ibidem*, p. 259.
3. *Mélanges*, dans *Contre Sainte-Beuve*, Pléiade, p. 125.

Le jour de ce pèlerinage à Rouen, ce n'est qu'après un minutieux examen des statues de la façade, certaines presque hors de vue, car perchées à de vertigineuses hauteurs, que Mme Yeatman s'écrie enfin : « En voici une qui lui ressemble ! » Il faut de bons yeux, presque ceux de la Foi, pour l'apercevoir, car le petit bonhomme de pierre ne mesure pas plus de dix centimètres. Proust, après un coup d'œil à ce grotesque, médite sur le destin de cet artiste à jamais ignoré, sur le mystère de son existence et le miracle de sa survie à travers les siècles, triomphe de l'Art sur la Mort : « Comme s'il ne devait pas mourir, écrira-t-il à propos de ce sculpteur anonyme, il accomplit sa tâche immortelle, ne s'occupant pas de la grandeur de la chose qui occupe son temps et, n'ayant qu'une vie humaine à vivre, il passe plusieurs jours devant l'une des dix milles figures d'une église. Il l'a dessinée, il en a parlé. Et la petite figure inoffensive et monstrueuse aura ressuscité, contre toute espérance, de cette mort qui semble plus totale que les autres, que la disparition au sein de l'infini du nombre et sous le nivellement des ressemblances, mais d'où le génie a tôt fait de nous tirer aussi... » Et il achèvera ce passage par cette constatation, pleine pour lui d'espérance et d'enseignement : « Rien ne meurt donc de ce qui a vécu, pas plus la pensée du sculpteur que la pensée de Ruskin[1]. »

L'impression faite sur lui par ce message de Ruskin est si forte qu'il reviendra, dans sa préface à *La Bible d'Amiens*, sur cette puissance d'éternité qu'un grand artiste peut donner soit à œuvre, soit à ce qu'il touche de son regard, obligeant ensuite les générations futures à regarder un paysage ou un tableau qui, sans lui, eût risqué de passer inaperçu : « Ta pauvre figure, que je n'eusse jamais remarquée, n'a pas une expression bien intéressante, quoique évidemment elle ait, comme toute personne, une expression qu'aucune autre n'eut jamais. Mais, puisque tu vivais assez pour continuer à regarder de ce même regard oblique, pour que Ruskin te remarquât et, après qu'il eut dit ton nom, pour que son lecteur pût te reconnaître, vis-tu assez maintenant, es-tu assez aimé ? Et l'on ne peut s'empêcher de penser à toi avec attendrissement, quoique tu n'aies pas l'air bon, mais parce que tu es une créature vivante, parce que, pendant de si longs siècles, tu es mort sans espoir de résurrection, et parce que tu es ressuscité. Et un de ces jours peut-être, quelqu'un d'autre ira te trouver à ton portail,

1. *Mélanges*, dans *Contre Sainte-Beuve*, Pléiade, p. 127.

regardant avec tendresse ta méchante et oblique figure ressuscitée, parce que ce qui est sorti d'une pensée peut seul fixer un jour une autre pensée qui à son tour a fasciné la nôtre[1]... »

Et, rendu à la vie par Ruskin, le petit grotesque du portail des Libraires serait sans doute retombé dans l'oubli si Proust ne lui avait délivré un autre brevet d'immortalité par la seule magie de son regard découvrant, après Ruskin, sa misérable figure chafouine qui s'effrite peu à peu, bel exemple de la chaîne que forment à travers les siècles les esprits assez originaux pour se transmettre ce flambeau de l'intelligence grâce auquel l'art progresse ou, dans les périodes les plus sombres, réussit à survivre.

Dès qu'il avait appris la mort de Ruskin, Proust avait envoyé à la *Chronique des Arts et de la Curiosité* un article nécrologique qui parut le 27 janvier 1900, puis au *Figaro* un autre article publié le 13 février sous le titre de *Pèlerinages ruskiniens en France*. Dans ce dernier texte, il rappelait l'intérêt porté par Ruskin à la cathédrale d'Abbeville, « préface et interprétation de [celle] de Rouen », aux cathédrales d'Amiens, de Saint-Lô et de Chartres, lançant par la même occasion un appel à tous les amateurs de Ruskin pour que ceux-ci lui communiquent les renseignements qu'ils auraient pu avoir sur deux ouvrages restés inachevés : *Sources de l'Eure* et *Domrémy*, qui auraient dû faire suite à *La Bible d'Amiens*.

Ces deux textes ne sont que des articles de circonstance, pour saluer la disparition de Ruskin, mais il rendra un véritable hommage à l'esthète britannique en lui consacrant deux études qui paraîtront dans *La Gazette des Beaux-Arts* les 1er avril et 1er août 1900.

Dans le premier, Proust s'attache à la conception de l'art qu'avait Ruskin, à cette religion de la Beauté qu'il prêchait avec l'ardeur d'un prophète biblique, à cet amour universel qui lui fait voir une image de Dieu dans la moindre créature, une parcelle de beauté dans les choses les plus triviales, mais avec une propension à faire de ses découvertes autant d'articles de foi et à voir des hérétiques dans tous ceux qui ne partagent pas ses idées. Il avait d'ailleurs fini par s'attirer l'hostilité des artistes par ses théories sur la matière et celle des scientifiques par le rôle trop grand qu'il attribuait à l'imagination ou à l'intuition. Ces contradictions, qui avaient nui à son prestige, Proust s'efforce de les résoudre en montrant chez Ruskin « un

1. *Mélanges*, dans *Contre Saint-Beuve*, p. 127.

de ces hommes à la Carlyle, averti par leur génie de la vanité de tout plaisir et, en même temps, de la présence auprès d'eux d'une réalité éternelle, intuitivement perçue par l'inspiration. Le talent leur a donné comme un pouvoir de fixer cette réalité à la toute-puissance et à l'éternité de laquelle, avec enthousiasme et comme obéissant à un commandement de la conscience, ils consacrent, pour lui donner quelque valeur, leur vie éphémère. De tels hommes, attentifs et anxieux devant l'univers à déchiffrer, sont avertis des parties de la réalité sur lesquelles leurs dons spéciaux leur départissent une lumière particulière, par une sorte de démon qui les guide, de voix qu'ils entendent, l'éternelle inspiration des êtres géniaux[1]. »

Ce qu'il avait dit, d'une manière plus concise, au début de son étude en écrivant : « Car l'homme de génie ne peut donner des œuvres qui ne mourront pas qu'en les créant, non à l'image de l'être mortel qu'il est, mais de l'exemplaire d'humanité qu'il porte en lui[2]. » Le même mois d'avril 1900 voit paraître, au *Mercure de France*, une autre étude sur le maître de Brantwood : *Ruskin à Notre-Dame d'Amiens*, important fragment de sa préface à *La Bible d'Amiens* qu'il est en train de traduire.

*

Après cette série de visites aux cathédrales françaises, c'est un autre pèlerinage ruskinien que Proust veut entreprendre, celui de Venise. Il y avait songé lors de son séjour à Evian, l'année précédente, car Constantin de Brancovan lui avait dit que l'automne était la meilleure saison pour aller à Venise, mais il y avait renoncé pour au moins deux raisons : d'une part, il ne voulait pas faire ce voyage seul et Frédéric de Madrazo, qui devait l'accompagner, avait été retenu à Rome ; d'autre part, il avait beaucoup dépensé à Evian. Obligée déjà de lui envoyer des fonds supplémentaires, sa mère aurait sans doute refusé de lui en fournir d'autres.

En ce printemps 1900, alors qu'il est dans toute la ferveur de son culte ruskinien, une occasion se présente, celle de retrouver à Venise Reynaldo Hahn qui séjourne à Rome. Le 28 avril, il débarque à l'Hôtel de l'Europe, sur le grand Canal, et commence par s'y calfeutrer pour se reposer d'un des plus

1. *Mélanges*, dans *Contre Sainte-Beuve*, Pléiade, p. 110.
2. *Ibidem*, p. 106.

longs voyages qu'il ait jamais faits : vingt-deux heures de chemin de fer !

Après une légère déception devant la réalité, semble-t-il, l'enchantement de Venise opère et se prolongera au-delà de son séjour, comme le souvenir d'une merveilleuse symphonie de ciel, de pierre et d'eau, chaque élément faisant résonner sa note particulière, rumeur de vie heureuse et indolente qui s'amortit la nuit pour ne laisser subsister que le bruit sourd, obstiné comme le raclement des sabots de chevaux contre leurs stalles, des gondoles qui talonnent le long des quais.

La Venise de cette époque est celle d'Henri de Régnier, telle qu'il l'a décrite dans ses *Chroniques de l'altana*, une ville alanguie dans le regret de sa splendeur, au temps de la Sérénissime République et montrant sa détresse moins dans ses quartiers pauvres, égayés par les oripeaux multicolores qui sèchent aux fenêtres, que dans ces palais à demi fermés où de vieilles femmes, tapies dans la pénombre de salons démesurés, agrandis encore par le jeu des miroirs, guettent de riches proies, Anglais à qui elles loueront un étage, Américaines à qui elles vendront leur petit-fils.

Les Américains sont ceux de Henry James, plus britanniques souvent dans leurs manières que les Anglais et ceux-ci, depuis Byron, qui a hanté ces lieux, ressemblent lorsqu'ils sont jeunes à des dieux grecs, tandis que les Allemands, surtout s'ils s'intéressent aux antiquités, ont pris, par mimétisme, l'air de vieux Romains. Quant aux Français, il existe parmi eux une pléiade de jeunes artistes, exaltés par le culte du Moi, cher à Barrès : ils ont trouvé dans Venise une patrie intellectuelle et s'y retirent chaque année pendant plusieurs mois pour y méditer sur le néant des vanités humaines, tout en ayant celle d'y écrire leurs œuvres ou du moins, d'ajouter « Venise », avec deux dates , à la dernière page de leur livre pour laisser croire au lecteur qu'ils l'ont écrit là-bas.

Avec Reynaldo Hahn et sa cousine Marie Nordlinger, accourue de Florence, Proust, chaque matin, part à la recherche d'un monument, d'une église ou d'un palais décrit par Ruskin. Dans une de ses notes de *La Bible d'Amiens*, il éovquera cette quête artistique, avec *Les Pierres de Venise* comme guide : « Jours bénis quand, avec les autres disciples du maître, nous allions en gondole dans Venise, écoutant sa prédication au bord des eaux, et abordant à chacun des temples qui semblaient surgir de la mer pour nous offrir l'objet de ses descriptions et l'image même de sa pensée. »

A l'heure du déjeuner, ils rejoignent à l'hôtel Mme Proust qui les guette en lisant, car elle ne se sent plus assez forte pour les suivre dans ces promenades en plein soleil et peut-être aussi, par discrétion, ne veut-elle pas troubler l'intimité de son fils avec ses amis. Dans un émouvant passage d'*Albertine disparue,* Proust décrira le visage de sa mère tel qu'il lui apparaissait, au-dessus des balustres derrière lesquelles Mme Proust attendait son retour : « Ne m'ayant pas reconnu tout de suite, dès que de la gondole je l'appelais, elle envoyait vers moi, du fond de son cœur, son amour qui ne s'arrêtait que là où il n'y avait plus de matière pour le soutenir, à la surface de son regard passionné qu'elle faisait aussi proche de moi que possible, qu'elle cherchait à exhausser, à l'avancée de ses lèvres, en un sourire qui semblait m'embrasser, dans le cadre et sous le dais du sourire plus discret que l'ogive illuminée par le soleil de midi — à cause de cela cette fenêtre a pris dans ma mémoire la douceur des choses qui eurent, en même temps que nous, à côté de nous, la part dans une certaine heure qui sonnait, la même pour nous et pour elles ; et, si pleins de formes admirables que soient ses meneaux, cette illustre fenêtre garde pour moi l'aspect intime d'un homme de génie avec qui nous aurions passé un mois dans la même villégiature, qui y aurait contracté pour nous quelque amitié ; et si depuis, chaque fois que je vois le moulage de cette fenêtre dans un musée je suis obligé de retenir mes larmes, c'est tout simplement parce qu'elle me dit la chose qui peut le plus me toucher : *Je me rappelle très bien votre mère*[1]... »

L'après-midi, quand la chaleur commence à décroître, ils vont s'asseoir à la terrasse du *Florian* pour déguster des glaces en écoutant un orchestre, puis, laissant sa mère, Proust va travailler avec Marie Nordlinger dans la fraîcheur mordorée de la basilique Saint-Marc où il confronte ses observations avec celles de Ruskin.

Le soir, arrachant la jeune fille à la tutelle de sa tante, chez qui elle est descendue, Reynaldo Hahn et lui l'emmènent au Quadri, achevant la soirée par une promenade au clair de lune tandis que Reynaldo, de sa voix chaude et mélancolique, fredonne des airs populaires vénitiens.

Un jour, les trois amis se rendent à Padoue, également célébrée par Ruskin, pour y voir les fameuses fresques peintes par Giotto dans la chappelle de la Vierge, à l'Arena, fresques

1. *A la recherche du temps perdu*, Pléiade, tome IV, p. 204.

dont les figures, qui incarnent chacune un vice ou une vertu, se retrouveront si souvent dans *A la recherche du temps perdu* comme autant de points de comparaison, tantôt graves et tantôt burlesques. Proust songera même, un moment, à en nommer une des parties *Les Vices et les Vertus de Padoue*. En sortant de l'Arena, ils vont admirer les fresques de Mantegna aux Erremitani, « une des peintures que j'aime le plus au monde », dira plus tard Proust à Robert de Montesquiou.

Alors que le séjour touche à sa fin, éclate entre sa mère et lui comme un brusque orage, une de ces scènes violentes comme il s'en était déjà produit dans sa jeunesse, lorsque ses parents avaient voulu contrarier un de ses caprices ou l'un de ses engouements.

Quelles qu'aient été les circonstances exactes et le motif de cette dispute, dont le récit diffère un peu suivant qu'on le lit dans *Contre Sainte-Beuve* ou dans *Albertine disparue*, il est certain qu'elle eut lieu, qu'elle fut violente et que si Proust céda finalement devant sa mère, il le fit avec le regret d'avoir été privé de quelque chose d'essentiel et le remords de l'avoir profondément peinée, double source d'amertume et de tourment.

Dans *Albertine disparue*, c'est en découvrant le nom de la baronne Putbus sur le registre de l'hôtel que le Narrateur, qui depuis longtemps rêve de la femme de chambre de celle-ci, connue pour sa facilité, change d'avis et ne veut plus partir de Venise, espérant avoir enfin l'occasion de séduire cette fille. Refusant de s'arrêter à ce qu'elle regarde comme une lubie, la mère du Narrateur fait charger ses bagages dans une gondole et s'y embarque pour gagner la station ferroviaire, tandis que lui, farouche et résolu, s'installe à la terrasse de l'hôtel en écoutant un chanteur de rues moduler *Sole mio*. Dans cette version, il semble que le Narrateur, accablé par la tristesse de cette Venise subitement décolorée par le crépuscule, assombrie encore par l'accent nostalgique de cette chanson qui se transforme en hymne désespéré, se soit brusquement ressaisi, moins par remords du chagrin qu'il causait à sa mère que par appréhension de rester seul dans une ville devenue étrangère et même hostile.

Dans *Contre Sainte-Beuve*, en revanche, c'est lui qui veut partir sans sa mère et, bien qu'y ayant renoncé, il ne le lui dit pas pour se venger d'elle en prolongeant sa souffrance, mais on retrouve dans ce récit le même soleil couchant, prêt à disparaître derrière la Salute, le même chanteur et les mêmes mots pour traduire l'impression créée par « cette lumière crépusculaire » et la voix de bronze du chanteur, « un alliage équivoque, immutable et poignant », mais la description qu'il fait de cette minute dans *Contre Sainte-Beuve* est supérieure en puissance d'émotion à celle d'*Albertine disparue* : « La sérénade semblait ne pas pouvoir finir, ni le soleil disparaître, comme si mon angoisse, la lumière du crépuscule et la voix du chanteur étaient fondues à jamais dans un alliage poignant, équivoque et impermutable. Pour échapper au souvenir de cette minute de bronze, je n'aurais plus, comme en ce moment, maman auprès de moi[1]. »

*

A son retour à Paris, Proust reprend, avec un zèle accru par son pèlerinage aux sources de Ruskin, ses travaux sur celui-ci, notamment sa traduction de *La Bible d'Amiens* dont une partie de la préface a déjà paru dans la revue du Mercure de France. La seconde partie sera publiée par la *Gazette des Beaux-Arts* le 1er août 1900.

Un bon traducteur doit certes connaître la langue dans laquelle sont écrits les ouvrages qu'il traduit, mais il lui faut surtout connaître la sienne. A cet égard, Proust possède les qualités nécessaires, car sa connaissance imparfaite de l'anglais se trouve amplement compensée par une intuition grâce à laquelle il devine ce qui échapperait à un lecteur moyen et aussi par un art de rendre la pensée de l'auteur mieux que ne le ferait un traducteur trop littéral. Cela ne l'empêche pas de se montrer scrupuleux vis-à-vis du texte original, et d'une conscience qui le pousse à vérifier de nombreux points de détail. C'est ainsi que voulant savoir où avait été déposé le cœur de Shelley après que Byron eut fait brûler son cadavre, il dépêche à l'aube son domestique chez Léon Yeatman, tout surpris de s'entendre dire, au saut du lit : « Monsieur Marcel m'envoie demander à Monsieur ce qu'est devenu le cœur de Shelley... » Une autre fois, les Yeatman, rentrant chez eux, voient Proust paisiblement installé dans la loge de leur concierge. C'est lui d'ailleurs qui leur a tiré le cordon : « La concierge est souffrante, leur explique-t-il, et comme son mari avait besoin d'aller chez le pharmacien, je lui ai proposé de

---

1. Voir les deux versions dans le tome IV d'*A la recherche du temps perdu*, pp. 232-234 et *Contre Sainte-Beuve*, Édition de Bernard de Fallois, 1954, p. 141.

le remplacer en vous attendant : vous voyez, je fais mon service... »

Sa principale collaboratrice est sa mère qui lui établit, sur de grands cahiers, une traduction mot à mot, qu'il réécrit ensuite en ajoutant dans la marge des notes explicatives, des citations tirées d'autres livres de Ruskin et qui prouvent une patiente recherche à travers l'œuvre de celui-ci. Pour certaines difficultés de vocabulaire ou de syntaxe, il fait appel à des anglicistes connus, tel Robert d'Humières, traducteur de Kipling.

Robert d'Humières est un étrange personnage, froid et passionné, parfait homme du monde et s'entourant d'esthètes ou d'artistes dont les manières contrastent avec les siennes, mais ayant pour amis intimes de jeunes attachés d'ambassades étrangères avec lesquels il a formé, comme Proust a tenté de le faire avec Antoine Bibesco, Robert de Billy et Georges de Lauris, une espèce de société secrète, unie par des goûts communs plus forts que les préjugés courants. Ce qu'il y a de mystérieux en lui tournera au tragique et il aura le destin que Proust assigne, dans *A la recherche du temps perdu*, à Robert de Saint-Loup.

Tout l'été de 1900 est consacré à ce travail assidu dont il ne se laisse distraire ni par l'Exposition, qui ne semble pas l'avoir beaucoup intéressé, car aucun écho ne s'en retrouve dans sa correspondance de cette période, ni par les mondanités, devenues plus rares du fait que beaucoup de gens ont quitté Paris, fuyant les hordes du vulgaire, ni enfin par Montesquiou, qu'il ne voit guère qu'une fois ou deux sans que ce relâchement dans leurs rapports soit compensé par l'habituel échange de lettres aigres-douces.

Au début de l'année, Montesquiou avait encore publié un ouvrage, aussi fade que les précédents malgré son titre, *Au pays des aromates*, et Proust avait rempli son devoir de thuriféraire en joignant son grain d'encens à ce pot-pourri de « boîtes à odeur, de fontaines de parfum, de flacons-fleurs et de cassolettes [1] » qui font de l'illustre comte un émule de César Birotteau.

Au mois d'août, il demeure un moment seul à Paris tandis que ses parents vont faire leur cure à Évian où ils retrouvent leurs amis Duplay, l'ambassadeur Nisard et un assez fort « élément sémite » dont Mme Proust déplore l'invasion. C'est seulement à la fin de leur séjour qu'il rejoint son père et sa

1. *Chronique des Arts et de la Curiosité*, 5 janvier 1901.

mère à Évian, puis de là, il part pour l'Italie, seul cette fois, et vraisemblablement pour y découvrir sans témoins des plaisirs dont « Ruskin ne fait mention nulle part dans son œuvre », ainsi que l'écrit non sans ironie George D. Painter.

Depuis des siècles, la cité des Doges rivalise avec Sodome et Gomorrhe dans une certaine espèce de débauche car, sous le masque et le domino, tous les plaisirs ne sont-ils pas permis ou, du moins, possibles ? La plupart des voyageurs qui depuis la Renaissance se sont succédé en Italie ont gardé un silence pudique sur cet aspect de la ville, ou n'y ont fait que des allusions voilées, préférant dénoncer le scandale des castrats ou celui d'acteurs mâles interprétant à Rome des rôles féminins, mais le fait n'en est pas moins connu, qui attire à Venise une clientèle aussi spécialisée que celle de Naples au cours du siècle écoulé. D'éminents victoriens y ont abrité des amours proscrites à Londres. John Addington Symonds y a trouvé son dernier amant, le gondolier Angelo Fusato, et nombre d'Anglais ou d'Allemands s'y sont installés à demeure, fastueux et hospitaliers, recevant l'aristocratie le jour, le bas peuple la nuit. Bientôt un misérable bohème des Lettres, tour à tour peintre, professeur, dramaturge et romancier, Frederick William Rolfe, dit le baron Corvo, s'y établira, non dans un palais, mais dans une gondole où il vivra, comme Diogène dans son tonneau, se faisant pourvoyeur d'éphèbes pour de riches compatriotes de passage, trop pressés ou trop peureux pour aller chercher eux-mêmes leurs compagnons d'une nuit.

Seul, Proust erre à son tour dans cette Venise populaire, ignorée des touristes qui, le soir venu, regagnent les luxueux hôtels du Grand Canal semblables, avec leurs loggias, à autant de théâtres ayant tous la même scène que les acteurs auraient désertée. Dans un passage d'*Albertine disparue*, Proust décrira ses promenades à travers une Venise plus proche, selon lui, d'Aubervilliers, que celle qui reflète ses palais sur les eaux : « J'y trouvais plus facilement, dira le Narrateur, de ces femmes du peuple, les allumetières, les enfileuses de perles, les travailleuses du verre ou de la dentelle, les petites ouvrières aux grands châles noirs à franges que rien ne m'empêchait d'aimer... [1] » Et en poursuivant, à travers ces filles de seize ans, l'image de celles qu'il avait désirées lorsqu'il avait cet âge, il fera une magnifique évocation de cette ville secrète où, au hasard d'une course en gondole, apparaît soudain, comme

1. *A la recherche du temps perdu*, Pléiade, tome IV, p. 229.

à travers une déchirure qui se referme aussitôt, un campanile, un portique, un jardin, visions fugitives et mystérieuses, car il arrive qu'en se promenant à pied, le lendemain, dans le même quartier, on cherche en vain le campanile ou le portique entrevu, la petite place éclairée par un fanal, évanouis comme un mirage nocturne.

*

Pendant que leur fils rôdait ainsi dans Venise, le docteur et Mme Proust avaient quitté le boulevard Malesherbes pour emménager dans un nouvel appartement au 45, rue de Courcelles, à l'angle de cette artère et de la rue de Monceau. D'une architecture imposante et ornée, l'immeuble, avec sa porte cochère, sa vaste entrée et son large escalier, impressionne agréablement le visiteur qui respire aussitôt un air de richesse solide et satisfaite. L'appartement des Proust, au deuxième étage, comporte une grande salle à manger, un salon en rotonde, le bureau du docteur Proust et cinq chambres à coucher, dont quatre donnent sur la rue de Monceau, plus calme que la rue de Courcelles. Construit quelque vingt ans plus tôt, l'immeuble est doté non seulement du gaz et de l'électricité, mais d'un ascenseur et de salles de bains, ce qui lui donne le confort d'un grand hôtel à défaut du prestige d'un hôtel particulier.

Fidèles, hélas !, à leur propre goût, les Proust ne changent rien à leur mobilier régulièrement accru soit par des achats douteux, soit par des bronzes d'art qui témoignent de l'estime dans laquelle clients et confrères tiennent l'éminent praticien. C'est donc dans un décor à faire se retourner Ruskin dans sa tombe que son disciple continue de traduire ses œuvres ou de recevoir ses amis, moins difficiles en matière de goût qu'Oscar Wilde ou Robert de Montesquiou, peut-être aussi mieux élevés et gardant pour eux leurs réflexions.

Oscar Wilde vient d'ailleurs de mourir, au milieu d'une indifférence presque générale, dans un petit hôtel de la rue des Beaux-Arts, recevant à son lit de mort, en guise de billet de confession, sa dernière note, impayée, ce qui lui a procuré son « mot de la fin » : « Je meurs au-dessus de mes moyens... » Tous ceux qui le fêtaient, imitaient ou répétaient ses aphorismes quelques années plus tôt, l'évitaient soigneusement depuis qu'il avait échoué à Paris, et seul Robert d'Humières a eu le courage d'assister à son enterrement.

Proust inaugure ce nouvel appartement le 6 mai 1901 par un dîner en l'honneur de Mme de Noailles, dont Cora Laparcerie doit réciter ensuite deux poèmes des *Éblouissements*, un recueil de vers qui doit paraître incessamment chez Calmann-Lévy. Au dernier moment, la poétesse, souffrante, ou bien ayant mieux à faire ce soir-là, ne vient pas et charge son mari de la faire excuser. Paul Hervieu et Fernand Gregh se décommandent aussi. Qu'importe ! Proust récidive en donnant le 19 juin un autre dîner en l'honneur de Mme de Noailles. Cette fois, les invités sont assez importants et assez nombreux pour que la poétesse juge digne d'elle un pareil auditoire : Anatole France et sa fille, le prince et la princesse Edmond de Polignac, le prince et la princesse Alexandre de Chimay, le marquis et la marquise d'Eyragues, Mme de Brantes, Lucien et Léon Daudet, Abel Hermant, Constantin de Brancovan, le comte de Briey, Clément de Maugny, Gabriel de La Rochefoucauld. Le docteur et Mme Proust restent dans l'ombre, laissant leur fils seul maître de maison.

Montesquiou, ayant appris l'échec du premier dîner, baptise celui-ci « le dîner des refusés », sans doute pour se venger de ce que Proust ait lui-même refusé, invoquant son mauvais état de santé, de se rendre à la réception qu'il a donnée pour entendre Sarah Bernhardt réciter elle aussi des poèmes de Mme de Noailles. Mais cette perfidie du comte est peu de chose à côté de celle de Lucien Daudet qui organise à son tour une fête en l'honneur de la muse éblouie et néglige d'y inviter Proust. Cette omission délibérée affecte celui-ci dans son amour autant que dans son amour-propre. Comment peut-il exister tant de noirceur dans l'âme de cet Adonis qui cache ses épines empoisonnées sous les fleurs dont il n'hésite pas à se couronner soi-même ?

De tels agissements provoquent dans leurs relations des brouilles passagères, suivies de réconciliations passionnées, mais peu à peu cette liaison se dénoue, chacun ayant trouvé quelque nouvel ami de cœur qui, pour un temps, sera porté aux nues avant d'être mis un jour plus bas que terre. Au mois de septembre 1901, Proust constatera mélancoliquement, dans une lettre à Lucien Daudet : « Il est curieux de penser que nous nous sommes aimés. Et puis voilà ! » L'amour enfui, la communauté de goûts et d'intérêts subsistera, peut-être plus forte qu'avant car elle ne sera plus troublée par les vicissitudes de la passion.

Pour Lucien Daudet, le futur amour aura le visage du comte

Joachim Clary. Pour Marcel Proust, il s'incarne dans celui d'Antoine Bibesco, encore plus beau après un bref service militaire en Roumanie et auréolé du prestige diplomatique en sa qualité d'attaché à l'ambassade de son pays à Paris. Comme les Bibesco habitent au 69, rue de Courcelles, cette proximité ne peut que favoriser leurs relations, permettant de nombreuses visites, de plus longues causeries, mais Proust s'aperçoit vite que le commerce d'Antoine Bibesco n'est pas facile et surtout qu'il n'est pas sans périls.

Physiquement, le bel Antoine, avec sa grâce virile et son impérieux profil, a l'air d'une statue antique, sur le socle de laquelle Proust à tracé d'une plume émue cette inscription en forme d'acrostiche :

*Baigne dans ton regard l'Univers fraternel,*
*Immerge en ton désir les êtres et les choses,*
*Brandis les monts ainsi que l'on jette une rose,*
*Et ton geste de Dieu, en blessant un mortel,*
*Sous tes yeux enchantés, nuancera de rose*
*Celui qui sous ton pied clama ton avenir.*
*Ô garde-lui au moins un tendre souvenir...*[1]

Malgré la hardiesse de son regard, et celle plus libre encore de ses manières, le bel Antoine est un être complexe, retors et déconcertant. Rien de plus imprudent que de se fier à lui, de l'associer à ses pensées ou de lui ouvrir son cœur. Antoine est non seulement un redoutable bavard, incapable de garder un secret, mais un amateur d'intrigues, toujours prompt à en forger une lorsque la vie quotidienne ne lui en offre pas et faisant preuve d'une espèce de génie pour créer entre ses amis des situations inextricables dont il se plaît ensuite à être l'arbitre. Une partie de son existence se passe en interminables conversations téléphoniques — Proust l'a surnommé « Téléphas » —, conversations grâce auxquelles il répand généreusement à travers la ville les commérages, médisances et scandales récoltés dans le monde et souvent très enjolivés par son imagination latine. Il possède au plus haut point l'art de provoquer les confidences, qu'il écoute avec un tel air d'intérêt que ses interlocuteurs, ravis d'être l'objet d'une pareille attention, parlent sans retenue, gardant quand même, au milieu de cet abandon, assez de jugement pour exiger de lui le

1. *Cahiers Marcel Proust*, tome X, *Poèmes*, p. 130.

secret le plus absolu : « Tombeau, n'est-ce pas ? » précisent les amis d'Antoine à celui-ci après l'avoir fait le dépositaire de leur honneur ou de celui d'une famille. Antoine promet tout ce qu'on lui demande, jure même sur un Dieu auquel il ne croit guère, et s'empresse de raconter tout ce qu'il vient d'apprendre à un autre ami, qui le répète à un troisième, et ainsi de suite, en vertu de l'axiome suivant lequel un secret est une chose qu'on ne dit qu'à une personne à la fois.

Il est vraisemblable qu'au début de leurs relations, Proust a été sensible non seulement à la séduction intellectuelle d'Antoine Bibesco, mais aussi à son attrait physique. Sans le lui avouer, il parle assez souvent avec lui de Sodome et de Gomorrhe pour qu'Antoine, au cas où il aurait quelque inclination pour ce genre d'amours, le lui laisse entendre. En guettant un signe favorable pour passer à des aveux sur ses propres goûts, Proust révèle à Bibesco tout ce qu'il sait de ceux d'autrui, éprouvant sans doute un certain plaisir à parler d'un sujet qui lui tient à cœur sans se compromettre personnellement, mais Antoine, fin renard, a dû flairer quelque chose de suspect dans cet intérêt si vif pour l'amour défendu. Ce qui est certain, c'est que l'Apollon roumain, fort de confidences faites sur maints de leurs amis, en exige de nouvelles, menaçant Proust de divulguer ce qu'il lui a déjà dit s'il ne s'exécute pas. Comme naguère avec Reynaldo Hahn, Proust a conclu avec Bibesco un pacte de franchise totale et réciproque, marché désastreux pour le naïf Marcel qui ne tarde pas à constater qu'il est la dupe d'Antoine, habile à extorquer des confidences sans rien donner en échange. Quels ténébreux secrets pourrait-il d'ailleurs livrer, lui qui ne cache rien de sa vie et de ses amours, étalant celles-ci avec une joyeuse impudeur, et plus porté par hâblerie à enjoliver la vérité qu'à la dissimuler ? Bonne conscience et bonnes fortunes permettent à cet homme couvert de femmes de fouler allégrement le pavé brûlant de Sodome et d'en interroger les habitants avec la curiosité d'un voyageur en terre étrangère.

Dans sa correspondance de cette période avec Antoine Bibesco, Proust se plaint déjà de donner plus qu'il ne reçoit, écrivant de longues lettres et ne recevant que d'elliptiques messages réclamant sans cesse — et en vain — des explications orales pour dissiper les premiers nuages qui s'amassent dans le ciel de cette amitié inégale. Sur le chapitre des mœurs, on trouve, dans une lettre du 11 novembre 1901, une allusion à ce qu'Antoine et lui ont baptisé — pour en parler librement devant les profanes — le « salaïsme ». Le terme est dérivé du nom d'un jeune attaché à l'ambassade italienne à Paris, le comte Antoine Sala, qui semble ne faire aucun mystère de ses préférences en dépit de la position officielle qu'il occupe. « Quant au *salaïsme*, écrit Proust, n'êtes-vous pas assez psychologue, me voyant autant, pour avoir l'impression qu'il m'intéresse comme le gothique, bien que beaucoup moins, et que dans la réalité de la vie, en moi, dans mes amitiés, etc. (Vous en avez une sous les yeux, il est aussi absent que... Je ne trouve rien d'aussi absent.) D'ailleurs je me fiche de ce que vous pensez à cet égard puisque vous-même dites n'y attacher aucune importance[1]. » Quelques mois plus tard, en avril 1902, il confiera au même Antoine : « J'ai fait sur le *salaïsme* des réflexions assez profondes et qui vous seront communiquées dans un de nos prochains entretiens métaphysiques. Inutile de vous dire qu'elles sont d'une extrême sévérité. Mais il reste une curiosité philosophique à l'égard des personnes. Dreyfusard, antidreyfusard, salaïste, antisalaïste sont presque les seules choses intéressantes à savoir d'un imbécile[2]. »

Peu à peu l'emprise de Bibesco sur Proust se fait plus forte et plus insidieuse. A l'instar de Byzance essayant d'apaiser les convoitises de ses ennemis en leur abandonnant à chaque menace une nouvelle province, Proust achète sa sécurité provisoire au prix d'une nouvelle concession. Cette situation incommode a parfois des côtés délicieux, car il est toujours agréable d'être écouté, de jouir de l'étonnement, sincère ou feint, d'Antoine apprenant tel scandale, telle liaison encore inconnue de la société parisienne, et Antoine se retire avec son butin, laissant son ami tout pantelant des secrets qui lui ont été arrachés, fort inquiet aussi des éventuelles conséquences de son indiscrétion.

Il en mesure les effets lorsque au printemps 1902 Bibesco, sans doute instruit par lui, tient en public, et devant Sala en personne, des propos fort désagréables, voire offensants pour le malheureux Italien. L'affaire risque de tourner mal et les deux amis estiment qu'il leur faut réparer cet affront. Aussi Proust, qui se sent une part de responsabilité dans l'incident, rédige-t-il un projet de lettre qu'Antoine recopiera pour l'adresser au comte Sala, disant entre autres choses à celui-ci qu'il n'avait voulu que plaisanter, tout en lui rappelant

1. Kolb, tome II, p. 470.
2. *Idem*, tome III, p. 42.

perfidement qu'il n'avait dit malgré tout que la vérité, même si elle n'était pas bonne à dire, et de conclure ainsi sa lettre à Sala : « En tout cas, ce m'est une leçon d'être plus prudent et jamais plus je n'ouvrirai la bouche sur rien de ce qui de près ou de loin touche à ces choses. A ce point de vue, je suis même très content que tu aies parlé si ouvertement avec moi, car tu auras désormais en moi un défenseur d'autant plus ardent et plus habile qu'il est moins convaincu [1]. »

Antoine Bibesco n'est pas le seul à trahir tous les secrets ; sa cousine Anna de Noailles ne peut garder, elle non plus, ceux qu'on lui confie et les charrie dans le torrent de ses paroles, mais ils restent malheureusement davantage au fond des mémoires que ses images brillantes et fugitives. Des propos du même genre, concernant un autre jeune homme et répétés par elle, indiquent à Proust les dangers de cette hypocrisie qui consiste à jeter l'opprobre sur autrui pour mieux détourner de soi les soupçons d'une société naturellement malveillante : « Il faut absolument cesser ce métier horrible d'être ainsi les dénonciateurs publics du *salaïsme* », ajoute-t-il en post-scriptum au brouillon de la lettre à Sala qu'Antoine Bibesco doit recopier.

*

A la fin de l'année précédente, Proust avait déposé chez l'éditeur Ollendorf sa traduction de *La Bible d'Amiens*, précédée d'une magistrale préface et enrichie d'abondantes notes qui révélaient, outre une grande intelligence du texte, un désir de s'en évader pour donner au lecteur ses propres idées sur l'art, l'histoire et la beauté.

Destiné à un public forcément restreint, ce travail ne lui apportera ni gloire ni argent, mais la seule estime des connaisseurs. C'est peu de chose en comparaison de l'œuvre, immense et diffuse, qu'il porte en lui sans savoir encore comment l'aborder ni la réaliser. *Jean Santeuil* demeure une ébauche à laquelle il continue d'ajouter, de-ci, de-là, au hasard d'un événement, d'une rencontre ou simplement d'une réminiscence, un portrait supplémentaire, une scène, une notation psychologique, mais devant ces notes éparses, sans lien solide et logique entre elles, il éprouve ce découragement d'un propriétaire devant son mobilier que les déménageurs ont jeté pêle-mêle dans son nouveau logis. Aussi peut-on compren-

1. Kolb, tome III, p. 74.

dre sa remarque désabusée à Léon Yeatman qu'il était passé voir dans son bureau, le 10 juillet 1901 : « J'ai aujourd'hui trente ans, et je n'ai rien fait ! »

L'avenir est pour lui d'autant plus sombre que sa santé, médiocre jusque-là, devient franchement mauvaise, avec des crises d'asthme plus fortes et plus fréquentes. A la fin du mois d'août, alors qu'il se trouvait chez ses cousins Nathan, à Versailles, il a été pris soudain d'étouffements « épouvantables », causés vraisemblablement par la proximité du parc et il a dû renoncer à une excursion archéologique à Mantes et à Laon avec Robert de Billy.

Devant la violence de telles crises, on ne peut nier que Proust soit malade, mais on doit reconnaître aussi qu'il ne fait rien pour ne pas l'être, s'étant peu à peu habitué à regarder son asthme comme un mal inévitable et même nécessaire. Sa maladie est devenue une seconde nature, aussi vraie que la première dont elle est une espèce de complément. A l'origine de cet asthme chronique, existe une de ces névroses qu'il définira si justement dans sa préface au livre de Jacques-Émile Blanche, *Propos de peintre*, y voyant, écrit-il, une prévoyance « de la Nature qui invente au besoin des névroses protectrices, de tutélaires infortunes pour que le don nécessaire ne soit pas laissé en friche... [1] ».

Un des avantages de sa maladie est d'assurer à Proust une réputation que ses premiers essais littéraires ne lui ont pas donnée. Par son genre de vie, ses retards calculés, ses précautions pour sortir, les soins qu'il requiert de ses hôtes ou de ses amis, il est déjà un malade célèbre, exigeant des égards que ne lui auraient pas valu un grand nom, une grande fortune ou même un talent reconnu. L'exemple de sa tante Amiot n'a pas été perdu ; il l'a transposé dans sa propre existence et en joue avec art, en virtuose même, assumant dans le monde le rôle d'un martyr aux premiers temps du christianisme et finissant par désarmer toutes les préventions par une angélique douceur, une admirable résignation au sort injuste qui l'oblige à dîner en ville, avec l'air d'un Lazare sortant de son tombeau.

Il a découvert la toute-puissance de la faiblesse et il en use pour plier la volonté des autres à la sienne, voir leur force vaincue par la pitié qu'il suscite. Le plus déplaisant chez lui est moins cette volonté de puissance qui deviendra tyrannie que l'espèce de fierté qu'il en éprouve. Il parle en effet de ses

1. Préface dans *Contre Sainte-Beuve*, Pléiade, p. 571.

maux comme Montesquiou de ses ancêtres et n'écrit pas une lettre sans y faire allusion ou même se livrer à de longues déplorations sur son état.

En attendant que la maladie soit « au roman de Proust ce que l'argent est à la Comédie humaine [1] », elle est une présence obsédante, un élément de sa vie quotidienne accepté par lui et par les siens comme un dogme. Douter de sa maladie est un sacrilège, lui suggérer des remèdes, une impertinence, un manquement aux règles de l'amitié. Lorsque au mois de septembre 1899 il séjournait à Évian, Constantin de Brancovan l'avait vivement froissé en insinuant qu'une bonne part d'imagination entrait dans son mal et que le grand air, une vie plus saine, lui feraient du bien. Il avait même demandé à sa mère que le docteur Proust lui écrivît une lettre pouvant être montrée à l'incrédule Constantin et précisant que l'air vif était au contraire très mauvais pour lui. Antoine Bibesco l'avait également beaucoup peiné en paraissant douter de ses divers maux et en croyant vulgairement qu'un autre mode d'existence améliorerait son état général.

Dans cette condition de malade perpétuel qui est la sienne, il est curieux de constater l'absence presque complète de médecine appropriée, et même de médecin. Le docteur Proust a renoncé à donner son avis, à imposer un régime ou des soins, jugeant le cas sans solution possible en raison de l'évidente mauvaise volonté de son fils ou, plus précisément, de son manque absolu de volonté. Aucun confrère ne l'a remplacé, du moins à cette époque, et Marcel Proust est devenu son propre médecin, se soignant avec des remèdes empiriques, certains vraisemblablement trouvés dans les colonnes d'annonces du *Gaulois* ou du *Figaro*. La base de son traitement est une règle érigée à la hauteur d'un commandement divin : surtout, ne le contrarier en rien. Il est certain qu'émotions, contretemps et déceptions peuvent déclencher une crise d'asthme, ce qui prouverait l'origine nerveuse de la maladie, mais poser le principe d'une entière soumission à ses volontés, voire à ses caprices, est bien contraignant pour l'entourage, forcé de vivre au même rythme que lui.

Dans le courant de l'année, il consulte le docteur Henri Vaquez, professeur à la Faculté de médecine, qui le trouve en assez bon état général et, comme Antoine Bibesco, voit dans ses malaises la conséquence d'une vie déréglée, au premier

1. S. Béhar, *L'Univers médical de Proust*, p. 126.

sens du mot, d'un « ennui » de vivre au sens que le XVIIe siècle donnait à ce terme. Le 15 août 1902, il écrit à sa mère : « Vaquez m'a recommandé de ne me laisser aller ni à la morphine (il n'a pas besoin d'avoir peur !), ni à l'alcool qu'il juge également funeste, sous toutes ses formes. Il se demande comment les malades n'ont pas assez de leur maladie et vont encore se fabriquer des maladies en se rendant malheureux pour des êtres qui n'en valent pas la peine [1]. » Cet avis plein de bon sens a vraisemblablement agacé Proust qui, sous l'effet de la contrariété, joint à celui de la poussière des coussins du fiacre, est pris d'une crise d'asthme moins d'une demi-heure après avoir quitté le cabinet du docteur Vaquez.

La véritable contrariété, celle que visait le praticien en lui recommandant de ne pas se rendre malheureux pour des êtres qui n'en valaient pas la peine, provient d'une nouvelle amitié, contractée comme une maladie et dont il commence à souffrir.

1. Kolb, tome III, p. 99.

## 11
## Septembre 1902 - Novembre 1903

*Une grâce imprévue : Fénelon - Malgré soi aimé - Rôle équivoque d'Antoine Bibesco - Un désastreux voyage - Déploration de la princesse Alexandre Bibesco - Le deuil sied à Proust - Déclin d'une passion - Robert Proust se marie - Orages familiaux - Croquis de Guiche, Radziwill et d'Albuféra - Un Proust qui a réussi : Francis de Croisset - Un sursaut chrétien -* Défense des cathédrales *- Mort du docteur Proust.*

Ce nouvel ami, envoyé par les dieux, est d'abord celui d'Antoine Bibesco qui l'a présenté à Proust, peut-être avec une arrière-pensée : qu'allait-il sortir de cette rencontre ? Il s'agit du jeune, aimable et distant Bertrand de Fénelon, aussi séduisant d'aspect qu'un modèle de Reynolds, mais gardant, comme beaucoup de portraits, son sourire et son mystère sans rien livrer de plus à la curiosité de ses admirateurs. Outre qu'il porte un nom célèbre, il appartient à cette race blonde et dorée qui fascine Proust. Mince et nerveux, extrêmement racé, il a non seulement de l'élégance dans son allure, en dépit d'une certaine négligence dans sa tenue, mais un charme dû en grande partie à son regard, d'un bleu chaud et soutenu, comme celui d'un ciel d'été au-dessus d'un champ de blé. Séduit à première vue, Proust a aussitôt pensé que Fénelon, si discret, si bien élevé, serait un ami de cœur plus sûr qu'Antoine Bibesco qui continue de lui jouer de mauvais tours. Malheureusement, pour entrer dans l'intimité de Fénelon, il faut passer par Bibesco. S'en remettre à celui-ci pour favoriser cette nouvelle liaison est finalement plus sage, au risque de la voir criée sur tous les toits de Paris, que de se passer de lui, ou de s'en cacher, ce qui provoquerait immédiatement de la part d'Antoine quelque vengeance d'une atroce perfidie.

« Cette fois, voilà vraiment une lettre imbécillissime et pour de bon, écrit-il au début de juin 1902 à Bibesco. Je n'oserais pas l'écrire à Nonelef avec qui j'en suis encore à l'époque de l'espérance. Avec vous, il me semble que je n'ai plus rien à perdre. Dites à Fénelon que j'ai beaucoup de sympathie pour lui et que je serais trop heureux si en échange de la mienne, fort grande, il m'accorde un petit morceau de celle qu'il brise pour la disperser sur tant de personnes. Je me disperse aussi, mais successivement. La part de chacun est plus courte, mais plus grande. A ce propos, cher ami, cela me rappelle qu'il y a longtemps que nous devrions être brouillés. Vous avez dépassé infiniment le temps maximum que j'octroie à mes amitiés. Brouillons-nous vite[1]. »

Bien entendu, tout ce qui touche à Fénelon, devenu *Nonelef* dans le langage infantile de la coterie où l'anagramme des noms est de rigueur, doit être considéré comme « tombeau » et rester inviolé, même — et surtout — à l'égard de l'intéressé qui ne doit pas être instruit du sentiment qu'il a inspiré. Quelle tentation pour Antoine Bibesco, qui n'a aucune des qualités de son saint patron ! En plus du secret, Proust lui demande aussi de surveiller Fénelon, de savoir ce que pense celui-ci d'une lettre qu'il lui a écrite, et de lui dire où il a dîné tel soir, préoccupation qui le tourmente, car il renouvelle au mois d'août cette recommandation quasi policière. Malgré tant de soins, sa position dans le cœur et l'esprit de Fénelon ne se fortifie pas aussi vite qu'il le désire. Certes, Fénelon se montre amical, affectueux même en certaines occasions, comme lors de ce dîner chez Larue pendant lequel, Proust ayant froid, Bertrand de Fénelon se lève, va chercher un manteau et, pour ne pas déranger les dîneurs, revient en marchant sur la rampe des banquettes pour s'arrêter net devant Proust, s'incliner, comme dans un tournoi un chevalier devant la dame de ses pensées, et lui tendre le manteau. Cette attention, la grâce ailée de cette voltige au-dessus des têtes des convives, l'impertinence du procédé impressionnent si fortement Proust qu'il transposera l'épisode dans *Le Côté de Guermantes* en l'attribuant à Robert de Saint-Loup[2].

En dépit d'élans comme celui-là, Fénelon demeure intangible et lointain, comme inconscient de l'admiration dont il est l'objet, affectant de traiter Proust en camarade et non en ami très cher. Dans son désarroi sentimental, Proust adresse à

1. Kolb, tome III, p. 62.
2. *A la recherche du temps perdu*, Pléiade, tome II, p. 704.

Antoine une longue lettre, en examinant le problème sous tous ses angles afin d'envisager toutes les solutions possibles : « Donc, comme vous paraissez le diagnostiquer, en ce moment il y a en moi possibilité et même début d'une affection vive pour Nonelef, passagère comme toutes mes prédilections, mais enfin qui pourrait hélas ! durer un temps assez long. Or cette affection, cela je crois est hors de doute, ne pourrait être pour moi que très malheureuse. J'ai donc, je ne dirai pas le désir, car on n'a jamais le désir de lutter contre une affection, mais la volonté de tâcher de supprimer cette affection avant qu'elle n'ait pris une place trop grande — qu'elle n'a pas encore. Or, voici à quoi j'ai pensé... [1]. »

Le premier remède est une séparation, soit par le départ de Fénelon, à qui on ne peut quand même pas interdire Paris, soit par celui de Proust, qui ne veut pas quitter la ville à cette époque. Si tous deux y demeurent, ils ont donc toutes les chances de se rencontrer et si Fénelon se montre gentil, Proust se sentira davantage encore pris au piège. A tout élan de Fénelon, il répondra, malgré lui, par un élan plus vif, car, avoue-t-il à Bibesco, il est de ceux chez qui « la gentillesse et les témoignages de prédilection exaltent » les sentiments. La troisième solution serait de cesser toutes relations, ce qui est bien difficile dans un monde où l'on se retrouve presque quotidiennement, au hasard d'un dîner, d'une exposition, d'une soirée au théâtre. Il faudrait au moins, si cela se produisait, que Fénelon se montre à son égard parfaitement désagréable, comme il l'a été parfois, mais comment Bibesco pourrait-il aller dire à Fénelon : « Empêchez donc Proust de vous aimer... » ? D'autant plus que, contrairement à ce qu'il écrit, Proust, assez masochiste, peut fort bien s'éprendre encore plus d'un séducteur mué en bourreau. Ce dilemme est bien douloureux. « Il serait stupide, poursuit Proust, que je vous dise que je n'ai aucune affection pour Nonelef. On ne prend pas tant de précautions contre un sentiment qui n'existe pas, et le plaisir qu'on a à dire qu'on veut y renoncer prouve que ce n'est pas chose accomplie encore... » Et il ajoute tristement : « Le pauvre garçon qui se fiche de moi, bien entendu, serait bien étonné d'être l'objet de tant de débats. Moi qui ne comprenais pas le sens de ces vers de Mme de Noailles dans *L'Ombre des jours* :

1. Kolb, tome III, p. 86.

*Quand Fénelon au temps champêtre*
*Marchait dans le soir parfumé*
*Portant déjà la langueur d'être*
*Un jour malgré soi aimé...*

Je commence à croire qu'ils s'appliquent à Nonelef et à moi En tout cas, cher ami, quoiqu'il doive advenir, 1°) ne parlez à *personne* de mon affection... La fin sera pour une autre fois. Je tombe de fatigue[1]. »

Mais il y a rarement une fin à une lettre de Proust. Malgré sa fatigue, qui d'ailleurs ne l'empêche jamais d'écrire, il ajoute un bulletin de victoire à cette longue demi-confession. « Hé bien, en dernière heure, j'applique sans plus tarder le traitement. Je vais ce soir chez les Noailles et ne demande pas à y amener Nonelef. Je vais à onze et demie chez Larue, seul, et n'en préviens par Nonelef. Que dites-vous de cela ? »

Antoine Bibesco pourrait lui dire que toutes ces manœuvres ont un but absolument contraire à celui que Proust déclare vouloir atteindre et que, loin de renoncer à Fénelon, il espère en secret que celui-ci, désorienté par ce soudain « lâchage », en demandera la raison, qu'à cette occasion, il laissera peut-être deviner quelque chose de ses sentiments et que Proust, sentant le terrain plus solide, en profitera pour donner libre cours aux siens. Bref, Antoine Bibesco pourrait faire toute sorte de commentaires encourageants ou sarcastiques sur cette demande de consultation ou, mieux encore, et c'est peut-être ce que Proust attend de lui, il pourrait, en violant le secret qu'on exige de lui, s'en aller trouver tout bonnement Fénelon pour lui découvrir les ravages qu'il a causés dans un cœur.

Faut-il préciser que les bonnes résolutions de Proust fondent à la seule vue de Fénelon, car, moins d'une semaine après les avoir prises, il annonce à Bibesco, le 14 août 1902, qu'il va déjeuner chez Larue et il le prie d'en avertir à son tour Fénelon, puis, dans l'inévitable post-scriptum, il ajoute : « Toutes réflexions faites, *pour rien au monde* ne dire à Nonelef que je l'ai demandé. »

Apparemment, ce déjeuner se passe si bien que Proust promet à Bertrand de Fénelon d'aller le lendemain lui rendre visite à Neuilly, dans sa nouvelle installation. Et le cycle infernal, en même temps que délicieux, reprend puisque le 15 ou 16 août il dîne avec l'élu chez Weber et semble tout à fait

1. Kolb, tome III, p. 88.

réconcilié avec l'idée de le voir le plus souvent possible, quitte à en souffrir. « Non, sincèrement, *Bertrand est très, très bon*, écrit-il à Bibesco, mais ne le lui dis pas [1]. »

On ne sait ce que l'incorrigible Antoine peut dire à qui veut l'entendre, mais à coup sûr il a beaucoup bavardé de droite et de gauche car, quelques jours plus tard, il reçoit de Proust une grêle de reproches, accompagnée d'une menace de rupture : « Comme malgré mes avertissements, mon insistance et plus, tu as laissé briser notre amitié, je trouve mieux de ne pas laisser d'intervalles, parce que après ce sera très difficile de renouer des relations qui ne soient pas fausses. Et si nous ne laissons pas de lacune, nous aimons assez les mêmes choses pour édifier sur la ruine de notre amitié de très agréables jardins d'Academus, où d'ailleurs nos conversations ne se tiendront plus au fond d'un lit désaffecté, mais seront souvent péripatéticiennes, et ainsi une amitié de conversation très sympathique... [2]. »

Il est vraisemblable qu'Antoine a entretenu tous ses amis du nouvel enthousiasme de Proust, car celui-ci le conjure de remettre les choses au point et de ne pas donner au monde une fausse idée de ses rapports avec Fénelon : « Dis je te prie à Constantin — comme (venant) de toi — que Nonelef n'est qu'un quelconque de mes amis et que tes plaisanteries ineptes et odieuses n'étaient qu'une taquinerie qui se rapporterait plus exactement à n'importe lequel de mes amis. Nomme qui tu voudras. Quant à Hermant (tu peux le dire à Constantin s'il ne doit pas le lui répéter), il ne faut même pas qu'il se doute de ces plaisanteries. Quant à Bernstein, ai-je besoin de te le dire ! — Tu m'as fait un grand tort et un grand mal par cela et pourtant c'était si bien convenu et je t'avais si bien expliqué [3]. »

Presque chaque jour désormais Proust écrit à Bibesco sous différents prétextes et dans chaque lettre il mentionne Fénelon, qu'il voit presque quotidiennement aussi. Il invite celui-ci le 2 septembre à un dîner rue de Courcelles en l'honneur de Mme de Noailles, mais, en fait, il donne ce dîner pour Fénelon dont la poésie lui paraît plus émouvante encore que celle du *Cœur innombrable*.

*

Assez curieusement, il choisit la date à laquelle ses parents

1. Kolb, tome III, p. 103.
2. *Ibidem*, p. 106.
3. Kolb, tome III, p. 107.

reviennent de leur séjour à Evian pour s'en aller à son tour en acceptant une invitation des Daudet en Touraine, où ils possèdent le château de la Roche à Chargé. Sans doute faut-il chercher la raison de ce départ subit dans le fait que Bertrand de Fénelon part le même jour dans la même direction, ce qui lui offre l'occasion d'un tête-à-tête en chemin de fer jusqu'à Chargé. Proust arrive le samedi soir chez les Daudet, y dîne et passe la nuit dans une chambre qu'il remplit aussitôt de la fumée de ses cigarettes Espic, sans songer à jeter un coup d'œil sur le parc ou la campagne environnante, ce qui ne l'empêchera pas de remercier Mme Daudet « pour les belles heures passées dans votre admirable Pray, une des plus belles choses que j'aie jamais vues... ». Un quiproquo burlesque a marqué ce bref séjour. Il avait demandé par télégramme que l'on mît dans sa chambre une bouillotte à esprit-de-vin au cas où il aurait eu froid. L'employée de la poste avait mal transmis la demande et les Daudet n'avaient pas été peu surpris d'apprendre que Proust réclamait qu'on lui servît du bouillon à l'esprit-de-vin dont leur cuisinière ignorait la recette.

Ces vingt-quatre heures au sein de la famille Daudet ne l'ont pas empêché de penser à Bertrand de Fénelon, dont le visage est devenu pour lui une obsession. Sans doute agacé d'entendre Proust vanter sans cesse le charme de son regard, Antoine Bibesco a surnommé Fénelon *Ses yeux bleus* et use de ce sobriquet avec autant d'ironie que de virtuosité. Cette affaire de cœur l'amuse au plus haut point et lui offre un spectacle aussi passionnant que celui d'un joueur essayant de forcer la chance au casino. En ce début de septembre, il semble que Proust soit dans une mauvaise passe « Mon affection pour *Ses yeux bleus* subit en ce moment une crise malheureuse, écrit Proust à Bibesco le 8 septembre 1902. J'appelle malheureux tout ce qui marque la diminution d'un sentiment encore assez fort pour qu'on prenne la peine d'en noter à son confident les amoindrissements [1]. »

Etrange confident qui laisse échapper, moins par méchanceté que pour le plaisir de l'anecdote, tout ce qu'on lui confie et qui n'aime rien autant que de plonger ses amis dans l'embarras par des allusions en public à ce qu'ils ont eu l'imprudence de lui avouer. Ainsi, devant Georges de Lauris, une nouvelle connaissance de Proust, Bibesco demande à celui-ci, furieux, s'il a pris l'avis de Lauris sur le dégré de gentillesse de Fénelon

1. Kolb, tome III, p. 132.

à son égard en telle ou telle circonstance. Navré de voir ses sentiments ainsi commentés ou moqués en présence d'un tiers, Proust adresse à Bibesco de sévères remontrances : « Il était pourtant bien convenu que tu étais la *seule* personne à qui je m'étais ouvert de ceci que même Reynaldo ignore. Involontairement tu l'as appris à d'autres... Mais pense un peu à l'effet que cela ferait, à ce que cela ferait penser de moi. Sans doute, dans ces périodes surtout où *Ma fin de la jalousie*[1] me cause comme en ce moment des douleurs mortelles, ce qu'on peut penser de moi et de telles ou telles enfantines choses, me paraît sans importance. Mais il n'y a pas que moi, il y a ma famille pour qui je me dois de ne pas me faire passer gratuitement pour *salaïste*, ne l'étant pas. Evidemment, ceci n'aurait pas forcément l'air salaïste. Mais dégagé de l'interprétation que la connaissance de mon caractère et la suite quotidienne des événements a pu te donner, cela paraîtrait bien bizarre. De plus, mon affectation d'humilité, etc., me donne déjà en ceci un rôle suffisamment dépendant sans le souligner encore en me représentant à Lauris ou à d'autres comme dans l'attente d'un sourire du Roi... Je t'assure que tu es un peu effrayant et pourtant ce n'est pas faute de t'avoir parlé très longuement à ce sujet. J'espère cette fois que j'aurai été plus décisif[2]. » Cette mise en garde achevée, il reprend sa lettre pour y ajouter un post-scriptum qu'il qualifie non seulement de « Très important », mais d'« ultra-tombeau » en soulignant ce dernier mot. Il s'agit de savoir où il pourra retrouver Bibesco le soir même afin de s'entretenir immédiatement avec lui de ce qu'il aurait pu apprendre de nouveau sur Fénelon car, précise-t-il, « tout un côté caché de la vie de *Ses yeux bleus* serait peut-être découvrable aujourd'hui », dernier membre de phrase qu'il souligne en recommandant à Bibesco de lui rendre cette lettre, ce que celui-ci se gardera de faire.

On ne sait ce que ce jour-là, 9 ou 10 septembre 1902, Proust a pu découvrir de la vie secrète de Bertrand de Fénelon, si tant est que celui-ci en ait alors une. Il est plus vraisemblable de penser que Proust la lui suppose, en partant du principe que rien n'est simple pour les êtres compliqués ou les caractères anxieux. En attendant de percer ce mystère, ses lettres à Antoine Bibesco se succèdent, pressantes ou navrées, inquisitives ou

1. Allusion aux sentiments décrits dans sa nouvelle qui portait ce titre et publiée dans *Les Plaisirs et les Jours*.
2. Kolb, tome III, p. 134-135.

solennelles, tantôt pour s'enquérir des faits et gestes de Fénelon, tantôt pour l'adjurer de ne pas trahir sa confiance. Seul met un terme provisoire à cette correspondance son départ le 3 octobre pour Bruges où il se rend, accompagné précisément de Fénelon, qu'il pourra donc surveiller tout à son aise. Le but de ce voyage est de voir là-bas une exposition de primitifs flamands. S'il se sent assez bien, il poursuivra ce voyage en allant visiter certaines villes et certains musées des Pays-Bas.

Sur ce voyage à deux, Proust et Fénelon se montreront également discrets, mais d'après les lettres de Proust à sa mère, il est certain que sur le plan sentimental cette équipée se traduit par un échec. Bertrand de Fénelon semble avoir été vite fatigué par la présence de Proust à ses côtés. Ils se sont séparés à Anvers, en se promettant de se retrouver à Amsterdam. Proust échoue donc seul à Dordrecht où il médite à loisir, dans la tristesse de sa chambre à l'Hôtel Bellevue, sur les ruines de son bonheur :

*Dordrecht, endroit si beau*
*Tombeau*
*De mes illusions chéries…* [1]

écrit-il dans un poème qu'il envoie à Reynaldo Hahn. Fidèle à la parole donnée, Fénelon le retrouve à l'Hôtel de l'Europe, le plus luxueux d'Amsterdam, mais qui fait payer très cher ce luxe, sans même qu'on puisse en tirer une satisfaction de vanité, remarque amèrement Proust, puisqu'il n'y a pas un Français de connaissance dans la ville pour l'en éblouir. Mais la note d'hôtel n'est pas la seule déception de Proust. Retrouver Fénelon ne lui a pas apporté la félicité qu'il en attendait. Les deux amis se séparent de nouveau : « Je suis seul ici depuis hier, écrit Proust à sa mère le 17 octobre. Je suis dans un état sentimental si désastreux que j'ai craint d'empoisonner de ma tristesse le voyage du pauvre Fénelon et je l'ai laissé respirer loin de mes gémissements… En dehors de cette calamiteuse aventure, je déploie à équilibrer le budget autant d'habileté que M. Rouvier. L'hôtel est si follement cher que Bertrand n'y prenait plus ses repas les deux derniers jours ; mais à qui la faute ? Et pourquoi l'a-t-il choisi et me l'a-t-il en quelque sorte imposé puisque j'étais à Anvers quand il m'a retenu ma

1. *Poèmes*, dans *Cahiers Marcel Proust*, n° 10, p. 56.

chambre[1] ?... » Voilà un grief contre Fénelon qu'il peut avouer à sa mère alors que le vrai n'est pas d'ordre financier, mais sentimental, Fénelon n'ayant pas compris, ou n'ayant pas voulu comprendre, ce que l'on attendait de lui. Fénelon est donc parti d'Amsterdam le 16 octobre, fuyant l'ennui d'avoir Proust accroché à ses basques, évitant ainsi la gêne plus grande encore qu'aurait créée quelque déclaration maladroite de ce dernier. Il est impossible de savoir ce qui s'est réellement passé au cours de ce voyage, mais celui-ci marque incontestablement un changement dans leurs relations.

A la fin du mois d'octobre, sachant qu'Antoine Bibesco continue de multiplier les allusions perfides à Fénelon et au culte qu'il lui a voué, dont maints poèmes gardent la trace, Proust le rappelle encore une fois à son devoir de discrétion. Autant demander à une alouette de ne plus chanter ou à un fleuve de remonter à sa source ! « Si tu dînes avec les Straus..., je te conjure de ne pas, dans un accès de verve innocente, mais non pas inoffensive, plaisanter mon affection pour Nonelef (lequel d'ailleurs me porte rétrospectivement sur les nerfs d'une façon étonnante) ; tu peux très bien dire, si on en parle, que nous sommes très bons amis, mais ne pas dire : *Comme il adore Nonelef*, etc., et autres choses que mon plus mortel ennemi n'aurait pas l'intelligence de trouver[2]. »

La mort subite de la princesse Alexandre Bibesco, survenue à Bucarest le 31 octobre 1902, suspend toutes ses récriminations et fait passer au second plan ses griefs à l'égard d'Antoine.

Proust, qui n'a guère connu la princesse, sauf pour l'avoir entrevue à ses réceptions musicales, éprouve en apprenant sa disparition un désespoir bruyant, aussi profond que s'il s'agissait de sa propre mère. On pourrait presque penser, en lisant les lettres qu'il adresse alors à Antoine Bibesco, qu'il s'exerce à pleurer bientôt Mme Proust et qu'il fait ainsi la répétition du drame personnel qui le frappera un jour inéluctablement. De ses lointaines origines hébraïques, remontent les mots et l'accent pour déplorer cette perte, gémir et s'affliger comme le faisaient jadis, aux jours de grande désolation, les prophètes d'Israël puisant dans chaque incantation le motif et la force de la suivante, ce qui fait que ses condoléances vont *crescendo* pour finir dans l'absurde.

A cet égard, sa quatrième lettre à Antoine est le chef-d'œuvre

1. Kolb, tome III, pp. 163-164.
2. *Ibidem,* p. 167.

du genre et vaut d'être citée, car sans cela on ignorerait jusqu'où Proust peut aller dans la délectation du deuil. Etant passé au magasin du maître-verrier Gallé pour « faire arranger quelque chose », on lui dit que les employés ne travaillent pas à cause de la mort de M. Gallé père. Il imagine aussitôt l'affliction du fils, « Monsieur Gallé ne le sait pas », lui répond-on. « Comment cela se fait-il ? » — « Il est en ce moment dans un état de désespoir qui a compromis sa santé au point qu'on n'ose pas lui annoncer une nouvelle qui pourrait lui être fatale. » — « Ce désespoir est-il causé par la maladie de son père ? » — « Non, il ne savait pas que son père fût malade. Mais M. Gallé a perdu il y a un mois la personne qu'il admirait le plus au monde, la princesse Bibesco, et depuis ce jour-là il est dans un abattement tel qu'on a dû l'isoler, lui interdire toute occupation. Et, Monsieur, nous le comprenons tous, c'était une femme si bonne, etc. » Et Proust d'ajouter, après avoir rapporté ce dialogue pour l'édification d'Antoine : « Cet employé ne se doutait pas que je te connaissais. Et cela, c'est cent fois que je l'ai entendu dire...[1]. »

On se demande ce qu'Antoine, qui a du bon sens, et du cynisme, a pu penser d'un tel récit laissant supposer que sa mère était la maîtresse de M. Gallé pour que celui-ci en éprouvât un tel désespoir... Que pense-t-il aussi en voyant Proust le menacer de venir s'installer près de lui, en Roumanie, pour lui prodiguer sur place larmes et consolations ? Cela part d'un bon sentiment, certes, mais la sincérité de cette offre paraît suspecte lorsqu'on sait que Proust est hors d'état d'entreprendre un si long voyage et qu'il a dû renoncer récemment à une simple excursion jusqu'à Chartres. Il est vrai que cette visite est annoncée pour le printemps, mais il n'en demeure pas moins qu'un tel déplacement, qui représente environ trois jours en chemin de fer, est au-dessus des forces de Proust, ce qui doit rassurer Bibesco. Cette proposition d'arriver avec ses livres, ses médicaments et ses papiers pour s'installer auprès d'un ami dans l'épreuve, Proust la renouvellera pour la plupart des deuils de ses proches, avec l'empressement et la ponctualité d'un entrepreneur de pompes funèbres offrant ses services. Elle finira par devenir une clause de style, comme ces phrases banales qu'on prononce aux enterrements en étreignant une veuve sous ses voiles tout en songeant au repas qui suivra la cérémonie.

1. Kolb, tome III, p. 184.

Avec la mort de la princesse Alexandre Bibesco, Proust s'est découvert une vocation de pleureuse et désormais chaque disparition, lointaine ou proche, lui inspirera des lettres de condoléances aussi passionnées que des lettres d'amour et dans lesquelles le chagrin qu'il exprime dépasse tellement l'affliction du destinataire que celui-ci, en les lisant, se croit presque obligé d'oublier sa propre peine pour consoler son consolateur.

Le plus facilement distrait de la mort de la princesse est certainement son fantasque mari qui épousera en secondes noces une jeune chanteuse d'opérette, Hélène Reyé, que bien entendu ses beaux-fils détesteront, mais qui saura tenir son rang et ne fera guère parler d'elle.

En l'absence d'Antoine Bibesco, retenu en Roumanie par des problèmes de succession, Proust est privé de son habituel confident et se débat seul au milieu des tourments que lui cause l'insaisissable Bertrand de Fénelon. Le vœu qu'il avait émis quelques mois plus tôt d'une rupture par le départ de l'un ou de l'autre se réalise avec la nomination de Fénelon comme attaché à l'ambassade de France à Constantinople, mais cette solution, qui lui paraissait la meilleure, se révèle la pire. Il sait que l'éloignement effacera de sa mémoire le visage de Fénelon et finalement il préfère souffrir que de perdre un jour jusqu'au souvenir de ses traits.

Le 6 décembre, au début de l'après-midi, Bertrand de Fénelon, accompagné de Georges de Lauris, vient lui faire ses adieux. Les visiteurs sont introduits, non dans le salon, mais dans la salle à manger qui n'est pas chauffée, sur l'ordre exprès de Mme Proust. Comme il y fait froid, Lauris et Fénelon gardent leur manteau et ce dernier, avec une impertinence de grand seigneur, a dû faire quelques réflexions sur cette parcimonie bourgeoise, car Proust, piqué au vif, se jette sur lui à coups de poing, avec toute la rage d'un amour frustré qui saisit cette occasion pour se venger d'une longue indifférence. Lauris intervient, les sépare, en retenant Proust qui, pour assouvir sa fureur, s'empare du haut-de-forme de Fénelon, en arrache la doublure et la piétine, comme le ferait un enfant détruisant son jouet préféré. Proust exhibera plus tard à sa mère l'épave du chapeau, comme preuve des scènes causées par son inconcevable avarice à son égard.

Cet incident ridicule et navrant ne sera pas perdu pour la littérature et se retrouvera dans *A la recherche du temps perdu* lorsque le Narrateur, enragé par l'orgueil démentiel du baron de Charlus, se venge en attrapant son haut-de-forme neuf qu'il piétine et met en pièces sans se laisser arrêter par les vociférations de son propriétaire [1].

Malgré cette altercation, les deux amis se réconcilient et, le surlendemain, Proust se rend à la gare avec Georges de Lauris pour assister à l'embarquement de Fénelon dans l'Orient-Express à destination de Constantinople. Ainsi le charmant diplomate aux yeux si bleus, qui jouera un tel rôle dans son œuvre en devenant l'un des modèles principaux de Saint-Loup, sort-il provisoirement de son existence. Ils se reverront, mais le charme est rompu. Comme l'écrit pertinemment George Painter : « D'une part, il l'oublia instantanément, d'autre part il s'en souvint à jamais [2]. »

L'état de nerfs dans lequel cette affaire a mis Proust est tel qu'il montre en toute circonstance une ombrageuse susceptibilité, se croyant perpétuellement offensé, prenant pour une injure ou une attaque déguisée le propos le plus anodin. Ainsi s'est-il imaginé qu'un autre diplomate, le comte Bertrand Clauzel, a mal parlé de lui à Fénelon. Se jugeant atteint dans son honneur, il a prié Lauris d'aller trouver Clauzel et d'en exiger des excuses, faute de quoi il lui enverra ses témoins. Cette démarche n'a pas encore été faite lorsque Lauris et lui ont retrouvé à la gare Clauzel, venu lui aussi faire ses adieux à Fénelon. Ignorant le drame imaginaire dont il est le protagoniste, Clauzel multiplie les amabilités envers Proust et lui propose même sa voiture pour le reconduire chez lui. La querelle, qui n'a sans doute existé que dans l'esprit de Proust, se trouve apaisée, au vif soulagement de Lauris.

*

Un autre départ marque également sa vie à cette époque, celui de son frère Robert qui, fiancé à Marthe Dubois-Amiot, va bientôt se marier. Au physique comme au moral, Robert Proust est l'exact opposé de son frère, encore que tous deux ont quelques traits du visage de leur mère lorsqu'on les voit près de celle-ci. Chez Robert Proust, les ascendances beauceronnes et terriennes l'ont emporté sur l'inquiétude et la sensibilité du sang d'Israël. C'est un robuste garçon, solidement bâti, voire épais, dont le sport a développé la musculature. Il a l'air d'un canotier de Maupassant et s'est affranchi depuis

1. *A la recherche du temps perdu*, Pléiade, tome II, p. 847.
2. G.D. Painter, *Marcel Proust*, tome I, p. 386.

longtemps de la pudibonderie dont sa mère donne l'exemple. Très tôt il a eu des aventures féminines et lorsqu'un grave accident de bicyclette l'a envoyé à l'hôpital, Mme Proust, accourue à son chevet, a eu le déplaisir d'y trouver sa « petite amie » déjà dans la place et peu disposée à la céder. Pendant son service militaire à Reims, il a séduit la femme de son capitaine, ce qui lui a valu de nombreux désagréments. Ni les plaisirs de la chair, ni ceux du sport ne l'ont empêché de travailler avec acharnement et de passer brillamment le concours de l'internat. Spécialisé dans les maladies de l'appareil génital, il a été le premier chirurgien de France à pratiquer l'ablation de la prostate. Cultivé, aimant lire et sachant écrire avec clarté, il tient la plume aussi bien que le scalpel et il a entrepris une œuvre scientifique dont une partie sera consacrée à l'étude de l'hermaphrodisme. Cette précoce réussite fait augurer une belle carrière, à l'exemple de son père, heureux de le voir suivre une voie qu'il lui a ouverte. Ses fiançailles avec Mlle Dubois-Amiot consacrent cette réussite en l'alliant à une famille de grande bourgeoisie parisienne dont les ancêtres ont assez travaillé pour permettre à leurs descendants de vivre noblement de leurs rentes, dans un somptueux immeuble près du parc Monceau.

Les fiançailles sont fixées au 24 janvier 1903 ; le mariage civil est prévu pour le 31 janvier et le mariage religieux aura lieu le 2 février. La perspective d'être obligé de participer à ces fastidieuses cérémonies, suivies d'étouffants dîners, suffit à plonger Proust dans un abîme d'anxiété, ce qui déclenche évidemment une violente crise d'asthme. Il commence par se mettre au lit, d'où il envoie d'innombrables lettres à Antoine Bibesco et Constantin de Brancovan, sans leur parler d'ailleurs de ce mariage qui occupe fébrilement le reste de la famille. Mme Proust tombe malade à son tour et devra se faire conduire à l'église en ambulance.

L'apparition de Proust à Saint-Augustin, le 2 février 1903, est celle d'un spectre sorti de son tombeau pour reprocher à son frère d'avoir troublé son repos. Par crainte d'attraper froid, il s'est emmailloté de lainages et a même mis trois manteaux l'un sur l'autre, au dire de sa cousine Valentine Thomson dont il est le cavalier. Celle-ci, qui a tout juste dix-huit ans et porte une jolie robe, est fort humiliée de se voir affublée d'un tel épouvantail qu'il lui faut traîner à sa remorque à travers l'église pendant l'épreuve de la quête. Conscient de l'étrangeté de sa tenue, Proust se croit obligé d'en expliquer la raison et, à chaque rang, il fait une pause pour chuchoter que, très malade depuis longtemps, il ne peut s'habiller autrement, qu'il sera d'ailleurs encore plus malade tout à l'heure et que cela n'est pas de sa faute...

Le lunch a lieu chez les Dubois-Amiot, où il figure avec le même amoncellement de tricots et les mêmes bourrelets de ouate hydrophile. Après cette corvée, il retourne à son lit, se prétendant tué par ce mariage. Le départ de Robert le laisse seul avec ses parents et il peut désormais organiser la vie de ceux-ci autour de la sienne. Assez paradoxalement, ce n'est pas le docteur Proust, souvent absent, qui s'oppose à la manière dont il régit leur existence, mais Mme Proust, car, en dépit de sa tendresse et même de son aveuglement, elle a parfois de surprenantes réactions et des accès d'autoritarisme à l'égard de ce fils prodigue, objet de toutes ses complaisances.

Son état maladif a mis Proust sous la dépendance de ses parents qui subviennent complètement à son entretien et, comme toutes les personnes entretenues, Proust juge insuffisant le pied sur lequel on le fait vivre. Il trouve aussi, peut-être à raison, que sa mère profite de cette situation pour le traiter comme un enfant de six ans, ne lui laissant aucune liberté, surveillant ses relations et manifestant une jalousie insupportable dès qu'elle le voit s'attacher trop à un être, homme ou femme, qui pourrait lui ravir une part de cet amour dont elle réclame l'exclusivité. Les remontrances de sa mère, ses lamentations sur sa paresse ou ses habitudes l'agacent prodigieusement. Au cours de l'été précédent, comme elle essayait de lui prouver qu'il y avait des gens bien plus à plaindre que lui, vexé de cette leçon, il lui avait répondu : « Tu me dis à cet égard qu'il y a des gens qui en ont autant [1] et qui ont à travailler pour faire vivre leur famille. Je le sais. Bien que les mêmes ennuis, de bien plus grands ennuis, d'infiniment plus grands soucis ne signifient pas forcément les mêmes souffrances... Car il y a en tout ceci deux choses : la matérialité du fait qui fait souffrir et la capacité de sa personne — due à sa nature — à en souffrir. Mais enfin je suis persuadé que bien des gens souffrent autant, et bien plus, et cependant travaillent. Aussi apprenons-nous qu'ils ont eu telle ou telle maladie et qu'on leur a fait abandonner tout travail. Trop tard, et j'ai mieux aimé le faire trop tôt. Et j'ai eu raison. Car

1. Des ennuis.

il y a travail et travail. Le travail littéraire fait un perpétuel appel à ces sentiments qui sont liés à la souffrance...[1]. »

Depuis cette algarade, les choses ne se sont guère arrangées, malgré les élans de tendresse qui les réconcilient pour quelque temps. Le docteur et Mme Proust s'alarment de voir leur fils dépenser autant, et si mal à propos, leur demander sans cesse de l'argent et, en voyage, invoquer des prétextes qui ne les abusent pas, pour en réclamer plus encore. Lorsqu'il séjournait à Fontainebleau, il avait déclaré s'être fait voler de l'argent à l'hôtel. Pendant son voyage en Hollande, il avait récidivé, affirmant encore qu'on l'avait volé. Pour essayer de lui inculquer le sens de l'économie, Mme Proust a institué rue de Courcelles une sorte de blocus qui devrait le faire réfléchir et le rendre plus raisonnable. Les domestiques ne doivent plus répondre à ses coups de sonnette, ni lui servir son dîner lorsqu'il rentre à des heures indues. Ce système est assorti de brimades humiliantes. Elle a fait retirer de sa chambre un petit meuble qu'il utilisait pour écrire dans son lit et elle a interdit de chauffer certaines pièces, ce qui a provoqué l'incident que l'on sait lors de la dernière visite de Fénelon. Dans cette manière d'agir, Proust voit une volonté bien arrêtée de le réduire à merci : « La vérité, lui écrit-il dans une lettre, mémorandum de ses griefs, c'est que dès que je vais bien, la vie qui me fait aller bien t'exaspère, tu démolis tout jusqu'à ce que j'aille de nouveau mal. Ce n'est pas la première fois. J'ai pris froid ce soir ; si cela tourne en asthme, qui ne saurait tarder à revenir dans l'état actuel des choses, je ne doute pas que tu ne seras de nouveau gentille pour moi, quand je serai dans l'état où j'étais l'année dernière à pareille époque. Mais il est triste de ne pouvoir avoir à la fois affection et santé...[2] »

Une indéniable névrose, légère chez Mme Proust, assez prononcée déjà chez son fils, rend difficiles leurs rapports quotidiens et Proust avoue parfois, comme il le fait dans une lettre à Constantin de Brancovan[3], qu'il a le délire de la persécution. Après cette crise, les relations entre mère et fils semblent s'améliorer, car au mois de mai 1903 Proust écrit à sa mère : « ...Il y avait longtemps que je n'avais pensé à toi avec ce paroxysme d'effusion. Fatigué en ce moment et n'écrivant plus que du bout des doigts, j'ai peur de mal dire

1. Kolb, tome III, p. 109.
2. *Ibidem*, p. 191.
3. *Ibidem*, p. 228.

ce que je voudrais dire. Que le chagrin rend égoïste et empêche d'être aussi tendre. Mais surtout que depuis quelques années bien des déceptions que tu m'a causées par des mots qui pour être assez rares n'en ont pas moins fait époque pour moi par leur ironie méprisante et leur dureté (bien que cela ait l'air paradoxal) m'avaient beaucoup détourné de la culture d'une tendresse incomprise. Mais tout cela est absurde, car je suis fatigué, je ne saurais t'exprimer en ce moment tout ce que je pensais tout à l'heure[1]. »

Difficiles également sont ses rapports avec la plupart de ses amis, avec Constantin de Brancovan, coupable de s'être étonné devant Lauris qu'il ait pu traduire Ruskin alors qu'il ne connaît pas assez l'anglais pour commander un repas dans un restaurant de Londres, avec un nouvel ami, François de Pâris, dont il juge la conduite à son égard « des moins satisfaisantes », avec Lucien Daudet, trop susceptible lui-même pour supporter les susceptibilités d'autrui, enfin avec Antoine Bibesco qui, de Roumanie, continue, bien qu'il n'écrive guère, et brièvement, à le torturer moralement. Lui ayant demandé par télégramme depuis quand Bertrand de Fénelon connaissait leur intention d'aller tous deux le voir à Constantinople, Antoine avait laconiquement télégraphié : « Depuis que je lui ai écrit. » Sur quoi, Proust, furieux, avait répliqué : « ...réponse que Flaubert aurait mise à la place d'honneur dans le *Dictionnaire de la bêtise humaine* et que j'inscris simplement en tête du *Livre d'or de la cruauté d'Antoine*[2]. »

Après avoir agité pendant tout le mois de janvier et celui de février le projet d'un voyage en Roumanie avec Constantin de Brancovan pour y retrouver Antoine Bibesco, puis avec celui-ci le projet d'un séjour à Constantinople, Proust abandonne l'un et l'autre, aussi fatigué que s'il les avait réalisés tous les deux. Finalement, c'est Bibesco qui revient à Paris au début de mars, reformant autour de lui le cercle enchanté dont il est l'âme — ou plutôt le génie malicieux. Malgré ses côtés sataniques, Antoine Bibesco a cette vitalité qui galvanise Proust et l'aide à sortir, non seulement de soi-même, mais aussi de sa chambre et de son lit. A plusieurs reprises, Antoine Bibesco l'a entraîné au théâtre, au restaurant et, le Vendredi saint, 10 avril 1903, il l'emmène en automobile voir à Provins, Saint-Loup-de-Naud et Dammarie-les-Lys des exemples d'architec-

1. Kolb, tome III, p. 327.
2. *Ibidem*, p. 224.

ture médiévale. Emmanuel Bibesco, François de Pâris, Georges de Lauris et Lucien Henraux sont de la partie. Le 21 avril, Bibesco lui fait visiter la cathédrale de Laon et Coucy-le-Château, dont le célèbre donjon sera partiellement détruit pendant la Grande Guerre.

*

Avec le retour à Paris d'Antoine a coïncidé l'entrée dans le clan de trois nouveaux membres dignes d'y être intégrés par leur charme personnel et leurs qualités autant que par les grands noms qu'ils portent : le duc de Guiche, le prince Léon Radziwill et le marquis d'Albuféra.

Armand de Gramont, duc de Guiche, est le fils aîné d'Agénor, duc de Gramont qui, veuf en premières noces d'une princesse de Beauvau, a épousé en secondes noces Marguerite de Rothschild, une des héritières les plus accomplies, non seulement de cette maison, mais de la société parisienne, fiancée-veuve d'un Liedekerque mort avant qu'elle l'épousât. Guiche est du second lit et tient de sa mère, outre son charme, ces dons intellectuels qui feront de lui un spécialiste de l'acoustique et, plus tard, un membre de l'Institut de France. Il a une grande prestance et une certaine beauté, rehaussée par une irréprochable élégance, la vraie, point celle qui fait de Montesquiou la cible des caricaturistes. « Jeune, beau, amusant, écrit Ferdinand Bac dans ses Mémoires inédits, il avait du piquant, pas mal d'esprit, des aptitudes aux arts, aux sciences, avec une pointe d'impertinence qui lui allait fort bien... apostrophant les femmes avec une volupté un peu libertine... » Et Bac admire en lui « l'élégance des formes et l'aisance parfaite, sa façon de lever la tête, de retourner les basques de son habit, debout devant la cheminée, le nez amusé, les yeux fureteurs, la parole audacieuse et galante à la fois qui charmait et qui confondait un peu [1] ».

De même qu'il a gratifié Bertrand de Fénelon d'un exemplaire des *Plaisirs et les Jours*, Proust en donne un au nouvel élu, en y ajoutant cette dédicace ambiguë : « Au duc de Guiche, au vrai plutôt qu'au réel, à celui qui aurait pu être, plus encore qu'à celui qui est... j'offre ce portrait, plus guère ressemblant, d'un moi qu'il n'a pas connu. » Qu'attendait-il de Guiche qui motivât cette restriction ? Leur amitié était-elle

1. F. Bac, *Souvenirs inédits*, livre III.

suffisamment avancée, comme le suggère Painter, « pour que Proust éprouvât quelque déception » ?

Tout autre est Léon, dit Loche, Radziwill, du moins sur le plan intellectuel. Jeune géant à l'air bonasse et inoffensif, au regard bleu d'une candeur touchant à la naïveté, il a pour principale vertu sa richesse. Il tient celle-ci de sa mère, une Blanc, de la *Société des bains de mer de Monaco*, véritable souveraine de la principauté. Malgré le prestige que lui confèrent sa fortune et son illustre famille internationale, alliée à toute l'Europe princière, il ne tardera pas, lui aussi, à décevoir Proust qui se vengera par un portrait cruel, écrit, détail piquant, sous le toit du jeune prince, au château d'Ermenonville où jadis le marquis de Girardin avait recueilli un autre ingrat, Jean-Jacques Rousseau : « Au physique, déclare Proust, Léon Radziwill... est, en même temps qu'infiniment délicat, si fruste qu'il présente plutôt l'aspect d'un bloc que d'une statue, et que c'est à la délicatesse, à la compréhension de celui qui l'observe, à le sculpter, à retrouver sa forme vraie, à déterminer sa beauté... Un regard stupide prenant trait pour trait la figure de Loche y découvrira facilement la stupidité. La *noble pudeur* qui colore le visage de cet Hippolyte émancipé lui paraîtra la vulgaire rougeur de l'homme adonné uniquement à la vie matérielle. Les yeux, si expressivement inexpressifs, comme ceux des statues grecques, petites excavations où la mer en se retirant a laissé deux petites flaques couleur de pierres précieuses, émeraudes ou saphirs selon l'heure, prendraient la morne hébétude du crétinisme endurci. La diction elle-même, d'une lenteur amusante et d'une fausse bonhomie, semblera empâtée par la bêtise et la naïveté... » Et après quelques autres gracieusetés de ce genre, Proust passe de cette description physique à un inventaire de ses dons intellectuels et de ses qualités morales pour lui en reconnaître fort peu : « Ame putain, se donnant au premier venu, ou plutôt incapable de faire don de soi, plein de nobles choses, généreux, sensible, ne tenant à rien de vulgaire ni à l'argent, ni à la célébrité, ni au monde... capable de faire mille choses pour un ami, excepté d'être son ami, si ce mot implique préférence, fidélité, sécurité, persévérance, etc. »

A la fin de ce portrait, Proust en trace un de lui-même, en creux, lorsqu'il avoue qu'en présence de Radziwill il se sent absent de soi-même, réduit au silence, stupide : « J'ai voulu vaincre cet enchantement, cela en a redoublé la force, comme l'effort qu'on fait pour ne pas rater une femme vous rend plus impuissant, ou, pour s'endormir, accroît l'insomnie. Au bout de trois ou quatre fois, quand on sonnait et qu'on disait : *le prince Radziwill*... j'étais ennuyé en pensant à cet état si pénible où j'allais être, et ennuyé aussi dans mon amour-propre, sentant qu'il me trouvait si bête, qu'un de ces êtres de qui j'aimerais le plus être estimé n'aura jamais l'ombre d'idée de ce que je suis. Cela a commencé à tuer le plaisir à le voir... », Et, stigmatisant « la nature mouvante », la versatilité de Radziwill, il achève ainsi cette charge : « Les gouvernements éphémères et contradictoires qui se succèdent sous le nom de Loche sont de ceux avec qui on ne peut s'allier, parce qu'à tout moment c'est à une personne nouvelle qu'on s'adresse, bien excusable de ne pas tenir les engagements que son prédécesseur, et non pas elle, a pris... [1] »

Sa haute et vigoureuse stature est bien nécessaire à Radziwill pour porter le poids de la réputation de son père, car celle-ci est accablante. Constantin Radziwill, doublement fortuné d'avoir épousé Mlle Blanc, est célèbre par son dédain du sexe auquel il doit cette fortune, au point que Montesquiou a pu écrire, au mépris des règles de la prosodie :

*Parler femmes est incivil*
*Chez Constantin Radziwill.*

Élisabeth de Gramont, duchesse de Clermont-Tonnerre et sœur aînée de Guiche, a laissé un portrait du fameux Constantin se promenant avec des escarpins vernis dans le parc de Vallières, « tenant ses deux mains toujours gantées devant lui comme un chien qui fait le beau ». D'après Élisabeth de Gramont, il haïssait son fils, réservant son affection pour sa fille Louise, duchesse de Doudeauville, mais son amour allait tout entier à ses valets de pied qui « vêtus dès l'aurore de panne bleue, en culottes courtes, avaient des cheveux blonds crêpelés au petit fer et inspiraient tant de respect qu'on n'osait leur demander aucun travail [2] ».

Entrevus à Ermenonville ou dans le fastueux hôtel du prince, place d'Iéna, ces valets de pied auxquels, assurait-on, leur maître avait offert des colliers de perles, sont les modèles de

1. *Essais et articles,* dans *Contre Sainte-Beuve,* Pléiade, p. 477.
2. Lettre d'Élisabeth de Gramont, duchesse de Clermont-Tonnerre, à Marcel Proust, citée par Natalie Barney dans son livre, *Souvenirs indiscrets*, p. 123.

ceux dont le Narrateur admire à l'hôtel de Guermantes « la meute éparse, magnifique et désœuvrée ».

Quant à la troisième recrue, Louis d'Albuféra, celle-ci offre à Proust l'intérêt de lui montrer ce qu'est la noblesse d'Empire, encore tenue pour peu par celle de l'Ancien Régime, surtout celle qui, n'ayant que des titres de courtoisie, éprouve quelque dépit en voyant ces descendants de petites gens pourvus de belles lettres patentes, fraîches encore, mais incontestables. Louis d'Albuféra descend à la fois du maréchal Suchet, à qui sa probité avait valu le surnom de la « Vierge d'Italie », car il était bien le seul à ne pas avoir pillé le pays et, par sa mère, d'une autre dynastie de l'Empire, celle des Cambacérès. Sa grand-mère paternelle est la fille du richissime baron Schickler, qui a racheté le château de Bizy, près de Vernon, appartenant jadis au duc de Penthièvre.

Excellent cavalier, ce qui ne l'empêche pas de s'intéresser à l'automobile aussi, pratiquant les petits théâtres — et surtout les actrices — autant que les sports, il a de la bonne grâce, de la franchise et de la fidélité envers ses amis. Alors qu'Antoine Bibesco passe d'une maîtresse à l'autre, mais n'en impose aucune à ses relations, Louis d'Albuféra révèle avant l'heure un tempérament conjugal, ne faisant qu'un avec sa maîtresse, Louisa de Mornand, une jeune comédienne de dix-neuf ans à qui sa beauté tient lieu de talent. Jusqu'à présent elle n'a obtenu que de petits rôles et compte sur l'influence de son nouvel amant pour en avoir de plus importants. En ce début de l'année 1903, les relations épistolaires de Proust et de Louis d'Albuféra vont être placées sous le signe de la carrière de Louisa. Celle-ci vient de décrocher un rôle au théâtre des Mathurins, dans une pièce de Tarride, *Le Coin du feu*, où elle espère, si le titre ne lui porte pas malheur, attirer l'attention de la critique.

Pour être agréable à Louis d'Albuféra, Proust va mettre en branle toutes ses relations, notamment Antoine Bibesco et Francis de Croisset, jeune auteur dramatique dont il a fait récemment la connaissance. Croisset incarne alors ce que Proust aurait voulu devenir : le jeune homme qui, sans naissance, sans fortune et sans autres appuis que ceux qu'il a su se créer, a réussi sa conquête de Paris. Il est vrai que Croisset en est encore au premier stade et qu'il lui reste quelques barrières à franchir avant d'être auteur à succès, gendre de Mme de Chevigné, membre de l'Académie française, mais le plus dur est fait, il est en bonne voie et marche allégrement vers le but. Il n'est pas moins vrai qu'il s'est donné beaucoup de mal pour réussir et qu'en personnage authentiquement balzacien il ne s'écarte pas un seul instant de la ligne de conduite qu'il s'est tracée pour parvenir à ses fins : il a commencé par troquer son patronyme de Wiener contre le nom du pavillon de Flaubert à Croisset, ce qui lui a donné une double auréole, aristocratique et littéraire, il est allé s'habiller à Londres, avec plus d'élégance et de goût que Paul Bourget, et depuis cette métamorphose il fréquente assidûment toutes les personnes capables d'aider à son ascension, quitte à les oublier dès qu'elles ne lui sont plus utiles ou risquent de devenir un fardeau. Ainsi, lorsque les Dietz-Monin se ruineront, il rompra ses fiançailles avec leur fille, se réservant pour une meilleure occasion. Son physique trahit curieusement l'obsession de cette course aux succès : « Un nez hardi, des yeux bleus à fleur de tête et fendus en amande, le visage maigre et nerveux, tendu en avant et comme crispé d'une ambition continue, hanté de conquête comme un cheval dans une course tend son cou à l'approche du but [1]. »

Les multiples démarches de Proust pour « lancer » Louisa de Mornand produisent de maigres résultats, petits échos glissés çà et là dans certains journaux sans qu'il soit parvenu à obtenir un article important, mais il se rattrape en adressant à Louis d'Albuféra un long poème dans lequel il célèbre les charmes de la jeune femme, poème d'une extraordinaire impudeur comme seuls peuvent en écrire des impuissants pour masquer leur absence de virilité.

Proust y laisse entendre qu'il est lui-même amoureux de Louisa — qui ne le serait pas ? — mais que, plaçant l'Amitié au-dessus de l'Amour, il se sacrifie héroïquement à son rival plus heureux. Les derniers vers constituent d'ailleurs une discrète allusion aux sentiments qu'il éprouve à l'égard de l'amant :

*Mon amitié pour vous, délicate et fidèle,*
*Eût tué pour toujours le moindre amour pour elle*
*Si jamais il avait dû naître dans mon cœur*
*Où vous avez, mon cher, ce que j'ai de meilleur.*

Il semble que Proust ait regretté cette déclaration déguisée, car il prie son destinataire de la lui rendre. D'Albuféra s'y

1. F. Bac, *Souvenirs inédits*.

prête, en notant au début de la première page : « Je les regrette — mais puisque je l'ai dit... mais je les pleure — renvoyez-les-moi — Votre Albu. Je les ai lus plus de dix fois... Votre Albu [1]. »

*

Bien que le printemps lui soit toujours néfaste, cette année-là Proust sort beaucoup, la fièvre mondaine l'emportant sur celle des foins. Il y a le plaisir de retrouver le stimulant Bibesco, de se laisser entraîner par lui au théâtre ou dans certains restaurants à la mode ; il y a également celui de découvrir des visages nouveaux, chargés de toutes les promesses de l'inconnu, comme celui du charmant Georges de Lauris, si fin, si mesuré, si discret, ou de revoir des visages entrevus jadis dont le souvenir revient parfois à sa mémoire comme celui d'une journée parfaite ou d'un paysage idéalisé.

C'est le cas pour celui d'Illan de Casa-Fuerte, qu'il avait rencontré quatre ans plus tôt, sous les auspices de Lucien Daudet, au Grand-Guignol. Petit-neveu de l'impératrice Eugénie, Ilian de Casa-Fuerte est alors, avec le marquis de Carisbrooke, frère de la future reine d'Espagne, et le prince Félix Youssoupov, un des plus beaux adolescents de la société internationale, un nouveau Dorian Gray dont la séduction troublera jusqu'à Gabriele D'Annunzio qui en fera le héros de son roman *Forse che si, forse che no*. Cette splendeur physique a ému Lucien Daudet, ravi le beau-frère de celui-ci, André Germain, et impressionné Proust qui peut constater que le Temps ne l'a pas encore altérée. Comme beaucoup d'êtres beaux — hommes ou femmes — Casa-Fuerte préfère être loué pour son intelligence ou son esprit. Il se veut auteur, ou du moins traducteur. Il a en effet traduit certains poèmes de Gabriele d'Annunzio et souhaiterait que Proust les fasse publier par Constantin de Brancovan dans sa revue, *La Renaissance latine*.

Concurremment avec la publication par fragments de sa préface de *La Bible d'Amiens*, Proust entreprend pour *Le Figaro* une série de « salons », ce qui ne va pas sans quelques ennuis, car il est difficile de plaire à tout le monde. Le *Salon de la comtesse Greffulhe*, où il n'est vraisemblablement jamais allé, mais qu'il a écrit avec sans doute l'arrière-pensée d'y pénétrer

1. Kolb, tome III, p. 351.

grâce à cet article, ne verra jamais le jour ; le portrait d'Antoine Bibesco, qu'il aurait voulu y ajouter, ira orner le *Salon de Madeleine Lemaire*, qui paraît le 11 mai 1903 sous la discrète signature de *Dominique*. C'est du même pseudonyme qu'il signe un *Salon de S.A.I. la princesse Mathilde*, aussi faible de composition et aussi fade de ton que les aquarelles de l'altesse. Son incognito a été si bien préservé qu'il s'entendra dire par le comte Primoli, lors d'une réception chez les Brancovan, que cet article de *Dominique* est « imbécile ».

Ecrire sur les vivants, surtout s'il s'agit de gens du monde, est toujours un exercice périlleux. Les fréquenter n'expose pas à moins de risques et Proust en fait une nouvelle fois l'expérience à une soirée, le 12 mai, chez Madeleine Lemaire. Le fils d'un célèbre écrivain, portant de surcroît un des grands noms de France, a dû faire aussi, comme Primoli, de piquantes réflexions sur *Dominique* car Proust se sent insulté. Faute de pouvoir se battre en duel, il pourfendra l'ennemi de sa plume en faisant de celui-ci, dans une lettre à Georges de Lauris, un portrait vengeur dans lequel il souligne l'imbécillité congénitale de ce gandin qui « dit *Grand'Maman* et *Papa* avec la nuance de respect que l'on doit à une cocotte et à un académicien ». Cette esquisse, qu'il demande à Lauris de brûler, sera conservée par celui-ci. Proust s'en servira plus tard pour faire, dans *A la recherche du temps perdu*, le portrait de M. de Cambremer. En littérature, comme en chimie, rien ne se perd et tout se retrouve.

Au début de l'été, Bertrand de Fénelon revient à Paris et Proust subit à nouveau l'attrait de son visage, l'ascendant de son prestige. Pour le voir le plus souvent possible, il renonce à ses règles de vie et sort presque tous les jours, le retrouvant le soir chez Larue ou dans quelque autre établissement « chic », puis c'est encore une fois la déchirure du départ, à cette seule différence que c'est avec Antoine Bibesco, et non avec Lauris, qu'il se rend à la gare pour mettre dans l'Orient-Express celui dont :

> *Nulle amitié ne passe en douceur la sienne*
> *Où survit comme une grâce fénelonienne*[1].

Trois semaines plus tard, Proust prend à son tour le train pour rejoindre ses parents à Evian. En route, il s'arrête pour

---

1. *Cahiers Marcel Proust*, tome X, *Poèmes*, p. 140.

voir Avallon et, de là, visiter Vézelay, un des chefs-d'œuvre de l'architecture médiévale française qu'Emile Mâle avait recommandé à son attention. Son aspect déconcerte et ravit Proust : « L'église est immense et ressemble autant à des bains trucs qu'à Notre-Dame, bâtie en pierres alternativement blanches et noires, délicieuse mosquée chrétienne [1] », ainsi qu'il l'écrit à Lauris. En regagnant Paris, il fera un autre détour afin de visiter l'église de Brou, à Bourg-en-Bresse, et les hospices de Beaune. Sur ces trois monuments, il prend d'abondantes notes, à la manière de Ruskin, et proposera au directeur de la *Chronique des Arts et de la Curiosité* de les réunir en articles pour sa revue, offre à laquelle Auguste Marguiller ne donnera pas suite.

A l'aller, dans son compartiment où il ne pouvait dormir, tenu éveillé par la fièvre autant que par le mouvement du wagon, il a vu se lever le soleil, événement aussi spectaculaire et incongru pour lui que celui du grand rideau de l'Opéra pour un paysan du Centre. Frappé par la beauté de cette vision rare, il en gardera un souvenir si vif qu'il pourra le transcrire, en lui gardant toute la fraîcheur de son émerveillement, dans la description que fait le Narrateur de la campagne normande, vue d'une fenêtre du train qui l'emmène à Balbec.

A Evian, dont ses parents sirotent les eaux en compagnie de leurs amis Duplay, il retrouve la société plus exaltante de Louis d'Albuféra et de Louisa de Mornand, étalant leur liaison aux regards des curistes. En leur compagnie, il excursionne à Chamonix, monte à dos de mulet au Montanvers et se risque sur la mer de Glace, exploit dont il ne fera jamais aucune mention. En revanche, il met à profit le calme relatif d'Evian et un répit dans son asthme pour écrire sur Dante Gabriel Rossetti et Elisabeth Siddal une étude dont le *Burlington Magazine* lui a fourni la matière. Il en écrit une autre sur la *Mort des cathédrales*, appelée à un certain retentissement.

L'idée lui en était venue deux mois plus tôt, lors d'une vive discussion qu'il avait eue chez lui avec Bertrand de Fénelon, Louis d'Albuféra et Georges de Lauris à propos de la politique anticléricale menée par Emile Combes, le nouveau président du Conseil, un ex-séminariste fort ardent pour brûler ce qu'il avait été jadis contraint d'adorer.

Fénelon, qui se piquait d'être à la page, avait applaudi à la dispersion des congrégations, disant qu'il aurait grand plaisir

---

1. Kolb, tome III, p. 419.

à voir des religieuses obligées de voyager au moins une fois dans leur vie. L'honnête d'Albuféra, élevé dans de bons principes et s'y tenant avec fermeté, avait été choqué de ces paroles. Le ton de la discussion s'était gâté. En essayant de concilier les adversaires, Proust n'avait réussi qu'à les irriter davantage, et contre lui. Affligé de voir l'esprit de parti l'emporter sur le bon sens, plus affligé encore d'entendre contester par des amis qui lui sont chers des valeurs morales auxquelles il reste attaché, bien qu'il ne soit pas un chrétien pratiquant, Proust, après leur départ, avait écrit à Lauris, sous le coup de l'émotion, une longue lettre, véritable manifeste, sinon de ses opinions religieuses, du moins du sentiment religieux qui subsiste en lui. C'était aussi une déclaration des droits de l'honnête homme dans une société moderne où la religion devient chaque jour davantage une affaire de politique, ce qui est en contradiction avec le dogme autant qu'avec la loi.

Il est impossible de citer intégralement cette lettre d'environ deux mille deux cents mots, une des plus longues qu'il ait jamais écrites, et dont la rédaction a dû lui demander tout le reste de la nuit. On peut la résumer ainsi : Que veulent les anticléricaux avec leur volonté d'ostracisme et leur programme de persécution ? Créer une autre France ? Une France égalitaire et athée où, sous prétexte de justice sociale, on décrétera hors la loi toute une catégorie de citoyens ? Sans doute les écoles libres exercent-elles une influence parfois critiquable sur l'esprit de leurs élèves en leur enseignant la défiance à l'égard des Juifs, « ce qui est le signe de cet état d'esprit dangereux où a grandi *l'Affaire*, etc, explique-t-il à Lauris, poursuivant : Mais je vous dirai qu'à Illiers, petite commune où mon père présidait avant-hier la distribution des prix, depuis les lois de Ferry on n'invite plus le curé à la distribution des prix. On habitue les élèves à considérer ceux qui le fréquentent comme des gens à ne pas voir, et de ce côté-là, tout autant que de l'autre, on travaille à faire deux France... » Et se rappelant ce qu'il doit au vieux curé d'Illiers qui lui a donné des rudiments de latin, il ajoute : « Il me semble que ce n'est pas bien que le vieux curé ne soit plus invité à la distribution des prix, comme représentant dans le village quelque chose de plus difficile à définir que l'office social symbolisé par le pharmacien, l'ingénieur des tabacs retiré, et l'opticien, mais qui est tout de même assez respectable, ne fût-ce que pour l'intelligence du joli clocher spiritualisé qui pointe vers le couchant et se fond dans ses nuées roses avec tant d'amour et qui, tout de même, à la première vue d'un étranger débarquant dans le village, a meilleur air, plus de noblesse, plus de désintéressement, plus d'intelligence et, ce que nous voulons, plus d'amour que les autres constructions, si votées soient-elles par les lois les plus récentes. »

Revenant sur l'antidreyfusisme des catholiques, il établit une distinction, fort intelligente, entre les vrais catholiques, qu'on n'entend guère, et *les grands électeurs du catholicisme*, suivant son expression, qui se servent de la religion à des fins politiques, se moquent bien du pape et de son Eglise qui acceptent néanmoins ces alliés douteux pour le triomphe de la bonne cause, comme les dreyfusards n'ont pas eu honte d'accepter les services de journalistes tarés : « Les congrégations parties, le catholicisme éteint en France... les cléricaux, les cléricaux incroyants, d'autant plus violemment antisémites, antidreyfusards, antilibéraux, seraient aussi nombreux et cent fois pires... » Et il observe que, sauf dans le cas de certains professeurs d'université, qui sont de véritables maîtres à penser, ce n'est pas l'école qui forme les opinions des jeunes gens, mais la presse. « Au lieu de restreindre la liberté de l'enseignement, si l'on pouvait restreindre la liberté de la presse, on diminuerait peut-être un peu les ferments de division et de haine... » A cet égard, il cite l'exemple de certains de leurs amis qui, bien que lettrés, se contentent de répéter, comme vérités d'Evangile, ce qu'ils ont lu dans les journaux.

Passant au problème des Jésuites, qui avait dû être évoqué lors de cette soirée, il défend cet ordre, non pour ses valeurs qu'il connaît mal et auxquelles il pourrait ne pas adhérer, mais contre la fausseté des accusations dont il est l'objet, contre les mauvaises querelles que le gouvernement lui cherche. « On nous dit toujours que les monarchies absolues n'ont pu tolérer les Jésuistes, mais est-ce bien là quelque chose de très grave contre les Jésuites ? tout de même, je crois qu'en fin de compte je serais contre eux, mais je voudrais au moins que les anticléricaux fassent un peu plus de nuances et visitent au moins, avant d'y mettre la pioche, les grandes constructions sociales qu'ils veulent démolir. Je n'aime pas l'esprit jésuite, mais enfin il y a une philosophie jésuite, un art jésuite, une pédagogie jésuite. Y aura-t-il un art anticlérical ? » Il souligne au passage que le catholicisme n'a cessé de voir son influence grandir en France, ne serait-ce qu'à travers la littérature — « Baudelaire lui-même tient à l'Eglise, au moins par le sacrilège » — et conclut que l'« on ne tuera pas l'esprit chrétien en fermant les écoles chrétiennes, et que s'il doit mourir, il mourra, même sous une théocratie. Ensuite parce que l'esprit chrétien, et même le dogme catholique, n'a rien à voir avec l'esprit de parti que nous voulons détruire (et que nous copions)... [1] ».

Dans cette profession de foi, Proust mentionnait le discours prononcé par son père, le 27 juillet, à la distribution des prix de l'école primaire de garçons d'Illiers. C'était la dernière fois que le docteur Proust revoyait sa ville natale, car, le 24 novembre 1903, il a un sérieux malaise alors qu'il se trouve à la Faculté de médecine pour y présider un jury d'examen. Robert, qui lui avait trouvé l'air fatigué, s'était proposé pour l'accompagner, mais en vain, puis il s'était rendu à son laboratoire. Peu après, un assistant l'avait prévenu que son père, enfermé dans les toilettes, n'avait pas reparu. On avait enfoncé la porte et trouvé le professeur gisant par terre, inconscient. Robert Proust l'avait aussitôt fait transporter rue de Courcelles.

Son frère, qui s'était couché fort tard, dort encore, en ce début d'après-midi, lorsqu'il est tiré de son sommeil par un coup frappé à sa porte, en dépit de la consigne de ne le déranger sous aucun prétexte :

— Pardon de te réveiller, lui dit sa mère, mais ton père s'est trouvé mal à l'école...

Le docteur Proust va rester sans connaissance pendant presque deux jours et meurt, le 26 novembre, à neuf heures du matin. La veille était née son unique petite-fille, Suzanne, destinée à perpétuer sa race de la façon la plus littéraire qui soit puisque son sang se mêlera successivement à celui des Rostand et des Mauriac.

Le service funèbre, à Saint-Philippe-du-Roule, le 28 novembre 1903, clôt définitivement, devant une foule de notabilités, le parcours effectué par Adrien Proust depuis l'école primaire d'Illiers jusqu'à l'Académie de médecine, en passant par tant de postes et de chaires honorifiques, mais en manquant de peu l'Académie des Sciences morales et politiques. Les deux frères mènent le deuil et accompagnent le corps jusqu'au Père-Lachaise où le professeur Debove, doyen de la Faculté de médecine, rend un dernier hommage au disparu : « Il était assez épicurien pour jouir des choses sans prendre au tragique les petites misères de la vie humaine, assez sceptique pour être

1. Kolb, tome III, pp. 381 à 386.

indulgent à ceux qui s'éloignent de ce que nous croyons être le chemin de la vertu, assez stoïque pour envisager la mort sans faiblesse... [1]. »

En écoutant l'orateur célébrer l'indulgence paternelle, Proust doit penser qu'il a largement bénéficié de celle-ci, souvenir qui se mêle à celui d'une de ses dernières conversations avec son père et au cours de laquelle ils s'étaient disputés. Le remords ajoute à la mélancolie de cette cérémonie : « Nous avions eu une discussion politique, et j'ai dit des choses que je n'aurais pas dû dire, avoue-t-il à Mme de Noailles en la remerciant de ses condoléances. Je ne peux vous dire quelle peine cela me fait maintenant. Il me semble que c'est comme si j'avais été dur avec quelqu'un qui ne pouvait déjà plus se défendre. Je ne sais pas ce que je donnerais pour n'avoir été que douceur et tendresse ce soir-là. Papa avait une nature tellement plus noble que la mienne. Moi, je me plains toujours. Papa, quand il était malade, n'avait qu'une pensée, qui était que nous ne le sachions pas... [2]. »

---

1. Cité par G. D. Painter, *Marcel Proust*, tome I, p. 413.
2. Kolb, tome III, p. 447.

# 12

# Décembre 1903 - Septembre 1905

*Perfidies roumaines - Portraitiste mondain : la comtesse d'Haussonville - la comtesse Potocka - Un nouveau paravent : Louisa de Mornand - Un faux ménage à trois - Mariage d'Armand de Guiche - Injustes noces d'Arthur Meyer - Un aristocrate évolué : Gabriel de La Rochefoucauld - Démêlés avec Montesquiou - Soirée d'hommage et de réparation - Célébration de Mme de Noailles - Courage et grandeur de Mme Proust : sa mort.*

La mort d'un proche est toujours un moment difficile à passer, surtout lorsqu'on n'est pas soutenu par un vrai chagrin. Celui de Mme Proust est sincère : après avoir fait draper de noir le portrait de son mari par Lecomte du Nouÿ, elle a pris un deuil sévère et désormais survivra dans le souvenir du disparu, célébrant non seulement chaque année l'anniversaire de sa mort, mais, chaque mardi, celui du jour où il a été foudroyé.

Si disert à propos de la mort de vagues relations, ou même d'inconnus, Proust se montre plus sobre à l'égard de son père, en dépit de réponses émues aux lettres de condoléances qu'il reçoit. La mort de son père le prive moins d'un appui que d'un censeur, encore que depuis longtemps le docteur Proust eût renoncé à ce rôle. Il restait néanmoins pour lui un reproche implicite, un homme qui, malgré l'affection qu'il lui témoignait, le tenait pour un incapable et lui dissimulait la tristesse qu'il en éprouvait. Bien qu'il ne l'avoue pas, Proust ressent une impression de lâche soulagement, un sentiment de délivrance qui lui permettra de mieux travailler maintenant qu'il n'a plus le souci de se justifier aux yeux de son père.

A défaut de grande et véritable affliction, il éprouve une certaine inquiétude, celle de savoir s'il offre à autrui une image convenable de sa douleur filiale et rien ne l'affecte autant qu'une réflexion du perspicace Antoine Bibesco à qui n'a pas échappé qu'il est un orphelin aisément résigné : « Je ne pense pas que Marcel soit chagriné outre mesure de la mort de son père... », aurait confié Bibesco à l'un de leurs amis qui s'était fait un devoir de rapporter ce propos à Proust. Il en était résulté une vive explication, suivie d'une réconciliation.

S'il est impossible de se fier à Antoine, il est également impossible de lui résister. Aussi leurs relations sont-elles placées sous le signe d'une constante discorde, entrecoupée de rapprochements pleins d'effusions et même d'attendrissements. Tout en admirant le bel Antoine, Proust reste lucide et tente de lui ouvrir les yeux sur ses propres défauts dont le premier semble être d'en tirer orgueil, comme s'ils étaient des qualités d'une espèce supérieure. Rien n'agace davantage Proust que de voir Antoine être le premier à se moquer de son propre personnage et se vanter de petitesses de caractère ou de sentiments qu'il ferait mieux de cacher, à défaut d'en rougir : « ... mais le scrupule que j'ai toujours eu jusqu'ici à cet égard et qui m'a empêché de jamais parler de toi avec personne *cum grano salis* me prive certes d'un élément de comique important dans la conversation. Moi, je n'ai à cela aucun mérite, je n'en suis pas arrivé encore à aimer te voir de façon humoristique et quand je suis trop frappé de la cécité partielle dont tu sembles frappé (et qui ne fait qu'augmenter ton orgueil à juger les autres), la seule personne de qui j'essaie d'attirer l'attention sur ton ridicule, c'est toi... [1]. »

Autre exemple de perfidie roumaine, celle de Constantin de Brancovan qui, après lui avoir proposé de faire la critique des livres à *La Renaissance latine*, avait offert cette rubrique à Gaston Rageot, puis, non sans désinvolture, il avait ensuite informé Proust n'avoir agi ainsi que « dans son intérêt », lui écrivant : « Il est préférable que vous ne preniez pas la responsabilité d'une rubrique régulière qui vous donnerait beaucoup de fatigue, de travail et d'ennui... » Sans doute Brancovan, connaissant son homme, s'était-il dit que la collaboration de Proust serait une source de complications et que le moindre article signé Proust lui vaudrait des lecteurs de la revue des lettres auxquelles il passerait plus de temps à répondre qu'il n'en aurait mis pour écrire lui-même le texte. De plus, Proust, moins docile qu'il n'en a l'air, est capable de ne pas donner à

1. Kolb, tome IV, p. 27.

tel élu des Brancovan les louanges nécessaires, ou à tel ennemi les critiques, plus nécessaires encore.

Ce qui choque le plus l'intéressé dans cette volte-face, c'est l'hypocrisie du procédé : « ... tout à fait le *Vos scrupules font voir trop de délicatesse* de la fable de La Fontaine... », se plaint-il à Mme de Noailles qui se déclare « hagarde, désolée... de l'inconstance de Constantin », mais elle hésite à prendre parti entre son frère et son confrère. Aussi, pendant quelque temps, Proust va-t-il poursuivre Constantin l'infidèle, et sa revue, de sa juste fureur, ne parlant plus de *Renaissance latine*, mais de l'*Inconstance latine*, de l'ingrate *Jactance latine*, de l'*Indécence latine*, de la *Méconnaissance latine*, de l'*Inconvenance latine*, en attendant qu'une autre atteinte à son amour-propre lui fasse oublier celle-là.

A défaut de *La Renaissance latine*, dans laquelle il ne publiera plus rien avant le mois de juin, il lui reste *Le Figaro* dans lequel il fait paraître, sous le pseudonyme d'Horatio, deux « salons », consacrés, l'un à la comtesse d'Haussonville, l'autre à Robert de Montesquiou.

Esquisser le portrait de Mme d'Haussonville est pour lui une manière de peindre le mari, homme important, et surtout de rendre hommage à l'un des rares aristocrates qui ait osé prendre parti pour Dreyfus. Si l'œuvre de M. d'Haussonville est mince, son influence est considérable, au point que le salon de sa femme est l'antichambre de l'Académie française, assiégée par tous les écrivains qui rêvent d'un fauteuil. Arrière-petit-fils de Mme de Staël, M. d'Haussonville a hérité quelques-unes des idées généreuses de son aïeule, ce qui le met en conflit, non seulement avec son propre milieu, mais avec des écrivains plus disposés que lui à défendre les principes de l'Ancien Régime. Il subira les attaques de Maurras et poursuivra une polémique avec Paul Bourget, qui lui reproche ses idées « sociales » avancées.

Née d'Harcourt, sa femme a cette allure souveraine qui donne au moindre geste, à la plus insignifiante parole un charme magique dont reste enchanté celui qui en est l'objet. Malgré ce ton quasi royal et un art de garder ses distances, que souligne « Horatio », la comtesse d'Haussonville a le cœur bon et l'esprit parfois piquant, se moquant des chimères d'Aimery de La Rochefoucauld ou des prétentions de Montesquiou avec une verve toute républicaine, mais, comme Oriane de Guermantes, n'oubliant pas pour cela les égards dus à son rang. Comme il est toujours malaisé de parler à leur satisfaction des personnages vivants, *Le Salon de Mme d'Haussonville* porte la trace de cet embarras. Les éloges que Proust décerne aux époux semblent un peu froids, un peu forcés. Ceux-ci ont dû s'étonner que l'auteur parlât moins d'eux-mêmes que de Renan, à qui tout le début de l'article est consacré, comme pour servir de piédestal à ces deux figures académiques ou bien les grandir aux yeux d'un public plus familiarisé avec l'auteur de la *Vie de Jésus* qu'avec celui du *Salon de Mme Necker*.

Si les d'Haussonville ont la sagesse de ne pas dire ce qu'ils pensent de cet hommage conventionnel, Montesquiou, lui, ne cache pas son agacement en lisant, dans *Le Figaro* du 18 janvier 1904, sous la signature du même *Horatio*, l'évocation d'une fête chez lui à Neuilly [1]. Qui diable peut se cacher sous ce nom d'« Horatio » ? demande-t-il à ses amis. Certes, l'auteur a du talent et du trait, mais il prend avec son sujet des libertés qui frisent l'irrévérence. Il faut bien le connaître pour le décrire ainsi, en grand seigneur du siècle de Louis XIV donnant une fête pour le plaisir de ne pas y convier certaines personnes et jouir de leur dépit. Intrigué, Montesquiou s'adresse à Calmette, le directeur du *Figaro*, pour savoir l'identité du mystérieux Horatio. Calmette garde le secret, mais communique la lettre à Proust qui apprend ainsi que le comte est furieux de cette parodie sacrilège.

Un peu plus tard, dînant avec Montesquiou, il a la surprise d'entendre celui-ci célébrer, de façon dithyrambique, une nouvelle de Mme de Noailles parue dans *La Renaissance latine*, puis, comme si le restaurant était trop étroit pour son lyrisme, Montesquiou sort, l'entraînant avec lui, et, dans la rue, continue ses éloges exaltés, martelant le trottoir de son talon pour mieux ponctuer son discours, puis, brusquement, il lui demande : « Horatio, c'est vous ? »

Comme Proust, encore tout étourdi de ce flux verbal, reste coi, il ajoute que, n'ayant pu découvrir l'auteur, il a fait imprimer cet article en plaquette, sur un très beau papier, afin de le donner à ses admirateurs. Pris au piège, Proust garde le silence et se contentera de remercier Montesquiou lorsque celui-ci lui en adressera un exemplaire, enrichi d'un poème inédit. Montesquiou n'apprendra la vérité qu'au moment de la parution de *Pastiches et Mélanges*, en 1919, lorsque Proust le priera de lui communiquer l'article du *Figaro*, qu'il n'aura pas plus conservé dans ses archives que la plaquette envoyée par

1. Le titre exact est *Fête chez Montesquiou à Neuilly*, pastiche de Balzac.

Montesquiou dans sa bibliothèque. « Ce portrait n'est pas une simple reproduction de celui qui parut autrefois dans *Le Figaro*, lui écrira Proust, mais contient des parties et des louanges nouvelles... » Cette fois, le poète des hortensias, dont l'astre décline alors que monte celui de son protégé, se montre si flatté du portrait qu'il espère que Proust ne s'arrêtera pas en si bon chemin et redonnera dans un autre volume l'étude qu'il lui avait consacrée en 1905 sous le titre : *Un professeur de beauté*.

Proust achève ses portraits mondains de l'année 1904 avec celui de la comtesse Potocka, publié dans *Le Figaro* du 13 mai, toujours sous le même pseudonyme.

Si Renan servait d'introducteur, ou de socle, aux d'Haussonville, c'est sous l'égide de Balzac que peut être placée la comtesse Potocka, figure véritablement balzacienne puisque, après avoir vécu comme la princesse de Cadignan, elle mourra comme le colonel Chabert.

Née Pignatelli, la comtesse n'a de polonais que le nom, celui d'un de ces fastueux Potocki, quasi souverains en Pologne, qui s'était empressé d'abandonner à d'autres une épouse brûlant de trop de feux. Connue surtout comme égérie de Maupassant, dont elle aurait précipité la folie par ses jeux pervers et sa sensualité, la comtesse Potocka est une de ces héroïnes fin de siècle qui, réincarnations de la « Belle Dame sans merci » du Moyen Age, sont à mi-chemin entre le vampire et la fée. Il est évidemment difficile à un chroniqueur mondain d'évoquer dans *Le Figaro* les enchantements maléfiques de cette dévoreuse d'hommes, au demeurant intelligente et spirituelle ; aussi Proust se contente-t-il de citer les noms de ceux qui, de par leur nature, échappent à son pouvoir de séduction, comme Montesquiou, Reynaldo Hahn ou Barrès, celui-ci trop catholique pour se fier à cette arrière-petite-nièce de pape. Prudemment, Proust se contente d'écrire qu'« elle a l'esprit libéré de tout préjugé, mais fidèle à des superstitions sociales », ce qui représente une assez judicieuse appréciation de ses débordements, compensés par son souci de sauver les apparences. Encore Proust ne pouvait-il deviner la fin tardive et tragique de la comtesse, au cours de la Seconde Guerre mondiale, ruinée, famélique et trouvée morte un jour, à demi dévorée par les rats.

*

Ce ne sont pas ces frivolités qui occupent réellement Proust en ce début d'année 1904, mais la correction des épreuves de sa traduction de *La Bible d'Amiens*, besogne fastidieuse dans laquelle il est aidé par Marie Nordlinger, arrivée de Grande-Bretagne. Le livre paraît au Mercure de France à la fin du mois de février, à son grand soulagement, car il est fatigué d'avoir consacré tant d'années à cette patiente et minutieuse recomposition : « Ce vieillard commence à m'ennuyer... », avoue-t-il à Marie Nordlinger, ce qui ne l'empêche pas de s'intéresser toujours à Ruskin puisqu'il envisage de préfacer et d'annoter une traduction de *Sésame et les lys*.

Alors qu'il avait dédié l'*Introduction à Notre-Dame d'Amiens selon Ruskin* à Léon Daudet, il ne reprend pas cette dédicace pour la parution en volume qui est dédié au docteur Proust[1]. Malgré ses relations dans le monde des lettres, celui-ci ne fait pas au livre l'accueil qu'il espérait. Il est vrai que l'ouvrage est aussi agaçant par sa verbosité qu'indigeste par la compilation à laquelle Ruskin s'est livré. Son principal intérêt réside incontestablement dans la longue préface, mais le nom de Proust ne suffit pas pour attirer l'attention des critiques qui tardent à donner leurs articles.

Ami fidèle et dévoué, Robert de Flers s'exécute dans *La Liberté* du 15 mars 1904, mais sans rien écrire qui puisse exciter l'intérêt des lecteurs du journal pour ce livre. Son seul mérite est de donner l'éveil à ses confrères. Ceux-ci suivent mal. Gabriel Mourey, traducteur lui aussi de Ruskin, donne un compte rendu assez neutre du travail de son rival dans *Les Arts et la Vie*. Bergson, déjà célèbre, fait preuve de solidarité familiale en lisant le 28 mai, devant l'Académie des Sciences morales, un rapport dans lequel il reconnaît que la préface est une remarquable contribution à l'étude de la psychologie de Ruskin et il loue la qualité de la langue de Proust, qui fait oublier qu'il s'agit d'une traduction : « J'ai insisté, écrit Bergson à Proust, sur ce que vous dites du caractère essentiellement religieux de Ruskin... », trait fort honnête de la part d'un philosophe qui ne croit pas en Dieu.

L'historien Albert Sorel, homme d'une grande finesse psychologique, est peut-être le seul à deviner dans cet ouvrage les prémices d'un talent nouveau et il use pour le dire d'une comparaison si curieuse qu'on pourrait croire que Proust la lui a suggérée : « Il écrit, quand il médite ou il rêve, un

1. « A la mémoire de mon père, frappé en travaillant le 24 novembre 1903, mort le 26 novembre, cette traduction est tendrement dédiée. »

français flexible, flottant, enveloppant, en échappements infinis de couleurs et de nuances, mais toujours translucide, et qui fait parfois songer aux verreries où Gallé enferme ses lianes[1]. »

En revanche, la plupart des amis ou des simples relations se montrent restrictifs, voire hostiles : « Malheureusement, je sens que vous n'aimez qu'à demi Ruskin et je m'en accuse.... », répond Proust à la lettre que Georges Goyau lui écrit pour le remercier de lui avoir envoyé le livre, et il ajoute : « ... je sens bien que c'est un livre peu fait pour initier à Ruskin et lui conquérir les cœurs[2]. » Georges Goyau rendra néanmoins compte de l'ouvrage dans *La Revue des Deux Mondes* du 15 septembre 1904, puis dans *Le Gaulois* du 18 décembre 1904, mais ces articles viendront trop tard pour ramener l'attention du public sur un livre déjà presque oublié.

Maurice Barrès, qui avoue se méfier du verbiage de Ruskin, se déclare « très touché de l'amitié de cet étranger pour la France », ce qui est un compliment bien plat venant d'un tel auteur. Il se montre moins sensible au fait que Proust le nomme dans sa préface qu'à l'idée saugrenue d'avoir placé Maeterlinck sur le même plan que Racine : « Proust ! Proust ! Marcel ! s'indigne Barrès, il y a des manières d'admirer le génie qui sont plus déshonnêtes que la brutale grossièreté des Barbares. Quand trois siècles d'âmes nobles auront associé leurs sentiments sincères autour des feuillets de Maeterlinck, alors on pourra le rapprocher de Racine... Que chacun prenne son rang et, pour s'assurer le sien, respecte celui des maîtres...[3]. » En lui écrivant pour se disculper, Proust, à qui Barrès demandait s'il ne songerait pas à traduire Walter Pater, répond qu'il n'entreprendra certes pas cette tâche : « J'ai encore deux Ruskin à faire, lui dit-il, et après j'essaierai de traduire ma pauvre âme à moi, si elle n'est pas morte dans l'intervalle[4]. »

Henry Bordeaux se montre aussi réticent que Barrès à l'égard de Ruskin, mais il rachète ce manque d'enthousiasme en proposant à Proust de lui consacrer une étude, offre qui n'aura pas de suite et que Bordeaux regrettera sans doute de n'avoir pas réalisée lorsque le nom de Proust éclipsera le sien. Quant à Daniel Halévy, il se révèle franchement désagréable : « Je dois te dire que je ne l'ai pas lu », avoue-t-il à Proust

1. *Le Temps*, 11 juillet 1904.
2. Kolb, tome IV, p. 79.
3. *Ibidem*, p. 89.
4. *Ibidem*, p. 93.

après avoir reçu le livre, et il ajoute, ce qui n'adoucit guère la brutalité de cette déclaration : « Je déteste lire les livres pour la raison qu'on me les envoie et au moment où on a envie de le lire, et alors on le lit bien. Je suis sûr que cela viendra pour ton Ruskin et j'attends[1]. » On ignore si Halévy, poussé par le remords, ou la curiosité, finira par lire la *Bible d'Amiens* et en féliciter le traducteur, sans doute fort affecté par cette indifférence, digne de celle que Halévy, à Condorcet, opposait à ses déclarations sentimentales.

Absorbée dans la publication de son roman, *Le Visage émerveillé*, paru au mois de juin 1904, Mme de Noailles ne semble pas avoir été elle-même émerveillée par la *Bible d'Amiens*, mais Proust la ménage, car elle est la petite sœur de *La Renaissance latine* et c'est l'occasion pour Constantin de Brancovan de racheter sa conduite indigne en publiant un article louangeur sur sa traduction, ce que le traître se gardera de faire. Proust n'est guère plus heureux avec Abel Hermant, le féal des Brancovan, sollicité d'accomplir cet élémentaire devoir d'amitié. Hermant le fait avec une perfidie qui ressemble fort à celle de son protecteur. Dans le *Gil Blas* du 4 septembre 1904, il publie un article où n'apparaît même pas le nom de Proust, mais où, faisant vraisemblablement allusion à Marie Nordlinger, il évoque « ces Anglaises qui croient devoir se pencher sur les chapiteaux de Saint-Marc célébrés par Ruskin ». C'est bien peu, mais suffisant pour accroître la rancune de Proust à l'égard de l'inconstant Constantin.

Cette dérobade des Brancovan ne l'empêche pas, pour ce mauvais roman qu'est *Le Visage émerveillé*, de couvrir Mme de Noailles de fleurs imméritées. Transposition hâtive des mésaventures de sa cousine Jeanne Bibesco, carmélite défroquée en proie au mal d'amour, ce livre est un roman bâclé que Proust porte néanmoins au pinacle. A en juger par le ton des trois lettres qu'il adresse coup sur coup à Mme de Noailles, il n'a jamais connu plus voluptueuse extase et pousse des cris qui rappellent ceux qu'une courtisane experte arrache par la science de ses caresses à un viveur épuisé. Ce n'est plus de l'enthousiasme, c'est un délire frisant l'hystérie : « Je viens d'en lire vingt pages, lui écrit-il le 11 juin 1904, et alors j'ai été transporté dans cette région où seuls les plus grands génies peuvent nous faire pénétrer et d'où sont naturellement absents la complaisance et le ressentiment. Chaque pas fait dans ce

1. Kolb, tome IV, p. 102.

pays surnaturel m'a rempli d'une telle extase que j'ai voulu tout de suite, avant de continuer, venir suspendre mon offrande et déposer ma couronne et bénir le grand et puissant et sage esprit, le merveilleux génie qui nous entrouvre le secret de toutes choses, devant qui toutes les apparences tombent... Il n'y a même pas une suite de choses merveilleuses, c'est une espèce de vision géniale qui crée de façon constante. Il y a peut-être dans *Atala* deux ou trois images parfaitement belles. Il y en a dans chacune de vos pages autant que de façons de dire... Car il faut vous résigner à ce que je vous récrive bien des fois. Devant ce sentiment de la perfection absolue de ces pages, j'ai eu un moment un sentiment triste (celui de ne pouvoir aller au-delà de cette perfection)... Non, je crois que vous pourrez écrire encore de plus beaux livres, des livres que nous ne pouvons même pas concevoir et qui sont enclos dans les retraites obscures de votre instinct... des livres si beaux qu'après cela on pourra brûler toutes les bibliothèques, fermer tous les pianos, démolir tous les observatoires... Il n'y a pas un seul Claude Monet, un seul Manet aussi beau, c'est le génie même du paysage impressionniste... [1]. »

Et pour mieux scander ce dithyrambe, revient sans cesse cette phrase qui est déjà le *leitmotiv* de toutes ses lettres de remerciement aux écrivains dont il vient de lire le dernier ouvrage : « Non, vous n'avez jamais rien écrit d'aussi beau, personne au monde n'a jamais rien écrit d'aussi beau. »

*

Amoureux du génie de Mme de Noailles, même lorsque ce génie défaille autant que son goût, il l'est aussi d'une autre femme, de manière également platonique, encore qu'il prétende le contraire et simule la passion.

En adressant à Louisa de Mornand, la maîtresse de Louis d'Albuféra, un exemplaire de la *Bible d'Amiens*, il avait orné celui-ci d'une dédicace audacieuse qui s'achevait ainsi : « A ceux qui n'ont pas réussi auprès de vous — c'est-à-dire tout le monde —, les autres femmes ne plaisent plus. » D'où ce distique :

*A qui ne peut avoir Louisa de Mornand*
*Il ne peut plus rester que le péché d'Onan.*

---

1. Kolb, tome IV, pp. 147 à 149.

Bonne fille et ne voulant pas être en reste, Louisa de Mornand avait répliqué en donnant à Proust deux photographies d'elle-même, chacune accompagnée d'une affectueuse dédicace, puis, un dimanche soir, au début du mois d'avril, elle permit à son admirateur de venir contempler de plus près l'original. Il est bien hasardeux d'imaginer cette soirée galante entre l'actrice et l'amoureux débutant. D'après un petit poème que Proust lui envoie quelques jours plus tard, en guise de remerciement, il l'aurait longuement regardée lire, dans son lit, en déshabillé, puis s'endormir... mais il ajoute, plus gaillardement :

*Sous prétexte que c'est dimanche*
*Marcel Proust, dans ce paradis,*
*Duquel un ange se penche,*
*Est tant resté... que c'est lundi.*

Revenant à la prose, il conclut : « Je suis fou de ma photographie. Il semble que ce que vous avez écrit pour me faire plaisir deviendra pour moi une réalité et sera capable de fixer mon cœur changeant. En attendant, jamais enfant à qui on vient de donner sa première poupée n'est aussi content que moi... [1]. »

Que Proust ait longuement caressé du regard, et même des doigts, cette jeune femme complaisamment offerte, nue comme la duchesse d'Albe dans le tableau de Goya, qu'il ait effleuré ses lèvres des siennes, ainsi qu'il le rappelle dans une autre strophe de ce poème commémoratif, la chose est probable, mais il est douteux qu'il soit allé au-delà de ces simples jeux. Son tempérament est plutôt celui d'un voyeur que d'un partenaire actif et ses goûts, déjà fixés, le portent davantage vers de jeunes hommes que vers des femmes, même s'il s'agit de demi-mondaines qui savent prendre les initiatives nécessaires. Sans être catégorique, on peut effectivement penser que Proust n'a jamais connu de femme, au sens biblique du mot. C'était l'opinion de Mme Simone qui, elle, avait connu beaucoup d'hommes et discernait assez vite à quelle espèce ils appartenaient [2].

Plus tard, lorsque Proust sera mort et célèbre, Louisa de Mornand s'enorgueillira de cette intimité, laissant croire au public, par les interviews qu'elle accordera, que cette liaison

1. Kolb, tome IV, pp. 107-108.
2. M. Galey, *Journal,* tome I, p. 332.

de cœur et d'esprit avait aussi un côté charnel. « Ce fut entre nous une amitié amoureuse, où il n'y avait rien d'un flirt banal ni d'une liaison exclusive, mais, de la part de Proust, une vive passion nuancée d'affection et de désir, et, de la mienne, un attachement qui était plus que de la camaraderie et qui touchait vraiment mon cœur[1]. »

Elle publiera les lettres de Proust, en y joignant, pour étoffer le volume, celles de Proust à Laure Hayman et, comme garantie de leur authenticité, elle fera préfacer le recueil par Robert Proust et Fernand Nozière. Lors de la vente de ces mêmes lettres, elle déclarera, dans une interview pour *Les Nouvelles littéraires*, que ces lettres ne représentaient qu'une faible partie de sa correspondance avec Proust : « Les lettres très intimes, celles qui me tenaient particulièrement à cœur, je les ai gardées, dira-t-elle à Suzanne Normand, et pourtant elles auraient pu me rapporter une petite fortune[2]. »

La pauvre femme, bien déchue de sa splendeur, n'aurait pas hésité à vendre également ces lettres *intimes* si elles avaient bien existé puisqu'elle sacrifiera, pour cette vente publique du 24 novembre 1928, non seulement son exemplaire de la *Bible d'Amiens* avec la scabreuse dédicace et l'allusion à Onan, mais son propre portrait par La Gandara. Cette vente aux enchères, à laquelle l'intéressée assistera, pour ajouter du piquant à cette dispersion avant décès, fera scandale, comme d'ailleurs la séance de signature pour la sortie du recueil de lettres de Proust. Dans *La Liberté* du 11 décembre 1928, Edmond Jaloux, fervent proustien, écrira : « Il faut bien croire que nous ne savons plus grand'chose de ce sentiment qu'on appelait autrefois la pudeur puisque "l'amie" qui a reçu ces lettres émouvantes et qui les a vendues signait, elle-même, l'autre soir, dans une librairie, les exemplaires des acheteurs. Elle les signait, je pense, d'ailleurs, comme un avoué signe un papiers d'affaires ou l'agent de change un ordre de vente, car on ne signe en général, dans l'édition, que les livres qu'on écrit. »

En revanche, le chroniqueur de *Paris-Midi* remarquera, non sans ironie : « C'est bien la première fois, à ma connaissance, qu'on voit un héros de roman témoigner à son auteur quelque gratitude. » Si ces fameuses lettres intimes, preuve d'une liaison charnelle et jalousement gardées, avaient existé, nul doute que Louisa de Mornand n'aurait fini par les vendre, car de petits

1. *Candide*, 1er novembre 1928.
2. *Les Nouvelles littéraires*, 27 décembre 1928.

rôles en petits rôles, que ce soit au théâtre ou au cinéma, elle ne cessera de descendre la pente de l'insuccès pour sombrer dans la misère et achever ses jours à l'hôpital, en 1963, à soixante-dix-neuf ans[1].

La « vive passion » de Proust, que Louisa de Mornand affirmera nuancée d'affection et de désir, est surtout, semble-t-il, une vive affection nuancée de curiosité. Quant au désir, Proust songe d'autant moins à la satisfaire que Louisa de Mornand, bien qu'elle soit alors un peu en froid avec d'Albuféra, est toujours officiellement la maîtresse de celui-ci. Loin de vouloir « souffler » la jeune actrice à son amant, Proust va s'employer au contraire à les réconcilier, puis, quand Louis d'Albuféra sera poussé dans le mariage par sa famille, il sera le trait d'union entre la maîtresse abandonnée et un d'Albuféra plein de remords, ou de regrets, jouant le rôle délicieux d'entremetteur.

*

Au printemps de cette année 1904, un vent matrimonial souffle en effet sur le petit cercle des amis de Proust et menace de le rompre. Cédant aux instances familiales, Louis d'Albuféra se fiance à une héritière, Anna Masséna, fille du prince d'Essling, le duc de Guiche avec une héritière non moins considérable, Elaine Greffulhe, fille unique du comte Greffulhe, à qui sa fortune a valu d'être surnommé le Veau d'or.

Anna Masséna d'Essling appartient à ce que l'on appelle alors le semi-Gotha, c'est-à-dire que par sa mère, Paule Furtado-Heine, elle descend d'une opulente dynastie juive de Francfort, les Furtado, apparentée à l'écrivain Henri Heine[2]. Louis d'Albuféra montre peu d'enthousiasme pour cette union dans laquelle les siens voient, outre l'avantage financier, le moyen de mettre un terme à une liaison qui risque, en s'éternisant, de compromettre son avenir. Aussi épris de Louisa de Mornand que Robert de Saint-Loup, dans *A la recherche du temps perdu*, le sera de Rachel, il entend, s'il doit se marier, conserver ses habitudes. C'est Louisa de Mornand qui s'insurge et refuse ce partage, humiliant pour elle, malhonnête à l'égard de la future épousée. Lorsque le 5 juillet *Le Gaulois* annonce

1. Tous les renseignements concernant Louisa de Mornand sont tirés d'une étude de R. Veisseyre, *A la recherche de Louisa de Mornand*, dans le nº 19 du *B.S.M.P.*

2. En fait, la princesse d'Essling est la fille adoptive de Mme Charles Heine, née Cécile Furtado.

les fiançailles du marquis d'Albuféra et d'Anna Masséna, Louisa de Mornand se trouve en villégiature à Vichy avec sa mère et fort inquiète d'être sans nouvelles de Louis. Proust la rassure, lui écrit qu'il n'a vu que brièvement d'Albuféra ces derniers temps, mais que, loin de l'oublier, Louis a parlé d'elle avec la même ferveur que naguère.

A l'absence persistante de nouvelles s'ajoutent, pour augmenter son inquiétude, des propos surpris en passant près d'inconnus dans les salons du Cercle international. Elle entend quelqu'un dire à propos d'elle et d'Albuféra : « Voilà plusieurs années qu'ils sont ensemble, il va épouser la petite Masséna, mais je crois que sa maîtresse ne le sait pas... » Là-dessus, une lettre de huit pages de son amant, toute remplie de son futur mariage, achève de la faire passer de l'inquiétude au désespoir. Dans son désarroi, elle écrit longuement à Proust pour épancher sa douleur et Proust montre la lettre à Louis d'Albuféra, malgré qu'elle l'ait prié de n'en rien faire : « Combien je m'en repens ! lui écrit Proust le 13 juillet. Elle l'a mis dans un tel état que j'en ai de véritables remords. Je n'avais pas le droit de lui faire un mal pareil. Dans les meilleures intentions du monde, je n'arrive qu'à faire du mal à ceux que j'aime [1]. »

Le désespoir de Louis d'Albuféra ne touche absolument pas Louisa de Mornand, furieuse de sa duplicité. Faute de pouvoir accabler le coupable de reproches, elle en adresse à Proust, qui essaie de l'apaiser en faisant preuve d'une fermeté rare chez lui : « Excusez-moi si je ne vous dis pas les mots qu'il faudrait. Vous ne sauriez croire combien toutes ces lettres me coûtent... Pardonnez-moi de vous écrire pour la dernière fois sur ce sujet. Je n'y suis d'accord avec personne, ni avec vous, ni avec Louis[2]. »

Cette querelle d'amoureux s'apaise assez vite et, le mois suivant, Proust se charge, de la part de Louis, d'envoyer à Louisa, pour sa fête, un bouquet de fleurs. Le mariage a lieu le 11 octobre et pendant le voyage de noces du jeune couple en Égypte, c'est encore Proust qui sert d'intermédiaire entre les amants, télégraphiant à d'Albuféra des nouvelles de Louisa, transmettant à celle-ci les dépêches de Louis, mais il trouve à juste titre ce commerce indélicat et il déconseille un échange quotidien de télégrammes.

---

1. Kolb, tome IV, p. 188.
2. *Ibidem,* p. 199.

Lorsque Louis d'Albuféra lui avait annoncé son prochain mariage, Proust en avait éprouvé une certaine mélancolie : « Rien se sera changé. », avait affirmé d'Albuféra, mais il lui avait répliqué : « Cela ne pourra rester la même chose, après... » Cette impression de perdre un ami, il la ressent à nouveau en apprenant les fiançailles de Guiche avec Elaine Greffulhe. Le 13 juillet, Guiche l'invite avec des amis au Pavillon royal, puis, le lendemain, à Vallières, imposant château à la Viollet-le-Duc que son père a fait bâtir, au milieu d'un domaine de seize cents hectares, près de Mortefontaine, et relié à Paris par cette avenue quasi royale qu'est la ligne des Chemins de fer du Nord, propriété de sa belle-famille.

Avec ses trente chambres pourvues chacune d'une salle de bains, son confort, ses luxueuses écuries, son parc minutieusement entretenu, Vallière a tout à fait l'air de ces châteaux, plus français que nature, édifiés aux États-Unis par des magnats de l'industrie. Ignorant qu'à la campagne, les Gramont dînent seulement en smoking, Proust arrive en habit, cravate blanche et haut-de-forme, et il éprouve un moment d'embarras en voyant que les autres invités, installés à Vallières pour le week-end, ne se sont pas encore changés et portent de simples costumes de toile, d'autant plus qu'ils doivent aller pêcher le brochet avant le dîner. Encore poussiéreux du trajet en chemin de fer, dépeigné, sa cravate mal nouée, son gilet mal boutonné, Proust offre un aspect si déconcertant que le duc de Gramont, méfiant, voit aussitôt en lui un de ces intellectuels dont son fils aime à s'entourer et le toise du même air que le comte Greffulhe lorsqu'on lui présente un simple mortel, sans titre particulier à sa bienveillance. Au moment de lui faire signer le livre des invités, le duc croit prudent d'arrêter l'élan de ce jeune homme inconnu en lui disant : « Votre nom, monsieur Proust, et pas de pensée. » A quoi Proust observe, en relatant la chose à Bertrand de Fénelon : « Le désir d'avouer le nom et la crainte d'avouer la *pensée* eussent été plus justifiés si c'était moi qui l'avais eu à dîner et lui avais demandé de signer : *Votre nom, monsieur le duc, et pas de pensée* [1]. »

Rien n'est plus désagréable que de se sentir en état d'infériorité dans une réunion mondaine et Proust en fait une nouvelle expérience en dînant trois jours plus tard chez Mme de Noailles où, par maladresse, il brise une statuette de Tanagra. « On déteste toujours la dame chez qui on a brisé

1. Kolb, tome IV, p. 198.

un vase... », remarquait un homme d'esprit. Proust ne semble pas avoir gardé rancune à la maîtresse de maison de l'incident, mais Mme de Noailles conservera un certain ressentiment de ce geste puisque sur la statuette recollée une étiquette portera le nom du déprédateur : « Tanagra brisée par Marcel Proust [1]. »

En plus de De Guiche et d'un médecin roumain, assiste à ce dîner Maurice Barrès que Proust n'a pas vu depuis longtemps, mais avec qui, en diverses occasions, il a correspondu. Une certaine gêne entoure cette rencontre, car Proust ne peut oublier que dans un article de *La Libre Parole*, à l'époque la plus aiguë de l'affaire Dreyfus, Barrès l'avait cité parmi « ces jeunes Juifs qui haïssent Barrès ». Proust en profite pour lui dire qu'il n'est pas vraiment juif, et que s'il n'a pas voulu protester officiellement, c'est par égard pour sa mère. Il prend sa revanche en discutant une appréciation de Barrès, dans *Le Figaro* du 9 juillet, sur un mot de Mme de Noailles, à propos de la culpabilité de Dreyfus. Elle avait dit que « c'était être innocent que d'être malheureux », alors qu'en fait il est malheureux d'être innocent quand on se voit condamné, ce qui n'est pas tout à fait la même chose, ne serait-ce que pour l'honneur de Dreyfus. Barrès esquive l'attaque en lui demandant, d'un air ironique, ce que signifie cette brusque explosion de dreyfusisme, due vraisemblablement au fait que, quelques mois plus tôt, la Cour de cassation avait déclarée recevable la demande en révision déposée par les avocats de Dreyfus.

*

Malgré de fortes crises d'asthme et une série de grippes qui l'ont cloué au lit plusieurs jours de suite, Proust a décidé d'accepter une invitation de M. Mirabaud, le beau-père de son ami Robert de Billy, à faire une croisière à bord de son yacht. A défaut d'une cure en Allemagne, préconisée par le docteur Merklen, l'air marin, surtout celui de la Manche, chargé d'iode et si vif, peut lui faire grand bien. Il achève en hâte son article sur « la mort des cathédrales » destiné au *Figaro*, et, le 9 août, prend le train pour Le Havre où est ancré l'*Hélène*, le yacht des Mirabaud. Le voyage en chemin de fer s'effectue sans encombres, mais à peine a-t-il mis le pied sur le quai d'embarquement qu'il est pris d'une crise d'asthme. Il

1. Kolb, tome IV, pp. 248 à 253.

s'enferme aussitôt dans sa cabine, s'y livre à d'intenses fumigations puis, jugeant qu'il fait trop froid pour se déshabiller, il s'étend sur sa couchette où il essaie vainement de dormir, en dépit d'une forte dose de trional. La crise s'atténue lorsque le yacht appareille et sa première journée en mer se passe assez bien, par un temps superbe. A bord, il trouve une société pleine d'attentions pour lui. En plus de sa fille et de son gendre, M. Mirabaud a invité Mme Jacques Faure, Mlle Oberkampf et Mme Fortoul, une veuve assez fraîche qui, quatre ans plus tard, épousera le futur maréchal Lyautey.

Malheureusement, le 11 août, le temps se gâte et son asthme revient avec la pluie. A Cherbourg, tandis que le yacht reste en rade, ses passagers prennent un canot à moteur pour aller visiter la ville, où il n'y a pas grand-chose à voir. Proust y cherche en vain un endroit assez calme où s'abriter pendant que ses compagnons s'égaillent dans les rues. Déçu par ce mauvais temps, il songe à reprendre le train pour Paris, puis y renonce à la perspective d'aller le lendemain à Dinan, ville inscrite depuis longtemps sur son itinéraire archéologique et artistique. L'antique cité parcourue et admirée, il abandonne cette fois l'*Hélène* pour regagner Paris par le train de nuit, emportant, assure Billy, les regrets de tous, des passagères aux marins.

Rue de Courcelles il débarque dans un appartement guère moins humide que le yacht de M. Mirabaud et fait aussitôt allumer du feu pour sécher sa chambre. Sa mère est absente, en villégiature à Étretat avec Robert et sa belle-fille. Elle ne rentrera que le 21 août pour repartir un mois plus tard en allant achever la saison à Dieppe. Un moment, Proust envisage de l'accompagner, tout en hésitant, selon son habitude, entre plusieurs autres endroits : Trouville ou Bâle, Quimper ou Chamonix, Venise ou Caen, projetant même un séjour dans l'oasis de Biskra.

Dans cette solitude estivale, il déploie une grande activité médicale, essayant de faire la synthèse des consultations données par divers praticiens pour se composer, outre une règle de vie, un régime et un traitement qui, tous trois, pourraient lui permettre de mener une existence plus normale. Sa brève croisière à bord de l'*Hélène* lui a montré combien il est difficile d'accorder son mode de vie à celui des autres. S'il continue à user — et même abuser — de médications hasardeuses, il risque de ne plus jamais pouvoir s'en passer, voire d'être obligé d'augmenter les doses pour atteindre le précaire équilibre qui lui permet de travailler. Un jour, voulant aller à Evreux pour y voir Louis d'Albuféra en séjour de manœuvres, il se drogue tellement pour avoir la force de faire ce court voyage qu'il manque le train et en reste tout « abruti ». Dans un sursaut de volonté, il se rend compte qu'il ne peut continuer ainsi, qu'il lui faut réagir.

Courageusement, au mois de juillet, il avait demandé une consultation au docteur Merklen, attaché à l'hôpital Laënnec. Celui-ci avait assigné une origine nerveuse à son asthme et recommandé une cure en Allemagne, dans un établissement spécialisé. Il avait également soumis son cas au docteur Vaschide, le médecin roumain rencontré chez Mme de Noailles, le soir fatal du Tanagra, qui, lui aussi, avait diagnostiqué un asthme d'origine nerveuse.

Au début de septembre, il se résout à prendre l'avis du docteur Linossier, professeur agrégé à la faculté de médecine de Lyon et auteur d'une *Hygiène du dyspeptique*, parue en 1900 dans une collection d'hygiène thérapeutique dirigée par le docteur Adrien Proust. De même qu'au sortir de sa visite au docteur Merklen, il était fermement résolu à ne pas suivre ses conseils, comme il l'avait dit à Antoine Bibesco, il est si persuadé qu'il agira de même envers le docteur Linossier qu'il ne lui envoie même pas une lettre de douze pages, retrouvée après sa mort dans ses papiers, lettre dans laquelle il expose longuement son problème. Il est intéressant de citer quelques passages de cette lettre, car ils éclairent non seulement la physiologie de Proust, mais aussi sa psychologie.

« Je suis (au point de vue médical), il paraît, beaucoup de choses différentes, bien qu'à vrai dire on n'ait jamais su très exactement quoi. Mais je suis surtout, et indiscutablement, très asthmatique. Asthme de foins d'abord, mon asthme est devenu assez vite un asthme d'été, puis un asthme de presque toute l'année. Et à la suite de repas trop copieux il s'est compliqué d'un état d'apparence asthmatique, mais d'origine, m'a-t-on dit, intestinale et gastrique qui est aujourd'hui depuis longtemps enrayé, bien qu'il soit prêt à reparaître à la moindre imprudence. Je fais un repas par vingt-quatre heures (et entre parenthèses je me permets de vous demander si au point de vue ration d'entretien vous trouvez ce repas suffisant pour vingt-quatre heures : deux œufs à la crème, une aile entière de poulet rôti, trois croissants, un plat de pommes de terre frites, du raisin, du café, une bouteille de bière) et pendant l'intervalle des vingt-quatre heures la seule chose que je prends est, en me couchant, un quart de verre d'eau de Vichy (neuf ou dix heures après mon repas). Si je prends un verre entier, je suis réveillé par de l'oppression ; à plus forte raison si, au lieu d'eau de Vichy, c'est un aliment.

« J'ajoute qu'au point de vue de l'estomac, à condition d'avoir le ventre suffisamment maintenu par un caleçon, je n'ai jamais mal à l'estomac ni malaise d'estomac. L'oppression, l'asthme est ma seule forme de troubles. C'est l'avantage pour moi de ce régime singulier. Car autrefois, quand je prenais plusieurs repas, et buvais entre les repas, j'avais constamment de la dilatation, des renvois, des malaises de tous genres qui n'existent plus. »

Sans nommer le docteur Merklen, Proust demande ensuite au docteur Linossier si un traitement psychothérapique, consistant à isoler le malade et le suralimenter, voire le guérir par persuasion, serait sans inconvénient pour lui ou si cette suralimentation risquerait d'aggraver son état. Entrant dans les détails les plus intimes, il lui signale les résultats d'une récente analyse d'urines, qui indiquent un excès d'urée, avec traces d'albumine et de sucre, puis il ajoute cette précision, bien faite pour inquiéter le médecin le moins averti : « J'urine extrêmement peu depuis des années. Après douze jours de régime lacté, je n'atteignais pas un demi-litre par vingt-quatre heures. Il est vrai que je prenais le lait sous forme de café au lait bouillant qui augmentait encore beaucoup mes transpirations habituelles et que je ne pouvais guère arriver à dépasser un litre et demi à deux litres de lait par vingt-quatre heures[1]. »

Enfin, il évoque de peu satisfaisantes stations à la garde-robe, améliorées tous les quinze jours par l'absorption d'une pilule laxative Leprince, qui produit l'effet d'un cyclone à la Barbade. Après avoir rédigé ce mémorandum, il y met un point final en décidant de ne pas l'envoyer à son destinataire, soit parce qu'il sait qu'il ne suivra pas les prescriptions du docteur Linossier, soit parce qu'il a déjà pour sa maladie cette complaisance que l'on éprouve à l'égard d'une maîtresse qui vous tue, mais qu'on n'a pas le courage de renvoyer, préférant mourir à cause d'elle que de vivre sans elle.

Cette impuissance à se soigner sérieusement s'étend de son asthme à tous les maux particuliers qui vont l'assaillir au cours des années à venir et, joints à son singulier régime, aboutir pour lui à une fin prématurée. Souffrant à cette époque d'un

1. Kolb, tome IV, pp. 248 à 253.

mal de dents, il refuse d'aller voir un dentiste et même de laisser celui-ci venir chez lui pour l'examiner. Lorsqu'il sentira sa vue baisser, il se dérobera non moins obstinément à l'obligation de consulter un oculiste et refusera même qu'un de ses amis lui en adresse un, prêt à l'examiner chez lui, la nuit, à l'heure qui lui conviendra. En cela, il ressemble à quelque aïeule beauceronne, pleine de méfiance à l'égard des médecins de la ville qui lui prendraient son argent, mais accordant sa confiance aux remèdes indiqués par la boulangère ou le sacristain et trouvant le principal soulagement à ses misères dans le récit qu'elle en fait à ses voisines.

Malgré cet état maladif, plus entretenu que soigné par d'étranges pharmacopées et son habitude de dormir le jour pour vivre la nuit, il sacrifie parfois son confort personnel aux devoirs de l'amitié. Le 3 octobre 1904, il va voir chez un antiquaire le cadeau choisi par sa mère pour le mariage de Louis d'Albuféra : il s'agit d'une colonne qu'au mépris du bon goût on a transformée en lampadaire et Proust, sachant qu'elle sera exposée avec les autres cadeaux à l'hôtel Murat, rue de Monceau, estime assez justement qu'au lieu de la prendre pour un cadeau, on croira qu'elle fait partie du mobilier des salons. Le 8 octobre, il assiste à la signature du contrat, mais, repris par son asthme, il ne se rend pas le 11 au mariage. En revanche, il se sent assez bien pour aller, le 14 novembre, à celui d'Armand de Guiche avec Elaine Greffulhe.

Lorsqu'il a demandé à de Guiche ce que celui-ci souhaitait comme cadeau pour son mariage, le jeune duc, déjà comblé de tous les dons de la fortune et même accablé de tous les inutiles présents qu'amène une telle circonstance, lui avait répondu : « Je pense que j'ai tout, sauf un revolver. » Amusé, Proust avait sauté sur l'idée, puis, trouvant que l'arme, bien qu'achetée chez Gastine Renette, le grand armurier, était un cadeau insuffisant, il la lui avait offerte dans un écrin somptueux orné par Frédéric de Madrazo de petites scènes, peintes à la gouache, chacune illustrant un des poèmes écrits par Elaine Greffulhe dans son enfance. C'était un raffinement original, bien digne de l'esprit du donateur, mais celui-ci gémit sur ce qu'il lui en coûte : « Mon écrin pour Guiche est une folie ! écrit-il à Lucien Daudet, et de plus va finir par me coûter excessivement cher de petite chose en petite chose. Pas très cher, mais tout de même beaucoup trop... [1]. »

---

1. Kolb, tome IV, p. 331.

Le jour de la cérémonie, la Madeleine est illuminée, non par le soleil, mais par la radieuse apparition, en haut du grand escalier, de la comtesse Greffulhe dont la seule vue déchaîne l'enthousiasme de la foule. Fasciné par cette vision, Proust déclare à la comtesse : « Je crois que Guiche a envisagé son mariage — un des aspects seulement — comme une possibilité d'avoir votre photographie... » et la comtesse Greffulhe rit si joliment de cette boutade que Proust aurait voulu, comme il l'écrira plus tard à de Guiche « la lui redire dix fois de suite » pour le plaisir d'entendre ce rire qu'il compare au carillon de l'hôtel de ville de Bruges.

A côté de cette mère éternellement jeune, la nouvelle duchesse est comme éteinte. « Toute fraîche qu'elle était, la duchesse de Guiche semblait plus vieille que sa mère », dira Ferdinand Bac, tout en louant son absence de coquetterie, son instruction, son sens du devoir et sa simplicité, mais en regrettant de ne trouver chez elle aucun des charmes physiques ou des grâces de l'esprit qui rendent incomparable la comtesse Greffulhe.

Mais le mariage qui occupe le plus l'esprit de Proust n'est ni celui de Louis d'Albuféra, malgré la situation de vaudeville que crée la poursuite de sa liaison avec Louisa de Mornand, ni celui de Guiche, qui le rapproche des fabuleux Greffulhe, ce sont les noces inégales, injustes, incroyables d'Arthur Meyer.

Fils d'un petit tailleur juif du Havre, venu dans sa prime jeunesse à Paris où il a fait ses débuts comme secrétaire d'une demi-mondaine, Blanche d'Antigny, Meyer, véritable héros de Balzac, a tout sacrifié à sa réussite, de son amour-propre à son estomac. Dînant d'un œuf ou d'une côtelette, mais dans un restaurant à la mode, pour y être vu, logeant dans une mansarde, mais place Vendôme, pour mettre une bonne adresse sur ses cartes de visite, il a essuyé beaucoup d'avanies et avalé beaucoup de couleuvres avant d'accéder au poste envié de directeur du *Gaulois*, le mieux-pensant et le plus mondain des journaux, lecture favorite du faubourg Saint-Germain et délices de ceux qui rêvent d'y entrer. En dépit de ses favoris à l'archiduc, qui lui donnent l'air d'avoir perdu la bataille de Sadowa, et d'une stricte élégance un peu démodée, il a conservé dans ses manières comme dans son allure quelque chose de mercantile et d'obséquieux qui faisait dire à l'impitoyable Rochefort : « Je crois toujours qu'il va me proposer une femme ou un tapis... » Sur quoi Léon Daudet renchérissait férocement, prétendant que c'était un vieux tapis qu'il fallait battre de temps en temps pour le rendre plus moelleux, et il ne s'en faisait pas faute, ne perdant pas une occasion de l'attaquer.

Son duel avec Drumont, en 1886, avait failli couler cette réputation d'homme du monde, si laborieusement acquise. Perdant soudain la tête, Meyer avait saisi à pleine main la pointe de l'épée de son adversaire pour l'immobiliser pendant qu'il lui enfonçait la sienne à travers le corps. Effondré par cette faute dans laquelle tout Paris avait vu un crime, il avait eu ce mot désarmant : « Il faudrait une guerre pour faire oublier cela... » Il n'y avait pas eu de guerre et le monde avait peu à peu oublié, hormis quelques journalistes carnassiers qui trouvaient plaisir à mordre de temps en temps cette vieille chair flasque et bourgeonnée en rappelant ce déplorable incident. Cela ne l'empêchait pas de porter beau et même de plastronner au point qu'on l'avait surnommé *le duc Jean*. Cette faculté de redressement émerveillait Léon Daudet : « De la couleuvre avalée, il fait un nœud de cravate, du crachat une décoration, du coup de pied dans le derrière un petit fauteuil. C'est la marionnette inrenversable, qui retombe toujours sur ses pieds. Pour l'écraser définitivement — en admettant que la chose fût possible — il ne faudrait pas le voir pendant qu'on l'écrase [1]. »

Proust partage l'antipathie de Léon Daudet à l'égard de ce prodigieux arriviste, dont le plus grand tort à ses yeux est d'avoir été antidreyfusard pour ne pas perdre sa belle clientèle aristocratique. Depuis cette prise de position, qui avait fait pencher la balance en sa faveur, Arthur Meyer n'avait cessé de croître en importance et en fortune au point d'être, en ce début de siècle, une des personnalités parisiennes les plus connues, et aussi, revers de la médaille, une des plus caricaturées. Ainsi que l'écrit Ferdinand Bac, « il savait que la force de durer confère aussi une noblesse... Il dura. Il ne commit guère de fautes. Il se réhabilita lentement de toutes celles qu'il n'avait pas commises et qu'on lui attribuait, et oublia lui-même celles qu'il avait commises et qu'on ne savait pas [2] ».

Or, voilà qu'Arthur Meyer, à soixante ans, le cheveu rare et la silhouette bien alourdie, annonce son mariage avec Mlle de Turenne, qui n'en a que vingt-quatre. Dans Paris, l'émotion est considérable et les commentaires vont bon train, car c'est là une mésalliance telle qu'on n'en avait pas vu depuis le

1. L. Daudet, *Souvenirs,* tome I, p. 119.
2. F. Bac, *Souvenirs inédits*, livre II.

mariage de la Grande Mademoiselle avec Lauzun. Seul l'extrême délabrement de la fortune des Turenne peut expliquer ce qu'un homme du monde qualifie de « dernière trahison de Turenne », par allusion au rôle de celui-ci pendant la Fronde. Proust mesure la force de la nécessité en se rappelant que naguère, à un dîner chez lui, le comte Louis de Turenne, apprenant qu'Arthur Meyer était également invité, l'avait prié « d'arranger les places de manière à ce qu'il fût aussi loin possible de Meyer [1]. » Les rumeurs les plus fantaisistes circulent à propos de cette union : on assure, entre autres, que Meyer entretiendra tous les Fitz-James, famille maternelle de la jeune fille, qu'il laissera *Le Gaulois* au frère de celle-ci... A Reynaldo Hahn, Proust écrit que Meyer est « comme enivré », qu'« il notifie son mariage à tous les souverains, ou au moins ducs... ». Rencontrant Barrès, Arthur Meyer lui aurait dit : « Je pars pour Versailles, voulez-vous que je salue de votre part mon cousin Louis XIV [2] ? »

Ce scandaleux mariage, dénoncé par *L'Assiette au beurre* comme « l'alliance du sabre et du youpillon », est célébré le 8 octobre 1904. Deux académiciens, François Coppée et Arthur Mézières, servent de témoins à Meyer ; le duc de Fitz-James et le vicomte de la Panouse sont ceux de Mlle de Turenne. Assez paradoxalement, ce mariage vaudra plus tard au directeur du *Gaulois* l'estime des honnêtes gens, non par le splendeur de cette alliance, mais par les malheurs qu'il en éprouvera et qu'il supportera en silence, avec dignité, au point que tout le blâme retombera sur l'ex-Mlle de Turenne, accusée de l'avoir doublement trompé en ne tenant pas ses engagements.

On disait alors qu'Arthur Meyer, déjà satisfait de se voir apparenté au maréchal de Turenne, n'avait pas voulu demander plus et que sa femme avait jugé convenable d'honorer le contrat jusqu'au bout, sacrifice concrétisé par la naissance de deux filles. Puis Mme Arthur Meyer se lassera de cet époux trop âgé pour elle et s'émancipera, sans y mettre la discrétion qu'exigent les convenances. « Quand j'ai épousé ma femme pour sauver une grande et noble famille de la misère, Paris me lapidait sous le mépris, dira Meyer à Ferdinand Bac. Depuis que je suis déshonoré par son abandon, Paris me couronne de son respect et de sa chaleureuse sympathie... Je

1. Kolb, tome IV, p. 242.
2. *Ibidem*, p. 246.

finirai ma longue carrière tardivement honoré pour avoir été trompé[1]. »

Après la mort d'Arthur Meyer en 1922, Mlle de Turenne épousera un certain M. Vidal, riche et manchot, qui a été un des maris éphémères de Mme Scheikevitch.

Tandis qu'Arthur Meyer, Guiche et d'Albuféra goûtent les joies de l'amour conjugal, Proust, en cette fin d'année 1904, voit un autre de ses amis, Gabriel de La Rochefoucauld, se fiancer avec Odile de Richelieu, une héritière elle aussi, comme Anna Masséna, du semi-Gotha. Sa mère, Alice Heine, a épousé en secondes noces le prince régnant de Monaco, Albert Ier, dont elle vient de se séparer tout en gardant le titre de princesse, avec la qualification d'Altesse Sérénissime, avantage auquel peu de gens restent indifférents. Gabriel de La Rochefoucauld n'est pas un des amis les plus intimes de Proust, mais il en est l'un des plus intéressants par sa qualité d'esprit et sa bonne volonté d'écrivain.

De haute taille, portant sur son visage, comme deux pierres précieuses, dira Proust, les yeux clairs de sa mère, une Mailly-Nesle, cet élégant jeune homme, de quatre ans son cadet, jouit d'une grande situation mondaine, accrue, s'il est possible, par le titre de prince bavarois qu'a reçu cette branche des La Rochefoucauld. Neveu de Montesquiou, il a infiniment plus d'élégance et de talent que son oncle, mais comme il ne le proclame pas à tous les échos, plus modeste que l'illustre histrion, il occupe moins les critiques et les gazetiers. C'est au début de l'année que Proust a découvert ce nouvel ami, plus proche de lui sur le plan intellectuel que d'Albuféra ou même de Guiche. « Je commence à aimer beaucoup Gabriel de La Rochefoucauld. Vraiment, écrivait-il le 15 janvier 1904 à Mme de Noailles. Je suis d'une tristesse infinie de voir combien peu de gens sont gentils au fond, pour quelle pure perte on donne son cœur[2]. »

Du côté de Gabriel de La Rochefoucauld, l'attrait semble avoir été moins vif, mais le jeune homme a tout de suite discerné l'originalité du tempérament littéraire de Proust et fait appel à lui pour le roman qu'il vient d'achever, *L'Amant et le Médecin*, dont il lui soumet le manuscrit. Proust le lit avec attention et lui fait par écrit des remarques ou des suggestions dont La Rochefoucauld semble avoir tenu compte pour la

1. F. Bac, *Souvenirs inédits*, livre II.
2. Kolb, tome IV, p. 38.

publication. Ce roman, qui passe pour être un peu antobiographique, enthousiasmera Paul Bourget tandis que Barrès déclarera : « Eh ! bien, voilà un aristocrate notoire qui a trouvé sa voie dans le siècle ! Il porte assez allégrement le poids de son nom et ne songe pas à émigrer. Nous allons le regarder avec intérêt poursuivre une carrière d'écrivain que son talent promet d'être brillante... » Hélas pour La Rochefoucauld, *L'Amant et le Médecin* restera son livre le plus connu, peut-être en raison de son contexte mondain, et ses autres œuvres tomberont dans cet oubli où lui-même aurait sombré si l'éphémère amitié de Proust ne l'en avait préservé.

Il est peu vraisemblable que Proust ait collaboré à ce livre, comme certains l'on cru, mais on peut, à la rigueur, y trouver un peu de lui dans les personnages d'Hermois et de Larti, deux jeunes gens « fin de siècle » passablement équivoques qui ont parfois des réflexions proustiennes. « Qu'y a-t-il d'agréable dans la vie, en dehors des joies données par la douleur ? » dit par exemple Hermois[1] tandis que Larti déclare : « Notre sensibilité nous a rendus chastes, nous sommes des moines laïques... » A quoi une de leurs amies répond : « Il vaudrait mieux pour eux qu'ils fissent du sport ! » C'est peu de chose et il ne paraît pas que Proust se soit reconnu dans l'un ou l'autre personnage, à moins qu'il n'en ait été flatté.

Lorsque Proust, au début de l'année, se plaignait à Mme de Noailles du peu de gentillesse de certaines personnes, on ne sait qui précisément visait ce propos, mais, au mois de décembre, il nourrit cette fois de sérieux griefs contre « Loche » Radziwill, si décevant qu'il renonce à poursuivre une amitié aussi stérile. Sans doute est-ce l'indolence du jeune prince, à laquelle va si bien ce surnom de « Loche », et sa paresse à répondre aux lettres, même les plus pressantes, qui lui vaut de la part de Proust une acrimonie dont il ne s'émeut pas plus qu'il n'était touché de son admiration. « Si vous n'avez pas fait mes amitiés à Loche, vous feriez sagement de ne pas les transmettre, écrit-il au duc de Guiche, vers la fin de décembre 1904. Elles risqueraient de lui arriver comme ces rayons d'une étoile qui nous parviennent quand l'étoile a déjà cessé de briller. J'espère du reste que ce n'est encore qu'un nuage qui enveloppe en ce moment l'amitié susdite, en attendant l'extinction finale. Mais c'est un nuage bien épais. Je ne voudrais surtout pas que vous croyiez que je me donne des

1. G. de La Rochefoucauld, *L'Amant et le Médecin*, p. 113.

airs avantageux d'inconstant. J'éprouvais à l'égard de Loche un tel désir de stabilité que je suis avec lui d'une platitude de punaise. Je voudrais que vous me voyiez. Mais il est tellement infect pour moi que cela ne pourra plus guère durer. Et je vous assure que c'est avec mélancolie que je dirai *Encore un citron de pressé*, d'autant plus que j'avais tant de goût pour celui-là[1]. »

*

Comme l'amour et l'amitié se révèlent également sources de déception, il n'y a de refuge et de consolation que dans le travail, autre drogue à laquelle Proust a recours pour oublier la vie. Après avoir proclamé qu'il était saturé jusqu'à l'ennui de Ruskin, il hésite à le quitter définitivement. Au mois de mai 1904, il a revu sa traduction de la première partie de *Sésame et les lys*, qui paraîtra dans la revue *Les Arts et la Vie*. S'il a refusé de traduire, à la demande d'un libraire de Venise, *Saint Mark's Rest*, il entame avec ferveur celle de *The Queen's Garden*, seconde partie de *Sésame et les lys*. Marie Nordlinger n'est plus là pour l'aider, fort absorbée elle-même par son amitié avec le multimillionnaire Charles L. Feer, grand amateur d'art et possesseur d'une très belle collection de tableaux de Whistler. Il lui donne pour successeur « un vieux et charmant savant anglais », Charles Newton Scott, tandis que Mme Proust et Robert d'Humières lui apportent une nouvelle fois leur concours.

A propos de la traduction de la première partie de *Sésame et les lys*, il écrivait à Gabriel Mourey, directeur des *Arts et la Vie* : « Je voudrais qu'elle fût fidèle comme l'amour et comme la pitié. » Cette fois, il est si passionné par son travail que, ressentant le besoin de s'écarter, sinon du texte, du moins de l'emprise de Ruskin, il compose un essai sur la lecture qui servira de préface à sa traduction : « Je n'ai essayé, dans cette préface, que de réfléchir à mon tour sur le sujet qu'avait traité Ruskin dans *Le Trésor des rois* : l'utilité de la lecture. Par là, ces quelques pages où il n'est guère question de Ruskin constituent cependant, si l'on veut, une sorte de critique indirecte de sa doctrine[2]. »

Ces pages constituent surtout l'ébauche de ce que sera plus

1. Kolb, tome IV, p. 382.
2. *Ibidem.*

tard le chapitre de *Du côté de chez Swann* sur Combray, une évocation de son enfance et des journées passées à rêver de mondes imaginaires, de ces autres existences à travers lesquels il a magnifié la sienne en s'identifiant à des héros de roman. Cet essai, qui le libère un temps des servitudes de la traduction, lui donne la joie qu'apporte toute création et le conforte dans l'idée qu'il sera capable un jour de faire à son tour quelque chose de mieux que ses articles à la louange de Louisa de Mornand ou des comptes rendus de livres d'amis, comme il vient d'en écrire un pour l'*Étude sur Victor Hugo* de Fernand Gregh : « Je mène une vie très douce de repos et de studieuse intimité avec Maman », écrit-il au mois de mai 1905 à Robert Dreyfus. Ce n'est malgré tout qu'une demi-retraite dont il sort plus souvent que ne le laisseraient supposer les lettres d'agonisant qu'il adresse à la plupart de ses correspondants.

Il a inauguré l'année 1905 en donnant un dîner d'hommes pour Bertrand de Fénelon, de passage à Paris, dîner auquel il a convié Gabriel de La Rochefoucauld, Antoine Bibesco, à la veille de son départ pour la Roumanie, Reynaldo Hahn, René Peter, un auteur dramatique, Lucien Daudet, Fernand Gregh et Albert Flament.

Deux mois plus tard, le 6 mars, il donne un grand « thé » pour lequel il a lancé une série d'invitations qui ont nécessité autant de « téléphonages » pour savoir si ses amis viendraient que de lettres pour confirmer la date et l'heure, celle-ci variant d'ailleurs suivant les destinataires. S'il ne faut qu'une lettre pour la marquise de Clermont-Tonnerre, Mme Straus, Édouard Rod et Maurice Barrès, il en faut deux pour Guiche et trois pour Montesquiou, mais il est vrai qu'en ce qui regarde ce dernier, c'est pour se faire pardonner de ne pas l'avoir invité ! Finalement ce « thé », annoncé comme « intime », réunit, d'après le *New York Herald*, la princesse de Brancovan, le duc et la duchesse de Guiche, la comtesse Aimery de La Rochefoucauld, le comte et la comtesse de Ludre, la comtesse de Briey, le marquis et la marquise d'Albuféra, la comtesse Adhéaume de Chevigné, la princesse Alexandre de Chimay, Madeleine Lemaire et sa fille, Mme Goyau, Gabriel de La Rochefoucauld, Ferdinand de Montesquiou, le comte Henri de Ségur, Francis de Croisset, le baron Théodore de Berckheim, mais les Clermont-Tonnerre et Anatole France, invités, ne sont pas venus.

Comme il n'y a pas de roses sans épines, les nobles invités

sont arrachés à leurs papotages et doivent se taire pour écouter Mme de Guerne chanter un duo avec Reynaldo Hahn. C'est une surprise pour la plupart des invités, car Proust n'en avait prévenu qu'un petit nombre, engagés « à venir écouter un peu de bonne musique », comme s'il existait des hôtes assez courageux pour convier à en ouïr de la mauvaise !

Incontestablement cette réunion, à si forte prépondérance aristocratique, est un succès qui console Proust d'avoir été refusé, quelques jours, au cercle de l'Union, où il avait présenté sa candidature. Toutefois les compliments qu'il reçoit sont peu de chose à côté des aigres reproches qu'il essuie de l'altier Montesquiou, furieux d'avoir été évincé, mais ravi d'apprendre la défection des Clermont-Tonnerre en l'honneur de qui cette réception était donnée. Peut-être Montesquiou aurait-il dû songer que Proust avait pris au pied de la lettre cette phrase, dans un billet qu'il lui avait écrit au début de l'année : « La *promiscuité* n'a de raison d'être que *pour les personnes*, parce qu'elle peut les mener à la prostitution qui représente le secret désir de toutes celles qui se respectent[1]. »

Pour apaiser le courroux du comte, qu'il avait feint de croire tapi en son castel d'Artagnan, Proust lui adresse le soir même une longue lettre entortillée pour lui exprimer ses regrets de n'avoir pas appris son retour à Paris, mais Montesquiou ne s'en laisse pas conter. A défaut de sa lettre, non retrouvée, on peut en concevoir la teneur par la réponse dans laquelle Proust tente de se disculper : « ...vous me dites que je vous ai fait longuement rire, et sans l'avoir voulu, par la saugrenuité, je suppose, de mes propos. C'est déjà bien peu gentil ! Ensuite vous me taquinez en déconsidérant rétrospectivement ma réunion par la présence de personnes que je n'y avais pas invitées et qui, *malgré cela*, n'y sont pas venues — et enfin vous me traitez d'inexact lecteur des âges sur les visages, d'observateur mal renseigné sur la condition des personnes, et d'épistolier inexact à choisir ses épithètes, si détestables qu'elles suffisent, selon vous, à déshonorer ceux que je prétends louer. Me voilà bien loti...[2]. »

Pour obtenir le pardon de l'irascible esthète, il ne lui reste plus qu'à se replacer sous son joug et redevenir son disciple obéissant. Un moyen de rentrer en grâce s'offre avec une

1. Kolb, tome V, p. 24.
2. *Ibidem*, p. 70.

conférence que Montesquiou va prononcer, le 21 avril, au théâtre des Bouffes-Parisiens, avant une représentation d'un drame de Victor Hugo, *La Fin de Satan*, mais encore une fois Proust se dérobe en invoquant son état de santé : « Mais pourquoi guérissez-vous lorsqu'il s'agit de l'*orangeade* La Rochefoucauld ? » réplique aigrement Montesquiou qui sait parfaitement que le prétendu malade s'est également rendu à un gala organisé à l'Automobile Club. Voilà Proust encore obligé de se défendre et de se justifier, ce qu'il fait en reprochant à Montesquiou de considérer sa maladie comme « une faute » alors qu'elle est un état, et en lui expliquant que ses rares sorties mondaines ne correspondent pas à autant de guérisons volontaires, mais seulement à un répit entre deux crises. « Quand rencontrerai-je une personne vraiment compréhensive de ma vie réelle, gémit-il, de mes sentiments intimes, qui, m'ayant vu manquer par la souffrance le plus grand plaisir et m'apercevant une heure après... dans la réunion la plus banale m'abordera en me disant sincèrement : *Quel bonheur que votre crise soit passée* ! » Et Proust, après avoir repoussé l'accusation de snobisme portée sur lui par Montesquiou qui le soupçonne de ressusciter à la seule perspective de rencontrer une duchesse, plaide sa cause auprès de son bourreau : « Vous ne savez pas quelle fatigue nerveuse accable le malade qui se sent jugé à faux par quelqu'un qu'il aime, et qui sent que ses plus innocents repos sont interprétés contre lui[1]. »

A Mme Straus, qu'il sait d'autant plus indulgente envers lui qu'elle-même est perpétuellement sujette à des crises de dépression, il confie : « Je suis exténué des lettres de Montesquiou. Chaque fois qu'il fait une conférence, qu'il donne une fête, etc. etc. il *n'admet* pas que je sois *malade* et ce sont, avant, des mises en demeure, des menaces, des visites d'Yturri qui me fait réveiller et, après, des reproches de ne pas être venu. Je crois qu'on arriverait encore à guérir s'il n'y avait pas les *autres*. Mais l'épuisement qu'ils vous donnent, l'impuissance où on est de leur faire comprendre les souffrances qui parfois pendant un mois suivent l'imprudence qu'on a commise pour faire ce qu'ils s'imaginent un grand plaisir, tout cela c'est la mort[2]. »

Finalement, il accepte que Montesquiou, en signe de réconci-

---

1. Kolb, V, pp. 112 et 113.
2. *Ibidem*, p. 120.

liation, vienne le voir rue de Courcelles, puisqu'il prétend ne pouvoir sortir de sa chambre, et lui fasse une conférence, d'un *quart d'heure* seulement, promet-il, sur son prochain livre, *Professionnelles Beautés*. Le quart d'heure se transforme en demi-heure dans une deuxième lettre du comte qui lui suggère d'inviter pour l'entendre Mme Straus, Madeleine Lemaire, Albert Flament. Bref, il incombe à Proust d'organiser en l'honneur de Montesquiou une soirée d'hommage et de réparation ! Cette corvée va l'occuper pendant presque un mois et lui imposer une correspondance fébrile avec le conférencier.

Accablé de cet honneur imprévu et sommé de proposer une date, il s'exécute en indiquant plusieurs jours en mai ou en juin, sans cacher qu'aucun ne lui convient réellement. Le mardi 23 mai n'est guère possible, car il voudrait aller, le surlendemain, à une représentation d'une œuvre de Reynaldo Hahn, *Le Bal chez Béatrice d'Este*, et s'il reçoit le 23, il sera hors d'état de sortir le 25. Il préférerait le mardi suivant, 30 mai, bien que le mardi soit un jour pénible pour lui, car c'est un mardi que son père a été frappé d'une attaque et, par égard pour sa mère, il faudrait que cette réunion soit vraiment très intime, ce qui n'est pas du tout ce que souhaite Montesquiou. Si celui-ci veut un plus vaste auditoire, on pourrait envisager soit le lundi 29 mai, soit le mercredi 31. S'il préfère en rester au 23, ce ne serait pas avant dix heures de soir, et avec peu de monde.

A cette longue lettre, remplie d'aléas, de repentirs, d'offres reprises à peine formulées et de réserves mal dissimulées, Montesquiou répond le 17 mai par un message ironique : « Vous mettez tant de sauce autour du poisson qu'il disparaît un peu... » Il choisit finalement le 23, se résout à l'heure tardive en priant son hôte d'exiger en compensation une rigoureuse exactitude de la part des invités, car, souligne-t-il, « la personne qui vient en retard, pour voir ce dont il s'agit, et reste cinq minutes, est à éviter ». Proust estime donc qu'il faut s'en tenir à Mme de Chevigné, le docteur Pozzi les Gabriel de La Rochefoucauld, Laure Baignères, Albert Flament, Madeleine Lemaire et son inséparable fille. Il lance alors ses invitations.

Hélas ! la *veuve*, qui mène joyeuse vie, a toutes ses soirées prises jusqu'au 30 mai. Faut-il l'attendre en remettant la réunion au 31, voire au 2 juin, ou bien se passer d'elle ? Et pourquoi suggère-t-il, oubliant qu'il voulait peu de monde, par égard pour sa mère, ne pas inviter Mme Cahen d'Anvers,

Charles Ephrussi, Mme Trousseau, la femme du médecin, la comtesse de Briey, M. Straus, la marquise de Ludre, André Beaunier, Constantin de Brancovan ?

Montesquiou accepte la date du 31 mai, tout en s'étonnant que Madeleine Lemaire n'annule pas pour lui des engagements antérieurs. Bien entendu, les noms avancés par Proust n'ont pas l'heur de lui plaire : Straus, sans sa femme, n'offre aucun intérêt ; Mme de Ludre et André Beaunier lui sont des ennemis personnels. Beaunier n'a-t-il pas commis le crime de lèse-majesté d'écrire en 1898, dans la *Revue bleue*, à propos d'*Autels privilégiés*, un piquant article où il se moquait à la fois du style obscur de Montesquiou et de ses brillantes relations, complaisamment rappelées par les dédicaces des chapitres, en ajoutant perfidement que seules la préface et la table des matières n'étaient dédiées à personne ? Proust est un maladroit de ne pas s'être souvenu de cette offense. En revanche, Montesquiou daigne agréer la dame Trousseau, Mme de Briey, sa fille et le vieil Ephrussi.

Alors qu'après cette mise au point Proust allait envoyer ses invitations, surgit un nouvel obstacle. Madeleine Lemaire avait oublié qu'elle donnait une soirée chez elle le 30 mai, une deuxième peut-être le 31 et même une troisième le 1er juin, sans doute pour utiliser jusqu'à épuisement la résistance des fleurs et les ressources du buffet. Que faire ? Madeleine Lemaire est-elle indispensable ? Faut-il reporter la soirée au début de juin ? « Acceptons donc le 3 », soupire Montesquiou qui préfère ce jour au 2, car « il semble qu'au lendemain de trois réceptions, la réceptivité[1] pourrait bien avoir un peu sommeil. Ah ! Que ces chrétiens sont peu évangéliques ! Ils ont toujours leurs récoltes à rentrer quand on leur propose le *necessarium*[2] ».

Inconsciente des embarras qu'elle suscite, la *veuve* en provoque d'autres en préférant, au 3 juin, le 2 ou le 4. Cette fois, Montesquiou explose. Sa réponse est perdue — ou bien elle a été faite oralement, car le 23 mai Proust lui écrit : « J'invite donc pour le vendredi 2 », en soulignant ces mots pour accentuer leur caractère irrévocable, et il ajoute : « J'invite les personnes que vous m'avez dites, pas une de plus, prenant à la lettre vos désignations pour restrictives et exclusives de tout autres noms. » Cela ne l'empêche pas de revenir à la charge deux

1. De Madeleine Lemaire.
2. Kolb, tome V, p. 170.

jours plus tard pour avancer d'autres noms : Mme Yeatman, Robert de Billy, Henry Bordeaux, André Rivoire, M. et Mme Helleu, Robert Dreyfus, le peintre Lobre, Pierre de Nolhac, Marcel Mielvaque, les Gaston de Caillavet, les Robert de Flers... Par l'entremise d'Yturri, qui fait la navette entre son maître et lui, Proust propose encore d'autres personnes à convier : sa cousine Thomson, Mme de Brantes, les Goyau, Gaston Calmette, insistant pour que Montesquiou accepte Robert de Billy et Lucien Daudet qui pourrait se vexer d'être exclu de cette fête de l'esprit.

La réponse de Montesquiou ne se fait pas attendre : inutile d'inviter Mme de Brantes, elle n'est jamais là ; pour Robert de Billy, c'est un refus à peine déguisé ; en ce qui regarde Lucien Daudet, un oui sans grand enthousiasme et Montesquiou conclut, amer : « N'oubliez pas que tout ça, c'est pour rien ou presque, sauf le plaisir de se croire aimable. Ce qui ne nous empêche pas de conspuer Chevigné, Trousseau [1] et généralement tout ce qui, selon l'usage, a toujours son âne à retirer du puits quand on les invite à manger du Cygne [2] ! »

Enfin, après tant de démarches, d'allées et venues, d'interdits, d'ordres et de contrordres, de lettres pour inviter et d'autres pour insister auprès de ceux qui ont refusé, cette audition si péniblement organisée a lieu le 3 juin 1905.

De sa voix crépitante, qui s'étrangle parfois en notes stridentes, Montesquiou, cambré, piaffant et dardant un regard sévère sur l'assistance, lit à celle-ci un féroce portrait de Mme Aubernon de Nerville, surnommée *Clochette* dans le chapitre de *Professionnelles Beautés* qu'il lui a consacré. On applaudit par politesse, en songeant peut-être que si l'on a la malchance de mourir avant Montesquiou, celui-ci se livrera sur votre cadavre à une semblable exécution.

Inutile de dire que pour le maître de maison, sa tâche ne s'achève pas avec le départ des invités. Dès le lendemain, il lui faut écrire au comte Robert pour le remercier de cette faveur inouïe et surtout rédiger pour *Le Gaulois* et le *New York Herald* le compte rendu de la soirée de manière à exalter le génie de Montesquiou et faire enrager ceux qui n'ont pas été de la fête. Hélas ! *Le Gaulois* se conduit indignement : sa rédaction tronque l'article et le modifie, laissant ainsi croire

1. Qui avaient décliné l'invitation.
2. Kolb, tome V, p. 186.

que Montesquiou est arrivé chez Proust à l'improviste. Le terme les agace l'un et l'autre, autant que le qualificatif d'*intime* pour parler d'un dîner donné le même soir par Francis de Croisset à quelques ducs et duchesses qui sont loin d'être de l'intimité de celui-ci. Rien de plus sévère qu'un snob qui se croit arrivé à l'égard de celui qui s'efforce de parvenir.

Une telle dépense physique vaut à Proust une crise d'asthme qui dure trente heures, mais, celle-ci passée, il retrouve assez de force pour assister à une soirée chez la comtesse René de Béarn où Reynaldo Hahn conduit une de ses œuvres, les *Chœurs d'Esther*. Il alterne ensuite sorties dans le monde et dîners au restaurant avec des journées entières passées dans sa chambre, et dans son lit, à travailler.

*

Le 15 juin, *La Renaissance latine* a publié son essai ruskinien *Sur la lecture* qui, dès le 19, suscite dans *Le Figaro*, sous la plume d'André Beaumier, un article enthousiaste. Comme Mme de Noailles vient elle-même de publier un nouveau roman, *La Domination*, c'est entre ces deux Orientaux un échange de révérences et de compliments hyperboliques dont chacun tire avantage pour sa propre gloire. Mme de Noailles, qui a de l'esprit, et parfois un certain jugement malgré son incohérence, peut-elle vraiment croire, comme Proust le lui écrit au début du mois de juin, que *La Domination* est « la plus grande beauté littéraire qu'[il] connaisse » ? Que, dans sa « croissance vertigineuse », elle s'est dépassée, qu'elle « a fait un dernier saut... et touché, non dans l'inconnu, mais dans l'absolu » ? qu'à son *Cœur innombrable*, répond « un talent innombrable, une puissance comme il ne s'en est jamais vu » ?

Et, après lui avoir écrit une lettre épuisant tous les superlatifs, Proust, craignant sans doute de ne pas l'avoir assez louée, récidive en énumérant les phrases qui l'ont le plus ému, les mots qui, par leur alliance insolite, l'ont pénétré du génie de sa langue. De tels compliments lui valent une réponse ravie, mais infiniment plus sobre, de Mme de Noailles et il écrit aussitôt à celle-ci pour la remercier de l'avoir remercié : « Il semble, lui dit-il, que j'ai la vénération des choses quand vous les avez nommées, comme Dieu qui créa en nommant... [1]. »

Un dîner chez Mme de Noailles, le 10 juin, met l'adorateur

1. Kolb, tome V, p. 211.

en présence de l'idole. Cette fois, il ne casse rien et saisit l'occasion de se réconcilier définitivement avec Barrès à qui, confie-t-il ensuite à sa mère, il n'a pas mâché de dures vérités politiques et morales que le prince de la jeunesse a « fort bien prises ». Nul doute que l'article de Proust sur *La Mort des cathédrales* et son hostilité au général André, lors de l'affaire des fiches, comme aux lois anticléricales de Combes, n'ait achevé de lui gagner la sympathie du paladin catholique.

Comme Mme de Noailles lui adresse à son tour, le 19 juin, un petit mot, très aimable, à propos de *Sur la lecture*, Proust assure défaillir de joie en voyant l'auteur de *La Domination*, ce chef-d'œuvre de tous les temps, daigner apprécier son modeste essai : « Je vous en supplie, lui écrit-il le 19 juin, cessez d'être aussi gentille, car je ne peux plus le supporter, c'est un poids de bonheur, de reconnaissance, d'émotion, de stupéfaction qui est trop fort et j'en mourrais... Je suis encore si ébloui de cette *Domination*, c'est un livre si en dehors de tous les autres, c'est une si merveilleuse planète conquise à la contemplation des hommes, mais si récemment encore, et si différente de tout ce que nous voyons sur la terre que je ne peux pas juger très nettement.... [1].»

Malgré la prudente réserve introduite par ces derniers mots, on pourrait croire que *La Domination* est, sinon un chef-d'œuvre, du moins un roman offrant, soit dans la pensée, soit dans le style, une certaine originalité. Il n'en est rien. Le livre se veut nietzschéen et n'est que l'ennuyeux récit de la carrière d'un jeune nihiliste qui se croit un don Juan parce qu'il affiche un certain cynisme dans ses conquêtes, mais une fois marié, s'éprend de sa jeune belle-sœur et meurt de la mort de celle-ci. Le livre, que Faguet traite de « roman débile et phosphorescent », et que *Le Cri de Paris* assure « traduit du roumain » à en juger par son style, n'est en fait qu'un succédané des premiers essais romantiques, mis au goût du jour en prêtant au héros des traits de Barrès et de Gabriele D'Annunzio. Plus sincère que Proust, Léon Blum, rendant compte de l'ouvrage, écrira : « J'avouerai naïvement que j'eusse préféré me taire sur le dernier livre de Mme de Noailles et je préférerais aussi en être quitte avec cet aveu [2]. »

Il est donc difficile de comprendre les cris d'admiration de Proust devant ce roman que presque tous les critiques déclarent

1. Kolb, tome V, pp. 232 et 233.
2. F. Broche, *Anna de Noailles*, p. 219.

exécrable et on ne peut s'expliquer cet enthousiasme courtisan que par son désir de se concilier, avec les suffrages de Mme de Noailles, l'appui de son clan familial pour saluer ainsi ses propres œuvres.

Ce délire s'apaise enfin et Proust revient bientôt à un maître plus exigeant, Montesquiou. Il avait promis à celui-ci d'écrire un article sur *Beautés Professionnelles* et d'en profiter pour faire étude sur l'auteur lui-même. Le plus délicat n'est pas de composer cet essai, intitulé *Un professeur de beauté*, mais de le faire agréer par le modèle et de trouver ensuite, pour le publier, une revue que Montesquiou ne jugera pas indigne de cet honneur. Proust se souvient du peu d'empressement des directeurs de certains périodiques pour prendre ses panégyriques de Montesquiou et ne voit guère que l'obligeant Mourey pour publier cette étude dans *Les Arts et la Vie*. Ce nouveau panégyrique est d'abord une déploration, celle de ne pas voir Montesquiou mis à sa vraie place, c'est-à-dire à l'Académie française où tant d'aristocrates, qui n'ont ni son esprit ni sa culture, sont entrés sur le crédit d'un nom plus historique — cela vise le marquis de Ségur — que leur œuvre. Lui qui reçoit si bien dans ses diverses demeures, comme il saurait recevoir, au sens académique du mot, un nouvel élu en sachant « voiler d'une décente douceur ses orageuses justices et injustices » ; Proust imagine que Montesquiou assumerait pour chaque réception le rôle de picador, infligeant au récipiendaire une ultime épreuve avant de l'admettre au sein des Immortels, brossant au passage un portrait piquant de Montesquiou lorsqu'il procède à une de ses exécutions : « Certes, on voit d'ici avec quelle incomparable et majestueuse légèreté, quelle alerte et noble et cruelle désinvolture, de quelle piaffante, trépidante et caracolante allure, il saurait développer puis resserrer autour de la victime élue ou couronnée ses savantes évolutions, la piquant de mille traits variés et sûrs, aux applaudissements d'un public avide, sinon de sang, du moins d'amour-propre répandu [1]. »

Et, pour illustrer la manière qui est celle de Montesquiou lorsqu'il s'acharne sur quelqu'un, femme du monde ou artiste, il décrit la conférence qu'il a récemment prononcée sur le peintre Sargent et dans laquelle il n'a épargné de l'œuvre du malheureux peintre que les cadres de ses tableaux. Proust profite de cet éloge pour saluer Barrès, dont il annonce l'élection comme *nécessaire*,

1. *Contre Sainte-Beuve*, Pléiade, p. 509.

puis, revenant à Montesquiou il manie de nouveau l'encensoir, n'hésitant pas à proclamer que trois de ses recueils de critique d'art — *Professionnelles Beautés, Autels privilégiés* et *Roseaux pensants* — sont très supérieurs au point de vue esthétique à toute l'œuvre de Ruskin, multipliant les exemples de l'immense culture de Montesquiou qui voit dans chaque objet, en plus de l'objet lui-même, son historique à travers la littérature : « L'érudition de l'auteur, écrit-il, fait que toute chose évoque pour lui des souvenirs que nous n'avons pas tous aussi soigneusement rangés dans nos mémoires [1]. » Enfin, il achève ce singulier hommage en le comparant à un autre Prométhée expiant un mystérieux forfait, éternellement enchaîné au rocher de son Angélique, mais « pour avoir volé — *le froid* ».

Avant d'envoyer cette étude à la revue *Les Arts et la Vie*, qui la publiera le 15 août 1905, Proust la soumet à Montesquiou, mais l'altier modèle n'a guère le loisir ni le goût de se livrer à son examen critique pour y découvrir d'éventuelles malices de son thuriféraire. Le fidèle Yturri se meurt. Depuis deux ans, la santé du secrétaire défaille, sinon son zèle. Atteint de diabète, il luttait courageusement, essayant de cacher la gravité de son mal à son maître afin de ne pas troubler la sérénité de son esprit en dérangeant l'ordonnance de sa vie. Montesquiou avait pourtant fini par s'en apercevoir et l'avait envoyé passer l'hiver en Italie, puis séjourner au printemps dans une maison de santé près de Francfort. Il en était revenu dans un état pitoyable et depuis ne quittait plus le Pavillon des Muses, passant ses journées sur une chaise longue à suffoquer.

Plus ému qu'il ne le laisse paraître, Montesquiou essaie de jouer la comédie et affecte de ne pas être alarmé : « Je m'habille et fais semblant de sortir afin qu'il ne se croie pas perdu, dit-il à ses amis. Il m'en veut si je sors, il m'en veut si je reste... » Yturri, qui croit à l'indifférence du comte, s'en plaint à ses visiteurs : « Moussu lé Conté me laisse mourir comme un chien. » Dans les premiers jours de juillet son état s'aggrave et le docteur Pozzi le fait transporter dans une clinique où il meurt le 5, faisant à Montesquiou cet adieu à la fois noble et touchant : « Je vous remercie de m'avoir fait connaître toutes ces belles choses... » A Proust, Montesquiou confiera le mois suivant : « La merveilleuse dignité avec laquelle il est sorti de ma vie m'offrit un si beau spectacle que je ne puis en détacher

1. *Contre Sainte-Beuve,* Pléiade, p. 517.

ma pensée et mon sentiment, qu'il induit à une humilité personnelle quand je songe que, moi qu'il appelait son Maître, je n'aurais sans doute pas atteint ce degré de perfection dans le renoncement silencieux et dans le sacrifice contenu[1]. » Le chagrin de Montesquiou est sincère : « Quand je rentre, je ne trouve que sa petite casquette vide... sa petite casquette vide... », avoue-t-il en pleurant à la marquise de Clermont-Tonnerre. Avec le temps, ce chagrin devient une douleur grandiose, symbolisée par le plus étrange témoignage que puisse inspirer l'amour allié à la vanité : un lourd, riche, épais recueil, intitulé *Le Chancelier de fleurs* composé de toutes les lettres de condoléances reçues ou sollicitées par Montesquiou, car il ira jusqu'à en demander une à l'empereur d'Allemagne.

Lui-même malade alors qu'Yturri se mourait, Proust avait envoyé à deux reprises sa mère à Neuilly, malgré une chaleur accablante, pour y prendre des nouvelles du secrétaire. En apprenant sa mort, il écrit à Montesquiou avec tact et celui-ci répond avec simplicité : « Avec vous, pourtant, je pourrai parler de lui, et j'en serai heureux, autant que ce mot puisse s'appliquer à des choses douloureuses. Mais c'est la grâce du chagrin de changer d'usage, pour nous, les mots, les sentiments et les pensées, et de nous faire trouver du bonheur dans ce qui nous causait du chagrin pour nous dédommager de ne plus rencontrer que de l'ennui dans ce qui nous apportait du plaisir. Vous avez été trop mêlé à ce qui fut nos joies et nos peines pour ne pas m'apparaître comme le confident souhaité réceptif et compatissant de tant d'échos, devenus sans résonnances (*sic*), et de souvenirs, pleins de soupirs[2]. »

Autre deuil qui fournit à Proust l'occasion de pincer encore sa lyre funéraire, la mort de la duchesse de Gramont, mais comme il a pu se rendre à Saint-Philippe-du-Roule pour la cérémonie, il écrit à son fils, le duc de Guiche, avec une relative sobriété. En revanche, il se montre plus prolixe à l'égard de la marquise de Clermont-Tonnerre qui n'est pourtant que la belle-fille de la duchesse et lui affirme que son chagrin lui « est intolérable ».

*

Il ne semble pas que Proust, en assistant aux obsèques de la

1. Kolb, tome V, p. 321.
2. *Ibidem*, p. 206.

duchesse de Gramont, ait eu la prémonition de la mort de sa mère, car rien n'indique, dans leurs relations journalières, une inquiétude quelconque de sa part à ce sujet. Il est vrai qu'il est surtout préoccupé de son propre état de santé, que son genre de vie n'est guère fait pour améliorer. Lorsqu'il s'était rendu à l'enterrement Gramont, il n'avait pas mangé depuis quarante-huit heures et, en quittant l'église, il avait profité de cette sortie pour aller consulter le docteur Brissaud qui s'était contenté de lui recommander un confrère, le docteur Sollier. Il semble qu'il ait borné là ses efforts et ne soit pas allé voir le docteur Sollier. « Je ne sors plus jamais, je me lève vers onze heures du soir, quand je me lève... », écrit-il le 5 août à Louisa de Mornand, ajoutant, un peu plus loin : « Tout ce que je peux répondre aux gens qui me demandent de sortir pour aller les voir, c'est que je tâcherai d'aller à leur enterrement. Ainsi ils préfèrent que je sorte le plus tard possible et, en fait d'enterrement, préfèrent encore que ce soit eux qui aient le dérangement d'aller au mien [1]. »

Mme Proust s'est pliée à ce genre de vie qu'elle accepte sans le partager, continuant de prendre ses repas aux heures habituelles, mais veillant à préserver le repos de son fils en évitant tout bruit dans l'appartement et s'ingéniant à lui rendre tous les services qu'il exige, depuis des recherches bibliographiques jusqu'à des courses dans Paris, seules occasions d'ailleurs pour elle de sortir, car elle a renoncé à toute vie mondaine, absorbée dans une minutieuse célébration de tous les anniversaires de la mort des siens. On peut dire qu'elle s'est peu à peu retirée de la vie, avant que celle-ci ne se retire d'elle.

Comme chaque année, elle se prépare à partir pour Evian, afin d'y suivre sa cure, et Proust envisage de l'accompagner pour aller ensuite faire la sienne dans une maison de santé suisse. Ils quittent tous deux Paris dans les premiers jours de septembre, mais, à peine arrivée au Splendide Hôtel d'Evian, Mme Proust est prise de vomissements et de vertiges, symptômes d'une crise d'urémie que l'on ne peut encore diagnostiquer avec certitude, car, avec une farouche pudeur, elle se refuse à toute analyse, espérant sans doute vaincre le mal en l'ignorant. Malgré un début de paralysie et d'aphasie, elle essaie courageusement de donner l'illusion de s'être remise et tient à descendre dans la salle à manger, mais elle ne peut rien avaler. Malade

1. Kolb, tome V, p. 331.

lui-même et affolé, Proust téléphone à Mme Catusse, qui réside dans un autre hôtel et accourt aussitôt. A l'étonnement de celle-ci, Mme Proust commence par lui demander de la photographier, puis se ravise : « Elle voulait et ne voulait pas être photographiée, par désir de me laisser une dernière image et par peur qu'elle fût trop triste[1]... », écrira-t-il plus tard à Mme Catusse en évoquant cet épisode qui passera tout entier, accru du remords de son agacement devant ce qu'il avait pris pour un caprice, et de la dureté qu'il avait alors montrée, dans l'admirable récit que le Narrateur fait, dans *A la recherche du temps perdu*, de l'attaque et de l'agonie de sa grand-mère.

Appelé d'urgence à Evian, Robert Proust juge qu'il faut ramener leur mère à Paris et repart avec elle : « Je vais rentrer à Paris, puisque je suis impotente et ne peux plus te servir à rien quand tu as mal... », murmure Mme Proust en disant au revoir à son fils aîné. Celui-ci demeure encore quelques jours au Splendide Hôtel attendant d'y recevoir de meilleures nouvelles, car il espère que tout cela n'a été qu'« un mauvais rêve », comme il l'écrit à Marie Nordlinger, attendant aussi d'être suffisamment remis du voyage de l'aller pour affronter celui du retour.

Lorsqu'il regagne la rue de Courcelles, il trouve sa mère dans un état de grande faiblesse. Elle refuse toujours de s'alimenter, mais veut se lever, s'habiller, mener une vie normale alors que la paralysie la gagne peu à peu. Bien qu'elle articule avec difficulté, elle essaie de parler, de reprendre ce jeu de citations auquel l'avait habituée sa propre mère, raffermissant le courage de son fils en lui murmurant :

*Si vous n'êtes Romain, soyez digne de l'être...*

La religieuse qui la veille s'étonne autant de son calme en présence de la mort que du souci qu'elle se fait pour son fils aîné, sur qui sa pensée vacillante se concentre entièrement : « Pour elle, vous aviez encore quatre ans... », dira-t-elle ensuite à Proust. En dépit d'un léger mieux, qui rassure un moment son médecin, son état s'aggrave de nouveau et elle s'éteint le 26 septembre 1905, à onze heures du matin, ayant à ses côtés sa cousine, Mme Gustave Neuburger, et son fils Robert. Il semble que Proust, incapable de supporter le spectacle de l'agonie de sa mère, ait attendu sa fin dans la pièce voisine.

1. *Ibidem*, tome X, p. 215.

Cette mort, sans doute l'événement le plus bouleversant de son existence, lui inspirera les pages les plus belles d'*A la recherche du temps perdu*, pages merveilleuses et cruelles, car d'une sincérité absolue. Il se contentera de transposer la mort de sa mère en celle de la grand-mère du Narrateur et ce long récit, sans complaisance, sinon sans tendresse, et sans ironie à l'égard de l'entourage, a tellement l'accent de la vérité qu'on doute qu'il l'ait beaucoup altéré, mais seulement nourri de quelques traits tirés d'expériences similaires. Tout y est vrai : l'impéritie du médecin habituel, la légèreté joviale du docteur du Boulbon, qui veut rassurer la malade en voyant une cause purement nerveuse, et non organique, à son état, car elle appartient à « cette famille magnifique et lamentable [des nerveux] qui est le sel de la terre », et transforme son diagnostic en tirade, sa visite en conférence, persuadé qu'il la guérira mieux par la parole, en dissipant ses appréhensions, qu'en lui établissant une ordonnance ; l'admirable analyse des sentiments du Narrateur, découvrant que l'heure de la Mort cesse d'être une date incertaine, embrumée dans un avenir lointain, pour se matérialiser soudain par un signe, presque imperceptible, mais irrémédiable, fêlure à laquelle il n'est plus de remède ; l'oracle du professeur E... appelé en consultation, cet arrêt de mort tombé des lèvres de l'illustre praticien, soucieux de ne pas arriver en retard à un dîner officiel ; la visite de politesse que fait à la famille de la moribonde le duc de Guermantes, naïvement persuadé dans son orgueil de grand seigneur qu'il vaut mieux mourir et avoir eu sa visite que vivre sans l'avoir vu ; la vieille domestique Françoise, flairant la mort avec cet instinct animal des paysans et toute à son affaire en pareille circonstance, car aux êtres primitifs la mort donne l'importance qu'il n'ont jamais eue dans leur vie ; la lente agonie de la grand-mère, au visage travaillé par des forces obscures et devenu celui d'une étrangère, aux paroles incohérentes, au corps agité de brusques sursauts, comme pour échapper à ces forces démoniaques qui la disputent au monde des vivants ; l'arrivée au chevet de la mourante du docteur Dieulafoy, médecin des grands de la terre et dont la seule présence est une espèce d'extrême-onction laïque, assurant à la moribonde son salut dans ce monde, où elle a figuré, à la dernière minute, dans sa clientèle sur le même rang qu'une altesse et sa manière d'empocher, avec autant d'élégance que de prestesse, le montant de ses honoraires ; enfin, la mort, la nouvelle métamorphose du visage qui rend au Narrateur celui qu'il avait aimé dans son enfance, visage d'où ont disparu « les rides, les contractions, les empâtements, les tensions, les fléchissements que, depuis tant d'années, lui avait ajoutés la souffrance... La vie en se retirant venait d'emporter les désillusions de la vie [1] ».

Ne s'étant pas convertie au catholicisme en se mariant, par crainte de peiner ses parents en abjurant leur religion, Mme Proust n'est pas chrétienne aux yeux de l'Eglise. Il n'y a donc qu'un enterrement civil, au Père-Lachaise, le 28 septembre. Ses deux fils et son frère, Georges Weil, mènent le deuil, suivis par la famille et les anciens confrères du docteur Proust, les professeurs Brouardel, Berger, Pozzi, Le Dentu, Fournier, Dieulafoy, Jaccoud, Albarran, Richelor, Hartmann ; des médecins de moindre importance leur emboîtent le pas, puis viennent les gens du monde, la plupart des amis de Proust plutôt que de son frère. *Le Figaro* cite les noms les plus connus : le comte et la comtesse Mathieu de Noailles, le marquis et la marquise d'Albuféra, le vicomte et la vicomtesse de Grouchy, le baron Robert de Rothschild, Mme Louis Stern, Mme Charles Nathan, Mme Henri Pereire, Mme R. de Madrazo, Mme Seminario, Mme Peigné-Crémieux, MM. Abel Hermant, Georges Picot, Henri Bergson, Georges Goyau, etc. Les amis intimes de Proust sont là : Lucien Daudet, Reynaldo Hahn, René Peter. Beaucoup ont envoyé des couronnes, notamment Louisa de Mornand, et le char, écrit le chroniqueur du *Figaro*, disparaît sous les fleurs, ce qui n'était pas le souhait de Mme Proust, qui aurait préféré partir aussi discrètement qu'elle avait toujours vécu.

Le soir, lorsqu'il rentre rue de Courcelles, écrasé de chagrin, épuisé par cet effort physique, Proust, dont le premier mot, naguère, en franchissant le seuil, était de dire au domestique : « Madame est là ? » sait que cette question machinale, à laquelle sa mère répondait souvent par sa présence dans l'antichambre où elle guettait son retour, est désormais inutile.

---

1. *A la recherche du temps perdu*, Pléiade, tome II, p. 640.

# 13

## Octobre 1905 - Décembre 1907

*Un enfant perdu - A la clinique de Boulogne : un patient sans patience - Retour à Ruskin -* Sésame et les lys *- Insuccès du livre - Ultime écho de l'affaire Dreyfus - Retraite à Versailles - Un Télémaque ambigu : André Germain - Une déesse américaine : Gladys Deacon - Installation boulevard Haussmann - Affres d'un partage - Le cas Van Blarenberghe et l'éloge du parricide - Notices nécrologiques - Nouvelles aigreurs de Montesquiou - Saison à Cabourg -* Impressions de route en automobile.

Dans les familles sans passé connu, les deuils prennent l'importance d'événements historiques et pour Marcel Proust la mort de sa mère joue le même rôle que pour les musulmans la fuite de Mahomet, c'est-à-dire qu'elle est le point de départ d'une nouvelle chronologie, d'un calendrier sentimental en fonction duquel il va dater tous les autres événements, multipliant dans sa correspondance des phrases comme « C'était avant la mort de ma pauvre maman... », ou bien « Depuis que j'ai perdu ma mère... ».

Les premières semaines qui suivent la disparition de sa mère le laissent brisé, sans volonté de vivre et sans courage, mais non sans force pour exprimer sa douleur, éprouvant un certain soulagement à l'épancher auprès d'amis qui soit ont bien connu Mme Proust, soit le connaissent assez bien lui-même pour mesurer l'ampleur de cette perte. A cet égard, Montesquiou, que la mort de ses propres parents n'a guère affecté, mais que celle d'Yturri a plongé dans un accablement semblable, trouve les mots justes pour lui exprimer sa sympathie et Proust, heureux de cette soudaine humanisation, lui avoue sa détresse : « Ma vie a désormais perdu son seul but, sa seule douceur, son seul amour, sa seule consolation, lui écrit-il. J'ai perdu celle dont la vigilance incessante m'apportait en paix, en tendresse le seul miel de ma vie, que je goûte encore par moments avec horreur dans ce silence qu'elle savait faire régner si profond toute la journée autour de mon sommeil et que l'habitude des domestiques qu'elle avait formés fait encore survivre, inerte, à son activité finie. J'ai été abreuvé de toutes les douleurs, je l'ai perdue, je l'ai vue souffrir, je peux croire qu'elle a su qu'elle me quittait et qu'elle n'a pu me faire des recommandations qu'il était peut-être pour elle angoissant de taire, j'ai le sentiment que par ma mauvaise santé j'ai été le chagrin et le souci de sa vie... [1]. »

A Maurice Barrès, persuadé que Proust était l'être que sa mère aimait le plus au monde, il répond qu'elle lui préférait son père, mais qu'après la mort de celui-ci elle n'avait plus vécu que pour le remplacer auprès de lui, demeurer son guide et son soutien au milieu d'un monde pour lequel, dans son amour aveugle, elle le croyait moins fait qu'il ne l'est en réalité : « Elle m'a cent fois trop aimé, poursuit Proust, puisque j'ai maintenant la double torture de penser qu'elle a pu savoir, avec quelle anxiété, qu'elle me quittait, et surtout de penser que toute la fin de sa vie a été affligée, si constamment préoccupée par ma santé... [2]. »

Et revenant à ce drame de son enfance, de ce baiser du soir que parfois elle lui refusait pour l'endurcir, l'habituer à se passer d'elle, il esquisse alors quelques-uns des épisodes les plus significatifs de son œuvre future, notamment ses appels téléphoniques lorsqu'il était séparé de sa mère et l'émotion éprouvée en écoutant cette voix, soudain changée, vieillie, cassée par la distance.

Tout en ne voulant voir personne, il écrit à tout le monde pour confier son désespoir et le fait parfois avec une telle impudeur que Marie Nordlinger détruira beaucoup des lettres qu'il lui adressait alors : « Il y dévoilait sa blessure avec un abandon si complet, dira-t-elle, que je me fis un devoir de les soustraire aux yeux indifférents [3]. »

Comme naguère après la mort du docteur Proust, il connaît le remords de n'avoir pas été pour elle le fils qu'elle aurait souhaité, de ne pas lui avoir rendu l'amour qu'elle lui prodiguait, de s'être parfois conduit vis-à-vis d'elle avec dureté, voire avec grossièreté, fautes désormais irréparables, et surtout d'avoir été pour elle, par son genre de vie, si nuisible à sa

---

1. Kolb, tome V, p. 348.
2. *Idem*, tome VI, p. 28.
3. M. Nordlinger, *Lettres à une amie*, p. 10.

santé, un souci permanent, ce qui le ronge, écrit-il à Mme Straus et l'« empêche de trouver une seconde de douceur dans le souvenir des heures de tendresse[1] ». Aussi, pour réparer le mal qu'il lui a fait par son égoïsme et sa négligence, accepte-t-il enfin de se soigner sérieusement, espérant ainsi prolonger l'existence de sa mère aussi longtemps que durera la sienne : « Quand j'ai perdu Maman, dira-t-il un jour à son ami Maurice Duplay, j'ai eu l'idée de disparaître. Non de me tuer, car je n'aurais pas voulu finir comme un héros de fait divers, mais je me serais laissé mourir en me privant de nourriture et de sommeil. Alors j'ai réfléchi qu'avec moi dispraîtrait le souvenir que je gardais d'elle, ce souvenir d'une ferveur unique, et que je l'entraînerais dans une seconde mort, celle-là définitive, que je commettrais une sorte de parricide[1]. »

Il se résout donc à entrer dans une maison de santé pour se désintoxiquer de tous les remèdes absorbés sans discrimination depuis si longtemps et réapprendre à vivre de façon normale, avec des heures régulières de sommeil et de repas. Peut-être aussi veut-il échapper à cet appartement où dans chaque pièce il croit voir la silhouette de sa mère, où chaque meuble, chaque objet lui rappelle un souvenir de leur intimité. Le simple gémissement d'une lame de parquet suffit pour éveiller dans son cœur un écho douloureux. Paradoxalement, alors que tout lui rappelle sa mère, il ne parvient déjà plus à évoquer avec précision ses traits qui se brouillent dans sa mémoire, de même que Mme Proust, autrefois, cherchait vainement à retrouver le visage de sa propre mère qui ne lui apparaissait plus que dans son sommeil pour s'effacer dès qu'elle se réveillait. Malgré ce désespoir lancinant, il éprouve en même temps une impression de soulagement qui pourrait paraître étrange, et même scandaleuse, à toute personne ignorant la complexité de son caractère : « Maman, je souffre atrocement de l'avoir perdue, avoue-t-il un jour à Maurice Duplay, mais d'autre part j'ai cessé de trembler continuellement pour elle. Si bien que, depuis qu'elle n'est plus là, j'éprouve une affreuse quiétude, une déchirante sérénité. Un grand amour est une angoisse de tous les instants[2]. »

Passer quelques semaines dans une maison de santé, en brisant le cycle de ses habitudes, pourrait être aussi un moyen, sans oublier sa mère, d'en exorciser le fantôme.

---

1. M. Duplay, *Mon ami Marcel Proust*, p. 112.
2. *Ibidem*, p. 79.

Au début de l'année, après avoir consulté divers médecins, il avait envisagé une cure à Berne, dans la clinique du docteur Dubois, ou bien à Boulogne-sur-Seine, dans celle du docteur Sollier, sans parvenir à se décider pour l'une ou pour l'autre. Cette fois il accepte le principe du traitement, tout en hésitant sur le choix du praticien. Il demande l'avis de Mme de Noailles, qui a fait un séjour chez le docteur Sollier, celui de Mme Straus, puis, se rappelant avoir entendu vanter le docteur Déjerine, spécialiste des maladies mentales et nerveuses, il opte pour la clinique de celui-ci, rue Blomet. Alors qu'il vient d'y retenir une chambre pour le 4 décembre 1905, il se ravise, épouvanté à la pensée d'être enfermé pour trois mois, durée du traitement. Il se demande si le docteur Sollier ne pourrait pas le soigner à domicile, en lui prescrivant une hygiène de vie, un régime, un horaire. Faute d'avoir pu convaincre le docteur Sollier de le traiter ainsi, il se laisse persuader d'essayer une cure de six semaines seulement, ce qui représente un gain appréciable en comparaison des douze ou treize semaines exigées par le docteur Déjerine.

Il quitte donc la rue de Courcelles pour la clinique de Boulogne-sur-Seine où il s'installe avec le ferme propos, non de guérir, mais de prouver au docteur Sollier l'inefficacité de ses méthodes. Armé de tous les préjugés d'un malade qui a trop lu d'ouvrages de médecine, il va s'opposer victorieusement au docteur Sollier, excellent homme au demeurant, mais dont il juge la compétence scientifique à travers la piètre opinion qu'il s'est formée de sa culture littéraire. A son patient qui l'entretenait de Bergson, Sollier avait eu l'innocence d'avouer qu'obligé de lire le célèbre philosophe, il lui avait trouvé l'esprit confus et borné. Proust l'avait aussitôt pris en grippe : « J'ai senti, dira-t-il plus tard à Georges de Lauris, un sourire vincien d'orgueil intellectuel passer sur sa figure et cela n'a pas ajouté au succès du traitement psychothérapique... »

La clientèle du docteur Sollier rappelle fâcheusement celle du docteur Blanche et Proust doit ressentir une certaine humiliation, mêlée de répulsion, en se voyant obligé de côtoyer des individus dont certains n'ont manifestement pas toute leur tête. On peut néanmoins douter de la véracité de l'anecdote qu'il contera plus tard à Céleste Albaret : sa rencontre dans le jardin de la clinique d'un élégant jeune homme qui prétend que sa famille l'a fait enfermer là pour le dépouiller de son héritage et qui, un jour, lui désignant un point dans l'espace, s'écrie : « Regardez, Monsieur, vous la voyez ? — Qui ?

demande Proust. — Mais la Sainte Vierge, Monsieur ! Vous ne la voyez pas, qui s'avance vers nous sur la pelouse ? » Ce récit, qui supposerait que Proust soit allé, en plein hiver, s'asseoir sur un banc pour converser avec un pensionnaire, a sans doute été inventé par Proust, habile à créer sa légende, pour faire partager à Céleste son animosité contre ce genre d'établissement [1].

Bien qu'il y soit en principe défendu d'écrire, il continue de correspondre avec certains amis et, malgré l'interdiction des visites, il en reçoit l'après-midi, un jour sur deux. Correspondance et mondanités ne peuvent que nuire à l'isolement préconisé, mais que le docteur Sollier renonce vraisemblablement à exiger, sachant que cette contrainte ne ferait qu'ajouter à la surexcitation nerveuse d'un malade qui depuis vingt-cinq ans joue de sa maladie pour imposer sa volonté. Il est même assez légitime de penser que Proust, habitué à ses maux et s'en servant comme d'un moyen de pression sur son entourage, n'a pas réellement le désir de guérir, mais seulement celui de prouver au monde qu'il ne peut pas guérir et que toute la science des médecins est impuissante devant la singularité de son cas. C'est pour lui une espèce de satisfaction d'amour-propre. Sa maladie lui est à la fois une excuse, un refuge et une dignité, car la souffrance anoblit ou, du moins, distingue celui qu'elle a marqué des autres mortels. Comment accepter, après avoir connu la dévotion de ses proches à son égard, leur anxiété devant ses crises, leurs soins pour les lui éviter ou les lui adoucir, l'indulgence dont il bénéficie de la part du monde où son état lui a créé une situation privilégiée, qu'il puisse renoncer à cette force que lui a donnée sa faiblesse pour redevenir un homme semblable à tous, sans aucun des avantages que confèrent une grande naissance, une grande fortune ou un grand pouvoir de séduction, un homme qui n'a encore pour soi qu'un petit talent de chroniqueur, voire de traducteur, et dont personne ne devine encore un génie que lui-même ne fait qu'entrevoir, sans soupçonner qu'il lui appartiendra d'ouvrir à la littérature une voie inconnue et de renouveler l'art du roman ?

Il est donc le plus récalcitrant des pensionnaires du docteur Sollier, écrivant dès le 15 décembre à Francis de Croisset : « La cure me fait le plus grand mal, et je crois que je la terminerai sans plus attendre. » Il va pourtant la poursuivre

---

1. C. Albaret, *Monsieur Proust*, p. 380.

jusqu'à son terme, mais quittera la clinique avec une méfiance encore plus vive à l'égard des médecins et de leurs méthodes. Dans *A la recherche du temps perdu*, les six semaines passées chez le docteur Sollier deviendront autant d'années, celles que le Narrateur vivra dans une maison de santé avant de rentrer dans le monde, en 1916, alors que la guerre a complètement transformé le Paris de sa jeunesse.

Revenu rue de Courcelles à la fin du mois de janvier 1906, il commence par s'y enfermer, si peu guéri que, tout en ruminant son chagrin, il songe de nouveau à se laisser mourir, écrivant à Robert de Billy : « ... C'est une si grande joie pour moi de penser que Maman a pu garder des illusions sur mon avenir que je ne peux vraiment pas avoir de tristesse à en faire le sacrifice maintenant que cela ne touche plus véritablement personne[1]. » Ce sentiment de résignation transparaît dans la plupart de ses lettres de cette période, mais l'abondance de celles-ci révèle une vitalité moins déclinante qu'il ne le prétend.

A jamais dégoûté des méthodes du docteur Sollier, il choisit un nouveau médecin, le docteur Bize, qui vient le voir régulièrement. D'après Céleste Albaret, qui ne le connaîtra que dix ans plus tard, le docteur Bize est un petit homme « très calme, très sérieux, très gentil, très poli », ce qui revient à dire qu'il ne contrarie en rien son patient. Toujours d'après Céleste, son maître demande moins à l'aimable docteur de le soigner que de l'écouter, aimant à parler avec lui, à lui poser des questions, voire à le taquiner sur son art, prenant plaisir à lui démontrer que la médecine est une science empirique et que ce qui convient à un malade est nuisible à un autre. Bref, le docteur Bize joue plutôt près de lui le rôle d'un commensal que d'un médecin, d'un informateur auprès de qui Proust se documentera pour compléter les connaissances qu'il a glanées dans les conversations familiales lorsque son père et son frère discutaient devant lui de certains cas ou de certains traitements. A Reynaldo Hahn, il ne cache pas que s'il a choisi le docteur Bize comme médecin traitant, il n'en fait qu'à sa tête : « Il me prescrit mille médicaments. Mais l'heure de la consultation seule est venue. Celle de l'obéissance viendra plus tard[2]. »

*

1. Kolb, tome VI, p. 31.
2. *Ibidem*, p. 72.

Au fur et à mesure que les mois passent, son goût de la solitude s'atténue et sa porte s'entrouvre à quelques amis comme Mme Catusse, Louis d'Albuféra, Lucien Daudet, Madeleine Lemaire, le bel Illan de Casa-Fuerte, mais il juge la mort de sa mère encore trop récente pour aller dans le monde et il décline les invitations.

Tout en maintenant une correspondance qui le rattache à la vie de société, il recommence d'écrire, passant d'un long commentaire d'une pièce d'Antoine Bibesco, *Jacques Abran*, à un compte rendu d'une traduction que sa cousine Mathilde Peigné-Crémieux vient de faire des *Pierres de Venise*, l'un des meilleurs livres de Ruskin en dépit de la partialité de certains points de vue. Si cette critique louangeuse, publiée le 5 mai dans *La Chronique des arts*, est un peu de l'eau bénite de cour, avec ses coups de chapeau à maints confrères — Mme de Noailles, Léon Daudet, Jacques Vontade, pseudonyme de Mme Bulteau, Henri de Régnier, Maurice Barrès — elle n'en contient pas moins quelques reproches à l'éditeur, entre autres celui de n'avoir pas prévu un « appareil de références ».

C'est un reproche que les lecteurs ne pourront pas faire à sa propre traduction de *Sésame et les lys*, qui paraît un mois plus tard au Mercure de France. Ses notes constituent en effet, en marge du livre, une série de brefs essais, d'un ton très personnel, qui montrent à la fois le mûrissement de sa pensée et l'indépendance de son esprit par rapport aux conceptions de Ruskin, qui n'est plus pour lui le maître idolâtré de naguère. *Sésame et les lys* est un ouvrage disparate, en deux parties d'importance fort inégale, correspondant à deux conférences de Ruskin prononcées, la première, *Des trésors des rois*, le 6 décembre 1864 au Town Hall de Rusholme, près de Manchester, la seconde, *Le Jardin de la reine*, à Manchester même le 14 décembre 1864.

La première conférence est si longue qu'elle fait penser à ces interminables discours que prononçaient au XVIIIe siècle, à la Chambre des Communes, des orateurs qui pouvaient parler, six ou sept heures d'affilée, sur les sujets les plus divers. Si ce texte offre encore un certain intérêt pour les amateurs fervents de Ruskin, il en a surtout pour ceux qui cherchent dans les premiers écrits de Proust l'indice de sa personnalité et la genèse de son œuvre. Dans sa remarquable préface à la réédition de *Sésame et les lys*, Antoine Compagnon rappelle l'accent « mis par tant de commentateurs sur les contradictions que Proust apporte à Ruskin, en particulier dans ses notes qui, en bas de page, contestent incessamment le texte et font vaciller son assise[1] ».

Non content d'affirmer son indépendance à l'égard des théories souvent extravagantes de Ruskin, Proust saisit l'occasion que lui donne une phrase, un mot pour énoncer ses propres théories soit sur l'art, soit sur le style, définissant ainsi peu à peu la méthode qu'il appliquera pour écrire *A la recherche du temps perdu*. Dans une longue note[2], il dénie la qualité de grand écrivain à celui qui, au lieu de forger son propre style, ne cherche qu'à raffiner sur celui d'un maître en montrant plus de scrupule ou de rigueur que celui-ci dans la composition ou bien en adoptant un langage volontiers négligé, voire argotique, dans l'illusion de créer ainsi une sorte de naturel. « Tout cela est du mécanisme, c'est-à-dire le contraire de l'art », estime-t-il. Certes, une bonne connaissance de la langue et de la grammaire, une pratique assidue des grands auteurs et même une solide érudition sont indispensables pour permettre à un écrivain de donner sa mesure, mais son génie propre doit venir d'autre chose que d'une simple technique, même habilement utilisée. « Sa langue, si savante et si riche qu'elle soit, n'est que le clavier sur lequel il improvise », écrit-il et, condamnant chez Sainte-Beuve « le perpétuel déraillement de l'expression qui sort à tout moment de la voie directe et de l'acception courante », il s'élève avec raison contre des auteurs contemporains qui multiplient archaïsmes ou maniérismes pour donner à leurs écrits une patine classique. Et il achève cette profession de foi en stigmatisant les affectations de certains écrivains qui, croyant avoir ressuscité les grâces et l'esprit du Grand Siècle, sont les premières victimes du discrédit que jette sur leurs œuvres le zèle maladroit de leurs imitateurs.

Dans une autre note, il analyse, à la lumière de sa propre expérience, l'incertitude de l'écrivain placé devant ce dilemme : demeurer dans la solitude et l'obscurité pour se consacrer tout entier à son œuvre, ou bien vivre dans le monde, à la recherhce des appuis qui l'aideront à se faire connaître et des honneurs officiels qui consacreront sa réussite. Lorsque le romancier, acceptant de dîner en ville, croit que la société de son époque honore en lui la dignité d'homme de lettres, il n'est pas aussi sincère qu'il le prétend : « Pour un peu, à l'en croire, observe Proust, il se dévoue, il immole ses goûts, son talent, à ses

1. Réédition de *Sésame et les lys*, préfacée par A. Compagnon, p. 16.
2. *Ibidem*, pp. 146 à 151.

devoirs de citoyen de la République des Lettres. Pourtant, si vous lui disiez que tel de ses confrères veut bien se charger de ce rôle et qu'il pourra désormais, dans l'inélégance et dans l'obscurité, travailler sans se soucier des Reines, peut-être se rendrait-il compte alors que c'était en réalité plutôt à sa propre grandeur qu'à celle de l'homme de lettres qu'il se dévouait et que les conquêtes de son confrère ne remplaceraient nullement les siennes propres. » Certes, le désir d'avancer dans la vie, « le snobisme, est le plus grand stérilisant de l'inspiration, le plus grand amortisseur de l'originalité, le plus grand destructeur de talent » et Proust, orfèvre en la matière, voit dans le snobisme « le vice le plus grave pour l'homme de lettres », ajoutant quelques lignes plus loin que « l'échelle des vices étant dans une certaine mesure renversée pour l'homme de lettres », il arrive que « le génie se joue même de cette morale artistique. Que de snobs de génie ont continué comme Balzac à écrire des chefs-d'œuvre. Que d'ascètes impuissants n'ont pu tirer d'une vie admirable et solitaire dix pages originales[1] ».

Ces considérations, dont beaucoup passent alors inaperçues de ses rares lecteurs, prennent un singulier relief lorsqu'on les relit avec, à l'esprit, les contradictions de son existence et la grandeur de son œuvre. Il est certain que ce problème se pose à lui, en cette période, avec acuité, car il y revient dans une autre note : « ... La vie de plus d'un homme supérieur n'est souvent que la coexistence d'un philosophe et d'un snob. En réalité, il y a bien peu de philosophes et d'artistes qui soient absolument détachés de l'ambition et du pouvoir, des gens en place. Et chez ceux qui sont les plus délicats et les plus rassasiés, le snobisme se substitue à l'ambition et au respect du pouvoir, comme la superstition s'élève sur la ruine de la croyance religieuse[2]. »

Dans certaines notes, parfois sans grand rapport avec le texte ou la pensée de Ruskin, Proust laisse apercevoir des conceptions qu'il développera dans *A la recherche du temps perdu* ou dans sa correspondance, comme l'idée péjorative qu'il s'est faite de l'amitié, voire du commerce des humains en général, perte d'énergie et de temps, donnant la primauté à la lecture, exercice dans lequel il s'établit une communication directe entre deux esprits, sans l'obstacle ou la contrainte de la nature physique. « Notre mode de communication avec les personnes

1. Réédition de *Sésame et les lys*, préfacé par A. Compagnon, pp. 223-224.
2. *Ibidem*, p. 131.

implique une déperdition des forces actives de l'âme que concentre et exalte au contraire ce merveilleux miracle de la lecture qui est la communication au sein de la solitude[1]. »

Loin de regretter de n'avoir pas connu des auteurs dont les œuvres sont ses livres de chevet, comme Saint-Simon ou Chateaubriand, Proust estime que leur fréquentation l'aurait déçu car les défauts de l'homme, ses faiblesses ou ses mesquineries auraient diminué pour lui la grandeur de l'œuvre : « Mais si tous les morts étaient vivants, ils ne pourraient causer avec nous que de la même manière que le font les vivants. Et une conversation avec Platon serait encore une conversation, c'est-à-dire un exercice infiniment plus superficiel que la lecture, la valeur des choses écoutées ou lues étant de moindre importance que l'état spirituel qu'elles peuvent créer en nous et qui ne peut être profond que dans la solitude et dans cette solitude peuplée qu'est la lecture[2]. »

Des citations de ce genre montrent l'évolution de son esprit et sont des tentatives pour rompre les liens qui l'attachent encore à l'un de ses maîtres pour s'élancer à son tour dans la création artistique en faisant une œuvre originale. En comparant ces notes à celle de *La Bible d'Amiens*, le progrès de sa méthode est incontestable, encore que le style reste un peu guindé. Quant à la traduction elle-même, elle est moins bonne qu'on ne le dit et comporte soit quelques anglicismes comme « attingibles » pour « atteignables » soit des fautes de construction, comme celle-ci : « Nous sommes encore braves jusqu'à la mort, bien qu'incapables de discerner ce qui vaut la peine de se battre[3]. »

Détaché de Ruskin, ennuyé par ce travail ingrat de traducteur, il ne se sent, cette fois, ni le courage ni même le désir de se donner beaucoup de mal pour le lancement d'un livre qui n'est pas véritablement le sien. Il en a dédié la préface à la princesse Alexandre de Chimay, sœur de Mme de Noailles, dont le nom est certes plus connu de la société du faubourg Saint-Germain que celui de Ruskin. La mise au point de cette dédicace a été, l'année précédente, l'occasion d'une correspondance avec la princesse. Il voulait d'abord rédiger ainsi la dédicace :

---

1. Réédition de *Sésame et les lys,* préfacé par A. Compagnon, p. 113.
2. *Ibidem*, pp. 114-115.
3. *Ibidem*, p. 185.

*A madame la princesse Alexandre de Chimay*
*En respectueuse admiration de son génie.*

La princesse ayant eu le bon sens de craindre qu'un certain ridicule ne rejaillît sur elle de cet hommage à son génie, ou que son illustre sœur ne s'en offusquât, l'avait certainement engagé à plus de modération car, au début d'août 1905, il lui adressait, à la manière d'un syllogisme, cette explication de son « génie » : « Vous savez qu'on peut induire de la présence d'arsenic dans les corps indirectement par une réaction en raisonnant, ou directement en le recueillant. De même pour votre génie. On peut le prouver indirectement du génie de votre sœur, plus facile à recueillir. Mme de Noailles a du génie. Au dire de différentes personnes éminentes ou modestes (ceci pour moi), Mme de Chimay est supérieure à sa sœur. Donc elle a du génie [1]. »

Finalement la dédicace, plus longue, est néanmoins plus raisonnable :

> *A madame la princesse Alexandre de Caraman-Chimay dont les notes sur Florence auraient fait les délices de Ruskin, je dédie respectueusement, comme un hommage de ma profonde admiration pour elle, ces pages que j'ai recueillies parce qu'elles lui ont plu.*

Avec plus de sobriété, Proust a dédié la première partie, *Les Trésors des rois* à Reynaldo Hahn et la seconde, *Le Jardin de la reine* à Madeleine Lemaire. En dépit de ce triple patronage, *Sésame et les lys* n'obtient ni la faveur des foules ni celle des gens du monde, encore moins celle des critiques qui naguère avaient rendu compte, et certains fort élogieusement, de *La Bible d'Amiens*.

Tout en se défendant de rien demander, Proust écrit à Calmette, le directeur du *Figaro* pour constater ce déplorable silence et le prier de ne rien faire surtout pour y porter remède, manière détournée de se rappeler à son attention, lui suggérant au passage que si Mme de Noailles ne pouvait écrire l'article d'usage, d'autres seraient tout indiqués pour la remplacer : Robert de Flers, Gaston de Caillavet, Montesquiou, Henry Bernstein, Bataille, André Beaunier... Et après avoir évoqué toutes les possibilités offertes à un journal de bonne volonté, il

1. Kolb, tome V, p. 332.

termine cette lettre en assurant Calmette que « vraiment, cela n'a pas d'importance » et qu'il retire tout ce qu'il a demandé [1].

Comprenant ce qu'on attend de lui, tout en protestant du contraire, Calmette fait son devoir, moins peut-être par amitié que pour acheter sa tranquillité. Le 5 juin 1906, *Le Figaro* publie en première page un « Instantané » anonyme, dû en fait à André Beaunier, qui trace un portrait assez fidèle de Proust : « Esprit subtil, inquiet, parce qu'il a le juste souci d'une pensée tout à fait choisie et des mots les meilleurs pour revêtir exactement ce fragile objet d'art qu'est une pensée excellente. Marcel Proust a le goût de la perfection ; cela ne rend pas la vie commode. » Cette dernière phrase a dû faire sourire Calmette, à moins qu'il ne l'ait suggérée au critique. Celui-ci, avec non moins de justesse, a discerné tout ce que Proust apporte au texte de Ruskin par ses notes si personnelles, ajoutant ainsi une belle œuvre française à une grande œuvre britannique.

Ravi de cet écho, Proust en remercie l'auteur, qui le remercie à son tour sous forme d'un second article, sur deux colonnes, en première page du *Figaro*, le 15 juin. Pour sa vérité psychologique, un des passages mérite d'en être cité : « M. Proust aime beaucoup Ruskin... Peut-être, au fond, l'aime-t-il un peu moins qu'il ne se le figure. En tout cas, il a des velléités d'indépendance. Après qu'il a suivi ce diable d'homme quelque temps, il se demande où il sera mené. Alors, il continue à traduire avec une soumission méritoire ; mais il indique son scrupule au bas de la page et ces notes, nombreuses, abondantes, variées, sont rédigées avec autant d'esprit que de science. Il s'agit de marquer nettement qu'on n'est pas tout à fait du même avis que l'auteur, et que l'auteur cependant n'a pas tout à fait tort, et qu'on n'a pas l'outrecuidance de le contredire absolument, mais qu'enfin... ! C'est, pour M. Marcel Proust, l'occasion de signaler mille rapprochements ingénieux, et de conter des anecdotes, et de badiner et de se révéler comme un essayiste charmant [2]. »

Bien entendu, ce second article comble Proust qui a dû en remercier Beaunier par une lettre encore plus éperdue de reconnaissance que la première, mais, toujours ingénieux à souffrir, même du bien qu'on lui fait, il déclare à Robert Dreyfus que cet article l'a rendu aussi heureux que malheureux.

1. Kolb, tome VI, p. 93.
2. *Ibidem*, p. 118.

Et il explique à Dreyfus que lorsqu'il conjurait Calmette de ne rien demander à Beaunier, il était sincère, ce qui est difficilement croyable, car, en ce cas, ne pas écrire à Calmette était encore le meilleur moyen de s'assurer le silence de Beaunier. Avec la même affectation de modestie violée, il confie à Dreyfus qu'il craint que Beaunier ne le prenne en grippe, ajoutant : « Je ne ferai plus paraître une ligne de moi... sans lui demander préalablement l'engagement écrit qu'il n'en parlera pas [1]. »

Sans paraître s'apercevoir de la contradiction, il se lamente en constatant que ni cet *Instantané* ni ce bel article n'ont suscité beaucoup de réactions, du moins parmi ceux qui auraient dû les remarquer. Aucun de ses amis, tous abonnés au *Figaro*, ne lui en ont parlé. Reynaldo Hahn, à qui est dédiée la première partie de *Sésame et les lys*, n'a retenu de sa lecture du *Figaro* ce jour-là que l'article d'un certain Varenne sur un fait divers. Louis d'Albuféra lui affirme que sa femme, qui lit attentivement *Le Figaro*, n'y a rien vu sur lui ; il est vrai que, lorsque Proust s'étonnera du silence de Louis d'Albuféra au moment de la parution de *Du côté de chez Swann*, qu'il lui avait envoyé avec une affectueuse dédicace, d'Albuféra lui répondra qu'il n'en a aucun souvenir, mais que s'il le lui a envoyé, il l'a certainement lu... A Lucien Daudet lui-même, article et *Instantané* ont également échappé. L'artiste est décidément un homme bien seul..., peut soupirer Proust qui, tout en assurant qu'il ne cherche pas à faire parler de sa traduction, surveille anxieusement les journaux et les revues pour voir s'ils la signalent. Ceux qui le font, et ils sont rares, ne le font pas malheureusement, la plupart du temps, comme il le souhaiterait.

A *La Gazette de France*, Jacques Bainville, le 2 juillet, donne une chronique intitulée « Sur la vulgarité », dans laquelle il reproche à Proust d'avoir, comme tous les traducteurs de l'esthète anglais, façonné un Ruskin à leur image. Deux jours plus tard, *Le Gaulois* signale également la traduction de *Sésame et les lys* dans un article que son auteur intitule « Un professeur de beauté », oubliant ou bien ignorant que Proust avait déjà pris ce titre pour son essai sur Robert de Montesquiou. Cet article étonne par sa banalité lorsqu'on sait que le chroniqueur, qui signe « Poivre et Sel », n'est autre que Léon Daudet, dont Proust pouvait attendre mieux, ou pire. Il en est conscient, puisqu'il confie à Lucien : « On sent qu'il l'a fait par bonté, non par goût, que Ruskin et moi le crispons et qu'il y allait

1. Kolb, tome VI, p. 131.

comme un chien qu'on fouette, ou plutôt qui se fouette lui-même. De sorte que les petites piqûres qui me paraissaient moins gentilles d'un inconnu, c'est ce qui me touche le plus de lui, la marque de sa bonté bougonne[1]. »

Un an plus tard, dans *La Revue idéaliste*, Jean Bonnerot rendra un hommage à la préface, sinon à la traduction, en célébrant la politesse ( ?) du style, voulant peut-être dire par là qu'il en admirait le poli, « le charme de ses souvenirs d'enfance parfumés de trèfle et d'armoise, la lenteur songeuse et pleine de détours de ses phrases... ». A l'instar d'André Beaunier, Jean Bonnerot comparera Proust à Montaigne et trouvera des points de rapprochement entre leurs méthodes de lecture.

Ces quelques articles sont les seuls lauriers, bien pâles ou bien secs, que lui vaut la publication de *Sésame et les lys* qui reste peu connu en dehors du cercle des amateurs impénitents de Ruskin. En ce début d'été 1906, l'attention de la presse et celle du public sont beaucoup plus orientées vers la conclusion de l'affaire Dreyfus que par les nouveautés littéraires ou même les disparitions d'écrivains célèbres, tel Albert Sorel, le grand historien de la Révolution française, ou Jean Lorrain, mort à Nice en Rastignac désenchanté, avouant sa défaite : « Tu m'as vaincu, Paris ! »

*

L'affaire Dreyfus connaît en effet un ultime rebondissement. Depuis 1889, le procès en révision du capitaine Dreyfus s'éternisait au point de finir par lasser jusqu'au principal intéressé qui ne demandait plus que la cassation, sans renvoi, du jugement de Rennes, renonçant au bénéfice de l'indemnité prévue pour les victimes d'erreurs judiciaires. Les dérobades successives de trois rapporteurs avaient encore ralenti la procédure et l'*affaire des fiches*[2] avait un moment détourné l'attention du public pour la fixer sur le général André, persécuteur des officiers catholiques.

Le 18 février 1906, Fallières avait remplacé Loubet à la présidence de la République et, au mois de mai, les élections

1. Kolb, tome VI, p. 145.
2. Lorsqu'il était ministre de la Guerre, de 1900 à la fin de 1904, le général André avait demandé des « fiches » sur tous les officiers pratiquant la religion catholique et, par là, soupçonnés d'être hostiles à la République. Ces fiches secrètes influaient sur leur avancement.

législatives avaient consacré le triomphe des libéraux et des socialistes unifiés, coalition qui avait profondément choqué Proust. Indigné des attaques dont l'Église était l'objet, comme des persécutions contre certains officiers, il voyait dans cette alliance une preuve de la bassesse des appétits politiques plutôt que la recherche des véritables intérêts du pays : « Tous vos amis socialistes unifiés sont nommés, écrivait-il à Reynaldo Hahn, et vous devez être aussi content que je suis fâché. Peu à peu, devant ces ignominies, l'âme du marquis de Dion surgit en moi. Pourtant je voterai pour vous si vous vous présentez comme un petit socialiste *hunifié.* Mais ne vous *hunifiez* pas. Mieux vaut être *loubéral*...[1]. »

Un des premiers soins du nouveau ministère est d'annoncer la réunion de la Cour de cassation, le 15 juin, pour examiner le demande en révision de la condamnation d'Alfred Dreyfus, décision que Proust juge inopportune, ainsi qu'il l'écrit le 18 juin à Mme Straus : « Quoique je trouve que Dreyfus est idiot et indiscret de poursuivre une réhabilitation que l'univers entier (l'univers dreyfusard, l'autre ne se convertira jamais) a contresignée, moi qui avais un peu oublié tout cela, je trouve qu'on est tout de même remué de relire ces choses et de penser que cela a pu se passer il y a quelques années en France, et pas chez les Apaches[2]. »

Après des journées houleuses, marquées par des interventions multiples et passionnées, la cour, le 12 juillet, casse le jugement de Rennes, sans renvoi devant une cour d'appel, reconnaît l'erreur judiciaire, donne acte au capitaine Dreyfus de sa renonciation au bénéfice de l'indemnité due aux victimes de pareilles erreurs et ordonne la publication de l'arrêt dans cinq journaux à son choix. Le lendemain, 13 juillet, la Chambre vote un projet de loi réintégrant le capitaine Dreyfus et le colonel Picquart dans les cadres de l'armée, avec le grade de chef d'escadron pour le premier, de général de brigade pour le second. Le 21 juillet, dans la cour de l'École militaire, où avait eu lieu sa dégradation, Dreyfus est fait chevalier de la Légion d'honneur.

Le vote de cette loi a provoqué des scènes orageuses, et même odieuses. Le général Mercier, qui reste convaincu de la culpabilité de Dreyfus, a voté contre le projet, s'attirant ainsi les injures de la gauche, auxquelles il dédaigne de répliquer.

---

1. Kolb, tome VI, p. 87.
2. *Ibidem*, p. 127.

Cette attitude envers un vieillard qui a le courage d'affirmer ses convictions révolte Proust, ému de voir dans l'arène une victime sucéder à une autre : « Tout de même, écrit-il le 16 juillet à Mme de Noailles, quand je pense que j'ai organisé la première liste de *L'Aurore* pour demander la révision et que tant d'hommes politiques, qui étaient alors des antidreyfusards forcenés, insultent à le faire mourir à la tribune ce vieillard de soixante-quinze ans qui avait eu le courage d'y monter, entouré d'une meute ennemie, et n'ayant rien à dire, sachant qu'il n'aurait aucun argument à donner, etc. Ce serait d'un comique inouï si le journal ne disait : *Le général Mercier très pâle, très pâle, le général Mercier encore plus pâle* ! C'est horrible à lire, car dans l'homme le plus méchant il y a un pauvre cheval innocent qui peine, un cœur, un foie, des artères où il n'y a point de malice et qui souffrent. Et l'heure des plus beaux triomphes est gâtée parce qu'il y a toujours quelqu'un qui souffre [1]. »

Il redit la même chose à Mme Straus dans son écœurement de voir aujourd'hui se déchaîner contre Mercier les loups qui naguère encore attaquaient Dreyfus, indifférents au fond à l'objet de leur haine pourvu qu'ils puissent haïr et récolter les applaudissements des imbéciles. Avec sa manière habituelle de préférer la souffrance au bonheur, son intérêt pour Dreyfus décroît maintenant que celui-ci, réhabilité, décoré, suffisamment fortuné pour n'avoir pas à compter sur sa solde, est redevenu un mortel comme les autres et cesse d'être le héros, bien décevant il est vrai, qu'il avait été. Proust se prend d'ailleurs à rêver sur cette destinée, qu'il oppose à la sienne, et regrette presque de n'avoir pas eu dans sa propre existence sa part de romanesque, même chèrement payée : « Hélas ! depuis ces dix ans, nous avons eu tous dans nos vies bien des chagrins, bien des tortures, écrit-il à Mme Straus le 21 juillet. Et pour aucun de nous ne va sonner une heure où nos chagrins seront changés en ivresse, nos déceptions en réalisations inespérées, et nos tortures en triomphes délicieux. Je serai de plus en plus malade, les êtres que j'ai perdus me manqueront de plus en plus, tout ce que j'avais pu rêver de la vie me sera de plus en plus inaccessible. Mais pour Dreyfus et pour Picquart, il n'en est pas ainsi. La vie a été pour eux *providentielle* à la façon des contes de fées et des romans-feuilletons. C'est que nos tristesses reposaient sur des vérités, des vérités physiologiques, des vérités humaines et sentimentales. Pour

1. Kolb, tome VI, p. 155.

eux, les peines reposaient sur des erreurs. Bienheureux ceux qui sont victimes d'erreurs judiciaires ou autres ! Ce sont les seuls humains pour qui il y ait des revanches et des réparations... [1]. »

Étrange aveu dans lequel il entre autant de désespoir à la pensée de la vie médiocre qu'il a menée jusqu'à présent que d'enfantine jalousie qui s'apparente aux sentiments exprimés dans *Jean Santeuil.*

*

En attendant ces triomphes impossibles, il faut tenter de vivre et Proust envisage plus prosaïquement de prendre des vacances, échafaudant divers projets dont la seule perspective l'excite autant que leur éventuelle réalisation l'effraie. La lecture des *Pierres de Venise* dans la traduction de sa cousine Peigné-Crémieux a réveillé ses nostalgies de cette ville à laquelle l'attachent tant de souvenirs, notamment celui de sa mère, mais c'est justement l'image de celle-ci qui se dresse au seuil de ce paradis perdu pour lui en interdire l'accès : « Venise est trop pour moi un cimetière de bonheur pour que je me sente encore la force d'y retourner, avouait-il à Mme Catusse au début du mois de mai. Je le désire beaucoup, mais quand j'y pense avec la netteté d'un projet, trop d'angoisses suscitées s'opposent à sa réalisation prochaine [2]. »

Épouvanté à la pensée d'un aussi long voyage en chemin de fer, il juge la Normandie située à une distance mieux proportionnée à ses forces et passe en revue les possibilités qu'elle lui offre : partager avec les d'Albuféra une propriété près de Cabourg ou bien louer le chalet d'Harcourt à Trouville, mais celui-ci se trouve dans un endroit bien isolé. Il pourrait aussi fréter un yacht, mais c'est dangereux, ou encore prendre deux chambres à l'hôtel des Roches-Noires à Trouville, mais les cloisons de ces hôtels sont trop minces et les cheminées sans doute inutilisables. A défaut de la Normandie qui, réflexion faite, lui paraît d'un climat trop humide, il pourrait aller comme d'habitude à Évian au mois de septembre, quitte à y retrouver le douloureux souvenir de sa mère.

On ignore ce que Mme Catusse, confidente de ces plans et des objections que lui-même y apporte, a pu lui répondre,

1. Kolb, tome VI, p. 159.
2. *Ibidem,* p. 75.

mais, une semaine plus tard, il l'entretient de nouveau du projet de louer une propriété à Trouville, estimant cette fois que le chalet d'Harcourt lui conviendrait « si on ne court pas le risque ni d'y être assassiné, ni d'être emporté par le vent, s'il n'y a pas de risques d'éboulements » et si cela ne lui coûte pas plus de 1 000 à 1 500 francs par mois[1]. Une troisième lettre, à Mme Straus cette fois, donne certaines précisions sur ses *desiderata*, puis elle est suivie d'une quatrième dans laquelle il énumère diverses propriétés à louer avec leurs avantages et leurs inconvénients sans parvenir à fixer son choix sur un type de maison, de terrain, d'environnement et d'aménagements intérieurs. On se demande comment Jacques Bizet, chargé de trouver la maison idéale, et à qui sa mère envoie les lettres de Proust ou les lui résume, peut savoir exactement ce qu'il doit faire. Sans doute Mme Straus est-elle excédée de ces perpétuelles tergiversations et le laisse-t-elle paraître, car Proust lui écrit le 3 août : « C'est moi qui vous ai fatiguée comme cela ! Fatiguée de mes interminables lettres, de mon indiscrète obstination. Mais dans cet acharnement, vous sentez, n'est-ce pas, cette volonté de triompher enfin des obstacles qui à Trouville aussi bien qu'à Paris nous séparent, m'empêchent d'être auprès de vous[2]. »

Pendant cet échange de lettres, le temps a passé ; il est désormais impossible, en ce début du mois d'août, de trouver une villa disponible, surtout telle que Proust la souhaite. Il le comprend d'ailleurs, fatigué, autant que Mme Straus, par ces projets, par toutes les démarches qu'il chargeait Jacques Bizet de faire à sa place. Il renonce donc à Trouville et se rabat sur Versailles où il prend, à l'hôtel des Réservoirs, un appartement qui va lui coûter plus cher, calcule-t-il aussitôt, qu'une villa sur la côte normande. Malgré son prix élevé, l'appartement, au rez-de-chaussée, semble à l'entendre un lieu sinistre, sombre et glacé : « C'est un appartement genre historique, écrit-il à Mme Straus, de ces endroits où le guide vous dit que c'est là que Charles IX est mort, où on jette un regard furtif, en se dépêchant d'en sortir et de retouver dehors la lumière, la chaleur et le bon présent. Mais quand il faut non seulement ne pas ressortir, mais accomplir cette suprême acceptation, s'y coucher ! C'est à mourir. Je ne sais comment cela a pu être orienté pour que jamais le soleil n'y pénètre, à aucune heure.

1. Environ 17 000 et 23 000 francs de 1990.
2. Kolb, tome VI, p. 175.

J'ai demandé si les cheminées ne fumaient pas et on m'a affirmé que non, ce qui est jésuitiquement vrai ; en effet, quand on allume du feu, la cheminée où on l'allume ne fume pas, mais à la même seconde toutes les autres se mettent à fumer avec une telle violence que l'appartement n'est plus qu'un nuage [1]. »

Bien entendu, à peine arrivé dans ce musée, il est si malade qu'il doit se mettre au lit et n'en plus bouger, si malade, affirme-t-il à Reynaldo Hahn qu'il peut à peine écrire, ce qui ne l'empêche pas d'adresser à Reynaldo Hahn et à d'autres d'interminables lettres dans lesquelles il joint à l'art de gémir celui de se moquer avec humour de ses gémissements. Alors qu'il se dit mourant, c'est son oncle Georges Weil qui meurt, le 23 août, à son domicile, 22, place Malesherbes. La veille, en apprenant que son oncle était au plus mal, Proust était parti précipitamment pour Paris avec seulement un épais manteau passé sur sa chemise de nuit, ce qui avait beaucoup étonné les voyageurs. Après avoir vu son oncle, qui ne l'avait pas reconnu, il avait voulu regagner Vesailles, mais il s'était trouvé mal dans le hall de la gare Saint-Lazare où il était resté deux heures, haletant, réconforté peu à peu par des doses massives de caféine et l'assistance d'un charitable inconnu. Plus tard, pour remercier celui-ci, il recherchera sa trace avec tant d'obstination qu'on peut conjecturer que ce bon Samaritain anonyme avait non seulement un bon cœur, mais un beau visage.

Il est trop épuisé par cette sortie inopinée pour assister le 26 août à l'inhumation de son oncle au Père-Lachaise. Il laisse donc à son frère le soin de conduire le deuil avec leur oncle Oulmann, se contentant de recevoir les condoléances de ses amis et d'y répondre, longuement.

Malgré tous les inconvénients qu'il trouve à ce lugubre asile de l'hôtel des Réservoirs, il va finalement y rester jusqu'à la fin de l'année, se résignant à son inconfort, qui a du moins l'avantage de lui fournir un motif de se plaindre. Il atténue la tristesse de sa solitude en recevant les visites d'amis fidèles qui viennent à tour de rôle jouer les chambellans de cette altesse des ténèbres. Pour les bien traiter, il renonce à les faire dîner avec lui dans sa chambre, où les plats arrivent tièdes ou froids, et les envoie dans la salle à manger où le maître d'hôtel a pour instructions de leur servir les mets les plus coûteux, au

1. Kolb, tome VI, p. 179.

grand déplaisir de certains visiteurs qui, soit par discrétion, soit par goût, préféreraient plus de simplicité. Mme Catusse, Robert de Billy, Reynaldo Hahn, René Peter, Louisa de Mornand, Louis d'Albuféra, Frédéric de Madrazo défilent à son chevet, lui apportant les nouvelles de Paris, ses potins et ses scandales.

En cet automne de 1906, les deux grandes affaires qui passionnent la société sont le divorce de Boni de Castellane et le mariage d'André Germain. Répudié par sa femme, Anna Gould, qui se vengera de toutes ses infidélités en lui faisant l'injure d'épouser son cousin, le prince de Sagan, Boni de Castellane a gardé l'estime du faubourg Saint-Germain, qui voit une victime en ce bourreau des cœurs. Les péripéties de sa séparation, illustrées par ses mots cinglants, son empoignade avec Sagan sur le parvis de Sainte-Clotilde et sa ruine sont trop connues pour entrer dans le détail. En revanche, la société n'a pas su grand-chose des tractations qui ont amené le mariage d'André Germain, le richissime héritier du Crédit Lyonnais avec Edmée Daudet, sœur de l'orageux Léon et du délicat Lucien.

Né dans la vieillesse de son père, André Germain, plus proche de Proust que de Boni de Castellane, est un enfant trop sage, avec cette innocence des gens riches que leur fortune a longtemps préservés des réalités de l'existence. Son allure est déconcertante, sa culture déjà prodigieuse, son ambition fort éloignée de celle que sa famille nourrit pour lui. Écrasé par une mère fantasque et dominatrice, il a vécu jusqu'alors dans le rêve d'échapper à son joug, rêve peuplé d'anges androgynes dont, toute sa vie, il ne cessera de rechercher les incarnations. Chargé par Mme Germain de patronner dans le monde des lettres ce fils tard venu dont elle dit elle-même avec mépris « qu'il avait été fait avec si peu de chose », Ferdinand Bac a laissé de ce Télémaque ambigu un portrait digne de ceux qu'André Germain fera plus tard de quelques-uns de ses contemporains : « Jeune homme au visage de vieillard débile, des yeux méfiants et pénétrants, un teint de jeune fille chlorotique... [il avait] une voix lente et nasillarde, précieuse et obligeante, avec des ricanements acerbes et des traîtrises rentrées. Il vous donnait la main comme à regret, avec un geste de recul. Il fallait la rattraper à l'arrière-plan, ou alors y renoncer en disant : *Donnez-la à vos pauvres*... car il avait des pauvres. C'étaient généralement des poètes faméliques, des artistes incompris en rupture de toit paternel. Il les ramassait dans la bohème équivoque des lettres, dans ce monde incertain et mouvant où vivent tous les vices et toutes les ingratitudes. Il jouait alors au bienfaiteur, au Mécène, à l'ami de l'Antiquité. Il se laissait encenser, flagorner... [1]. »

Lorsqu'il séjourne auprès de sa mère à la villa Orangini, sur les hauteurs de Nice, il profite de l'exotisme ambiant pour se produire en public dans des accoutrements qui montrent son affranchissement des conventions bourgeoises. Avec une lévite de drap clair à grands carreaux verts, un chapeau à larges bords et un face-à-main de dame en or, il a l'air d'un clergyman qui a mal tourné ou, plus précisément, d'une caricature d'André Gide par Arthur Rackham. « C'est une femme déguisée, disent les uns ; c'est un fou, assurent les autres », propos peu plaisants à recueillir lorsqu'on est chargé de veiller à ce que ce précieux héritier ne tombe pas dans les filets de quelque aventurière ou, pire, de quelque aventurier.

Aussi rien n'étonne davantage la société que la nouvelle du mariage de ce phénomène de culture et d'argent avec Edmée Daudet qui n'a reçu en partage ni le goût des lettres ni celui des autres arts, bien qu'elle s'échine au piano, sans cacher que Mozart *l'embête* et lui préférant de beaucoup des rengaines populaires d'une vulgarité à faire défaillir l'esthète délicat qu'est son futur époux. On s'interroge en vain sur ce qui a pu rapprocher, au point qu'ils acceptent de s'épouser, deux êtres aussi peu faits l'un pour l'autre. Certes, les millions du Crédit Lyonnais parent l'époux, si peu viril, de toutes les séductions ; le prestige du nom de Daudet peut ouvrir à André Germain les portes de ce monde littéraire où il ambitionne de briller, mais la vérité se trouve sans doute dans des faits mal connus du public, dans une sorte de complot matrimonial dont Mme Alphonse Daudet a été l'instigatrice, Lucien l'appât et Léon la force d'exécution. Pour le moment, tout le monde est satisfait, mais cette félicité sera brève et bientôt André Germain s'échappera de l'emprise des Daudet, laissant ses bijoux comme prix de sa liberté recouvrée, justifiant ainsi la remarque apitoyée de Barrès qui lui dira un jour : « Vous avez l'air d'un jeune prince florentin qu'on aurait assassiné pour avoir son héritage... »

Tandis que ce ténébreux roman trouve sa conclusion provisoire à Sainte-Clotilde, le 10 octobre 1906, Proust, que toute beauté intrigue et fascine, est séduit par celle d'une jeune

1. F. Bac, *Souvenirs inédits*, livre III.

Américaine qui séjourne également à l'hôtel des Réservoirs. Miss Gladys Deacon est de ces jeunes filles dont Edith Wharton et Henry James font leurs héroïnes, mais celle-ci les surpasse autant par sa beauté, sa grâce et son esprit que par la rumeur de scandale attachée à son nom. En 1892, son père avait assassiné à Cannes un diplomate français, Emile Abeille, qui passait dans le monde, à juste titre, pour être l'amant de sa femme. Cette affaire n'avait pas nui aux succès mondains de ses trois filles, que se disputaient la société de Londres, comme celle de Paris, Rome ou New York, mais des trois, Gladys est incontestablement la plus accomplie, enchantant et subjuguant tour à tour Henry James, Robert de Montesquiou, Gabriele D'Annunzio, Rodin, Berenson et même le sauvage Hermann von Kayserling, sans parler de femmes dont certaines, comme Virginia Woolf, s'éprennent d'elle à sa seule vue. Sa conversation est aussi frappante que sa beauté grecque, qui ravira Giraudoux : « Quand elle parle, c'est comme si du verre éclatait autour d'elle... », dit une de ses amies, et la marquise de Clermont-Tonnerre, elle-même si cultivée, lui reconnaît un esprit d'une rare qualité, profond sans pédanterie, vif sans frivolité.

Malgré le désir qu'il en a, Proust ne se sent pas assez valide, et peut-être pas assez présentable, pour affronter une semblable merveille. Un soir, néanmoins, il tente une visite, mais Miss Deacon est absente. Il doit se contenter de bavarder avec sa mère, elle-même beauté célèbre et atteinte de cette folie des grandeurs qui frappe nombre d'Américaines depuis que des ducs anglais ou français sont à vendre sur le marché matrimonial. Gladys Deacon, qui avait regretté d'avoir manqué le duc de Marlborough, alors marié à Consuelo Vanderbilt, finira par épouser celui-ci après son divorce.

Est-ce le souvenir du drame qui a coûté la vie à M. Abeille ou simplement la présence assidue de l'auteur dramatique René Peter qui inspire à Proust l'idée d'écrire en collaboration avec lui une pièce dont il esquisse les grandes lignes dans une lettre à Reynaldo Hahn, tout en recommandant à celui-ci le secret : « Un ménage s'adore, affection immense, sainte, pure (bien entendu, pas chaste) du mari pour sa femme. Mais cet homme est sadique et en dehors de l'amour pour sa femme a des liaisons avec des putains où il trouve plaisir à salir ses bons sentiments. Et finalement le sadique ayant toujours besoin de plus fort il en arrive à salir sa femme en parlant à ces putains, à s'en faire dire du mal et à en dire (il est écœuré cinq minutes après). Pendant qu'il parle ainsi une fois, sa femme entre dans la pièce sans qu'il l'entende, elle ne peut en croire ses oreilles et ses yeux, tombe. Puis elle quitte son mari. Il la supplie, rien n'y fait. Les putains veulent revenir, mais le sadisme lui serait trop douloureux maintenant, et après une dernière tentative pour reconquérir sa femme qui ne lui répond même pas, il se tue [1]. » Cette pièce ne sera jamais écrite, mais son projet annonce un des thèmes majeurs d'*A la recherche du temps perdu*, ce besoin de faire souffrir ceux que l'on aime afin de pouvoir, en retour, souffrir par eux.

A défaut de cette pièce, impossible d'ailleurs à faire accepter par un directeur de théâtre comme par un public, même très *parisien*, Proust travaille, encore qu'il prétende le contraire : « Travaillez-vous ? Moi, plus... déclare-t-il le 7 décembre à Marie Nordlinger. J'ai clos à jamais l'ère des traductions. Et quant aux traductions de moi-même, je n'en ai plus le courage... [2]. » Qu'il ébauche son *Contre Sainte-Beuve*, ou du moins écrive des textes qu'il intégrera dans cet essai, ou qu'il prenne des notes pour ce qui deviendra *Du côté de chez Swann*, il continue d'écrire, mais le plus clair de son temps est employé à une vaste correspondance utilitaire qui, rétrospectivement, prend valeur littéraire. Cette correspondance représente aussi un autre aspect de son personnage, et qui l'apparente à Balzac, c'est son génie impratique des affaires, tout en croyant y exceller.

*

Au problème de la succession de sa mère s'était ajouté celui de la succession du docteur Proust qui restait en suspens tant que vivait encore sa veuve. Rien n'était plus simple à régler puisqu'il n'y avait qu'à partager l'ensemble des biens entre son frère et lui, mais la seule pensée de ce partage avait jeté Proust dans un abîme de perplexité, voire d'effroi. Il s'imaginait déjà ruiné, on ne sait pourquoi, et commençait à se plaindre des sacrifices qu'il serait obligé de faire en faveur de son frère, alors que celui-ci, non seulement ne lui demandait rien, mais se montrait fort accommodant. Qu'importe ! Avoir un nouveau motif d'inquiétude était une sensation si agréable que Proust n'entendait pas s'en priver, entrevoyant déjà des querelles qui

1. Kolb, tome VI, p. 216.
2. *Ibidem*, p. 308.

n'auront jamais lieu, des injustices dont il serait victime ou des pertes qu'il essuierait pour avoir fait un mauvais choix. Un mois seulement après la disparition de Mme Proust, il écrivait au directeur des *Arts et la vie*, Gabriel Mourey : « Je sais que la grande réduction de mes ressources, la fortune de Maman qui n'était employée que pour moi (elle ne dépensait rien pour elle et vivait seule avec moi) se trouvant maintenant divisée, je n'aurai même plus la moitié de ce que j'avais, et puis Maman était une organisatrice admirable de la vie pratique, et moi je ne sais rien de la vie, je suis un panier percé. La première conséquence, ce qui est un vrai déchirement pour moi par les souvenirs de chaque heure passée avec Maman, c'est que je suis obligé de quitter cet appartement, si doux pour moi, pour en prendre un quatre fois moins cher... [1]. »

Certes, l'appartement du 45, rue de Courcelles est trop grand pour lui et comme le bail expire le 30 septembre 1906, il est sage de l'abandonner pour s'installer dans un appartement plus petit, mais il n'est pas à la rue, comme il semble le croire, et trouver quelque chose à louer dans le même quartier ne constitue pas une entreprise au-delà des forces humaines. Elle est pourtant au-dessus des siennes ; aussi confie-t-il le soin de prospecter les environs à quelques amis dévoués qu'il accable de recommandations pressantes autant que contradictoires. René Peter, Georges de Lauris, Albert Henraux courent ainsi les agences ou cherchent du regard toutes les pancartes indiquant « Appartement à louer ». Lauris, à lui seul, va reconnaître les immeubles des 14, 32, 17 et 3 de la rue Washington, du 12, rue de Chateaubriand, des 7 et 22, rue d'Artois. Il doit non seulement adresser à Proust un rapport détaillé sur l'appartement et ses avantages, sans rien dissimuler de ses inconvénients, mais le renseigner sur ses autres locataires, leurs habitudes, le bruit que peuvent faire leurs enfants, la présence ou non chez eux d'un piano, l'existence ou non d'un ascenseur, d'un jardin. René Peter, lui, explore la rue de Prony et la rue Lapérouse. A plusieurs reprises, Proust arrête un appartement, s'engage, hésite, recule et finit par rompre les négociations au moment de signer. Il y a de quoi lasser la patience d'un saint, et même de Dieu.

Enfin, désespérant de rien trouver qui corresponde à ses désirs, ou plutôt à ses phobies, il se décide pour un appartement au 102, boulevard Haussmann, dans un immeuble qui apparte-

1. Kolb, tome V, p. 365.

nait à son grand-oncle Weil et dont sa mère avait hérité de la moitié, ce qui le rend donc propriétaire du quart. Malheureusement, l'appartement qu'il loue appartient à sa tante, Mme Georges Weil, ce qui gâtera plus tard leurs rapports. « Finalement, je n'ai pas pu me décider à aller vivre dans une maison que Maman n'aurait pas connue, écrit-il le 9 octobre à Mme Straus, et pour cette année j'ai sous-loué un appartement dans notre maison du boulevard Haussmann où je suis souvent venu dîner avec Maman, où nous avons vu mourir ensemble mon vieil oncle dans la chambre que j'occuperai. Par exemple, j'aurai tout ! La poussière affreuse, les arbres sous ma fenêtre, contre elle, le bruit du boulevard, entre le Printemps et Saint-Augustin. Si je ne peux pas rester, je partirai. Et l'appartement est trop cher pour que j'y puisse rester toujours. Mais cette année, l'ayant sous-loué à une locataire qui le payait sans l'habiter, je l'ai eu pour peu de chose, relativement[1]. »

Une fois prise, à contrecœur, cette décision qu'il ne cessera de regretter, il lui faut s'occuper de son déménagement. De Versailles, où il gît dans la pénombre de son triste rez-de-chaussée, il charge son frère et l'infatigable Mme Catusse de toute l'opération, corvée à laquelle il ajoute encore par l'excès de ses recommandations et ses incertitudes. Il craint que sa part de mobilier soit trop grande pour la capacité de son nouveau domicile, mais auparavant que de tracas pour déterminer cette part ! Connaissant le caractère de son frère, Robert fait preuve d'une patience égale à son désintéressement, mais, quoi qu'il fasse, Proust, le soupçonnant d'être influencé par sa femme, se révèle extrêmement méfiant. Déjà, au début de novembre, dans un post-scriptum à une de ses lettres, il recommandait à Mme Catusse une grande prudence à l'égard de son frère et de sa belle-sœur : « Si vous *causez* avec Robert et ma tante, ne leur vantez pas trop l'appartement du boulevard Haussmann, car ils sont mes propriétaires et si j'y restais, je voudrais qu'ils me fissent de notables réductions… Si Robert vous offrait pour l'arrangement la collaboration de ma belle-sœur — mais il ne le fera pas ! — refusez-la[2]. »

Comme pour le partage du mobilier, Robert a déclaré s'en remettre entièrement à lui, le laissant choisir en premier tout ce qui lui plaira, ne désirant lui-même que quelques tapisseries et quelques tapis, Proust se persuade aussitôt que ces tapisseries et

---

1. Kolb, tome VI, p. 230.
2. *Ibidem,* p. 273.

ces tapis sont les plus précieux souvenirs de leurs parents dont Robert entend ainsi le dépouiller. Aussi annonce-t-il son intention de les prendre pour lui. Ensuite, comme Robert lui abandonne la plus grande partie des meubles, qui ne correspondent pas au goût de sa femme, Proust estime que c'est lui imposer une charge coûteuse, car sans cela il aurait pu louer un appartement moins grand. Il se voit donc obligé, se plaint-il à Mme Catusse, de conserver tout le salon, y compris le piano à queue, par la faute de son frère qui n'a voulu prendre aucun meuble et le force à les garder tous, ne pouvant se résoudre à les vendre. Il lui recommande donc, puisqu'elle a été promue au rang de *factotum*, de ne meubler son nouvel appartement « qu'avec des choses exquises » et de mettre tout le reste au garde-meubles, notamment les bronzes d'art. « Je ne compte pas garder chez moi tous les bronzes, précise-t-il, mais il vaut mieux les garder provisoirement, car lorsque Robert, que j'adjure chaque mois, depuis la mort de Maman, d'y penser, voudra se décider à donner des souvenirs, quelques-uns pourront servir pour les personnes dont l'esthétique n'est pas à la hauteur du cœur, Mme Tirman, par exemple[1]. »

Pensant aux reproches que Robert, poussé par Marthe, pourrait lui faire à propos des bronzes envoyés au garde-meubles, il écrit : « Pour les présents aux serviteurs, il vaut peut-être mieux, dans ces conditions, attendre que j'aie revu Robert pour qu'on ne m'accuse pas d'avoir fait disparaître une partie du mobilier[2]. » La confiance est donc loin de régner entre les deux frères que l'on prétendra plus tard si tendrement unis, mais les torts sont du côté de l'aîné qui semble éprouver quelques remords lorsqu'il avoue à la même époque à Mme Catusse : « Et d'ailleurs Robert n'épouse nullement les inégalités d'humeur de Marthe, très gentille malgré cela, qui tient surtout à sa santé. Il est vrai que ma vieille Félicité[3] prétend que, sans m'en apercevoir, je suis désagréable au dernier degré[4]. »

Accablée d'instructions quasi quotidiennes, la pauvre Mme Catusse ne sait où donner de la tête. En femme de bon sens, elle lui fait observer qu'en voulant garder, à côté de « choses exquises », d'autres qui ne le sont pas, mais constituent autant de souvenirs, son appartement ressemblera lui-même à un

1. Kolb, tome VI, p. 278.
2. *Ibidem*, p. 292.
3. Félicité Fitau, un des modèles de Françoise.
4. Kolb, tome VI, p. 303.

garde-meubles. Proust lui donne raison, d'autant plus que cette accumulation de meubles sera source de poussière et que celle-ci lui est fatale, mais, avec sa désarmante absence de logique, il conclut : « Un appartement qui serait un hôpital serait l'idéal. Puisqu'il n'est pas accessible, je veux du moins avoir le moins de meubles possible, tout en ayant beaucoup [1]. »

En plus des interminables discussions avec Robert pour l'attribution des tapisseries ou le partage de certains meubles, d'autres difficultés surgissent. Son frère et sa tante ont eu la fâcheuse idée de louer à un médecin l'entresol situé au-dessous de son appartement. Cela ne lui paraît pas conforme au règlement de copropriété interdisant toute occupation professionnelle des lieux, mais le pire est que le nouveau locataire, le docteur Gagey, va certainement faire faire des travaux avant d'emménager. Dieu seul sait combien de temps ceux-ci dureront, quel bruit et quelle poussière ils feront ! Il faudra, déclara-t-il impérativement à Mme Catusse, les interrompre dès son arrivée boulevard Haussmann.

Lorsque à la fin de l'année 1906 il quitte brusquement l'hôtel des Réservoirs, où il a passé quatre mois cloîtré dans sa chambre comme s'il les avait passés, suivant sa propre expression, dans une cabine téléphonique, il trouve un appartement dont l'installation n'est pas achevée. Les fameux tapis ne s'y trouvent pas encore. Le reproche qu'il faisait à Robert de l'avoir contraint à prendre un appartement trop grand pour lui paraît bien peu fondé, car on voit mal comment il pourrait se contenter d'un logement plus petit. Il ne dispose que de cinq pièces : une grande chambre à coucher et un salon, donnant sur le boulevard, au niveau des marronniers, une petite chambre, une salle à manger et une antichambre donnant sur une cour intérieure. Pour un homme de sa position sociale, c'est un appartement tout à fait courant, sans luxe aucun, et l'on peut douter que ses amis s'émerveillent de l'avoir vu choisir, comme il l'écrit avec une naïve complaisance, « le bel appartement d'un Nucingen beaucoup moins riche et beaucoup plus tardif ». Les mêmes amis pourraient en revanche s'étonner qu'après l'avoir entendu répéter sur tous les tons qu'il cherchait le calme, l'absence d'arbres, de poussière et de bruit, donc un étage élevé dans une artère peu fréquentée, il ait porté son choix sur un premier étage, boulevard Haussmann, quartier d'intense circulation, avec au printemps la certitude d'avoir

1. Kolb, tome VI, p. 317.

des crises de rhume des foins provoquées par les fleurs des marronniers. Comme il l'a dit à Mme Catusse, le fait que sa mère a connu cette maison, qu'il y est venu jadis avec elle voir son oncle Weil a emporté sa décision et il sacrifie son confort au souvenir de Mme Proust qui flotte encore entre ces murs que bientôt, pour étouffer les bruits divers de l'immeuble, il fera recouvrir de plaques de liège.

A peine a-t-il pris possession des lieux, épuisé par le voyage de Versailles à Paris, qu'il ne peut dormir d'un sommeil réparateur car les ouvriers qui travaillent en dessous, chez le docteur Gagey, font un tapage infernal. Une ambassade est envoyée auprès du médecin pour le convaincre de modérer le zèle de ses entrepreneurs et même essayer de lui faire abandonner ses travaux. Après plusieurs démarches et d'âpres discussions, le docteur Gagey, sans doute par égard pour l'ombre du docteur Proust, accepte que ses ouvriers ne travaillent qu'en fin d'après-midi, quand Proust se réveille enfin.

Hélas ! un autre ennemi surgit le mois suivant, bien plus redoutable : il s'agit d'une certaine Mme Katz qui a entrepris de grands travaux dans l'immeuble du 98 bis, boulevard Haussmann. Les ouvriers, écrit-il avec un humour rageur à Mme Straus, « arrivent le matin à sept heures, tiennent à manifester immédiatement leur bonne humeur matinale en tapant des coups terribles et en grattant avec des scies derrière [son] lit, puis flânent, toutes les demi-heures à peu près retapant quelques coups terribles de façon à ce qu'[il] ne puisse pas se rendormir, puis dès qu'il arrive midi, s'éloignent un peu, tapant plus loin, et, à partir de deux heures, il n'y a plus aucun bruit[1]. » Comme M. Straus connaît le fils de cette dame éprouvante, sourde à ses objurgations, lui serait-il possible, demande-t-il à Geneviève Straus, d'intervenir « avec énergie et tact » auprès de lui pour ramener sa mère à la raison ? Le mieux serait que les ouvriers n'arrivent qu'à deux heures de l'après-midi et travaillent jusqu'au soir. Si certains jours ils doivent malgré tout venir le matin, Mme Katz pourrait-elle le prévenir pour qu'il ne prenne pas alors, comme il le fait chaque matin à six heures, son gramme et demi de trional ? Rien n'est plus affreux que d'être arraché, par des coups qui semblent frappés contre son lit, au sommeil artificiel dans lequel il vient de sombrer. Et ce ne sont encore que des

1. Kolb, tome VII, p. 101.

travaux dans l'immeuble ! Qu'en sera-t-il lorsque Mme Katz emménagera ? « Elle aura pour des mois d'installation à faire clouer des choses qu'elle croira belles ou luxueuses et qui me conduiront au tombeau ! » soupire-t-il.

Chargé d'une démarche similaire, Louis d'Albuféra s'en acquitte avec énergie, mais sans tact, en adressant à Mme Katz une dépêche qu'un postier zélé lui apporte à une heure du matin ! Finalement, Mme Straus invite M. Katz à déjeuner pour négocier avec lui un aménagement de l'horaire des travaux, mais il semble que cette démarche n'ait pas plus de succès que celle de Louis d'Albuféra car, tout en la remerciant de son intervention, Proust en déplore l'inefficacité : « Sa vache de mère, hélas ! n'a pas cessé de construire... je ne sais quoi ! Car depuis tant de mois douze ouvriers par jour tapant avec cette frénésie ont dû édifier quelque chose d'aussi majestueux que la pyramide de Chéops que les gens qui sortent doivent apercevoir avec étonnement entre le Printemps et Saint-Augustin. Moi, je ne la vois pas, mais je l'entends[1]. »

*

C'est au milieu de ce fracas quotidien que lui est assené un coup, moral celui-là, qui provoque en lui une étrange réaction psychologique dont l'écho se retrouvera dans son œuvre.

Au mois de mai 1906 était mort un ami de son père, M. Van Blarenberghe, président du conseil de la Compagnie des chemins de fer de l'Est. Au nom de ses parents disparus et au sien, il avait adressé à son fils, Henri Van Blarenberghe, une de ces lettres de condoléances dans lesquelles, renversant les rôles, il force presque le destinataire à oublier sa propre peine pour lui envoyer à son tour des marques de sympathie et de réconfort. Henri Van Blarenberghe s'était montré sensible à sa lettre et lui avait offert d'aller le voir, dès son retour à Paris, pour évoquer ensemble des souvenirs du passé. Bien que les deux jeunes hommes fussent tout juste en relations épisodiques de dîners en ville où il leur arrivait de se retrouver, Van Blarenberghe avait terminé sa réponse en écrivant : « Très affectueusement à vous. »

Est-ce cet élan du cœur qui touche celui de Proust au point de lui faire voir Van Blarenberghe sous un autre jour ? Est-ce la manière dont, en quelques lignes, celui-ci lui disait que son

1. Kolb, tome VII, p. 131.

père représentait tout l'intérêt de sa vie, comme Mme Proust l'avait été de la sienne ? Proust, comme il l'écrira, *retouche* le souvenir qu'il avait gardé de ce jeune homme et, soudain, le situe très haut dans son estime. Ne perdant jamais de vue ses intérêts, même au milieu des plus grandes effusions, il avait profité de cette correspondance pour demander à Van Blarenberghe s'il lui était possible de retrouver le nom du mystérieux employé qui l'avait secouru lorsque revenant à Versailles, au mois d'août 1906, il avait eu un malaise à la gare Saint-Lazare. Il avait oublié que les chemins de fer de l'Est étaient une compagnie distincte de ceux de l'Ouest, dont dépend la gare Saint-Lazare, et il n'était pas surprenant que Van Blarenberghe n'eût rien trouvé sur les listes du personnel de cette compagnie. En lui rendant cette réponse négative, le 12 janvier 1907, Henri Van Blarenberghe ajoutait : « Je ne sais ce que me réserve l'année 1907, mais souhaitons qu'elle nous apporte l'un à l'autre quelque amélioration et que, dans quelques mois, nous puissions nous voir. »

Réexpédiée de l'hôtel des Réservoirs, cette lettre lui était parvenue le 17 janvier. Or, le 25, en parcourant *Le Figaro*, Proust a son attention attirée par un titre « *Drame de la famille* ». Il commence à lire l'article et demeure frappé de stupeur en découvrant qu'il s'agit de l'assassinat de Mme Van Blarenberghe par son fils, dans des conditions si mystérieuses que seule la folie du meurtrier peut expliquer cet acte.

Henri Van Blarenberghe habitait avec sa mère un hôtel particulier, 48, rue de la Bienfaisance, et rien n'indiquait qu'il pût exister entre eux quelque motif de mésentente. Aussi, le 24 janvier, les domestiques n'en avaient pas cru leurs yeux en voyant Mme Van Blarenberghe, ruisselante de sang, descendre le grand escalier en répétant : « Henri ! Henri ! Qu'as-tu fait, qu'as-tu fait de moi ? » puis, après avoir tournoyé sur elle-même, s'abattre, morte, au pied des marches. Eperdus d'horreur, ne sachant où était leur maître, ils avaient appelé la police. Henri Van Blarenberghe s'était enfermé dans sa chambre, dont les policiers avaient dû enfoncer la porte. A leur entrée, il s'était tiré une balle de revolver dans la bouche, mais le coup avait été dévié, emportant une partie du visage. L'inspecteur de police avait essayé de l'interroger, mais Henri Van Blarenberghe, tout en le regardant fixement de l'œil qui lui restait, avait expiré en quelques minutes.

Bouleversé par ce drame, digne par son horreur de la tragédie grecque, Proust propose aussitôt à Gaston Calmette d'écrire pour *Le Figaro* un article sur ce fait divers qui aurait été banal s'il n'avait mis en cause des personnes de la haute société où l'on ne pratique guère l'assassinat que pour tuer l'amant de sa femme. En quelques heures, il compose un étrange article, qu'il intitule « Les sentiments filiaux d'un parricide » et le fait porter par son valet de chambre, Robert Ulrich, à la rédaction du journal.

Etrange est bien le qualificatif qui convient à ce texte où le lecteur trouve de tout, depuis des réminiscences personnelles, des apitoiements sur soi-même, des considérations générales sur le train dont va le monde jusqu'à des références à la mythologie et à la tragédie antique, en passant par Œdipe et Jocaste, *Les Frères Karamazov* et le roi Lear. Pour l'abonné du *Figaro* qui pourrait s'étonner de voir Henri Van Blarenberghe comparé à Œdipe ou Ajax, Proust explique son dessein : « J'ai voulu montrer dans quelle pure, dans quelle religieuse atmosphère de beauté morale eut lieu cette explosion de folie et de sang qui l'éclabousse sans parvenir à le souiller. J'ai voulu aérer la chambre du crime d'un souffle qui vînt du ciel, montrer que ce fait divers était exactement un de ces drames grecs dont la représentation était presque une cérémonie religieuse, et que le pauvre parricide n'était pas une brute criminelle, un être en dehors de l'humanité, mais un noble exemplaire d'humanité, un homme d'esprit éclairé, un fils tendre et pieux, que la plus inéluctable fatalité — disons, pathologique, pour parler comme tout le monde — a jeté, le plus malheureux des mortels, dans un crime et une expiation dignes de demeurer illustres [1]. »

Bien entendu, cette célébration lyrique du parricide révolte la plupart des lecteurs, consterne les amis de la famille Van Blarenberghe et ne suscite d'éloges que chez ceux qui, connaissant bien l'auteur, savent qu'il faut lire entre les lignes. Encore ignorent-ils que la fin de l'article, qui donne d'ailleurs son vrai sens à celui-ci, a été supprimée. A la princesse Alexandre de Caraman-Chimay, Proust déclare qu'il aurait préféré être l'auteur de l'article qu'Antoine Bibesco vient de publier sur son voyage en Perse plutôt que du sien, mais la princesse le taxe d'hypocrisie, sachant qu'il est au fond très content d'avoir écrit ce texte. En revanche, il ne l'est pas de la manière dont *Le Figaro* l'a publié, en coupant les dernières lignes, celles justement auxquelles il tenait le plus et qui

1. *Essais et articles*, dans *Contre Sainte-Beuve*, Pléiade, p. 157.

constituaient une ultime apologie du parricide : « Rappelons que chez les Anciens il n'était pas d'autel plus sacré, entouré d'une vénération, d'une superstition plus profondes, gage de plus de grandeur et de gloire pour la terre qui les possédait et les avait chèrement disputés, que le tombeau d'Œdipe à Colone et que le tombeau d'Oreste à Sparte, cet Oreste que les Furies avaient poursuivi jusqu'aux pieds d'Apollon même et d'Athéné en disant : *Nous chassons loin des autels le fils parricide*[1]. »

En confiant le manuscrit de l'article à Robert Ulrich pour le porter au journal, Proust y avait ajouté ce message verbal : « Qu'on coupe tout ce qu'on voudra, mais qu'on ne change pas un seul mot de la fin. » Or, le chef de rédaction, Cardane, avait jugé cette conclusion plus immorale encore que le reste et l'avait supprimée, avec ce commentaire méprisant : « S'il croit que quelqu'un lira son article, en dehors de lui et de quelques personnes qui le connaissent ! » Cette suppression n'existait pas sur épreuves et, en retournant celles-ci corrigées, Proust avait écrit à Calmette, pour le remercier d'accepter son article, une lettre dithyrambique, prélude à une correspondance au sujet de ce texte qui dépassera en longueur l'objet du litige : « Je ne pense pas qu'il y ait jamais eu personne comme vous, déclarait-il comme si Calmette venait de lui sauver la vie. J'ai beau le savoir, chaque fois je suis plus stupéfait, plus transporté... Chaque action exquise de vous est une œuvre d'art où il y a autant de délicatesse, de sens caché, de délicieuses finesses que dans le tableau, la mélodie, le poème le plus achevé[2]. »

En lisant le lendemain l'article amputé de sa fin, Proust lui adresse une deuxième lettre, moins enthousiaste celle-là, pour se plaindre de cette coupure qui détruit l'équilibre du texte. A ce reproche, Calmette répond sur-le-champ pour lui dire que cette mutilation n'enlève rien à sa beauté. Le soir même, l'auteur offensé réplique en lui promettant que ce sera sa dernière lettre sur le sujet, mais il reprend la justification des lignes supprimées, opposant à ce reproche d'immoralité d'illustres exemples : saint Marc, Girardin, Œdipe, Oreste, Hérodote. Pour l'apaiser, Calmette lui écrit sans doute encore une fois, car Proust lui envoie le 3 février un mot de remerciement.

Malgré tout, il demeure ulcéré qu'un subalterne comme Cardane ait osé, de sa propre autorité, porter une main

1. *Mélanges*, dans *Contre Sainte-Beuve*, p. 786, note.
2. Kolb, tome VII, p. 51.

sacrilège sur son article et il conte longuement toute l'affaire à Robert Dreyfus pour que celui-ci sache au moins la vérité, puis il épanche son amertume dans l'oreille de Lucien Daudet : « Mais vraiment nous n'avons pas besoin de nous mentir et je peux vous dire que je ne suis pas si modeste, et si je trouve que je n'ai pas de talent, que je n'ai pas su, pour bien des raisons, me faire le talent de mes dons, que mon style a pourri sans mûrir, en revanche je sais bien qu'il y a dans ce que je fais bien plus d'idées vraies, de choses senties, que dans presque tous les articles que l'on publie. Marcel Prévost, Rod, Margueritte etc. seront bientôt de l'Académie française. Et je sais bien que si mes articles n'étaient pas de moi, et si je les lisais à côté des leurs, les miens m'intéresseraient beaucoup plus. Ne me croyez pas, Montesquiou, si je vous dis cela... [1]. »

Malgré l'escamotage du dernier paragraphe, on trouve dans « Les Sentiments filiaux d'un parricide » bien d'autres passages qui mettent en évidence le drame que fut pour lui la mort de sa mère ou, plus précisément, le drame de sa culpabilité à l'égard de celle-ci. Déjà dans *La Confession d'une jeune fille*, c'était l'inconduite de l'héroïne, surprise par elle dans les bras d'un autre homme que son fiancé, qui provoquait la mort de sa mère. Dans l'esprit de Proust, tout fils qui déçoit sa mère est un peu responsable de sa mort. « *Qu'as-tu fait de moi ! Qu'as-tu fait de moi* ! Si nous voulons bien y penser, écrivait-il dans son article en reprenant les dernières paroles de Mme Van Blarenberghe, il n'y a peut-être pas une mère vraiment aimante qui ne pourrait, à son dernier jour, souvent bien avant, adresser ce reproche à son fils. Au fond, nous vieillissons, nous tuons tout ce qui nous aime par les soucis que nous lui donnons, par l'inquiète tendresse elle-même que nous inspirons et mettons sans cesse en alarme [2]. »

Dans son cas personnel, Proust est persuadé qu'il a été le bourreau de sa mère, autant par sa maladie et son refus de se soigner convenablement que par son genre de vie, ses caprices, ses exigences et surtout son homosexualité que, de l'avis de certains témoins, Mme Proust n'ignorait pas et à laquelle, sans comprendre la nature du problème, elle s'était à demi résignée. Plus jeune que Proust, mais néanmoins l'un de ses intimes, Maurice Duplay assure dans ses *Souvenirs* que Mme Proust connaissait les goûts de son fils et la réputation qu'ils lui

1. Kolb, tome VII, p. 59.
2. *Pastiches et Mélanges,* dans *Contre Sainte-Beuve,* Pléiade, p. 158.

valaient. Toujours d'après Maurice Duplay, Proust lui aurait un jour confié : « Oh ! la littérature est un pavillon qui couvre bien des marchandises douteuses. Que de sales débauches déguisées en études de mœurs j'ai à me reprocher ! Non, je suis sûr que ce genre d'existence déplaisait à ma mère. Elle aurait aimé, avant de mourir, me voir marié et me laisser à l'abri des aventures désastreuses. Oui, elle a dû souffrir de ce que je pataugeais indéfiniment dans les cloaques[1]. »

En écrivant « Les sentiments filiaux d'un parricide », c'est un peu son procès personnel que Proust a instruit, s'estimant aussi coupable, bien que d'une façon moins spectaculaire, qu'Henri Van Blarenberghe qui a fait, en une minute d'égarement, ce que d'autres accomplissent lentement, au fil des années, voire de plusieurs décennies, et chez qui l'habitude a étouffé la conscience du mal. Ses griefs contre sa mère se sont estompés maintenant qu'elle n'est plus là pour faire valoir les siens et leur amour, épuré des mesquineries quotidiennes, est magnifié par la mort. Il ne lui restait plus qu'à faire l'aveu de son crime caché pour obtenir son pardon. Sa confession, il l'a faite aux lecteurs du *Figaro* et son absolution, c'est Henri Van Blarenberghe qui la lui donne.

*

Sur ces entrefaites, la mort de Mme de Lauris, mère de son ami Georges de Lauris, arrive à point pour lui permettre de donner libre cours, par personne interposée, à ses sentiments filiaux régénérés. « Il me semble que je perds une seconde fois Maman », écrit-il le 16 février 1907 à Lauris et il montre une désolation d'autant plus étonnante que s'il affirme « l'avoir tant aimée », il avoue ne l'avoir pas connue. Quant à M. de Lauris, qu'il n'a jamais vu, la douleur de celui-ci le hante au point de lui enlever le repos. Enfin, lorsqu'il pense à Georges, c'est pour lui « la plus affreuse des tortures ». Le lendemain, il se contente d'adresser un billet à Lauris pour accompagner un envoi de fleurs, mais le 18 il lui écrit une longue lettre, suivie quelques jours plus tard d'une autre encore et dans laquelle il affiche une douleur qui semble bien plus le fruit du repentir que la sympathie qu'on éprouve pour un ami dans le malheur : « Je n'ai pas besoin de vous dire, mon petit Georges, que c'est en pleurant beaucoup que je vous écris cela, de mauvaises

1. M. Duplay, *Mon ami Marcel Proust*, p. 113.

larmes plus sur moi que sur vous-même... Ma vie est toute bouleversée. ... Beaucoup de personnes m'écrivent, sachant mon chagrin, même des gens que vous ne connaissez pas... » Et passant à Mme de Lauris, qui lui est soudain devenue si chère, il poursuit : « Quand une physionomie morale doit me dominer, peu de traits me suffisent et... je reconstitue tout avec certitude. Je connais si bien votre Mère que vous ne pourriez rien m'en dire que je ne sache déjà et que vous ne pouvez rien m'en dire que je n'écoute, je ne dis pas avec intérêt ou sympathie, mais avec une véritable avidité douloureuse...[1]. »

Ce qu'il y a de plus remarquable dans les lettres de condoléances de Proust, c'est que non seulement il éprouve une douleur plus vive encore que celle du veuf ou de l'orphelin, mais qu'il enseigne au passage l'art de souffrir, d'aller jusqu'au bout de sa peine, d'en mesurer la profondeur et l'intensité.

Quelques mois plus tard, c'est de la même encre, toute délayée de larmes, qu'il écrit à Robert de Flers qui vient de perdre sa grand-mère : « Je peux à peine t'écrire, les larmes m'aveuglent, je viens de lire la note du *Figaro*, je ne la verrai plus jamais ta chère, ta bien-aimée petite grand-mère[2]. » La disparition de Mme de Rozière lui inspire un article, « La mort d'une grand-mère », que *Le Figaro* publie le 23 juillet. Les premières lignes pourraient s'appliquer à Proust : « Il y a des personnes qui vivent sans avoir pour ainsi dire de forces, comme il y a des personnes qui chantent sans avoir de voix... Ce sont les plus intéressantes... Elles ont remplacé la matière qui leur manque par l'intelligence et le sentiment[3]. » Mme de Rozière avait au moins un trait en commun avec Proust : « Consumée de la perpétuelle inquiétude qu'est un grand amour qui dure toute la vie — son amour pour son petit-fils — comment eût-elle pu être bien portante... » Et pourtant, Robert de Flers, gentilhomme accompli, auteur dramatique apprécié, lui donnait plus de satisfaction que Proust, lui, n'en avait apporté à sa mère. Poursuivant le parallèle, celui-ci écrit : « Ce n'était pas sans inquiétude pour elle que je pensais qu'un jour Robert se marierait. Elle disait souvent qu'elle avait envie de le marier, mais je crois qu'elle le disait surtout pour s'aguerrir. Au fond, elle avait encore plus peur de cette échéance fatale de son mariage qu'elle n'avait redouté son

1. Kolb, tome VII, p. 87.
2. *Ibidem*, p. 227.
3. *Essais et articles*, dans *Contre Sainte-Beuve*, Pléiade, pp. 545-548.

entrée au collège et son départ pour le régiment... Une tendresse aussi jalouse n'est pas douce toujours à ceux avec qui elle doit partager... » Avec ce besoin de mêler toujours des sentiments personnels aux sujets qu'il traite, et de ne pas s'oublier dans les compliments qu'il prodigue aux autres, il réussit, à la fin de l'article, à faire acte d'humilité avantageuse, complaisance vis-à-vis de soi que Montesquiou ne manquera pas de remarquer : « Elle poussait l'aveuglement en ce qui me concernait jusqu'à me trouver du talent. Elle se disait sans doute que quelqu'un qui avait tant fréquenté son petit-fils n'avait pas pu ne pas lui en prendre un peu [1]. »

Ces descentes dans l'Hadès ne l'empêchent pas de monter au septième ciel pour célébrer les vivants. Il le fait, avec un lyrisme analogue à celui de leur auteur, pour saluer la parution du dernier livre d'Anna de Noailles, *Les Eblouissements*. Dans « Journées de lecture », publié le 20 mars par *Le Figaro*, il annonçait la sortie prochaine de ce recueil en affirmant, sans l'avoir lu, qu'il serait encore supérieur à ces livres de génie, *Le Cœur innombrable* et *L'Ombre des jours*, et qu'il égalerait *Les Feuilles d'automne* ou *Les Fleurs du mal*. Mme de Noailles ne lui avait pas tenu rigueur de s'être vue mise au même rang que Baudelaire et Victor Hugo, et non au-dessus de ces deux poètes. Au contraire, enthousiasmée par « Journées de lecture », dont le thème était la publication des *Mémoires* de la comtesse de Boigne, elle l'avait chaleureusment félicité en se servant de certaines phrases de l'étude pour lui exprimer son admiration. Proust avait répliqué sur le même ton, ce qui avait donné une espèce de ballet par lettres, une danse cérémonieuse et compliquée dans laquelle chacun des partenaires, admirant son image dans la prose de son correspondant, lui rendait la politesse en feignant de se diminuer pour grandir son rival, tout en restant convaincu de sa propre supériorité.

Aussi, quand Proust reçoit son exemplaire des *Eblouissements*, écrit-il sur le livre un magistral article dans lequel il compare assez judicieusement ce recueil à une toile de Gustave Moreau pour exalter « le Poète subjuguant la foule par son éloquence, la poétesse inspirée aussi bien que la petite voyageuse du ciel persan dont les chants sont le charme des dieux ». Avec finesse, il a deviné l'essence du talent de Mme de Noailles. « ... A la fois l'auteur et le sujet de ses vers, elle sait alors être en une même personne Racine et sa princesse, Chénier et sa jeune

1. *Essais et articles*, dans *Contre Sainte-Beuve*, Pléiade, pp. 545-548.

captive... » Puis, songeant à un livre qu'il aimerait écrire et qu'il nommerait *Les Six Jardins du Paradis*, il passe en revue ceux de Ruskin, de Maeterlinck, d'Henri de Régnier, de Francis Jammes, de Claude Monet — occasion de saluer les maîtres de ces jardins — pour donner la palme à celui de Mme de Noailles où un savant jardinier a su mêler deux civilisations, celle du Nord et celle du Midi. Sensible à l'écriture, à la fois délicate et hardie, il s'attarde un instant sur l'un de ses procédés qui consiste, comme l'avait fait Turner, à capter l'impression première, au mépris des règles de la logique ou de la nature, ce qui lui fait écrire :

*Dans nos taillis serrés où la pie en sifflant*
*Roule sous les sapins comme un fruit noir et blanc...*

Il admire la subtilité d'une technique grâce à laquelle l'artiste rend « le mensonge de notre première impression, quand nous promenant dans un bois ou suivant les bords d'une rivière, nous avons pensé d'abord, en entendant bouler quelque chose, que c'était quelque fruit, et non un oiseau, ou quand, surpris par la vive fusée au-dessus des eaux d'un brusque essor, nous avions cru au vol d'un oiseau avant d'avoir entendu la truite retomber dans la rivière [1] ». Et Proust de conclure cet éloge en assurant que les vers de Mme de Noailles, « à la pureté du souffle qui passe sur eux et exalte », à l'immensité des horizons dominés, donnent au lecteur la sensation de se trouver sur une cime.

*

Il est difficile de porter un auteur au pinacle sans que tous les autres, d'un coup, ne s'estiment rabaissés. Si Mme de Noailles est ravie de cet article enthousiaste, pourtant mutilé d'une soixantaine de lignes par le rigoureux Cardane, Montesquiou manifeste son ressentiment de n'avoir pas été aussi bien traité pour son nouveau livre, *Altesses sérénissimes*.

Le noble esthète avait pourant fait la part belle à Proust en reproduisant à la fin du libre son article, *Un professeur de beauté* publié deux ans plus tôt dans *Les Arts et la Vie*. Naïvement, Montesquiou croyait que Proust, en retour, le célébrerait dans *Le Figaro* avec une étude aussi substantielle que la précédente

1. *Essais et articles*, dans *Contre Sainte-Beuve*, Pléiade, p. 542.

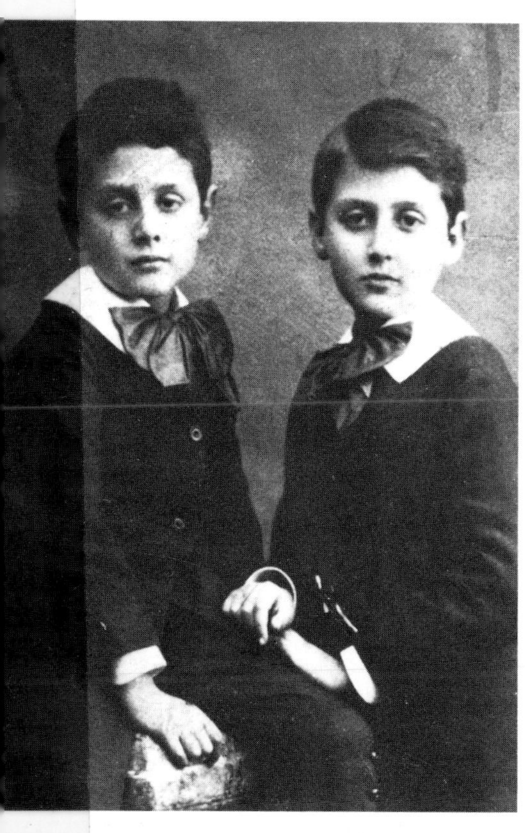

Marcel et Robert Proust :
les frères sans fraternité.
*(Hachette.(*

Le docteur et Mme Proust,
peints comme les ancêtres que leur fils aurait aimé avoir.

Maison de l'oncle Amiot, petite, mais grandie par le souvenir. *(Hachette.)*

Maison natale du docteur Proust à Illiers, avec son médaillon par Marie Nordlinger.

Marcel Proust, au goût du jour,
mi-Louis XVII, mi-petit lord Fauntleroy.

Proust en soldat perdu.
*(Hachette.)*

Proust, crayon par J.-E. Blanche
qui préférait ce dessin
au portrait peint par lui en 1895.

Willie Heath,
un lys sauvé d'Oscar Wilde.

Mme Proust, commun dénominateur de ses deux fils
qui ne se ressemblent qu'à travers elle.

Charles Haas,
le succès consolera Proust
de n'avoir pas été
un nouveau Charles Haas.

Robert de Flers,
Lucien Daudet,
Marcel Proust,
une photo que Mme Proust
jugeait compromettante. *(Hachette.)*

Trois amis de cœur,
à qui Proust épargnera l'enfer
d'*À la recherche du temps perdu.*

Robert de Billy *(Hachette.)*

Frédéric de Madrazo.

Reynaldo Hahn.

Le côte de Guermantes, malgré quelques personnes *à côté*.
*Debout* : prince Edmond de Polignac, princesse de Brancovan, Marcel Proust, prince Constantin de Brancovan, Léon Delafosse.
*Au 2e rang* : Mme de Monteynard, princesse de Polignac, comtesse Mathieu de Noailles.
*Au 1er rang* : princesse de Caraman-Chimay, Abel Hermant. *(Hachette.)*

Mme Staus, qui a prêté son esprit
à la duchesse de Guermantes.

Comtesse Adhéaume de Chevigné,
dont Proust a fait « un puissant vautour »

Elisabeth de Gramont,
duchesse de Clermont-Tonnerre, en amazone.

Comtesse Greffulhe,
le cygne de Proust. *(Hachette.)*

Comte Greffulhe,
le vrai duc de Guermantes.

Antoine Bibesco,
prince des cyniques.

Robert de Montesquiou,
le chic parisien pour *gommeux*
de Buenos Aires. *(Roger-Viollet.)*

Céleste et Odilon Albaret,
double image du même dévouement.

Alfred Agostinelli, inspirateur de
la *La Prisonnière* et d'*Albertine disparue. (Hachette.)*

Bertrand de Salignac-Fénelon,
première incarnation de Saint-Loup.

Robert d'Humières,
dernière incarnation de Saint-Loup.
*(Coll. part.)*

Paul Morand, citoyen du monde
et prince des lettres, par J.-E. Blanche.

Princesse Soutzo,
Minerve en oiseau de paradis.

Proust : l'air d'un mannequin, avec ce corps fait tout d'une pièce, que remarquaient ses visiteurs.

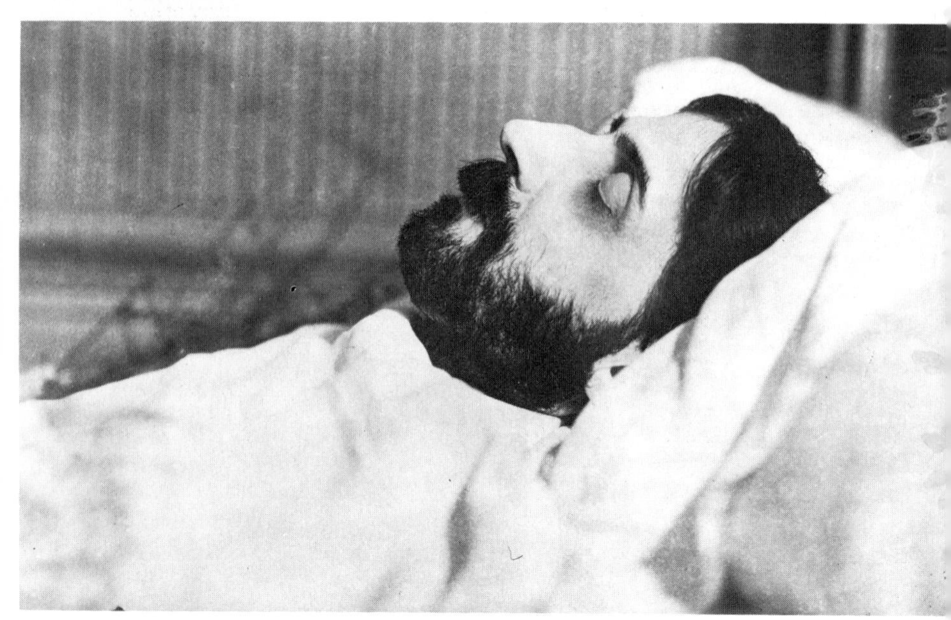

La Mort : Le Temps perdu se confond désormais avec l'Éternité. *(Hachette.)*

*(Les photos non créditées proviennent de collections particulières*

et qu'il pourrait éventuellement utiliser pour son prochain ouvrage. Se prétendant épuisé par son article sur *Les Eblouissements*, Proust avait décliné l'honneur de parler d'*Altesses sérénissimes*, mettant hypocritement en avant, outre sa fatigue, les chicanes que lui faisait *Le Figaro* sur la longueur de ses textes, sans parler d'autres raisons qu'il ne précise pas, mais qui, vraisemblablement, tiennent moins au sujet du livre qu'à la personnalité de l'auteur. A cette lettre embarrassée de Proust, Montesquiou avait répliqué avec une certaine ironie, point dupe des mauvaises raisons de son correspondant, et il avait ajouté, avec condescendance : « Votre lettre m'a amusé... » A quoi Proust, piqué, avait répondu le 15 mai : « Vous me dites que ma lettre vous a amusé. La vôtre m'a peiné, car vous me dites, très volontairement, deux choses très désagréables au milieu d'autres gentilles dont je vous suis très reconnaissant [1]. »

« Les rencontres ne sont pas nécessaires entre personnes qui s'apprécient, lui écrivait Montesquiou le 27 mars, mais elles sont agréables. Il suffit de ne pas en abuser, et même d'en user peu. » Après cet échange un peu aigre, une rencontre s'impose qui permet une explication verbale. Elle a lieu le 28 mai, chez Madeleine Lemaire, à l'occasion d'une soirée en l'honneur de Montesquiou dont Berthe Bovy déclame quelques poèmes aux invités résignés.

Hélas ! A peine Proust a-t-il, comme il l'écrit, communié avec Montesquiou sous ses espèces sensibles en lisant *Altesses sérénissimes* qu'il lui faut reprendre la plume pour un nouvel encensement. Montesquiou a eu en effet l'idée de republier chez Juven ses *Chauves-Souris*, envolées de la mémoire du public. Proust doit donc trouver des mots nouveaux pour célébrer des vers anciens. Il le fait, sans lyrisme excessif, et Montesquiou se montre un peu déçu de cette tiédeur. Comme il a sans doute esquivé d'autres invitations du poète, ou des opportunités de rencontre chez des amis, Montesquiou lui écrit sèchement, à la fin du mois de juillet 1907 : « Le sort a décidé que nous ne nous voyons (*sic*) plus. Cela vaut mieux que s'il nous infligeait de ne plus nous aimer, destin de ceux qui cèdent au danger des rencontres renouvelées [2]. » Sentant une certaine froideur s'établir entre eux, Proust répond par une lettre plus chaleureuse, évoquant Whistler et son *Gentle Art of Making Enemies*. « Je ne crois pas que [son] culte fidèle de l'Inimitié

1. Kolb, tome VII, p. 157.
2. *Ibidem*, p. 236.

lui ait procuré cette espèce de joie salubre et sauvage qu'elle semble exalter en vous. On voudrait vous demander le sacrifice d'une inimitié comme à d'autres celui d'une amité. Et la différence, c'est que vous le refuseriez ! Vous vous élevez sur l'incompréhension comme le goéland sur la tempête et vous n'aimeriez pas qu'on vous prive de cette pression ascendante... [1]. » La phrase est belle, si belle que Montesquiou, enchanté de ce subtil hommage, la reproduira, légèrement altérée, dans ses ennuyeux Mémoires où on souhaiterait en trouver davantage de cette qualité [2].

Depuis longtemps, Proust s'est aperçu que Montesquiou est infiniment plus nuisible comme ennemi qu'utile comme ami. La protection du comte ne l'a pas vraiment introduit dans le faubourg Saint-Germain où d'ailleurs on se méfie de ce gentilhomme transfuge, égaré dans l'art décadent. Les principaux salons que fréquente encore Proust, ce n'est pas Montesquiou qui lui en a ouvert les portes, mais l'amitié de jeunes gens du monde tels que de Guiche, Lauris ou d'Albuféra.

Il peut mesurer sa relative réussite sociale à l'occasion du grand dîner qu'il donne le 1er juillet 1907, le premier depuis la mort de sa mère, et dont l'organisation exige de sa part autant de diplomatie que la réunion d'un congrès européen. Il a voulu que ce dîner, en l'honneur de Calmette, ait lieu au Ritz, avec Gabriel Fauré comme attraction musicale. Il lui faut écrire de nombreuses lettres pour inviter les personnes qu'il souhaite avoir et surtout convaincre les récalcitrants d'accepter. C'est ainsi qu'il en adresse trois en quatre jours à Mme Straus qui a invoqué sa mauvaise santé pour refuser, dérobade dont il est exaspéré, sachant bien que les raisons de santé sont commodes pour éviter de faire une chose qui vous ennuie. Il morigène la traîtresse : « Madame Straus, ne venez pas, ne vous fatiguez pas, ne vous couchez pas plus tard à cause de moi, sachez que je sais faire passer mon plaisir après le vôtre, ce qui est une manière de dire que j'ai de l'amitié pour vous... [3]. » Mme Straus reste intraitable et ne viendra pas. Elle fera bien, car ce jour-là une pluie glaciale tombe sur Paris et le soir, au Ritz, on frissonne dans les courants d'air. Bien qu'absente, elle triomphe au dîner par les mots d'esprit que Proust cite d'elle, au grand amusement des convives, et

---

1. Kolb, tome VII, p. 244.
2. R. de Montesquiou, *Les Pas effacés*, tome II, p. 285.
3. Kolb, tome VII, p. 195.

dont il attribuera les plus fameux à Oriane de Guermantes. Autre absent de marque, Gabriel Fauré qui se décommande au dernier moment et que remplace le pianiste Risler. La composition de la table n'a pas été facile, car la plupart des personnes auxquelles Proust avait d'abord songé s'étaient récusées. Elles sont remplacées par le marquis et la marquise de Clermont-Tonnerre, Mme de Brantes, le marquis d'Albuféra, sans sa femme, le comte d'Haussonville sans la sienne, la comtesse de Noailles sans son mari, la comtesse de Briey, la marquise de Ludre, Jacques-Émile Blanche, Emmanuel Bibesco, le peintre Jean Béraud, André Beaunier, le duc de Guiche et, bien sûr, Gaston Calmette. Si les listes données par les journaux sont exactes, il aurait manqué trois femmes pour l'équilibre des places à table. Après le dîner, d'autres invités arrivent pour entendre Fauré mais ne trouvent que Risler : les Casa-Fuerte, le vicomte d'Humières et sa femme, les Polignac, la comtesse de Chevigné, Edouard Rod, le comte Alexandre de Gabriac, le comte Bertrand de Durfort, Louis de Lasteyrie, le baron Alexandre de Neufville, *the Right Hon*. Reginald Lister, attaché à l'ambassade britannique, Gabriel de La Rochefoucauld, Eugène Fould, etc. Ces invités de second choix doivent se taire pour écouter une série de morceaux parmi lesquels Proust aurait voulu inclure une ou deux compositions de Reynaldo Hahn, mais Risler, pris à l'improviste, n'a pas eu le temps de les étudier. Le programme arrêté par Proust semble bien chargé pour une soirée mondaine au Ritz. Il comporte, de Fauré, la *Sonate pour piano et violon,* le *Nocturne* et la célèbre *Berceuse* ; à l'*Andante* de Beethoven succède un morceau tiré des *Fantasiestücke* de Schumann, puis un *Prélude* de Chopin, et, de Wagner, la *Mort d'Yseult* et l'ouverture des *Maîtres-chanteurs*. Enfin, Couperin donne ses *Barricades mystérieuses* et Chabrier, son *Idylle*.

« Ça a été du reste parfait, charmant... , écrit l'amphitryon à Reynaldo Hahn en lui relatant la fête. Tous ces gens semblaient heureux de me voir, le dîner était parfait, la vieille Brantes rosse pour les autres, gentille pour moi. Guiche avait fait le menu et la carte des vins... [1]. » « Malheureusement, c'est moi qui les ai payés ! ajoute-t-il dans une lettre à Robert de Billy. En tout 2 700 francs [2]. » Il est bien dans sa manière de déplorer une telle dépense après avoir donné 1 000 francs

1. Kolb, tome VII, p. 212.
2. Environ 40 000 francs de 1990.

au seul Risler, en craignant encore que ce ne fût pas assez. « Mais c'est beaucoup ! » s'étaient écriées les dames auxquelles il avait confié ses scrupules.

*

En ce début d'été, revient comme chaque année le problème de savoir s'il quittera Paris et celui, plus difficile encore à résoudre, de savoir où il ira. Le temps d'y réfléchir, d'interroger les uns et les autres, de scruter les guides et les indicateurs de chemin de fer, les jours passent et Proust, à la fin du mois de juillet, n'a toujours rien décidé. Il a envisagé un voyage en Bretagne pour y visiter Lamballe, Ploërmel, Quimper et Morlaix, villes dont les noms enchantent son imagination, puis il a songé à la Touraine, découverte à travers les romans de Boylesve, et même à l'Allemagne pour finalement se contenter de Cabourg. Cette station balnéaire est non seulement proche de Paris, mais surtout plus près de lui par le souvenir des séjours qu'il y faisait jadis avec sa grand-mère Weil.

Le Grand Hôtel de Cabourg est un exemple assez réussi de ce style balnéaire qui veut allier les grâces du XVIIIe siècle aux ressources du confort le plus moderne et il ressemble, en moins vaste, à ces palais que des maharadjahs font édifier dans leurs États pour montrer à la fois leur richesse et leur degré de civilisation. De la place dont le Grand Hôtel forme le fond du décor partent en éventail une demi-douzaine d'avenues le long desquelles ont été construites, depuis quelque trente ans, des villas qui, avec leurs clochetons, leurs échauguettes et leurs encorbellements trahissent le regret de leurs propriétaires de n'avoir pu s'offrir un château.

La véritable façade de l'hôtel donne sur la mer, dominant une jetée qu'arpentent les estivants, pour se réchauffer s'il fait froid, pour voir et être vus quand il fait beau. C'est sur la mer aussi que donne la grande salle à manger, théâtre de plusieurs scènes d'*A la recherche du temps perdu*, et que Proust, dans une vision prémonitoire, compare à un aquarium derrière la vitre duquel les pêcheurs de Dives, les gens modestes de Cabourg écrasent leurs visages, la nuit venue, pour apercevoir « lentement balancée dans des remous d'or, la vie luxueuse des estivants, aussi extraordinaire pour les pauvres que celle de poissons et de mollusques étranges », et il se demande si « la paroi de verre protégera toujours le festin des bêtes merveilleuses et si les gens obscurs qui regardent avidement dans la nuit ne viendront pas les cueillir dans leur aquarium et les manger[1] ».

A peine arrivé, Proust s'enferme dans sa chambre, en fait tirer les rideaux des fenêtres et s'y abandonne au sombre plaisir d'un cœur blessé, remâchant avec une voluptueuse amertume tous ses motifs d'être malheureux, doublement orphelin de cette mère et cette aïeule dont le souvenir, qui le poursuivait à Paris, l'a rejoint ici, en ce lieu où la frivolité de l'existence avive encore sa tristesse. Comme s'il ne lui suffisait pas, pour souffrir, d'avoir les fantômes de Mme Weil et de Mme Proust, il évoque celui de Mme de Lauris, regardant longuement une photographie de celle-ci que son fils, qui réside aux environs, lui a prêtée. Après quelques jours passés dans une pénombre propice aux rêveries morbides, il se résout à quitter les morts pour les vivants et se mêle à la vie de l'hôtel. La clientèle en est assez variée. On y trouve des gens d'affaires, plus nombreux pendant le week-end des hommes de lettres, des gens de théâtre et même quelques personnes du monde qui se croient plus *fast*, pour employer une expression à la mode, parce qu'elles se frottent à cette fausse élite.

Au nombre des personnalités pittoresques figure cette année-là le directeur du *Matin* et du *Petit Sou*, Alfred Edwards, un demi-Levantin, superbe et inquiétant, qui passera devant la postérité pour avoir été un nouveau Barbe-Bleue. En premières noces, il avait épousé la fille du docteur Charcot, sommité médicale de l'époque[2], ce qui en avait fait le beau-frère de Waldeck-Rousseau. Par haine de celui-ci Edwards s'était affilié au parti socialiste révolutionnaire et avait essayé d'enrôler Jules Guesde à son service. Amusé de cette haine viscérale, Waldeck-Rousseau avait dit un jour : « Pourquoi donc Edwards se donne-t-il tant de peine pour me nuire ? Il lui suffit de dire qu'il est mon beau-frère... » En deuxièmes noces, il avait épousé Hélène Ralli, appartenant à l'illustre famille grecque de ce nom qui partageait quasiment le pouvoir avec le souverain. Il en avait divorcé pour épouser en troisièmes noces Misia Godebska, elle-même divorcée de Thadée Natanson, l'un des frères fondateurs de *La Revue blanche*, et s'en était déjà lassé.

Cet été-là, sans rancune et sans préjugés, Edwards entretient une petite cour composée de ses femmes successives et de leurs

1. *A la recherche du temps perdu*, Pléiade, tome III, p. 41.
2. Père du docteur Jean Charcot, l'explorateur polaire.

anciens maris, sans compter sa maîtresse en titre, l'actrice Lantelme, qu'il épousera bientôt, mais dont il se débarrassera, diront les mauvaises langues, en la poussant par-dessus bord pendant une croisière sur le Rhin. Cette aimable réunion de famille, qui inclut son ancien beau-frère, Jean Charcot, divorcé de Jeanne Hugo, elle-même ex-épouse de Léon Daudet, suscite beaucoup de commérages qui distraient Proust de son ennui.

Aux études de mœurs qu'il peut faire dans le hall ou la salle à manger du Grand Hôtel, il joint des mondanités aux environs, allant voir Mme Straus à Trouville, le duc et la duchesse de Guiche à Bénerville, Georges de Lauris à Houlgate. Pour ces déplacements, il utilise les automobiles de la Compagnie des Taximètres Unic, une société fondée par Georges Bizet. Un des chauffeurs mis à sa disposition est un certain Alfred Agostinelli, un Monégasque d'origine italienne, assez beau garçon brun, de type méditerranéen et tout juste âgé de dix-neuf ans, destiné à jouer plus tard un grand rôle dans la vie sentimentale de Proust. C'est sans doute avec lui qu'il fait la plupart de ses excursions en Normandie pour y recueillir, dans toute leur vérité, ces impressions de nature éprouvées à travers la lecture des poèmes de Mme de Noailles.

L'architecture ne l'intéresse pas moins. Dès son installation au Grand Hôtel, il avait écrit à Émile Mâle, le spécialiste de l'architecture religieuse médiévale, pour lui demander ce qu'il y avait de plus intéressant à voir en Normandie, non seulement d'un point de vue historique, mais esthétique aussi, comme une petite ville encore intacte, des villages et des églises « dans des endroits moins connus où la surprise de les trouver ne les lui rende que plus touchants [1] ». Il adresse la même requête à Emmanuel Bibesco, connaisseur plus éclairé en ce domaine qu'Antoine, et vraisemblablement à beaucoup d'autres personnes. Grâce aux conseils reçus, il établit un itinéraire qui le conduit à Caen, Bayeux, Balleroy, Pont-Audemer et Saint-Martin-de-Boscherville, à la fois ravi de ce qu'il découvre et agacé des commentaires des guides. Ainsi, à Balleroy, château d'une somptueuse fantaisie, le guide assure qu'il a été bâti par Mignard, décoré par Mansart et que les tapisseries sont de Leboucher !

Le résultat de ces randonnées en automobile est une assez grande fatigue dont il se plaint à ses correspondants : « Je suis si étourdi de vivre un peu debout que je ne jouis de rien... »,

1. Kolb, tome VII, p. 249.

écrit-il à Émile Mâle ; à Georges de Lauris, il confie que malgré la distraction procurée par ces promenades, il n'a jamais été aussi malheureux : « Le chagrin n'est décidément pas fait pour être remué, il faut beaucoup d'immobilité pour qu'il retombe et permette de retrouver un peu de sereine limpidité [1]. » A Robert de Montesquiou, il avoue au début de septembre : « Et j'ai la sensation de n'avoir plus ni esprit ni cœur, qu'un cœur physique chaque jour plus fatigué, palpitant et douloureux. Mais c'est un entraînement qui tend à devenir une habitude, comme le lit le fut [2]. » A vrai dire, cette fatigue étonne moins lorsqu'on sait que tout en s'efforçant de mener une vie plus normale il observe le même régime alimentaire et vit surtout de café : « Le fait de ne m'alimenter plus du tout, ou à peu près, me donne heureusement un vague cérébral qui m'empêche de me rendre compte de grand-chose », explique-t-il à Georges de Lauris [3]. Ces errances « archéologico-spirituelles », suivant son expression, s'achèvent, à la fin du mois de septembre, par un bref séjour à Evreux et une visite aux Clermont-Tonnerre dans leur château de Glisolles. Ceux-ci lui avaient aimablement proposé de descendre chez eux. Avec une modestie surprenante chez cette dame altière, la marquise, connaissant ses phobies, lui avait dit : « Vous ne nous verrez jamais, si vous voulez... » Proust avait décliné l'invitation, mais promis une visite.

Arrivé tard à Evreux, conduit par Agostinelli, il retient trois chambres à l'Hôtel Moderne afin d'être assuré d'y dormir sans voisins, mais cette coûteuse précaution se révèle inefficace contre le bruit de la rue, vacarme de charrettes et de voix avinées. Dès le premier soir, il se précipite à la cathédrale pour en voir les vitraux à la lumière du couchant qui transforme ceux-ci en pourpre étincelante et « saphirs pleins de feu », impression qui s'ajoute à bien d'autres, notamment celle des vitraux de Conches, pour décrire plus tard les vitraux de l'église de Combray.

C'est seulement le quatrième jour, à la veille de regagner Paris, qu'il rend aux Clermont-Tonnerre la visite annoncée. Il est si tard qu'il fait nuit lorsque le taxi de Proust entre dans la cour d'honneur, au grand étonnement des châtelains qui ne l'attendaient plus. On l'accueille avec bonne grâce, on exhibe

1. Kolb, tome VII, p. 264.
2. *Ibidem*, p. 271.
3. *Ibidem*, p. 264.

les enfants, deux petites filles échappées d'un *keepsake* de Kate Greenaway, on le promène à travers la maison, sur laquelle il multiplie des compliments, puis, comme il est bientôt minuit, le marquis de Clermont-Tonnerre exprime son regret de ne pouvoir lui faire admirer les jardins, particulièrement les roses, si belles en cette fin de saison. Proust affirme qu'il veut les voir quand même et prie son chauffeur de braquer sur les massifs les phares de la voiture, comme il l'avait déjà fait pour éclairer le portail de la cathédrale d'Evreux.

Lorsqu'il s'en va, titubant de fatigue, car l'effet des dix-sept tasses de café absorbées avant de venir commence à se dissiper, les Clermont-Tonnerre doivent échanger quelques réflexions piquantes sur cette étrange apparition nocturne. Ils en feront sans doute d'autres en lisant dans *Le Figaro* du 19 novembre 1907 un long article de Proust, « Impressions de route en automobile », dont la fin évoque cette visite, mais sans les nommer ni désigner Glisolles, visite rendue, écrit Proust, à des parents. En les quittant, il leur avait promis de revenir les voir pour leur apporter un livre de Turner sur les fleuves de France et quelques volumes de Ruskin, mais il renonce à cette seconde visite. En effet, au fur et à mesure qu'il s'éloignait du bord de la mer, il avait été repris d'étouffements et il ne veut plus, maintenant, que rentrer le plus rapidement possible à Paris, fuyant Evreux et cet enfer de bruit.

*

A Paris, pendant que ses impressions sont encore toutes fraîches, il écrit pour *Le Figaro* l'article en question. Malgré une certaine afféterie de style, ce texte est un des premiers témoignages de la nouvelle méthode de Proust, empruntée peut-être à Mme de Noailles, mais aussi à Ruskin, et par laquelle, à l'instar des peintres impressionnistes, il essaie de traduire ce qu'il voit sans laisser l'esprit, la mémoire ou l'intelligence corriger sa vision pour en rassembler les éléments épars dans un ordre rationnel. C'est ainsi qu'apparaissent pour la première fois, mais il s'agit de ceux de Caen, ces fameux clochers vagabonds qui semblent évoluer sur la ligne d'horizon, se rejoindre, se séparer brusquement pour revenir et décrire une autre figure géométrique avant de s'évanouir dans la lumière dorée du soleil couchant. Pour la première fois apparaît également la silhouette d'Agostinelli que sa tenue de chauffeur rend semblable, écrit Proust, « à quelque pèlerin » ou plutôt, par son visage imberbe, « à quelque nonne de la vitesse ». Poursuivant cette transfiguration féminine, il le compare à une sainte Cécile moderne, l'automobile à un orgue dont Agostinelli tire, en changeant de vitesse, des harmonies nouvelles tandis que le volant devient une de ces « croix de consécration que tiennent les apôtres adossés aux colonnes du chœur dans la Sainte-Chapelle »...

Prophétiquement, au point qu'il en sera frappé lorsque l'événement se réalisera, il voit dans ce volant un de ces divers symboles que les saints, « aux porches des cathédrales tiennent, l'un une ancre, un autre une roue, une harpe, une faux, un gril, un cor de chasse, des pinceaux. Mais si ces attributs étaient généralement destinés à rappeler l'art dans lequel ils excellèrent de leur vivant, c'était aussi parfois l'image de l'instrument par quoi ils périrent ; puisse le volant de direction du jeune mécanicien qui me conduit rester toujours le symbole de son talent plutôt que la préfiguration de son supplice[1] ! ».

Flatté d'avoir ainsi les honneurs de la presse, Agostinelli, rentré à Monaco où un de ses frères était gravement malade, lui écrit une lettre de compliments que Proust juge charmante et bien tournée. Il est peu probable que Proust, à cette époque, ait été amoureux du jeune chauffeur, car sans cela il aurait cherché le moyen de se l'attacher. Son seul souci, en ce début d'octobre 1907, est de trouver un endroit où il puisse respirer sans oppression, envisageant une station dans le genre de Brighton, ou quelque ville de la côte basque et chargeant Illan de Casa-Fuerte de se renseigner sur le climat de Biarritz ou de Guéthary, qu'il croit plus salubre pour lui que Cannes, les lacs italiens ou les bords du Léman.

En attendant, il demeure à Paris, dans cet appartement qui lui convient si peu, dont il trouve le loyer trop cher, mais qu'il ne se résout pas à quitter. Il ne se décide pas davantage à en devenir propriétaire lorsque l'immeuble est mis en vente. Au lieu de s'entendre avec son frère pour l'acheter, il le laisse acquérir entièrement par sa tante, Mme Georges Weil, puis se lamente d'avoir manqué une si belle occasion, car sa tante l'a eu à bon compte. Le voilà aussitôt persuadé qu'il perd du même coup la moitié de ses revenus et il écrit mélancoliquement à Montesquiou qu'il aurait mieux fait d'aller à cette vente que d'assister ce jour-là, au Pavillon des Muses, à une fête organisée par Montesquiou pour raviver le souvenir d'Yturri.

---

1. Dans *Contre Sainte-Beuve*, Pléiade, p. 67.

Comme certains sages, le poète des *Hortensias* et des *Chauves-Souris* a trouvé un remède à sa douleur dans la frivolité. Il a repris goût au monde et multiplie réceptions ou conférences, toutes assorties de récitations de ses œuvres dont Paris commence à se lasser, mais on n'ose pas encore s'y soustraire. Pour bien des jeunes auteurs, il est prudent de se concilier ses bonnes grâces si l'on veut échapper à un de ces terribles éreintements dont il a le secret. C'est ce que fait, avec autant d'art que d'intelligence, la jeune princesse Bibesco, arrivée de Bucarest à Paris avec le manuscrit de ses *Huit Paradis*, impressions de route en automobile, mais à travers la Perse et la Russie et dans des conditions fort différentes de celles que Proust a connues en Normandie. Après avoir désarmé Montesquiou, qui lui consacrera un de ses meilleurs sonnets, la princesse va charmer Proust et nouer avec lui des relations épisodiques dont elle saura plus tard tirer la matière de deux livres, et même de trois.

Si Mme de Noailles a conçu quelque inquiétude en présence de cette radieuse apparition, car sa jeune rivale a déjà publié dans *Le Figaro* un poème annonçant autant de dons que d'ambitions, le clan des Bibesco-Brancovan est beaucoup plus inquiet de la publication d'un livre d'Abel Hermant, *La Discorde*, dans lequel tout Paris a reconnu, ou cru reconnaître des membres de la famille et des amis. Cela montre à la fois le danger d'aller trop dans le monde ou d'accueillir dans celui-ci des littérateurs qui, leur moisson faite, passent de la flagornerie à l'ingratitude, voire à la calomnie. Dans le cas d'Abel Hermant, on peut même parler de trahison et Proust déplore cette manière de fabriquer un roman, sans faire œuvre véritable de création, en se contentant de transcrire la vie réellement vécue.

Autre trahison, et qui l'indigne davantage, celle de Paul Bourget, recevant, le 14 octobre, Maurice Donnay à l'Académie française. Bourget y prononce un discours plus remarqué que remarquable, émaillé de calembours qui ne sont pas de lui et assorti d'une profession de foi antisémite, assez curieuse dans la bouche d'un homme longtemps nourri chez les Cahen d'Anvers et marié à une Mlle David dont il a eu bien de la peine à persuader la société qu'elle était française et catholique. Après avoir lu le discours de Bourget, puis celui de Maurice Donnay, Proust, consterné de leur ton, de leur fausse hardiesse, écrit à Mme Straus que les deux académiciens avaient l'air de « dévotes ravies de dire un mot un peu vif devant leur curé ».

Déplorant le style de l'un comme celui de l'autre, il ajoute : « La vérité est qu'on croit que l'amour des lettres, de la peinture, de la musique est extrêmement répandu, et qu'il n'y a pas au fond une personne de plus qu'autrefois qui s'y connaisse et qui soit capable de distinguer le discours de Donnay d'une page vraiment bien écrite [1]. »

Ce même sentiment du devoir d'intégrité en littérature lui fait rompre des lances avec Daniel Halévy. Enthousiaste des « Sentiments filiaux d'un parricide », Halévy l'a beaucoup moins été des « Impressions de route en automobile », article qui l'avait seulement « amusé ». Irrité de voir une nouvelle technique descriptive ravalée au niveau de la chronique sportive, Proust prend sa revanche en critiquant une récente publication de Daniel Halévy dans les *Cahiers de la Quinzaine*, un texte intitulé sobrement « Épisode » et dont le mélodramatisme lui a paru faux ou forcé. Sa lettre a été perdue, mais la réponse de Daniel Halévy laisse à penser que Proust a saisi l'occasion pour laisser transparaître, à travers le jugement de l'écrivain, la rancune de l'adolescent de Condorcet, déçu de ses échecs auprès de son camarade. Dans une lettre au ton bourru, Halévy proteste que, s'il manque effectivement de gentillesse, il n'est pourtant pas dénué d'« intentions délicates » et cette réponse dissipe un peu les nuages, mais les relations entre les deux anciens condisciples iront en se refroidissant, au point qu'ils cesseront toute correspondance, leurs intérêts devenant d'ailleurs de plus en plus divergents.

Tandis que Daniel Halévy se consacre à l'histoire politique et sociale du XIXe siècle, Proust continue apparemment sa carrière d'amateur mondain dont il va donner un nouvel exemple en publiant dans *Le Figaro* une série de pastiches qui, pour habiles et amusants qu'ils soient, semblent confirmer qu'en imitant la manière des grands écrivains il avoue son impuissance à jamais en devenir un lui-même.

---

1. Kolb, tome VII, p. 325.

# 14

## Janvier 1908 - Décembre 1909

*L'affaire Lemoine : un filon littéraire - Haute école - Comment devenir romancier - A l'ombre des jeunes hommes en fleurs - Engouement pour Oriane de Goyon - Premiers frémissements du génie - Cabourg et l'incident Plantevignes - Un enfant de Bohème : Marie Murat* - Contre Sainte-Beuve - *Un directeur de conscience : Lionel Hauser - De Sainte-Beuve aux Guermantes - Prémices d'un chef-d'œuvre - Nostalgies à Cabourg - Naissance de Combray.*

Au mois de janvier 1908 éclatent deux scandales, l'un qui passionne le Tout-Paris, l'autre qui n'intéresse que la France. Le premier se produit le 2 janvier sur le parvis de Sainte-Clotilde où Boni de Castellane et son cousin, le prince Sagan, après un échange de paroles malsonnantes, en viennent aux mains. Depuis son divorce, Boni s'était réfugié chez ses parents, laissant à son ex-femme ce fameux Palais rose édifié avenue du Bois, moderne Trianon qui narguait la République. Notoirement désargenté, Sagan avait postulé auprès de Miss Anna Gould la succession de son cousin. S'il était déjà bien triste pour Castellane de perdre sa fortune, il l'était plus encore de voir celle-ci prête à tomber entre les mains d'un membre de sa famille qui en ferait certes un usage moins raffiné.

Aussi lorsque les deux hommes se trouvent face à face en sortant d'un service à la mémoire de Lady Stanley Errington, échangent-ils quelques propos cinglants, ponctués par un crachat de Castellane à Sagan, avec cette précision : « Tiens, voilà ce que mes enfants t'envoient comme étrennes ! » En voulant éviter ce cadeau, le prince trébuche, tombe, et Castellane en profite pour assener à son cousin une volée de coups de canne. Il faut séparer les deux hommes que l'on mène au commissariat de police. Cela n'empêchera pas Sagan d'épouser Anna Gould le 7 juillet 1908, ni Castellane de parachever sa vengeance par un de ses mots les plus féroces. Un jour qu'un naïf, ignorant leur parenté aussi bien que leur inimitié, veut présenter Castellane à Sagan, Boni lui répond que c'est inutile, qu'il le connaît bien, ajoutant : « Nous avons servi tous deux dans le même corps... » Cette altercation, qui défraie la chronique mondaine, aura son écho dans tous les Mémoires du temps alors que l'affaire Lemoine serait aujourd'hui bien oubliée si Proust ne l'avait prise pour thème d'une série de pastiches d'une remarquable virtuosité.

Un certain Lemoine, ingénieur doué d'ingéniosité, avait eu l'idée, non de fabriquer des diamants artificiels, mais de persuader Sir Julius Wernher, président de la De Beers, qu'il pouvait le faire, avec les conséquences que l'on imagine sur la cote en Bourse des actions de la De Beers et des autres compagnies d'extraction du diamant. Peut-être avait-il lu un excellent roman de Jules Verne, *L'Étoile du Sud*, dans lequel on voit un jeune ingénieur français tenter une expérience de fabrication de diamants et, après une longue cuisson, trouver dans son four la plus grosse pierre que l'on eût jamais vue. En réalité, le four avait éclaté en son absence et le serviteur noir préposé à sa surveillance, sachant le chagrin qu'aurait son maître de cet échec, avait glissé dans l'appareil un véritable diamant trouvé dans la mine et qu'il avait d'abord songé à garder pour lui. L'ingénieur français était donc de bonne foi en exhibant cette merveilleuse *Étoile du Sud* qui faisait croire au succès de son expérience.

Ce n'était pas le cas de Lemoine qui, en simulant des essais, avait réussi à convaincre Sir Julius Wernher et à lui extorquer des sommes importantes. Vite détrompé, le président de la De Beers avait porté plainte et le 9 janvier 1908 Lemoine était interrogé par le juge d'instruction. Il avait choisi pour défenseur Me Labori, l'ancien avocat de Dreyfus. Il ressort bientôt des débats que Lemoine n'avait rien trouvé du tout, mais, en produisant des diamants authentiques qu'il avait lui-même achetés, il laissait croire ainsi qu'il détenait le secret de leur fabrication. Son but, devait-il avouer, était d'intimider la De Beers, de faire baisser le cours des actions et d'en acheter suffisamment pour les revendre avec un gros bénéfice à la reprise des cours.

Ce nouveau scandale amuse ou indigne les lecteurs de journaux suivant les risques qu'ils ont courus. Possesseur d'un assez gros paquet d'actions de la De Beers, Proust avait d'abord trouvé la plaisanterie mauvaise, puis il avait compris le parti qu'il pouvait tirer de cette histoire qui rappelait, par la naïveté de Sir Julius Wernher, d'autres célèbres escroqueries du siècle dernier, comme celle des faux autographes de Vrain-Lucas, qui avait inspiré à Daudet son roman *L'immortel*.

A partir de ce fait divers, qui n'est que la transposition moderne du vieux rêve des alchimistes, Proust imagine la manière dont certains écrivains l'auraient raconté. En quelques jours, il écrit plusieurs essais, dont certains paraîtront dans *Le Figaro* entre le 22 février et le 21 mars. Rien n'est plus drôle à lire, ni plus profond dans la connaissance de l'œuvre du modèle et l'analyse de ses procédés, volontairement grossis pour donner une note comique au texte. Ainsi, parodiant Balzac plus qu'il ne le pastiche, il écrit à propos de la marquise d'Espard qu'elle pressa « la main de la princesse en gardant le calme impénétrable que possèdent les femmes de la haute société au moment même où elles vous enfoncent un poignard dans le cœur ».

Le pastiche de Balzac est en grande partie construit, non sur l'affaire Lemoine, dont il n'est question que dans les dernières lignes, mais sur une gaffe commise quelques années plus tôt chez Mme Baignères. La maîtresse de Fernand Gregh, que celui-ci méditait d'abandonner pour se fiancer avec Mlle Arlette Hayem, s'y trouvait en visite avec Mme Sichel qui, ayant eu vent du projet de fiançailles, s'en étonne : « On dit que Gregh se marie... », annonce-t-elle. Mme Baignères, très ennuyée de cette révélation devant la jeune femme qui n'en savait rien, dément avec énergie. « Du reste cela m'étonnerait, convient Mme Sichel, il est tellement laid, chauve, commun, etc. » De plus en plus inquiète de la tournure de la conversation, Mme Baignères proteste plus vigoureusement encore. « Enfin je ne le trouve pas séduisant... », déclare Mme Sichel, sentant vaguement que l'atmosphère est tendue, puis elle ajoute : « Du moins pour une jeune fille ! »

En revanche, le pastiche de Flaubert est entièrement consacré à une suspension d'audience lors du procès de Lemoine, puis à une plaidoirie de son avocat. La drôlerie des observations doit beaucoup au souvenir gardé par Prout des audiences du procès Zola au palais de justice. Le comique naît du contraste entre la gravité de la situation ou des attitudes et le détail pittoresque ou sordide qui, sans un œil averti, passerait inaperçu : « Pour finir, il[1] attesta les portraits des présidents

1. L'avocat de la De Beers.

Grévy et Carnot, placés au-dessus du tribunal : et chacun, ayant levé la tête, constata que la moisissure les avait gagnés [1]... » Avec une cruauté que Flaubert n'aurait pas eue, Proust s'amuse à évoquer les rêves que la plupart des assistants avaient faits en croyant possible la fabrication du diamant, sans réfléchir d'ailleurs que sa production industrielle entraînerait du même coup sa dépréciation, mais chacun s'imaginant qu'il serait seul à en détenir le secret. Passant en revue ceux qui auraient pu, subitement enrichis, renoncer à leurs affaires, acheter un hôtel ou un yacht, se faire élire président de la République ou académicien, devenir ambassadeur ou entrer au Jockey, acheter un titre de noblesse ou une femme jusqu'alors inabordable, il peint le désespoir qui les accable tous devant l'envol de leurs illusions : « A ceux-là l'excès de leur détresse ôtait la force de maudire l'accusé, mais tous le détestaient, jugeant qu'il les avait frustrés de la débauche, des honneurs, de la célébrité, du génie ; parfois de chimères plus indéfinissables, de ce que chacun recelait de profond et de doux, depuis son enfance, dans la niaiserie particulière de son rêve [2]. » Dans cette conclusion, la psychologie proustienne apparaît plus aiguë que chez Balzac et l'analyse plus fine que chez Flaubert.

Fort habilement, Proust dédouble ce jeu en faisant du troisième pastiche, celui de Sainte-Beuve, la critique du pastiche de Flaubert. Déjà convaincu que Sainte-Beuve a mal apprécié ses contemporains, exaltant les médiocres et aveugle au génie des grands, Proust reprend tous les traits dominants du récit attribué à Flaubert pour en démontrer, sous la plume supposée de Sainte-Beuve, les maladresses, les outrances, les fautes de goût. Et c'est d'un Sainte-Beuve assommant maître d'école, moralisateur et bougon, sentencieux et borné, qu'il trace un portrait négatif en attendant de dire ce qu'il pense de sa méthode dans son *Contre Sainte-Beuve.* Il le peint, prenant au pied de la lettre chaque mot de Flaubert pour démontrer son inadéquation, disputant sur tout, de l'adverbe à l'adjectif, de la conjonction au substantif et finissant par mettre en pièces tout le morceau afin de prouver au lecteur qu'il ne vaut rien, que M. Gustave Flaubert usurpe sa réputation.

Avec les Goncourt, Proust se trouve sur un terrain familier puisqu'il a connu Edmond de Goncourt et surtout l'entourage de celui-ci, particulièrement les Daudet qui ont pu lui fournir

---

1. *Pastiches et Mélanges*, dans *Contre Sainte-Beuve*, Pléiade, p. 13.
2. *Ibidem*, p. 15.

maintes indications sur les manières de penser ou d'écrire de ce vieillard atrabilaire, partagé entre son mépris du public et son désir d'en être applaudi. Ce pastiche a le défaut de mettre en scène non seulement Lucien Daudet, mais l'auteur lui-même, ce qui est une façon peu discrète de remédier à l'indifférence absolue d'Edmond de Goncourt à son égard, lorsqu'il rencontrait celui-ci chez les Daudet. Alors que Reynaldo Hahn figure dans le *Journal* des Goncourt, il n'y a pas une ligne sur lui ; aussi comble-t-il cette lacune en se présentant ainsi aux lecteurs du *Figaro* : « Comme bouquet, on apporte à Lucien la nouvelle, me donnant le dénouement de la pièce déjà ébauchée, que leur ami Marcel Proust se serait tué, à la suite de la baisse des valeurs diamantifères, baisse anéantissant une partie de sa fortune. Un curieux être, assure Lucien, que ce Marcel Proust, un être qui vivrait tout à fait dans l'enthousiasme, dans le *bondieusement* de certains paysages, de certains livres, un être par exemple qui serait complètement énamouré des romans de Léon. » Et pour illustrer cet enthousiasme, il place dans la bouche de Lucien Daudet cette anecdote d'un goût encore plus douteux : « Un jour, un monsieur rendait un immense service à Marcel Proust qui, pour le remercier, l'emmenait déjeuner à la campagne. Mais voici qu'en causant le monsieur, qui n'était autre que Zola, ne voulait absolument pas reconnaître qu'il n'y avait jamais eu en France qu'un écrivain tout à fait grand et dont Saint-Simon seul approchait, et que cet écrivain était Léon. Sur quoi, fichtre ! Proust oubliant la reconnaissance qu'il devait à Zola l'envoyait d'une paire de claques rouler dix pas plus loin, les quatre fers en l'air. Le lendemain, on se battait, mais, malgré l'entremise de Ganderax, Proust s'opposait bel et bien à toute réconciliation [1]. »

On peut se demander ce que Zola aurait pensé de cette bouffonnerie s'il avait été de ce monde et peut-être Proust aurait-il eu le duel qu'il s'est plu à imaginer. La fin du pastiche est une assez fine raillerie de la vanité blessée d'Edmond de Goncourt, persuadé que tout conspire contre son frère et lui pour « empêcher la marche en avant de leurs œuvres ».

Dans le pastiche de Michelet, Proust vaticine à propos de l'homme Lemoine plutôt que sur l'affaire elle-même dans laquelle il voit moins une escroquerie qu'« un épisode de la grande lutte de la richesse contre la science ». Enfin, pour

1. *Pastiches et Mélanges*, dans *Contre Sainte-Beuve*, p. 25.

Émile Faguet, qui a le tort d'être encore vivant, il use de plus de ménagements, imaginant un feuilleton que le critique aurait consacré à la représentation de *L'Affaire Lemoine*, une pièce à thèse, comme toutes celles qu'Henry Bernstein a déjà écrites et dont certaines ont fait scandale. Là, ce que Proust raille, c'est un certain pédantisme de Faguet perçant sous le style bon enfant, sans doute pour se mettre à la portée du public qui « marche » ou « ne marche pas », suivant son expression habituelle.

Enfin, cette série s'achève avec un pastiche de Renan, que Proust avait entrevu jadis à un dîner chez ses parents, Renan qui avait été pour toute une génération un maître à penser en même temps qu'un modèle de style. Quel meilleur moyen de secouer cette tutelle que de montrer l'onctueux écrivain, venu trop tard aux plaisirs de ce monde, introduisant, même dans les disciplines les plus austères, une douce sensualité qui leur donne des couleurs aimables. A ce vieil enfant, échappé à l'état ecclésiastique, tout est prétexte à vagabonder hors du sujet pour cueillir les roses de son automne et, à propos d'une usine de fabrication de diamants que Lemoine posséderait dans le nord de la France, ce sont de suaves et délicates évocations de la nature dans cette région, avec des notations qui rappellent certains vers des *Éblouissements*. Après avoir été promené à travers champs et chemins des environs de Lille, le lecteur espère revenir à l'affaire Lemoine, mais en vain. Il doit subir une brillante variation sur l'origine des noms et des surnoms, puis une harangue sur le détachement des biens de ce monde, et des diamants en particulier, avant de lire un véritable cours sur Balzac, relevé d'un peu de Victor Hugo, suivi d'un retour de Renan au Tréguier de son enfance, à l'éducation si pieuse qu'il y a reçue, à la ville d'Ys, engloutie par les flots, mais de Lemoine, il n'est pas question. « Patience ! Humanité, patience ! » s'écrie soudain le pseudo-Renan, plus vrai que nature, et le lecteur s'arme de patience en espérant toujours voir apparaître le célèbre escroc. Il arrive enfin, avec le vertueux Denys Cochin comme repoussoir, mais disparaît aussitôt, sans que son procès soit instruit, ni sa conduite dévoilée, pour laisser la place à Mme de Noailles et son « petit verger qui lui sert habituellement d'interlocuteur ». Le pastiche, un des meilleurs, s'achève sur cette note champêtre : Proust, à la manière de Renan, y a parlé de tout, sauf de Lemoine.

Ces pastiches publiés par *Le Figaro* ne sont pas les seuls écrits par Proust sur l'affaire Lemoine. Il en fera également un d'Henri de Régnier qui paraîtra dans le *Supplément littéraire* du *Figaro* le 6 mars 1909 et un autre, sans doute le plus brillant, consacré à Saint-Simon, qui ne verra le jour qu'en volume, et considérablement remanié, lorsque Gallimard publiera en 1919 un recueil de ses *Pastiches et Mélanges*. Ce pastiche de Saint-Simon, bien qu'écrit à propos de l'affaire Lemoine, est surtout une critique piquante de certaines prétentions mondaines et reprend le portrait si haut en couleurs de Montesquiou, publié dans *Le Figaro* du 18 janvier 1904 sous le titre de *Fête chez Montesquiou à Neuilly*.

Les textes parus dans *Le Figaro* en février et mars ont recueilli aussitôt l'approbation des connaisseurs qui admirent chez Proust la maîtrise dans un art moins facile à exercer qu'il n'y paraît, car l'intelligence doit suppléer à l'invention, et le talent au génie. Le genre, un moment décrié, a été remis à la mode par deux commères, Paul Reboux et Charles Muller, auteurs d'*A la manière de...* dont le premier volume vient de paraître. En rendant compte de ce livre, Lucien Daudet[1] profite de l'occasion pour rappeler aux lecteurs du *Gaulois* les pastiches récemment donnés par Proust au *Figaro*, ajoutant à son opinion celle d'un contemporain qui est sans doute Barrès : « L'autre soir, en lisant pour la seconde fois ces étonnantes danses du scalp autour de tant de morts célèbres, l'un de nos plus illustres, de nos plus aimés contemporains, dont la langue racinienne et d'une si belle tradition française est, je le crois, impossible à pasticher, s'écriait : *Je suis épouvanté ! Michelet,... Balzac..., c'est tout cela, et ce n'est que cela !* En effet, comme nous venions de lire *exactement* ce qu'auraient dit Balzac ou Michelet dans les mêmes circonstances, on se sentait devenir fou à l'idée qu'il était tout à fait inutile de les connaître ni de les approfondir au point de vue purement littéraire puisque nous venions de boire une dose condensée de *Micheletine* et de *Balzacite* qui nous expliquait tout[2]. »

Proust reçoit les compliments avec modestie, disant n'avoir voulu faire autre chose « qu'un exercice facile et vulgaire », comme il l'écrit à Mme de Noailles. « C'était par paresse de faire de la critique littéraire, avoue-t-il le 17 mars à Robert Dreyfus, amusement de faire de la critique littéraire *en action*. » Jules Lemaitre, certainement ravi de voir légèrement égratigner

---

1. Sous le pseudonyme de Lucien Chantal.
2. *Le Gaulois*, 30 mars 1908, cité par Kolb, tome VIII, p. 82. Voir aussi l'opinion de Benjamin Crémieux, dans *Hommage à Marcel Proust*, p. 182.

son rival Faguet, Anatole France, Paul Hervieu et la plupart de ses amis le félicitent, d'un cœur sincère semble-t-il.

Lorsque Robert Dreyfus lui dit son admiration de sa technique, il se défend d'en avoir une et il serait plus juste de dire qu'en composant si vite — et avec une telle virtuosité — ces pastiches, il a en quelque sorte écrit autant de lettres d'adieu aux maîtres dont il a été longtemps le disciple pour pénétrer le secret de leur art avant de faire à son tour œuvre originale.

*

« Je voudrais me mettre à un travail assez long », écrivait-il le 2 février 1908 à Mme Straus. Dans les premiers jours de janvier, il avait commencé un récit largement autobiographique, un des rares, pour ne pas dire l'unique dans lequel son frère apparaît, puis il l'avait abandonné lorsque l'affaire Lemoine avait éclaté, lui fournissant le thème de ses pastiches.

Leur succès lui a donné l'idée de les polir et de les compléter pour les publier en plaquette. Le Mercure de France et les éditions Fasquelle lui ayant donné une réponse négative, il s'adresse alors à Calmann-Lévy, mais de telle manière qu'il court au-devant d'un échec. C'est ce que l'on peut déduire d'une lettre à Mme Gaston de Caillavet, lettre bien faite pour achever de convaincre celle-ci que le « Proustaillon » est un peu piqué : « Je viens d'écrire à M. Calmann. C'est malheureux que ce soit à *celui-là.* Parce qu'il m'est très sympathique : la conséquence est que je lui ai écrit une lettre très persuasive pour lui expliquer que cela me ferait plus de plaisir s'il ne publiait pas les pastiches. Nul doute qu'il ne se range à cette solution sans difficulté. Et naturellement j'en serais désolé. Pendant le temps qu'il mettra à prendre connaissance de ma lettre et à me signifier son refus, vous seriez bien gentille de demander à Gaston s'il n'existe pas d'éditeurs moins chics *(sic)* et avec qui ce serait tout simple. Cela me serait tout à fait égal de faire les frais de l'édition... [1] »

En s'adressant à Jeanne de Caillavet, Proust, qui ne peut jamais agir simplement, lui suggérait d'intervenir ou de faire intervenir son mari auprès de M. Calmann pour faire comprendre à celui-ci qu'il devait interpréter sa lettre en donnant aux mots une signification absolument contraire à

1. Kolb, tome VIII, p. 91

celle qu'ils semblaient avoir, « je ne voudrais pas » voulant dire en fait « je désire beaucoup ». Il est bien évident que Calmann-Lévy, qui n'a pour ainsi dire rien vendu des *Plaisirs et les Jours*, n'a aucune envie de renouveler l'expérience et se garde de répondre à cette proposition entortillée. Aussi, grand est le désappointement de Proust devant ce silence : « L'*infâme Calmann ne m'a toujours pas répondu* ! Depuis onze jours ! » se plaint-il à Mme de Caillavet, abattant cette fois franchement ses cartes : il serait ravi d'être publié par Calmann et charge implicitement sa correspondante de s'entremettre, ce que celle-ci se gardera de faire.

La publication des pastiches étant manquée, car il fallait la faire pendant que leur souvenir était encore frais dans la mémoire des lecteurs du *Figaro*, il ne lui reste plus qu'à reprendre le travail commencé avant l'affaire Lemoine, mais il hésite et ne va guère au-delà des deux épisodes esquissés, *Robert et le chevreau* et *Maman part en voyage*. Un moment, il songe à écrire une étude sur l'homosexualité dont l'affaire Eulenburg a révélé l'importance, plus grande que le croyait un vain peuple, dans les sphères officielles. L'année précédente, en effet, une campagne de presse menée par le journaliste juif Maximilian Harden avait dénoncé l'entourage de Guillaume II en portant de telles accusations sur les mœurs de certains personnages, comme le prince Philip Eulenburg, le comte von Hohenau et le comte Kuno von Moltke, qu'un procès s'en était suivi au cours duquel de fâcheuses révélations avaient été faites, mêlées à d'autres, plaisantes celles-là, comme le surnom de *Liebchen*, « Petit chéri », donné par les membres de la camarilla de Berlin à leur auguste empereur. Celui-ci, effrayé du scandale, avait renié la plupart de ses amis et abandonné Eulenburg à son sort, heureusement moins cruel que celui d'Oscar Wilde puisqu'il avait fini par être acquitté de toutes les charges retenues contre lui.

Rien ne passionne davantage Proust que ces « sombres mystères » et rien ne l'agace plus que d'entendre en parler à tort et à travers par des gens qui ne les connaissent que par les journaux, plus amateurs de scandale que soucieux de vérité. Élevé dans un milieu médical, il a sur le sujet des lumières scientifiques que possèdent alors peu de Français. Ayant connu Oscar Wilde et suivi son procès, il connaît la législation et ce qu'il en coûte de la transgresser ; enfin, homosexuel lui-même, il éprouve à parler de « ces plaisirs », même en paraissant les condamner, la satisfaction de Raskolnikov à parler de son crime et, plus tard, celle du baron de Charlus à improviser des conférences sur ce sujet scabreux.

A en juger par sa correspondance et les souvenirs de ses amis, il semble que jusqu'à présent Proust ait observé une certaine retenue, en essayant de donner le change. A l'exception d'Agostinelli, glorifié dans *Journées de route en automobile*, aucun de ses domestiques mâles n'a joué auprès de lui un rôle équivoque. Jean Blanc, valet de chambre de son père, et dont il vient de se séparer, appartient à l'espèce classique du domestique de bonne maison et n'a guère laissé de traces dans l'histoire de son maître. Nicolas Cottin, qui lui succède, est d'un autre style, avec ce vernis mondain de mauvais aloi qu'ont les anciens valets de pied de grands hôtels ou de casinos, car il aurait été croupier de cercle. De cette expérience, il a gardé le goût des cartes et celui de la boisson. Il est, paraît-il, « charmant, dévoué, stylé et soigneux [1] ». Il sait se plier aux horaires extravagants de Proust, accepte de jouer aux dominos avec lui et se montre capable, à l'occasion, de remplir le rôle de secrétaire, c'est-à-dire de classer les feuillets que son maître vient d'écrire et de porter ses lettres en ville. C'est un homme marié, dont l'épouse a été engagée avec lui pour servir de femme de chambre et faire une cuisine extrêmement restreinte, puisque déjà réduite à d'incessantes préparations de café. Aucun soupçon ne pèse non plus sur Robert Ulrich, neveu de Félicie Fitau, ancienne cuisinière du docteur et de Mme Proust, qui a quitté la maison l'année précédente. Si Proust utilise Robert Ulrich de temps en temps comme secrétaire, il cherche surtout à lui trouver un emploi dans une banque ou une maison de commerce. Ce jeune homme, qui habite boulevard Haussmann, a une maîtresse en ville et découche fréquemment. Un jour, Proust avait trouvé, oubliées par Ulrich, des lettres de cette fille qui l'avaient fort diverti par leur vulgarité naïve. Interrogé sur ses amours, Ulrich avait répondu, avec une égale naïveté : « Cette femme n'est pas jolie, mais je couche avec elle parce qu'elle est extraordinairement intelligente comme vous pouvez le voir par ses lettres... [2] »

Aussi sensible à l'intelligence, Ulrich aurait pu céder à celle de son maître, mais il ne paraît pas que celui-ci ait éprouvé quelque attirance à son endroit. Son rêve, si longtemps poursuivi, d'une amitié fervente et réciproque avec un jeune

1. *Quid de Marcel Proust*, p. 64.
2. Kolb, tome VII, p. 285.

homme appartenant au même milieu que lui, et si possible d'une condition supérieure, a échoué après avoir pris successivement les visages de Daniel Halévy, Reynaldo Hahn, Lucien Daudet, Robert de Flers, Bertrand de Fénelon et sans doute de bien d'autres, passions mal connues car vite éteintes devant la froideur de ceux qui en étaient l'objet. Il ne lui reste plus qu'à chercher des substituts à ces brillants échantillons de la haute société en chassant sur d'autres terrains que ceux des beaux quartiers ou du cercle du Polo où le parrainage de Guiche vient de le faire entrer, mais où il ne mettra d'ailleurs jamais les pieds.

Dans ce Paris du début du siècle, où chaque grande maison abrite une escouade de valets de pied, sans compter les grooms et les palefreniers, les occasions d'aventures masculines sont nombreuses, mais avec le risque de voir le domestique, s'il a mauvais esprit, se muer en maître-chanteur. Tous les valets de pied n'éprouvent pas cet amour désintéressé de l'aristocratie de l'aboyeur de la princesse de Guermantes découvrant que le jeune homme avec lequel il a passé un quart d'heure délicieux dans un bosquet des Champs-Élysées n'est autre que le duc de Chatellerault.

A côté de ces amours ancillaires, il existe une importante prostitution masculine dont les lieux d'exercice sont à peu près les mêmes qu'aux siècles précédents, du jardin des Tuileries à l'Étoile, le déboisement des Champs-Élysées n'ayant pas nui à cette profession qui s'est étendue aux cafés de la place de Clichy. En revanche, une spécialité nouvelle est apparue, grâce au progrès de la technique, spécialité particulièrement appréciée des messieurs d'un certain âge : les petits télégraphistes. La pratique de la bicyclette leur donne du muscle, le vent de la course de la fraîcheur. Ces tout jeunes gens, qui n'hésitent pas à monter cinq étages pour délivrer un « petit bleu », sont en général bien reçus et le seul fait de leur glisser dans la main un gros pourboire est une façon discrète de leur faire comprendre que l'on attend d'eux un service supplémentaire, que beaucoup rendent avec bonne humeur, sans y attacher d'importance : il y a toujours une vieille mère malade, une sœur faisant ses études, qui permettent de sauver leur honneur de mâles. Quelquefois l'aventure est si charmante que l'amateur regrette de n'avoir pas noté le nom et l'adresse du partenaire pour le revoir et use alors du seul moyen à sa disposition : s'adresser lui-même un « petit bleu », en espérant que le porteur n'aura pas changé de quartier, ou de profession, entre-temps.

Est-ce pour un motif analogue que Proust demande à Louis d'Albuféra de lui faire rencontrer, afin d'en obtenir des renseignements pour un livre auquel il travaille, un jeune télégraphiste, apparenté à l'un de ses domestiques : « Tu me diras que je n'aurai qu'à parler à ceux qui m'apportent des dépêches, mais d'abord personne ne m'écrit plus et ensuite dans mon quartier ce sont tous des enfants en bas âge incapables de donner l'ombre d'un renseignement. Mais les renseignements (d'ailleurs peu nombreux) ne me suffisent pas ; c'est surtout de voir un télégraphiste dans l'exercice de ses fonctions, d'avoir l'*impression* de sa vie. Peut-être le tien ne l'est plus. Dans ce cas, il ne servirait à rien, mais peut-être a-t-il des amis... [1] » ?

Sans être un démon d'esprit, Louis d'Albuféra possède assez de bon sens pour s'étonner d'une telle requête, éminemment suspecte à ses yeux et qui vient confirmer ce qu'il a plusieurs fois entendu dire de son ami. Dans sa réponse, il a dû ironiser à cet égard, ou bien morigéner Proust, car celui-ci réplique sur un ton pincé : « Ta plaisanterie sur le genre de rapports que tu n'as pas eus avec lui était inutile et cette idée ne me serait pas venue. Hélas ! je voudrais être aussi sûr que tu n'as pas à cet égard de telles idées sur moi. En tout cas, ce serait plus explicable puisque tant de gens l'ont dit de moi. Cependant je pense que quel que soit le fond de ta pensée sur moi à ce sujet (et je souhaite de tout cœur qu'elle soit conforme à la vérité, c'est-à-dire excellente), ce n'est pas relativement à Louis Maheux [2] que cette pensée te viendrait. Je ne suis pas assez stupide, si j'étais de ce genre de canailles, pour aller prendre toutes les précautions pour que le garçon sache mon nom, puisse me faire coffrer, t'avertisse de tout, etc. Je réponds à ta plaisanterie un peu longuement peut-être. Mais c'est qu'hélas ! elle était suivie d'un *mais* (''mais si c'est pour avoir l'impression de sa vie'') que tu as écrit involontairement d'autant plus sincèrement et qui m'a donné fort à penser [3]. »

Louis d'Albuféra n'a pas dû se montrer suffisamment convaincu par cette mise au point, car Proust réitère ses explications : « Quant à mes *connaissances* peut-être en ai-je dont

---

1. Kolb, tome VIII, p. 76.
2. Le jeune télégraphiste en question.
3. Kolb, tome VIII, p. 98.

on dit plus de mal que des tiennes. Mais peut-être y a-t-il pour les tiennes (au point de vue auquel tu fais allusion) certitude plus grande. Je ne veux me faire l'accusateur de personne d'autant plus que je sais qu'il y a de très gentils garçons qui peuvent avoir des vices, mais dans ta génération, à part quelques êtres *insoupçonnables* et au-dessus de toute calomnie qui, d'ailleurs, ne pensera jamais à s'exercer sur eux tant elle les sait inattaquables, tels que *toi*, *Guiche* (je sens ma liste s'arrêter et je ne sais qui ajouter quoiqu'il y en ait certainement d'autres), je t'assure que ce n'est pas dans le monde du théâtre ou de la littérature que la malveillance a à s'exercer... J'ai écrit il y a huit jours au jeune Maheux. Quelques jours après il a téléphoné, mais à une heure où je ne pouvais le recevoir. Il n'a pas retéléphoné depuis. Du reste, je ne sais pas si je ne vais pas abandonner mon roman parisien... [1] »

Pour montrer à d'Albuféra qu'il ne s'intéresse à l'homosexualité qu'à titre littéraire, comme Balzac l'avait fait, il lui énumère les essais qu'il a en préparation, programme véritablement balzacien par la variété des sujets qu'il se propose de traiter : « Une étude sur la noblesse, un roman parisien, un essai sur Sainte-Beuve et Flaubert, un essai sur les femmes, un essai sur la pédérastie (pas facile à publier), une étude sur les vitraux, une étude sur les pierres tombales, une étude sur le roman... [2] » Et pour achever de détromper d'Albuféra, au cas où celui-ci douterait encore de la pureté de ses intentions, il lui demande, toujours à titre documentaire, de lui prêter la photographie d'une de ses cousines, Mlle de Goyon, sans préciser à quoi cette photographie peut lui servir. Toujours pour rassurer d'Albuféra, il lui raconte un peu plus tard qu'il a reçu la visite du jeune Maheux qui — curieuse coïncidence — ressemble à Bertrand de Fénelon. Serait-ce pour cette raison qu'il tenait tant à le voir ? Il précise seulement que ce jeune homme est « beaucoup mieux tenu » que Fénelon, qui passe en effet pour négligé. On peut même soupçonner ce jeune télégraphiste, « pas représentatif du tout de sa profession », d'être un peu snob à en juger par la manière dont il regarde certains de ses collègues comme « ayant plutôt le genre Grenelle que le genre de la rue Saint-Dominique », amusant exemple des distinctions savantes et compliquées que les membres d'une

1. Kolb, tome VIII, p. 112.
2. *Ibidem*, p. 113.

classe sociale dite inférieure introduisent entre eux, dans leur propre sphère, et que Proust saura si bien analyser dans *A la recherche du temps perdu* où le snobisme de la vieille Françoise, de certains valets de pied de grandes maisons aristocratiques est aussi remarquable que celui des Cambremer ou des Legrandin.

A l'égard des femmes de son entourage, Proust continue de maintenir une façade de conformisme avec une prudence teintée d'hypocrisie. Lorsque Abel Hermant exhibe un fils adoptif, choisi d'une main experte, il s'indigne des suppositions malveillantes que suscite dans Paris cette mystérieuse adoption : « Bien que la solennité d'une forme juridique comme l'adoption ne serve plus guère qu'à y ajouter quelque saveur à la banalité des situations irrégulières, écrit-il à Mme Straus, je ne puis croire qu'il ait voulu parer des dehors infiniment respectables de l'inceste une banale aventure d'homosexualité. Je suis convaincu et certain qu'il n'a nullement ces goûts... [1] », ajoute-t-il alors qu'il ne peut ignorer la réputation d'Hermant, bien établie à cet égard, et le surnom de « Bel au bras d'Hermant » donné à un jeune prince de ses amis.

*

Sans que l'on puisse deviner le motif de son intérêt subit pour cette Mlle de Goyon, qui prend à ses yeux une importance inexplicable, il se donne beaucoup de mal pour la rencontrer. Il l'aperçoit le 12 juin à un bal chez la princesse Edmond de Polignac, mais ne réussit pas à lui être présenté. Il est plus heureux, dix jours plus tard, à une grande réception Murat, rue de Monceau, où il est enfin nommé à l'objet de ses rêves. Malheureusement André de Fouquières, qui s'est chargé de le présenter, a un peu trop bu et il accompagne cette présentation de commentaires propres à faire rougir la jeune fille qui ne comprend rien à cette scène. En contant celle-ci à Reynaldo Hahn, Proust affirme que Fouquières, après l'avoir présenté, aurait ajouté : « "Qu'est-ce que tu dis de ces petites joues-là ? Tu les pincerais volontiers, hein ? Et que dirais-tu d'un petit baiser ? Ah ! Tu le voudrais bien, canaille, tu dis que tu voudrais bien croquer ces petites pommes d'api-là (je ne disais rien du tout), tu as raison, du reste, tu es très bien aujourd'hui,

1. Kolb, tome VIII, p. 72. Lettre à Mme de Noailles, qu'il achève en adjurant celle-ci de la brûler et de n'en divulguer jamais le contenu.

tu as coupé un peu ta barbe, tu me plais..." L'expression *ne pas savoir où se fourrer* suffit à peine à peindre l'état où j'étais, ajoute Proust, où était la jeune fille, et où était son fiancé, présent[1]. »

A Louis d'Albuféra, il dira peu après : « J'aurais dû me faire présenter à son père, mais j'avais perdu la tête. De plus, peut-être m'aurait-il calotté tant sa fille était devenue par ma faute le point de mire de tout le monde[2]. » Après les goujateries d'André de Fouquières, l'infortunée Mlle de Goyon doit en effet supporter la curiosité malveillante de Madeleine Lemaire qui va la dévisager sous le nez pour dire ensuite, assez haut pour être entendue : « Elle est très laide et elle a l'air bien sale. » Pour ne pas être en reste, Suzette Lemaire imite sa mère et dévisage à son tour Mlle de Goyon en multipliant les réflexions désagréables.

Cette version de la rencontre est fort différente de celle qu'il donne d'abord à Louis d'Albuféra et dans laquelle il ne fait aucune allusion à l'état d'ébriété de Fouquières ou à ses propos. Il se contente de dire que ce fut pour lui « une émotion énorme, [mais aussi une déception,] car de près elle ne m'a plus paru si bien et un peu agaçante dès qu'elle parle, et plus coquette qu'aimable... ». Loin de critiquer Fouquières, il charge d'Albuféra de lui exprimer sa gratitude pour l'avoir présenté, car il semble que la chose ait été moins facile qu'on ne pourrait le croire : « ... C'est inouï ce qu'on est peu serviable, surtout quand il y a un peu d'amour dessous. Du reste, il ne faut pas que j'exagère, ce n'est pas du vrai amour, je ne sais pas bien ce que c'est[3]. »

D'ailleurs Mlle de Goyon, qui serait donc fiancée, mais en fait ne se mariera qu'après la guerre, n'est pas la seule jolie femme de Paris et Proust laisse entendre qu'il a été sensible également au charme de Mlle Marshall, à celui de Mme Barrachin, beauté célèbre et même officielle de l'époque, comme Mme Gauthereau l'avait été trente ans plus tôt. Mais il est décidément obsédé par Mlle de Goyon, à moins qu'il ne veuille toujours rassurer d'Albuféra sur l'orthodoxie de ses mœurs, car il termine cette lettre un peu désordonnée en annonçant qu'il a l'intention de se retirer en Italie, sur les hauteurs de Florence, où il tâchera de dire à quelque pauvre

1. Kolb, tome VIII, p. 151.
2. *Ibidem*, p. 149.
3. *Ibidem*, p. 148.

Italienne ce que lui inspire telle ou telle femme de Paris, en particulier Mlle de Goyon qui n'aura peut-être laissé d'autre trace dans sa vie que son prénom d'Oriane que Proust donnera bientôt à l'une de ses plus célèbres héroïnes.

Ce Proust bizarrement amoureux d'une demoiselle à peine entrevue se double au printemps 1908 d'un Proust mondain qui sort davantage et ambitionne même de tenir une chronique des réceptions pour *Le Figaro*. Aussi met-il à contribution ses amis pour que ceux-ci l'alimentent en échos, rosseries ou descriptions de toilettes, mais il ne semble pas donner suite à ce projet, trop absorbé déjà par le travail important qu'il annonçait à Mme Straus au début de l'année. Malgré son incapacité à faire un véritable roman de *Jean Santeuil*, la facilité avec laquelle il a écrit ses pastiches lui prouve qu'il possède une incontestable maîtrise d'écriture, mais qu'il doit, pour en tirer parti, trouver sa propre méthode ou, peut-être, créer un genre littéraire qui convienne à son tempérament.

Il a trente-sept ans et n'a rien fait jusque-là qui mérite de passer à la postérité. Son recueil, *Les Plaisirs et les Jours*, est un péché de jeunesse, oublié du public au point que Proust peut se le pardonner ; malgré les compliments qu'ils lui ont valus, ses pastiches n'ont été acceptés par aucun des trois éditeurs qu'il a sollicités, enfin les articles de complaisance qu'il a publiés dans *Le Figaro*, qu'il s'agisse d'un « salon » ou de la critique du livre d'un ami, ne sont que de l'eau bénite de cour, destinée à s'évaporer avec le temps. Que resterait-il de lui, s'il venait à mourir subitement ? Rien, ou presque, à peine son nom cité en bout de liste dans les comptes rendus mondains, et le plus souvent dans ceux qu'il a rédigés lui-même... Lorsqu'on a eu des visées littéraires et qu'on s'en est servi pour demander à ses parents, à sa conscience, à la vie elle-même un sursis, un délai de grâce avant de se mettre sérieusement au travail, un tel échec incite à de moroses réflexions. Dans ces retours sur soi-même, il y a non seulement le regret du temps perdu, mais aussi l'amer sentiment de penser que personne ne saura jamais rien du monde de rêves, d'images et d'idées que l'on a si longtemps porté en soi, monde informe et mouvant, fugitif et précieux, qui risque à chaque instant de s'évanouir si l'on ne réussit, par le miracle de l'écriture, à le sauver. C'est ce sentiment de contenir dans son cœur et sa tête un monde merveilleux, menacé de disparaître avec lui, qu'il exprimera dans les pages admirables, les plus belles peut-être de son œuvre qui terminent *Le Temps retrouvé*, donnant à toute *La Recherche du temps perdu* sa justification et sa grandeur.

A cet égard, Proust, plus qu'un autre, a vécu dans un rêve éveillé, nourri des sensations de son enfance et de ses impressions de lecture, les deux si bien amalgamées qu'il a pu construire un monde imaginaire auquel s'intègrent toutes les impressions nouvelles recueillies lors de ses rares sorties ou dans ses nombreuses lectures. Comment exprimer cette vision particulière, l'esthétique qu'il en a dégagée, la tristesse aussi de toutes ces expériences qui conduisent au néant, le malentendu de l'amour et l'imposture de l'amitié, car il semble, d'après certains passages de ses lettres, qu'il ait compris depuis longtemps combien vraie est la parole de l'Écclésiaste sur la vanité de ce monde ? « Peut-être, écrit-il dans un de ces carnets que Mme Straus lui a donnés pour ses étrennes, peut-être dois-je bénir ma mauvaise santé qui m'a appris, par le lest de la fatigue, l'immobilité, le silence, la possibilité de travailler. Les avertissements de mort. Bientôt tu ne pourras plus dire tout cela. La paresse ou le doute ou l'impuissance se réfugiant dans l'incertitude sur la forme de l'art. Faut-il en faire un roman, une étude philosophique, suis-je romancier[1] ? »

Et quelques lignes plus loin, sentant toute la fragilité de ce monde intérieur, « qu'un rien peut briser », il le compare au lac de Genève, invisible la nuit, ce qui n'empêche pas qu'il existe.

Comment amener au grand jour cet univers frémissant, voluptueux et secret, comment procéder à ce laborieux accouchement de son cerveau ? « J'ai là quatre visages de jeunes filles, deux clochers, une filière noble, en l'hortensia normand, un *allons plus loin* dont je ne sais pas ce que je ferai[2] », griffonne-t-il un jour sur une page de ce petit carnet où il note, pêle-mêle, souvenirs, phrases à utiliser, adresses, réflexions entendues, descriptions de sites ou de monuments. Quelques pages avant ces notes, qui traduisent à la fois ses doutes sur la réalité de sa vocation littéraire et son anxiété sur la manière d'y répondre, il faisait le bilan des fragments déjà rédigés de l'œuvre future, morceaux qui correspondront, grosso modo, à ce que sera *Du côté de chez Swann* : « Robert et le chevreau, Maman part en voyage, le côté de Villebon et le côté de Méséglise. Le vice, sceau et ouverture du visage. La déception

1. Kolb, *Le Carnet de 1908*, p. 60.
2. *Ibidem*, p. 61.

qu'est une possession, embrasser le visage. Ma grand-mère au jardin, le dîner de M. de Bretteville, je monte, le visage de Maman alors et depuis dans mes rêves, je ne peux m'endormir, concessions, etc. Les Castellane, les hortensias normands, les châtelains anglais, allemands ; la petite-fille de Louis-Philippe, Fantaisie, le visage maternel dans un petit-fils débauché. Ce que m'ont appris le côté de Villebon et le côté de Méséglise [1]. »

Ne sachant pas encore comment il mènera son entreprise, dont l'esquisse ne laisse pas deviner les proportions qu'elle atteindra, Proust en a au moins pour la première fois, en ce printemps de 1908, la conception claire, presque fulgurante, au point que Philip Kolb la compare à l'illumination de Pascal « lorsqu'il griffonne sur un parchemin son fameux *mémorial* [2] ». Il possède un point de départ, c'est-à-dire ses souvenirs d'enfance tels qu'il les a écrits, mais qu'il refondra entièrement pour les enrichir de nouvelles réminiscences. Il a également entrevu la fin de l'œuvre, en vue de laquelle tout le livre est conçu, car cette fin lui donnera rétrospectivement son vrai sens, la résurrection, par le phénomène de la mémoire involontaire, de tout ce temps que le héros croyait avoir perdu et qui surgit, intact, préservé dans l'inconscient, avec une fraîcheur analogue à celle de ces étoffes mises de côté pour recouvrir en cas de besoin un fauteuil et qui choquent presque l'œil par la vivacité de leurs couleurs à côté de soieries passées au soleil.

*

Si ce carnet, précieux pour l'histoire d'*A la recherche du temps perdu*, a été commencé à Paris, c'est à Cabourg que Proust y consigne la majeure partie des notes qu'il renferme. Il y est arrivé le 18 juillet 1908, beaucoup plus tôt que l'année précédente. Il commence, suivant son habitude, par se mettre au lit, mais en sort assez rapidement pour mener ensuite une vie presque normale, inaugurant ce séjour par un dîner en l'honneur de Louisa de Mornand dont il continue d'être le chevalier servant bien qu'elle ait définitivement rompu avec d'Albuféra.

L'hôtel a changé de direction, mais la clientèle reste la même, encore que Proust la trouve empirée : « C'est plein, mais quelle société ! écrit-il à Robert de Billy. Pas une personne

1. Kolb, *Le Carnet de 1908*, p. 56.
2. *Ibidem*, p. 7.

sur qui vous puissiez mettre un nom. Quelques *marchands de biens* israélites sont l'aristocratie, d'ailleurs orgueilleuse, du lieu[1]. » Un mois plus tard, il comparera le Grand Hôtel à la colline de Jérusalem, se plaignant auprès de Max Daireaux que « la race... [dont celui-ci] a voulu naître... n'est pas toujours aimable [et que] les païens qu'elle accapare ne fleurissent ni n'embaument en rosiers et en grâces comme le jardin de sainte Élisabeth de Hongrie ». Avec cette société juive, voyante et bruyante, cohabite une clientèle sans prétention, faite de noblesse provinciale ou de moyenne bourgeoisie parisienne, société qui se montre d'autant plus causante qu'elle n'a pas grand-chose à dire. Pour elle, la verdeur de langage tient lieu d'esprit. Le vieux Castellane, père de l'infortuné Boni, déplore ainsi son délabrement physique : « Je mange, je bois, je dors, je baise, mais je suis malade... » Le vicomte d'Alton et sa famille se montrent des maîtres de maison accueillants, ainsi que nombre de Parisiens égaillés dans les villas de la côte, de Bénerville à Trouville. Parmi eux, Proust compte de nombreux amis ou connaissances : Jacques Faure, Marie de Barbarin, Cécile Sorel, Albert Flament, l'actrice Lucy Gérard, Mme Jean de Reské, les Georges-Lévy, Mme Straus, chez qui séjournent Mme de Pierrebourg et Paul Hervieu, Robert de Billy, Mme Edwards et José-Maria Sert qu'elle épousera en troisièmes noces, Mme Forain, etc.

L'avantage — ou l'inconvénient — des stations balnéaires, c'est d'y nouer des relations que l'on ne se serait pas faites ailleurs et si elles se révèlent décevantes, de pouvoir les oublier aussi vite que les meubles de sa chambre ou les serveurs de la salle à manger. Dans cette promiscuité des vacances, Proust rencontre ainsi un tout jeune homme répondant au nom robuste et sain de Plantevignes, patronyme qui semble emprunté à un fabliau médiéval pour en affubler un personnage de Feydeau. Heureuse coïncidence : ce garçon, qui n'a pas tout à fait vingt ans, répond au prénom de Marcel. Il est le fils d'un marchand de cravates parisien et, sans doute, un peu snob, soucieux de se faire de belles relations, car il est un commensal assidu des d'Alton. Le jeune Plantevignes a été frappé par l'étrange silhouette de Proust et surtout par l'originalité de sa conversation, mêlant de piquants commentaires sur les gens du monde, des remarques presque obscènes sur les mœurs des uns ou les

1. Kolb, tome VIII, p. 193.

perversions des autres à des évocations lyriques de la nature et des considérations esthétiques ou morales.

Animé du zèle des néophytes, Marcel Plantevignes accepte de jouer auprès de ce curieux estivant un rôle de page, voire de factotum, s'ingéniant à lui rendre de menus services et devenant parfois son intermédiaire entre lui et les différentes catégories de domestiques du Grand Hôtel dont la hiérarchie paraît à Proust infiniment plus complexe que celle des castes hindoues, avec des nuances d'étiquette propres à embarrasser un nouveau Saint-Simon. Ainsi existe-t-il différents grades dans l'armée des liftiers et doit-on proportionner les pourboires au rang de chacun. Doit-il, dans le hall de l'hôtel, saluer d'abord le concierge et celui-ci serait-il peiné s'il disait bonjour auparavant à un autre employé ? Pour retenir une table est-ce au premier ou au second maître d'hôtel qu'il faut s'adresser ? S'il le fait auprès du second, qui connaît mieux la salle et sa disposition, le premier risque-t-il d'en prendre ombrage ? Mais s'il s'adresse au premier, alors que c'est au second qu'incombe cette fonction, ce grand personnage ne s'offensera-t-il pas d'être jugé assez peu important pour ne pouvoir s'en occuper ? Bref, Proust connaît des affres d'incertitude dont Plantevignes le tire en allant se renseigner. « Et finalement, rapporte Marcel Plantevignes dans ses souvenirs sur Proust, j'étais souvent chargé d'une commission diplomatique délicate. Il fallait voir le second maître d'hôtel, *sans être vu de personne*, et lui expliquer que Proust, ne voulant pas froisser le premier maître d'hôtel, s'adresserait à [celui-ci] pour le choix de sa table, mais qu'il comptait sur lui, second maître d'hôtel, pour lui choisir et lui réserver la table la plus appropriée à son état maladif et donc la plus à l'abri des différents inconvénients possibles [1]... »

Ravi de cette intimité avec un homme qui connaît tant de beau monde, et lui fait de si jolis compliments, Plantevignes non seulement ne s'en cache pas auprès de ses amis, mais en tire certainement quelque vanité. Étonnée de les voir si liés, une dame essaie de le mettre en garde contre les dangers d'une telle fréquentation et comme Plantevignes ne comprend pas ce qu'elle insinue, elle lui révèle, à demi-mot, que ce monsieur a des mœurs tout à fait particulières et qu'il jouit à cet égard d'une réputation que personne ne peut ignorer. Surpris, le jeune homme esquive l'attaque en bredouillant qu'il le sait bien, mais que pour lui cela n'a aucune importance et n'en

1. M. Plantevignes, *Avec Marcel Proust*, p. 38.

souffle rien à Proust, ce qui se comprend. Malheureusement ces propos médisants ont été tenus sur la digue, en présence d'autres estivants, et ils sont rapportés par quelque bonne âme à Proust qui s'indigne que son chevalier servant n'ait pas pris sa défense et même ait semblé acquiescer par son silence. Furieux, sans avoir la pensée de l'interroger pour savoir la vérité, il lui signifie son congé par une lettre qui claque comme une gifle : « Monsieur, tandis que vous me prodiguiez avec une ténacité et une insistance qui m'inquiétaient parfois, parce que je me demandais si un jour elles ne friseraient pas la bassesse, des marques du plus sincère attachement, j'étais bien loin de me figurer que vous vous apprêtiez à me poignarder dans le dos. Ayant toujours fort peu apprécié ces mœurs de la Renaissance, je viens aussitôt vous en dire mon mépris et que je ne vous reverrai jamais. Vous avez maladroitement gâché une amitié qui aurait pu être fort belle. Et je n'éprouve pas de regrets à ne même pas vous dire adieu. Marcel Proust[1]. »

Abasourdi par une telle déclaration, le jeune Plantevignes court au Grand Hôtel pour réclamer à Proust des éclaircissements, mais un liftier qu'il connaît bien lui refuse l'accès de l'ascenseur en lui disant qu'il a reçu des ordres formels de M. Proust, y compris celui d'appeler la police s'il insistait. Plantevignes rentre chez lui et, se sentant tout à fait innocent, montre la lettre à son père qui, à son tour, se rend au Grand Hôtel pour exiger de Proust une explication. Il est reçu par un Proust « raidi, compassé, mécanique, empaillé, comme il est tout à coup sur la digue quand on lui présente quelqu'un qui ne lui plaît pas » et, au lieu d'obtenir quelque lumière sur l'incident, il se voit offrir un duel, sans que Proust daigne lui en donner le motif. L'honnête marchand de cravates ne s'est jamais trouvé dans une telle situation et n'a aucune envie de croiser le fer avec cet homme du monde qui ressemble à un hibou. Espérant le trouver calmé, il retourne un peu plus tard au Grand Hôtel, mais il est encore plus fraîchement reçu que la première fois par Proust qui le presse de chercher des témoins. Lorsqu'il s'adresse dans ce but au vicomte d'Alton et au marquis de Pontcharra, ceux-ci ont déjà été retenus par Proust, mais d'Alton le rassure un peu, ne voyant dans cette affaire qu'un effet de la susceptibilité ombrageuse de Proust.

S'il faut en croire le témoignage, à vrai dire toujours un peu suspect, de Marcel Plantevignes, Proust, voyant d'Alton

1. Kolb, tome VIII, p. 208.

et Pontcharra plus disposés à défendre la cause du jeune homme que la sienne, leur aurait proposé de les dégager de leur parole et de prendre à leur place, comme témoins, le duc de X... et le prince d'Y..., ce qui serait beaucoup plus flatteur pour lui. Il est évident qu'un tel propos n'est pas fait pour plaire aux deux gentilshommes, fort agacés du tracas que leur cause cette affaire. Enfin, la vérité commence à se faire jour, Proust étant sorti de son silence obstiné pour avouer au vicomte d'Alton le motif de l'offense. Marcel Plantevignes retourne au Grand Hôtel pour se justifier et Proust, de son côté, va faire une visite, le lendemain, à M. Plantevignes. Lorsque Marcel Plantevignes lui a donné sa version de l'incident, c'est-à-dire sa rencontre avec la dame qui a voulu le mettre en garde contre lui et dont il s'est débarrassé en répondant : « Je sais, je sais ce que vous allez me dire, mais pour moi cela n'a pas d'importance... » Proust lui fait assez justement observer : « Vous acquiesciez à ce qu'elle allait vous dire, mais encore une fois comment le savez-vous ? » Embarrassé, Plantevignes finit par lui répondre : « Parce que c'est ce que tout le monde murmure sur la digue... » Aveu qui laisse Proust un moment sans voix, avant de soupirer : « Comme c'est charmant d'arriver ainsi dans un pays précédé de sa réputation... [1]. »

Réconciliés, les deux Marcel se voient de nouveau, le plus jeune allant bavarder longuement avec l'aîné dans la chambre de celui-ci, et l'on s'étonne un peu que M. Plantevignes, après cette alerte, n'ait pas prié son fils d'espacer un peu ses relations avec un monsieur dont la moralité se voit publiquement mise en question par les clients du Grand Hôtel et toute la colonie mondaine de Cabourg.

Proust, il est vrai, pratique l'art de se créer des alibis en affichant des passions pour des femmes en vue ce qui, sans nuire à la réputation de celles-ci, raffermit un peu la sienne. Il écrit ainsi à Henry Bernstein qu'il se sent un peu amoureux de la princesse Lucien Murat, ce qui ne l'engage à rien, puisque la princesse est la maîtresse de Bernstein. Proclamer son admiration pour elle est flatteur pour celui-ci, car elle est une femme autrement amusante et spirituelle que certaines dames du faubourg Saint-Germain qui n'ont pour elles que leur naissance et leurs bijoux.

Avec un visage tout plissé de gaieté, un nez en l'air, pour mieux humer toutes les bonnes choses de la vie, de petits yeux

1. M. Plantevignes, *Avec Marcel Proust*, p. 112.

espiègles, une bouche attendrie de tous les baisers donnés ou reçus, la princesse Lucien Murat, née Marie de Rohan-Chabot, est, comme l'écrit Ferdinand Bac, « une adorable cabotine de grands chemins, toujours de bonne humeur, toujours pétillante, charitable et un peu méchante. Mal ficelée, elle était partageuse, point bégueule et contente de peu pourvu qu'on roule, qu'on voie des gens et des pays nouveaux, qu'on aime et qu'on vadrouille. Enfant terrible, enfant charmant, elle était de cette noble et amoureuse bohème à laquelle appartenaient la Grande Mademoiselle et la duchesse de Berry, panache en l'air, la jambe facile, et le cœur sur la main [1]. »

Ressemblant beaucoup à la comtesse de Noailles par la bizarrerie de son accoutrement, la cocasserie de ses inventions, l'éclectisme de ses relations, elle a sur la poétesse l'avantage d'une vraie simplicité, d'un goût sincère d'autrui, s'entourant d'artistes et d'écrivains pour le talent qu'elle leur trouve et non pour les faire servir à sa propre glorification. Artiste elle-même, peignant des toiles médiocres, elle excelle surtout dans l'art de la conversation, sachant la guider sans la monopoliser, mêlant cynisme et fausse ingénuité de manière à tout dire sans que personne ose s'en formaliser. « Les feintes, écrit Ferdinand Bac, elle les soulignait par des airs innocents qui, en une seule haleine, lui permettaient de dire plusieurs énormités... Elle affectait d'être fort mal instruite de ce qui était convenable ; elle en abusait avec de si bonnes façons que les plus sévères se trouvaient désarmés pour la juger. » Un jour qu'elle contait, toute scandalisée, une saturnale organisée dans l'ex-chapelle du Sacré-Cœur, à l'hôtel Biron, par un Russe qui avait loué celui-ci, comme son interlocuteur doutait un peu des précisions confondantes qu'elle lui donnait, elle s'écria : « Vous pouvez m'en croire, j'y étais ! »

La princesse, qui a eu déjà plusieurs aventures et vit un grand amour avec Bernstein, est une femme aimant les hommes pour leur virilité autant que pour les autres talents, mais peu disposée à s'embarrasser des soupirs et des galanteries d'un vieux jeune homme tel que Proust. La brillante étoile des Rohan s'en ira vers d'autres horizons, d'autres aventures, sans se laisser retenir dans sa course par ce cérémonieux admirateur.

Malgré de fréquentes sorties, le climat de Cabourg s'est révélé bénéfique, car Proust jouit cet été-là d'une meilleure santé, mais lorsque à la fin de septembre il quitte le Grand

---

1. F. Bac, *Souvenirs inédits*, livre II.

Hôtel, il est de nouveau trop souffrant pour rejoindre les peintres Helleu et Monet à Rouen, comme il en avait eu le projet. Aussi décide-t-il de s'installer à Versailles, où il descend à l'hôtel des Réservoirs. « Personne ne doit savoir que je suis à Versailles, écrit-il aussitôt à Robert de Billy. N'en parlez à personne. Seuls Lauris et Lucien Henraux le savent en même temps que vous. » Satisfait d'avoir ainsi créé le mystère, pour le plaisir de voir ses amis s'en inquiéter, il s'enferme dans sa chambre où son chauffeur, Agostinelli, qu'il a retrouvé à Cabourg, et son valet de chambre, Nicolas Cottin, le distraient en jouant aux dominos avec lui.

Malgré sa volonté de cacher le lieu de sa retraite, l'ermite en sort pour aller à Paris voir Georges de Lauris, blessé dans un accident d'automobile, ou bien il invite quelques fidèles à lui rendre visite, tels Max Daireaux ou Marcel Plantevignes, projetant même de donner un dîner pour présenter celui-ci à Louis d'Albuféra, Gabriel de La Rochefoucauld et Léon Radziwill. Le jeune homme devant aller bientôt faire un stage à Londres, il le recommande à Antoine Bibesco, en poste à l'ambassade de Roumanie, ainsi qu'à Louis d'Albuféra en priant celui-ci de le présenter à M. de La Bégassière, secrétaire à l'ambassade de France à Londres.

Comme ce chaleureux intérêt pour un jeune homme d'un milieu social fort différent de celui de ses protecteurs risque d'éveiller les soupçons de Louis d'Albuféra, ou de confirmer ceux qu'il avait eus naguère, Proust prend les devants : « Lui [1] as-tu dit que c'était le *fils* d'un ami ? La seule importance est qu'à cause du si jeune âge (vingt ans) et de toutes les inepties qu'on a dites sur moi, et que La Bégassière a peut-être entendu dire, cela pourrait lui faire mauvais effet. En ce qui me concerne, cela m'est indifférent. Mais ce garçon est un si brave et honnête garçon, et appartenant à un milieu ultra-bourgeois où ces choses-là ne sont pas discutées tout naturellement comme dans le monde artistique plus perverti, que je crois qu'il irait se jeter d'un bond dans la Tamise s'il pensait qu'on eût des idées pareilles... Si même il avait entendu tenir autrefois sur moi des mauvais propos de ce genre, quand il aura vu le jeune homme deux minutes, il ne pourra avoir cette idée [2]. »

Rassuré, Louis d'Albuféra remplit la mission que Proust lui a confiée, poussant même la courtoisie jusqu'à écrire à Marcel

1. La Bégassière.
2. Kolb, tome VIII, pp. 255 à 257.

Plantevignes un mot aimable dans lequel il dit grand bien de Proust qui, apprenant la chose, en a « les larmes aux yeux ». Plantevignes sera reçu par M. de La Bégassière et pourvu des recommandations nécessaires pour faire son chemin dans Londres.

*

Au début de novembre, fuyant le bruit que fait sous ses fenêtres le dépavage de la rue des Réservoirs, Proust regagne Paris où l'attendent les travaux du dentiste qui vient de s'installer au troisième étage. A l'inconvénient de cette situation s'ajoute pour lui l'asphyxie due à un calorifère mal réglé. Ayant cette fois de véritables motifs d'être malade, ou du moins indisposé, il reprend de plus belle la litanie de ses doléances. Il n'est pas de lettre — et il en multiplie le nombre avec une étonnante vitalité — qui ne fasse état de ses maux, réels ou imaginaires : « Et le moment très court où la caféine me permet d'écrire ne laisse pas supposer à celui qui reçoit ma lettre toutes les souffrances que j'ai endurées dans l'intervalle », mande-t-il à Lionel Hauser, un homme d'affaires à qui Proust va faire partager le souci de gérer sa fortune. « Et je suis si malade ! » gémit-il à la fin d'une longue lettre à Mme Straus qui doit douter un peu d'un mal lui laissant autant de forces pour écrire tant de pages. « Je suis dans un état de santé atroce », ajoute-t-il en post-scriptum dans une lettre à Robert de Flers pour lui faire ses condoléances sur la mort de son beau-père, Victorien Sardou. « Si tu pouvais soupçonner dans quel état de santé je suis, tu comprendrais que j'hésite à faire le moindre mouvement... » écrit-il à Louis d'Albuféra au début d'une lettre de dix-huit cents mots et craignant que d'Albuféra doute un peu qu'il ait du mal « à allonger le bras », comme il le prétend, il termine cette lettre-fleuve en affirmant de nouveau qu'il est bien malade : « Je n'ai rien mangé depuis quatre jours, pas dormi depuis dix, pas une minute sans souffrir. » Mme Catusse reçoit une lettre plus explicite sur les calamités qui se sont abattues sur lui, les crises qui se succèdent et son impossibilité absolue de parler, de bouger, de manger, de respirer, d'« écrire », incapacité à laquelle, sur ce dernier point, sa lettre apporte un paradoxal démenti. Son banquier est à son tour averti qu'il est « dans un état lamentable ». De la même manière, un collectionneur et marchand de tableaux, René Gimpel, est avisé que Proust lui en veut de n'être pas venu le voir à Cabourg, comme il le lui avait promis, tout en ajoutant qu'il ne l'aurait pas reçu, compte tenu de son état.

La seule personne à qui Proust ne parle pas de ses crises et de ses maux est son médecin. Dans aucune lettre il ne fait la moindre allusion à un praticien quelconque qu'il aurait consulté, à des médicaments qu'il prendrait, à un simple avis, ne serait-ce que celui de son frère, bien placé pour lui en donner un. Il semble avoir pris au pied de la lettre ce que lui avait dit en 1904 le docteur Merklen : « Je ne peux vous recommander qu'une chose : de la patience et de la résignation. »

Bien qu'affaibli par une diète sévère, appliquée comme panacée à tous ses maux, il a repris le travail commencé au printemps, poursuivi à Cabourg et même à Versailles, mais il hésite toujours sur la forme — roman, essai — qu'il va lui donner : « Dans mes moins mauvaises heures, écrivait-il le 27 octobre 1908 à Mme Straus, j'ai commencé (deux fois vingt minutes) à travailler. C'est si ennuyeux de penser tant de choses et de sentir que l'esprit où elles s'agitent périra bientôt sans que personne les connaisse. Il est vrai qu'elles n'ont rien de précieux et que d'autres les diront mieux[1]. »

Il s'est résolu finalement à écrire un essai sur Sainte-Beuve pour montrer, comme il l'avait sommairement indiqué dans un de ses pastiches du *Figaro*, que ce petit esprit méconnu s'était trompé sur la plupart de ses contemporains, diminuant les grands artistes de toutes les petitesses de leur vie privée, exaltant les médiocres en faisant de leurs alliances et de leur position sociale un socle pour rehausser leur statue. Il sollicite l'avis de Georges de Lauris et, en termes presque identiques, celui de Mme de Noailles : « Est-ce que je peux vous demander un conseil ? Je vais écrire quelque chose sur Sainte-Beuve. J'ai en quelque sorte deux articles bâtis dans ma pensée (articles de revue). L'un est un article de forme classique, l'essai de Taine en moins bien. L'autre débuterait par le récit d'une matinée, Maman viendrait près de mon lit et je lui raconterais un article que je veux faire sur Sainte-Beuve. Et je le lui développerais. Qu'est-ce que vous trouvez le mieux[2] ? »

Il est douteux que Mme de Noailles ait répondu, trop absorbée dans ses propres créations, mais Georges de Lauris lui donne un avis dont il le remercie en précisant : « *C'est le bon*. Mais le suivrais-je ? Peut-être pas, et pour une raison que

1. Kolb, tome VIII, p. 259.
2. *Ibidem*, p. 320.

sans doute vous approuverez... » L'avis comme la raison demeurent inconnus, mais on peut espérer que Georges de Lauris, homme de bon sens, lui a déconseillé de montrer un écrivain faisant la grasse matinée dans un lit au chevet duquel sa mère vient s'asseoir pour discuter avec lui des mérites et des méthodes de Sainte-Beuve.

Pour se préparer à écrire contre Sainte-Beuve, Proust commence assez curieusement par relire Saint-Simon, bien qu'il possède à fond la technique de ce mémorialiste qui consiste justement à n'en avoir aucune et à laisser déborder, au gré de ses humeurs, la puissance d'indignation dont il bouillonne. Il relit également Chateaubriand qui, à l'inverse de l'enragé duc, transmue sa révolte en mépris et feint de dédaigner tout ce qu'il s'est donné tant de mal à conquérir. Toujours sur le thème de l'affaire Lemoine, dont le héros vient d'être condamné par contumace à dix ans de prison, il écrit un bref pastiche à la manière de Chateaubriand, montrant le vicomte importun à ses rois, indifférent« au vain bruit de sa gloire » et vivant modestement « parmi les pauvres de Mme de Chateaubriand » avec, pour oreiller, une pierre de ce tombeau qu'il édifie si laborieusement. En fait, dans ce retour à Chateaubriand, il trouve l'amorce de certaines théories sur le temps dont l'auteur des *Mémoires d'outre-tombe* a eu l'intuition, notamment celle de la mémoire involontaire et de la valeur primordiale des impressions causées par les événements, plus grande que celle des événements eux-mêmes, théorie qui fait dépendre en réalité l'importance du fait de celle des impressions qu'il a produites ou des réactions qu'il a suscitées.

Revenu provisoirement au pastiche, il en compose un autre sur Henri de Régnier qui, celui-là, sera publié dans le *Supplément littéraire* du *Figaro* le 6 mars 1909. Gendre de José-Maria de Heredia dont Proust a fréquenté la maison, écrivain de valeur et homme sensible, plein de goût et surtout de dégoûts, Henri de Régnier n'est pas une cible aussi facile que Sainte-Beuve ou Flaubert. Il mérite des ménagements, ne serait-ce que parce qu'il est vivant. Aussi la verve de Proust paraît-elle fort mesurée, diluée dans la longueur du texte. On ne voit pas que le modèle en ait été soit flatté, soit mécontent ; il se contente de le trouver « ressemblant ». Il est vrai que la rédaction du *Figaro* avait supprimé le seul passage qui aurait pu déplaire à Régnier. Jules Lemaitre félicite l'auteur de ce nouveau pastiche et Montesquiou, qui s'est jadis battu en duel avec Régnier, le juge « une chose étonnante », ce qui est exagéré. Non sans finesse, il s'inquiète des intentions de Proust à son égard : « Quand viendra mon tour ? » Il ne se doute pas que son disciple est en train d'esquisser, dans ce *Contre Sainte-Beuve*, un premier crayon de celui qui sera un jour M. de Charlus et, pour le moment, ne s'appelle encore que le marquis de Quercy, mais offre déjà quelques traits du baron avec ses « yeux de marchand en plein vent » cherchant une proie à dévorer et une affectation de virilité sous laquelle se devinent les grâces et le sourire d'une aïeule emprisonnée dans ce corps bedonnant.

A cette époque, il écrit aussi un pastiche de Maeterlinck, assez terne, et dont la seule phrase amusante est un exemple des suppositions qu'autorisent les lois du hasard : « Sans doute il n'est pas impossible qu'une flèche, tirée de la tour d'une cathédrale par une folle, à qui on a bandé les yeux, vienne, au milieu d'une assemblée de patineurs aveugles, frapper précisément un hermaphrodite [1]. » Ce pastiche, inachevé, restera dans les papiers de Proust et ne sera publié qu'après sa mort. Enfin, il écrit un pastiche de Ruskin, dans lequel il se moque agréablement de sa traduction, tout en rappelant son existence au public, pastiche qui révèle à la lecture, en dehors d'anachronismes voulus, une inspiration si défaillante qu'on peut penser que Proust, nourri de Ruskin jusqu'à la satiété, ne pouvait plus rien écrire à son sujet. Sagement, il ne publiera pas plus ce pastiche que le précédent.

A Georges de Lauris qui s'étonne de le voir continuer dans cette voie, source de succès faciles, mais éphémères, il répond qu'il ne veut pas publier le Chateaubriand et le Maeterlinck, auxquels il faudrait, reconnaît-il, « un léger coup de pouce », [car il se trouve] hors d'état de faire le plus léger effort [2] ». En revanche, il songe plus que jamais à publier son étude sur Sainte-Beuve à laquelle, malgré sa fatigue, il travaille avec ardeur, ce qui paraît contradictoire.

*

De même qu'il s'est dégagé des maîtres auxquels il a été si longtemps inféodé, notamment Ruskin, son initiateur dans l'exploration de l'espace et du temps, Proust rejette la tutelle des hommes d'affaires chargés de gérer sa fortune pour s'en occuper lui-même. Sûr désormais de son talent, le nouvel

1. *Pastiches et Mélanges*, dans *Contre Sainte-Beuve*, Pléiade, p. 199.
2. Kolb, tome IX, p. 61.

écrivain se veut aussi financier, persuadé que l'expérience acquise dans le domaine des lettres sera aussi fructueuse dans celui de l'argent. A la fin de novembre 1908, il écrit fièrement à Léon Neuburger, qui gère son compte à la banque Rothschild : « Tout en vous parlant des légèretés (confidentiellement) de la maison Guastalla, je ne pouvais m'empêcher de rire bien tristement : mes pauvres parents étaient convaincus que je serais toute ma vie incapable de lire une lettre d'affaires, d'apporter à une chose d'argent la moindre précision. Je sais que cela a été pour eux une inquiétude véritable. Et je pense avec tristesse au plaisir qu'ils auraient et n'ont pas eu de me voir si exact comptable [1]. »

Le docteur Proust et sa femme avaient de fort bonnes raisons d'être inquiets, car leur fils, dans son rôle d'homme d'affaires, se montrera plus infantile encore que dans la vie courante où, ne serait-ce que pour s'habiller, il est incapable de rien faire seul. Crédule avec des inconnus, méfiant à l'égard des gens de métier, il appartient à cette catégorie de naïfs qui, séduits par tous les mirages, tombent dans tous les panneaux sans que jamais l'expérience acquise leur serve à se corriger. Bien au contraire, il ressemble à ces joueurs malchanceux qui, pour rattraper une perte, jouent de plus en plus gros et ne comprennent pas qu'après s'être donné tant de mal ils finissent ruinés. A cet égard, Proust est un personnage de Balzac, persuadé, en voyant autour de lui tant de gens s'enrichir à la Bourse, qu'il suffit d'acheter pour revendre immanquablement avec bénéfice et qui, lorsque l'opération manque, y voient non une erreur de jugement, mais une injustice du sort. Ce que la plupart de ces spéculateurs imprudents ne peuvent comprendre, c'est que des hommes beaucoup moins intelligents qu'eux, voire incultes, puissent réussir là où ils échouent.

Ainsi Proust passera-t-il le reste de son existence à échafauder de grandioses combinaisons pour gagner de l'argent, ou rattraper celui qu'il a perdu, sans jamais vouloir admettre qu'il serait plus avantageux pour lui de laisser la banque Rothschild gérer son portefeuille. Parce qu'il a compris la technique boursière, parce qu'il en a maîtrisé le vocabulaire, et même le jargon, il se croit propre à choisir ses placements, à effectuer des reports, bref à jouer, alors qu'il n'a aucun sens des affaires, ni même de l'argent, trahissant ainsi sa double hérédité paysanne et sémite.

---

1. Kolb, tome VIII, p. 306.

L'année précédente, il avait retrouvé un ami d'enfance, Lionel Hauser, connu jadis, en 1882, chez son oncle Weil, à Auteuil. Lionel Hauser est le fils d'un médecin établi à Séville et devenu celui de la régente d'Espagne, la reine Marie-Christine, mère d'Alphonse XIII. Peut-être excédé par les innombrables lettres de Proust lui demandant des avis ou des explications, Léon Neuburger, oncle de Lionel Hauser, lui avait recommandé son neveu comme conseiller financier. C'était un excellent choix, car Hauser, qui a déjà fait dans la banque une carrière internationale, passant de Hambourg à Londres, de Barcelone à Saint-Pétersbourg, vient de s'installer à Paris en qualité de fondé de pouvoir de la puissante maison Warburg, de New York.

Lionel Hauser a tout juste quarante ans. C'est un homme intègre, grand travailleur, doué d'un humour qu'on ne soupçonnerait pas chez ce financier d'allure austère, fuyant le monde et lui préférant l'intimité de la vie familiale ou l'étude des sciences ésotériques. C'est surtout un homme d'une admirable patience et qui, assailli d'incessantes lettres de Proust, certaines extravagantes, prendra la peine — et le temps — d'y répondre chaque fois, longuement, à la main, car il n'utilise ni secrétaire ni machine à écrire, essayant de faire entendre raison à ce client si fantaisiste.

Dans le cercle des amis de Proust, petite communauté frivole et médisante, occupée de succès littéraires ou mondains, prompte aux louanges hyperboliques et véritable société d'admiration mutuelle, la figure de Lionel Hauser est aussi rafraîchissante que celle du centurion dans l'Évangile. Ennemi des compromissions, des faux-semblants et des banalités, il parle toujours le langage de la vérité, même si celle-ci est dure à entendre, et donne des conseils en sachant qu'ils ne seront guère suivis, mais qu'il est de son devoir de les donner.

De 1908 à sa mort, Proust va entretenir avec lui des relations épistolaires qui, à elles seules, constituent une œuvre indépendante, en marge non seulement d'*A la recherche du temps perdu*, mais de la *Correspondance générale*, œuvre d'autant plus intéressante qu'elle est complétée par les lettres de Lionel Hauser alors que celles des autres correspondants de Proust, à l'exception de Gide, Montesquiou, Mme de Noailles et quelques très rares amis, n'ont pas été conservées. Avec Hauser, promu au rôle de mentor financier, les rapports de Proust deviennent ceux d'un fils avec son père s'il lui demande un avis, d'un pénitent avec son confesseur, lorsqu'il lui avoue qu'il n'a pas suivi ses conseils, et enfin d'une maîtresse avec son amant lorsqu'il veut calmer l'exaspération bien compréhensible de Lionel Hauser devant le désastreux bilan de ses sottises.

En fait, ce que Proust souhaite obtenir de Hauser, comme d'ailleurs de son médecin, le docteur Bize, ce sont moins des avis puisque en général il ne les suit pas, que son approbation pour effectuer une de ces mirifiques opérations dont il a entendu parler dans un salon par quelque homme d'affaires inconnu ou dont il a lu l'annonce dans les journaux. La Bourse est pour lui un royaume de contes de fées où des enchanteurs, d'un coup de baguette, font surgir des rivières d'argent, des palais remplis de perles et de diamants. Plus la société qui lance l'affaire porte un nom exotique, plus le pays où elle opère est lointain, plus vif est l'attrait, plus grande la confiance, comme si celle-ci était fonction inverse de la distance. Aussi l'Amérique du Nord a-t-elle ses suffrages et celle du Sud sa prédilection. A plusieurs reprises il a déjà vivement insisté pour que Lionel Hauser lui achète des valeurs spéculatives dont le nom l'a séduit et Hauser, navré d'un tel aveuglement, s'était récusé : « Je te prie de ne pas me rendre complice de tes placements dans ce genre de valeurs. Pour une fois que, cédant à tes instincts spéculatifs, j'ai fait acheter pour toi des actions de la *Paketfahrt*, j'ai éprouvé trop d'angoisses pour que je songe à te suivre de nouveau dans cette voie [1]. »

Au début de l'année 1909, Proust s'adresse encore à Lionel Hauser pour lui soumettre un projet d'achat d'actions d'une banque inconnue, afin de rendre service à un ancien camarade perdu de vue depuis si longtemps qu'il ne lui est guère moins inconnu que la banque et il s'attire cette mercuriale de Hauser : « J'ai lu avec intérêt ta bonne lettre, lui écrit celui-ci le 21 avril 1909. Je ne connais pas, même de nom, l'établissement dont tu me parles, je ne peux donc pas émettre de jugement sur sa situation intérieure. Mais si j'ai un conseil à te donner, c'est de ne jamais mélanger la charité et les affaires. En tout cas, je me demande, qu'est-ce que tu as besoin d'aller te fourrer dans cette galère [2] ? »

Dans ce domaine, l'innocence de Proust est désarmante. Les affaires mauvaises, ou seulement douteuses, semblent exercer sur lui une irrésistible attraction au point que Léon Neuburger lui ayant déconseillé certaines valeurs peu sûres, il propose

1. Kolb, tome VIII, p. 315.
2. *Idem*, tome IX, p. 78.

avec candeur à Lionel Hauser de retirer subrepticement des fonds à son compte chez Rothschild, pour ne pas affliger Neuburger, et faire acheter par une autre banque ces actions qui ont pour lui le charme du fruit défendu !

Bien entendu, le souci de ses affaires ne lui fait pas oublier celui de sa santé. Chacune de ses lettres à Lionel Hauser contient des allusions à ses maux et Hauser, navré de le voir dans cet état, s'ingénie à lui donner, outre des conseils financiers, des recettes pour soigner son asthme, lui signalant des traitements dont il a lu la réclame dans la presse étrangère qu'il parcourt quotidiennement pour son travail. Ainsi s'établit entre eux une étrange et solide amitié sans qu'ils se voient, car Hauser, retenu par son bureau et, le soir, par sa famille, n'a guère le temps de se rendre boulevard Hausmann et Proust, de son côté, ne peut monter sans ascenseur jusqu'au cinquième étage de l'immeuble que Hauser habite rue d'Assas.

Quels que soient les traitements signalés par Hauser, Proust ne les suit pas plus que ses avis financiers et se trouve, au début du printemps de 1909, plus malade qu'il ne l'a jamais été, avec la consolation de penser que, ses crises allant toujours croissant, il est moins malade qu'il ne le sera l'année suivante... Il semble avoir passé tout l'hiver au lit, car il écrit à Lionel Hauser, le 9 mai, qu'ayant voulu se lever il a été pris d'une telle crise qu'il a été ensuite « incapable du moindre mouvement ». Sans doute est-ce cette même crise « qui dure depuis cinquante-quatre heures » dont il parle peu après à Lucien Daudet. Néanmoins, il retrouve assez de forces pour assister à une représentation des Ballets russes, au Châtelet, puis, le 29 juin, il « se traîne », suivant son expression, chez Mme Pierre Lebaudy où il arrive déguisé plutôt qu'habillé, ayant vraisemblablement négligé de se regarder dans une glace avant de sortir : « Pourquoi ne m'avez-vous pas averti ce soir que ma patte de pantalon sortait et que j'étais un objet de scandale ? » écrit-il le soir même à Emmanuel Bibesco.

*

Ce délabrement physique est non seulement le résultat d'une absence de soins appropriés, mais celui d'une fatigue entraînée par un excès de travail car, tout en affirmant qu'il peut à peine bouger, il a consacré ses jours et ses nuits à Saint-Beuve. Pendant tout le mois de juillet, il continue de travailler intensément à son texte au point d'oublier de boire et de manger, passant jusqu'à soixante heures, d'une traite, sans dormir ou, plus exactement, sans éteindre sa lampe, soutenu par une fièvre créatrice qui, une fois retombée, le laisse anéanti. Lorsqu'il sent le besoin de refaire ses forces, il se fait servir un plat dont il a subitement envie et c'est ainsi qu'il commande à sa cuisinière un bœuf mode semblable à celui qui vaudra plus tard à Françoise les félicitations de M. de Norpois. En attendant, Céline Cottin, qui en est l'auteur, reçoit par un petit billet celles de son maître : « Céline, griffonne-t-il le 12 juillet, je vous envoie vifs compliments et remerciements pour le merveilleux bœuf mode. Je voudrais bien réussir aussi bien que vous ce que je vais faire cette nuit, que mon style soit aussi brillant, aussi clair, aussi solide que votre gelée — que mes idées soient aussi savoureuses que vos carottes et aussi nourrissantes et fraîches que votre viande. En attendant d'avoir terminé mon œuvre, je vous félicite de la vôtre [1]. »

Tout à son inspiration, il ne veut pas en être détourné par d'autres tâches et refuse à la comtesse Greffulhe d'écrire un article à propos d'une fête organisée à Bagatelle par la Société des Grandes Auditions de France dont la comtesse est présidente. Sa lettre de refus, énumérant toutes les raisons qu'il a de ne pas accéder à ce désir, est si longue que Mme Greffulhe doit penser, en la déchiffrant, ou en se la faisant lire par son secrétaire, qu'il aurait mis moins de temps à écrire l'article. Loin de lui en vouloir de cette dérobade, elle prend au pied de la lettre toutes les excuses tirées de sa maladie et lui envoie un plan de vigne, avec ses grappes, comme elle aurait envoyé des roses ou un cyclamen à une amie souffrante. Serait-ce une allusion perfide au jeune Marcel Plantevignes, à la manière dont il l'a si chaudement recommandé à plusieurs de ses amis que ceux-ci en ont tiré des conclusions dont l'écho serait venu jusqu'aux oreilles de la comtesse ? Mme Greffulhe est incapable d'une telle malice, à moins que Montesquiou ne la lui ait soufflée, car c'est précisément le genre de vengeance auquel il excelle. Du coup, voilà Proust obligé d'écrire à la comtesse pour la remercier de cette attention, la conjurer de ne pas accourir à son chevet de malade, ainsi qu'elle l'en a menacé, puis de se débarrasser de cette plante baroque en la donnant à Marie Nordlinger. Rasséréné, il conte toute l'affaire à Reynaldo Hahn, en l'agrémentant de quelques réflexions piquantes sur la comtesse, ce qui confirme que d'avoir refusé

1. Kolb, tome IX, p. 139.

de faire cet article aura exigé de lui beaucoup plus de papier, d'encre et de temps que s'il l'avait fait.

Dans cette même lettre à Reynaldo Hahn, il lui confie son inquiétude à propos du tour imprévu que prend, malgré lui, son essai sur Sainte-Beuve :

*Je crains que mon roman sur le vielch Sainte-Beuve*
*Ne soit pas, entre nous, très goûté chez la Beuve*

lui écrit-il en usant de ce jargon qu'il affectionne dans sa correspondance avec Reynaldo et désignant par la « Beuve » Madeleine Lemaire, effectivement moins compréhensive à l'égard de certaines amoralités que ne l'est Mme Straus avec qui Proust a souvent parlé, fort librement, de sujets scabreux et notamment d'homosexualité.

C'est en effet pendant ce mois de juillet 1909 que s'opère, dans ce laboratoire qu'est devenue la chambre de Proust, où personne ne pénètre plus guère, la transmutation du *Contre Sainte-Beuve* en ce début d'*A la recherche du temps perdu* que sera *Du côté de chez Swann*. Dans son *Marcel Proust romancier*, Maurice Bardèche a montré qu'un des cahiers de cette période, le numéro 3, contient huit versions de la scène du réveil, ou plutôt de ce demi-sommeil précédant le réveil et pendant lequel les sensations affluent au cerveau du Narrateur sans être ordonnées par la conscience, ce qui laisse croire à celui-ci qu'il est dans une autre pièce, à une heure différente de celle qui va lui être brusquement révélée par le fracas d'un chariot passant sous ses fenêtres, la sonnerie du timbre d'un tramway, bruits familiers qui, plus encore que le rai de lumière éclairant un pan de mur, permettent à l'esprit désorienté de retrouver ses points de repère habituels tandis que les meubles, crus à un endroit différent de la pièce, reprennent leur place accoutumée.

Maintes fois réécrit, ce morceau va s'allonger d'incidentes elles-mêmes plusieurs fois remaniées qui sont le développement de notations éparses, les unes et les autres révélant l'aiguisement de la sensibilité de l'auteur, tout en ajoutant de la densité au texte. Il s'agit, comme le note Bardèche, d'une « composition rayonnante organisée autour d'un lieu et aimantée par une série de réminiscences [1] ». A un art classique et purement narratif, Proust substitue une méthode subjective, en fonction non plus du monde extérieur, mais de l'impression qu'il a de

1. M. Bardèche, *Marcel Proust romancier*, tome I, p. 204.

ce monde et qui devient la seule réalité, celle du moins à laquelle il s'attachera, bâtissant sur elle son livre et remplaçant l'intrigue romanesque, indispensable à toute œuvre de fiction, par le Temps dont les interférences joueront le rôle des péripéties inventées par les romanciers traditionnels.

Dans un autre cahier, le numéro 4, Proust continue d'évoquer, à l'intérieur du monde clos de sa chambre de malade, le monde extérieur dont il est coupé, laissant affluer à sa mémoire, non des souvenirs, car ce n'en sont pas encore, mais des impressions d'enfance et d'adolescence, longtemps vagues et diffuses dans son esprit, comme ces particules en suspension dans l'air qu'un rayon de soleil rend soudain visibles. Dans ce cahier 4, rempli d'impressions disparates, mais toutes dictées par le même souci de les revivre telles qu'il les avait ressenties jadis, avant l'intervention déformante de la mémoire intellectuelle, apparaissent en ébauche certains personnages qui trouveront leur forme définitive dans *A la recherche du temps perdu* : un concierge-cordonnier qui sera le futur Jupien, une comtesse dans laquelle il est aisé de reconnaître Mme de Chevigné, escortée de ses neveux semblables « aux esquisses différentes faites d'après un même visage commun à toute la famille [1] », un M. de Bretteville qui prêtera certains traits à Charles Swann.

Ainsi, le thème abandonné du *Contre Sainte-Beuve* cède la place, non à un roman structuré, mais à une espèce de madrépore qui ne cesse de s'accroître de branches nouvelles, chacune se diversifiant en floraisons variées, elles-mêmes se ramifiant à leur tour. Maurice Bardèche assimile le roman avorté de l'année précédente à un embryon mort, un corps étranger dans le *Sainte-Beuve* conçu primitivement comme un essai de critique littéraire : « Alors, ce corps étranger, à force d'imposer à Proust une préoccupation inconsciente, de *peser* pour ainsi dire, sur son imagination, réussit à rompre la mince frontière intellectuelle qui séparait le *Contre Sainte-Beuve* du roman de 1908 [2]. » Et dans ce cahier 4 apparaissent aussi les thèmes qui seront développés dans *Du côté de chez Swann* : le jardin du Pré-Catelan, le côté de Méséglise et celui de Villebon, les deux promenades que l'on peut faire en partant d'Illiers, puis, dans une deuxième version, le côté de Villebon deviendra celui de Guermantes.

Ce nom de Guermantes, destiné à devenir aussi célèbre que

1. M. Bardèche, *Marcel Proust romancier,* tome I, p 209.
2. *Ibidem*, p. 211.

celui de La Trémoille ou de Montmorency, n'est pas venu au hasard sous la plume de Proust. Il l'avait utilisé déjà en intitulant une brève étude, jointe à son essai sur Sainte-Beuve, *Le Balzac de M. de Guermantes*. Ce patronyme, dont la sonorité « orangée » l'a séduit, est celui d'un château de Seine-et-Marne appartenant à la famille de Lareinty et à celle de son ami, François de Pâris, dont la mère est une Lareinty. L'année précédente, pour revoir François de Parîs, il avait projeté d'aller à Guermantes, qu'il ne connaissait pas, mais avait réclamé pour faire cette visite « un corps de bâtiment isolé », comme un invité demanderait à une maîtresse de maison qu'on lui servît un plat sans sauce et qu'on lui donnât du tilleul plutôt que du café. Le motif allégué paraît curieux : il ne voulait pas que sa venue pût être soupçonnée par le comte et la comtesse de Pâris qui, croyait-il, pourraient être furieux de voir un étranger chez eux. On s'imagine mal les Pâris considérant Guermantes comme un sanctuaire inviolable et il est plus plausible qu'ils aient fait sur le compte de ce bizarre ami de leur fils des réserves parvenues jusqu'aux oreilles de l'intéressé. Il est également curieux qu'un an plus tard, au lieu d'écrire à François de Pâris pour avoir des précisions sur l'histoire de Guermantes, il s'adresse à Georges de Lauris en lui demandant si le nom peut être utilisé par un littérateur. Lauris a dû lui répondre que ce nom était celui d'un financier heureux, un certain Prondre, seigneur de Guermantes, ancêtre des Lareinty, mais Proust semble éprouver quelque scrupule à se servir d'un nom faisant partie du patrimoine de gens qu'il connaît : « Je ne veux fâcher, écrit-il le 23 mai 1909, que des inconnus, qui ne soient pas apparentés à des gens que je connais et n'ai pas le toupet de Balzac... Je voudrais que ce château n'appartînt pas à la famille dont il porte le nom... et que si le possesseur actuel existe au moins le nom du château soit éteint et non parent [1]. » Cela ne l'empêchera pas, finalement, de garder le nom de Guermantes et de donner à ce château, où il ne voulait pas être aperçu des propriétaires, un éclat qui fait de lui, au même titre que Chambord au Fontaine-Française, un des plus célèbres châteaux de l'histoire de France.

Alors que les superbes Guermantes se devinent sans se laisser voir encore dans leur altière splendeur, Mme de Villeparisis apparaît déjà dans ce cahier numéro 4 où s'étoffe, au fil des

1. Kolb, tome IX, p. 107.

pages, la biographie de Swann. Le décor à son tour se dessine : une plage anonyme où le Narrateur, pétri de snobisme ingénu, aimerait bien attirer l'attention de jeunes filles également anonymes en saluant l'élégant M. Swann ou la marquise de Villeparisis que sa grand-mère, par une espèce de modestie qui n'est que du snobisme à rebours, affecte de ne pas reconnaître.

Si le cahier numéro 5 n'est, ainsi que l'écrit Maurice Bardèche, qu'un « de ces honnêtes cahiers d'additions comme on en rencontre périodiquement, contenant de nombreux développements qui se rattachent à la version narrative de Sainte-Beuve », les cahiers 6 et 7 constituent l'essentiel de ce qui fera la matière de *Du côté de chez Swann*, depuis la description de l'église de Combray jusqu'aux affres causées par le refus du baiser maternel en passant par l'épisode de la lanterne magique, tout en contenant aussi des pages de critique littéraire qui se rattachent encore à la première conception du *Sainte-Beuve*. Toutefois, au milieu du cahier 7, on découvre, étrangères au thème de Swann comme à celui de Sainte-Beuve, des pages consacrées, les unes à la « race maudite », c'est-à-dire celle de Sodome, les autres au « petit noyau » Verdurin.

*

Ainsi le printemps de 1909 a vu la genèse d'*A la recherche du temps perdu* dont les principaux thèmes et certains personnages sont déjà très nets dans l'esprit de leur créateur. Ce travail énorme, et bien avancé, malgré que Proust s'en défende et laisse croire qu'il continue d'écrire sur Sainte-Beuve, explique aussi la relative rareté de ses lettres, ou leur brièveté, pendant cette période : « J'ai l'intention d'essayer à partir de demain de me remettre à Sainte-Beuve », écrit-il au mois de juillet 1909 à Georges de Lauris alors qu'il a laissé Sainte-Beuve de côté pour ne plus lâcher ce roman mystérieux auquel il va infuser son âme, son esprit, ses défauts et ses qualités, bref tout son être au point de lui sacrifier sa vie.

Il paraît donc étrange que Proust, tout en affirmant à Lauris que son *Contre Sainte-Beuve* n'est pas fini, qu'il s'y remettra lorsqu'il le pourra, le juge néanmoins suffisamment avancé pour le proposer au directeur du Mercure de France, Alfred Valette, en lui recommandant de ne parler à personne de cette démarche, et encore moins du sujet de l'ouvrage : « Vous allez savoir pourquoi. Je termine un livre qui, malgré son titre provisoire *Contre Sainte-Beuve, souvenirs d'une matinée*, est un véritable roman et un roman extrêmement impudique en certaines parties. Un des principaux personnages est un homosexuel. Et ceci, je compte que, tout à fait à la lettre, vous m'en garderez le secret. Si la chose était sue avant le livre paru, nombre d'amis dévoués et craintifs me demanderaient d'y renoncer. De plus, je m'imagine qu'il y a dans tout cela des choses neuves (pardonnez-moi !) et je ne voudrais pas être dépouillé par d'autres. Le nom de Sainte-Beuve ne vient pas par hasard. Le livre finit bien par une longue conversation sur Sainte-Beuve et l'esthétique (si vous voulez comme *Sylvie* finit par une étude sur les chansons populaires) et quand on aura fini le livre, on verra (je le voudrais) que tout le roman n'est que la mise en œuvre des principes d'art émis dans cette dernière partie, sorte de préface si vous voulez mise à la fin[1]. »

Et Proust envisage une publication pour le début de l'année suivante, en espérant d'ailleurs une prépublication dans la revue du Mercure de France, ce qui est un mauvais calcul, car le scandale éventuellement causé par la publication en revue risquerait d'empêcher la parution du livre. Proust fait preuve d'une égale maladresse en offrant de payer les frais d'édition et ceux de publicité, ce qui est le meilleur moyen d'inspirer à l'éditeur des doutes sur la qualité de l'œuvre et de faire passer son auteur pour un dilettante. Evidemment, Valette, effarouché, refuse aussitôt, comme il avait déjà refusé de publier les pastiches. En annonçant cet échec à Georges de Lauris, Proust ajoute : « Mais je vous le *lirai* », autre moyen de nuire au placement du livre.

Déçu par cette réponse, épuisé par le travail considérable qu'il a fourni, Proust se décide à suivre les conseils du docteur Bize et à partir pour Cabourg, après avoir d'abord pensé ne pas y aller. Toujours soucieux de créer le mystère autour de lui, il veut cacher son arrivée à Cabourg, mais il rencontre dans le train M. Plantevignes et renonce à un incognito bien difficile à garder avec l'étrange et funèbre silhouette qu'il offre aux estivants lorsque le soir, quittant sa chambre, il se hasarde vers neuf heures et demie au casino.

Dans son livre de souvenirs, Marcel Plantevignes le décrit, émergeant tardivement de sa chambre et habillé comme pour se rendre à une garden-party présidentielle à l'Elysée, en habit gris perle, bottines vernies à boutons, gants blancs rayés de

1. Kolb, tome IX, p. 155.

noir, et melon gris également, sa pâleur accentuée par sa barbe et ses cheveux très noirs, la fragilité de son apparence accentuée par la mélopée de sa voix, précieuse et cérémonieuse, aux inflexions appuyées, demandant aux uns et aux autres de leurs nouvelles avec un excès de courtoisie qui pourrait passer pour une forme d'ironie si l'expression presque suppliante du regard ne laissait croire que sa vie est réellement liée à celle d'amis ou même d'inconnus dont l'état de santé lui paraît la chose la plus importante au monde.

Bien qu'il soit un client de marque, apprécié pour le faste de ses pourboires, il n'a pas obtenu la chambre qu'il désirait. Dans celle qu'on lui a donnée, l'humidité suinte sur les murs. Il réussit à en changer, déménageant au quatrième étage, sans personne au-dessus de lui, avec comme seul voisin son valet de chambre, Nicolas Cottin, dont il utilise la salle de bains. En plus de Nicolas Cottin, il dispose de Robert Ulrich qui, en attendant un emploi quelconque, lui sert occasionnellement de secrétaire. Il s'est en effet remis au travail, sans se laisser décourager par le refus de Valette, et rédige un projet de préface dans lequel il définit, sinon son esthétique, au moins sa méthode et son but : « Comme il arrive pour les âmes des trépassés dans certaines légendes populaires, chaque heure de notre vie, aussitôt morte, s'incarne et se cache en quelque objet matériel. Elle y reste captive, à jamais captive, à moins que nous ne rencontrions l'objet. A travers lui, nous la reconnaissons, nous l'appelons et elle est délivrée. L'objet où elle se cache — ou la sensation puisque tout objet par rapport à nous est sensation —, nous pouvons très bien ne le rencontrer jamais. Et c'est ainsi qu'il y a des heures de notre vie qui ne ressusciteront jamais...[1]. »

Puis il énonce sa théorie de la mémoire involontaire, c'est-à-dire la résurrection, dans sa fraîcheur et son intensité originales, d'une impression jadis ressentie et si bien oubliée que nous n'y aurions jamais songé si quelque incident — odeur, son, contact — auquel cette impression a été associée, ne se produisait qui la fasse surgir avec lui. A l'appui de cette théorie, il cite l'exemple de la tasse de thé que sa cuisinière lui avait apportée, un jour de grand froid, au retour d'une promenade. En trempant du pain grillé dans ce thé, puis en le mettant dans sa bouche, il avait éprouvé « un trouble, des odeurs de géraniums, d'orangers, une sensation d'extraordi-

1. *Contre Sainte-Beuve*, Pléiade, p. 211.

naire lumière, de bonheur », lui rappelant les étés de son enfance à la campagne, quand son grand-père lui donnait une biscotte trempée dans son thé. Et cette réminiscence, surgie d'un passé qu'il croyait englouti, produisait dans son esprit un phénomène analogue à celui de ces petites fleurs japonaises qui, jetées dans l'eau, s'y épanouissent [1].

Dans cette préface, il multiplie les cas de mémoire involontaire : choc d'une cuiller contre une assiette, qui lui rappelle le bruit du marteau des employés des compagnies de chemins de fer contre les roues des wagons pour en vérifier l'état, morceau de toile verte remplaçant une vitre cassée, évoquant les étés d'autrefois, guêpes engluées dans un rayon de soleil, odeur de cerises, air de musique, non de localité repéré dans un indicateur, tous chargés, par les souvenirs auxquels ils sont associés, d'une poésie étrangère à leur valeur intrinsèque, ce qui fait, précise Proust, qu'« à côté de ce passé, essence intime de nous-mêmes, les vérités de l'intelligence semblent bien peu réelles [2] ». Mais après avoir paru déprécier les valeurs de l'intelligence, il leur rend la place qui leur revient, car, pour traduire ces sensations à fleur de conscience et les coordonner, l'intelligence est nécessaire. « Les vérités de l'intelligence, si elles sont moins précieuses que ces secrets du sentiment dont je parlais tout à l'heure, ont aussi leur intérêt. Un écrivain n'est pas qu'un poète. Même les plus grands de notre siècle, dans notre monde imparfait où les chefs-d'œuvre de l'art ne sont que les naufrages des grandes intelligences, ont relié d'une trame d'intelligence les joyaux de sentiments où ils n'apparaissent que çà et là... Et cette infériorité de l'intelligence, c'est tout de même à l'intelligence qu'il faut demander de l'établir. Car si l'intelligence ne mérite pas la couronne suprême, c'est elle seule qui est capable de la décerner. Et si elle n'a dans la hiérarchie des vertus que la seconde place, il n'y a qu'elle qui soit capable de proclamer que l'instinct doit occuper la première [3]. »

Ces projets de préface ne représentent qu'une partie du travail de Proust pendant cette année 1909, et particulièrement au cours de cette saison à Cabourg. Ayant renoncé au *Contre Sainte-Beuve*, du moins dans sa forme d'essai critique, il a dessiné les grandes lignes de son roman dont il a écrit

---

1. *Contre Sainte-Beuve*, Pléiade, p. 212.
2. *Ibidem*, p. 215.
3. *Ibidem*, p. 216.

d'importants morceaux grâce à cette mémoire involontaire qui a pour lui la force et l'incandescence de la lave jaillissant du volcan. D'une lettre à Mme Straus, vers le milieu du mois d'août, on peut déduire qu'il a conçu ce que sera, dans son ensemble, *A la recherche du temps perdu*, ne pouvant se douter que la guerre de 1914-1918, en retardant la publication de l'œuvre, et en lui offrant de nouveaux éléments, donnera une dimension plus vaste à celle-ci « ... Je viens de commencer — et de finir — tout un livre, lui écrit-il vers le 16 août. Malheureusement le départ pour Cabourg a interrompu mon travail, et je vais seulement m'y remettre. Peut-être une partie paraîtra-t-elle en feuilleton dans *Le Figaro*, mais une partie seulement, car c'est trop inconvenant et trop long pour être donné en entier. Mais je voudrais bien finir, aboutir. Si tout est écrit, beaucoup de choses sont à remanier[1]. »

Longtemps les exégètes de Proust ont cru que la version de 1909 était complète et que Proust avait effectivement écrit le livre auquel il songeait depuis tant d'années. Ils s'étaient mépris sur le sens exact de la phrase : « Car je viens de commencer — et de finir — tout un livre. » Proust voulait seulement dire par là qu'il avait écrit le début et la fin de son roman, mais il est certain qu'il le jugeait plus achevé qu'il ne l'était puisqu'il envisageait une publication en feuilleton dans *Le Figaro* auquel il comptait vraiment donner des fragments, quitte à compléter le livre pour sa publication en librairie.

Une activité littéraire aussi intense n'est guère compatible avec une vie mondaine et Proust sort peu de la chambre noire où il développe avec un plaisir teinté de nostalgie les clichés pris par sa mémoire quelque vingt ou trente ans plus tôt. Il n'est pas descendu une seule fois sur la digue, écrira-t-il à la fin de l'année à Max Daireaux, et les jours où il se sent assez bien pour se lever, il se hasarde, vers dix heures du soir, au casino où il peut se rendre directement du Grand Hôtel, sans avoir à en sortir. Dans cette plage de famille, le casino est moins un enfer du jeu que le dernier salon où l'on cause. Il y retrouve ses amis d'Alton et leurs deux filles, Hélène et Colette. C'est à cette dernière qu'il offre un nécessaire en or de chez Cartier, peut-être avec l'arrière-pensée que ce somptueux cadeau, qui est presque une déclaration déguisée, dissipera dans l'esprit de M. d'Alton les soupçons qu'avait pu éveiller l'affaire Plantevignes. Il voit aussi les filles de la comtesse

1. Kolb, tome IX, p. 163.

Berthier, Germaine et Yvonne, qui ne se doutaient guère que cet oiseau de nuit connaîtrait un jour la pleine lumière de la gloire. Lorsqu'elles entendront parler plus tard de Marcel Proust, elles demanderont s'il est parent de celui qu'elles avaient rencontré à Cabourg et, en apprenant qu'il s'agit de lui, elles s'écrieront : « C'est impossible, il ne parlait jamais de littérature et nous faisait rire avec ses histoires[1]. »

Il lui arrive à l'occasion de parler de littérature, mais c'est pour vanter celle de Mme de Noailles et réciter des passages des *Éblouissements* aux jeunes gens du casino qui, séduits par la musicalité de strophes et leur sensualité, les adaptent à leurs propres jeux : « Vous auriez ri, écrira-t-il à Mme de Noailles, d'entendre un élève de Mathématiques dire au milieu d'une conversation scientifique, *féroce et doux comme un jardin persan* ou bien *Il y avait tantôt au golf de fougueux papillons qui semblaient des jasmins ailés*. Un autre, au nom de l'optique, demandait si le soleil peut mettre son prisme dans un vitrail. Votre statue est dans tous les cœurs, au-dessus de celle de Victor Hugo[2]. »

Ces louanges doivent agir comme un baume sur le cœur blessé de la comtesse, car celle-ci vient d'être impliquée, de manière fort désagréable pour elle, dans le suicide du neveu de Barrès, Charles Demange. Avec une innocence qui semble indiquer qu'il ignorait tout de l'affaire, Proust, au début de sa lettre, la chargeait de transmettre ses condoléances à Barrès, profondément affecté par la mort tragique de ce neveu qu'il considérait comme son fils spirituel.

Romantique attardé, mais aussi quelque peu déséquilibré, Charles Demange avait en 1908 accompagné Mme de Noailles en Sicile et s'était pris pour elle d'une passion secrète, exclusive et jalouse, au point de provoquer en duel un journaliste dont il avait trouvé l'article offensant pour son idole. Se rendant au mois d'août 1909 en Alsace, Mme de Noailles, qui promet toujours plus qu'elle ne tient, lui a donné rendez-vous en gare de Nancy, pour le seul plaisir de le voir entre deux trains, alors que Demange s'est naïvement imaginé qu'elle est prête à passer quelques jours avec lui et peut-être aussi quelques nuits. Mme de Noailles refuse effectivement ce tête-à-tête sentimental et continue sur Strasbourg. Cachant sa déception, Demange l'accompagne jusqu'à Sarrebourg, puis regagne Épinal où il habite et, le 21 août, se tire une balle dans la tête, laissant à

1. Cité par George D. Painter, *Marcel Proust*, tome II, p. 189.
2. Kolb, tome IX, p. 197.

la poétesse, en guise d'adieu, une lettre débordante d'amour et de reconnaissance pour le peu de bonheur qu'elle lui a donné. Mme de Noailles, qui ne s'attendait pas à une telle conclusion, est accablée par cette disparition dont l'opinion publique la rend responsable, mais elle ne paraît pas avoir évoqué le sujet avec Proust qui n'aurait pas manqué de lui adresser une lettre de condoléances adaptée à la circonstance.

Un soir, il se rend à Villers-sur-Mer pour écouter un acte de *Werther*, mais il ne pousse pas plus loin ses promenades le long de la côte et renonce à son habituelle visite à Mme Straus. Il prie même celle-ci de ne pas ébruiter la nouvelle de sa présence à Cabourg et de ne surtout pas la révéler au duc de Guiche et à sa femme qui séjournent à Bénerville. Cette misanthropie frôle la névrose et un banal incident montre à quel point ses nerfs sont exacerbés par un travail intense et la claustration qui en a été la condition : « Ce soir, écrit-il à Reynaldo Hahn, j'ai demandé aux tziganes s'ils savaient quelque chose de *Buncht*[1] et quand ils ont commencé *Rêverie* je me suis mis à pleurer en pensant à mon *Bunibuls*[1] dans la grande salle à manger vide, entouré de vingt garçons consternés qui ont pris un air de circonstance ! Le maître d'hôtel, ne sachant comment me témoigner sa considération, est allé me chercher un rince-bouche[2]. »

Comme chaque année, son séjour au Grand Hôtel est placé sous le signe d'un conflit permanent avec la direction pour obtenir la tranquillité indispensable à son travail. Il s'était plaint de ce que sa chambre fût humide, risque à peu près inévitable dans un hôtel au bord de la mer, mais qui lui paraissait une offense personnelle et il déplore maintenant que la chambre de son domestique ne soit pas contiguë à la sienne. On s'efforce de le satisfaire, mais il est difficile de chasser les clients de l'hôtel pour lui donner toutes ses aises. Ce qu'il voudrait, c'est un appartement pour avoir à proximité son valet de chambre et son secrétaire, sans aucun voisin étranger. Finalement, il s'accommode de sa chambre et s'y trouve même si bien qu'il envisage de passer les mois d'octobre et de novembre à Cabourg, seul dans l'hôtel fermé dont il resterait l'unique pensionnaire. Il est évident que ce projet ne sourit guère à M. Bertrand, le directeur du Grand Hôtel, qui

---

1. Surnoms donnés par Proust à Reynaldo Hahn.
2. Kolb, tome IX, p. 171.

invoque des travaux, peut-être réels d'ailleurs, pour fermer complètement l'établissement. Voilà Proust fort embarrassé, car il n'envisage pas son retour à Paris sans appréhension, sachant que l'attendent là-bas tous les ennuis qu'il a connus depuis son installation au 102, boulevard Haussmann : la reprise de son asthme, le bruit du calorifère, celui des voisins.

*

Au début de l'été, il avait prié son architecte, Louis Parent, de procéder en son absence à l'isolation de sa chambre en revêtant les murs de plaques de liège, mais comme il lui avait dit ne pas savoir combien de temps il resterait à Cabourg, d'où il pouvait revenir d'un jour à l'autre, l'architecte, connaissant l'humeur fantasque de son client, n'avait rien entrepris. Obligé de quitter Cabourg à la fermeture de l'hôtel, sans possibilité de sursis, il regagne Paris à la fin du mois de septembre et retrouve en gémissant tous les inconvénients de son appartement, aggravés le 1er novembre par l'allumage du calorifère, ce qui lui donne aussitôt des crises d'étouffement.

En contrepartie, il éprouve la satisfaction de retrouver des amis chers à son cœur : Antoine Bibesco et Bertrand de Fénelon. Celui-ci, passé de l'ambassade de Constantinople à celle de Washington, vient d'être nommé au Quai d'Orsay. La nouvelle de son retour ranime en Proust des sentiments mal éteints, mais qui ne semblent pas devoir revivre avec la même ardeur : « Je pense souvent à lui et serai content de le revoir, écrit-il au début d'octobre à Georges de Lauris, si toutefois il ne doit pas nuire à notre amitié. Car maintenant l'ordre des facteurs est interverti. C'est vous qui êtes dans ma vie l'amitié principale et lui est secondaire. Et s'il avait sur votre amitié pour moi une aussi mauvaise influence que vous eûtes sur son amitié pour moi, c'est contre lui que j'aurais le même genre de ressentiment que j'ai si longtemps gardé contre vous, mais qui est entièrement dissipé [1]. »

C'est par l'intermédiaire de Georges de Lauris qu'il invite Fénelon pour aller voir, avec une douzaine d'autres amis, une pièce à la mode, *Le Circuit*, mais on ignore si Fénelon s'est

1. Kolb, tome IX, p. 192.

rendu à cette invitation. Leurs relations n'ont plus le même degré d'intimité, car il ne sera plus question de lui jusqu'à sa mort, en 1914, qui le ressuscitera dans la mémoire — et dans l'œuvre — de son ancien admirateur.

Promu au rang de confident, qu'il tient beaucoup mieux qu'Antoine Bibesco, et de conseiller littéraire, Georges de Lauris reçoit alors de Proust d'étranges aveux et se voit aussi demander des conseils bien embarrassants à donner. A la fin du mois de juin, Proust lui écrivait : « Georges, si je quitte Paris, ce sera peut-être avec une femme. Est-ce assez ridicule[1] ! » Le nom de cette femme est inconnu, si tant est qu'elle ait jamais existé. Il ne peut s'agir d'Oriane de Goyon, si laborieusement recherchée par lui l'année précédente, ni de Louisa de Mornand qui, abandonnée par Louis d'Albuféra, lui a donné pour successeur Robert Gangnat, agent général de la Société des auteurs dramatiques et avec qui l'actrice a une liaison assez tumultueuse dans laquelle Proust, encore une fois, joue le rôle de conciliateur. Maintenant, il annonce à Lauris un projet de mariage dont l'objet reste aussi mystérieux que celui de la fugue envisagée au printemps. « Georges, lui écrit-il vers la fin du mois de novembre, vous apprendrez peut-être bientôt de moi du nouveau, ou plutôt je vous demanderai conseil. Faire partager mon affreuse vie à une toute jeune fille délicieuse, même qui ne s'en effraie pas, ne serait-ce pas un crime[2] ? »

Il peut s'agir, sans qu'on ait la moindre certitude, soit de Mlle d'Ideville, soit d'une des sœurs d'Albert Nahmias qui jouera bientôt lui-même un rôle dans la vie de Proust en s'occupant avec zèle et intelligence de la mise au point et de la dactylographie de son roman. Proust a connu la famille Nahmias à Cabourg et sans doute emprunté certains traits d'Albertine ou de telle autre de ses *Jeunes filles en fleurs* à Estie ou Anita Nahmias, si ce n'est même à leur frère.

Lorsqu'elle lira en 1949 *A la recherche de Marcel Proust,* Estie Nahmias, émue par cette lecture, fera parvenir à André Maurois un poème évoquant les après-midi d'été à Cabourg, chez ses parents, quand Proust apparaissait dans le salon, pâle et sombre à la fois, l'air « d'un Oriental chassé d'un conte de Mardrus ». Elle avait noté que :

1. Kolb, tome IX, p. 117.
2. *Ibidem*, p. 217.

*« l'étrange symphonie*
*En noir et blanc du deuil au visage nacré*
*Du mal latent, morbide, accusait l'atonie...*

Des six strophes de ce poème, la dernière est la plus jolie.

*Reynaldo Hahn n'est plus, Yvonne*[1] *et Proust sont morts.*
*Les jeunes filles-fleurs sont... Que vous importe ?*
*La jeune fille en fleurs du tome dont je sors*
*Est une vieille dame en feuille jaune morte*[2].

Il suffit de lire attentivement *La Prisonnière* pour se rendre compte qu'aucune jeune fille, aucune femme ne pourrait accepter longtemps de partager l'existence d'un être aussi difficile à vivre que Proust, perpétuellement en proie aux soupçons et, faute de pouvoir posséder une femme au sens biblique du mot, s'évertuant à posséder son esprit, son âme, ses plus secrètes pensées, harcelant la personne aimée de questions, mettant toutes les ressources de sa dialectique à lui faire avouer des torts à son égard et s'armant des aveux extorqués pour en exiger d'autres, puisque les premiers lui ont apporté la preuve qu'elle est capable de mentir, chaque mensonge avoué semblant du coup ne l'avait été que pour en cacher un autre, plus grave encore.

On ne sait ce que Georges de Lauris a pu répondre à cette étrange demande de conseil, puisque ses lettres ont disparu et qu'il ne fait aucune mention de ce projet de mariage dans ses pudiques *Souvenirs d'une belle époque*.

En revanche, il est certain qu'il a joué un rôle important comme conseiller littéraire, car c'est à lui que Proust soumet le début de son roman, provisoirement intitulé *Combray,* après avoir lu d'ailleurs les deux cents premières pages à Reynaldo Hahn qui s'était montré encourageant. Proust avait d'abord pensé faire une lecture à plusieurs de ses amis, mais la longueur du texte, et surtout celle des phrases, rendaient assez pénible une lecture à haute voix. Il s'est donc résolu à le faire dactylographier, confiant ce travail aux frères Corcos qui se sont attelés à la tâche ingrate de déchiffrer le texte et de le transcrire.

Après avoir lu la première livraison, Lauris, enthousiasmé, adresse à Proust une lettre que celui-ci qualifie de « divine ».

---

1. Yvonne Berthier.
2. Poème aimablement communiqué par Mme Michelle Maurois.

En lui faisant parvenir les cahiers suivants qui, avec le premier, forment un livre publiable, Proust y joint quelques recommandations : « Au point de vue discrétion, vous pouvez très bien dire que je vous ai fait lire le début de mon livre et si quelqu'un peut trouver — ce dont je ne me flatte point ! — que ce soit là un privilège exclusif, je suis trop heureux de déclarer et souligner ma prédilection pour vous. Ce que je vous demande, c'est que vous ne racontiez pas le sujet, ni le titre, ni rien enfin qui puisse renseigner (cela n'intéresse d'ailleurs personne). Mais de plus je ne veux être ni pressé, ni tourmenté, ni deviné, ni devancé, ni copié, ni commenté, ni critiqué, ni débiné. Ce sera temps quand ma pensée aura fini son œuvre de laisser faire à la bêtise des autres[1] ! »

Les deux autres cahiers valent à Proust au moins deux lettres aussi admiratives de Lauris, ce qui l'encourage à persévérer, même aux dépens de sa correspondance, ainsi qu'il l'écrit à Montesquiou, et à tenter la publication dans *Le Figaro*. Il envoie un des exemplaires dactylographiés non à Calmette, mais à Beaunier, critique littéraire au *Figaro*, pour que celui-ci en parle à Calmette. Comme la fin de l'année approche, et avec elle l'époque des cadeaux, Proust prie sa cousine, Mme Nathan, promue au rôle de grande intendante, de ne pas oublier Beaunier dans l'envoi de fleurs ou de fruits qu'il l'a chargée de faire à quelques amis : « Je crois que le prix de 80 à 100 francs serait suffisant[2] », lui écrit Proust qui paraît sous-estimer la peine prise par André Beaunier pour lire un texte aussi déconcertant que ce *Combray* destiné à devenir, après de nombreux remaniements, *Du côté de chez Swann*. Proust est si persuadé de l'avis favorable de Beaunier comme de l'adhésion de Calmette que chaque matin il ouvre *Le Figaro* avec l'espoir, chaque fois déçu, d'y trouver le début de son roman.

1. Kolb, tome IX, p. 225.
2. Environ 1 400 à 1 800 francs de 1990.

# 15

## Janvier 1910 - Décembre 1911

*Étrange désintérêt de Calmette - Un rival à séduire : Jean Cocteau - Comment Proust se documente - Et comment il se concilie le monde - Une nouvelle* Comédie humaine *- La part du rêve et de la fiction - Le* Temps, *principal acteur - Un chevalier de l'Idéal : Georges de Lauris - Mélomanie - Un romancier de la maladie : Louis de Robert - Spéculations et prodigalités.*

Pendant quatre mois, Proust va patiemment attendre un signe de vie de Gaston Calmette et c'est seulement à la fin d'avril 1910 qu'il commence à s'interroger, en même temps qu'il interroge Lauris, sur les raisons de ce silence. Il n'en voit qu'une seule, une brouille à son insu, avec Calmette. Et pourtant, celui-ci avait vivement insisté, l'été précédent, lorsqu'il l'avait rencontré sur la côte normande, pour publier en feuilleton une partie de son livre. Calmette avait même suggéré, pour gagner du temps, de le faire paraître au fur et à mesure que Proust achèverait sa composition, ce qui était bien peu compatible avec la méthode proustienne de corrections, d'ajouts et de repentirs. Le directeur du *Figaro* avait au surplus accepté le principe, au cas où le livre serait pris par un éditeur, de continuer la publication en feuilleton, contrairement à l'usage pour un journal de ne donner à ses lecteurs que de l'inédit.

Calmette a-t-il pu oublier ainsi ses engagements et n'avoir pas eu la courtoisie de lui en dire le motif ? Il faut décidément que quelque chose l'ait froissé, car, chaque fois qu'ils se sont revus, il ne lui a pas soufflé mot de son livre et Proust n'a pas eu le courage de lui en parler. En y réfléchissant, il se demande si l'envoi de cahiers dactylographiés n'a pas été un pas de clerc, mais il ne veut pas qu'André Beaunier rappelle à Calmette sa promesse, craignant que Beaunier ne s'en froisse à son tour, car ce serait lui laisser entendre que sa recommandation n'a pas été suffisante. Il préfère attendre l'occasion d'une rencontre avec Calmette et laisse les choses en l'état, toute intervention d'un tiers ne pouvant, à son avis, qu'irriter les susceptibilités de ces messieurs.

Malgré tout, ne recevant aucune nouvelle du *Figaro*, il décide, au début du mois de juillet 1910, d'aller y reprendre ses trois cahiers. Sans doute s'y rend-il fort tard dans la journée, car il n'y trouve personne qui pourrait lui fournir une explication. Beaunier, venu plus tôt, est déjà parti ; Caillavet aussi, et Robert de Flers, en proie à une crise de goutte, n'y a pas mis les pieds depuis trois mois : « Je n'ai pu que reprendre avec une certaine mélancolie le manuscrit de mon roman dans cette maison où je fus jadis plus choyé », avoue-t-il à Max Daireaux et à Georges de Lauris il confie : « Je ne sais qui m'a ainsi desservi auprès de Calmette avec qui j'étais si bien et cela me fait de la peine, car je l'aime beaucoup [1]. » Pas un instant il ne semble avoir soupçonné que son roman a pu, par son étrangeté, ou du moins son originalité, plonger la rédaction du *Figaro* dans un embarras tel que personne n'a eu le courage de lui dire la vérité.

En apparence, ses relations avec le journal restent bonnes, mais il ne veut plus y faire d'articles. Après avoir refusé à Georges de Lauris d'en écrire un sur son dernier roman, *Ginette Chatenay*, tout en se disant prêt à en parler dans tout autre journal qui accepterait de le publier, il se montre encore plus strict à l'égard d'Antoine Bibesco qui lui a demandé un « papier » sur sa pièce, *Jacques Abran*, jouée au théâtre Réjane où elle n'aura d'ailleurs qu'une dizaine de représentations. Pour éluder les sollicitations d'Antoine, il emploie les mêmes artifices que le baron Scipion dans *Jean Santeuil* qui, refusant un service à Jean Santeuil, le fait avec tant de grâce dans sa mauvaise foi que celui-ci se trouve obligé de le remercier. Ainsi agit-il avec Antoine Bibesco. Tout en protestant de son désir de lui être agréable, il lui écrit une lettre aussi longue que l'article espéré pour lui exposer toutes les bonnes raisons qu'il a de ne pas lui rendre ce service dans les circonstances présentes, mais il est tout disposé à le faire quand même, s'il insiste, bien que ce soit pour lui « une cruelle fatigue » en ce moment, ajoutant que néanmoins il ne s'y refuserait pas si Antoine n'avait personne d'autre en vue, mais que, etc. Et il

1. Kolb, tome X, p. 137.

termine en demandant à Bibesco un laissez-passer pour aller quand même voir sa pièce un jour où il se sentira suffisamment bien portant pour affronter l'atmosphère, si nuisible à son asthme, d'une salle de spectacle [1].

Depuis le début de l'année sa santé, toujours mauvaise, lui sert de prétexte pour écarter les importuns ou refuser les invitations qui l'ennuient. Il n'est guère de lettres qu'il écrive à ses relations, même les moins intimes, sans faire allusion à ses maux divers. Aussi est-il curieux de le voir recommander à Georges de Lauris de ne pas dire qu'il est malade, car « un tas de gens ont cru me faire plaisir en venant prendre de mes nouvelles et il faudra que je leur réponde, ce qui me fatigue extrêmement [2] ».

Il se sentait trop mal pour assister aux obsèques de Mme Arman de Caillavet, morte le 12 janvier 1910, officiellement d'une bronchite, en réalité d'un cœur brisé par l'infidélité d'Anatole France qui, saisi d'un démon tardif de la luxure, l'avait trompée avec une actrice, point jeune il est vrai, Jeanne Brindeau. Cette trahison avait d'autant plus affecté la pauvre égérie qu'elle avait défrayé la chronique mondaine et même celle des journaux. Anatole France avait profité d'une tournée de conférences en Amérique du Sud pour lui faire cette injure et la presse avait multiplié les entrefilets moqueurs sur cette idylle d'arrière-saison qui avait scandalisé les milieux bien-pensants de Buenos Aires. Certains journaux avaient même annoncé le mariage de l'écrivain avec Jeanne Brindeau. Dans sa famille, on s'était efforcé de cacher cette équipée à Mme Arman de Caillavet, tout en déplorant qu'elle eût, par sa conduite passée, donné prise à la critique : « Laisse ces trois vieillards ridicules se débrouiller, avait écrit Mme Gaston de Caillavet à son mari. Ta mère a sacrifié sa réputation, sa dignité, la considération et sa *famille* à cette liaison qu'elle a voulue éclatante. Il serait *bouffon et affreux* que la rupture, s'il y a rupture, nous coûte autant d'embêtement que son goût à afficher cette aventure [3]. »

Cette mort réveille en Proust trop de souvenirs pour qu'il ne s'apitoie pas aussi sur son propre sort, car de telles disparitions nous affectent parfois davantage par le regret de ce qu'elles emportent de notre jeunesse que par celui de la

---

1. Kolb, tome X, p. 100.
2. *Ibidem*, p. 97.
3. M. Maurois, *Les Cendres brûlantes*, p. 299.

personne disparue. Faute d'avoir pu se rendre à la cérémonie religieuse à Saint-Philippe-du-Roule, il avait envoyé une couronne de fleurs et adressé aux Caillavet une série de lettres de condoléances dont le sytle offre un piquant contraste avec les sentiments réels de certaines membres de la famille, notamment lorsqu'il écrivait à Jeanne de Caillavet, qui ne l'aimait guère : « Je sais combien vous avez été délicieuse pour votre pauvre belle-mère... » Il avait également écrit au veuf morganatique, si l'on peut dire, assez affligé de voir l'aventure se terminer aussi mal. Anatole France avait répondu par quelques lignes éplorées : « Cher compagnon des beaux jours, vous qui cachez votre souffrance et montrez votre bon cœur, [vos] paroles, douces comme vous, m'on touché profondément. Je vous en serai reconnaissant durant le peu de jours trop longs qui me restent à vivre [1]. »

En fait, loin de mourir de douleur et de remords, le modèle de Bergotte remplira ces jours trop longs en les consacrant, suprême injure à la mémoire de son égérie, à une ancienne femme de chambre de celle-ci, Emma Laprévotte, entrée chez lui comme gouvernante et qu'il finira par épouser en 1920 alors que tous deux, vieux et malades, ne seront plus guère en état de profiter des joies du mariage. Anatole France mourra quatre ans plus tard, ayant eu le temps de lire les premiers tomes d'*A la recherche du temps perdu* et de reconnaître en Mme Verdurin et en Bergotte le couple littéraire qu'il avait si longtemps formé avec Mme Arman de Caillavet.

*

Alors que son état de santé l'avait empêché d'aller à l'enterrement de Mme Arman de Caillavet, malgré les drogues prises la veille pour s'en donner la force, c'est la crue de la Seine qui le retient ensuite chez lui et lui donne l'impression d'être à nouveau Noé dans l'arche. La plupart des rues du quartier Saint-Lazare sont transformées en rivières, voire en torrents, malgré des travaux hâtivement entrepris pour empêcher l'envahissement du boulevard Haussmann par les eaux. Leur niveau monte d'heure en heure et tout Paris se mobilise pour évacuer les habitants les plus menacés, les reloger, ou distribuer à ceux qui se trouvent isolés dans leurs appartements vivres et charbon.

1. Kolb, tome X, p. 28.

Ce naufrage de la capitale inquiète moins Proust que bientôt l'annonce par le docteur Gagey de travaux dans l'immeuble pour arracher les parquets pourris, rétablir l'ascenseur et faire installer le tout-à-l'égout. Il se lève néanmoins pour assister à la répétition du ballet de Reynaldo Hahn, *La Fête chez Thérèse*, le 12 février, à l'Opéra, où il apparaît, dit-il « comme une momie habillée ». Il lui faut un mois pour s'en remettre, puisque c'est seulement le 18 mars qu'il sort de nouveau pour se rendre à une soirée chez les Straus où il retrouve Reynaldo Hahn. Sans doute est-ce alors qu'il fait la connaissance de Jean Cocteau dont il avait lu les premiers poèmes, ce qui lui permet de confronter, comme il l'écrira, « à la fleur sculptée, la fleur vivante ».

Dans la fraîcheur acide de ses vingt ans, Cocteau a déjà parfaitement réussi auprès de cette société parisienne au seuil de laquelle Proust a plus longtemps attendu. D'un bond, il est passé d'un honnête appartement bourgeois, endeuillé par le suicide de son père, au salon de Mme de Chevigné où son apparition a hérissé les commensaux attitrés, dérangés dans leurs habitudes : « Mes vieux grognent quand ils sentent la chair fraîche... », dit un jour Mme de Chevigné à une amie, Barbara Lister. La descendante de Laure de Sade avait d'abord été agacée par l'ardeur du jeune homme à vouloir la connaître et un jour que celui-ci, pour l'amadouer, avait embrassé sur le museau son petit chien, la comtesse avait eu un mot digne d'Oriane de Guermantes : « Faites attention ! Vous allez lui mettre de la poudre de riz ! »

Cocteau partage en effet avec ses amis les plus intimes d'alors, Lucien Daudet, Maurice Rostand et André Germain, l'art délicat de se farder. « Peints par eux-mêmes ! » pourrait dire l'austère Paul Hervieu, critique amer des mœurs contemporaines. Il arrive à Cocteau de remporter la palme du ridicule lorsque maquillage et travestissement vont jusqu'à scandaliser Robert d'Humières. « En ce printemps 1910, nous pensions que nous étions les dieux du moment, écrira Maurice Rostand. Cocteau et moi étions décidés à faire la conquête du monde. Quelques lignes éparses de poésie suffisaient pour que toutes les duchesses crient au génie. J'aimais cette existence ridicule, cette fausse excitation. Où ai-je lu que Byron s'était ruiné par l'intermédiaire de ses tailleurs ? Je ne pouvais m'écarter des chemisiers de la rue de la Paix, et Cocteau et moi n'avions pas honte d'utiliser comme rime le nom magique de Charvet [1]. »

1. Cité par F. Steegmuller, dans *Cocteau*, p. 47.

De son côté Jean Cocteau, évoquant cette période Charvet, racontera qu'au mariage du beau Tiarko Richepin, dont il était le garçon d'honneur, il était habillé si bizarrement que les chemisiers en avaient ri, mais que sa mère en avait pleuré [1].

Beaucoup plus élégant que Proust, en dépit des extravagances vestimentaires de celui-ci, préférant séduire les gens par ses mots que par des compliments hyperboliques, Cocteau, tout en suivant le même itinéraire mondain que Proust — Mme de Chevigné, Anna de Noailles et Robert de Montesquiou — l'a déjà dépassé, s'offrant de surcroît le luxe, avec une magnifique impertinence, d'avouer des goûts que Proust, non seulement cache, mais flétrit avec indignation lorsque l'occasion s'en présente. Il y a dans le personnage de Cocteau, si triomphant, si sûr de soi et même d'autrui, de quoi séduire Proust et l'agacer en même temps. Est-ce un rival qui se profile à l'horizon ? Une réussite aussi rapide irrite certainement Proust qui trahira cette jalousie secrète en dessinant le personnage d'Octave, d'*A la recherche du temps perdu*, et Cocteau, surpris par le succès posthume de Proust, en éprouvera une amertume à laquelle il donnera libre cours dans une quarantaine de pages vengeresses de son *Journal* [2].

En attendant ce tardif règlement de comptes, Cocteau, considéré à son tour comme un des princes de la jeunesse, a étendu son empire aux *Ballets russes* dont les premières représentations, en 1905, avaient été saluées par la presse comme par le public avec un tel enthousiasme qu'on aurait pu croire à l'aube d'un nouvel âge d'or. Tout le monde parlait depuis cet événement de révolution de l'Art, mais la principale révolution, pour les amis de Cocteau, était le remplacement de la traditionnelle danseuse étoile, assurée avec un peu de chance de finir sa vie comtesse et millionnaire, par un danseur, en général si beau que bien des femmes, et même des hommes, tombaient à ses pieds.

Sans que les Parisiens en aient tout à fait conscience, assourdis qu'ils sont par la stridence de cette musique orientale ou fascinés par la beauté ambiguë des danseurs, les *Ballets russes* représentent l'irruption sur scène d'une autre civilisation, venue des steppes de l'Asie à travers les fastes et les enchantements de Byzance qui ont paré la sauvagerie de ces hordes d'une grâce sensuelle et teinté de perversion leurs danses guerrières.

1. Cité par F. Steegmuller, dans *Cocteau*, p. 49.
2. J. Cocteau, *Le Passé défini*, pp. 268 à 309.

Les décors de ces ballets contribuent aussi à leur prodigieux succès. Ils sont dus au génie de Bakst, homme timide et artiste audacieux, qui a su interpréter, en les stylisant, les architectures persanes ainsi que les miniatures qui ont inspiré les costumes qu'il dessine.

En cette année 1910, la nouvelle saison des *Ballets russes* s'ouvre avec *Schéhérazade*, sur la musique de Rimsky-Korsakov. Si Fokine tient le rôle principal, il n'éclipse pas Nijinski, celui-ci incarnant le jeune nègre aimé par la sultane. Rendant compte de la représentation du 12 juin à laquelle assiste Proust, Reynaldo Hahn écrit, à propos de Nijinski : « Il a le visage aigu d'une antilope, le torse fin et sinueux ; il porte un turban de neige et un pantalon d'or, il sourit, tend les lèvres, se cabre, se jette en avant, enroule autour de Zobéide ses bras maigres et ronds cerclés de bracelets, la soulève, l'emporte... c'est Nijinski[1]. »

Assez curieusement, Proust, qui verra deux autres représentations des *Ballets russes*, se montre peu sensible au charme étrange et félin de Nijinski, charme auquel succomberont non seulement Cocteau, mais Gabriele D'Annunzio et le massif Rodin.

Si Proust refuse beaucoup d'invitations pour se consacrer à son travail, ce même travail l'oblige à certaines sorties, certaines démarches, soit pour retrouver des souvenirs et les préciser, soit pour obtenir des renseignements indispensables à la vérité de ses personnages, à la vraisemblance de scènes imaginées par lui. En général, il essaie de se procurer ces précisions par lettre. Il demande ainsi à Simone de Caillavet, la fille unique de Gaston et de Jeanne Pouquet, de lui envoyer sa photographie, vraisemblablement pour l'aider à dessiner, en la regardant, le portrait de Gilberte Swann : « Je penserai à vous même sans photographie, lui écrivait-il à la fin du mois de janvier 1910, mais ma mémoire fatiguée par les stupéfiants a de telles défaillances que les photographies me sont bien précieuses. Je les garde comme renfort et ne les regarde pas trop souvent pour ne pas épuiser leur vertu. Quand j'étais amoureux de votre maman, j'ai fait pour avoir sa photographie des choses prodigieuses. Mais cela n'a servi à rien. Je reçois encore au jour de l'An des cartes de Périgourdins avec qui je m'étais lié pour tâcher d'avoir cette photographie... [2] »

En même temps qu'il collectionne les photographies, manie

1. Cité par P. Kolb, tome X, p. 115.
2. *Ibidem*, p. 40.

contractée dans sa jeunesse, ainsi que le confirme Lucien Daudet, il relit des livres pour retrouver l'impression produite lorsqu'il les avait lus pour la première fois ; il en découvre aussi d'autres dont les auteurs l'aideront, par leurs propres évocations, à parfaire les siennes ou à lui en suggérer de nouvelles. « C'est curieux que dans tous les genres les plus différents, de George Eliot à Hardy, de Stevenson à Emerson, écrit-il au mois de mars 1910 à Robert de Billy, il n'y a pas de lecture qui ait sur moi un pouvoir comparable à la littérature anglaise et américaine. L'Allemagne, l'Italie, bien souvent la France me laissent indifférent. Mais deux pages du *Moulin sur la Floss* me font pleurer. Je sais que Ruskin exécrait ce roman-là, mais je réconcilie tous ces dieux ennemis dans le Panthéon de mon admiration [1]. »

En dépit de cette indifférence à l'égard de la littérature allemande, on peut se demander s'il n'a pas trouvé dans *Hesperus*, le roman jadis fameux de Jean-Paul Richter, certaines idées et même certaines métaphores, car il existe entre eux des similitudes d'observations parfois étonnantes.

Ainsi, Jean-Paul Richter estimait déjà que ce qui était intéressant chez l'homme c'était ce qu'il pensait et non ce qu'il disait : « Les hommes ont tout avantage à être muets dans la conversation ; leurs pensées valent toujours mieux que leurs paroles, et il est regrettable que l'on ne puisse appliquer aux bonnes têtes un barométrographe, ou un clavier de typographe qui écrive à l'extérieur tout ce qui est pensé à l'intérieur. Je parierais que toutes les grandes têtes s'en vont par le monde avec toute une bibliothèque de pensées inédites, ne laissant courir que quelques rares rayons de pensées imprimées [2]. »

La notion du temps qui passe, du temps qui blesse et tue, mais qui guérit aussi est déjà formulée chez Jean-Paul Richter : « Le Temps n'est rien d'autre qu'une Mort armée de faucilles plus douces, plus petites ; chaque minute est l'automne de la minute passée, et l'*autre monde* sera le printemps d'un *troisième* [3]. » Pour lui, le Temps joue dans toute existence, et dans toute œuvre, un rôle essentiel : « Comment le temps ne marquerait-il pas ses mesures dans nos impressions spirituelles, alors que seules celles-ci jalonnent le temps [4] ? » Comme Proust, Richter accorde au sommeil une place à laquelle aucun auteur n'avait

1. Kolb, tome X, p. 55.
2. J.-P. Richter, *Hesperus*, tome I, p. 110.
3. *Ibidem*, tome II, p. 208.
4. *Ibidem*, p. 76.

jusqu'alors songé : « Le long sommeil de la mort ferme nos *cicatrices*, et le bref sommeil de la vie, nos *blessures*. Le sommeil est la moitié du temps qui nous guérit[1]. » Plus curieuse encore est cette exclamation d'un des héros d'*Hesperus*, Victor, exclamation qui préfigure une des plus célèbres phrases du Narrateur dans *Du côté de chez Swann* : « O fou que je suis ! Je ne me réjouis pas extraordinairement de ce qu'une demi-once de graine de sommeil suffise à détruire totalement en l'homme tout un monde flamboyant, et que le *changement de position* de son corps provoque *l'affaissement* de son Paradis et de son Enfer[2]. » Proustienne également cette remarque sur la souffrance, un des thèmes essentiels chez Proust : « ... car les souffrances ont tant de place dans notre mémoire que ces âpres fruits de garde s'adoucissent dans le repos, et qu'il y a peu de différence entre une peine passée et une joie présente[3]. »

Enfin, voici sous la plume de Jean-Paul Richter un incident comique que l'on pourrait croire écrit par Proust, ne serait-ce que par l'emploi de la métaphore et l'allusion à Israël : « Alors, il entra comme un rayon de soleil dans le chœur, et enleva au jeune *alto* son pensum qu'il chanta aux oreilles de la paroisse, mais sur un ton aussi lamentable que s'il eût donné lecture du manuscrit d'un critique. Il faut informer le monde que le pianiste hargneux harcela sauvagement l'*alto* frisant[4] de ses coudes aux angles aigus ; il voulait chasser l'oiseau étranger de la volière du chœur. Mais comme le chanteur, faisant de son bras droit le ferme lutrin de son texte et du gauche sa masse de combat, semblable en cela aux Juifs travaillant aux murs de Jérusalem qui avaient une main pleine de matériaux, et l'autre d'armes, le perruquier s'escrimant et musiquant faisait son petit possible, et gagna quelque avantage durant la trêve divine de la musique sacrée[5]. »

Cette recherche de « documents » va si loin qu'il songe même, un moment, à se rendre acquéreur de copies de tableaux de maîtres, qui lui coûteraient moins cher que des originaux et lui épargneraient la fatigue de voyages à l'étranger ou même d'une simple visite au Louvre, comme il l'écrit à Lionel

1. J.-P. Richter, *Hesperus*, tome I, p. 231.
2. *Ibidem*, tome I, p. 124. A rapprocher de ce que Proust écrit du sommeil dans *A la recherche du temps perdu*, Pléiade, tome I, pp. 4 et 5.
3. *Ibidem*, p. 222.
4. Il s'agit du perruquier Meuseler, passionné de musique.
5. J.-P. Richter, *Hesperus*, tome I, p. 213.

Hauser, assez surpris de voir son client vouloir faire cet emploi de ses fonds.

Si des visites à des femmes de ses amies pour qu'elles lui décrivent un chapeau qu'elles ont porté vingt ans plus tôt ou lui montrent une robe dont il veut habiller une de ses héroïnes sont parfois couronnées de succès, habituées que sont ces dames à ses questions saugrenues. Il éprouve plus de difficultés lorsque son enquête le met en rapport avec d'autres catégories sociales. Dans ses Souvenirs, Maurice Duplay décrit ainsi une visite de Proust chez Laurent où il voulait que le maître d'hôtel lui montrât le cabinet particulier dans lequel son oncle Weil, un des modèles de l'oncle Adolphe, traitait Laure Hayman : « Distribuant flatteries, sourires et pourboires, il harcela de questions le gérant, les garçons, les sommeliers, les grooms. Pour se préserver contre l'air des Champs-Élysées, nocif à son asthme, il se tamponnait sans cesse le nez avec un foulard de soie. Tous le regardaient, ahuris, le prenant pour un maniaque, après l'avoir pris pour un détective chargé d'une enquête délicate. Un maniaque, d'ailleurs, très sympathique. De guerre lasse, le gérant qui, primitivement, avait dit ignorer les personnes dont on lui parlait, revint sur cette déclaration. Il se les rappela subitement et nous ouvrit le cabinet où elles avaient dîné, il y avait longtemps, mais pour en refermer presque aussitôt la porte. La complaisance a des limites et toute la gentillesse, comme toute la générosité de Proust, n'avait pas entièrement dissipé sa méfiance : ''Je crois, me dit Marcel en nous en allant, qu'il nous a menti pour se débarrasser de nous [1].'' »

Avec une ténacité que rien ne décourage il assaille ses amis de questions, posant la même à plusieurs, et se montrant déçu de la réponse en pensant qu'on lui cache quelque chose, surtout quand la simplicité de cette réponse a dissipé le mystère auquel il croyait. Quand on oublie de lui répondre et que sa curiosité reste insatisfaite, il y voit une mauvaise intention à son égard et gémit : « Quelle méchanceté [2] ! » Un jour qu'il harcèle de questions Barrès, à propos d'un texte, et que Barrès commence à s'irriter, J.-E. Blanche l'arrête avec ces mots : « Taisez-vous, vous en savez plus que lui [3]... »

De même qu'il prodigue flatteries et compliments excessifs

1. M. Duplay, *Mon ami Marcel Proust*, p. 10.
2. L. Daudet, *Cahiers Marcel Proust*, n°1, p. 45.
3. E. de Gramont, *Marcel Proust*, p. 44.

pour parvenir à ses fins, Proust couvre de fleurs tous ceux qui lui adressent des livres, alors que la lecture de ceux-ci le distrait de la composition du sien. Doué d'un goût très sûr, qui ne peut qu'être choqué par la médiocrité de ce qui s'édite alors, il n'en crie pas moins au chef-d'œuvre en remerciant tous les auteurs dont les ouvrages seraient oubliés sans, justement, la lettre qu'il a scrupuleusement adressée à chacun d'entre eux, lettre qui survit seule aujourd'hui, comme surnage une bouée signalant un navire coulé.

Des poèmes de Mme de Noailles dans le numéro du 15 mars 1910 de *La Revue des Deux-Mondes* lui arrachent le même cri que celui poussé naguère à l'occasion du *Cœur innombrable* ou des *Éblouissements* : « Je ne crois pas que vous ayez jamais rien fait d'aussi beau... », lui écrit-il. La *Ginette Châtenay* de Georges de Lauris est par lui couverte d'éloges immérités, de même qu'une traduction des *Poésies* d'Edgar Poe par Gabriel Mourey ; un recueil de vers de Fernand Gregh, *La Chaîne éternelle*, est déclaré solennellement le « plus beau livre » du poète dont l'œuvre entière, à l'exception de ses *Souvenirs*, dort d'un éternel sommeil. *La Robe de laine*, d'Henry Bordeaux, est jugé « admirable... peut-être le plus grand, le plus simple, le plus vrai » de tous les livres écrits déjà par ce prolifique romancier, le Paul Bourget de la province ; un ouvrage posthume d'Édouard Rod est estimé « plus peut-être qu'aucun autre à sa parfaite ressemblance, si simple, si pur, si noble, si vrai » — c'est-à-dire si parfaitement ennuyeux — et son art comparé à celui de Philippe de Champaigne, paroles bien consolantes pour la veuve à qui s'adresse cet éloge funèbre. Pour un bref récit, Lucien Daudet se voit mis sur le même plan que Flaubert ; un simple article de Robert Dreyfus dans *Le Figaro*, à propos d'une imprudence du comte Bouriat qui avait coûté la vie à la marquise de Nicolaÿ et à l'un de ses fils, lui paraît ouvrir des perspectives shakespeariennes ; au tout jeune Cocteau, il écrit, à la manière de Gabriel-Louis Pringué : « Vos lignes silencieuses se sont adressées à moi avec une scintillation amie et lointaine d'étoile qui m'a rempli de tendresse et de rêve [1]. » Quant à Robert de Montesquiou, il est le mieux servi, et plus souvent que les autres, car le « fatal comte », comme l'appelle Proust, ne cesse d'écrire et, malheureusement, de publier. Articles, livres, opuscules, plaquettes, « tirés à part » tombent sur son disciple comme les

1. Kolb, tome X, p. 233.

feuilles mortes d'un arbre. Son dernier roman, *La Petite Mademoiselle*, n'est qu'un règlement de comptes avec le faubourg Saint-Germain, une exécution de tous ceux dont il croit avoir à se plaindre, mais la vulgarité du ton fait en général oublier la méchanceté de l'intention. Rarement Montesquiou a fait preuve d'autant de mauvais goût, ne serait-ce que par la manière dont il met ses propres compositions dans la bouche de son héroïne, Miss Winterbottom, le nom de celle-ci étant à lui seul une vulgarité de plus. Chaque fois que Montesquiou publie quelque chose — et Dieu sait s'il publie en cette année 1910 ! — il faut désarmer son hostilité toujours latente et prévenir ses soupçons en maniant inlassablement l'encensoir, toujours plus fort et toujours plus haut, mais en veillant à la qualité de l'encens qu'on y brûle :

Proust a du moins la satisfaction, en recevant de Montesquiou la sixième réimpression de son recueil, *Les Perles rouges*, d'y lire un poème en son honneur.

*Nos deux deuils sont amis et frères :*
*Vous pleurez Celle qui, longtemps,*
*Éloigna les destins contraires*
*De vos pas et de vos instants ;*

*Moi, je pleure une âme profonde*
*Mise, un jour, sur mes noirs sentiers*
*Pour m'aider à porter un monde*
*Sous l'assaut des inimitiés.*

*Mélangez vos larmes aux nôtres ;*
*Que j'ignore, en mes noirs chagrins,*
*Si les pleurs sont miens ou sont vôtres,*
*Dont nos yeux furent les écrins.*

Il est certes un peu choquant de voir la mort de Mme Proust mise sur le même rang que celle d'Yturri, que bien des gens regardaient comme un gigolo, mais Proust en s'en offusque pas et prodigue au comte des éloges identiques à ceux qu'il lui adressait, quelques mois plus tôt, pour son livre *Les Saints de glace*.

Jamais Sainte-Beuve, dans ses pires complaisances, n'a déployé autant de lyrisme pour célébrer les œuvres de contemporains pourvus d'une belle position dans le monde des lettres ou celui de la Cour. Il est vrai que Proust, parfois, use d'une discrète ironie qui peut échapper à son correspondant, trop énivré par des éloges indus pour en déceler la perfidie. Ainsi lorsqu'il remercie Jean-Louis Vaudoyer de l'envoi de ses *Dix-Sept Sonnets*, recueil publié à Venise avec une préface d'Henri de Régnier, il laisse entendre que la somptuosité de cette édition donne du prix à l'œuvre elle-même, comme une belle boîte de bonbons que l'on conserve alors que les bonbons sont depuis longtemps croqués.

Dans certains cas, il sait faire preuve d'indépendance d'esprit — il est vrai qu'il ne s'agit pas alors d'amis ou de connaissances — et donner franchement son opinion. Un livre qui paraît à cette époque non seulement n'a pas son approbation, mais excite sa fureur : c'est le *Lucien* de Binet-Valmer qui, malgré sa médiocrité, moins grande d'ailleurs que Proust ne l'affirme, a le mérite d'être un des plus intéressants ouvrages consacrés jusqu'alors à « l'amour qui n'ose pas dire son nom ». Il se déclare « anéanti de voir le succès qu'on fait à *Lucien*, le livre le plus imbécile, assure-t-il, qu'il ait jamais lu et à Reynaldo Hahn il écrit : « Votre ami, M. Pierre Mortier, l'égale à *Manon Lescaut, Paul et Virginie*, je ne sais plus quoi, *Adolphe*, etc. Vous savez l'horreur que j'ai des romans de Marcel Prévost. Ce sont des chefs-d'œuvre à côté. Quand on voit du reste des gens comme Barrès admirer Péguy on se demande qui a du goût et avec qui on pourrait parler. »

Il est possible que Proust, qui avait écrit déjà sur « la race de Sodome » des pages remarquables et sans cesse enrichies de nouveaux apports, ait été fort contrarié de voir le sujet défloré par Binet-Valmer qui pourrait se vanter plus tard de lui avoir montré la voie en ce domaine.

*

En effet, s'il a repris le début de son roman sur Combray, le futur *Du côté de chez Swann*, sur le conseil d'André Beaunier qui, malgré son long silence, avait néanmoins lu les trois cahiers dactylographiés déposés au *Figaro*, il travaille aussi à ce qui constituera *Sodome et Gomorrhe*, entassant notes, esquisses, descriptions, notamment celle de la fameuse *Soirée chez la princesse de Guermantes*, objets d'incessants remaniements pour arriver, bien des années plus tard, à la perfection finale.

Depuis un an, Proust tient enfin son sujet, une fresque d'histoire contemporaine, à la manière de Balzac, dont le Temps sera le personnage principal et dans laquelle l'homosexualité jouera le même rôle que l'argent dans la *Comédie humaine*. Après avoir longtemps cherché à la fois des personnages et un cadre, il a choisi la scène parisienne et des personnages qui, presque tous, appartiennent à la haute société ou bien cherchent à en faire partie. Leur moyen pour s'y prendre est le ressort d'une action dont les péripéties demeurent bien rares et souvent bien vagues : quelques duels, quelques mésalliances, quelques voyages. C'est l'évolution des caractères, la transformation des êtres avec le temps, qui forment vraiment la trame romanesque, l'art encore incertain de Proust s'efforçant, non de décrire des événements, mais de montrer comment ils sont amenés à se produire en expliquant pourquoi ses personnages tiennent tel langage ou prennent telle attitude.

Le monde qu'il a choisi de décrire n'est pas le faubourg Saint-Germain, comme le répètent à satiété nombre de ses exégètes. De même que le monde de Balzac était déjà différent du faubourg Saint-Germain de l'époque, celui de Proust est encore plus éloigné de ce qui restait encore, entre 1890 et 1910, du véritable faubourg Saint-Germain, enclos dans le quadrilatère formé par la rue de Lille, la rue de Constantine, la rue de Babylone et la rue Bonaparte. Son monde est plutôt situé entre le boulevard de Courcelles et la rue du Faubourg-Saint-Honoré, avec des ramifications vers l'Étoile et l'avenue du Bois, monde où fusionnent les grands bourgeois du Second Empire avec quelques transfuges du noble faubourg dans les salons d'opulentes familles juives ou ceux de courtisanes avantageusement rangées, monde où l'Art et l'Argent vont de pair avec les honneurs officiels et les adultères mondains, mais c'est un monde certainement plus ouvert, plus cosmopolite, plus brillant, et surtout plus amusant que le faubourg Saint-Germain.

Alors que les habitants du noble faubourg passent dans leurs terres au moins six mois de l'année, menant l'hiver dans leurs hôtels une existence assez morne, la société proustienne ignore la campagne et, lorsqu'elle quitte Paris, c'est pour la côte normande où déjà les gens « bien » s'effraient du nombre d'hommes d'affaires douteux, de politiciens décriés, de bohèmes et d'aventuriers qui s'abattent sur le pays, achetant ou louant des propriétés, gâtant l'esprit des indigènes par l'argent qu'ils dépensent sans compter. Lucien Daudet, plus sensible à ces nuances que ceux qui écriront plus tard sur Proust, notera très justement cette lacune chez lui : « Il lui a manqué d'être reçu dans la véritable et constante *intimité* d'une Madame de Guermantes ou autre pour voir fonctionner les rouages intérieurs de quelques familles françaises, en dehors des heures d'apparat. Il est fâcheux qu'il n'ait pas connu de près, à toute heure du jour, une certaine forme de simplicité parfaite, de préoccupations charitables, ni goûté un charme presque rustique, faisant comprendre en partie ce qu'il y a de respectable dans le mot *France*, et que d'autres intimités, d'une élégance brillante, mais sans passé, ne pouvaient pas lui faire soupçonner[1]. »

A l'encontre de Saint-Simon qui plaçait au-dessus de tout, et presque de l'humanité, les ducs français, Proust ne les juge pas assez nobles, assez glorieux, assez « historiques » pour servir à son dessein et il invente avec les Guermantes une maison telle qu'il n'en existe aucune en France, à l'exception peut-être des Rohan, dont la princerie agaçait tant Saint-Simon, mais qui n'acquirent leur position internationale et quasi souveraine qu'avec leur implantation en Autriche après avoir émigré. Déjà dans ses esquisses, les Guermantes, dont titres et prénoms variaient encore, apparaissent non comme des ducs français, pourvus au besoin de quelque principauté mythique en Béarn ou en Provence, mais comme des princes « médiatisés » — il emploie d'ailleurs le mot — cousinant avec des maisons régnantes et jouissant de l'égalité de naissance avec celles-ci. Proust a donc fait des Guermantes une maison comparable à celle des Croÿ, des Sayn-Wittgenstein, des Tour-et-Taxis ou des Hohenlohe, dynasties à vocation internationale, avec des branches dans plusieurs pays, ce qui est précisément à l'encontre de la tradition des familles françaises, volontiers xénophobes, enracinées dans leurs domaines et considérant avec suspicion toute alliance étrangère, même de haute volée. A cet égard, l'aristocratie française est encore, au début du siècle, d'un jacobinisme à toute épreuve. Les seuls mariages avec des étrangères auxquels se résigne la haute noblesse depuis une vingtaine d'années, ce sont de fructueuses mésalliances avec des héritières américaines et Dieu sait si, tout en allant à des réceptions offertes par des aristocrates au blason redoré, tels Boni de Castellane ou le prince Edmond de Polignac, on ne se faisait pas faute de critiquer la disproportion des naissances, en trouvant à tout ce luxe étalé un relent d'immoralité.

De même qu'il fait des Guermantes des princes « médiatisés », Proust, au mépris de l'Histoire qu'il connaît pourtant fort bien, commet une autre erreur en créant une famille de

1. L. Daudet, *Autour de soixante lettres de Marcel Proust*, p. 22.

dignitaires de l'Empire à laquelle il donne le nom de Marengo, qu'on ne peut attribuer à un grand soldat de l'Empire puisqu'il s'agit d'une victoire remportée par le Premier consul qui seul aurait pu prétendre à recueillir les lauriers que ce jour-là Desaix avait moissonnés pour lui. Les Marengo deviendront d'ailleurs les d'Iéna, ces gens « qui ont un nom de pont », comme dira dédaigneusement la duchesse de Guermantes, et Proust, qui se souvient d'avoir hanté le salon de la princesse Mathilde, aura le même dédain à l'égard de cette noblesse d'Empire, encore incomplètement assimilée à celle de l'Ancien Régime, et de ses salons remplis de meubles dont les bronzes trop dorés ne parviennent pas à égayer le triste acajou. Pour lui, les Marengo, alias d'Iéna ou Borodino, ressemblent à leurs ancêtres, peints par Gérard ou Gros, comme une décalcomanie à une image d'Épinal.

Malgré l'expérience acquise et l'arrivée de la maturité, Proust n'a pas tout à fait renoncé à l'esprit qui l'animait lorsqu'il écrivait *Jean Santeuil.* On en trouve la confirmation dans cette *Soirée chez la princesse de Guermantes*, qu'il est en train de composer, soirée qui représente l'apothéose mondaine du Narrateur dont la personnalité falote explique mal les succès. En effet, lorsqu'il se dirige vers la princesse pour la saluer, non sans appréhension, car il n'est pas certain d'avoir été invité, elle se lève pour lui, ce qu'elle n'a fait jusqu'alors pour personne et le prince, instruit par l'exemple de sa femme, qui n'aurait pas montré de prévenance sans une bonne raison, accueille le jeune homme avec de grandes démonstrations d'amitié, teintées d'un rien de respect pour sa réputation d'être un « intellectuel ».

Bientôt le Narrateur est sur un tel pied de familiarité avec les orgueilleux Guermantes que ceux-ci lui servent presque d'entremetteurs, soit pour identifier une jeune fille aux joues rouges qu'il a remarquée pendant une réception chez eux — réminiscence d'Oriane de Goyon —, soit pour le présenter à certaines grandes dames chez lesquelles il aimerait aller, mais ils refusent de lui faire rencontrer, comme indigne de lui, la baronne Picpus, premier avatar de la baronne Putbus, qu'il voudrait connaître pour suborner sa femme de chambre, véritable Giorgione vivant. Pour cela, le Narrateur doit se rabattre sur les Verdurin, gens que sa grand-mère tient pour peu, estimant que ce n'est pas un milieu fréquentable et le Narrateur, pour vaincre sa résistance, simule tant « de nervosité, de tristesse, de maladie » qu'elle cède à ce chantage.

Ainsi, dès 1910, Proust a-t-il écrit certaines scènes, certains portraits qui, inlassablement retravaillés, prendront place dans l'œuvre définitive. Il a désormais une nette vision du décor et des acteurs, comme du but qu'il se propose. En effet, au-delà de la fresque sociale où ses lecteurs s'efforceront d'identifier les modèles qui ont posé pour lui, il cherche à dégager de ses observations, de plus en plus fouillées, des lois psychologiques, une philosophie et même une morale, ou, du moins, des moralités, car il y a chez lui, à côté d'un Saint-Simon fasciné par la mécanique mondaine, un La Bruyère excellant à faire de ses portraits des types, et un La Rochefoucauld encore plus désabusé que l'auteur des *Maximes*. Il a hérité de son père un esprit scientifique grâce auquel il tente — et le plus souvent avec succès — d'aller au fond des choses sans se contenter d'hypothèses ou d'approximations. Il ne lui suffit pas de voir ce que d'autres ne remarquent pas, il veut comprendre et surtout traduire, de manière à ce que son lecteur voie avec ses yeux, comprenne avec son intelligence. A cet égard, Proust sera le plus grand maître de son temps, car chacun de ses lecteurs, s'il a le courage de persévérer dans *A la recherche du temps perdu,* se sentira plus intelligent, sa lecture achevée, qu'avant d'avoir commencé. Comme l'écrit André Maurois, « ce mystique était un positiviste ».

Hanté depuis son adolescence par le problème de la fuite du temps, celui de la perpétuelle mutation des êtres qui rend tout éphémère, et même dérisoire — amours ou haines, serments et projets, fortunes ou réputations — il entreprend sous la fiction d'un roman mondain une tâche de Titan. Son propos n'est pas d'arrêter le cours du temps, mais de le décomposer, d'en analyser les effets, ce qui est une manière de le conjurer en montrant que son existence est toute relative, variant en fonction de ceux qu'il marque, consacre ou emporte dans le néant. Proust, écrit André Maurois, montre que l'individu, plongé dans le temps, se désagrège. « Un jour il ne restera plus rien en lui de l'homme qui a aimé, ou qui a fait une révolution[1] », observation à laquelle la carrière de tant de séducteurs, et d'hommes politiques, apporte une éclatante confirmation. Et, comme le note si justement Maurois, ce n'est pas parce que la société que Proust a décrite a disparu que son œuvre perd de sa valeur ou de sa vérité, car la société mondaine n'en était pas le thème principal, mais « la lutte de

1. A. Maurois, *A la recherche de Marcel Proust*, p. 169.

l'Esprit contre le Temps, l'impossiblité de trouver dans la vie réelle un point fixe auquel le *moi* se puisse accrocher, le devoir de trouver ce point fixe en soi-même, la possibilité de le trouver dans l'œuvre d'art[1] ».

Une autre préoccupation de Proust est de montrer aussi la vanité de l'existence où les plaisirs recherchés déçoivent lorsqu'ils sont atteints, ce que Reynaldo Hahn exprimera lui aussi lorsqu'il écrira dans ses *Notes d'un musicien* : « Le plaisir que donne l'amour ne vaut vraiment pas le bonheur qu'il détruit[2]. » Le véritable bonheur n'est pas dans la satisfaction du désir, mais, une fois le but atteint, ou même dépassé, de retrouver l'état d'esprit qui était le nôtre lorsque nous avions ces ambitions, ces désirs avec, pour nourrir nos illusions, la plus charmante de toutes : l'Espérance.

A cette conception romanesque inédite, et dont il n'a pas encore exploré toutes les ressources, qui donneront à son œuvre une richesse inépuisable, Proust joint une technique empruntée à certains devanciers, mais qu'il renouvelle entièrement : la métaphore. « On ne peut se faire succéder indéfiniment dans une description, dira-t-il, les objets qui figuraient dans un lieu décrit, la vérité ne commencera qu'au moment où l'écrivain prendra deux objets différents, posera leur rapport, analogue dans le monde de l'art à celui qu'est le rapport unique de la loi causale dans le monde de la science, et les enfermera dans les anneaux nécessaires d'un beau style... » Son système consiste en l'assimilation constante de personnes ou d'actes situés sur des plans différents pour dégager entre eux un point commun qui, suivant les exemples choisis, ennoblit quelque action triviale ou bien enlève tout mystère ou toute grandeur à quelque personnage important, et vice-versa. Ce procédé, qui parfois touche au burlesque ou tombe dans la vulgarité, Proust l'utilise avec une virtuosité quelquefois lassante au point qu'il peut apparaître comme une de ses faiblesses ou, du moins, l'une de ses manies. Il est, en certains cas, une solution de facilité qui fait regretter la manière plus simple et plus vraie d'écrire d'un autre génial romancier du Temps, Virginia Woolf.

*

1. A. Maurois, *A la recherche de Marcel Proust*, p. 174.
2. R. Hahn, *Notes d'un musicien*, p. 18.

C'est en pleine fièvre créatrice que Proust, l'été venu, abandonne soudain Paris pour Cabourg autant pour fuir le fracas des travaux dans son immeuble que pour travailler dans l'isolement, moins précaire qu'à Paris, de sa chambre au Grand Hôtel. Il va s'y enfermer pendant à peu près deux mois et demi, sans guère en sortir, encore qu'un peu d'air et d'exercice lui ferait du bien, sans voir la mer, dont il aime le spectacle, et fuyant une société dont il tient pourtant à être recherché puisqu'il se plaint lorsqu'une personne de ses connaissances séjourne à Cabourg ou dans les environs sans essayer de le voir.

Il est parti si vite, le 17 juillet, qu'il n'a pas eu le temps de dire au revoir à Reynaldo Hahn, et que son concierge n'a pas eu celui d'enregistrer correctement les bagages, hâtivement faits. En arrivant à Cabourg, il s'est trouvé loti des cartons à chapeaux d'une inconnue tandis que ses propre valises suivaient la dame en Bretagne. Chacune de ses arrivées dans une nouvelle chambre est en général une douloureuse épreuve, mais cette fois l'épreuve tourne au drame et Proust reste vingt-quatre heures à souffrir, sans se déshabiller ni se coucher. Pour ajouter au désastre, son valet de chambre, Nicolas Cottin, « recommence à honorer Dionysos », ce qui signifie, en termes moins mythologiques, qu'il est saoul tous les soirs. Autre ennui : il voulait faire venir Robert Ulrich, mais celui-ci s'est attiré une mauvaise affaire en détournant une jeune fille du droit chemin et il a les parents à ses trousses : « Je ne me soucie point dans ces conditions de le faire venir à Cabourg où j'aurais l'air de le cacher... », confie-t-il à Reynaldo Hahn.

Bien qu'il déclare à Maurice Duplay ne travailler à son roman qu'un jour sur dix, il y consacre tout son temps et n'en accorde que fort peu aux mondanités, malgré la présence à Cabourg de quelques dames importantes comme Mme Meunier, l'épouse du chocolatier, celle de l'illustre docteur Roussy, « exemple de la vulgarité médicale », et d'artistes venus, comme Litvinne et Lina Cavalieri, pour la saison du casino. Il ne fait d'exceptions que pour les aimables d'Alton et leurs filles, offrant galamment à chacune, après le nécessaire en or de l'été précédent, une montre de chez Cartier.

Lorsque à la fin de septembre ferme le Grand Hôtel, il frète un taxi, conduit par Odilon Albaret, pour rentrer à Paris où sa première sortie est d'aller au concert Mayol. Il éprouve une curiosité vive et même un certain goût pour le répertoire de ce chanteur dont le physique illustrerait parfaitement l'une des esquisses qu'il a déjà faites pour « la race de Sodome ». Il n'hésite pas à le juger « sublime », avouant à Reynaldo Hahn : « Je voulais lui écrire d'avance de chanter *Viens poupoule* et *Fleur de pavé*, mais j'ai eu peur du ridicule et surtout de l'inefficacité [1]. »

Depuis des mois il avait si fréquemment — et si longuement — correspondu avec Georges de Lauris que leur intimité s'en était accrue au point de lui déclarer qu'il le préférait désormais au si cher Bertrand de Fénelon. Lorsque Lauris lui avait annoncé son mariage avec Madeleine de Pierrebourg, qui venait de divorcer de Louis de La Salle, il l'avait chaleureusement félicité : « Je suis heureux que cette créature délicieuse et froissée rencontre l'homme que je considère comme le plus intelligent, le plus beau, le meilleur même en ce sens qu'en greffant sa sensibilité sur son esprit il en a obtenu la maturation d'une douce bonté qui n'était peut-être pas native [2]. »

En dépit de ces compliments, Lauris n'avait pas jugé bon de l'inviter à ces « noces du chevalier de l'Idéal avec la Princesse rose » et, pour mieux souligner l'affront, du moins dans l'esprit de Proust, il avait choisi Bertrand de Fénelon comme témoin. Proust avait vivement ressenti l'offense, lui qui avait été convié aux mariages, autrement brillants, d'Armand de Guiche et de Louis d'Albuféra, mais comme dans le cas de Lauris il ne s'agissait que d'une cérémonie civile, puisque Madeleine de Pierrebourg était divorcée, peut-être Lauris s'était-il imaginé que Proust ne se serait pas dérangé pour si peu. Quoi qu'il en fût, Proust, amer, lui avait adressé une lettre de reproches dans laquelle il l'accusait de ne l'avoir sans doute pas jugé suffisamment élégant pour figurer dans une réception à prédominance aristocratique : « Le seul obstacle à mon pessimisme habituel est que si je pense de moi fort peu de bien, comme vous savez, en revanche je me crois *sortable*, connaissant pas mal de personnes que vous connaissez, et par conséquent étant de ces gens qui, comme disait merveilleusement Mme Aubernon, *sont commodes à inviter parce qu'ils n'ont pas besoin d'explications* [3]. »

En réalité, Proust est moins sortable qu'il ne le croit et ses apparitions, qui provoquent toujours une certaine curiosité, n'ajoutent guère à l'élégance d'une réception. Sa cousine

---

1. Kolb, tome X, p. 177.
2. *Ibidem*, p. 165.
3. *Ibidem*, p. 194.

Valentine Thomson, qui venait de le rencontrer à Cabourg, se rappelait que, cet été-là, il avait l'air « d'un sorcier oriental avec sa barbe noire et ses yeux cernés [1] » et la princesse Bibesco, qui l'apercevra l'année suivante au bal de *L'Intransigeant*, écrira : « Le corps perdu dans une pelisse trop vaste, il avait l'air d'être venu avec son cercueil… » Cette impression macabre est accentuée par son visage exsangue, livide, et sa barbe assyrienne. Il est évident qu'une silhouette aussi funèbre, et aussi bizarrement accoutrée, peut sembler, le jour d'un mariage, de sinistre augure. Georges de Lauris se contentera d'écrire que « son mariage fut l'occacion de lettres qui lui sont très précieuses [2] », sans souffler mot de cet incident que Proust, avec sa susceptibilité, jointe à une mémoire implacable, n'oubliera pas facilement.

Quelques morts, celle de Robert Gangnat, l'amant de Louisa de Mornand, d'Henri Dreyfus, frère de son ami Robert Dreyfus, et quelques pertes en Bourse font diversion à cette blessure d'amour-propre et fournissent un exutoire à son besoin de se lamenter. Malgré les nombreuses lettres qu'il écrit pour ces occasions, sans parler de celles, toujours abondantes, à Robert de Montesquiou et Jean Cocteau, il travaille sans relâche à son œuvre, véritable toile de Pénélope, sans cesse défaite et toujours recommencée, avec des ajouts, des retouches, des transferts de morceaux entiers d'une partie à une autre, mosaïque en perpétuelle composition qui fait penser à ces lorgnettes alors en vogue et à l'intérieur desquelles des paillettes de diverses couleurs, reflétées par un jeu de glaces, constituent, au hasard des secousses imprimées à l'instrument, des figures d'une rigoureuse symétrie en même temps que d'une grande fantaisie.

Comme il persiste à ne pas vouloir se soigner, se vantant que personne n'est entré dans sa chambre, pas même son médecin, sa santé continue de se détériorer. De temps à autre, par un sursaut d'énergie ou plutôt sous l'effet d'une brusque impulsion, un désir irrésistible de revoir un paysage ou un ami, il tente une sortie. C'est ainsi qu'au mois de décembre 1910, en pleine nuit, alors qu'il travaille, il ressent une violente envie de nature, d'arbres, de champs. Dès l'aube, il commande un taxi et part à neuf heures du matin pour Le Vésinet avec l'intention d'y surprendre Montesquiou dans ce fameux Palais

1. Cité par G. D. Painter, *Marcel Proust*, tome II, p. 208.
2. G. de Lauris, *Souvenirs d'une belle époque*, p. 142.

rose où il vient de s'installer. Malheureusement, il avise en route une fleuriste qui vend des pois de senteur et en achète. Leur parfum déclenche aussitôt une crise qui l'oblige à rebrousser chemin. Cette expérience, renouvelée au début du mois de janvier 1911, lorsqu'il veut aller voir Lucien Daudet, le confirme dans l'idée qu'il ne peut sortir que le soir. Cela lui permet au moins de se rendre à plusieurs représentations théâtrales, supportant mieux l'atmosphère des salles, même étouffantes, que celles des bois et des champs.

*

Les représentations des Ballets russes auxquelles il avait assisté l'année précédente lui avaient rendu le goût de la musique de scène, bien que Reynaldo Hahn estime qu'en ce domaine il n'a jamais eu un goût très sûr. Il retournerait plus souvent à l'Opéra si l'ennui de se lever, de s'habiller convenablement et surtout de rester assis pendant plusieurs heures dans une salle bondée n'excédait ses forces. Aussi préfère-t-il goûter ce plaisir à domicile en s'abonnant au théâtrophone.

Alors que le phonographe voit son succès limité par les imperfections du système et la brièveté des rouleaux qu'il faut sans cesse changer, le théâtrophone, vanté par nombre de journaux et de revues, connaît une très grande audience. Jules Verne avait été bon prophète en décrivant ce procédé dans ses romans d'anticipation et nombre de mélomanes passent leurs soirées chez eux, avec un écouteur sur chaque oreille, pour entendre par téléphone un opéra de Wagner ou de Massenet.

Le 21 février 1911, Proust peut ainsi écouter un acte des *Maîtres chanteurs de Nuremberg* et, tout ragaillardi par cette virile musique, il se sent assez bien pour aller ensuite voir au théâtre le dernier acte d'une pièce d'Abel Hermant, *Le Cadet de Coutras*, après quoi il finit la soirée chez Larue où il retrouve Robert de Flers et Gaston de Caillavet. Leur conversation le replonge dans l'ambiance littéraire parisienne, c'est-à-dire une malveillance vigilante à l'égard des confrères, quitte à les embrasser si le hasard les faisait brusquement surgir à l'entrée du restaurant. Ce soir-là, c'est Fernand Vandérem qui fait les frais de la conversation, Vandérem qui, ayant pris Paul Hervieu pour modèle et pour héros, le copie en tout et s'étonne de ne pas avoir le même succès que lui : « Ce n'est pas du tout un mauvais Juif, reconnaîtra Léon Daudet, magnanime. Il a même, à l'occasion, des sentiments délicats », mais il lui reproche d'attacher une importance prépondérante à ses écrits « et de diviser l'humanité en bons qui trouvent du talent à Vandérem, et en méchants, qui ignorent Vandérem[1] ».

Le lendemain, voulant goûter encore les joies nouvelles du théâtrophone, il écoute l'après-midi, retransmis de l'Opéra-Comique, *Pelléas et Mélisande*, œuvre déconcertante en dépit de l'artificieuse simplicité des dialogues : « ... A un moment je trouvais la rumeur agréable, mais pourtant un peu amorphe, quand je me suis aperçu que c'était l'entracte[2] », écrit-il à Reynaldo Hahn en lui disant son enthousiasme pour cette musique et cette façon de traiter un opéra « à une époque de si grande richesse, dans le style de *Marlborough s'en va-t-en guerre* ». *Pelléas et Mélisande* agit bientôt sur lui comme une rengaine à laquelle il trouve le même charme obsédant qu'aux refrains de Mayol. Dans une lettre à Reynaldo Hahn, alors à Saint-Pétersbourg, il analyse ses impressions après avoir écouté plusieurs fois l'opéra de Debussy, précisant que les parties qu'il préfère sont celles de musique sans paroles, retrouvant dans certains motifs, presque dépourvus de tout élément mélodique, un naturel qui évoque pour lui « la fraîcheur de la mer... l'odeur des roses que la brise apporte[3] ». Cela n'empêche pas Proust, si sensible au ridicule, de railler celui du livret, particulièrement insipide, en adressant à Reynaldo Hahn un court pastiche de la manière de Maeterlinck :

PELLÉAS *(dans l'antichambre)*. — Il faisait là-dedans une atmosphère lourde et empoisonnée, et maintenant tout l'air de la terre ! On dirait que ma tête commence à avoir froid pour toujours.

MERKEL[4]. — Vous avez, Pelléas, le visage grave et plein de larmes de ceux qui se sont enrhumés pour longtemps. Ne cherchez plus ainsi. Vous ne le[5] retrouverez jamais. On ne retrouve jamais rien ici. Mais comment était-il ?

PELLÉAS. — C'était un pauvre petit chapeau, comme en porte tout le monde ! On n'aurait pas pu dire de chez qui il

1. L. Daudet, *Souvenirs*, etc., tome I, p. 147.
2. Kolb, tome X, p. 250.
3. *Ibidem*, p. 257.
4. Ce nom de Merkel a été forgé par Proust, en combinant son prénom avec Arkel, grand-père de Pelléas.
5. Il s'agit du chapeau que Merkel ne retrouve pas en sortant d'une réunion mondaine.

venait. Il avait l'air de venir du bout du monde. Quel est ce bruit ?

MERKEL. — Ce sont les voitures qui s'en vont.

PELLÉAS. — Pourquoi s'en vont-elles ?

MERKEL. — Nous les aurons effrayées. Elles auront su que nous nous en allons très loin, elles ont eu peur et elles sont parties... Elles ne reviendront pas [1].

Sa joie d'avoir découvert Debussy est annoncée à beaucoup d'amis en termes variés : « Je suis excessivement fatigué parce que j'ai eu le malheur d'écouter *Pelléas* au théâtrophone et d'en tomber amoureux, écrit-il à Antoine Bibesco. Tous les soirs où cela se donne, si malade que je sois, je me jette sur cet instrument, et les jours où cela ne se donne pas, je remplace Périer [2] et me le chante et je ne dors plus un instant [3]. »

Déjà, écrivant à Georges de Lauris à la fin du mois de février, il lui disait qu'il ne dormait plus, ne mangeait plus, ne travaillait pas non plus, tout en espérant pouvoir « avec un peu de nerf » terminer son livre en deux mois. Il est de nouveau trop souffrant pour envisager de voir un médecin et lorsqu'il veut aller faire une visite de condoléances à Eugène Fould, qui vient de perdre sa mère, il a un étourdissement qui l'oblige à rentrer chez lui pour se remettre au lit.

Cet état de délabrement physique est un peu celui d'un de ses nouveaux amis, Louis de Robert, dont le dernier livre, *Le Roman du malade* [4], l'a doublement intéressé, par la qualité du style et par le sujet, c'est-à-dire la maladie et la force d'âme nécessaire pour en triompher ou bien l'accepter.

Il avait rencontré Louis de Robert en 1898, lorsque celui-ci, pour gagner sa vie en attendant mieux, travaillait à la Compagnie Edison. Entre ces deux jeunes gens du même âge une sympathie était née qu'avait renforcée leur communauté d'opinions lors de l'affaire Dreyfus et c'est ensemble qu'ils avaient assisté aux audiences du procès Zola. Aux yeux de Proust, Louis de Robert a le mérite singulier d'être un des rares admirateurs de son premier livre, *Les Plaisirs et les Jours*,

1. Kolb, tome X, p. 261. Ce pastiche est en réalité plus long et c'est un abrégé que Proust en donne dans sa lettre à Reynaldo Hahn. Le texte complet a été publié dans *Pastiches et Mélanges, Contre Sainte-Beuve*, Pléiade, p. 206.

2. L'acteur interprétant le rôle de Pelléas.

3. Kolb, tome X, p. 273.

4. Publié alors chez Fasquelle et republié en 1989 aux Éditions du Rocher, avec une préface de Jean Chalon.

oublié de tout le monde et dont Robert, passionné de littérature, avait fait la découverte chez Pierre Loti, par l'exemplaire que Proust avait à l'époque envoyé à Loti, qui n'en avait même pas coupé les pages. Après l'avoir lu, Louis de Robert avait pressenti en son auteur des dons exceptionnels de psychologue et d'écrivain. Dans son enthousiasme, il avait persuadé Loti de lire l'ouvrage, mais on ignore ce que celui-ci avait pensé d'un livre aussi disparate où il fallait vraiment un don de seconde vue pour discerner les prémices du génie.

Contraint par la fragilité de sa santé de renoncer à toute vie active, Louis de Robert avait disparu de la scène littéraire après avoir publié plusieurs romans, bien accueillis par la critique, et même par le revêche Francisque Sarcey, terreur des écrivains débutants. Il sort de son silence de plusieurs années avec ce *Roman du malade*, récit autobiographique de ce combat contre la mort dont, à force de volonté, il est sorti vainqueur, bien que ce soit un peu une victoire à la Pyrrhus. Lavedan lui-même rend hommage à ce livre où la recherche de la vérité psychologique s'allie à une sensibilité sans mièvrerie. Un tel livre est bien fait pour intéresser Proust qui, pour remercier son auteur de le lui avoir envoyé, trouve les mots dont il se servira de façon presque identique lorsqu'il s'agira d'expliquer sa propre vocation et la genèse de son œuvre. Rappelant que lui-même est alité depuis une dizaine d'années, ne sortant guère qu'une fois par mois, ce qui n'est pas tout à fait vrai, il ajoute : « Peut-être penserez-vous que j'étais par tout cela le lecteur élu du *Roman du malade*. Hélas ! Il m'avait fait pressentir que la vie n'avait pas été meilleure pour vous. Mais puis-je dire qu'elle a été mauvaise puisqu'elle vous a permis de faire un si beau livre ?... Et pour ceux qui, comme moi, croient que la littérature est la dernière expression de la vie, si la maladie vous a aidé à écrire ce livre-là, ils penseront que vous avez dû acueillir sans colère la collaboratrice inspirée [1]... »

Alors que Pierre Loti voudrait faire attribuer à Louis de Robert le grand prix du roman de l'Académie française, c'est le jury du Femina, récemment créé pour Myriam Harry ne pouvant, comme femme, recevoir le Goncourt, qui couronnera le 1er décembre 1911 *Le Roman du malade*.

Les éloges, sincères semble-t-il, que Proust a décernés à Louis de Robert, ont réveillé l'ancienne sympathie entre les deux hommes qui vont désormais entretenir des relations

1. Kolb, tome X, p. 271.

suivies. Sachant que Proust écrit lui aussi son « Roman du malade », Louis de Robert va se montrer le plus généreux comme le plus éclairé des conseillers, mettant son esprit critique et ses appuis littéraires au service de celui qu'il saluera bientôt comme son maître.

C'est effectivement un malade, et même un mourant, qui émerge de temps à autre de son lit pour se rendre dans le monde et confronter la réalité avec l'univers qu'il est en train de recréer dans sa chambre. Lorsqu'on sait son horreur des assemblées trop nombreuses et des atmosphères étouffantes, rien n'est plus saugrenu que sa présence, le 10 mai 1911, à l'Hôtel Carlton pour assister à la réception donnée par Léon Bailby, le directeur de *L'Intransigeant*. Ce soir-là, s'y trouve aussi la jeune et déjà célèbre princesse Bibesco qui racontera longuement par la suite, à la lumière il est vrai de la gloire acquise par Proust entre-temps, leur rencontre, ou plutôt sa fuite, son effroi de nymphe, devant le regard insistant de cet homme étrangement accoutré qui, avec sa pelisse et son air transi, lui fait penser à Lazare sortant de son tombeau : « C'était sa présence seule qui me faisait passer des bras d'un danseur à ceux d'un autre, écrira-t-elle, et dire au suivant, avec l'accent de la supplication, de ne pas me ramener à la place où il m'avait prise, cette place devant laquelle, livide et barbu, le col de son manteau relevé sur sa cravate blanche, Marcel Proust avait traîné sa chaise depuis le commencement de la soirée [1]. »

On comprend qu'une telle apparition, véritable fantôme, ait pu effrayer une jolie femme, éprise de grands noms et de beaux hommes. Proust ne s'y trompera pas, ayant deviné son hostilité, alors qu'il est attiré par la grâce et l'allure de cette étrangère, aux yeux plus beaux encore que ses fameuses émeraudes. Si elle aime à répéter qu'elle n'a pas des yeux pour voir, mais pour être vue, elle n'en plonge pas moins un regard aigu, perspicace et souvent moqueur sur cette société parisienne où, à l'instar de Proust, elle se demande parfois si le plaisir d'y briller n'empêche pas de découvrir les valeurs essentielles qui donnent à toute existence sa signification.

Une autre sortie nocturne, pour voir au Châtelet une représentation du *Martyre de Saint-Sébastien*, confirme Proust dans l'idée péjorative qu'il a des gens du monde, agités du seul besoin de paraître, ainsi qu'il l'écrit à Mme Straus : « Je

1. Princesse Bibesco, *Au bal avec Marcel Proust*, p. 8.

suis très malheureux de ne pas vous voir, et deux ou trois autres personnes. Mais sans cela, les gens me plaignent de choses qui ne sont pas si tristes et dont la plus cruelle leur semble d'être obligé de rester sans *les* voir. Or, rien de plus charmant. D'autant plus que ceux que j'ai entr'aperçus le soir où je suis sorti pour aller à *Saint-Sébastien* m'ont paru très empirés. Les plus gentils ont versé dans l'intelligence et, hélas ! pour les gens du monde, l'intelligence, je ne sais comment ils font, n'est qu'un multiplicateur de la bêtise qui l'amène à une puissance, à un éclat inconnus. Les seuls possibles sont ceux qui ont eu l'esprit de rester bêtes [1]. »

Ces deux sorties l'ont d'ailleurs épuisé au point qu'il ne peut en affronter une troisième, le 1er juin, pour aller entendre Reynaldo Hahn, accompagné au piano par Édouard Risler, chanter ses mélodies au bénéfice d'une œuvre de charité. Il n'a pas dormi depuis cinquante heures, lui écrit-il pour lui demander d'excuser son absence, et il est certainement moins apte encore à effectuer une période militaire, ainsi que l'Armée l'y invite. Au mois de mai, il avait prié Gaston Calmette d'intervenir auprès de son frère, le docteur Calmette, pour être définitivement rayé des cadres. Quinze jours après cette démarche, un médecin-major était venu l'examiner à domicile, à neuf heures du matin, et avait laissé entendre qu'il lui faudrait se soumettre à un second examen, par un de ses confrères. Finalement l'intervention du docteur Calmette portera ses fruits et au mois de septembre 1911 Proust apprendra par une lettre du ministère de la Guerre qu'il est définitivement rayé des cadres de l'armée.

*

Si malade qu'il est, il n'en quitte pas moins Paris le 11 juillet 1911 pour aller s'enfermer au Grand Hôtel de Cabourg. Il a emporté le manuscrit de *Combray*, le futur *Du côté de chez Swann*, pour l'achever et en faire établir sous son contrôle une version dactylographiée. Il avait d'abord envisagé de partir avec Albert Nahmias, le frère d'Estie et d'Anita, comme secrétaire, mais, ayant appris qu'une sténo-dactylographe était attachée à l'hôtel, il avait jugé plus raisonnable de renoncer à ce secrétaire qui, si leurs caractères s'étaient mal accomodés l'un de l'autre, aurait pu se révéler plus encombrant qu'utile.

1. Kolb, tome X, p. 293.

En revanche, il a près de lui Nicolas Cottin comme valet de chambre et Alfred Agostinelli comme chauffeur.

Aussitôt installé, Proust se remet au travail et dicte à Miss Hayward, la sténo-dactylographe de l'hôtel, environ sept cents pages de ce qui constituera *Du côté de chez Swann*. Seule distraction, au milieu de ce labeur, la sérénade étrange qu'il entend monter chaque soir de la digue : « De grosses femmes viennent jouer au loin sur la plage des valses avec des cors de chasse et des pistons jusqu'à ce qu'il fasse nuit, écrit-il à Reynaldo Hahn. C'est à se jeter dans la mer de mélancolie [1]. » Contrairement à son habitude des années précédentes, il a cessé de fréquenter le « terrible et paludéen casino, où la bêtise méconnaît chaque geste, où la méchanceté le dénature, où l'oisiveté s'occupe à le travestir, et où l'éternelle stagnation le rassasie indéfiniment, dans ce lieu où on peut changer la forme des murs et la couleur des fauteuils, mais où d'année en année on retrouve dans le même vase la même grenouille qui croit innover en répétant à satiété le même coassement [2] ».

Autre distraction, épisodique celle-là, le bal du Golf Club, le 16 août, au Grand Hôtel. Il y fait une apparition analogue à celle faite au bal de *L'Intransigeant*, car le duc de Morny le considère avec une telle stupéfaction qu'il ne s'y attarde pas. Il est vrai que le duc, de son côté, a pu stupéfier l'assistance par la présence de sa fille, la marquise de Belbeuf, qui est à la race de Gomorrhe ce que le baron de Charlus sera pour celle de Sodome.

Une rencontre assez embarrassante est pour lui celle de Gaston Calmette, en séjour à Houlgate. Il existe entre eux une certaine gêne depuis que le directeur du *Figaro* lui a manqué de parole. Bien que Calmette ait semblé heureux de le revoir, Proust confie à Reynaldo Hahn : « Je crois au contraire qu'il déteste me rencontrer [3] ». En le remerciant de son intervention auprès de son frère, le médecin, qui lui a obtenu sa radiation des cadres de l'armée, il glissera à la fin de sa lettre une allusion à ses travaux, lui annonçant qu'il a déjà dicté un quart du livre qu'il veut lui dédier, quart ou peut-être seulement cinquième, mais qui représente à lui seul presque un volume, et il ajoutera : « Je peux dire comme le boucher : j'ai mis la tête et les entrailles, il n'y pas de faux poids [4]. »

1. Kolb, tome X, p. 323.
2. *Ibidem*, p. 358.
3. *Ibidem*, p. 333.
4. *Ibidem*, p. 348.

A son retour à Paris, vers la fin du mois de septembre, il lui faut d'abord s'occuper de la gestion de sa fortune et de ces éternels problèmes financiers dans lesquels il se croit passé maître.

Il s'est trouvé, en plus de Lionel Hauser, un autre conseiller en la personne du jeune Albert Nahmias qui, rompu aux subtilités boursières, à l'exemple de son père, un homme d'affaires turc, est correspondant du *Gaulois* pour la rubrique financière. Sans en rien dire au loyal Hauser, il lui confie des fonds à faire fructifier. Les premiers dividendes touchés l'enchantent et lui donnent une haute idée de la capacité du jeune homme : « Est-ce que cela va continuer ? lui écrit-il, ravi. Si oui, dites tout de suite que vous êtes décidé à m'entretenir [1]. » Il n'en garde pas moins sa confiance à Lionel Hauser, dont il redoute les critiques et qu'il regarde un peu comme un directeur de conscience, lui demandant d'absoudre les erreurs qu'il commet : « J'ai acheté malgré ton déconseil, il y a longtemps, des actions ordinaires du port de Para. Elles n'ont jamais donné de dividende, mais du moins le capital a baissé de 100 francs, lui avoue-t-il avec humour. C'est toujours ça et cela les rapproche de mes autres valeurs *Maïkop*, *Spies*, etc., que je garde superstitieusement dans l'espoir de faire fortune [2]. »

Et à Reynaldo Hahn, qu'il a la délicatesse d'aider en l'intéressant fictivement à certaines opérations sur lesquelles il lui verse sa part si elles réussissent, il écrit, à propos d'un achat malheureux de *Spassky Copper* et de *Rand Mines*, réalisé par l'intermédiaire d'Albert Nahmias : « J'ai bien fait de ne pas vous associer à ma vaste spéculation, car ce qu'il en subsiste de vaste, ce sont les pertes énormes par lesquelles elle se solde [3]. »

Pendant quelques mois, ces pertes financières vont devenir sa préoccupation majeure et un des leitmotive de sa correspondance, comme s'il recherchait quelque raison supplémentaire d'être plaint par ses amis. Etonné de manier tant d'argent et d'en avoir si peu, il s'en inquiète auprès d'Albert Nahmias : « Sans que je puisse comprendre, lui écrit-il le 1er mars 1912, le Crédit Industriel, la banque Rothschild, la banque Warburg m'écrivent que je suis en déficit. Si leurs comptes sont exacts,

1. Kolb, tome X, p. 375.
2. *Ibidem*, p. 379.
3. *Ibidem*, p. 389.

je devrais avoir, avec l'argent dépensé cette année, acheté la *Joconde* et entretenu dix cocottes. Je n'y comprends rien [1]. »

En ce domaine, il a des naïvetés charmantes, qui doivent faire bien rire ses hommes d'affaires : « Savez-vous, demandera-t-il à Albert Nahmias, si les chèques pour des sommes élevées se font de la même manière que les chèques de cent francs [2] ? » Ce qui l'ennuie le plus, c'est que son frère a eu vent de ses spéculations malheureuses malgré le secret dont il les avait entourées, recommandant par exemple à Nahmias, lorsque celui-ci lui téléphone, de ne rien dire de leurs affaires de crainte que les domestiques n'en devinent quelque chose. En dépit de ces précautions, Robert Proust a été mis au courant des pertes qu'il a subies et lui a fait solennellement « promettre d'en rester là [3] ».

L'expérience a été suffisamment coûteuse pour servir de leçon et ne pas l'inciter à en tenter une autre, mais Proust est de ces joueurs qui croient toujours possible de forcer la chance. Il faut ajouter que ses opérations financières désastreuses ne sont pas la seule cause de ce gouffre d'argent dont la profondeur lui est brusquement apparue : « Au fond, écrit-il à Robert de Billy, j'ai une vie si simple que si je ne m'étais pas mis sur le pied, quand je prends une chose de cent francs, de vouloir absolument la payer mille, ce qui me fait mépriser de celui qui la vend, je pourrais vivre avec six mille francs par an [4], tandis que je ne peux arriver à ne pas dépasser soixante mille [5]. »

Dans ce gaspillage, il entre autant d'esprit de charité, car il s'apitoie facilement sur la misère de certaines conditions, que de souci de se valoriser aux yeux d'autrui en « achetant », il n'y a pas d'autre mot, non seulement les services dont il a besoin, mais l'estime, la gentillesse et le dévouement, quand ce n'est pas l'amour lui-même, dont il ressent plus avidement encore le besoin.

Cette générosité ostentatoire, embarrassante pour les uns, scandaleuse pour les autres, s'adresse surtout au personnel domestique, aux serveurs et aux grooms d'hôtel en qui Proust voit une humanité plus proche de la nature et plus agréable à fréquenter : « Somme toute, les gens de maison me plaisent

1. Kolb, tome XI, p. 51.
2. *Ibidem*, p. 50.
3. *Ibidem*, p. 45.
4. Environ 90 000 francs de 1990.
5. Environ 900 000 francs de 1990.

plus que les gens du monde, avoue-t-il un jour à Maurice Duplay. Ils offrent une autre spontanéité, un autre pittoresque ! Enfin, à cause de leur profession même, ils sont beaucoup mieux élevés, beaucoup plus polis [1]. » Peut-être faut-il ajouter qu'ils sont souvent beaucoup mieux tournés que bien des gens du monde et que la générosité de Proust à leur égard, moins désintéressée qu'elle n'en a l'air, a pour but de lui assurer certains services qui ne figurent en général ni sur la carte des repas ni sur le tarif des chambres.

Plus sincère assurément est sa générosité envers ceux qui lui offrent une image du pathétique de certaines existences, tel ce vieil homme à Cabourg, tendant la main au coin d'une rue. Frappé par sa misère, Proust, qui était passé sans rien donner, s'arrête et dit à M. Plantevignes qui l'accompagnait : « Il y a là un malheureux vieillard qui nous attend et devant lequel nous allions passer sans avoir tourné la tête... » Et revenant sur ses pas, il lui donne, assure Marcel Plantevignes, cinq cents francs, ce qui paraît d'ailleurs invraisemblable.

Un soir, peu avant sa mort, il se laissera entraîner au *Bœuf sur le toit* et fera une sortie cérémonieuse, après avoir distribué les pourboires habituels, quand soudain il s'avisera qu'il n'avait rien donné à l'un des serveurs. Ses amis lui feront observer que celui-là ne s'était pas occupé d'eux : « Oh, dit Proust, j'ai vu dans son œil une telle tristesse à la pensée de ne rien recevoir... [2]. »

Maurice Duplay, un des meilleurs témoins de son existence, raconte un joli trait de Proust, alors qu'il se trouvait avec celui-ci au Splendide Hôtel d'Evian. Un escamoteur et une voyante extra-lucide avaient fait leur numéro devant le public de l'hôtel, puis, pour augmenter une recette dont ils avaient l'air d'avoir grand besoin, ils avaient proposé une tombola en leur faveur. L'assistance, dédaigneuse, avait lancé des enchères si basses que le visage des pauvres gens avait trahi une bouleversante consternation. Proust, ému, avait alors fait une surenchère hors de proportion avec l'objet offert. Un frémissement avait parcouru la salle et quelques millionnaires, piqués au jeu, avaient relevé le défi. « Les bienfaiteurs malgré

1. M. Duplay, *Mon ami Marcel Proust*, p. 60.
2. Ed. Jaloux, *Avec Marcel Proust*, p. 12.

eux n'en voulaient pas à Proust, précise Duplay, et le couple misérable dirigeait de son côté des regards mouillés de reconnaissance[1]. »

1. M. Duplay, *Mon ami Marcel Proust*, p. 58.

## 16

## Janvier 1912 - Juillet 1913

*Albert Nahmias : de la finance à la littérature - Saison estivale à Cabourg - Les filets de Marie Scheikévitch - Philippe Soupault - Inconduite de Nahmias - Le cénacle de la N.R.F. - Proust entre Gallimard et Fasquelle - Tous deux refusent* Du côté de chez Swann *- Erreur et regrets d'André Gide - Échec chez Ollendorf - Un nouvel espoir : Bernard Grasset - Diligence de René Blum - Victoire chèrement achetée.*

Il faut croire que ses activités boursières laissent à Nahmias des loisirs, ou bien que le remords d'avoir souvent mal conseillé Proust l'incite à réparer d'une autre façon, car en 1912 il est devenu l'homme de confiance de son client pour continuer la dactylographie du roman promis à Gaston Calmette. Proust lui a recommandé de charger de ce travail, si la chose est possible, Miss Hayward qui en a déjà retranscrit une bonne partie à Cabourg et qui est familiarisée avec son écriture comme avec ses méthodes d'ajouts, parfois déroutantes.

Le manuscrit de Proust est d'ailleurs si rébarbatif d'aspect qu'une dactylographe ordinaire a peu de chances de pouvoir en établir une version correcte. Aussi le rôle d'Albert Nahmias est-il primordial : il doit débrouiller cet écheveau, prendre certains passages obscurs sous la dictée de Proust de manière à les rendre intelligibles à la dactylographe. En même temps, il lui incombe de vérifier certains détails sur lesquels Proust a des doutes. Par exemple, pour l'épisode dans lequel Swann erre sur les boulevards, la nuit, à la recherche d'Odette de Crécy, Nahmias doit se renseigner pour savoir « si Bignon, la Maison dorée et Tortoni étaient des endroits... ouverts après minuit et où on pouvait aller [avec] une femme à l'heure où les becs de gaz commençaient à s'éteindre [1] ».

1. Kolb, tome XI, p. 55.

Lui-même s'emploie à cette tâche ingrate, écrivant à des amis pour leur poser des questions bien propres à piquer leur curiosité sur le singulier travail auquel il est occupé : « Savez-vous si les plombs d'un vitrail ont une influence sur l'ombre qu'ils projettent ? demande-t-il à Albert Henraux. Dessinent-ils de l'ombre par terre ? [1] » Un soir, il se lève et se fait conduire chez Gaston de Caillavet. Il est presque minuit. Etonnés de cette visite tardive et persuadés qu'elle est dictée par quelque motif aussi grave qu'urgent, Gaston et sa femme acceptent de le recevoir. Ils tombent des nues en apprenant que Proust veut seulement voir leur fille, Simone. On va réveiller celle-ci, qui se prête avec bonne grâce à cette fantaisie, et Proust se retire, satisfait, ayant sans doute trouvé le détail qu'il souhaitait pour ajouter une touche au portrait de Gilberte Swann, mais, sentant l'incongruité de sa démarche, il écrit le lendemain à Mme de Caillavet pour la remercier en lui expliquant la raison littéraire de ce caprice : « Si jamais Calmette trouve le temps de publier un article de moi qu'il a depuis longtemps et qui est un souvenir d'un amour d'enfant que j'ai eu (et qui n'est pas mon amour pour vous, c'était *avant* [2]), vous y verrez cependant, amalgamé, quelque chose de cette émotion que j'avais quand je me demandais si vous seriez au tennis. Mais à quoi bon rappeler certaines choses au sujet desquelles vous avez pris l'absurde et méchant parti de faire semblant de ne vous en être jamais aperçu [3] ? »

Et ne désespérant pas de plaire à cette famille qui l'a toujours tenu en suspicion, il lui déclare qu'il est désormais amoureux de sa fille, dont le sourire l'a séduit au point qu'il regrette qu'elle ne se soit pas montrée désagréable, car alors il n'aurait pas le souci de cette nouvelle passion... Mme de Caillavet ne semble pas s'offusquer de cette lettre singulière, qui contient aussi de piquants reproches à Gaston pour son indifférence à son égard. Quelques jours après, il lui écrit de nouveau pour obtenir des précisions sur les toilettes de la comtesse Greffulhe et de Mrs Standish, celle-ci passant pour une des femmes les plus élégantes de son époque et célèbre par sa ressemblance avec la reine Alexandra. Il a vu ces dames à la répétition, au Vaudeville, d'une pantomime mise en scène par Max Reinhardt. Prudemment, il demande à Mme de Caillavet de

1. Kolb, tome XI, p. 21.
2. Il s'agit de Marie de Bénardaky.
3. Kolb, tome X, p. 136.

garder le secret de cette demande parce que, explique-t-il, « les deux femmes que je recouvrirai — comme deux mannequins — de leurs robes n'ont aucun rapport avec elles, que mon roman n'a aucune clef, que si je leur en parle et si après cela mes personnages femmes sont empoisonneuses ou incestueuses, ou n'importe quoi, elles croiront que j'ai voulu dire cela d'*elles* [1] » !

Le même souci d'authenticité le pousse un matin d'avril à partir dans le taxi d'Odilon Albaret pour aller à la campagne voir des pommiers en fleurs. Obéissant à une brusque impulsion, il s'habille à peine et, passant hâtivement une pelisse sur sa chemise de nuit, il va questionner les horticulteurs des environs de Rueil. Comme la région vit dans la terreur de « la bande à Bonnot », malfaiteurs qui opèrent en automobile, l'apparition d'Odilon Albaret en tenue de chauffeur, hérissé dans ses fourrures, et celle de Proust, blafard, pas rasé, impressionnent mal les indigènes qui les prennent pour des comparses du célèbre gangster.

Ces renseignements, ces sensations qu'il veut éprouver à nouveau, ainsi que les précisions généalogiques et mondaines demandées à Montesquiou, viennent s'intégrer dans le livre en voie de dactylographie ou dans le futur *Côté de Guermantes*, auquel il travaille assidûment, drogué de caféine et et grelottant sous une triple épaisseur de tricots Rasurel, en plus de cinq couvertures de laine et de trois édredons. Il est vrai qu'il ne se nourrit guère et à des heures tellement irrégulières qu'il lui arrive de passer une journée sans rien manger. A cette frugalité débilitante, il ajoute l'effet non moins néfaste de sa quasi-claustration : « Je n'ai pas reçu mon frère depuis un an, mon médecin depuis deux..., avoue-t-il à Jean-Louis Vaudoyer. Je fais chaque jour des fumigations qui se prolongent sept, huit heures de suite. Le seul repas que je prends est souvent reporté jusqu'à sept, huit heures du matin [2]. » Un des rares visiteurs admis dans sa chambre est Reynaldo Hahn qui, au sortir du théâtre ou de l'Opéra, vient le voir à l'heure où ses crises font relâche. Nahmias lui-même, en dépit de l'importance du travail qui lui est confié, ne paraît guère boulevard Haussmann. Comme Albert Henraux, à qui Proust le reprochait au début de l'année, il est trop parfumé, ce qui est mauvais pour son asthme. Aussi Nahmias se contente-t-il de correspondre avec

1. Kolb, tome XI, p. 155.
2. *Ibidem*, p. 67.

Proust, en veillant à ce que ses lettres ne sentent rien. « Votre dernière lettre était horriblement parfumée... », se plaint Proust le 29 mars 1912.

Régulièrement il adresse à Nahmias soit des cahiers paginés de façons différentes, à l'encre, au crayon rouge ou bleu, soit des feuilles volantes accompagnées en général d'explications qui ne font qu'embrouiller davantage l'ordre du texte. « Vous ferez bien de feuilleter un peu d'avance, lui recommande Proust, car il y a souvent des *bis* déconcertants [1]. » Pour établir un texte cohérent, que Miss Hayward puisse dactylographier sans trop de peine, Nahmias doit non seulement « lire un peu d'avance », mais procéder à une nouvelle pagination, rétablir des mots oubliés, en essayant de deviner celui auquel pensait l'auteur, et résoudre aussi certaines énignmes grammaticales. Il lui faut aussi remédier aux distractions de Proust qui oublie parfois le nom qu'il a définitivement adopté pour un personnage et revient subitement à l'ancien ou bien change la couleur d'une robe, celle d'un chapeau, portés par une de ses héroïnes, dans la description d'une soirée. Avec intelligence et dextérité. Nahmias supplée à toutes ces lacunes et dans certains cas pousse la conscience jusqu'à prévoir deux versions du même passage afin que l'auteur choisisse celle qui lui convient.

Proust se rend compte et de la difficulté de la tâche, et de la complaisance avec laquelle Albert Nahmias s'y prête. Aussi ne lui ménage-t-il pas les compliments : « Cher Albert, lui écrit-il dans le courant du mois de mai, est-ce que vous avez toujours envie de rivaliser avec Œdipe et de déchiffrer les énigmes sphyngétiques de mon écriture ? Si oui, je peux vous envoyer des cahiers qui dépassent en obscurité ce que vous avez vu. Mais ce n'est que *si vous le désirez*. Ne le faites pas pour me faire plaisir... [2]. »

Pendant que sous la surveillance d'Albert Nahmias l'œuvre prend forme, une forme qu'il croit définitive, Proust s'occupe d'annoncer son roman par la publication d'extraits qui, outre qu'ils lui apporteront la satisfaction de voir son texte imprimé, lui permettront de connaître la réaction du public et d'augurer ainsi du sort réservé par l'opinion à un livre dont le style et l'originalité risquent à la fois d'étonner ou de choquer les lecteurs, habitués à la littérature conventionnelle et aux fausses audaces d'un Paul Bourget ou d'un Marcel Prévost.

---

1. Kolb, tome XI, p. 86.
2. *Ibidem*, p. 124.

Au mois de mars 1912, il a envoyé à Gaston Calmette un passage sur les aubépines en fleur que *Le Figaro* publie le 21 mars sous le titre, éminemment de circonstance « Au seuil du printemps », alors que le titre original était « Epines blanches, épines roses », substitution qui agace Proust : « On a cru devoir, sans me le dire, pour le rendre d'actualité, ajouter un titre et une phrase qui me désolent... », écrit-il à Montesquiou tandis qu'à Georges de Lauris il déclare que ce « Au seuil du printemps » est d'une banalité écœurante, d'autant plus que la rédaction du journal a cru bon de préciser, faisant allusion à l'hiver, que celui-ci « finit aujourd'hui ». Une des premières réactions est celle de Montesquiou qui lui décerne un bref éloge, assaisonné de critiques, et ironise sur l'odeur « sexuelle » des aubépines qu'il était difficile pour l'auteur d'évoquer, surtout dans un texte où il est question du mois de Marie. Proust réagit aussitôt : « ... Je vous remercie mille fois de me parler de mes aubépines quoiqu'il me semble comprendre que vous ne les aimez pas. Quant au mélange de litanies et de foutre dont vous me parlez, l'expression la plus délicieuse que j'en connaisse est dans un morceau de piano déjà un peu ancien, mais enivrant, de Fauré qui s'appelle peut-être *Romance sans paroles*. Je suppose que c'est cela que chanterait un pédéraste qui violerait un enfant de chœur[1]. »

Jean-Louis Vaudoyer et Georges de Lauris se montrent plus encourageants. Heureux de leurs compliments, Proust leur dévoile ses plans et ses ambitions : quel titre donner à ce livre qui comptera de huit cents à neuf cents pages ? Serait-il préférable d'en faire deux volumes, ce qui nécessiterait deux titres distincts, mais en ce cas ne faudrait-il pas prévoir un titre général qui rappellerait le thème de l'œuvre ? C'est d'ailleurs s'avancer beaucoup que de songer à ces détails, car le principal est de trouver d'abord un éditeur. Pour le moment, Calmette, qui fera paraître le 4 juin dans *Le Figaro* un autre passage, « Rayon de soleil sur un balcon », évocation de son amour pour Marie de Bénardaky, lui suggère Eugène Fasquelle, l'éditeur des naturalistes. Cette proposition ne l'enchante pas, reconnaît-il.

A la fin du mois de juin 1912, la dactylographie de *Du côté de chez Swann* est achevée, Miss Hayward payée de son travail et Albert Nahmias généreusement récompensé du sien. Malgré ce que cette dactylographie lui a coûté, Proust n'est pas aussi

1. Kolb, tome XI, p. 79.

ruiné qu'il se plaît à le croire et surtout à le dire, mais il semble éprouver, à clamer ses pertes financières, autant de fierté que d'autres leurs bonnes fortunes.

*

Il a encore spéculé sur certaines valeurs en cachette de Lionel Hauser, ne s'adressant plus à celui-ci que lorsqu'il est sûr de recueillir son approbation. Il lui a néanmoins avoué l'énorme perte essuyée au début de l'année sur des valeurs de mines d'or, environ quarante mille francs[1], d'après une lettre à Robert de Billy : « Je suis navré, mais nullement étonné d'apprendre que ton apprentissage en Bourse t'a coûté déjà une certaine somme, observe flegmatiquement Hauser qui le félicite de vouloir effectuer désormais des placements « de père de famille », mais la tentation reste trop forte et à l'automne de la même année Proust succombera de nouveau à la séduction fallacieuse des sociétés financières inconnues qui promettent monts et merveilles à leurs souscripteurs : « Je viens de recevoir ta lettre d'hier par laquelle je vois avec regret mais sans étonnement, que tes expériences de l'année dernière ont lamentablement fini », constate Lionel Hauser le 5 octobre 1912. Et comme Proust imagine de se « refaire » en spéculant sur des actions de l'*United Steel Corporation*, dont il a entendu parler par de vagues relations qui lui ont affirmé que le président de cette société les informait personnellement des futures variations du titre pour leur permettre de prendre leur bénéfice, Lionel Hauser, consterné par tant de naïveté, s'efforce de lui ouvrir les yeux : « Si, comme je le suppose, tu lis de temps à autre la quatrième page des journaux, tu dois déjà avoir vu des annonces de brochures dans lesquelles l'auteur, pour un prix généralement très minime, fournit au candide lecteur un moyen sûr de gagner à la roulette une fortune considérable. Chaque fois que je lis une annonce pareille, je ne puis m'empêcher de me demander pourquoi l'auteur ne met pas à profit lui-même les conseils qu'il distribue si généreusement pour un prix aussi modique. C'est ton histoire de *Steel* qui me fait penser à ce genre de philanthropie. Ton histoire pourrait, à la rigueur, paraître vraisemblable si les gens qui t'ont initié au mystère en question nageaient dans l'opulence et te confirmaient qu'ils devaient leur fortune à la

1. Environ 600 000 francs 1990.

philanthropie du fameux Américain, mais comme tu commences par me dire que les gens en question ne sont pas riches, j'en déduis nécessairement ou que les prédictions du fameux prophète ne se sont pas toujours réalisées ou qu'ils n'ont pas assez de foi en lui pour opérer sur une large base et alors comment pourraient-ils t'inculquer une foi qu'ils ne possèdent pas eux-mêmes ? »

Et Lionel Hauser, après avoir déploré qu'il n'ait pas mieux profité de ses leçons, comme de celle que ses placements spéculatifs lui ont infligée, conclut : « Je ne sais pas si, comme on prétend, le nombre de croyants a diminué en France depuis que le Gouvernement a supprimé le Bon Dieu, mais je suis assez porté à croire que celui des crédules a plutôt augmenté [1]. »

Malgré ses ennuis financiers, qui jouent dans sa vie un rôle aussi grand que son asthme, comme si la plaie d'argent allait de pair avec sa maladie, Proust a néanmoins de quoi faire face à ses dépenses courantes et même à celles qu'entraîne son habituel séjour estival à Cabourg, rendu dispendieux par le fait de louer les chambres voisines de la sienne afin d'éviter le bruit des voisins et aussi par les énormes pourboires destinés à se concilier les bonnes grâces du personnel, voire certaines complaisances de grooms point farouches. « Je crois que j'irai encore [à Cabourg] cette année, écrivait-il au printemps à M. d'Alton. Pourtant la vie est si brève que je souhaiterais voir autre chose. Mais j'ai de chers attraits là-bas [2]. » Songeait-il aux grooms, à ces jeunes gens perpétuellement en faction devant la porte du Grand Hôtel, exposés à toutes les intempéries comme à tous les regards et qu'on rentre, la saison finie, comme des orangers en caisse ? Un peu plus tard, il annonçait au duc de Guiche, en lui demandant s'il serait à Bénerville, qu'il ne se rendrait probablement pas sur la côte normande cette année.

Il finit par se décider, au début du mois d'août, à partir pour Cabourg. Sur son séjour au Grand Hôtel subsistent deux témoignages qui concordent dans leur évocation quant à son étrange accoutrement : celui de Philippe Soupault, alors un adolescent d'une quinzaine d'années, dont la mère avait jadis connu Proust au cours de danse de la rue de la Ville-l'Evêque, et celui de Marie Scheikévitch, une égérie littéraire aspirant à

1. Kolb, tome XI, p. 229.
2. *Ibidem*, p. 112.

recueillir la succession de Mme Loynes et celle de Mme Arman de Caillavet.

Comme l'écrit un contemporain, elle a guetté Jules Lemaitre, « embusquée derrière le corbillard de Mme de Loynes », et depuis la disparition de Mme Arman de Caillavet, elle s'efforce de conquérir Anatole France. Elle surgit chez lui à n'importe quelle heure, sous prétexte d'égayer sa solitude, bien relative d'ailleurs, et l'arrache à son travail pour l'exhiber dans tous les endroits à la mode où elle est assurée d'être vue avec lui. Un jour d'hiver, elle l'enlève pour une promenade à Versailles et l'entraîne devant le Grand Trianon où, pour souffler un peu, elle lui propose de s'asseoir sur un banc. Soudain, voyant se profiler trois silhouettes, Mme Scheikévitch simule un mouvement d'effroi et de confusion : « Mon Dieu ! Voilà le duc de X..., le marquis d'Y... et la comtesse de Z..., s'écrie-t-elle. Monsieur France, ouvrez votre parapluie, cachons-nous. Je ne veux pas être compromise, ces personnes pourraient jaser sur notre intimité ! » Or elle avait appris la veille que ces mêmes personnes devaient précisément passer par là pour aller prendre ensuite le thé au Trianon Palace.

Rapidement Anatole France se lassera de cette femme envahissante qui bouleverse ses habitudes en essayant de faire de lui ce cavalier servant qu'il n'a aucunement l'intention d'être. Un jour, elle dépassera les bornes en arrivant villa Saïd avec quelques personnes totalement inconnues du maître de maison. Celui-ci leur fait quand même offrir le thé, puis Mme Scheikévitch, pour afficher son intimité avec l'illustre écrivain, ordonne au valet de chambre d'aller lui chercher ses cigarettes qu'elle avait laissées, dit-elle, dans le tiroir de la table de nuit d'Anatole France. « Ce n'est pas vrai, proteste France, outré. Ce n'est pas vrai, les cigarettes de Mme Scheikévitch ne sont pas dans ma table de nuit... [1] »

Pour se venger d'avoir été ridiculisé par cette exaltée, France dira qu'elle était « le produit de Vénus et d'une oie ». Elle n'a pas en effet une intelligence égale à sa beauté « un peu geignante, qui pouvait charmer au premier abord, mais glacer ensuite », écrira Ferdinand Bac dans ses *Souvenirs*, ce que l'abbé Mugnier confirmera dans son *Journal* en notant, à propos des grands hommes qu'elle cherche à s'attacher : « C'était un appareil frigorifique qui ne conservait pas [2]. » Ferdinand Bac

1. F. Bac, *Souvenirs inédits*, livre II.
2. Abbé Mugnier, *Journal inédit*, 24 octobre 1921.

fera d'elle un portrait qui semble inspiré d'Hoffmann : « Sa tête était comme une remarquable contrefaçon en cire animée, sa peau d'une telle blancheur et d'une telle transparence que les plus hardis se demandaient en quoi elle était faite. Elle semblait une personne comme Coppélia, échappée de quelque conte fantastique, sans vie réelle, mais en donnant l'illusion, sans passion ni sens, parlant en automate comme par un organe d'horlogerie et disant des choses précieuses et désabusées, inscrites sur son rouleau, avec une lenteur de somnambule, le mouvement se déclenchant à midi et demi et arrivant à terme à une heure du matin... Elle se nourrissait de cérébralité et d'un désir constant d'évoluer dans l'intimité des grands hommes, à quelque rang qu'ils appartinssent, pourvu seulement qu'ils fussent notoires et, si possible, illustres [1]. »

Sans aucun scrupule lorsqu'il s'agit d'impressionner quelqu'un par l'étalage de ses belles relations, elle a recours aux subterfuges les plus grossiers, comme de feindre une conversation téléphonique avec une personnalité importante lorsqu'on fait entrer un visiteur chez elle : « Cher ami, oui, oui, j'irai à l'Elysée, vous êtes un amour de président... [2] »

Originaire de Saint-Pétersbourg, cette muse avide et enveloppante avait épousé le fils du peintre Carolus Duran qui, vite excédé, avait déserté le foyer conjugal. Dans un geste de désespoir, elle avait tenté de se tuer, puis, rescapée du suicide, avait repris goût à la vie ornant la sienne de tous les hommes célèbres dont, à l'instar de Julie d'Angennes, elle s'efforce de faire une guirlande autour d'elle, espérant que leurs talents feront valoir le sien. A vrai dire, elle en a moins qu'elle ne l'imagine. Elle a soumis un de ses textes à la double approbation d'Anatole France et de Jules Lemaitre et tous deux, après l'avoir lu, sont tombés d'accord pour reconnaître qu'ils n'ont jamais rien vu de semblable. Ravie de cette appréciation, Marie Scheikévitch la répète partout. Etonné de ce jugement qu'elle présente comme le plus grand des éloges, Ferdinand Bac interroge Anatole France qui se contente de lui répondre avec un sourire narquois : « C'est vrai, mais nous ne sommes pas forcés de dire en quoi consistait cette singularité... [3]. »

Rencontrant Proust pour la première fois, Marie Scheikévitch lui avait affirmé qu'elle avait lu tout ce qu'il avait écrit. Moins

1. F. Bac, *Souvenirs inédits*, livre II.
2. *Ibidem.*
3. *Ibidem.*

charmé que surpris, et doutant fort qu'elle ait lu *Les Plaisirs et les Jours*, il lui avait posé quelques questions précises dont, assure-t-elle dans ses *Souvenirs*, elle s'était heureusement tirée.

Elle se trouve en villégiature à Houlgate, avec Gaston Calmette, lorsqu'un soir, au casino de Cabourg, elle avise Proust « errant, perdu, titubant sous les lumières, vêtu, malgré la chaleur, d'un lourd pardessus entrouvert sur un smoking flottant qui laissait voir plusieurs gilets de laine... » et tenant à la main « un étonnant chapeau de paille [1] ». Cette vision nocturne est corroborée par celle qu'il offre, de jour, à Philippe Soupault, tout surpris de voir, au coucher du soleil, un étrange personnage apparaître, une ombrelle à la main, sur la terrasse du Grand Hôtel. Comme un oiseau de nuit, effarouché par la lumière, il attend sur le pas de la porte que le soleil sombre dans la mer puis il gagne un fauteuil de rotin et s'y assied. Commence alors avec l'adolescent une conversation qui roule sur le temps, sur ses maux tandis que les garçons circulent autour d'eux sur la pointe des pieds, en baissant la voix. Philippe Soupault s'étonnant de le voir conserver son ombrelle ouverte, il lui explique sa crainte du soleil. « Mais il n'y a plus aucun danger », fait observer Soupault. « Êtes-vous sûr ? répond Proust. Un jour, je suis sorti. Il faisait très sombre et le soleil tout à coup réapparut. Ce n'était pas la nuit, mais un nuage. Et j'ai beaucoup souffert [2]. »

Bien que Mme Scheikévitch prétende avoir déjà rencontré Proust à plusieurs reprises, celui-ci ne semble avoir gardé aucun souvenir de ces rencontres, car il écrit à Reynaldo Hahn qu'il vient de faire la connaissance de Mme Scheikévitch, dont il estropie d'ailleurs le nom, preuve que celui-ci ne lui est guère familier. Quelques jours après cette lettre, il signale à Reynaldo Hahn une seconde entrevue avec l'Égérie : « Comme ici je suis très dépourvu, la moindre femme agréable me trouble un peu et je lui manifeste malgré moi une sorte de sympathie que je ne soutiens pas ensuite. Et je crains que cela ne soit encore arrivé ainsi. En tout cas, elle a été *parfaite* pour moi. Et je l'ai beaucoup touchée en lui disant ce que tu m'avais dit d'elle. Mais elle m'a déchiré le cœur en me disant que la vieille Arman [3] était venue lui demander des renseignements sur la manière dont elle s'était tiré son coup de revolver [4]. »

Ces rencontres paraissent avoir été moins nombreuses que

---

1. M. Scheikévitch, *Souvenirs d'un temps disparu*, p. 131.
2. Ph. Soupault, dans *Hommage à Marcel Proust*, p. 80.
3. Mme Arman de Caillavet.
4. Kolb, tome XI, p. 193.

Marie Scheikévitch ne le dira dans ses *Souvenirs*, ni leurs rapports avoir pris ce « tour affectueux », comme elle l'écrit, car au début de septembre il la remercie de ses compliments à propos d'un nouvel article paru dans *Le Figaro* par cette phrase, destinée à lui rappeler que les relations nouées pendant des vacances ne se poursuivent pas toujours sur le même pied une fois les amis d'une saison rentrés à Paris : « Heureusement que je n'ai pas de mémoire et que j'oublie extrêmement vite les êtres qui m'ont plu [1]. » L'avertissement frise l'insolence et même la grossièreté, mais si Proust est homme à élever des barrières pour se protéger, Marie Scheikévitch n'est pas femme à se laisser décourager. Il faut reconnaître à sa décharge qu'elle a certainement mieux compris que la plupart des amis de Proust le singulier génie qui habite celui-ci, sous des apparences aussi peu faites pour y croire. Ravie de jouer les bons offices, elle l'a rapproché de Gaston Calmette et celui-ci lui a promis de faire passer son prochain texte, « L'église du village », dans la série de publications placée sous l'égide de Barrès qui mène campagne dans *Le Figaro* pour alerter l'opinion sur « la grande pitié des églises de France ».

Malgré les sortilèges de Marie Scheikévitch, la personne que Proust voit avec le plus de plaisir pendant cet été à Cabourg est le jeune Albert Nahmias qui habite chez ses parents, villa Berthe, non loin du Grand Hôtel. Il n'y a rien d'équivoque dans cette amitié, du moins du côté d'Albert Nahmias, plus normal dans ses goûts sexuels que dans sa façon d'être ou de s'habiller, trop recherchée, trop voyante et qui trahit son origine orientale. Le seul indice d'un sentiment passionnel de Proust à son égard est le véritable dépit amoureux qu'il montre dans cette fameuse lettre, écrite après l'avoir vainement attendu, un soir, sur la digue où ils s'étaient donné rendez-vous. L'après-midi même, Albert Nahmias avait écrasé une jeune fille avec son automobile et il n'avait eu ni le temps ni sans doute la pensée de prévenir Proust de cet accident. Sous l'effet de la déception, de la colère et surtout de son amour-propre blessé, Proust lui adresse une lettre cinglante et d'une incroyable hauteur, telle que Montesquiou aurait pu l'écrire et qui rappelle l'algarade dont le baron de Charlus gratifie le Narrateur lorsque celui-ci n'a pas l'air de comprendre l'intérêt que daigne lui porter ce grand seigneur.

Après avoir constaté le crime de lèse-majesté commis par

1. Kolb, tome XI, p. 211.

Nahmias, il met en balance la désinvolture dont celui-ci fait preuve à son égard avec toutes les prévenances dont lui, Proust, a été l'objet, dès son adolescence, de la part de tant d'hommes éminents auprès desquels Nahmias n'est rien : « J'ai été gâté par des amis plus âgés que moi, écrit Proust, rageur. J'ai vu Alphonse Daudet au comble de la gloire et de la souffrance, qui ne pouvait plus tracer une ligne sans pleurer tant cela lui faisait mal dans tout le corps, me récrire deux fois à sept heures, quand je dînais chez lui le soir à huit heures, pour savoir si tel ou tel détail insignifiant du repas ne me donnerait pas plus de plaisir par un voisinage ami. J'ai vu France remettre huit jours de suite une promenade à Versailles pour que je puisse y aller, et chaque jour envoyer chez moi pour voir si cela ne me fatiguerait pas... et je ne vous cite exprès que de petites choses, et j'en pourrais citer mille. Alors j'étais bien portant, une sortie, un rendez-vous n'étaient pas alors ce qu'ils sont pour moi maintenant. Et quand je vous vois, habitant à deux pas, n'ayant rien à faire, permettez à ma hâte de ne pas prendre le temps d'expliquer ce que vous comprenez très bien.

« Si ma lettre n'avait pas simplement pour but de ménager votre amour-propre, par égard pour l'amitié si profonde et si vraie que j'ai eue pour vous, elle n'en avait[1] aucun. Car je sais que vous n'êtes pas perfectible. Vous n'êtes même pas en pierre, qui peut être sculptée si elle a la chance de rencontrer un sculpteur (et vous pourriez en rencontrer de plus grands que moi, mais je l'eusse fait avec tendresse), vous êtes en eau, en eau banale, insaisissable, incolore, fluide, sempiternellement inconsistante, aussi vite écoulée que coulée. On peut vous regarder passer pour les gens que cela amuse, quotidien, sans *moi*. On ne peut pas faire davantage. Et moi qui ai eu pour vous une affection vive, cela me donne envie tantôt de bâiller, tantôt de pleurer, quelquefois de me noyer. »

En rappelant à Nahmias qu'il est une des rares personnes qu'il ait vues depuis le début de l'année, mais oubliant qu'il y trouvait son intérêt puisque le jeune homme lui rendait grand service, il lui prédit, comme naguère à Marcel Plantevignes, qu'il gâche « une fameuse possibilité d'amitié », puis, après d'autres piquantes considérations guère flatteuses pour le pauvre Nahmias, il le conjure de lui épargner le « leurre d'une réconciliation » qui ne durerait pas : « Ce que vous appelez

1. Il semblerait qu'il faille lire *aurait* plutôt que *avait*.

vos chagrins, ce sont tout simplement ce que vous croyez des plaisirs, une sauterie, une partie de .golf, etc. Un jour je peindrai ces caractères qui ne sauront jamais, même à un point de vue vulgaire, ce que c'est que l'élégance, prêt pour un bal, d'y renoncer pour tenir compagnie à un ami. Ils se croient par là mondains et sont le contraire [1]. » Enfin, Proust achève cette volée de bois vert en priant sa victime de lui renvoyer sa lettre, ce qui n'est pas très élégant de sa part et ce que Nahmias, après s'être justifié, oubliera d'ailleurs de faire, de même qu'il oubliera les réflexions blessantes de Proust sur l'inconsistance aquatique de son caractère. Il reprendra son rôle de dévoué factotum, investi à l'occasion de missions particulièrement délicates.

Pendant cet été 1912, il semble que Proust, contrairement aux années passées, ait connu un regain de vigueur, car peu après son arrivée à Cabourg, il annonce à Reynaldo Hahn qu'il danse un peu tous les soirs pour dérouiller ses articulations. Lorsqu'on sait en quelle tenue il rôde au casino, il est peu croyable qu'il trouve des jeunes filles, ou des femmes, prêtes à s'exhiber avec lui sous les regards d'une foule malveillante. S'il hante la nuit la salle de jeux, observant sur les visages des joueurs les émotions que procure la roulette ou le chemin de fer, imaginant les drames entraînés par certaines pertes et devinant des tempêtes sous certains crânes, il accepte aussi quelques dîners ou fait quelques visites. Il voit à Bénerville le duc et la duchesse de Guiche, retrouve Jean-Louis Vaudoyer chez Louis Artus et rencontre à Houlgate les Gross dont la fille, la future Valentine Hugo, s'est entichée d'Albert Nahmias. Il fréquente également Henri Bardac, qu'il compare à « un cobaye en corail rose », Alexandre de Neufville, mais ne trouve ni le temps ni la force de pousser jusqu'à Trouville pour y voir Mme Straus avec laquelle il échange une correspondance assidue pour lui expliquer qu'il ne peut lui rendre visite, en dépit du lancinant désir qu'il en a. C'est seulement à la veille de quitter Cabourg qu'il se résout à cette expédition. Mme Straus le récompense de cet effort en lui faisant revoir Honfleur et tous les lieux visités jadis avec Marie Finaly, vingt ans plus tôt, et avec Bertrand de Fénelon, voilà déjà dix ans. C'est un pèlerinage un peu mélancolique, à la recherche d'une jeunesse

1. Kolb, tome XI, pp. 189-191. Cette lettre si curieuse a dû être vendue par Albert Nahmias, car elle avait été publiée en 1952 dans la revue *Le Disque vert*. Albert Nahmias ne devait mourir, à quatre-vingt-treize ans, qu'en 1979.

perdue puisqu'il vient d'avoir quarante ans et qu'il n'a toujours rien fait, hormis quelques traductions et quelques articles. Jamais l'œuvre espérée n'a été plus nécessaire à son salut.

*

Aussi, dès son retour à Paris, à la fin du mois de septembre, s'emploie-t-il, avec une énergie et une insistance inhabituelles chez lui, à forcer les portes des maisons d'édition.

Pressentant que les éditeurs traditionnels seront effrayés par la densité de son livre, l'absence d'action, et certainement déconcertés par la place faite à l'analyse psychologique, il estime qu'à cette littérature nouvelle il faut un éditeur nouveau et songe à la *Nouvelle Revue française*, à laquelle Antoine Bibesco l'avait initié en lui faisant souscrire un abonnement. La *N.R.F.*, pour l'appeler par son sigle qui prévaut déjà sur son nom, a été fondée en 1908 par un groupe, ou plutôt un cénacle, d'amis soucieux eux aussi d'échapper à la routine et aux préjugés des revues académiques.

Ces six novateurs, qui sont en réalité sept, on pris l'habitude de se réunir rue d'Assas; chez Jean Schlumberger. Ce sont, outre leur hôte, André Ruyters, lui-même fondateur à Bruxelles de la revue d'avant-garde *Antée*, Henri Ghéon, pseudonyme d'Henri Vangeon, Marcel Drouin, Jacques Copeau, passionné de théâtre, Michel Arnaud, professeur de philosophie au lycée Henri IV et enfin André Gide, déjà connu par *Les Cahiers d'André Walter, Les Nourritures terrestres, L'Immoraliste*, et *La Porte étroite*.

Lancée le 1er février 1909, la N.R.F. a vite obtenu un succès d'estime et elle exerce une influence plus grande que ne pourrait le faire croire le nombre restreint de ses abonnés qui font pour elle un fervent prosélytisme. Si les pères fondateurs sont pour la plupart de grands bourgeois, ils ne cherchent pas à gagner de l'argent et tiennent avant tout à sauvegarder l'indépendance d'esprit de la revue, indépendance garantie par un égal éclectisme dans le recrutement des collaborateurs comme dans le choix des sujets traités. En contrepartie de ce noble désintéressement, la revue connaît des fins de mois difficiles. Les plus aisés, Gide et Schlumberger, épongent le déficit de leurs propres deniers. Pour remédier à cette situation, les six ont eu l'idée, non de réduire la revue ou d'espacer sa publication, mais d'y joindre une maison d'édition. Ils se sont mis en quête d'un commanditaire « assez fortuné pour contribuer à l'apport de capital et assez désintéressé pour n'escompter de profits qu'à long terme, assez avisé pour conduire une affaire et assez épris de littérature pour placer la qualité avant la rentabilité, assez compétent pour s'imposer et assez docile pour exécuter les directives du groupe, c'est-à-dire de Gide [1] ».

Cet homme idéal a été trouvé en la personne aimable, riche et réjouie de Gaston Gallimard, fils du collectionneur de tableaux. Il a été un temps secrétaire de Robert de Flers, ce qui a complété une culture littéraire glanée à Condorcet tout en lui faisant connaître nombre d'écrivains ou d'auteurs dramatiques. Les éditions de la N.R.F ont modestement débuté dans une petite boutique de teinturier, rue Saint-Benoît, puis elles se sont agrandies en s'installant rue Madame. Elles ont jusqu'alors publié peu de livres, mais d'auteurs de qualité comme Claudel, Gide, Charles-Louis Philippe, Léon-Paul Fargue et Friedrich Sieburg. De dilettante, l'indolent Gaston Gallimard est devenu homme d'affaires, plein de hardiesse et d'entregent, mais obligé de faire face à tous les tracas du métier, des étourderies ou du manque de parole des imprimeurs aux récriminations des auteurs, sans compter l'incompréhension ou l'injustice des critiques. Il assume son nouveau rôle avec une telle conscience qu'il y sacrifie toutes ses journées, voire ses nuits, emportant des manuscrits et des épreuves pour les lire chez lui. A la fin de cette année 1912, il écrit ainsi à Jacques Copeau : « Vous ne m'en voudrez pas, je pense, de ne pas être rue Madame, mardi, dans la journée. C'est ce jour-là que je me marie [2]. »

C'est à cet homme très jeune — il vient d'avoir trente et un ans —, réputé pour son ouverture d'esprit et sa générosité de cœur, que Proust veut confier son livre. Ils se sont déjà rencontrés, quelques années plus tôt, mais Gaston Gallimard, frappé par le singulier aspect de Proust, en a gardé un plus vif souvenir que Proust de ce jeune homme inconnu. C'était en 1907 ou en 1908. Gaston Gallimard passait la journée chez Robert Gangnat. Soudain, tous deux avaient vu poindre sur la route de Villers une silhouette insolite, celle d'un homme en escarpins vernis et cape de soirée cheminant dans la poussière, au grand soleil dont le protégeait un chapeau de

1. A. Anglès, *André Gide et le premier groupe de la Nouvelle Revue française*, passage cité par Pierre Assouline dans son livre sur *Gaston Gallimard*, p. 41.
2. P. Assouline, *Gaston Gallimard*, p. 55.

paille. Il est peu croyable, bien que tous ses biographes l'affirment, que Proust ait franchi à pied les quatorze kilomètres qui séparent Cabourg de Blonville et il est probable qu'après avoir emprunté quelque moyen de transport, il était parti à pied à la recherche de la villa. Il venait inviter Robert Gangnat à dîner le soir au Grand Hôtel et, courtoisement, avait inclus Gaston Gallimard dans l'invitation. Celui-ci devait toujours se rappeler cette soirée, le pittoresque des propos et l'étonnante mémoire de Proust capable, alors qu'on parlait de Constantinople, de réciter par cœur une page de Loti sur cette ville. Comme Gallimard s'émerveillait de cette facilité, Proust, amusé, lui avait glissé à l'oreille : « Lisez l'indicateur Chaix, c'est bien mieux... », et il avait aussitôt psalmodié une liste de « noms de pays »[1].

Au lieu de s'adresser directement à Gaston Gallimard, Proust, ennemi des moyens simples, a tenté une première approche de la N.R.F. en chargeant Antoine Bibesco de remettre de sa part à Jacques Copeau une série de ses articles, incluant certainement ceux que vient de publier *Le Figaro*, afin que la maison puisse avoir une idée de ce qu'il écrit avant qu'il lui propose son livre. Copeau les aurait jugés « trop bien pour un journal », mais il ne s'est pas engagé davantage et Proust demande à Bibesco de revenir à la charge auprès de lui. La N.R.F accepterait-elle de publier son roman à compte d'auteur ? Il serait prêt à faire ce sacrifice pour l'honneur d'être édité par la N.R.F., qui est à son avis la maison la plus favorable « à la maturation, à la dissémination des idées contenues dans son livre ». Elle devra d'ailleurs, prévient-il, montrer une certaine largeur d'esprit, car beaucoup de ses idées risquent de choquer des lecteurs, même sans préjugés. « Il y a tout un volume qui est *extrêmement* indécent, annonce-t-il, mais je pense que cela leur est égal. » Ce ne sont pas, doit-il penser, Gide et Ghéon qui pourront s'en formaliser. Il y a un autre aspect du livre qui pourrait échapper à une lecture superficielle : sa *composition très stricte, mais d'un ordre trop complexe pour être d'abord perceptible*, et, faisant allusion à l'énorme effort d'analyse et de synthèse auquel il s'est livré, il ajoute : « ... D'heures exaltées, il ne reste qu'une phrase, parfois qu'une épithète, et calmes... [qui donnent] ce style uni où j'ai foi, écrivait-il quelques lignes plus haut, qu'un jour des yeux pénétrants découvriront... » qu'il est allé au fond de sa mémoire

1. G. Gallimard, dans *Hommage à Marcel Proust*, pp. 56 à 59.

et de sa conscience. Le principal obstacle est évidemment le volume de l'ouvrage, quelque douze cents pages, qu'il faudrait peut-être publier en deux tomes, voire en trois [1].

Il écrit en même temps à Jacques Copeau pour lui confirmer ce qu'il vient de dire à Bibesco, mais, peut-être pour stimuler son intérêt en lui montrant qu'il a d'autres possibilités ailleurs, il lui signale des engagements pris naguère avec Calmette, sans toutefois mentionner le nom de Fasquelle, et semble ainsi reprendre d'une main ce qu'il propose de l'autre par l'entremise d'Antoine Bibesco. En attendant la réponse de Copeau, il demande à Mme Straus de rafraîchir à l'occasion la mémoire de Gaston Calmette pour que celui-ci parle rapidement du livre à Eugène Fasquelle, car il a d'« autres débouchés », précise-t-il. Et, fidèle à sa manie de compliquer les choses, il supplie Mme Straus de ne faire aucune démarche si cela l'ennuie le moins du monde, d'autant plus que beaucoup de personnes peuvent la faire à sa place et que lui-même peut aller voir Calmette... Bref, il doit être difficile à Mme Straus, en lisant cette lettre, de savoir ce qu'elle doit réellement faire. Elle intervient malgré tout avec promptitude, car dès le lendemain Gaston Calmette prie Eugène Fasquelle de recevoir M. Marcel Proust.

Celui-ci a dû invoquer son déplorable état de santé qui lui interdit de sortir, car Eugène Fasquelle, au lieu de recevoir Proust, lui demande seulement de lui envoyer son manuscrit qu'il s'est engagé auprès de Calmette à publier. Le même jour — 28 octobre 1912 —, Proust lui fait porter le texte du premier volume en y joignant une lettre bien faite, par son contenu comme par sa longueur, pour effrayer Eugène Fasquelle. Alors que cette première partie est fort convenable et que Fasquelle, ou son lecteur, n'a pas l'autre sous les yeux pour le moment, Proust l'avertit que la deuxième est « indécente » : « ... Je ne voudrais pas vous tromper sur le reste ni non plus qu'une fois le premier volume paru, vous ne veuilliez plus publier les deux derniers. » Et il explique de quoi il s'agit, tout en demandant le secret sur cette révélation de crainte qu'on le dissuade, au cas où cela transpirerait, d'aborder ce sujet : « Un de mes personnages (comme ils se présentent dans l'ouvrage comme dans la vie, c'est-à-dire fort mal connus d'abord et souvent découverts longtemps après pour le contraire de ce qu'on croyait) apparaît à peine dans la première partie comme

1. Kolb, tome XI, pp. 234-237.

l'amant supposé d'une de mes héroïnes. » Ce personnage est, bien sûr, le baron de Charlus[1], qui passe pour tromper son vieil ami Charles Swann avec la maîtresse de celui-ci, Odette de Crécy. « Vers la fin de la première partie, continue Proust,... ce personnage... fait étalage de virilité, de mépris pour les jeunes gens efféminés, etc. Or, dans la seconde partie, le personnage, un vieux monsieur, se découvrira être un pédéraste qui sera peint d'une façon comique, mais que, sans aucun mot grossier, on verra *levant* un concierge et entretenant un pianiste. Je crois ce caractère — le pédéraste *viril*, en voulant aux jeunes gens efféminés qui le trompent sur la qualité de la marchandise en n'étant que des femmes, ce *misanthrope* d'avoir souffert des hommes comme sont misogynes certains hommes qui ont trop souffert des femmes, je crois ce caractère quelque chose de neuf (surtout à cause de la façon dont il est traité que je ne peux vous détailler ici) — et c'est pour cela que je vous prie de n'en parler à personne. De plus, les sujets si différents qui lui font contraste, le cadre de poésie où sa ridicule vieillesse s'insère et s'oppose, tout cela ôte à cette partie de l'ouvrage le caractère toujours pénible d'une monographie spéciale. Néanmoins, et bien qu'aucun détail ne soit choquant (ou alors sauvé par le comique, comme quand le concierge appelle ce duc à cheveux blancs *grand gosse* !), je ne dissimule pas que ce n'est pas un sujet *courant* et j'ai trouvé plus loyal de vous le dire ; plus prudent aussi, car vous voyez d'ici ma situation, pour une œuvre qui est certainement la dernière que j'écrirai et où j'ai tâché de faire tenir toute ma philosophie, de résonner toute ma *musique*, si après le premier volume, vous cassiez mon œuvre en deux comme un vase qu'on brise, en en terminant la publication...[2]. »

Passant aux questions pratiques, il précise à Fasquelle que le premier volume aura pour titre *Le Temps perdu*, le second *Le Temps retrouvé*, avec, comme titre général de l'ensemble, *Les Intermittences du cœur*.

Il n'est pas de meilleur moyen de s'aliéner un éditeur que de lui écrire d'emblée une lettre de huit pages, ce qui fait craindre au destinataire, s'il accepte l'ouvrage, d'en recevoir d'autres, aussi fastidieuses, pour la moindre erreur, sans parler d'une averse d'épîtres vindicatives ou récriminatoires à l'occasion du paiement des droits. Comme pour justifier cette

1. Alors appelé Fleurus.
2. Kolb, tome XI, pp. 255-259.

impression, Proust écrit derechef à Fasquelle pour lui faire quelques suggestions relatives à une publication dès le mois de février 1913. C'est aller vite en besogne et cette hâte, cette abondance épistolaire ne peuvent qu'indisposer Fasquelle, ennemi de toute complication, psychologique ou matérielle. De plus, Eugène Fasquelle, bon vivant, grand amateur de petites femmes, ne porte aucune espèce d'intérêt à « l'amour défendu » qui lui paraît aussi bizarre que l'anthropophagie. M. de Fleurus n'est certainement pas fait pour lui plaire.

Tout en annonçant à Fasquelle qu'il est trop malade pour aller le voir, Proust propose à Gaston Gallimard de lui rendre visite, inquiet sans doute qu'il est du silence gardé par la N.R.F. depuis sa lettre à Jacques Copeau. « Il serait plus simple et plus efficace que je puisse causer dix minutes avec vous, déclare-t-il à Gallimard. La correspondance est plus compliquée... [1]. »

Tandis que le lecteur des Éditions Fasquelle s'enlise, en bâillant d'ennui, dans les méandres de la prose proustienne, l'impatient auteur harcèle méthodiquement Gaston Gallimard qui, ayant répondu par un mot à la lettre proposant d'aller le voir, en reçoit une troisième dans laquelle Proust lui dévoile, après de nombreuses considérations sur l'ampleur du livre, le sujet traité dans la deuxième partie, c'est-à-dire l'homosexualité. Il reprend à peu près les mêmes termes que ceux employés dans sa lettre à Fasquelle, insistant sur la nouveauté que constitue le caractère de M. de Fleurus « détestant les jeunes gens efféminés, détestant à vrai dire tous les jeunes gens comme sont misogynes les hommes qui ont souffert des femmes ». Et après avoir souligné que cette étude n'a rien à voir avec le *Lucien* de Binet-Valmer, il revient soudain en arrière, comme il l'a fait avec Mme Straus, exprimant le souhait que Gallimard n'aime pas son livre et le refuse afin de lui épargner le regret qu'il éprouverait s'il recevait le lendemain les épreuves de chez Fasquelle. Conscient malgré tout de l'étonnement qu'un tel vœu peut causer à Gallimard, il ajoute : « Je suis comme ces voyageurs qui, ne pouvant se résoudre eux-mêmes à renoncer à un voyage qui les tente, tâchent de se mettre en retard, de manquer le train, pour être forcés de ne pas partir [2]. »

*

1. Kolb, tome XI, p. 276.
2. *Ibidem*, p. 287.

Pendant qu'il laisse entendre à Fasquelle que la N.R.F. est prête à publier le livre, et à Gallimard que Fasquelle l'a quasiment accepté, Proust sollicite l'avis de Louis de Robert sur le meilleur choix à faire, insistant sur la rapidité de publication, condition essentielle à ses yeux : « Vous qui avez été malade, vous comprendrez ce que c'est que de se dire toujours qu'on aura achevé demain et de rester des mois sans pouvoir tenir une plume... » En quoi il exagère, car, même lors de ces crises les plus aiguës, il n'a jamais cessé d'écrire d'innombrables lettres, en général fort longues, surtout lorsqu'il les commence en prévenant qu'il a tout juste la force de tracer quelques lignes. Louis de Robert le rassure au moins sur un point : Fasquelle n'osera pas lui imposer de retouches ou de coupures, comme il semble le craindre. Il lui suggère néanmoins d'envisager quelques « allégements » qui ne pourraient que faciliter les choses et il lui promet de l'appuyer auprès de Fasquelle.

En attendant une réponse définitive des deux éditeurs avec lesquels il est en pourparlers, Proust essaie de faire paraître dans la revue de la N.R.F. des pages de son livre en recommandant à Copeau de les publier avant le 1er février 1913, car sans cela le roman risquerait de précéder cette publication. Puis il confie ses espoirs et ses appréhensions à Mme Straus, sachant qu'elle ne manquera pas d'en faire part à Calmette, de persuader celui-ci d'agir plus vigoureusement auprès de Fasquelle : « J'ai tellement l'impression qu'une œuvre est quelque chose qui, sorti de nous-même, vaut cependant mieux que nous-même, que je trouve tout naturel de me démener pour elle, comme un père pour son enfant. Mais il ne faut pas que cette idée me conduise à parler ainsi aux autres de ce qui ne peut intéresser, hélas ! que moi [1]. »

Gaston Gallimard n'ayant toujours pas répondu à sa lettre du 8 novembre, Proust revient à la charge en lui rappelant que son silence l'a empêché d'effectuer les démarches nécessaires pour se dégager de Fasquelle. En conséquence, le livre ne pourra plus paraître à la N.R.F. vers le 15 février, mais seulement vers le 15 avril 1913, ce qui retardera d'autant le second tome qu'il faudra prévoir seulement pour la fin de 1913 ou le début de 1914.

Ces démarches multiples n'éveillent aucun écho. Fasquelle demeure silencieux, au point que Proust se demande s'il n'a pas eu quelque tort à l'égard de Calmette, qui s'en vengerait

1. Kolb, tome XI, p. 293.

ainsi. Fort lié avec Maurice Rostand, Cocteau avait parlé du livre à celui-ci qui, à son tour, en avait parlé à son père. Tous deux interviennent de leur côté auprès d'Eugène Fasquelle, éditeur d'Edmond Rostand, mais sans résultat.

A la fin du mois de décembre, en guise de cadeau de Noël, Proust reçoit de Fasquelle un gros paquet : c'est son manuscrit, accompagné d'une lettre dans laquelle l'éditeur lui annonce son refus de publier un ouvrage « aussi considérable, aussi différent de ce que le public a l'habitude de lire ». Ce que Fasquelle ne dit pas, c'est l'opinion du lecteur de sa maison, si péjorative. Le rapport de lecture, œuvre d'un critique théâtral, Jacques Normand, est à la fois juste dans ses remarques sur de nombreux points de détail, et injuste à l'égard du fond même du livre, partie d'une œuvre plus vaste dont la conception ne pouvait que lui échapper. Les premières lignes de ce rapport révèlent l'exaspération de Jacques Normand : « Au bout de sept cent douze pages de ce manuscrit (sept cent douze au moins, car beaucoup de pages ont des numéros ornés d'un *bis, ter, quater, quinque*) — après d'infinies désolations d'être noyé dans d'insondables développements et de crispantes impatiences de ne pouvoir jamais remonter à la surface — on n'a aucune notion de ce dont il s'agit. Qu'est-ce que tout cela vient faire ? Qu'est-ce que tout cela signifie ? Où tout cela veut-il mener ? — Impossible d'en rien savoir ! Impossible d'en pouvoir rien dire ! »

Il est vrai qu'après avoir relevé toutes les invraisemblances, les bizarreries, les « enchevêtrements inconcevables » du texte, Jacques Normand admet, à la fin de son rapport, qu'il y a dans ce livre « beaucoup de choses curieuses, et même remarquables, et que l'on ne pèche pas ici par insignifiance et manque de valeur ». Dans ce fatras, dont l'absence de lien entre les épisodes et les personnages est à son avis le défaut le plus grave, Jacques Normand voit la « monographie d'un petit garçon maladif, de système nerveux détraqué, d'une sensibilité, d'une impressionnabilité et d'une subtilité méditatives exacerbées », mais il reconnaît malgré tout qu'il s'agit « d'un cas intellectuel extraordinaire [1] ».

Un tel rapport ne pouvait évidemment qu'inciter Fasquelle à refuser un tel livre. Pour lui, comme pour son lecteur, ce M. Proust n'est qu'un dilettante et sans doute un maniaque.

Un malheur n'arrivant jamais seul, la veille de ce refus,

---

1. Rapport cité intégralement dans le livre de Frank Lhomeau et Alain Coelho, *Marcel Proust à la recherche d'un éditeur*, pp. 255-262.

Proust avait eu celui de la N.R.F. Le comité de lecture de la rue Madame avait été mal disposé par la dédicace du livre à Gaston Calmette et surtout par l'apparition trop fréquente, au fil des pages, de la duchesse de Guermantes. On avait conclu à un roman mondain, écrit par un mondain. Le refus de la N.R.F. portait non seulement sur le livre, mais sur les passages que Proust avait prié Jacques Copeau de faire paraître dans la revue. C'était donc un échec total.

D'après une légende tenace, entretenue d'ailleurs par Céleste Albaret, le paquet du manuscrit, soigneusement fait par Nicolas Cottin, n'aurait jamais été ouvert par ces messieurs de la N.R.F., car Proust, en recevant de Gallimard son manuscrit bien empaqueté, aurait reconnu dans la manière dont la ficelle était nouée l'art particulier de son valet de chambre. Gide, en revanche, a toujours maintenu qu'il avait lu le manuscrit, mais aurait été agacé d'y relever certaines impropriétés de langage, notamment le fameux cas de vertèbres transparaissant sur le front de Tante Léonie, ou bien des erreurs matérielles, comme de manger à midi un poulet tué le matin. Sans doute la vérité se trouve-t-elle, entre les deux, c'est-à-dire que le paquet a bien été ouvert, mais que Gide a seulement parcouru le manuscrit, vite découragé par la longueur des phrases, que déplorait Jacques Normand, par l'espèce de ratiocination de l'auteur, également dénoncée par le lecteur de Fasquelle. Comme Gide ne mourra qu'en 1951, il aura près de quarante ans pour s'en repentir et le fera dès 1914, écrivant à Proust, après la parution de *Du côté de chez Swann*, une lettre de contrition pour avoir méconnu son talent et de regret de l'avoir laissé par suite échapper. « Depuis quelques jours je ne quitte plus votre livre, lui écrira-t-il le 10 ou 11 janvier 1914 ; je m'en sursature, avec délices ; je m'y vautre. Hélas ! pourquoi faut-il qu'il me soit si douloureux de tant l'aimer ? Le refus de ce livre restera la plus grave erreur de la N.R.F. — et (car j'ai honte d'en être beaucoup responsable) l'un des regrets, des remords les plus cuisants de ma vie... [1] »

Battant sa coulpe, Gide avouera tout simplement qu'il avait jugé Proust moins d'après son manuscrit que d'après le souvenir qu'il avait gardé de quelques-unes de leurs rencontres dans le « monde », vingt ans plus tôt et qu'il le croyait « du côté de chez Verdurin », c'est-à-dire un snob, un amateur, un écrivain de salon qui n'aurait pu que nuire à la réputation de la N.R.F. Il

1. Kolb, tome XIII, p. 50.

lui rappellera son agacement devant les erreurs rapportées plus haut, notamment les vertèbres sur le front de Tante Léonie, phrase qui restera pour lui d'autant plus inexplicable qu'elle persistera longtemps dans les diverses éditions d'*A la recherche du temps perdu*.

L'explication de cette énigme d'histoire proustienne ne sera d'ailleurs donnée qu'en 1970 par Philip Kolb qui verra dans cette phrase au sens obscur une simple erreur de dactylographie, erreur qui avait échappé à l'attention des correcteurs comme à celle de Proust lorsqu'il avait relu ses épreuves. Pour que la phrase soit intelligible et la comparaison juste, il faudrait, suggère Philip Kolb, supprimer seulement la conjonction *et* pour lire la phrase ainsi : « Elle tendait à mes lèvres son triste front pâle et fade sur lequel, à cette heure matinale, elle n'avait pas encore arrangé ses faux cheveux, où les vertèbres transparaissaient comme les pointes d'une couronne d'épines ou les grains d'un rosaire... » et non « elle n'avait pas encore arrangé ses faux cheveux *et* où les vertèbres... », celles-ci désignant l'armature de la perruque de la vieille dame. On pouvait s'y tromper, s'étonner, mais cet infime détail a été l'un des éléments non négligeables d'une des plus importantes péripéties littéraires du siècle[1].

La lettre d'apologie d'André Gide s'achèvera par une ultime protestation de pécheur repenti : « Je ne puis continuer... J'ai trop de regret, trop de peine — et *surtout* à penser que peut-être il vous est revenu quelque chose de mon absurde déni — qu'il vous aura peiné — et que je mérite à présent d'être jugé par vous, injustement, comme je vous avais jugé. Je ne me le pardonnerai pas — et c'est seulement pour alléger un peu ma peine que je me confesse à vous ce matin — vous suppliant d'être plus indulgent pour moi que je ne suis moi-même[2]. »

En attendant cette revanche, c'est un double, voire un triple échec, d'autant plus dur qu'il est imprévu, car Proust comptait beaucoup sur l'influence du tout-puissant directeur du *Figaro*. En étant publié par Fasquelle, même au prix de quelques « allégements », il entrait dans une maison[3] où il aurait eu comme devanciers Flaubert, Zola, Daudet, Rostand et où son livre aurait peut-être trouvé une audience plus grande qu'à la N.R.F., c'est-à-dire ce public d'inconnus qui achètent un livre

---

1. Revue *Europe*, numéro d'août-septembre 1870 consacré au centenaire de Marcel Proust, pp. 141-151.
2. Kolb, tome XIII, p. 51.
3. La maison était celle de Charpentier, à qui Eugène Fasquelle avait été d'abord associé avant de lui succéder.

au hasard, sur la foi du nom de l'éditeur, pour le lire en wagon. Par contre, à la N.R.F., il pensait pouvoir compter sur une élite intellectuelle, prête à s'enthousiasmer pour son livre et à en assurer le succès auprès de ceux dont il espérait les suffrages. Encore qu'il soupçonne Gaston Calmette de s'être fort avancé en présumant l'accord de Fasquelle, ce qui expliquerait les dérobades de Calmette à chacune de ses propositions de le rencontrer, il tient toutefois à lui manifester sa reconnaissance et cherche un souvenir à lui offrir, hésitant entre un porte-cigarettes, une bourse et un manuscrit de Sully-Prudhomme, un de ses auteurs favoris. Comme il est ruiné, dit-il à Mme Straus dont il prend conseil, il ne voudrait pas y mettre plus de mille à quinze cents francs[1], ce qui est déjà une jolie somme. Il se décide finalement pour un porte-cigarettes de chez Tiffany, qui ne lui coûte que trois cents francs[2].

Muni de son cadeau, Proust se rend aux bureaux du *Figaro* pour le remettre personnellement à Calmette. Introduit dans le cabinet de celui-ci, il le pose, dans son écrin, sur le bureau de Calmette qui se contente d'effleurer ce petit paquet d'un regard distrait sans interrompre leur conversation sur les élections présidentielles. « J'espère bien que Poincaré sera élu », dit-il à Proust, puis se levant pour le raccompagner, il laisse tomber : « Ce sera peut-être Deschanel... » Contant la chose à Reynaldo Hahn, il écrit avec une pointe d'amertume : « J'ai jeté à mon porte-cigarettes caché dans sa boîte un regard: *Aimez ce que jamais on ne verra deux fois*... Je suis parti, Poincaré a été nommé, mais Calmette ne m'a jamais écrit... [3]. »

Maintenant que les portes de Fasquelle et de la N.R.F. lui sont fermées, Proust doit essayer de trouver d'autres éditeurs qui ne se laisseront rebuter ni par la masse du texte, ni par son audace, bien qu'à cet égard il soit probable que tous les éditeurs fassent les mêmes objections.

Il charge Louis de Robert de sonder Ollendorf, en proposant à celui-ci de payer les frais d'impression et, pour qu'il ne se désintéresse pas du sort du livre, de lui donner un pourcentage sur les ventes. Au début du mois de janvier 1913, il envoie le manuscrit de *Du côté de chez Swann* au directeur d'Ollendorf, Alfred Humblot. En même temps il demande à Antoine Bibesco

1. Soit de 15 000 à 23 000 francs de 1990.
2. Soit 4 500 francs de 1990.
3. Kolb, tome XII, p. 48.

d'insister auprès de Jacques Copeau pour une publication d'extraits dans la N.R.F., même s'il doit faire des extraits des extraits au cas où on les jugerait trop longs. Il fait la même offre à Francis Chevassu, du *Figaro*. Là encore, il reçoit une réponse négative à laquelle s'ajoute, au mois de février, le refus de la maison Ollendorf.

Alors que la lettre d'Eugène Fasquelle était, aux dires de Proust, intelligente et courtoise, celle d'Alfred Humblot lui paraît offensante. Il est vrai qu'elle était adressée, non à lui, mais à Louis de Robert qui, sur son insistance, avait accepté de la lui communiquer alors qu'il aurait mieux fait de lui en donner une transcription adoucie. « Cher ami, écrivait rondement Humblot, je suis peut-être bouché à l'émeri, mais je ne puis comprendre qu'un monsieur puisse employer trente pages à décrire comment il se tourne et se retourne dans son lit avant de trouver le sommeil. J'ai beau me prendre la tête entre les mains, etc[1]. »

Ulcéré par cette méconnaissance grossière de ses intentions, et ce mépris de son art, Proust épanche son amertume auprès de Louis de Robert : « Voilà un homme à qui vous parlez de moi comme vous savez le faire, qui vient d'avoir entre les mains sept cents pages où vous verrez que bien de l'expérience morale, de la pensée et de la douleur est, non pas diluée, mais concentrée, et c'est sur ce ton qu'il l'écarte[2] ! »

Louis de Robert partage son indignation au point de vouloir se brouiller avec Humblot, mais Proust le conjure de n'en rien faire et dans une lettre-fleuve, une de ces lettres écrites sous le coup de la colère dont les post-scriptum sont comme les derniers roulements de tonnerre après un orage, il justifie, comme s'il s'adressait à Humblot lui-même, la manière dont il a conçu et composé *Du côté de chez Swann*. « Cette déclaration écrite me dispenserait de répondre à la partie de votre lettre où vous prenez la peine de défendre votre livre contre l'opinion de l'éditeur, observe Louis de Robert, qui ajoute : Mais laissez-moi vous dire, en souriant, que je trouve ce soin que vous avez pris un peu offensant pour mon intelligence. Croyez-vous, cher ami, que je puisse être influencé par l'opinion d'un commerçant et vous doutez-vous l'admiration profonde et *inchangeable* que j'ai pour vous depuis dix-huit ans[3] ? »

1. F. Lhomeau et A. Coelho, *Marcel Proust à la recherche d'un éditeur*, p. 111.
2. Kolb, tome XII, p. 77.
3. *Ibidem*, p. 77.

Dans sa lettre, Proust lui annonçait que, sans désespérer de sa cause, il avait aussitôt dirigé ses batteries vers une autre direction et prié René Blum, un vieil ami, frère de ce Léon qu'il aimait peu lorsqu'il le rencontrait à la *Revue blanche*, de parler de lui, ou plutôt de son livre, à un quatrième éditeur possible, Bernard Grasset.

*

Comme Gaston Gallimard, celui-ci est un jeune éditeur dans les deux acceptions du mot, car il est du même âge et, à son instar, a fondé récemment sa propre maison. Issu lui aussi d'une famille de petits-bourgeois devenus grands, il a commencé par le barreau, à Montpellier, puis, attiré par la capitale autant que par la littérature, il a créé en 1907 une maison d'édition presque artisanale dont un oncle et un cousin constituent avec lui tout le personnel et tous les services. Bientôt les rejoindra Lucien Brun, destiné à devenir la cheville ouvrière de la maison. En peu de temps, Bernard Grasset s'est fait une place dans le monde éditorial, moins par l'importance de son chiffre d'affaires que par l'originalité de ses méthodes et leur efficacité. En 1910, après deux déménagements, il a élu définitivement domicile au 61, rue des Saints-Pères et il s'est attaché des auteurs peu ou point connus, mais promus à un bel avenir : Jean Giraudoux, Paul Reboux, le créateur avec Charles Muller de la série des *A la manière de...*, Alphonse de Chateaubriant, André Maurois et surtout Charles Péguy. Très différent de Gaston Gallimard, il a au moins un trait commun avec lui : tous deux sont intimement convaincus que l'éditeur est un personnage plus important que l'auteur[1].

Proust propose donc à Grasset, par l'entremise de René Blum, le marché suivant : si Grasset accepte de publier les deux volumes à dix mois d'intervalle, il se chargera non seulement des frais d'impression, mais de ceux de publicité. Pour que cette offre n'ait pas l'air d'être la fantaisie d'un riche amateur, il explique à René Blum le motif qui le pousse à ce compte d'auteur onéreux : « Vous le comprendrez facilement, je travaille depuis longtemps à cette œuvre, j'y ai mis le meilleur de ma pensée ; elle réclame maintenant un tombeau qui soit achevé avant que le mien soit rempli... Si vous pouvez me rendre ce service, rendez-le-moi comme je vous le demande,

1. Remarque de Jean Bothorel, biographe de Bernard Grasset, p. 41.

c'est-à-dire ne me dites pas comme tout le monde, je le sais, me le dirait : *Mais, cher ami, Grasset serait enchanté de vous éditer à ses frais à lui et en vous faisant de belles conditions. Vous avez trop de talent pour payer votre édition comme un amateur. D'ailleurs c'est détestable, cela se saura, vous ridiculisera et un éditeur ne s'occupe pas d'un livre fait dans ces conditions.* Tout cela (sauf le talent que j'ignore) est vrai. Mais, mon cher ami, je suis très malade, j'ai besoin de certitude et de repos. Si M. Grasset édite le livre à ses frais, il va le lire, me fera attendre, me proposera des changements, de faire de petits volumes, etc. Et aura raison au point de vue du succès. Mais je recherche plutôt la claire présentation de mon œuvre. Ce que je veux, c'est que dans huit jours vous puissiez me dire, c'est une *affaire* conclue, votre livrer paraîtra à telle date. Et cela n'est possible qu'en payant l'édition[1]. »

Bien entendu, il informe René Blum des pages « indécentes » de l'œuvre et lui demande aussi le secret le plus absolu sur le sujet pour éviter les interventions maladroites des uns et des autres qui pourraient, comme en serait capable Antoine Bibesco, persuader Grasset de publier le livre aux frais de sa maison, jugeant que ce serait un honneur pour celle-ci. Il est rare, dans l'histoire des Lettres, de trouver un auteur aussi acharné à vouloir être rançonné, mais, rappelle-t-il à René Blum, il est pressé de se voir publier. Toutefois, Blum ne doit pas mettre en avant sa mauvaise santé pour obtenir de Grasset une réponse rapide : « Ne lui dites pas non plus la raison de la gravité de mon état. Car si après cela on vit encore quelque temps, on ne vous le pardonne pas. Je me rappelle des gens qui ont *traîné* des années. On avait l'air de croire qu'ils avaient joué la comédie... Ne pouvant admettre que je ne sois pas mort, on dirait que je suis *réincarné*[2]. »

Dernière recommandation à René Blum : celle de ne pas mentionner ce projet s'il lui téléphone et de mettre un cachet de cire sur ses lettres. Ces précautions semblent prises pour déjouer la curiosité de ses domestiques qui, entendant sans cesse leur maître se plaindre de sa ruine, s'étonneraient de le voir dépenser autant d'argent pour une pareille chose. D'un naturel maladivement soupçonneux, Proust incline à penser qu'il en est de même des autres. Fréquentes aussi sont dans ses lettres les allusions à ces consignes de secret qui pourraient

1. Kolb, tome XII, p. 80.
2. *Ibidem,* p. 82.

faire croire à un lecteur non prévenu de sa correspondance qu'il est prisonnier dans quelque bastille ou séquestré par un tuteur cherchant à s'emparer de son héritage.

René Blum agit avec diligence et lui donne certainement une réponse favorable car Proust, trois jours après sa première lettre, lui en adresse une deuxième pour le remercier, allant même, dans sa certitude du succès, jusqu'à envisager de présenter son futur ouvrage au jury du prix Goncourt ou à celui du prix Femina-Vie heureuse. Effectivement, Bernard Grasset n'a pas hésité à entrer dans les plans de Proust et commence avec lui une active correspondance pour régler tous les points de détail : nombre de pages, prix du volume, choix des caractères, longueur de la dédicace à Gaston Calmette pour laquelle Proust, qui ne lui tient pas rigueur de son inefficacité, prévoit plusieurs pages, choix du titre, etc. Après un volumineux échange de lettres en quelques jours seulement, un projet de contrat est rédigé le 11 mars 1913 : l'édition sera faite aux dépens de l'auteur, le livre vendu 3,50 francs [1] et l'auteur touchera 1,50 franc par exemplaire vendu. Grasset lui avait proposé 1,75 franc, mais Proust avait préféré augmenter le bénéfice de Grasset pour inciter celui-ci à mieux s'occuper de la vente de l'ouvrage. Il lui adresse un acompte de 1 750 francs [2] pour le premier volume et se penche aussitôt sur les problèmes matériels de l'édition tout en continuant de chercher le meilleur titre à donner.

Il a maintenu, mais écourté, la dédicace à Gaston Calmette et se rappelle au souvenir du directeur du *Figaro* en lui faisant parvenir un article, « Vacances de Pâques », évocation de sa nostalgie de Florence lorsqu'il était enfant, avec une brillante variation sur la symphonie des bruits matinaux qui montent de la rue et viennent éveiller le Narrateur, thème qui se retrouvera dans *La Prisonnière*. *Le Figaro* publie ce texte le 25 mars 1913 et Proust l'envoie aussitôt à Jacques Copeau pour lui montrer que *Le Figaro* est moins difficile que la N.R.F.

En refusant son roman, celle-ci avait également refusé à Proust, pour la revue, une longue chronique, en lui faisant dire par Emmanuel Bibesco que la N.R.F. réservait ses sommaires à ses souscripteurs. Une telle réponse était maladroite, car elle laissait croire que la revue, tout en proclamant son pur amour des Lettres, était vénale ; elle était grossière

---

1. Environ 60 francs de 1990.
2. Environ 27 000 francs de 1990.

aussi, car Proust avait proposé de payer les frais d'impression de son livre, ce qui montrait assez qu'il ne comptait guère en ce domaine. On aurait pu au moins, pour adoucir le refus du livre, lui accorder la consolation d'une publication d'un extrait dans la revue. Assez piqué du procédé, Proust avait écrit plusieurs lettres à Jacques Copeau, revenant dans chacune et pour l'examiner sous un nouvel angle, sur la question débattue dans la précédente et Copeau avait mis un terme à cet échange en adressant à son correspondant une mise au point à laquelle Proust, dompté, avait aussitôt répondu par des remerciements, entremêlés de considérations matérielles et morales.

L'envoi de l'article récemment publié par *Le Figaro* est également destiné à prouver à Copeau que l'auteur n'a gardé aucun ressentiment à son égard. Pour montrer à Proust qu'il en est de même en ce qui le concerne, Copeau lui demande s'il peut aller un soir lui rendre visite boulevard Haussmann. La démarche est moins désintéressée qu'elle ne le paraît, car en réalité Copeau veut lui soutirer un abonnement, non à la revue de la N.R.F., mais au théâtre qu'il est en train de créer, le Vieux-Colombier. Proust ne peut s'empêcher de lui faire observer qu'il est un peu paradoxal de sa part de lui demander une souscription pour le Vieux-Colombier alors que deux mois plus tôt il lui a refusé celle qu'il proposait à la N.R.F. puisque celle-ci réservait ses pages à ses souscripteurs. Néanmoins, il lui enverra 750 francs [1] pour l'achat de trois actions du Vieux-Colombier et s'efforcera de lui trouver des souscripteurs, écrivant personnellement à plusieurs de ses amis pour les intéresser à l'entreprise de Jacques Copeau, mais presque tous se récuseront, ne voyant pas l'intérêt de risquer des fonds dans un théâtre alors qu'il y en a déjà un si grand nombre à Paris.

Introduit dans la chambre aux panneaux de liège du boulevard Haussmann, Jacques Copeau a eu la vision non seulement de Proust, tout emmailloté de châles et de tricots, mais celle des épreuves de *Du côté de chez Swann* offrant à peu près le même aspect, c'est-à-dire surchargées d'abondantes corrections, de passages réécrits dans les marges, ou bien ajoutés par feuilles collées aux placards, ce qui produit, de l'aveu de Proust lui-même, « un inextricable gâchis ». Les typographes devront recomposer une bonne partie du texte et Proust, confus, demande à Grasset de lui faire payer ce

1. Soit environ 12 000 francs 1990.

supplément de travail qui s'élèvera, en fin de compte, à 1 006 francs [1].

C'est en remaniant son livre qu'il lui trouve un titre définitif : le premier volume s'appellera *Du côté de chez Swann*, le second, *Le Côté de Guermantes*, et l'ensemble aura pour titre général *A la recherche du temps perdu*. La publication d'un nouveau roman de Binet-Valmer, *Le Cœur en désordre*, l'a fait renoncer à celui qu'il avait d'abord retenu, *Les Intermittences du cœur*, titre qui réapparaîtra néanmoins dans *Sodome et Gomorrhe*, en tête du chapitre dans lequel le Narrateur relate son deuxième séjour à Balbec.

A Maurice Duplay qui vient de lui envoyer son roman, *L'Inexorable*, il se dit « brisé par la correction de ses épreuves » dont il ne peut pas venir à bout. « Je change tout, l'imprimeur ne s'y reconnaît pas, mon éditeur me relance de jour en jour, et pendant ce temps ma santé fléchit entièrement. J'ai tellement maigri que tu ne me reconnaîtrais pas [2]. » Cette correction, qui devient parfois véritable création, s'accompagne des inconvénients habituels à ce genre de travail dans lequel s'affrontent deux personnes destinées à ne jamais se connaître, mais chacune persuadée que l'autre ne serait rien sans elle. Épouvanté par la longueur des phrases et la densité du texte, l'imprimeur a cru bien faire en « aérant » celui-ci, c'est-à-dire en allant à la ligne dans les dialogues. Ce procédé, s'il rend l'ouvrage plus facilement lisible, en accroît le nombre de pages et, en conséquence, le prix.

Bernard Grasset, qui a son mot à dire puisqu'il doit veiller à la réputation de sa maison, tient à la clarté typographique : « J'ai rapidement parcouru vos corrections, écrit-il à Proust. Elles transforment à tel point votre texte primitif que, pour de nombreuses parties, il sera plus simple de recomposer entièrement le texte, sans tenir compte des premières épreuves, que d'utiliser les fragments de phrases qui seuls subsistent [3]. » Ces importantes corrections sont en partie dues aux scrupules de Proust qui, en se relisant, a des doutes sur la propriété de certains termes, la cause de certains phénomènes, la signification de tel usage ou de telle coutume auxquels il fait allusion. Il demande conseil ou confirmation à ceux qui lui paraissent

1. Soit environ 15 500 francs de 1990.
2. Kolb, tome XII, p. 182.
3. J. Botherel, *Bernard Grasset*, p. 92.

avoir autorité en la matière, ce qui lui fournit parfois l'occasion de nouveaux développements.

Comme il a grande confiance dans le jugement de Louis de Robert, il lui communique les secondes épreuves de la première partie du livre en le priant de lui signaler les longueurs, les passages qu'il faudrait éventuellement supprimer ou bien mettrer en notes : « Peut-être je vous désobéirai, lui avoue-t-il, car je ne veux en fin de compte obéir qu'à moi, mais je serai si heureux d'avoir vu cela à travers vous[1]. » Proust semble en effet ne guère se rallier aux suggestions de Louis de Robert, mais celles qu'il retient, jointes à ses propres modifications de dernière heure, suffisent à faire des secondes épreuves des grimoires aussi embrouillés que les premières.

En apprenant que le livre comptera près de sept cents pages, Louis de Robert estime qu'il serait plus judicieux de le publier en deux volumes de trois cent cinquante pages chacun, à trois mois d'intervalle. Cela retarderait évidemment la publication du *Côté de Guermantes*, qui deviendrait le tome III d'*A la recherche du temps perdu*, mais ce *Côté de Guermantes* pourrait à son tour être scindé en trois volumes pour aboutir, suppute Louis de Robert, à une publication complète en cinq volumes. « Un livre de sept cents pages, insiste-t-il, sera *parcouru* des yeux et on dédaignera ainsi tant de beautés, tant d'aperçus originaux, tant d'observations d'une justesse et d'une vérité surprenantes ! » Le goût qu'il avait pour *Les Plaisirs et les Jours*, ainsi que pour les chroniques parues dans les journaux, est devenu de l'enthousiasme depuis que sa lecture des épreuves lui a révélé le véritable génie de Proust et sa puissance créatrice : « Ne *coupez rien*, ce serait un crime, lui reommande-t-il au début de cette lettre. Tout doit être conservé, tout est rare, subtil, profond, vrai, précieux, incomparable[2]. » En revanche, il partage l'avis de Grasset et souhaite que Proust accepte, pour les dialogues, d'aller à la ligne à chaque réplique : « Oui, votre idée de supprimer les blancs dans les dialogues est *mauvaise*. Vous désorientez le lecteur dans son habitude et vous demandez à son esprit une plus grande tension. Et puis, à l'œil même, le volume manquera de variété, d'air, prendra un aspect touffu, étouffant[3]. »

Proust n'entend pas couper le premier volume en deux, car

---

1. Kolb, tome XII, p. 211.
2. *Ibidem*, p. 219.
3. *Ibidem*, p. 220.

il estime que ce serait rompre le rythme : « Aucune considération de succès ne pourrait... me décider à modifier la composition de cet ouvrage (déjà différente de ce que que je voulais) », écrit-il à Mme de Pierrebourg, la belle-mère de Georges de Lauris, elle-même auteur signant *Claude Ferval* des romans à la fois douloureux et mondains. Déjà, en acceptant de renoncer à un volume d'environ quinze cents pages pour le couper en deux, il a l'impression d'imiter ceux qui, possédant une tapisserie trop grande pour leur appartement — problème qu'il a d'ailleurs connu — sont obligés de la couper.

Prié de donner son avis, Georges de Lauris conseille également de petits volumes, assez courts, ce qui n'est pas plus envisageable. Maintenant qu'il a corrigé les secondes épreuves du premier volume, il s'aperçoit que celui-ci, en raison des nombreux remaniements qu'il a opérés, dépassera les sept cents pages, ce qui va l'obliger à reporter au début du second tome la fin du premier. Il explique ainsi ce changement à Bernard Grasset : « Vous êtes vous-même trop artiste pour ne pas comprendre qu'une fin n'est pas une simple terminaison et que je ne peux pas couper cela aussi facilement qu'une motte de beurre [1]. »

Alors qu'il est tout occupé de ce travail ingrat, obscur et passionnant, l'amour et la mort vont entrer dans son existence pour la bouleverser, drames dont la répercussion sera plus importante encore dans son œuvre que dans sa vie.

1. Kolb, tome XII, p. 233.

# 17

## Avril 1913 - Mai 1914

*Le bonheur dans la souffrance : Alfred Agostinelli - Publication de* Du côté de chez Swann - *L'interview d'Elie-Joseph Bois - Un succès d'estime - « M. Alfred est parti ! » - Albert Nahmias à sa poursuite - Joute littéraire avec Paul Souday - Mise au point avec Henri Ghéon - Avances de la N.R.F. - Grasset l'emporte et garde Proust - Campagne littéraire pour 1914.*

Pour une raison mystérieuse, le 26 juillet 1913, alors qu'il n'a pas fini de corriger ses épreuves, Proust part brusquement pour Cabourg où il arrive à cinq heures du matin, son chauffeur s'étant perdu en route. Cette année, il ne fait au Grand Hôtel, où pour une fois il déclare se trouver très bien, qu'un bref séjour et repart une semaine plus tard, tout aussi précipitamment, pour rentrer à Paris. La clé du mystère doit être cherchée, vraisemblablement, dans la présence boulevard Haussmann, depuis le mois de mai 1913, d'Alfred Agostinelli, le chauffeur de la Compagnie des Taximètres Unic qui l'avait promené en 1907 et 1908 à travers la Normandie.

Agé maintenant de vingt-cinq ans, le jeune homme était venu le voir deux mois plus tôt pour lui dire qu'il avait perdu sa place à la Compagnie des Taximètres et lui demander d'entrer à son service comme chauffeur. Or Proust utilisait à Paris les services d'Odilon Albaret dont il était parfaitement satisfait, car ce chauffeur se montrait d'une complaisance infinie, n'hésitant pas, après une journée de travail, à la prolonger au-delà de son temps pour aller le chercher boulevard Haussmann, le conduire quelque part et l'attendre s'il le fallait jusqu'à l'aube. Le pauvre Odilon Albaret avait ainsi parfois des journées épuisantes, de près de vingt heures, conduisant presque automatiquement et un jour qu'il somnolait au volant, luttant contre le sommeil, il n'avait été réveillé vraiment que par l'employé de l'octroi. Malgré cela, il conduisait fort bien, n'avait jamais d'accident et, ce qui était précieux pour son client, toujours inquiet de ce que l'on pouvait dire de lui, il se montrait d'une grande discrétion, gardant pour lui le secret des courses qu'on lui demandait. Il joignait à cette discrétion une grande honnêteté, ne forçant jamais ses notes que d'ailleurs Proust réglait sans les examiner. Proust n'avait aucune raison de se séparer de lui, d'autant plus qu'Odilon Albaret venait de se marier, ce qui augmentait ses charges. Il avait épousé le 27 mars 1913 une jeune fille d'Aurillac, Céleste Gineste, destinée à jouer un grand rôle dans les dernières années de Proust. Les Albaret s'étaient installés à Levallois, à proximité d'un café restant ouvert assez tard la nuit pour que Proust pût appeler Odilon lorsqu'il avait besoin de lui, ce qui ne se produisait jamais avant dix heures du soir.

Il ne pouvait donc se priver des services d'un homme aussi ponctuel et complaisant, d'une grande égalité d'humeur, pour faire plaisir au bel Agostinelli. En revanche, il avait proposé à celui-ci, pour lui donner quand même du travail, de continuer la dactylographie de son livre. L'ancien chauffeur, qui n'avait aucun emploi en perspective, avait accepté, troquant son automobile contre une machine à écrire. Établi à demeure boulevard Haussmann, il s'y était vite trouvé dans le rôle imprévu de secrétaire mis au secret.

En effet, Proust semble tenir à ce que l'on ne sache pas qu'il héberge ce jeune homme. Au vicomte d'Alton, qui l'a connu à Cabourg, il recommande instamment de ne parler de celui-ci à personne, ce qui est le meilleur moyen d'éveiller les soupçons. Au fidèle Albert Nahmias, il ajoute en post-scriptum à une lettre : « Évitez de parler de mon secrétaire (ex-mécanicien). Les gens sont si stupides qu'ils pourraient voir là (comme ils l'ont vu dans notre amitié) quelque chose de pédérastique. Cela me serait bien égal pour moi, mais je serais navré de faire du tort à ce garçon [1]. »

Il y a pourtant auprès du jeune homme une autre personne dont la présence suffirait à imposer silence aux mauvaises langues : celle d'une femme, Anna, qu'il donne pour la sienne alors qu'elle n'est que sa maîtresse. L'engouement de Proust pour Agostinelli n'est plus un mystère, mais ce qui en reste un, c'est la raison de cette passion subite alors qu'il le connaît

1. Kolb, tome XII, p. 249.

depuis plusieurs années. Il est toujours malaisé de comprendre les sentiments d'autrui en voyant le visage de ceux qui les ont inspirés, surtout lorsque ceux-ci sont morts et qu'il ne subsiste d'eux que des photographies dans lesquelles le charme et la séduction du modèle ont disparu pour ne laisser qu'un visage figé, une silhouette engoncée dans le costume ou la robe qu'impose la mode de l'époque, photographies qui portent plus la marque du temps que celle du personnage qu'elles sont censées représenter. Que dire aussi lorsque les modèles sont nus, de cette nudité blafarde et molle pour les femmes, austère et velue pour les hommes, nudité plus faite pour inciter à la chasteté que pour éveiller le désir ?

Sur une de ces photographies, Alfred Agostinelli apparaît comme un bellâtre à moustaches, à mi-chemin entre le chanteur italien et le garçon coiffeur. Sa maîtresse est plutôt laide et les Albaret, qui la détestent, l'ont surnommée « le pou volant ». Dans ces conditions une liaison charnelle de Proust avec Agostinelli semble extrêmement douteuse, si la passion de Proust ne l'est pas. Âpre et possessive, Anna ne doit certainement pas « prêter » son amant, elle qui, au contraire, fait des scènes à celui-ci lorsqu'elle le soupçonne d'être attiré par d'autres femmes. On peut concevoir que Proust, qui a fait de la douleur une des conditions de son art, trouve dans la présence d'Agostinelli près de lui, comme dans l'impossibilité de satisfaire le désir qu'il en éprouve, un nouveau supplice de Tantale qui devient source d'inspiration. Au témoignage d'Odilon Albaret, Agostinelli est « un gentil garçon », un peu fantasque et soucieux de s'élever sur l'échelle sociale. Assez doué pour la mécanique, il s'intéresse aux progrès de l'aviation et rêve de prendre des leçons de pilotage aérien.

Après une semaine passée au Grand Hôtel de Cabourg, dans un état de surexcitation qui reflète sa correspondance, Proust avait décidé de regagner Paris pour quelques jours. Il avait donc l'intention de retourner à Cabourg, mais il y renonce en raison, semble-t-il, de son état de santé. Comme il l'écrit à Georges de Lauris, il sera beaucoup plus tranquille à Paris pour achever la correction de ses épreuves tandis qu'il pourra surveiller la dactylographie de la suite du manuscrit.

Assez curieusement, ce retour à Paris en plein été s'accompagne d'un regain d'affection pour Lucien Daudet, comme si la force d'un nouvel amour redonnait de la vie à des amours mortes, ou du moins bien languissantes. Coup sur coup, il écrit à Lucien Daudet trois interminables lettres pour lui narrer ses déboires physiques et moraux, les tracas que lui cause son livre et lui en expliquer certains passages qui, apparemment oiseux, trouveront leur justification dans les autres volumes. Lucien Daudet s'est proposé pour écrire un article lors de la parution de *Du côté de chez Swann* et Proust commence à mettre au point avec lui la stratégie nécessaire au lancement du livre. Non seulement Lucien Daudet a déjà lu celui-ci sur épreuves, mais il l'a fait lire à sa mère, fort utile pour emboucher la trompette de la Renommée.

De son côté, René Blum lui offre de publier un passage de *Du côté de chez Swann* dans le *Gil Blas*. Pour choisir le morceau qui pourrait être détaché du texte et former un épisode cohérent, Blum vient lui rendre visite, un soir. Proust lui lit à haute voix le passage de la madeleine trempée dans la tasse de thé, mais il ne paraîtra finalement pas dans le *Gil Blas* où il sera remplacé par « Une soirée de musique ». D'autres journaux imiteront le *Gil Blas*, tel *Le Temps* qui, le 21 novembre 1913, donnera un extrait relatif à l'amour du Narrateur pour Gilberte Swann. Ce que Grasset souhaiterait, c'est que René Blum publie dans le *Gil Blas* une « Indiscrétion littéraire », c'est-à-dire une espèce de portrait instantané de l'auteur surpris, voire violé, dans l'intimité de sa pensée, pour dire du livre à paraître ce qu'il ne voudrait précisément pas voir connu du public.

*

La parution est en effet imminente. Le 8 novembre, l'imprimeur Charles Colin, à Mayenne, a tiré 1750 exemplaires au lieu des 1250 prévus à l'origine, et les a envoyés à Paris. Saisi soudain d'une frénétique envie de publicité, Proust revient à la charge auprès de René Blum : « Cher ami, lui écrit-il dans les premiers jours de novembre 1913, j'ai passé ma vie à me pendre aux basques des gens pour qu'on ne parle pas de moi (vous ne le croyez peut-être pas, mais demandez à Henry Bordeaux, à Flament, à Chaumeix, à combien d'autres surtout) et voilà que par déférence pour mon éditeur je réclame une "Indiscrétion littéraire". D'ailleurs il est vrai que le livre où j'ai mis le meilleur de ma pensée et de ma vie même, j'attache plus d'importance à lui qu'à tout ce que j'ai fait jusqu'ici et qui n'est rien... [1]. »

René Blum ne perd pas de temps, car l'« indiscrétion »

---

1. Kolb, tome XII, p. 298.

sollicitée paraît dans le *Gil Blas* du 9 novembre et ne révèle rien des secrets de l'auteur ni de sa véritable pensée. Bien au contraire, cet écho souligne le côté que Proust voudrait faire oublier en donnant *A la recherche du temps perdu* comme une « étude élégante et ironique de quelques milieux mondains, [jointe à] l'évocation de tendres paysages et de souvenirs d'enfance ».

Résolu à ne rien épargner pour assurer le salut de son œuvre, Proust met tout amour-propre de côté, n'hésitant pas à relancer ses amis avec insistance : « Je ne voudrais pas que le long silence que j'ai gardé, écrit-il à Robert de Flers, et qui m'a laissé inconnu quant tant d'autres avaient l'occasion de se faire connaître, ne fît pas qu'on annonçât cela comme un livre dénué d'importance. Sans y en attacher autant que certains écrivains qui s'en exagèrent certainement la valeur, j'y ai mis toute ma pensée, tout mon cœur, ma vie même. Si en quelques lignes tu peux annoncer ce livre, tu me ferais bien grand plaisir[1]. »

La plus efficace des recommandations est celle de Marie Scheikévitch auprès d'Adrien Hébrard, le directeur du *Temps*. Elle a obtenu de son amant — ou qui passe pour l'être — l'envoi chez Proust d'un des meilleurs reporters du journal, Élie-Joseph Bois. Par sa longueur, sa compréhension de l'œuvre et le portrait assez juste qu'il brosse de l'auteur, l'article d'Élie-Joseph Bois est le premier grand texte consacré à Proust et, à ce titre, mérite mieux qu'une simple mention.

Sans cacher qu'un tel ouvrage risque de déconcerter, Élie-Joseph Bois prédit « qu'il ne laissera indifférent aucun de ceux qui l'ont lu, car, dit-il, c'est un livre original, étrange même, profond, réclamant toute l'attention du lecteur, mais la forçant aussi ». Il a tout de suite compris que le génie de Proust est dans l'analyse et dans la dissection des êtres, éprouvant lui-même en le lisant une émotion fiévreuse lorsque cette force de pénétration opère comme un scalpel au plus profond du cœur et de l'esprit pour y découvrir le sentiment vrai, l'impression originale et le ressort caché, prodigieuse habileté servie par la précision du langage, avec le souci d'employer toujours l'expression juste, même si elle n'est pas l'expression traditionnelle.

Mais le plus important de l'article est l'interview, car c'est la première fois que Proust peut exposer officiellement sa

1. Kolb, tome XII, p. 298.

théorie du temps, celle aussi de la mémoire involontaire : « Vous savez qu'il y a une géométrie plane et une géométrie de l'espace, dit-il à Élie-Joseph Bois. Eh bien, pour moi, le roman n'est pas seulement de la psychologie plane, mais de la psychologie dans le temps. Cette substance invisible du temps, j'ai tâché de l'isoler, mais pour cela il fallait que l'expérience pût durer. J'espère qu'à la fin de mon livre, tel petit fait social sans importance, tel mariage entre deux personnes qui dans le premier volume appartiennent à des mondes bien différents, indiquera que du temps a passé et prendra cette beauté de certains plombs patinés à Versailles, que le temps a engainés dans un fourreau d'émeraude.

« Puis, comme une ville qui, pendant que le train suit sa voie contournée, nous apparaît tantôt à notre droite, tantôt à notre gauche, les divers aspects qu'un même personnage aura pris aux yeux d'un autre — au point qu'il aura été comme des personnages successifs et différents — donneront, mais par cela seulement, la sensation du temps écoulé. Tels personnages se révéleront plus tard différents de ce qu'ils sont dans le volume actuel, différents de ce qu'on les croira, ainsi qu'il arrive bien souvent dans la vie, du reste.

« Ce ne sont pas seulement les mêmes personnages qui réapparaîtront au cours de cette œuvre sous des aspects divers, comme dans certains cycles de Balzac, mais en un même personnage, certaines impressions profondes, presques inconscientes [1]. »

Sachant que le public risque d'assimiler sa théorie de la mémoire à celle énoncée par Bergson, alors qu'elle est à l'opposé, il prend les devants, établissant la distinction entre mémoire volontaire et mémoire involontaire : « Pour moi, la mémoire volontaire, qui est surtout une mémoire de l'intelligence et des yeux, ne nous donne du passé que des faces sans vérité ; mais qu'une odeur, une saveur retrouvées dans des circonstances toutes différentes, réveille en nous, malgré nous, le passé, nous sentons combien ce passé était différent de ce que nous croyions nous rappeler, et que notre mémoire volontaire peignait, comme les mauvais peintres, avec des couleurs sans vérité. Déjà, dans ce premier volume, vous verrez le personnage qui raconte, qui dit *Je* (et qui n'est pas moi) retrouver tout d'un coup des années, des jardins, des êtres oubliés, dans le goût d'une gorgée de thé où il a trempé un

1. Interview reprise dans *Contre Sainte-Beuve*, Pléiade, pp. 557-559.

morceau de madeleine : sans doute, il se les rappelait, mais sans leur couleur, sans leur charme ; j'ai pu lui faire dire que comme dans ce petit jeu japonais où l'on trempe de menus bouts de papier qui, aussitôt plongés dans un bol, s'étirent, se contournent, deviennent des fleurs, des personnages, toutes les fleurs de son jardin, et les nymphéas de la Vivonne, et l'église, et tout Combray et ses environs, tout cela qui prend forme et solidité, est sorti, ville et jardins, de sa tasse de thé.

« Voyez-vous, je crois que ce n'est guère qu'aux souvenirs involontaires que l'artiste devrait demander la matière première de son œuvre. D'abord, précisément parce qu'ils sont involontaires, qu'ils se forment d'eux-mêmes, attirés par la ressemblance d'une minute identique, ils ont seuls une griffe d'authenticité. Puis ils nous rapportent les choses dans un exact dosage de mémoire et d'oubli. Et enfin, comme ils nous font goûter la même sensation dans une circonstance tout autre, ils la libèrent de toute contingence, ils nous donnent l'essence extra-temporelle, celle qui est justement le contenu du beau style, de cette vérité générale et nécessaire que la beauté du style seule traduit [1]. »

Les lecteurs du *Temps* n'ont vraisemblablement retenu de cette interview que le passage dans lequel le reporter du journal décrit Proust, couché dans la pénombre de sa chambre aux volets clos, le visage rendu plus blafard encore par la lumière de la lampe électrique, les yeux brillants de fièvre, esclave de sa maladie, bref ce qui va renforcer aussitôt la légende de l'écrivain de la nuit.

Alors qu'un tel article est presque inespéré pour un auteur inconnu, et pour un livre d'esprit si nouveau, Proust, au lieu d'en être ravi, est au contraire navré de voir en le lisant qu'il ne rapporte qu'une partie de ses paroles, car la rédaction l'a considérablement raccourci. Elle a notamment supprimé des phrases assez flatteuses sur Gaston Calmette, à qui le livre est dédié. Le jour même, Proust écrit à celui-ci pour l'informer de ces coupures et, en même temps, se plaindre de ce que *Le Figaro* soit précisément le seul journal qui n'ait en rien fait pour le livre. Calmette pourrait-il réparer cet oubli en signalant au moins l'interview du *Temps* ? « Vous savez que pour tout ce qui n'est pas labeur sérieux, je suis loin de chercher à ce que l'on parle de moi, lui écrit-il. Mais cette œuvre est vraiment importante. Et *Le Figaro* a-t-il intérêt à diminuer ses

1. *Contre Sainte-Beuve*, Pléiade, p. 559.

collaborateurs, à ne pas leur donner la situation sérieuse (j'entends situation littéraire) qu'on leur reconnaît ailleurs ? Si vous faisiez faire un écho, je souhaiterais que les épithètes *fin*, *délicat* n'y figurent pas plus que le rappel des *Plaisirs et les Jours*. C'est une œuvre de force, du moins c'est mon ambition [1]. »

Il joint à cette lettre les *bonnes feuilles* du livre dans l'espoir que Calmette en retiendra un passage pour *Le Figaro*, mais Calmette ne les lira sans doute pas et se contentera de faire annoncer le roman par Robert Dreyfus, indifférence à laquelle Proust réagit douloureusement, sans penser que Calmette estimait peut-être gênant de vanter une œuvre qui lui était dédiée : « Mais j'ai bien souvent senti que ce que j'écrivais ne vous plaisait guère, se plaint-il. Si jamais vous avez le temps de lire un peu de cet ouvrage, surtout de la seconde partie, il me semble que vous ferez enfin ma connaissance [2]. »

En fait Calmette semble avoir accepté ce livre qui lui est dédié « comme un témoignage de profonde et respectueuse reconnaissance » avec la même désinvolture qu'un an plus tôt le porte-cigarettes de chez Tiffany.

*

A part l'interview d'Élie-Joseph Bois, bien rares sont les articles annonçant le livre lorsque celui-ci est mis en librairie, le 14 novembre 1913. Par malchance, Proust se trouve en pleine crise domestique, car Céline Cottin a dû être opérée d'urgence à l'hôpital Broca, par Robert Proust lui-même. La jeune femme d'Odilon Albaret accepte de venir la remplacer boulevard Haussmann et se voit aussitôt chargée de porter à domicile, alors qu'elle ne connaît rien de Paris et s'y perd facilement, les exemplaires de *Du côté de chez Swann* que Proust adresse à ses amis et connaissances, tous avec une dédicace propre soit à flatter la vanité du destinataire, soit à piquer sa curiosité. Un des premiers livres portés par Céleste est l'exemplaire de la comtesse Greffulhe, accompagné d'une lettre de Proust. La comtesse l'oubliera un jour à La Grange, chez le marquis de Lasteyrie, où, quarante ans plus tard, il sera toujours là, non coupé, sauf les premières pages [3].

Bientôt certains journaux, certains amis font leur devoir. Le

1. Kolb, tome XII, p. 308.
2. *Ibidem*, p. 324.
3. Récit du marquis de Lasteyrie à Philippe Jullian.

18 novembre, le *Gil Blas* publie un fragment de la *Soirée chez Mme de Saint-Euverte*, mais le nom, mal orthographié, apparaît comme celui de Mme de Saint-Tuvulé, ce qui lui donne une consonance plus malgache que parisienne. Le 21 novembre, *Le Temps* offre à ses lecteurs un passage sur Gilberte Swann. En le lisant dans le journal, Proust en éprouve une impression désagréable : « J'y ai aperçu mon livre comme dans une glace qui conseille le suicide... », avoue-t-il à Jean Cocteau.

Deux jours plus tard, *Les Annales* publient un passage sur les « chambres de province » tandis que *L'Excelsior* fait paraître, suivant sa formule, un « buste » de l'écrivain, c'est-à-dire un portrait en quelques lignes. Celui-ci est l'œuvre de Jean Cocteau qui parle à propos du livre de « miniature géante, pleine de mirages, de figures, de jardins superposés, de jeux entre l'espace et le temps, de larges touches fraîches à la Manet ». Après avoir souligné que le livre « ne ressemble à rien », il conclut : « On se promène, un fil solide aux doigts, entre les miroirs mutipliés de ce prodigieux labyrinthe à ciel ouvert. »

L'étude la plus intéressante, après l'interview du *Temps*, est sans contredit celle de Lucien Daudet qui paraît le 27 novembre en première page du *Figaro* grâce à l'intervention de l'impératrice Eugénie. Courtisan du malheur, Lucien Daudet joue auprès de la vieille souveraine le rôle de chambellan honoraire, ou plutôt celui de page en qui elle imagine retrouver, à certains moments, le fils qu'elle a perdu. L'impératrice aurait, à la demande de Lucien Daudet, fait écrire par son secrétaire à Gaston Calmette pour lui dire qu'il lui serait « personnellement agréable » de voir l'article de Lucien Daudet paraître en bonne place et sans subir de coupures.

L'article est non seulement fort élogieux, mais intelligent et témoigne des dons de son auteur, plus doué pour l'analyse et la critique littéraire que pour la véritable création romanesque. Après avoir comparé Proust à Meredith, il lui reconnaît la prééminence sur tous les autres écrivains : « L'analyse de M. Proust, connaissant l'inconnaissable, expliquant l'inexplicable, est d'une telle clarté qu'elle fait songer à l'*éther* pur et *bleu* de certaines journées d'été, lequel, par la sagacité des astronomes qui en connaissent le miracle sans hasard, et pour l'ignorance du public dominical qui en aime seulement le tiède vélum apparent, est cette immensité dissemblablement accessible à tous : le ciel[1]. » Cette comparaison enchante Proust qui

1. F. Lhomeau et A. Coelho, *Marcel Proust à la recherche d'un éditeur*, pp. 271-276.

remercie Daudet de son article en lui disant que cette page à elle seule suffira pour sauver son nom de l'oubli. A cet égard, Lucien Daudet l'avait déjà rassuré en écrivant que *Du côté de chez Swann* apparaîtra plus tard « comme une extraordinaire manifestation de l'intelligence du XXe siècle » et à ce titre rejoindra dans la mémoire de l'humanité ses illustres prédécesseurs, car, ajoutait-il, « tout chef-d'œuvre est un grand cri précurseur, rassemblant par-delà le temps, dans le gel noir de l'éternité, les autres chefs-d'œuvre à venir ».

Après un tel article, où l'art de Lucien Daudet emprunte parfois à celui de Proust, *Le Figaro littéraire* ne peut faire moins, mais Francis Chevassu n'a pas le talent de son confrère et son étude est plus superficielle. Alors que Lucien Daudet citait le précédent de Meredith, Chevassu compare Proust à H.G. Wells et sa machine à remonter le temps. Moins à l'aise que Daudet dans ce monde intemporel, il laisse à Proust, en le citant, le soin d'expliquer sa méthode et son but. Sa conclusion n'est pas faite pour inciter le public à se jeter sur le livre et le dévorer : « Il faut lire le livre de M. Marcel Proust sans hâte — car il est compact, et c'est le reproche qu'on doit lui adresser — par les après-midi d'hiver tellement ternes ou par les après-midi d'été tellement éclatants que la réalité prend des airs de se reculer ou de se dissoudre, il introduit sans violence dans le pays des souvenirs, qui est aussi celui de la poésie et parfois, de l'humour[1]. »

Il faut signaler aussi des articles d'André Arnyvelde, dans *Le Miroir*, de Paul Reboux dans *Le Journal*, de Lucien Maury dans la *Revue politique et littéraire* et surtout de Maurice Rostand qui dans *Comoedia* vante un livre « unique » à propos duquel il parle de véritable miracle, car l'auteur emploie une langue « qu'il a créée lui-même afin de lui faire exprimer son âme [et qui] en possède toutes les nuances, toutes les singularités, toutes les audaces et toutes les sensibilités ». A l'instar de Lucien Daudet, il évoque la fraternité étrange des chefs-d'œuvre qui rapproche Proust d'un Léonard de Vinci, d'un Goethe, d'un Platon, d'un Dostoïevski et d'un Shakespeare, malheureusement il achève ce dithyrambe par une affirmation qui enlève du sérieux à ce qu'il écrit : « Une danseuse de tango elle-même, l'autre soir, m'[a] d'un accent créole parlé d'Odette de Crécy et cité, presque sans les déformer, plus de

1. L'intégralité de l'article se trouve dans le livre de F. Lhomeau et A. Coelho, pp. 276-281.

trente pages de *Swann*, donnant ainsi quelque gravité soudaine et sacrée à la danse qui s'achevait... [1]. »

Enfin, consécration non négligeable, car elle vient de l'étranger, cet étranger qui, pour Mme de Staël, était une espèce de postérité, le *Times Litterary Supplement* consacre, sous la plume d'A.B. Walkley, une longue étude au livre dont, là, l'auteur est comparé à Henry James, mais en jugeant celui-ci plus simple et plus concis que son rival français.

Ces quelques articles enthousiastes, sans parler de lettres d'amis qui ne le sont pas moins, de Mme Hugo Finaly à Mme Alphonse Daudet, de Louis de Robert à Mme de Noailles, devraient rassurer Proust, mais dans un concert de louanges, c'est surtout la fausse note que l'on entend. Aussi Proust est-il agacé du texte imprimé par Grasset, sans lui en référer, pour présenter le livre aux libraires : « Après un long silence dû à un volontaire éloignement de la vie, Marcel Proust, dont les débuts dans les lettres avaient suscité la plus unanime admiration, nous donne sous le titre d'*A la recherche du temps perdu* une trilogie dont le premier volume, *Du côté de chez Swann*, est la magistrale introduction [2]. » Le « volontaire éloignement de la vie » paraît à Proust une formule malheureuse, qui supposerait une retraite dans une tour d'ivoire alors qu'il est prisonnier de sa maladie ; « l'unanime admiration » qui a salué ses débuts prête à sourire pour ceux qui, le connaissant un peu, savent parfaitement que les rares exemplaires des *Plaisirs et les Jours* sortis des réserves de l'éditeur ont été distribués gracieusement par leur auteur et que la presse, à l'époque, s'est montrée fort réticente. Enfin, ce ne sont ni ses travaux sur Ruskin, connus des seuls spécialistes, ni ses collaborations épisodiques à certaines revues ou certains journaux qui peuvent constituer une carrière d'écrivain. Ses débuts, Proust les fait avec *Du côté de chez Swann*.

Encore qu'il aurait prétendu, en donnant un exemplaire à Charles de Richter, que Proust était illisible [3], Bernard Grasset, loin de se désintéresser du livre, a veillé en personne, avec le concours de René Blum, au lancement de l'ouvrage, établissant lui-même la liste des personnalités auxquelles il fallait l'envoyer, y joignant parfois un mot pour montrer le prix qu'il y attachait. Dans cette liste dressée par ses soins, on relève à côté des

1. F. Lhomeau et A. Coelho, *Marcel Proust à la recherche d'un éditeur*, p. 298.
2. *Bibliographie de la France*, 3e partie, 14 novembre 1913.
3. J. Bothorel, *Bernard Grasset*, p. 92.

noms de critiques et de personnalités parisiennes ceux, plus inattendus, de George Bernard Shaw, Maxime Gorki et Thomas Hardy. Trois cent quatre-vingt-deux exemplaires sont ainsi partis de tous côtés tandis que Proust a dédicacé chez lui environ deux cent cinquante exemplaires qu'il a envoyés lui-même, réparant certains oublis de Grasset, comme celui de Maurice Barrès.

Pour aucun de ses auteurs Grasset n'aurait, d'après son biographe, fait un service de presse aussi considérable et ne se serait donné tant de mal, ce qui prouve sa confiance en la valeur du livre et son espoir dans son succès. Avant même la publication, il avait insisté auprès de Proust pour que celui-ci le présentât au jury du Goncourt comme à celui du prix Femina, vœu qui rejoignait d'ailleurs celui de l'auteur. Proust a chargé Mme de Pierrebourg, concurremment avec Louis de Robert, d'effectuer quelques démarches en ce sens auprès des académiciens Goncourt : les deux Rosny, Paul Margueritte, Léon Daudet, Élémir Bourges, Octave Mirbeau, Gustave Geoffroy, Lucien Descaves. Mme de Pierrebourg objecte qu'elle ne connaît guère les membres du jury Goncourt et lui suggère de postuler plutôt un prix de l'Académie française ; « Je ne crois pas qu'elle puisse rien pour moi, lui répond Proust. Ses petits prix ne mettent pas en lumière un écrivain, ne flattant que l'amour-propre, et je n'en ai pas. Ses grands prix ne sont pas, je suppose, décernés à des œuvres où, sans la moindre immoralité d'intention, on n'a cependant reculé devant aucune vérité, si malséante que l'expression en puisse paraître [1]. »

Léon Daudet, à qui son frère a chaleureusement recommandé *Du côté de chez Swann*, fait observer à Proust que le prix Goncourt ne peut être décerné qu'à un auteur ayant moins de trente-cinq ans. Un confrère de Daudet a dû faire rappeler à celui-ci, par l'entremise de Louis de Robert, qu'une autre condition du prix, allant de pair avec la jeunesse, est la pauvreté du récipiendaire, car Proust écrit à Louis de Robert : « Pour le prix, il y a quelque chose de comique qu'au moment où je suis non pas totalement, mais en grande partie ruiné (je vous prie de croire que ce n'est pas cela ma plus grande tristesse) ma *fortune* soit un obstacle ! Mais, au nom du ciel, ne faites pas valoir cet argument, je serais écœuré de faire le mendiant qui se met des béquilles et un faux moignon pour avoir un prix *littéraire*. Tout ce que je pourrais faire (si je l'avais) ce

1. Kolb, tome XII, p. 307.

serait, si vous me le conseillez, de ne pas toucher l'argent. Mais actuellement, ce que je souhaite, c'est d'être lu[1]. »

*

Il ne se trouve pas dans une situation financière aussi grave qu'il se plaît à le dire, encore qu'il envisage, pour gagner tout de suite quelque argent, de faire des chroniques mondaines dans les journaux. Si par sa négligence, et surtout sa naïveté, il a encore subi des pertes en Bourse, malgré les judicieuses mises en garde de Lionel Hauser, il est assez riche pour envisager de quitter Paris et de s'installer dans un pays chaud en emmenant avec lui son personnel. Il consulte à ce sujet Mme Hugo Finaly, qui possède une grandiose villa sur les hauteurs de Florence : « J'aurais besoin de louer une maison très grande où mon personnel puisse faire du bruit sans me réveiller, très sèche et située de préférence sur un plateau un peu élevé, pas brumeux, pas dans un bas-fond[2]. » A peine a-t-il formulé ce désir, qu'il change d'avis et, en post-scriptum à cette même lettre, prie Mme Finaly de ne rien chercher pour lui en Italie, car il ne bougera sans doute pas de Paris.

Alors qu'il est absorbé par l'envoi de son livre et la correspondance supplémentaire qu'entraîne son lancement, une bombe éclate boulevard Haussmann qui détruit en quelques secondes le fragile équilibre sur lequel reposait sa vie. Le 1er décembre 1913, sans doute assez tard dans la matinée puisqu'on ne doit le réveiller sous aucun prétexte, sa domestique lui annonce, comme la vieille Françoise au Narrateur dans *A la recherche du temps perdu* : « M. Alfred est parti ! »

Il est difficile de garder en cage un oiseau qui n'est pas né en captivité. La contrainte était d'autant plus dure pour Agostinelli que celui-ci, habitué à une vie de grand air et d'aventure, ne pouvait raisonnablement s'accommoder d'une prison aussi malsaine que l'appartement du boulevard Haussmann, véritable royaume des ténèbres où dans le silence et l'obscurité voulues par Proust, l'âcre odeur des fumigations est souvent le seul indice de la présence du maître invisible dont la tyrannie se fait partout sentir. A l'atmosphère étouffante de cette claustration s'ajoute la jalousie vigilante de Proust qui, tout en ne pouvant faire d'Agostinelli son amant, voulait

1. Kolb, tome XII, p. 337.
2. *Ibidem*, p. 341.

vraisemblablement l'empêcher de l'être de qui que ce fût d'autre, homme ou femme. Dans une des nombreuses esquisses pour *Albertine disparue*, Proust décrit les affres de M. de Charlus en songeant à toutes les possibilités qui s'offrent à son jeune protégé, Félix, de le tromper, même dans les milieux où il semble que la concurrence ne soit pas à redouter, comme le monde du sport et celui de l'aviation. Il y a là un passage assez significatif qui reflète peut-être les angoisses de Proust lorsque Agostinelli le quittait pour aller au champ d'aviation d'Issy-les-Moulineaux.

Un mauvais compromis réglait donc l'existence des habitants du 102, boulevard Haussmann, compromis perpétuellement remis en question par la présence d'Anna qui n'acceptait cette situation qu'en raison des avantages financiers que le couple en tirait.

On imagine assez facilement le supplice quotidien, pour l'un comme pour l'autre, de cette étrange cohabitation : l'impression désagréable éprouvée par Agostinelli, en dépit d'une certaine affection pour son maître, de se sentir désiré par celui-ci et, surtout, sans cesse épié ; de ne pouvoir sortir sans devoir rendre compte de ses faits et gestes à Proust comme à sa maîtresse, tous deux également soupçonneux et, bien que rivaux, unis par le souci que leur donnait l'objet de leur inquiétude ; l'impossibilité de trouver un métier à son goût et la tristesse de rester enfermé à déchiffrer l'écriture de Proust au lieu d'aller rejoindre des camarades sur les terrains où s'effectuent les essais d'aéroplanes, encore que Proust lui en accordât parfois la permission et même, un jour, se fût senti assez valide pour l'accompagner, ce qui fera entrer dans *A la recherche du temps perdu* d'insolites descriptions de ces machines volantes. Certes, il y avait de temps à autre boulevard Haussmann de bons moments, lorsque par exemple le jeune homme, incontestablement doué pour la mécanique et les arts qui s'y rattachaient, s'installait devant le pianola et en dévidait les rouleaux ou bien lorsque, s'intéressant à ce qu'il dactylographiait, il posait à son maître des questions qui montraient à la fois son intelligence et son désir de s'instruire, mais une telle situation ne pouvait durer. Il fallait compter avec l'envie hargneuse des autres domestiques qui, possédant un sens aigu des distances sociales, ne pouvaient accepter la position privilégiée occupée dans la maison, et dans l'esprit du maître, par un homme qui ne valait pas plus qu'eux et qu'ils avaient connu dans un emploi subalterne.

C'est donc avec un certain soulagement, et ce plaisir qu'éprouvent toujours les serviteurs, même les plus dévoués, à se faire les hérauts de mauvaises nouvelles, que Céline ou Nicolas Cottin a dû, en ce matin du 1er décembre 1913, annoncer à son maître : « M. Alfred est parti... » Heureusement, il n'est pas parti seul. Il a emmené la peu gracieuse Anna, ce qui est pour toute la maison un autre soulagement, et il a pris avec lui toutes ses économies, assez considérables, car Proust s'était toujours montré fort généreux à son égard. Il allait pouvoir réaliser son rêve et voler désormais de ses propres ailes — au sens propre du mot — puisqu'il voulait prendre des leçons de pilotage et faire carrière dans l'aéronautique.

Les fugitifs ont aussitôt gagné Monaco, où habite la famille nombreuse, et besogneuse, d'Agostinelli. Malgré le choc psychologique éprouvé devant cette désertion, Proust ne songe qu'à rattraper Alfred et, le jour même, s'informe auprès d'Albert Nahmias de l'adresse d'un détective. Conjuré de lui téléphoner d'urgence, Albert Nahmias a dû le faire pour le convaincre que ce n'était pas un bon moyen et qu'il fallait mieux négocier, car il se voit chargé par Proust d'une mission confidentielle auprès du père d'Alfred Agostinelli. Malheureusement celui-ci, pour une raison obscure, est obligé de se rendre à Marseille. Nahmias doit donc le prendre de vitesse et se présenter chez lui, à Monaco, avant qu'il ait eu le temps d'aller à la gare, pour lui proposer le marché suivant : si son fils regagne Paris avant la fin de la semaine et promet de ne plus s'absenter un seul jour avant le mois d'avril 1914, Proust fera au père une rente dont le chiffre n'est pas mentionné dans le long télégramme d'instructions qu'il lui adresse le 3 décembre et qu'il a précautionneusement signé Max Werth, sans doute pour égarer les soupçons des Cottin. En trois jours, Proust n'expédie pas moins de neuf télégrammes à Nahmias, dont certains de près de quatre cents mots, ce qui donne la mesure de son trouble et de son impatience.

Dans ces instructions haletantes qu'il multiplie et qui compliquent la mission de Nahmias au lieu de la faciliter, Proust insiste sur plusieurs points qui lui tiennent particulièrement à cœur. D'abord le retour de l'enfant prodigue à Paris et son engagement formel à ne plus en bouger avant le mois d'avril 1914. Pourquoi cette date ? Proust espère-t-il que d'ici là sa passion se serait apaisée, ou bien qu'Alfred aurait achevé de dactylographier le manuscrit ? Ou encore estimait-il qu'il lui fallait quatre mois pour arriver à convaincre Agostinelli de ne plus le quitter ? Le second point est que l'offre de la rente doit être faite à l'insu d'Alfred, car sans cela l'affaire manquerait, mais que Nahmias ne doit rien offrir à celui-ci, sans doute assez pourvu déjà ou bien trop épris de liberté pour se laisser acheter. Curieusement, Proust paraît craindre que Nahmias ne se trompe de fils ou que le père Agostinelli n'en propose un autre à la place d'Alfred, comme ces pères de famille napolitains qui vendent indifféremment l'un ou l'autre de leurs enfants à de riches étrangers : « Qu'il sache bien duquel des fils il s'agit, recommande Proust. C'est celui qui arrive de Paris. Ce n'est pas son beau-fils, mais son fils [1]. »

Accablé de recommandations multiples et souvent contradictoires, Albert Nahmias téléphone de Monaco pour rendre compte de ses démarches et réclamer des précisions. Il doit le faire trop fréquemment au gré de Proust, car celui-ci, le 7 décembre, le prie de ne plus l'appeler, ce qui le réveille et lui cause une terrible fatigue. Le dernier télégramme de Proust confirme, avec une inhabituelle sécheresse, l'insuccès d'Albert Nahmias, dans ses démarches : « Ne lui donnez aucun argent, car il n'en mérite aucun [2]. » Le vieil Agostinelli est un père indigne qui refuse de faire le bonheur de son fils ou, du moins, n'a pas compris qu'en renvoyant Alfred à Proust il lui sauvait la vie, car celui-ci, mu par une étrange prescience du destin d'Alfred, avait télégraphié à Nahmias : « Faite comprendre que c'est dans l'intérêt du fils, à cause des dangers qu'il court, mais surtout ne lui en dites pas un mot, car il devinerait et refuserait [3]. »

Malgré cette défection, Alfred Agostinelli, tout en refusant effectivement de revenir à Paris, rentrera en grâce auprès de son ancien maître en lui écrivant des lettres qui feront dire à Proust qu'il avait l'étoffe d'un grand écrivain, lettres qu'il utilisera d'ailleurs, en les attribuant à l'ingrate Albertine, lorsqu'il écrira *La Fugitive*.

Cette fuite, et les affres de Proust, seuls quelques amis les plus intimes en ont eu un écho. A Louis de Robert, il se contente d'annoncer qu'il lui est arrivé « un chagrin qui laisse bien loin pour [lui] tout ce qui touche au livre et à plus forte raison au prix Goncourt », attribué le 4 décembre à Marc Elder pour *Le Peuple de la mer*. J.-H. Rosny avait mentionné

1. Kolb, tome XII, p. 361.
2. *Ibidem*, p. 366.
3. *Ibidem*, p. 360.

*Du coté de chez Swann* lors de la délibération du jury, mais on lui avait fait observer que son auteur n'avait pas présenté sa candidature, argument de mauvaise foi puisque Grasset avait envoyé un exemplaire du livre à tous ces messieurs de l'Académie Goncourt.

*

Agostinelli sorti de son existence, il lui faut recommencer à vivre, c'est-à-dire à s'occuper de *Du côté de chez Swann*, à continuer d'en signer des exemplaires, à lire les coupures de presse que lui fait parvenir l'*Argus* et à remercier les auteurs des articles favorables ou bien à réfuter les critiques de ceux qui n'ont compris ni son dessein ni ses procédés. « Le bon côté de mon chagrin, écrit-il alors à André Beaunier, est qu'il m'empêche d'être attristé par des articles comme celui de Chevassu », dont l'incompréhension lui a été d'autant plus sensible qu'il s'agit d'un collaborateur du *Figaro*. La dédicace à Gaston Calmette n'a décidément aucune influence sur l'esprit de cette maison et sans doute aurait-il été plus avantageux pour lui de dédier le livre à une personnalité mondaine ou politique.

Dans son amertume, il va jusqu'à prétendre qu'il a demandé « formellement » à plusieurs amis qui voulaient écrire sur *Du côté de chez Swann* de s'en abstenir, mais il n'en conjure pas moins André Beaunier de faire son article rapidement, sans attendre la publication du second volume. Il le lui dit d'une manière ambiguë, et presque agressive, au point que Beaunier réclame des explications, car il a cru comprendre que Proust lui reprochait de mettre plus de temps à faire son article que lui n'en avait mis à écrire son livre ! Ce malentendu provoque une abondante correspondance à laquelle Proust, excédé, meurtri, met un point final par une longue lettre qu'il termine ainsi : « Mais je suis malheureux aujourd'hui. Et je ne trouve pas cela juste parce que je sais bien que ce jour-là je fus très amical. Pourtant mes mots furent stupides et je vois bien qu'on pouvait leur donner le sens qui était si loin de mon esprit. Il me semble pourtant que (si c'était moi qui avais reçu la lettre) je ne le leur aurais pas donné. En tout cas, nous n'y pouvons plus rien. Je ne peux pas vous en vouloir de la peine que je vous ai expressément demandé de me faire et malgré cela je ne peux pas vous aimer autant qu'avant[1]. »

Une telle lettre, achevée par cette flèche du Parthe, est évidemment peu faite pour créer dans l'esprit d'André Beaunier la sérénité nécessaire à une critique impartiale de *Du côté de chez Swann*. Aussi n'en parlera-t-il pas, se contentant, l'année suivante, d'adresser à Proust son nouveau roman *La Révolte* avec une dédicace réduite à l'essentiel : « A Marcel Proust, André Beaunier. » Bien entendu, Proust réagira, comparant cette dédicace aux précédentes, et lui demandera en quoi il a démérité pour que le mot d'amitié soit désormais banni de leurs rapports.

Déjà fort exigeant sur les égards qu'on lui doit, les marques d'affection dont, dans chaque lettre reçue, il mesure le degré, s'inquiétant si un « Monsieur » succède à un « Cher Monsieur », ou ce « Cher Monsieur » à un « Cher Ami », Proust prend les manquements commis envers son livre avec plus de cœur encore que ceux faits à sa personne. Aussi l'article que Paul Souday, dans *Le Temps* du 10 décembre, consacré à *Du côté de chez Swann* est-il le dernier coup porté par le sort en cette sombre période, endeuillée par la fuite d'Agostinelli et l'incompréhension de maints chroniqueurs.

Critique attitré du *Temps*, Paul Souday joue dans les lettres un rôle analogue à celui de Clemenceau dans le monde politique. Homme de parti, farouchement attaché à ses conceptions, héritées des grands classiques, défendant une certaine littérature traditionnelle comme Clemenceau la république ou la laïcité, Paul Souday fait de chacun de ses articles, impatiemment attendus, un événement que le public accueille avec révérence, sans penser à discuter un instant l'oracle, aussi tranchant qu'un arrêt de cassation. Il est donc le maître absolu, ou peu s'en faut, du destin des auteurs débutants, encourageant les uns à persévérer, rejetant les autres dans les ténèbres extérieures, sans se laisser attendrir par leurs gémissements. Pour les éditeurs comme pour les écrivains, même confirmés, avoir « un bon Souday », comme on dit alors, est essentiel pour le succès du livre.

Or, le 10 décembre, l'article consacré à *Du côté de chez Swann* n'est pas « un bon Souday », encore qu'il ne soit pas systématiquement hostile à Proust. Son début laisse mal augurer de la suite : en effet, Souday reproche à l'auteur l'importance

1. Kolb, tome XII, pp. 379-380.

du livre en comparaison de la minceur du sujet : « M. Marcel Proust embrasse-t-il dans son grand ouvrage l'histoire de l'Humanité, ou du moins celle de son siècle ? Non point. Il nous conte des souvenirs d'enfance. Son enfance a donc été remplie par une foule d'événements extraordinaires ? En aucune façon : il ne lui est rien arrivé de particulier. Des promenades de vacances, des jeux aux Champs-Élysées constituent le fond du récit. On dira que peu importe la matière et que tout l'intérêt d'un livre réside dans l'art de l'écrivain. C'est entendu. Cependant Horace a parlé sévèrement de certains cas où *Materiam superabat opus* : et il y a lieu de craindre que le mot ne convienne aux cinq cent vingt premières pages de M. Marcel Proust, de qui l'on se demande combien il entasserait d'in-folio et remplirait de bibliothèques s'il venait à raconter toute sa vie. »

Néanmoins, Paul Souday lui reconnaît beaucoup de talent, tout en lui reprochant de gâter ses dons par tant d'erreurs et, surtout, de ne pas avoir composé son livre, aussi démesuré que chaotique. Certes, il y a trouvé « des éléments précieux dont l'auteur aurait pu former un petit livre exquis », mais cette appréciation un peu dédaigneuse est une injure pour un auteur qui, précisément, s'est donné tant de mal pour se dégager de l'« exquis » afin de traverser les apparences et de retrouver les véritables lois de la psychologie des sentiments. Mais il y a pire. Jouant au maître d'école, Souday a soigneusement épluché la copie de l'élève et y a relevé de nombreuses fautes, dont certaines ne sont que des fautes d'impression, mais il en conclut arbitrairement que M. Marcel Proust ignore sa langue. « Visiblement, les jeunes ne savent plus du tout le français, constate-t-il, amer. La langue se décompose, se mue en patois informe et glisse à la barbarie. Il serait temps de réagir. On souriait naguère des efforts d'un directeur de revue qui relevait sur épreuves tous les solécismes de ses collaborateurs. Ce n'était point, paraît-il, une sinécure. On commence à regretter ce courageux grammairien. Et l'on souhaiterait que chaque maison d'édition s'attachât comme correcteur quelque vieil universitaire ferré sur la syntaxe [1]. »

Ce dernier trait vise également Grasset, mais Proust, ulcéré, n'attend pas la réaction de son éditeur pour répondre à Paul Souday sur le même ton. Il commence par observer qu'il ne

1. L'intégralité de l'article de Paul Souday se trouve dans l'ouvrage de F. Lhomeau et A. Coelho, *Marcel Proust à la recherche d'un éditeur*, pp. 281 à 286.

veut pas user du droit de réponse, car le procédé serait trop humiliant pour Souday, comme la suite de sa lettre le prouvera, et lui reproche de ne pas avoir eu assez de bon sens ou d'esprit pour se rendre compte que ces fautes sont tout simplement des erreurs de protes. « Il serait cependant aussi extraordinaire que j'ignorasse les règles de l'accord des temps. Je vous assure que si *le vieil universitaire* que vous proposez d'adjoindre aux maisons d'édition n'avait à corriger que mes fautes de français, il aurait bien des loisirs... » Et, *in cauda venenum*, il achève par cette phrase assassine, dont Paul Souday pourra faire son profit : « Permettez-moi d'ajouter (puisque cette lettre n'étant pas destinée à la publicité, vous ne pouvez être offensé de cette malice) qu'il[1] pourrait en employer une partie à vérifier vos citations latines. Il ne manquerait pas de vous avertir que ce n'est pas Horace qui a parlé d'un ouvrage où *Materiam superabat opus*, mais Ovide, et que ce dernier poète avait dit cela non pas sévèrement, mais en manière d'éloge[2]. »

On ne peut se venger plus spirituellement et Paul Souday, qui semble encore ignorer les pastiches de Proust, découvre en celui-ci un adversaire à sa taille. Aussi se montrera-t-il plus prudent lorsqu'il parlera désormais de ses livres.

Il n'en demeure pas moins que ces fautes d'impression, quelques-unes fort grossières et qui n'auraient dû échapper ni à Proust ni au correcteur de Grasset, déshonorent le livre et en rendent même certaines phrases incompréhensibles. Il faudrait reprendre tout le texte et le réviser, mais Proust a d'autres soucis, pressé qu'il est de mettre au point le prochain volume. Les auteurs ne sont jamais les mieux faits pour ce genre de travail qui exige un œil nouveau.

A ce moment, surgit un secours inattendu. Gabriel Astruc, le fondateur du théâtre des Champs-Élysées où s'étaient produits les Ballets russes, avait été contraint, malgré d'éclatants succès, de fermer son théâtre faute de crédits suffisants. Il avait vu trop beau, trop grand, dépensant bien au-delà des recettes pour de fastueuses mises en scène et il se trouve, en cette fin d'année 1913, écrasé par les dettes, en dépit de l'aide apportée par quelques mécènes. Sollicité d'être un de ceux-ci, Arthur Meyer s'était récusé, avec ce mot, digne de celui à qui son snobisme a valu le surnom de « duc Jean » : « Vous avez voulu aller trop vite. *Vous autres*, Israélites, vous avez le tort de

1. Le vieil universitaire.
2. Kolb, tome XII, p. 381.

monter les escaliers quatre à quatre. Vous les redescendez de même ! »

Pour se distraire des lugubres pensées qui l'assaillent depuis son échec, Astruc avait un jour acheté *Du côté de chez Swann* que l'article de Souday lui avait tout de même donné envie de lire. Aussitôt captivé, il ne s'était pas laissé arrêter par les erreurs dont s'indignait le critique, en découvrant d'ailleurs beaucoup d'autres et, machinalement, il s'était mis à corriger le texte, y ajoutant même des commentaires en marge de certains passages. Dans son enthousiasme, il avait écrit à Proust, mais sans lui parler des fautes d'impression qu'il avait corrigées. Or, par Reynaldo Hahn, Proust apprend le travail auquel s'est livré Astruc et, toujours par l'intermédiaire de Reynaldo Hahn, il lui propose d'échanger cet exemplaire corrigé contre un autre. Astruc parachève son œuvre et fait parvenir son propre exemplaire à Proust, en le priant d'excuser les notes marginales qui prouvent l'intérêt qu'il a pris à cette lecture. « Le plaisir que mon livre ne m'a pas donné, lui répond Proust, je l'ai reçu de vos annotations. A chaque page où je les trouvais, il me semblait qu'une main amie, la main qui avait tracé ces signes, serrait la mienne et cherchait à me réconforter [1]. »

Bien que son médecin, prétend-il, lui défende d'écrire, il n'en adresse pas moins derechef à Gabriel Astruc, dans l'effervescence de cette amitié nouvelle, une deuxième lettre, allant jusqu'à lui proposer, alors qu'il n'a pas le droit d'écrire, de rédiger pour lui les souvenirs auxquels songe Astruc !

*

Des témoignages aussi sincères lui sont d'autant plus nécessaires que la critique continue de se montrer, sinon mauvaise, du moins réticente et ceux qui ne parlent pas de *Du côté de chez Swann* comme ils le devraient sont justement les écrivains liés aux revues ou aux journaux sur lesquels il était le plus en droit de compter. L'amitié de Calmette n'a pas empêché Francis Chevassu de faire dans *Le Figaro* un compte rendu décevant. Les liens de Proust avec André Gide et Gaston Gallimard n'empêchent pas un collaborateur de la N.R.F., Henri Ghéon, de publier dans celle-ci, le 1er janvier 1914, une étude dans laquelle il montre une parfaite méconnaissance de

1. Kolb, tome XII, p. 387.

la pensée de Proust et se contente de juger du fond d'après la forme : « Voilà une œuvre de loisir, ironise Henri Ghéon, dans la plus pleine acception du terme. Je n'en tire pas argument contre elle. Sans doute le loisir est-il une condition essentielle à l'œuvre d'art ? Il peut aussi la rendre vaine... »

Encore une fois, Proust est victime de sa légende, celle de l'oisif et du mondain, qui fait voir à Henri Ghéon, dans ce livre épais, l'œuvre d'un dilettante : « Tout le temps est à lui, observe-t-il, il en profite à sa façon. Il le considère d'avance comme du temps perdu. » Et après ce début dépréciatif, il reproche à Proust de tout mettre sur le même plan : « Qu'il s'agisse d'un vitrail, d'un paysage, d'une figure humaine, d'un cas de conscience, d'un fait divers, il en va tout de même et tout est dit expressément. Ce livre a la folie de la sincérité ; il a l'affectation et la préciosité de ce qui se veut trop sincère. » Agacé par certains personnages, comme celui de Mme Sazerat, tout en admirant le portrait des Verdurin, Henri Ghéon avoue ne pas comprendre l'intérêt porté par Proust à des faits, des êtres, des sentiments ou des impressions qui lui paraissent sans importance. Imitant inconsciemment le style de Proust et usant à son tour d'une métaphore marine, il compare la phrase proustienne « à une sorte de filet, indéfiniment extensible, qui traîne sur le fond océanique du passé et en ramasse toute la flore et toute la faune à la fois... Loin de nous imposer un choix, l'auteur s'en remet à nous de choisir, étalant devant nous à mesure et confusément ce que chaque coup de filet ramène. » Enfin, passant d'une comparaison marine à une autre, sylvestre celle-là, il voit dans le livre une forêt où le propriétaire, au lieu de l'éclaircir, d'y ménager des espaces, d'ouvrir des perspectives, occupe son temps « à compter les arbres, les diverses sortes d'essences, les feuilles aux branches et les branches tombées. Et il décrit chaque feuille comme différente des autres, nervure par nervure, et l'endroit, et l'envers. Et voilà son amusement et sa coquetterie... »

Craignant peut-être d'avoir trop malmené l'auteur, Henri Ghéon lui concède à la fin qu'il est un esthète hors de l'espèce commune : « Ce qu'il nous donne aujourd'hui, personne ne nous l'avait donné, ni la pénombre d'une chambre d'enfant précoce, ni les propos de ces étonnants Verdurin, qui sont les réussites extrêmes du livre. » Il lui reconnaît aussi de la poésie « et de la plus belle, de la psychologie, et de la plus neuve, de l'ironie — et de la plus originale[1] », mais il en faudrait plus

1. Étude entièrement citée dans F. Lhomeau et A. Coelho, pp. 307 à 311.

pour apaiser la colère de Proust en lisant cet article. Le jour même, il écrit à Henri Ghéon pour réfuter point par point ses critiques, ou plutôt ses railleries, bien déplacées, dit-il, à l'égard d'un malade à qui justement le temps fait défaut : « Car un tel ouvrage, explique-t-il, devait remplir un assez grand nombre d'années, il devait être long, il eût fallu du loisir pour l'écrire. Ses énormes défauts viennent surtout de ce que j'en ai manqué pour l'écrire. Mais comme certains insectes ou certains végétaux, un instinct m'a poussé à déposer malgré tout mes germes que je crois féconds et qui, si mal logés qu'ils soient dans ce livre, y trouveront cependant une demeure moins précaire que dans mon cerveau[1]. »

Il faudrait pouvoir citer toute cette lettre, une des plus intéressantes de Proust sur la genèse de son œuvre et sa méthode : « Mais, m'oubliant entièrement et ne pensant qu'à l'*objet* que je veux connaître, je ne fais pas avec cette connaissance partielle ce que feraient tels de vos amis (et ici je ne pense plus du tout à vous), je ne raconterai pas que j'ai éprouvé cela, je n'entoure pas de lyrisme ce petit morceau de vérité. Mais quand j'ai trouvé d'autres petits morceaux de vérité je les mets bout à bout pour tâcher de reconstituer, de restaurer l'objet, fût-ce un vitrail... »

Indigné qu'on puisse parler aussi légèrement d'un livre, alors qu'on connaît la difficulté du métier d'auteur pour en écrire soi-même, Proust continue : « Je reconnais qu'en tout cela, c'est moi qui ai tort car je n'admets pas qu'on juge un auteur sur son dessein et non sur son livre. Et quand je vois tel écrivain à la mode aujourd'hui entasser les volumes et s'entendre louer pour ses intentions généreuses, sa profondeur de vues, mais à chaque phrase ne pas trouver la métaphore qu'il faut, faire un tour immense, mais ne pouvoir jamais sauter le fossé, je déplore qu'aujourd'hui l'intention soit ainsi tenue pour le fait[2]. » Ainsi qu'il l'écrira également à Robert Dreyfus et à Louis de Robert, il fait remarquer à Henri Ghéon, pour répondre à l'objection de celui-ci de noter l'essentiel et jamais le geste ou le fait banal : « D'abord mon livre est dépouillé de ce qui occupe la majeure partie des romans : à moins que ce ne soit pour faire signifier à ces actes quelque chose d'intérieur, jamais un de mes personnages ne se lève, ne ferme une fenêtre, ne passe un pardessus[3]. »

1. Kolb, tome XIII. p. 23.
2. *Ibidem,* p. 24.
3. *Ibidem,* p. 25.

Enfin, Proust aborde un problème qui ne cessera de hanter nombre de ses lecteurs et surtout la plupart de ses biographes ou de ses exégètes, celui de l'identification du Narrateur d'*A la recherche du temps perdu*, ce Narrateur sans âge, sans état et même sans nom qui ressemble à Marcel Proust comme un frère avec sa sensibilité frémissante, son instinct possessif et sa jalousie douloureuse. Il se défend d'être ce Narrateur en insistant sur son rôle de romancier, donc de créateur de personnages et il n'avouera pas plus être ce Narrateur qu'il n'admettra plus tard s'être inspiré de tel ami ou de telle femme du monde pour en faire son portrait. Il reconnaîtra seulement avoir emprunté à plusieurs personnes, parfois très dissemblables, des traits de caractère ou de mœurs dont il a composé un personnage entièrement nouveau qui est justement une création originale et non un décalque.

Non sans une certaine candeur, il utilise, dans cette lettre à Henri Ghéon, celle, fort élogieuse, que Francis Jammes lui avait adressée et dans laquelle le maître d'Orthez disait exactement le contraire de ce que Ghéon écrit dans son article du *Temps*. Mais l'autorité de Jammes est entachée de provincialisme, crime inexpiable aux yeux d'un Parisien, de surcroît collaborateur de la très intellectuelle N.R.F. pour qui Francis Jammes n'est qu'un vieux sacristain se prenant pour Virgile. En revanche, la fin de la lettre de Proust est piquante : « Le seul fait de l'avoir écrite, conclut-il ironiquement, les proportions que je lui ai données, vont vous fournir une raison de plus de croire que je suis de loisir et que j'ai bien du temps à perdre[1]. »

Les accents de Proust doivent toucher le cœur, ou l'esprit, d'Henri Ghéon et il reconnaît l'erreur qu'il a commise en persiflant un livre dans lequel l'auteur a mis, comme il le répète à tous, tant de son âme, et même de sa vie. Il lui adresse une lettre d'excuses suffisamment repentante pour que Proust, à son tour, se déclare ému, « beaucoup plus heureux [de cette lettre] que ne l'aurait fait l'article plus flatteur qui eût été, malgré tout, moins explicite[2]. Il est vrai que si l'offense a été publique, sa réparation ne l'est pas et ne peut être versée au crédit du livre dans l'opinion.

Le revirement d'Henri Ghéon, les regrets de Gide qui ne sait plus comment, désormais, réparer son erreur, l'admiration

---

1. Kolb, tome XIII, p. 27.
2. *Ibidem*, p. 37.

non feinte de Jacques-Émile Blanche qui prépare un grand article pour *L'Écho de Paris*, une chronique louangeuse dans *L'Intransigeant* font que dans Paris on commence à parler de *Du côté de chez Swann*, beaucoup de gens du monde étant d'ailleurs plus curieux de voir l'auteur que de le lire. Ce qui est plus encourageant que les ventes, encore modestes bien que régulières, c'est le désir soudain de la N.R.F. d'arracher Proust à son éditeur pour devenir le sien.

*

Comme l'accord passé entre Proust et Bernard Grasset n'a pas été ébruité, André Gide croit Proust lié à Grasset par un traité normal, c'est-à-dire prévoyant un droit de préférence de l'éditeur sur les futurs ouvrages de l'auteur. Apprenant qu'il n'en est rien et qu'au contraire Proust a supporté tous les frais de composition, Gide, le 20 mars 1914, écrit à Proust que la veille la N.R.F. a décidé « à l'unanimité et d'enthousiasme » de publier les deux autres volumes d'*A la recherche du temps perdu*.

Cette offre merveilleuse arrive, hélas !, trop tard. Certes, Proust estime avoir à se plaindre de Grasset. Les rapports entre un auteur et son éditeur sont en général ceux du forçat et du garde-chiourme, à cette seule différence que l'écrivain a d'abord voulu entrer au bagne pour ensuite affirmer qu'il est réduit aux travaux forcés, odieusement exploité, parfois si bien dépouillé que ce serait à l'éditeur, clame-t-il, d'être envoyé au bagne, au vrai ! « A peine ont-ils signé un contrat que chacun se croit lésé », constate Léon-Pierre Quint. En effet, l'auteur s'imagine qu'il aurait pu demander plus, et l'éditeur regrette d'avoir trop donné. Ce sont des mariages forcés, où chacun s'efforce de tromper l'autre.

Le contrat signé par Proust ne place pas celui-ci dans la même dépendance, puisqu'il assume les frais d'impression, mais il estime néanmoins avoir à se plaindre de Bernard Grasset ou, du moins, de son imprimeur. Malgré ses griefs, il se sent lié par l'honneur, à défaut de l'être par un contrat. Bien que très flatté de cette proposition de la N.R.F., il répond qu'il ne l'accepterait qu'à une double condition : la première, que Grasset lui rende sa liberté ; la seconde, assez saugrenue et justement de nature à offenser Grasset : qu'il assume également les frais d'impression s'il passe à la N.R.F. En effet, Bernard Grasset comprendrait à la rigueur que Proust veuille être édité de manière normale, sans avoir rien à payer, ce qui serait reconnaître son talent, mais il ne pourrait admettre qu'à conditions égales, Proust lui préfère un autre éditeur.

Tout en persévérant dans cette idée bizarre et en faisant jurer à Gide d'en garder le secret pour que Grasset n'en sache rien, il étudie les moyens de se libérer. Il consulte Émile Straus et lui soumet le contrat qu'il a signé en 1913. Deux jours plus tard, saisissant l'occasion que lui offre Grasset en lui proposant de publier le deuxième volume à la fin du mois de mai ou au début de celui de juin, il lui écrit une de ces longues lettres qui laissent leur destinataire incapable de savoir ce que veut exactement son correspondant.

Proust commence par lui signaler l'offre de la N.R.F. en ajoutant qu'il l'a refusée, puis il avertit Grasset qu'il a chargé Reynaldo Hahn d'intervenir auprès de la princesse Edmond de Polignac, leur amie comune, pour que celle-ci aborde le sujet avec lui et sache s'il accepterait de céder les deux volumes en question à la N.R.F. Comme la princesse n'a pas encore effectué cette démarche, il préfère donc évoquer franchement le problème, tout en cherchant à justifier son départ éventuel par une raison purement technique, c'est-à-dire un certain équlibre entre les volumes. Il est impossible en effet que Grasset publie au mois de mai, voire au mois de juin, le deuxième volume qui n'est pas prêt. Il n'a que les placards du début, « le reste est encore en manuscrit, pas même recopié complètement à la machine », et les placards du début devront certainement, ce qu'il ne dit pas, être entièrement recomposés à la suite des importantes modifications qu'il y a faites. Bref, pour achever la mise au point du deuxième volume, il lui faut encore plusieurs mois, après lesquels il faudra prévoir un certain laps de temps pour la composition, la correction des épreuves, celle du deuxième jeu et, sans doute, d'un troisième. Il accumule ainsi les obstacles dans le but évident de décourager Bernard Grasset : « Je crois donc qu'il faudra attendre octobre (au fur et à mesure que je recevrai les épreuves nous verrons s'il y a moyen d'arriver plus tôt, ou si même octobre est un peu prématuré) dans le cas où vous n'accueilleriez pas mon désir d'émigrer à la *Nouvelle Revue française*. Mais peut-être l'accueillerez-vous ? »

Bernard Grasset se trouve alité, terrassé par une forte grippe, lorsque lui parvient cette lettre [1]. Il lui en fait accuser réception

1. Kolb, tome XIII, pp. 125 à 129.

par son second, Lucien Brun, qui, voyant le danger, ajoute dans sa réponse que M. Grasset tient à garder son auteur. Quelques jours plus tard, Grasset répond lui-même à Proust, par une lettre aujourd'hui perdue, mais dans laquelle il invoque le contrat signé en 1913 et confirme ce que lui a déjà précisé Lucien Brun, c'est-à-dire son intention de continuer à publier son œuvre. Maladroitement, il emploie un mot qui sonne mal aux oreilles de Proust, celui de « contrainte ». Aussi Proust réplique-t-il un peu aigrement et, par mesure de rétorsion, lui demande le compte exact des exemplaires vendus jusque-là. Le 4 avril 1914, Bernard Grasset s'explique sans ambages : « J'entendais vous dire que je ne voulais, pour vos deux prochains livres, suite du premier, n'être votre éditeur que si vous me confiez ce soin sans aucune arrière-pensée, et en toute confiance. Notre traité me charge de l'édition de l'ensemble (tout en vous réservant absolument la propriété de tout cet ensemble : soyez donc sans inquiétude à ce sujet), mais encore une fois, malgré cette entente, je ne veux être votre éditeur par la suite que si, notre accord *n'étant pas compté pour rien*, vous me donnez toute votre confiance. » Et pour bien convaincre Proust qu'il entend le laisser libre, il le lui répète en un second paragraphe, ajoutant : « Décidez dans la plénitude de votre indépendance [1]. »

C'est répondre avec autant d'élégance que d'habileté. Proust ne s'y trompe pas. Il est pris à son propre jeu, ne pouvant plus quitter Grasset sans paraître lui avoir retiré sa confiance. Relatant à Gide cet échange de lettres, il lui avoue qu'il a été battu par la générosité de Bernard Grasset : « Alors est arrivé ce que je pouvais le plus redouter, car je suis sans armes contre la gentillesse. Il m'a écrit que je pouvais faire ce qui me plaisait, qu'il me déliait de tout traité, qu'il ne voulait de moi que de tout mon cœur et non par contrainte. Dans ces conditions, je ne pouvais qu'abdiquer la liberté qu'il me rendait, je lui ai donc dit que je paraîtrais chez lui, en me réservant de faire d'autres éditions ailleurs, ce qu'il a reconnu m'être permis en vertu du traité [2]. »

En compensation, Proust pourra donc donner des fragments de son prochain livre à la revue de la N.R.F. Pour Grasset, l'alerte a été chaude et, du coup, il se penche avec plus d'attention sur cet auteur difficile, plus exigeant que ne le

1. Kolb, tome XIII, p. 134.
2. *Ibidem*, p. 140.

laissent supposer ses afféteries de langage et ses protestations de désintéressement. Grasset commence par lui faire régler, à la fin du mois d'avril 1914, ses droits d'auteur au 26 mars, soit 1 762 francs [1]. A l'occasion de la remise de la dactylographie du deuxième volume, il lui propose des conditions beaucoup plus avantageuses, mais sous la réserve d'être assuré de pouvoir publier l'intégralité de l'œuvre. Il s'engage à publier ce nouveau tome à ses frais, avec un tirage de départ de 3 000 exemplaires et un droit de 0,65 franc [2] par exemplaire vendu, droit porté à 0,75 franc [3] pour le deuxième tirage, ce qui est effectivement un avantage exceptionnel car Grasset ne donne en général que 0,50 franc par exemplaire à ses auteurs. Seuls resteraient à la charge de Proust les frais de correction, incitation discrète à limiter le nombre et l'ampleur de celles-ci.

Bernard Grasset se voit récompensé de ce geste, digne « de la bonté des fées de théâtre », écrit Proust, par une lettre dans laquelle celui-ci lui explique, avec beaucoup de circonlocutions, son désir de donner à un autre éditeur un recueil de textes décrits à différentes époques : articles, pastiches, essais car s'il le publiait chez lui, les lecteurs d'*A la recherche du temps perdu* risqueraient de voir dans ce nouveau livre un tome de cette œuvre alors que, sauf pour de rares morceaux, il n'y a aucun rapport entre les deux ouvrages. Cette fois, Grasset ne fait aucune objection ; il encourage même Proust à confier cette publication à la N.R.F., lui demandant seulement qu'elle n'intervienne pas au moment précis de la publication du tome II, mais trois mois environ après cette publication, afin d'éviter toute confusion dans l'esprit des lecteurs.

Laissant Grasset se débattre avec la composition de ce deuxième volume, Proust continue sa croisade auprès de la critique et de l'opinion pour assurer à la fois la diffusion de son livre et la reconnaissance de son talent. Il le fait avec l'adresse insidieuse et l'humilité d'une dame d'œuvres quêtant pour ses pauvres et que rien ne rebute, opposant à tous les refus une politesse inlassable, à toutes les esquives une opiniâtreté sans faiblesse, soutenue dans son action par la pensée qu'elle plaide une noble cause, et puisant dans chaque rebuffade une force accrue pour revenir à la charge.

Depuis des mois, il a multiplié les lettres de remerciements

1. Environ 26 500 francs de 1990.
2. Environ 10 francs de 1990.
3. Environ 11,50 francs de 1990.

aux critiques, fait agir des amis dévoués auprès de ceux qui gardaient le silence et maintenant il a pour principal souci de répandre l'article, magistral il est vrai, que Jacques-Émile Blanche lui a consacré le 15 avril 1914 dans *L'Écho de Paris*.

Alors que Rachilde, la femme du directeur du Mercure de France, avouait dans la critique qu'elle avait faite du livre en avoir commencé la lecture dans l'enthousiame pour « le laisser retomber avec effroi, comme on refuserait de boire un soporifique », Jacques-Émile Blanche crie au chef-d'œuvre. De même que son portrait de Proust en dandy illustre la légende du Proust mondain, son article accrédite celle de l'ermite volontaire « devenu invisible après s'être tant répandu jadis », reclus dans sa chambre où, comme dans une salle de cinéma, il projette à loisir le film de ses fantasmagories, « où il *pose* lui-même pour plusieurs personnages ». Tout en admettant que *Du côté de chez Swann* est « un roman difficile à classer », il n'hésite pas à le déclarer sans précédent connu dans la littérature française et y voit le livre « de l'insomnie, de la pensée qui veille dans le silence et les ténèbres, tout en étant plein de vie ». En écrivant qu'il a reconnu « deux ou trois modèles dans chaque personnage », il pique la curiosité du public parisien, toujours avide de connaître les clés d'un ouvrage, mais il s'est rendu compte que les héros de Proust appartiennent à une autre espèce que ceux de Paul Bourget ou d'Abel Hermant et que leur créateur est un véritable artiste, non un homme du monde jouant à l'homme de lettres ou, pire, un homme de lettres jouant à l'homme du monde. « Il y a du Granville chez M. Proust, écrit-il ; comme ce fameux dessinateur, il regarde les êtres d'en haut ou d'en bas, en raccourci ou plafonnant ; il les voit sous des angles singuliers, je dirais presque qu'il suggère la quatrième dimension des cubistes. » Il faut être à la fois peintre et romancier, comme l'est J.-É. Blanche, pour avoir saisi cette caractéristique du génie proustien dont il est un des premiers à proclamer l'existence.

Si *L'Écho de Paris* est un quotidien fort lu, il ne l'est guère dans les milieux artistiques et littéraires que vise Proust. Il lui faut donc arracher ce joyau à un écrin peu digne de lui pour le faire resplendir aux yeux du Tout-Paris. Le seul moyen est d'inciter les autres journaux à faire un article sur cet article. Proust s'offre à rédiger lui-même les textes destinés à louer son thuriféraire et le fait promptement puisque le premier paraît trois jours plus tard dans le *Gil Blas*. « Après avoir publié des pages pénétrantes et souvent ironiques sur quelques artistes contemporains, M. Jacques-Émile Blanche vient de faire un éclatant début dans la critique littéraire. L'auteur de l'admirable portrait de Mme Germain[1] publiait, hier, une étude sur Mme de Noailles ; il y a peu de jours, il donnait un article admirablement compréhensif et sensible, sur le beau livre de M. Marcel Proust *Du côté de chez Swann*. Le mieux que l'on puisse faire, c'est d'en citer ces quelques phrases où apparaît le plus équitable des critiques... » Et l'auteur de ce texte publicitaire conclut, modeste : « Voici une excellente critique, celle que méritaient le grand talent et l'œuvre remarquable de M. Marcel Proust. »

Le texte envoyé au *Figaro*, et qui paraît également le 18 avril, se contente de renvoyer les lecteurs à l'article de J.-É. Blanche alors que le texte inséré dans le *Journal des débats* du 24 avril est beaucoup plus important. Aussi coûte-t-il à Proust, qui paie les frais d'insertion, 650 francs[2]. Enfin, pour achever cette campagne publicitaire, la N.R.F. accepte de publier, le 1er juin 1914, de longs extraits du *Côté de Guermantes* avec, dans les dernières pages, l'apparition du baron de Charlus.

L'avenir littéraire de Proust s'annonce sous les meilleurs auspices, mais encore une fois le destin va contrecarrer ses plans. Une catastrophe survient qui, de nouveau, va le plonger dans un désespoir plus grand que celui qu'il avait éprouvé, six mois plus tôt, en apprenant la fuite d'Agostinelli.

---

1. Mme Germain, épouse du fondateur du *Crédit Lyonnais*, mère d'André Germain, l'éphémère mari d'Edmée Daudet, venait de faire faire son portrait par J.-É. Blanche, portrait brillant mais sans complaisance excessive. « Il y avait de la perruche et de la chouette sur ce visage au petit nez crochu et aux yeux énormes, ronds et éclatants, d'une couleur verte et jaune, ombragés de sourcils épais en accents circonflexes... », écrit Ferdinand Bac qui raconte que Mme Germain n'avait pas entendu payer l'artiste : « S'il ne me donne pas mon portrait pour rien, avait-elle dit, je me ferai payer mes séances de modèle ! »

2. Environ 10 000 francs de 1990.

# 18

# Juin 1914 - Juin 1915

*Prélude à la guerre : assassinat de Calmette - Et noyade d'Agostinelli - Du bon usage de la souffrance - Paris en guerre - Le comte Greffulhe tient le coup - Proust se replie sur Cabourg - Ernst Forssgren, secrétaire intime - Hystérie patriotique et ambulances mondaines - Proust au-dessus de la mêlée - Le désarmement des intelligences - Montesquiou saisi par la débauche cocardière.*

Un tragique événement, prélude à ceux qui vont bientôt bouleverser l'Europe est, le 16 mars 1914, l'assassinat de Gaston Calmette auquel fera pendant, le 13 juin 1918, celui du docteur Pozzi, comme si la longue période de guerre que la France va connaître était destinée à s'ouvrir et s'achever, ou presque, par deux victimes civiles de marque. C'est du moins la conclusion que Proust, fort lié à ces deux personnages, en tirera.

Ce qui donne à l'assassinat de Calmette un grand retentissement, c'est qu'il a été perpétré par une femme, Mme Caillaux, ce que celle-ci s'est empressée de rappeler aux agents qui l'appréhendaient : « Ne me touchez pas, je suis une femme ! » Au mois de février 1914, Calmette avait entrepris dans *Le Figaro* une campagne virulente contre le ministre des Finances, ancien président du Conseil, Joseph Caillaux, suspect à la droite par ses compromissions comme par ses ambitions. Pour le discréditer dans l'opinion, Calmette avait eu l'idée de publier une série de lettres du ministre à sa première épouse et dans lesquelles il avouait cyniquement avec quelle duplicité il défendait certaines causes auxquelles il ne croyait pas, cherchant seulement des succès politiques ou des avantages financiers. L'une de ses lettres, rappelant son rôle dans le projet d'impôt sur le revenu, était particulièrement éhontée : « ... J'ai *écrasé* l'impôt sur le revenu en ayant l'air de le défendre, je me suis fait acclamer par le centre et par la droite et je n'ai pas trop mécontenté la gauche... » Depuis, on attendait d'autres révélations, encore plus piquantes, mais Mme Caillaux les avait empêchées par le plus radical des moyens. Le 16 mars, en fin d'après-midi, elle s'était rendue au *Figaro*, avec un revolver dans son sac. En voyant sa carte, Gaston Calmette avait décidé de la recevoir, malgré la désapprobation d'un membre de son entourage. A peine avait-il introduit la visiteuse dans son bureau qu'on avait entendu claquer cinq coups de feu et ses collaborateurs, qui s'étaient rués à son secours, l'avaient trouvé râlant. Il mourait quelques instants plus tard.

Ainsi Proust n'aura-t-il jamais eu de Calmette les remerciements attendus pour son porte-cigarettes de chez Tiffany et, surtout, n'aura-t-il jamais su vraiment ce que le directeur du *Figaro* avait pensé de son livre. Comme il l'écrit à Mme Straus, il est désespéré de cette mort, et après une lugubre visite au journal pour revoir le couloir « où cette affreuse femme l'a suivi », il est rentré chez lui avec l'intention d'envoyer une lettre de condoléances à Mme Ballot, maîtresse de Calmette, mais Robert Dreyfus et Jacques Bizet l'en dissuadent. Les amis de Gaston Calmette ne peuvent souhaiter plus belle épitaphe pour le directeur du *Figaro* que les deux lignes en tête de *Du côté de chez Swann* qui l'associent pour toujours à la gloire de son auteur. Réfléchissant à ce drame, qui prouve que le journalisme n'est pas sans danger, Proust écrit le lendemain à Mme Straus : « Personnellement je n'aimais pas absolument la campagne du *Figaro* et je regrettais que la politique et même le patriotisme inclinassent à la dureté un homme aussi bon que Calmette. Mais si mon amour de la bonté et de la pitié avant tout me faisait faire cette bien légère réserve sur une campagne si désintéressée et si noble, vous pensez quelle horreur, quel dégoût, quel épouvantement moral peut m'inspirer le crime immonde de cette furie[1]. »

Tandis qu'un procès retentissant occupe l'opinion publique et que Caillaux, qui a dû démissionner, défend sa femme, Proust voit s'ajouter aux soucis du lancement de son livre ceux de nouvelles difficultés financières. Une partie de ces difficultés vient des incessantes demandes d'argent d'Alfred Agostinelli. Installé sur la côte méditerranéenne, celui-ci a réalisé son rêve en s'inscrivant à l'école de pilotage des frères Garbero, près

1. Kolb, tome XIII, p. 112.

d'Antibes et, en hommage à son ancien maître, il a choisi comme nom de plume, si l'on peut dire, celui de Marcel Swann. Les relations entre les deux hommes sont redevenues bonnes, en dépit des torts d'Agostinelli, mais peut-être Proust a-t-il compris l'impossibilité de garder captif auprès de lui un garçon si jeune encore, et rêvant de vitesse et d'espace. Les lettres d'Agostinelli ont sans doute beaucoup aidé à cette réconciliation, si l'on en juge par le ton de celle que Proust s'apprête à lui envoyer le 29 mai 1914 pour le remercier de l'une des siennes. En tout cas, il a décidé de faire à son ancien secrétaire le plus somptueux des cadeaux : un aéroplane valant 27 000 F, somme considérable[1]. Afin de trouver les fonds pour cet achat, il a dû vendre pour 20 000 francs[2] d'actions déposées à la banque Rothschild, puis il s'est adressé à Lionel Hauser en le priant de réaliser ses Royal Dutch à concurrence de 10 000 francs, mais celui-ci l'a aussitôt prévenu qu'il n'a plus de Royal Dutch à la banque Warburg. Il faut liquider d'autres valeurs. Ce soudain besoin d'argent paraît suspect au consciencieux Hauser qui se doute bien que cette hâte est dictée par un motif guère avouable : « Je ne te cacherai pas que je suis un peu inquiet au sujet de ces retraits de fonds, lui écrit-il le 29 mai 1914, mais comme le métier de conseiller intime a de tout temps été fort ingrat, je me borne à exécuter les ordres. Mais je suis inquiet tout de même...[3] »

Sans doute croit-il à une dette d'honneur, une perte au jeu, mais Proust ne joue pas ; peut-être une menace de chantage, car son client, au lieu de toucher les fonds par chèque, envoie Céleste Albaret les prendre en espèces. Au mot pour accréditer celle-ci, il ajoute cette phrase significative : « Je t'écrirai demain ma confession et te demanderai absolution et conseil[4]. » Comme Lionel Hauser, de plus en plus méfiant, ne veut se dessaisir d'une telle somme que sous forme de chèque, Proust allait lui donner son accord lorsqu'un télégramme lui apprend qu'Agostinelli s'est noyé, le 30 mai, au large d'Antibes.

Il était parti, en fin d'après-midi, exécuter un vol d'entraînement au-dessus de la mer, bien que son moniteur le lui eût interdit. Au moment de virer pour regagner la terre, l'appareil, manquant d'altitude, avait basculé sur une aile et s'était abîmé dans les flots. L'appareil n'avait pas sombré immédiatement

1. Environ 410 000 francs de 1990.
2. Environ 300 000 francs de 1990..
3. Kolb, tome XIII, p. 215.
4. *Ibidem.*

et, de la côte, les spectateurs qui suivaient du regard l'exercice avaient vu le pilote, agrippé au fuselage, appeler au secours avant de disparaître avec l'appareil. Certains journaux, en relatant les circonstances de l'accident, devaient ajouter que le corps d'Agostinelli avait été aussitôt attaqué par des requins.

Jean Vittoré, demi-frère d'Agostinelli, qui avait pris à Nice le premier train pour Paris afin de donner à Proust tous les détails de la catastrophe, se présente boulevard Haussmann. D'après Vittoré, Proust a sangloté dans ses bras en le voyant ; dans une lettre adressée le même jour à Émile Straus, Proust affirme que c'est Vittoré qui a sangloté dans ses bras, ce qui laisse à penser que les deux hommes, également bouleversés, ont pendant quelques minutes donné un cours semblable à des sentiments différents. En effet, Jean Vittoré n'est pas venu seulement à Paris comme messager de mauvaises nouvelles. Vraisemblablement député par la famille, il est venu prier Proust « de faire envoyer des scaphandriers pour retirer de l'eau son frère qui avait toutes ses économies sur lui[1] ». Avant de pleurer le mort à loisir, il faut parer au plus pressé, disputer aux poissons cet argent plus précieux encore qu'une vie humaine. Or il n'y a pas de scaphandriers à Antibes, ni même à Nice. Il faut les faire venir de Toulon et leur déplacement coûte cher : environ 5 000 francs[2]. Les fonds destinés à l'achat de l'aéroplane vont trouver, partiellement du moins, une autre destination.

En même temps que la mort, la discorde est entrée dans la famille Agostinelli qui regarde Anna d'un mauvais œil et a subitement séché ses larmes en apprenant que si le corps était retrouvé Anna réclamerait l'argent comme lui revenant de droit ou de fait. C'est alors, semble-t-il, que la famille a découvert qu'Alfred n'était pas marié avec Anna, qui n'était donc que sa maîtresse. Comme le prince de Monaco avait été prévenu de cet accident dans l'espoir qu'il ferait quelque chose en faveur de l'épouse infortunée, les Agostinelli l'auraient prévenu qu'Anna n'était pas sa veuve légitime ainsi qu'elle le prétendait.

Proust paraît, lui aussi, avoir ignoré jusqu'alors cette situation et cru comme tout le monde qu'Alfred et Anna étaient régulièrement mariés. C'est ce que l'on peut déduire d'une de ses lettres à Émile Straus dans laquelle il avoue son inquiétude

1. Kolb, tome XIII, p. 224.
2. Soit 75 000 francs de 1990.

à la pensée que l'on ait pu abuser le prince de Monaco sur les liens réels du couple Agostinelli. Malgré l'absence d'une véritable sympathie entre Émile Straus et lui, Proust l'a pris pour confident de ses angoisses et de ses embarras d'agent, peut-être avec l'arrière-pensée que cet habile avocat saurait le défendre contre les exigences d'Anna, toute prête à se muer en veuve abusive. Lorsqu'il avait mis naguère Agostinelli en garde contre les risques du pilotage aérien, il avait ajouté, prophétiquement : « Si jamais le malheur voulait que vous eussiez un accident d'aéroplane, dites bien à votre femme qu'elle ne trouvera en moi ni un protecteur, ni un ami et n'aura jamais un sou de moi[1]. » En revanche, il se laisse toucher par la détresse des Agostinelli avant de céder, un peu plus tard, aux sollicitations d'Anna : « Je leur viendrai en aide de mon mieux, écrit-il à Émile Straus, mais la difficulté est double. Les terribles spéculations financières dont je vous ai parlé et que je comptais arrêter à la première hausse, j'ai dû les continuer sans cesser, la Bourse ayant baissé sans discontinuer. Chaque mois je paie trente ou quarante mille francs[2] aux coulissiers et mon capital n'y résistera pas longtemps. D'autre part les Agostinelli sont des gens qui, quand ils ont cinquante francs, dépensent vingt francs de pêches, vingt francs d'automobiles, etc., et n'ont plus rien le lendemain[3]. » Il est certain que beaucoup de pauvres considèrent le superflu comme un nécessaire, mais il est curieux qu'il fasse ce reproche aux Agostinelli alors que lui-même dépense inconsidérément en payant les choses au triple de leur valeur et en donnant d'énormes pourboires tout en se plaignant de manquer d'argent.

Dans un souci d'honnêteté intellectuelle qui lui fait d'autant plus honneur qu'il ne peut voir en Anna qu'une rivale avide, en partie responsable de la mort d'Alfred car elle l'avait encouragé à piloter par appât du gain, il écrit deux jours plus tard à Straus : « Je la considère tout de même comme la veuve d'Agostinelli parce que (quoique ne l'aimant pas personnellement et mal avec elle jusqu'à la mort de celui que je croyais son mari et qui n'était que son *homme*), je dois reconnaître qu'elle l'adorait ; elle a déjà cherché plusieurs fois à se tuer après sa mort ; quant à lui, quoique la trompant (ce qu'elle ne savait pas, car elle était follement jalouse et l'aurait tué), il

1. Kolb, tome XIII, p. 228.
2. De 450 000 francs à 600 000 francs de 1990.
3. Kolb, tome XIII, p. 229.

l'aimait plus que tout au monde. Son premier amour pour elle est inexplicable, car elle est laide, mais enfin il ne vivait que pour elle et certainement il lui aurait laissé tout ce qu'il avait[1]. »

Noblement, Proust oublie ses griefs à l'encontre du « Pou volant », mais on ignore s'il donna finalement l'argent réclamé pour faire venir à Antibes les scaphandriers de Toulon. Lorsque l'épave de l'appareil avait refait surface, le corps ne s'y trouvait plus. C'est le 7 juin seulement qu'un pêcheur le découvre, presque complètement décomposé, mais encore vêtu de sa combinaison kaki. Les billets de banque représentant ses économies sont encore sur lui, mais dans un triste état. L'inhumation au cimetière de Nice a lieu le 8 juin, en présence d'Anna, écrasée de douleur sous ses crêpes, de la famille et des pilotes de l'école Garbero. Proust a fait envoyer une couronne de quatre cents francs[2], mais les Agostinelli trouvent que pour le même prix l'ancien patron de leur fils aurait pu donner des fleurs artificielles qui auraient duré plus longtemps. Aussi, les années suivantes, Proust se contentera-t-il de faire déposer sur la tombe d'Alfred, à chaque anniversaire de sa mort, une couronne de quarante francs.

Cette disparition tragique a causé à Proust un chagrin sincère, effaçant le souvenir de ses différends avec le jeune homme et ne laissant plus subsister dans sa mémoire que celui de ses qualités, de son charme et de son intelligence, et d'une certaine gentillesse, en dépit de ses accès d'indépendance. Mort, il est aussitôt transfiguré par son maître qui le présente sous un jour plus favorable encore à ses intimes : « C'était un être extraordinaire », écrivait-il le 3 juin à Émile Straus et, quelques semaines plus tard, il lui dira son regret de n'avoir pu lui faire lire des lettres d'Alfred Agostinelli, car il aurait trouvé « sous la plume de ce chauffeur des phrases dignes des plus grands écrivains ».

Avec André Gide, infiniment plus apte à recevoir ce genre de confidences qu'Émile Straus, il s'étend davantage sur les singuliers mérites du disparu : « ... Bien que de la plus humble *condition* et n'ayant aucune culture, j'ai de lui des lettres qui sont d'un grand écrivain. C'était un garçon d'une intelligence délicieuse », et il ajoute, non sans une certaine naïveté, dont Gide a dû sourire : « Ce n'est pas du reste du tout pour cela

1. Kolb, tome XIII, p. 239.
2. Environ 6 000 francs de 1990.

que je l'aimais. J'ai été longtemps sans m'en apercevoir, moins longtemps que lui d'ailleurs. J'ai découvert en lui ce mérite si merveilleusement incompatible avec tout ce qu'il était, mais sans que cela ajoutât rien à ma tendresse. Après l'avoir découvert, j'ai eu seulement quelque plaisir à le lui apprendre. Mais il est mort bien avant de savoir ce qu'il était, et même avant de l'être entièrement. Tout cela est mêlé à des circonstances si affreuses que, déjà brisé comme je l'étais, je ne sais comment je peux porter tant de chagrin[1]. »

*

Il n'est pas de chagrin qu'une heure de lecture ne dissipe, affirmait Montesquieu. Dans le cas de Proust, le travail est encore le meilleur dérivatif à la douleur qu'il éprouve. Lui qui déjà s'affligeait lorsque après la mort de sa mère il lui arrivait par moments d'oublier de souffrir, il s'absorbe dans son œuvre en sachant que celle-ci est la seule source de joie qui lui reste et que la mort d'Agostinelli, malgré l'horreur d'un tel drame, est un élément qui, sublimé, servira un jour à la grandeur de cette œuvre. Rien n'est plus explicite à cet égard que ce passage du *Temps retrouvé* : « En effet, comme je devais l'expérimenter par la suite, même au moment où l'on aime et où on souffre, si la vocation s'est enfin réalisée, dans les heures où on travaille, on sent si bien l'être qu'on aime se dissoudre dans une réalité plus vaste qu'on arrive à l'oublier par instants et qu'on souffre plus de son amour en travaillant que comme de quelque mal purement physique où l'être aimé n'est pour rien, comme d'une sorte de maladie de cœur[2]. » Et un peu plus loin, il complétera sa pensée sur ce rôle salvateur de la création artistique : « Les idées sont des succédanés des chagrins ; au moment où ceux-ci se changent en idées, ils perdent une partie de leur action nocive sur notre cœur, et même, au premier instant, la transformation elle-même dégage subitement de la joie[3]. »

Ainsi, l'épisode que fut dans son existence la captivité d'Alfred Agostinelli boulevard Haussmann, puis sa mort, contribuera-t-il pour une large part à des développements imprévus d'*A la recherche du temps perdu* sans qu'il faille identifier

1. Kolb, tome XIII, p. 245.
2. *A la recherche du temps perdu*, Pléiade, tome IV, p. 483.
3. *Ibidem*, p. 485.

toutefois complètement l'Albertine de *La Prisonnière* et de *La Fugitive*[1] avec l'ancien chauffeur-secrétaire.

A la joie consolatrice de la création s'ajoute aussi la satisfaction de recevoir chaque jour des lettres de compliments signées de noms célèbres. La publication dans la revue de la N.R.F., le 1er juin 1914, d'un long passage du futur *Côté de Guermantes* a fait merveille et a valu à Proust une lettre enthousiaste d'André Gide qui a flairé en M. de Charlus, dont c'est la première apparition significative, une idée de génie propre à faire la gloire de son créateur : « M. de Charlus est un admirable portrait par quoi vous aurez contribué à cette confusion que l'on fait d'ordinaire entre l'homosexuel et l'inverti », lui reproche toutefois André Gide en réponse à une lettre dans laquelle Proust lui avait précisé son dessein : peindre un homosexuel épris de virilité, car il est une femme, et non l'homosexuel en général, qui offre d'ailleurs autant de variétés que l'homme normal aimant les femmes. Et Gide a raison de souligner que « ces nuances et ces distinctions » auxquelles tient Proust, ses lecteurs ne les lui accorderont pas : « Charlus, qui n'est qu'un individu, passera pour un type et prêtera aux généralisations[2]. »

Dans la description physique de Charlus, André Gide a reconnu le baron Doäzan et ne semble pas avoir soupçonné la part de Montesquiou dans la création du personnage, mais les extraits publiés par la N.R.F. ne permettaient guère d'identifier certains traits de caractère, empruntés à Montesquiou.

La mort d'Agostinelli, l'accablement dont il a été frappé pendant plusieurs semaines ont empêché Proust de poursuivre la correction des épreuves de *Du côté de Guermantes* dont la parution est prévue pour la fin de l'année. Grasset a déjà commencé sa campagne de lancement, faisant écrire à différents critiques pour leur signaler le livre et attirer leur attention sur les extraits publiés par la N.R.F. L'éditeur fait donc avec conscience son devoir et Lucien Brun est en droit de s'étonner en voyant que l'auteur ne fait pas le sien, multipliant objections et récriminations, retardant la remise des épreuves corrigées, mauvaise volonté qui paraît traduire son regret d'être demeuré chez Grasset : « Faites-moi part de toutes vos objections et de tous vos désirs, lui écrit Lucien Brun, le 21 juillet, je m'y conformerai dans la plus large mesure, mais je ne voudrais

1. Ou *Albertine disparue*.
2. Kolb, tome XIII, p. 249.

pas qu'il y ait entre nous quelque malentendu, surtout en l'absence de Grasset. Je sais trop combien il tient à vous, et quel est son désir d'obtenir de grands résultats avec votre œuvre... et je ne me consolerais pas d'être inférieur à ma tâche[1]. »

S'il n'a pas le courage de s'occuper de ses épreuves, Proust a du moins celui d'entretenir une abondante correspondance avec ses hommes d'affaires pour essayer de comprendre sa situation financière et détourner de lui le spectre de la ruine qui, tout en l'effrayant, le fascine. De même qu'il n'écoute pas les conseils de ses médecins, lorsqu'il lui arrive de les consulter, il ne recueille l'avis de ses banquiers qu'avec le ferme propos de ne pas le suivre. Pour combler le déficit croissant de ses finances, il multiplie les ordres de vente et réduit ses engagements, craignant à juste titre que la crise austro-serbe ne provoque un effondrement de la Bourse.

L'assassinat, le 28 juin 1914, de l'archiduc François-Ferdinand et de sa femme, la duchesse de Hohenberg, lors de leur visite officielle à Sarajevo, constitue en effet un *casus belli* pour le gouvernement de Vienne qui voudrait saisir cette occasion de régler une fois pour toutes le problème de ses minorités balkaniques. De leur côté, la France et la Russie, unies par une alliance contre nature, poussent au conflit, la première pour venger la défaite de 1870, la seconde pour faire oublier à son opinion publique le désastre de Port-Arthur, en 1905, et raffermir une autorité vacillante, espérant qu'une action extérieure aidera au règlement de ses difficultés internes. Inquiète de l'esssor économique allemand et surtout de l'accroissement de la marine impériale, la Grande-Bretagne est tout aussi désireuse de mettre un frein au développement d'une puissance qui menace son hégémonie. Il n'y a guère que l'Allemagne à hésiter devant la perspective d'un embrasement de l'Europe et l'état-major s'efforce de vaincre la pusillanimité de Guillaume II qui n'a aucune envie de risquer au feu sa magnifique armée.

En sa qualité de correspondant à Paris d'une banque allemande, Lionel Hauser est plus au courant que la plupart des Français de la complexité d'une situation internationale que les augures du *Figaro* ou d'autres journaux aggravent en poussant, comme autant de coqs gaulois, des cris de patriotisme exacerbé. Le sentiment belliqueux est d'ailleurs général, les

1. Kolb, tome XIII, p. 269.

naturalisés de fraîche date étant les plus ardents à défendre l'honneur de la France et à réclamer le châtiment de l'orgueil allemand. Justement alarmé de la tournure des événements, Hauser a téléphoné à Proust pour lui conseiller de « liquider » avant l'effondrement de toutes les Bourses européennes : « J'entends encore ta voix et lui trouve un accent prophétique, lui écrira Proust le 26 juillet. Tu avais vu plus loin que les diplomates et les hommes politiques et j'avoue que je serais bien heureux que tu te fusses trompé et de ne pas avoir à te délivrer un certificat de perspicacité [1]. »

Il commence par faire vendre par Warburg des actions à concurrence de vingt mille francs, mais comme il s'est imprudemment engagé auprès d'autres agents de change qui lui demandent une couverture pour les ordres qu'il a passés, il se voit obligé de faire vendre encore, par l'intermédiaire de Hauser, pour trente mille francs de valeurs mobilières. Ces spéculations, faites à son insu, horrifient Lionel Hauser et Proust, penaud, termine ainsi sa lettre d'instructions : « Je ne crois pas que jamais pécheur au confessionnal ait lâché plus rude aveu. Je ne te raconte cela que pour ma mortification puisque naturellement on ne peut plus rien vendre... Ton ami reconnaissant et très bête [2]. »

Cette seconde vente de trente mille francs, la banque Warburg lui en adressera le montant par un chèque qu'il ne pourra pas toucher tant que durera la guerre, puisqu'il émane d'une banque « ennemie », chèque qui deviendra l'un des leitmotive les plus lancinants de sa correspondance avec Lionel Hauser et d'autres personnes sollicitées tour à tour d'intervenir pour lui permettre de le toucher ou de l'escompter.

Pour enrayer la panique, le gouvernement a fermé la Bourse et le 3 août, la déclaration de guerre, interrompant toutes relations entre les belligérants, suspend aussi tous les transferts ainsi que certains paiements, comme celui des loyers. Proust n'a plus à espérer, comme le font d'ailleurs tous les Français, que la guerre sera courte. Il est plus surprenant de le voir, le premier jour de la guerre, et aussi le dernier, plus préoccupé de ses affaires personnelles que de l'événement du jour. Le 2 août 1914, alors que la mobilisation générale est décrétée, il écrit une longue lettre à Lionel Hauser pour l'entretenir de titres et valeurs. Le 11 novembre 1918, il passera sa soirée à

1. Kolb, tome XIII, p. 273.
2. *Ibidem*, p. 276.

écrire une lettre, encore plus longue, à Mme Straus pour lui expliquer qu'il veut se débarrasser de vieux tapis, de vieux meubles ainsi que de bronzes d'art et lui demande de s'en charger pour lui. Faut-il déplorer ce curieux égocentrisme ou bien admirer cette indifférence goethéenne en face de l'éphémère présent ?

*

Malgré son souci de rester à l'écart du délire collectif qui a marqué les premiers jours de la guerre, il est sorti de chez lui pour accompagner son frère à la gare de l'Est, car Robert Proust a été mobilisé comme médecin aide-major de 1re classe à l'hôpital de Verdun. Le spectacle de la rue, et surtout celui de la gare, est confondant. On voit de longues files de soldats qui attendent patiemment leur tour, les uns pour se confesser, les autres pour connaître une dernière étreinte tarifée. L'abbé Mugnier d'un côté, des filles publiques de l'autre, officient sans désemparer pour soulager les âmes et les corps. L'enthousiasme est encore au paroxysme, car il n'est pas un Français pour ne pas croire que cette campagne sera une simple promenade militaire, ainsi qu'on l'avait déjà cru au mois de juillet 1870. Au Ritz, Bunau-Varilla, magnat de la presse, aborde Edmond Fabre-Luce et lui dit, en lui frappant gaiement sur l'épaule : « Nous irons en Allemagne et nous lui apporterons la République ! »

A l'exaltation patriotique des premiers jours succèdent rapidement une espèce de torpeur, un vide et un abattement qui paraissent un prélude à quelque grande catastrophe. Les premières nouvelles arrivées du front sont mauvaises. Après avoir envahi le Luxembourg et la Belgique, les Allemands ont franchi au nord comme à l'est la frontière française. A Paris, les départs habituels de l'été sont accrus de ceux des appelés. Si les rues proches des gares du Nord et de l'Est bourdonnent d'une foule assez morne, où seuls quelques ivrognes mettent de l'animation, les autres artères de la capitale sont désertes ou bien parcourues par des bandes d'individus suspects qui semblent plus disposés à piller les boutiques et les maisons abandonnées qu'à les défendre contre l'envahisseur. Lourde et lugubre, l'atmosphère rappelle aux plus âgés celle de la Commune. On s'attend à des émeutes et, dans la société, l'on redoute plus l'ennemi de l'intérieur, qui paraît guetter l'occasion d'une revanche, que celui de l'extérieur, encore lointain. Cette peur des bien-pensants est d'autant plus vive que la mobilisation générale a dégarni Paris de presque tous ses effectifs militaires et privé toutes les grandes demeures de leur personnel mâle en âge de porter les armes.

Les hôtels du faubourg Saint-Germain ou du faubourg Saint-Honoré sont le théâtre de scènes étranges ou cocasses. Mme Stern déménage ses collections ou bien les cache dans les murs. Lorsque Ferdinand Bac, dont elle a réclamé les conseils, arrive chez elle, Mme Stern, hiératique comme une figure de Gustave Moreau, semble incarner la Fortune fuyant l'orage populaire : « Quand elle m'apparut avec sa longue robe de velours noir, les bras ballants d'où pendaient des fétiches d'or et des pierres philosophales, elle me fit l'effet du Docteur Faust désemparé avant d'être réconforté par les forces démoniaques. » En constatant ce déménagement hâtif, qui laissait aux murs la trace des tableaux enlevés, dans les vitrines celle des plus belles pièces, Ferdinand Bac lui explique qu'il est imprudent de « voler les voleurs » et lui suggère de combler les vides par des fonds de grenier ou des objets de chambres d'amis. Elle reconnaît la sagesse de cet avis subtil et procède à un réaménagement artistique.

Chez les Greffulhe, rue d'Astorg, la scène est digne de Molière. Le comte, si naïvement persuadé qu'il est le centre de l'univers, ne comprend pas que cet univers ait provisoirement changé de centre. Il gémit bruyamment d'être abandonné de tous, de sa maîtresse, Mme de la Béraudière, restée à Dieppe, et de ses domestiques, appelés sous les drapeaux. Il sonne, et l'on n'accourt plus à son coup de sonnette. Le vaste hôtel de la rue d'Astorg ressemble à quelque *Titanic* échoué au fond des temps, comme si la brusque accélération de l'Histoire l'avait englouti dans un autre millénaire. Il se lamente de telle façon que le comique l'emporte sur le pathétique. Lui aussi croit à une nouvelle Commune et prophétise les pires calamités. Choqué de ce défaitisme, son secrétaire, Cordier, lui dit sévèrement : « Je vous défends de décourager vos serviteurs, Monsieur le Comte ! »

Mais ce qui frappe le plus Greffulhe est le crime de lèse-majesté commis à son égard par cette république dont il était jusque-là un des rois incontestés. Il devait être compris dans la promotion de la Légion d'honneur du 14 juillet, mais l'État lui avait manqué de parole : « C'est insensé, c'est une trahison ! » ne cesse-t-il de répéter. On ne peut le faire parler d'autre chose et pendant tout le déjeuner servi par le dernier maître d'hôtel qui va tout à l'heure rejoindre son régiment, le comte Greffulhe remâche sa déception.

La République, heureusement, répare cet oubli et le comte Greffulhe est enfin promu au grade d'officier, honneur dont Proust le félicite avec effusion : « Vous êtes du petit nombre de ceux que l'*envie démocratique* a empêchés de montrer complètement avec quel mérite ils auraient pu servir, et cela sous le simple prétexte qu'ils étaient nés pour commander[1]. » Ragaillardi par cet hommage, Greffulhe décide alors de ne pas abandonner Paris et de « tenir le coup » dans son hôtel vide où il attendra l'ennemi de pied ferme[2]. Il partage en cela l'optimisme du député des Alpes-Maritimes, Francis Arago, qui envisage avec plaisir un éventuel siège de Paris : « Tant mieux, qu'ils viennent donc, qu'ils entrent dans Paris ! C'est ce que nous demandons ! Nous les encerclerons, nous les étoufferons dans nos barrières[3] ! »

Ce bel optimisme s'effondre lorsque à la fin du mois d'août les Allemands menacent Paris. Comme Greffulhe, Proust a vu son personnel l'abandonner. Odilon Albaret a été mobilisé, ainsi que son frère, Jean Albaret. Comme ils sont très unis, Jean espérait qu'Odilon irait avec lui dans l'infanterie et qu'ainsi ils ne se quitteraient pas, mais Odilon a été affecté au service du ravitaillement[4]. Puis Nicolas Cottin est parti à son tour. Pour ne pas laisser Proust seul, et aussi pour ne pas rester seule elle-même, Céleste Albaret a quitté son appartement de Levallois-Perret pour venir s'installer boulevard Haussmann. Lorsque Odilon était venu lui dire adieu, Proust l'avait assuré qu'en cas de danger il s'occuperait de sa femme[5] et qu'il pouvait compter sur lui, mais c'est plutôt Céleste Albaret qui prend la responsabilité de son maître. Comme elle ne peut suffire à toutes les tâches, il cherche un valet de chambre, espèce rare depuis que la guerre a raflé tous les hommes valides, hormis les vieillards, les infirmes et les enfants. Frédéric de Madrazo lui envoie un de ses protégés, miné par la tuberculose. A sa vue, Proust croit voir entrer, dit-il, la phtisie galopante. Il l'engage néanmoins, mais le jeune homme est

1. Kolb, tome XIII, p. 287.
2. Cette évocation du comte Greffulhe à cette époque a été faite d'après ce qu'en a écrit Ferdinand Bac dans ses *Intimités de la III^e République*, tome III, pp. 197 à 211, ainsi que dans ses *Souvenirs inédits*.
3. F. Bac, *Souvenirs inédits*, livre V.
4. C. Albaret, *Monsieur Proust*, p. 129.
5. *Ibidem*, p. 39.

appelé sous les drapeaux, malgré son état. Il réussit alors à trouver un neutre, un jeune Suédois, Ernst Forssgren, que Céleste Albaret prend aussitôt en grippe, agacée par sa suffisance : « Il était, dira-t-elle, si infatué de lui-même qu'il devait se croire au moins le roi de Suède, sinon Dieu [1]. »

Sans doute ce jeune homme, assez beau garçon avec sa haute taille et ses cheveux blonds, n'oublie-t-il pas qu'il est venu à Paris pour suivre les cours de la Sorbonne et qu'il n'a servi chez le prince Orlov qu'afin de payer ses études. Comme à la déclaration de la guerre le prince a réduit son personnel et quitté Paris, il a dû, pour survivre, accepter la place offerte chez Proust par une petite annonce de journal. Lorsque Céleste lui avait ouvert, il avait cru se trouver devant Mme Proust, erreur flatteuse qui aurait dû lui concilier les bonnes grâces de Céleste, mais les préventions de celle-ci à son encontre n'iront qu'en augmentant. S'il faut en croire Ernst Forssgren, il aurait inspiré à Proust des sentiments assez vifs pour qu'elle en prît ombrage, mais il est malaisé de savoir où se trouve exactement la vérité dans ce conflit entre amours-propres sans témoins impartiaux.

A peine engagé, Forssgren est prié de préparer en hâte les bagages, car Proust, croyant Paris menacé d'un siège et peut-être d'une occupation militaire, a décidé de partir pour Cabourg. Le 2 septembre, le gouvernement a donné l'exemple en se repliant sur Bordeaux et tous ceux qui en ont les moyens fuient la capitale, persuadés que celle-ci sera bientôt livrée au pillage et aux flammes. Malgré la recommandation officielle de n'emporter que le strict nécessaire, car les rares trains qui circulent encore sont bondés, Proust a des bagages impressionnants : une grosse valise bourrée de ses manuscrits, une malle emplie de linge et de vêtements ; des couvertures, car il ne veut pas utiliser celles de l'hôtel qui empestent la naphtaline, enfin toute une pharmacie pour toute les maladies qui pourront se présenter. A cela s'ajoutent les valises de Céleste et du Suédois. Avec leurs seuls bagages à main, les autres ayant été expédiés auparavant par le concierge, les trois fugitifs gagnent à pied la gare Saint-Lazare, car il n'y a plus aucun taxi dans Paris, tous ayant été réquisitionnés par Joffre pour acheminer des renforts sur la Marne. Bien entendu, les places louées la veille par Forssgren sont déjà prises. Il faut se contenter d'un wagon de troisième classe où un homme d'un

1. C. Albaret, *Monsieur Proust*, p. 45.

certain âge, en voyant la pâleur et l'épuisement de Proust, lui cède son siège tandis que Céleste et Forssgren restent debout. Ce n'est pas sans peine qu'ils sont parvenus à hisser leurs valises dans le filet.

Les heures passent et dans le train dont le départ est sans cesse retardé continuent d'affluer des voyageurs éperdus qui, faute de pouvoir se caser dans les wagons, s'installent sur leur toit. On se demande si la locomotive pourra tirer un tel convoi. Des rumeurs inquiétantes circulent. On raconte que des Uhlans patrouillent dans la région normande et qu'ils pourraient couper la ligne. Sans doute est-ce pour cela que Céleste avait imaginé de se déguiser en homme, ce dont Proust l'avait dissuadée. Lorsque la locomotive démarre enfin, elle avance si lentement que, dira Forssgren, on aurait pu la suivre à pied. Il lui faut plus de treize heures pour atteindre Mézidon, où l'on doit prendre la correspondance pour Cabourg. Proust est si fatigué que tous trois préfèrent passer le reste de la nuit à l'hôtel. Forssgren réveille un hôtelier qui leur donne deux chambres et même quelque chose à manger.

Le prochain train pour Cabourg n'étant qu'à quatre heures de l'après-midi, Proust et Céleste ont tout le temps de se reposer tandis que Forssgren, qui a loué une bicyclette, fait le tour des débits de tabac pour acheter des paquets de cigarettes qu'il distribue à des soldats anglais en transit. La seconde partie du voyage s'effectue sans encombre et les voyageurs arrivent enfin au Grand Hôtel dont un hôpital militaire occupe deux étages.

Proust avait retenu trois chambres. Il se fait servir ses repas dans la sienne, Céleste et Forssgren prenant les leurs à l'office du personnel. Si le service de son maître occupe entièrement Céleste, Forssgren, qui n'a pas grand-chose à faire, essaie de se rendre utile en travaillant le matin à l'hôpital. Son rôle consiste surtout en distribution aux blessés de menus cadeaux que Proust l'a prié d'acheter. Parfois celui-ci se rend lui-même à l'hôpital, témoin navré de certaines souffrances, mais observateur amusé des travers humains qui, dans ce monde des hôpitaux, se manifestent autant, si ce n'est plus, que dans les salons. Il remarque ainsi que les soldats ne sont jamais contents de ce qu'on leur donne, voulant des jeux de poker lorsqu'on leur apporte des jeux de cartes et lorsqu'on leur procure ceux-là se plaignant alors de ne pouvoir jouer au bridge. Une scène cocasse l'amuse particulièrement. Un jour, une dame d'œuvres, avisant un Sénagalais parmi les blessés, le gratifie d'un « Bonjour, négro », à quoi l'homme, furieux, réplique : « Moi, négro, mais toi, chameau[1] ! »

Pendant que Forssgren papillonne au milieu des blessés, répandant sourires et cadeaux, Proust essaie de travailler dans le silence de sa chambre, mais il ne paraît pas avoir beaucoup écrit durant cette période et il a même ralenti le rythme de ses lettres, pensant vraisemblablement que les difficultés de communications rendraient leur acheminement incertain.

Il aurait pu craindre, en revenant à Cabourg, d'y retrouver le fantôme d'Agostinelli et de céder au sombre plaisir des évocations douloureuses et des regrets stériles. L'épreuve est moins dure qu'il ne le craignait. Une lettre, qu'il adresse au mois d'octobre à Reynaldo Hahn, révèle un certain apaisement de cette souffrance, si vive quelques mois plus tôt : « ... Vous êtes bien gentil d'avoir pensé que Cabourg avait dû m'être pénible à cause d'Agostinelli. Je dois avouer à ma honte qu'il ne l'a pas été autant que j'aurais cru et que ce voyage a plutôt marqué une première étape de détachement de mon chagrin, étape après laquelle, heureusement, j'ai rétrogradé une fois revenu vers les souffrances premières. Mais enfin, à Cabourg, sans cesser d'être aussi triste ni d'autant le regretter, il y a eu des moments, peut-être des heures, où il a disparu de ma pensée... » Il est vrai que la guerre était une puissante distraction, capable de faire oublier bien des chagrins. Mais Proust, revenu dans les lieux où il avait tenu Agostinelli prisonnier, ressentira plus vivement sa disparition, comme il l'avouera, non sans y apporter certaines restrictions, dans cette même lettre à Reynaldo Hahn : « Ce n'est pas assez dire que je l'aimais, je l'adorais. Et je ne sais pas pourquoi j'écris cela au passé car je l'aime toujours. Mais malgré tout, il y a une part d'involontaire et une part de devoir qui fixent l'involontaire et en assurent la durée. Or ce devoir n'existe pas envers Alfred qui avait très mal agi avec moi ; je lui donne les regrets que je ne peux pas faire autrement de lui donner, je ne me sens pas tenu envers lui à un devoir comme celui qui me lie à vous, même si je vous devais mille fois moins, si je vous aimais mille fois moins[2]. »

Autant que la guerre, et sans doute davantage, la présence d'Ernst Forssgren lui a procuré une diversion salutaire. On ne sait pas grand-chose du jeune Suédois qui, pendant ce mois de

1. Kolb, tome XIV, p. 45.
2. *Idem*, tome XIII, p. 311.

septembre à Cabourg, aurait eu, de son propre aveu, une brève liaison avec la femme d'un marin, mais dans ses souvenirs, assez douteux quant à leur véracité, il laisse entendre que Proust l'avait pris en affection au point de l'embrasser dans certains moments d'expansion en lui affirmant qu'il était un garçon remarquable pour son âge, un jeune homme vraiment extraordinaire, un être tonifiant, tel qu'il n'en avait jamais rencontré de semblable dans sa vie. Ou bien Forssgren cède à cette vanité que Céleste dénoncera dans ses propres souvenirs, ou bien, dans sa naïveté, il prend pour argent comptant ces louanges excessives que bien des hommes d'un certain âge adressent sur son esprit à un jeune homme dont seul le physique les intéresse.

Souvent, l'après-midi, Proust joue avec Ernst aux dames, aux échecs, aux cartes, comme il le faisait jadis avec Agostinelli à Versailles ou avec Nicolas Cottin à Paris. De l'emploi de valet de chambre, Ernst aurait été promu, toujours selon ses dires, au rang de secrétaire et de confident. Il est difficile de se faire une opinion sur cette intimité, d'autant plus que Céleste écrira plus tard que Forssgren agaçait Proust et qu'elle amusait son maître en imitant les airs gourmés du valet de chambre dont la personnalité ridicule était devenue un sujet de plaisanteries entre eux. Il demeure que Proust se montre extrêmement généreux à l'égard de Forssgren et que lorsqu'il lui écrira, en 1922, il signera sa lettre simplement « Marcel », ce qui peut confirmer des rapports plus étroits que ceux de maître à domestique. Toutefois une certaine égalité de rapports a pu s'établir entre eux du fait que Forssgren est Suédois et que la notion de classe, immédiatement marquée entre personnes du même pays, s'estompe dans les relations avec un étranger, la différence des langages effaçant parfois celle des conditions.

*

L'offensive allemande arrêtée sur la Marne et Paris ne semblant plus menacé, Proust se prépare à quitter Cabourg pour rentrer chez lui. Deux raisons l'y poussent impérativement : il n'a plus d'argent et le Grand Hôtel a été complètement réquisitionné.

Alors que d'après Forssgren, ce voyage de retour s'est effectué presque normalement, en quelque six heures, Céleste Albaret semble l'avoir trouvé pire que celui de l'aller. Elle le qualifie de « dramatique », mais son témoignage paraît aussi sujet à caution, du moins pour certains détails, que celui de Forssgren pour d'autres. Au moment où le train arrive en gare de Mézidon, Proust est pris d'étouffements, explicables par le fait qu'il n'est plus sous l'influence de l'air marin : « Chaque fois, cela me reprend brusquement ici, dit-il à Céleste, affolée. Il y a sûrement dans l'air quelque chose que je ne supporte pas... peut-être parce que c'est la saison des foins[1]. A l'aller, quand on traverse cette région, on est presque arrivé et cela n'a pas le temps de se développer parce qu'on ne fait que passer. Mais en revenant... l'idée qu'il y a encore tout ce trajet...[2] » Malheureusement, les remèdes qui pourraient le soulager ont été mis dans la grande malle et celle-ci se trouve dans le fourgon à bagages. A l'arrêt suivant, Céleste affirme qu'elle est descendue et a persuadé un employé récalcitrant de lui faire ouvrir le fourgon pour y récupérer les médicaments nécessaires, version contredite par Proust lui-même qui, dès son retour à Paris, écrit tant à Mme Catusse qu'à Nahmias que son valet de chambre, le voyant suffoquer, avait forcé la porte du fourgon malgré l'opposition du chef de gare[3].

Boulevard Haussmann, il est repris d'une crise assez forte qui fait craindre à Céleste de « ne pas le revoir vivant », mais il en sort après d'épaisses fumigations et, revenu à lui, tient conseil avec Céleste pour organiser leur existence dans les nouvelles conditions que la guerre leur impose. Faute de pouvoir faire son devoir comme soldat, il le fera comme écrivain : « Le temps me presse trop pour que je puisse me consacrer à autre chose », estime-t-il avec lucidité, connaissant son état de délabrement physique, et même moral, entretenu par sa déplorable hygiène de vie. Dans sa crainte, souvent exprimée d'ailleurs, d'avoir à subir un conseil de réforme, il demande au docteur Bize de lui envoyer un certificat établissant son inaptitude. Le 23 octobre, le docteur Bize atteste que « M. Proust... est atteint de crises d'asthme très violentes et quotidiennes, d'une profonde déchéance physique et d'affaiblissement nerveux... » Aussi est-il « dans l'impossibilité absolue de rendre aucun service dans l'armée ».

Craignant que ce certificat ne soit jugé insuffisant, il cherche à en obtenir un autre, émanant d'une plus haute autorité médicale, et s'adresse au docteur Pozzi, qui règne sur l'hôpital

1. Céleste Albaret semble oublier que l'on est au mois d'octobre.
2. C. Albaret, *Monsieur Proust*, p.54.
3. Kolb, tome XIII, pp. 304 et 306.

militaire du Val-de-Grâce, mais celui-ci « avec des manières charmantes et procédés parfaits », reconnaît Proust, élude la demande et finalement refuse. Pour étoffer son dossier, il demande au docteur Bize, parti pour Albi où se trouve également Reynaldo Hahn, un second certificat qui lui permettrait d'échapper au conseil de réforme. Le docteur Bize le lui adresse aussitôt : « Depuis de longues années, M. Proust est alité et dans un état de déchéance physique tellement prononcé qu'il lui sera impossible de se présenter devant le conseil de réforme. »

Ignorant si ce nouveau document sera suffisant pour lui éviter cette épreuve, il se soigne un peu mieux afin de pouvoir éventuellement affronter le conseil, mais il n'en continue pas moins ses démarches. A la fin du mois de novembre, il fait appel au docteur Faisans, médecin à l'hôpital Beaujon, qu'il connaît depuis une quinzaine d'années. Faisans lui délivre un certificat constatant chez lui non seulement l'ancienneté et la gravité de son asthme, mais « des troubles nerveux assez graves [et] un état d'asthénie » qui le contraignent à une immobilité complète, le rendant donc inapte à toute espèce de service, même auxiliaire.

A l'abri derrière son mal chronique et les plaques de liège de sa chambre, sans téléphone, car il a résilié son abonnement, Proust organise son existence de civil en guerre. Il est évidemment plus persuadé que jamais de sa ruine, ayant toujours en souffrance le second chèque Warburg qu'il n'a pu réussir à toucher, bien qu'il l'ait fait endosser par un ami, Raphaël Georges-Lévy. L'année suivante, alors qu'il reçoit un journaliste mobilisé venu à Paris en permission, il se lamentera sur sa détresse financière avec un air tragique : « Je suis ruiné, jusqu'à la corde, j'ai tout perdu, lui répétera-t-il. Le pire, c'est qu'il va falloir peut-être écrire pour vivre... Vous voyez ça d'ici... [1] » Mais apprenant que ce journaliste, Sylvain Bonmariage, vit de sa solde, avec une famille à sa charge, il s'émouvra et, lorsque celui-ci le quittera, lui mettra de force cinq cents francs [2] dans la main.

Il a réduit son train de vie en se séparant d'Ernst Forssgren, d'ailleurs rappelé en Suède pour y faire son service militaire et qui finira par émigrer aux États-Unis, où il vivra, semble-t-il, assez misérablement jusqu'à son retour en Europe. Là encore,

1. L. Aressy, *A la recherche de Marcel Proust*, p. 56.
2. Environ 7 500 francs, ce qui paraît beaucoup.

il faut accepter avec réserve les dires de Forssgren, assez enclin à se donner le beau rôle et à se croire irrésistible. Au moment de leurs adieux, Proust lui aurait déclaré : « Ernst, dans toute ma vie, je n'ai jamais connu une personne que j'aie aimée autant que je vous aime. »

Le départ de Forssgren est salué avec soulagement par Céleste, enchantée d'être seule à régner désormais sur l'appartement comme sur l'esprit de son maître, dans une dépendance réciproque qui éveille rapidement la jalousie du concierge, Antoine, et de sa femme. Celle-ci est d'ailleurs montée contre Céleste par Céline Cottin, aigrie de voir sa place prise par celle que, non sans raison, elle a surnommée l'« Enjôleuse ». Une série d'incidents tragi-comiques, relatés par Céleste dans ses Souvenirs, marquent son installation définitive boulevard Haussmann. A plusieurs reprises, Céline Cottin y vient faire des scènes, inventant de sombres histoires pour se venger de l'intruse et tenter de l'évincer jusqu'au jour où Proust, excédé, lui signifie qu'il ne veut plus la voir chez lui.

Débarrassés de cette furie, Proust et Céleste règlent leur vie commune qui, pour Céleste, rappelle un peu le sort des femmes d'Orient dans les harems. Elle ne sort plus guère, même pour aller à la messe dominicale, règle à laquelle pourtant sa mère lui avait recommandé de ne jamais manquer. Un jour qu'elle avoue à son maître que non seulement elle n'y va plus, mais ne pense même plus à y aller, Proust observe, bénisseur et suave : « Céleste, savez-vous que vous faites quelque chose de plus noble et de bien plus grand que d'aller à la messe ? Vous donnez votre temps à soigner un malade. C'est infiniment plus beau[1]. »

En fait, il s'agit moins de soigner Proust que de le servir, et moins de le servir, comme le ferait une femme de chambre ou une gouvernante, que de se prêter à une perpétuelle tyrannie enveloppée de toutes les formes d'une politesse insidieusement persuasive.

*

En suspendant l'activité de la maison Grasset, la guerre a empêché la parution du deuxième tome d'*A la recherche du temps*

1. C. Albaret, *Monsieur Proust*, p. 65.

*perdu*, mais elle donne à Proust l'occasion non seulement de reprendre son texte à loisir pour le retravailler, mais de l'enrichir de tout ce que cette période extraordinaire lui apporte de nouveau dans l'étude du cœur humain comme dans l'observation des mœurs.

Celles-ci ont bien changé en quelques jours, et pour longtemps. Une société qui se prétendait instruite et libérale, généreuse et cultivée, s'est muée en tribu de cannibales, avide de massacre et de sang. Il est à l'honneur de Proust de ne s'être pas laissé gagner par l'hystérie collective et d'avoir gardé, malgré le chauvinisme des uns et la suspicion des autres, l'indépendance de son jugement ainsi que le courage de l'exprimer. Il est un des rares écrivains qui se résignent à contempler, ironiques et navrés, sans vouloir y jouer un rôle, l'affligeant spectacle de civils jouant aux guerriers en affichant un patriotisme agressif qui masque, soit une grande lâcheté, soit un désir effréné de profiter des circonstances pour s'amuser ou gagner beaucoup d'argent. Pour quelques-uns, c'est aussi l'occasion, comme lors de l'affaire Dreyfus, de grimper sur l'échelle sociale.

A la faveur de l'« Union sacrée », bien des hommes et surtout des femmes qui n'auraient jamais espéré être un jour « reçus » dans la haute société s'y voient admis, les brevets de patriotisme remplaçant la naissance, l'esprit et la beauté. Il suffit de « penser bien » pour entrer dans l'intimité de telle grande dame qui a remplacé le bridge par le *Kriegspiel* et les œuvres de sa paroisse par l'envoi de colis aux soldats, d'ouvroirs pour les réfugiés ou la création de bureaux chargés de fournir des « filleuls de guerre » à de bonnes âmes assoiffées de tendresse. Comme Proust le notera si justement, les personnes qui connaissent Mme de Guermantes depuis 1914 regarderont de leur haut celles qui ne sont admises chez elle que depuis 1915 et celles de 1915 s'en vengeront sur celles de 1916. Une nouvelle hiérarchie des valeurs s'est instaurée, plus sévère encore que l'ancienne, avec des exclusives et des engouements qui créeront des situations paradoxales comme celle d'une petite bourgeoise devenue dame importante parce qu'elle est la belle-sœur d'un général connu et s'honorant de ne pas fréquenter une altesse royale suspecte en raison de ses parentés avec des princes allemands ou autrichiens. Pour les Mme Bontemps, dont l'espèce s'est soudain multipliée, l'heure de gloire a sonné.

Dès son retour à Paris, Proust a pu se divertir en apprenant les équipées grotesques de tous ceux qui avaient, comme lui, abandonné la capitale. Les Rostand et Mme de Noailles ont ainsi fait jusqu'à Cambo un voyage burlesque dont Maurice Rostand a laissé un récit plein de verve. On y voit Mme de Noailles adresser aux marronniers des Champs-Élysées des adieux d'un lyrisme effervescent qui rappellent ceux du Narrateur à ses chères aubépines, puis haranguer les paysans du Centre en leur parlant de Plutarque et finir par faire étape dans un bordel où elle partage, le matin, le petit déjeuner des pensionnaires[1]. A sa décharge, il faut ajouter qu'ayant pris du service à l'hôpital de Bayonne, elle y provoque une émeute en refusant de faire une distinction entre blessés allemands et français. Exaspérées dans leur patriotisme carnassier, les dames d'œuvres fondent sur elle comme des Erinnyes en hurlant : « A la porte, l'étrangère ! A mort, l'espionne ! » La poétesse en est réduite à se défendre avec son parapluie, poursuivie dans la rue par la meute outragée, grossie en chemin, pour assister à la curée, de gamins et de grooms d'hôtels[2].

Des scènes analogues se passent dans certains hôpitaux où, par haine des Allemands, des dames chrétiennes, mais patriotes, ne cachent pas qu'il vaudrait mieux achever les blessés allemands. L'exemple de la tolérance leur est donné par des soldats français qui refusent d'être séparés de blessés ennemis avec lesquels ils s'étaient liés à force de se rendre mutuellement service.

Mme de Chevigné, qui avait suivi le gouvernement à Bordeaux, était tombée de son haut lorsque arrivée au Chapon fin, devenu la succursale de l'Élysée, elle avait été accueillie froidement par la patronne, apparemment oublieuse des jours fastes où Mme de Chevigné lui amenait à déjeuner la grande-duchesse Wladimir. Le patron, plus humain, avait daigné lui vendre quatre sandwiches pour cinquante-sept francs[3]. Lorsqu'elle était repartie pour Biarritz, son train s'était immobilisé un moment le long d'un convoi de blessés. D'une fenêtre à l'autre, elle avait essayé de les réconforter en les assurant de la victoire finale, mais les soldats, hébétés par la souffrance, la chaleur, la soif et les mouches, la fixaient d'un œil morne, sans répondre ou même hostiles. Comprenant soudain la tragique réalité de la guerre, elle avait éclaté en sanglots, puis

---

1. M. Rostand, *Confession d'un demi-siècle*, p. 192.
2. D'après les *Souvenirs inédits* de Ferdinand Bac.
3. Environ 900 francs de 1990.

elle avait lancé à ces malheureux tout ce qu'elle avait sur elle ou à portée de main, de ses sandwiches à son porte-cigarettes en or. Enfin, se rencognant dans son compartiment, elle avait pleuré longuement, anéantie par cette vision.

Les hommes de lettres qui, non mobilisés, veulent néanmoins se rendre utiles, ne réussissent en général qu'à se rendre ridicules. Certes, Maurice Barrès est tout à son affaire, exalté par la grandeur de la cause et surtout l'ampleur de l'hécatombe qui lui permet de célébrer à l'envi le culte des morts, mais il a le bon goût de ne pas se déguiser ou de s'enrôler dans quelque état-major d'opérette. Lucien Daudet, qui a pris du service à la gare de Tours pour y distribuer des paniers de provisions aux blessés, y gagne de Forain le surnom de la « bouquetière des Innocents », parce que, précise le caricaturiste, les soldats ne comprennent pas ses sourires. Le charmant Edmond Rostand, si malheureux entre sa femme qui le trompe et son fils cadet, qui l'exaspère, a revêtu pour jouer les infirmiers une tenue auprès de laquelle paraissent sobres les costumes des Ballets russes : il s'est fait couper un uniforme en soie jaune écrue, aux poches de pantalon en forme d'anse comme en ont les officiers britanniques. Il arbore avec cela un bonnet de police et, autour du cou, la cravate de commandeur de la Légion d'honneur. Enfin, aux pieds, il porte des chaussettes de soie fine, bordées d'un semis de pois.

Quant à René Boylesve, il tient modestement — et bien tristement — le registre des entrées et sorties à l'hôpital militaire de Deauville où sa femme et sa belle-mère se couvrent à la fois de gloire et de sang, situation que Ferdinand Bac, qui l'aime et le plaint, commente ainsi : « Pendant que sa frêle épouse et sa sensible belle-mère se ruaient, les manches retroussées, dans des torrents de pus, vers les odeurs de phénol et de chloroforme, nageant dans les âpres délices de leurs devoirs patriotiques, les sens agités par leur nouvelle mission, Boylesve fut jeté comme une loque pantelante dans le bureau de la comptabilité [1]. »

Rivalisant avec les hôpitaux d'État s'ouvrent partout des hôpitaux privés où les infirmières bénévoles sont presque aussi nombreuses que les blessés, la tâche d'occuper les premières étant beaucoup plus ardue que celle de soigner les seconds. Des dames hors d'âge ont des regains de jeunesse à la vue de ces jeunes hommes doublement désarmés et se les disputent

1. F. Bac, *Souvenirs inédits*, livre IV.

férocement. Des jeunes filles affluent dans l'espoir de trouver, qui un fiancé, qui un amant, qui un consolateur, bref, une victime. Boni de Castellane écrira dans ses *Mémoires* : « Des femmes n'hésitèrent pas à transformer leurs salons en cliniques, les débarrassèrent de leurs meubles, s'habillèrent avec de grands voiles blancs et mirent tout leur cœur à *y attirer des blessés*[1]. »

Plus mordant, Benoist-Méchin trace dans ses propres *Souvenirs* une piquante esquisse d'Ida Rubinstein arrivant à l'hôpital de la place des États-Unis, portant « une ravissante chlamyde de pharaonne, créée spécialement pour elle par Worth... son voile d'infirmière drapé à l'antique et fixé par un tortil d'or incrusté de rubis, les yeux cernés de kôhl et portant ses plateaux à plat sur ses mains, comme les femmes égyptiennes sur les bas-reliefs de Louqsor[2] ». Il ajoute, évoquant la belle période de cet hôpital mondain où les blessés seront si scandaleusement mal soignés qu'il sera fermé : « Fidèles à leur vocation, ces dames ne *soignaient* pas, elles *recevaient*. Seulement le monde était renversé. Jadis elles recevaient allongées et les hommes, debout. Maintenant les hommes étaient allongés. C'étaient elles qui étaient debout, esclaves soumises du courage malheureux. Ce changement était d'ailleurs délicieux ; il faisait enfin sentir qu'on était en guerre[3]. »

Sur cet état d'esprit, frivole et mystique en même temps, mais d'un mysticisme entaché de sensualité refoulée, les témoignages sont innombrables autant qu'unanimes, confirmant ce que Proust écrira lorsqu'il montrera Mme Verdurin réunissant sur sa personne tous les ridicules qui ont marqué cette période. Aux dires de l'abbé Mugnier, plus indulgent, la princesse de Poix, vraie grande dame celle-là, vit dans une espèce d'extase depuis que, travestie en religieuse, elle hante les ambulances. Elle fait des observations étranges sur les soldats qu'elle y a vus : « Les gens du Midi ont une blessure dans le dos, ceux du Nord à la poitrine, les Bretons un peu partout[4] », classification qui eût ravi Gobineau.

Simone de Caillavet, un des modèles de Gilberte Swann, future Mlle de Forcheville et marquise de Saint-Loup, n'est pas moins enchantée de sa condition d'infirmière qui lui apporte, outre une appréciable indépendance, des petits avantages bien pratiques : « Cela nous donne droit... à la franchise

1. B. de Castellane, *Mémoires*, p. 345. C'est moi qui souligne.
2. Benoist-Méchin, *A l'épreuve du temps*, tome I, p. 128.
3. *Ibidem*, p. 131.
4. Abbé Mugnier, *Journal*, p. 271.

militaire de nos lettres et à la reconnaissance de la population », écrivait-elle au mois de septembre 1914 au prince Louis de Monaco. « Cela m'amuse d'être assimilée à un soldat et de pratiquer l'obéissance sous ma robe blanche avec une croix. Et puis le voile est si seyant ! On vous a des airs de béguines, on est adoré des mourants. Je me sens là-dedans comme un poisson dans l'eau [1]. » Là où Proust cherche la vérité, Simone de Caillavet atteint d'emblée le cynisme.

Une des ambulances mondaines les plus en vogue est celle de Mme de Brantes, née Schneider, où le docteur Pozzi, en grand uniforme de lieutenant-colonel, officie au milieu d'un cercle de dames empanachées, assistées par les valets de pied de Mme de Croisset qui servent l'orangeade et passent les petits fours. La grande préoccupation de ces belles âmes est de trouver les quarante Alsaciens-Lorrains auxquels cette ambulance est en principe réservée. Impossible de s'en procurer. « Enfin, écrit Catherine Pozzi dans son *Journal*, on en amena treize. Il était temps ! le reste suivit [2]. »

Ces dames se montrent exigeantes sur la qualité des blessés qui doivent n'être ni trop vieux, ni trop abîmés, ni trop sales. On invoque la morale pour esquiver les syphilitiques et l'on rejette les contagieux dans les ténèbres extérieures, où ils ne verront ni dames parfumées ni valets de pied en livrée. Tout le monde réclame des Anglais, si racés ; personne ne veut de Belges, trop lourds. Il faut se livrer à des prodiges d'ingéniosité, ou bien avoir de puissantes relations pour obtenir un lot agréable. Dans son livre de souvenirs, *Les Précieux*, Bernard Faÿ raconte qu'au bureau de la Croix-Rouge où il s'était fait embaucher « on n'envoyait plus de blessés, on les réservait tous pour la grande ambulance du docteur Depage, ami de la reine [3]. Dans cette fâcheuse conjoncture, nous recourûmes au duc de Vendôme qui voulut bien se rendre chez son beau-frère, à La Panne, pour réclamer au roi notre portion [4] ».

Ces querelles engendrent des aigreurs et entretiennent des rancunes. Parfois des répliques fusent, qui clouent sur place les impudents. La comtesse Jean de Castellane, veuve d'un Fürstenberg, manifestant son impatience de gagner le front avec son ambulance, le comte de Z. qui avait erré jadis du côté de Sodome, lui fait observer : « Vous êtes bien pressée de

1. M. Maurois, *Les Cendres brûlantes*, p. 428.
2. C. Pozzi, *Journal*, p. 80.
3. Élisabeth de Belgique.
4. B. Faÿ, *Les Précieux*, p. 28.

rejoindre votre cousin le Kronprinz... » A quoi la comtesse, hautaine et glaciale, réplique : « Il vaut mieux être la cousine du Kronprinz que d'avoir été la maîtresse du baron H... »

Parmi ces ambulances destinées au front, le chef-d'œuvre du genre est celle d'Étienne de Beaumont, véritables salons aux armées. Beaumont, raconte Bernard Faÿ, avait dessiné pour ses infirmiers une tenue qui les faisait ressembler « à des amiraux russes et des policiers argentins », mais chacun pouvait interpréter à sa guise le modèle, aussi, ajoute-t-il, l'équipe avait l'air, de son propre aveu, « d'un cirque en déplacement [1] ». C'est dans une tenue de ce genre que Proust décrira le Docteur Cottard assistant héroïquement aux réunions mondaines, vêtu « d'un uniforme de colonel de *L'Ile du rêve*, assez semblable à celui d'un amiral haïtien, et sur le drap duquel un large ruban bleu ciel rappelait celui des Enfants de Marie [2] ».

Les hommes non mobilisables, ou étant parvenus à échapper aux conseils de réforme, affichent un patriotisme qui grandit au fur et à mesure que s'éloigne le danger d'être appelés. De Fernand Gregh, toujours à Paris, Ferdinand Bac écrit qu'il « déguisait sa robuste inaction par de quotidiennes vociférations contre les Barbares, la mine fleurie, le mollet bien tendu, et dévorant les journaux plutôt que les espaces pour gagner la frontière [3] ». D'une façon non moins piquante, Proust montrera que « si Bloch... avait fait des professions de foi méchamment antimilitaristes une fois qu'il avait été reconnu *bon*, il avait eu préalablement les déclarations les plus chauvines quand il se croyait réformé pour myopie [4] ».

Rien n'indigne davantage Proust que ces rodomontades, ces déclamations sanguinaires, ce faux patriotisme exalté par la peur, et cette foire aux beaux sentiments où seule une surenchère perpétuelle est de mise, à tel point qu'on se croirait parfois aux pires jours de la Terreur. Beaucoup semblent croire que leur devoir est d'apprendre aux autres à faire le leur et rien ne serait plus ridicule, si ce n'était aussi scandaleux, que ces civils pérorant dans les salons et prêchant les généraux. Comme le conflit se prolonge, alors qu'on avait cru que les troupes entreraient à Berlin avant l'hiver, la société civile adopte le langage des stratèges et juge de haut les opérations militaires en ne ménageant ni ses critiques ni ses conseils.

1. B. Faÿ, *Les Précieux,* p. 30.
2. *A la recherche du temps perdu*, Pléiade, tome IV, p. 348.
3. F. Bac, *Souvenirs inédits*, livre V.
4. *A la recherche du temps perdu*, Pléiade, tome IV, p. 320.

Ainsi les plus grandes batailles sont-elles débattues autour d'une table à thé, les morts comptabilisés comme des recettes de théâtre et les grands carnages réussis applaudis comme la cinq centième représentation d'une pièce à succès.

Le pire, hélas !, n'est pas d'entendre quelques mondains et demi-mondaines dire ce qu'ils feraient à la place de Joffre ou de Gallieni mais de voir des hommes d'esprit, et même de cœur, naguère encore réputés pour l'indépendance de leur caractère et la droiture de leur jugement, se mettre au diapason, usant d'un nouveau langage où se retrouvent toutes les expressions à la mode, adoptant aussi les préjugés populaires et les slogans de la propagande. « Même la syntaxe de l'excellent Norpois, écrira Proust, subit du fait de la guerre une altération aussi profonde que la fabrication du pain ou la rapidité des transports... L'excellent homme, tenant à proclamer ses désirs comme une vérité sur le point d'être réalisée, n'ose pas tout de même employer le futur pur et simple, qui risquerait d'être contredit par les événements, mais a adopté comme signe des temps le verbe savoir...[1] » Ainsi dit-il : « L'Amérique ne saurait rester indifférente à ces violations du droit... » ou bien « la monarchie bicéphale ne saurait manquer de venir à résipiscence... »

D'un seul coup, toute la culture germanique a été vouée au bûcher. Écrivains et philosophes, savants et musiciens qui ont fait la gloire de l'Allemagne sont considérés comme autant d'ennemis, voire de traîtres à la civilisation. Leurs œuvres ne devraient plus être lues, regardées ou jouées. Frédéric Masson rivalise avec le Sâr Péladan pour dénoncer l'atrocité de la culture allemande, considérer les fervents de Wagner comme des espions en puissance et interdire l'enseignement de la langue de Goethe, « idiome de ces assassins ». Le terme « allemand » est d'ailleurs proscrit, remplacé par celui de « boche » dont l'emploi est obligatoire si l'on ne veut pas être soupçonné de tiédeur ou accusé de trahison. Les premiers récits de guerre que publient les journaux sont de véritables pots-pourris de lieux communs, de poncifs et d'images d'Épinal auxquels le mot « boche » répété presque à chaque ligne ajoute un brevet de garantie.

Il faut un grand courage moral pour rester lucide et objectif, pour ne pas s'abaisser à cette vulgarité, pour continuer de dire « l'empereur Guillaume II » au lieu de le traiter en voleur de

1. *A la recherche du temps perdu*, Pléiade, tome IV, p. 361

grand chemin, pour refuser d'ajouter foi à toutes les absurdes légendes qui font du Kronprinz un nouvel Attila et des Allemands en général des brutes avinées, violant et pillant. Après avoir lu dans le *Journal des débats* du 17 novembre 1914 un sobre récit de Daniel Halévy, intitulé *Les Trois Croix*, Proust, ému aux larmes et oubliant son différend avec l'auteur, lui écrit pour le féliciter : « En ce temps où il y a tant de sublime dans les faits, et si peu dans les paroles et les écrits, où chacun annonce que la guerre a transformé les esprits, mais l'annonce dans un style qui montre trop qu'elle n'a rien transformé du tout, où les mêmes sottises, les mêmes banalités reviennent, soit pires encore, soit semblant telles par leur confrontation aux grandes choses qu'elles s'imaginent exprimer, en ce temps où on ne peut pas lire un journal sans dégoût... et où peut-être pas *une* ligne décente n'a été écrite sur la guerre, je crois que *Les Trois Croix* sont le premier morceau de littérature guerrière qu'il m'ait été donné de lire... [1]. »

Le « désarmement des intelligences » qu'il dénonce en terminant cette lettre à Daniel Halévy l'afflige plus encore que la mort au front de certains écrivains, car il y voit un avilissement général de l'esprit dans lequel beaucoup de ses relations se complaisent, soit par lâcheté, ou du moins facilité, soit par plaisir de pouvoir céder enfin à leur médiocrité naturelle.

On verra bientôt la comtesse Greffulhe, parce qu'elle ne participe pas à ces excès verbaux, dénoncée comme défaitiste par Léon Daudet. Indigné de cette attaque, le comte Greffulhe retrouvera son esprit chevaleresque pour la défendre et protester contre une telle calomnie. Peut-être son origine étrangère, bien que la Belgique soit une alliée de la France, et ses relations cosmopolites lui ont-elles attiré ce procès d'intention, mais on peut y voir aussi une forme de revanche : nombre de gens, jaloux de sa suprématie mondaine, ont saisi l'occasion de la lui ravir en essayant de la mettre au ban d'une société qu'elle dominait trop. Son cousin Philippe de Caraman-Chimay, bien que combattant et même blessé en première ligne, est compris dans cet ostracisme. Estimant sans doute qu'il aurait dû se faire tuer pour mieux plaire, Montesquiou ne craint pas de l'apostropher un jour qu'il le croise au Meurice : « Montrez-moi le seul officier belge qui ne soit pas un héros ! » crie à la cantonade le descendant de d'Artagnan.

S'il a eu la curiosité de lire *Les Offrandes blessées*, dernière

1. Kolb, tome XIII, p. 331.

œuvre de Montesquiou, Philippe de Caraman-Chimay aura été bien vengé de cette algarade.

*

Depuis quelques années déjà, le monde commence à se détourner de l'esthète vieillissant qui a tenté de se rajeunir en vouant un culte à D'Annunzio, se faisant presque l'imprésario du séducteur italien, mais celui-ci n'avait que faire d'une telle conquête. Les dernières fêtes données au Vésinet n'ont pas été des réussites. Comme l'écrivait le prince de Beauvau à Marthe Bibesco : « On n'y trouve plus que quelques fantoches réunis par la crainte... »

Au début de la guerre, alors que les Allemands marchaient sur Paris, il a cru finir en beauté, fusillé sur les marches de son faux Trianon par des Uhlans ivres ignorant qu'ils assassinaient ainsi la poésie française, mais rien de ce qu'il avait appréhendé avec ravissement, comme une dernière représentation, ne s'était passé suivant ses vœux. De manière moins héroïque, il avait gagné la côté normande et avait même, un après-midi, voulu rendre visite à Proust, trop fatigué pour le recevoir.

Il avait ensuite rallié son castel d'Artagnan, où, pour participer à l'effort de guerre, il avait repris la plume. Dans la paix de cette campagne où l'on n'a pas vu d'armée ennemie depuis celle de Wellington, à l'abri des obus et bien nourri, il a vécu en esprit le martyre des provinces envahies avec une telle intensité qu'il a dû rassurer ses serviteurs effrayés : « Quand vous m'entendez gémir, vous saurez que j'écris, ne me dérangez pas... » En effet, on l'entendait se plaindre et pleurer. Il ne lui manquait plus que les stigmates du Christ pour se croire appelé à sauver la France.

Le résultat de ce douloureux enfantement dépasse en ridicule tout ce que l'auteur des *Hortensias bleus* a écrit jusqu'alors et fait regretter que des Uhlans mieux inspirés ne lui aient pas épargné cette fin de carrière. Bien entendu, cet aristocrate enragé, qui regarde de haut certaines familles royales moins anciennes que les Montesquiou, cède au préjugé du jour et n'a pas assez de mots pour flétrir les Hohenzollern, notamment Guillaume II, qualifié de « monstre », alors qu'à la cour de Farnborough, l'impératrice Eugénie, qui a quand même eu à se plaindre des Hohenzollern, veille à ce que personne n'emploie le mot « boche ». Ce recueil est composé d'une série d'« offrandes » en trois strophes de quatre vers. Elles sont tour à tour « politiques, féeriques, renversées, antiques, fécondes, résignées, lacrymales, boréales, héréditaires, sigillaires, paraphées, victimaires, flagellées, dérisoires, peccantes, ataviques [1] ». Certains vers auraient fait glousser Jean Lorrain :

*Les noirs Sénégalais, qui n'ont rien de débile,*
*Et que nous admirions dans les jardins publics...*

Lorsqu'il reçoit son exemplaire des *Offrandes blessées*, Proust ne peut en méconnaître l'incroyable sottise et, dans sa lettre de remerciement, tout en le félicitant d'avoir fait coïncider « l'Art et la Guerre », il ajoute prudemment, faute de pouvoir tout admirer en bloc : « Chacun aura ses préférées parmi vos offrandes. »

Un peu piqué de cette réserve, Montesquiou lui répond que « puisque chacun en aime une qui n'est pas celle dont l'autre lui a parlé, c'est qu'elles sont égales entre elles » et il rassure Proust, peut-être insuffisamment rassasié : « Mais la source n'est pas tarie, et j'en composerai encore pour ceux qui les aiment. Je ne crois pas à votre visite... Si longtemps différée, elle prendrait aujourd'hui les proportions d'*un signe du ciel* ; il y en a déjà beaucoup. Cependant j'approuve la volonté de croire probable, même prochain, ce qui ne doit pas être, même quand on sait cela ; c'est la seule façon de tolérer que la vie se permette de finir sans consulter, et de s'achever sans prévenir... » Et il constate, avec une certaine acrimonie : « Il y a entre nous désormais un mur de glace. Il contient, retient, maintient des fleurs colorées et fraîches ; on les voit, mais sans les atteindre [2]. »

Au reproche de Montesquiou de se dérober à ses invitations comme d'éluder sa proposition d'aller le voir boulevard Haussmann, Proust oppose sa bonne foi de malade dont le monde s'obstine à croire que ses maux sont imaginaires. Faudra-t-il qu'il meure afin de prouver qu'il était vraiment malade ? « Non, je pense plutôt de votre part à quelque cruel sadisme, cherchant à empirer mon douloureux regret en remords. Mais à cela vous ne parviendrez pas, ma conscience étant fort loin de me rien reprocher, je ne dis pas, même envers vous, mais envers moi et envers les satisfactions de cœur et élévations

1. Ph. Jullian, *Robert de Montesquiou*, p. 280.
2. Kolb, tome XIV, p. 169.

d'esprit dont je serais frustré en ne vous voyant pas aussi souvent que je l'aurais pu... [1]. »

La riposte du gentilhomme arrive par retour du courrier. Se comparant à Mme Jourdain, qui prétend rire alors qu'elle est furieuse, il était dans un état semblable, mais triste, quand la lettre de Proust lui est parvenue : « J'ai commencé de la lire avec le plaisir qu'on éprouve à s'entendre quereller par quelqu'un que l'on aime. Mais lorsque je suis arrivé au passage sur le *sadisme* et la *démonialité* de ma persécution à votre égard, il n'y a pas de chagrin qui tienne, la gaieté a fusé... [2]. »

Pour avoir le cœur net sur cette affaire et savoir si Proust est malade ou bien s'il joue la comédie, Montesquiou se rend boulevard Haussmann, le 13 juillet 1915, en promettant de ne rester que quelques minutes. Il s'éternise pendant des heures, parlant infatigablement de son œuvre et de son génie, citant ses vers avec complaisance et, Pégase criard et piaffant, marquant leur rythme par des ruades qui ébranlent le plancher, au vif émoi de Proust craignant les protestations des voisins. Tout en déclamant de la sorte, il a le temps de remarquer le sinistre décor dans lequel vit son ancien admirateur. « Ma dernière rencontre avec vous m'a laissé l'impression d'une visite chez Henri Heine, celui de ses jours alités », lui écrit-il quelques jours plus tard [3], réservant pour ses Mémoires des impressions moins poétiques, notamment celle causée par la vue de nombreux pots de chambre et d'autant de pots de confiture.

Ce sera effectivement leur dernière rencontre et Montesquiou ne s'en doute pas, se doutant moins encore qu'il y avait dans cette chambre lugubre, en plus des pots qui avaient offensé sa vue, les cahiers dans lesquels se dessine, se précise et se fixe, en une effroyable caricature, la physionomie du baron de Charlus. L'année suivante, il lui enverra son nouveau livre, *Têtes couronnées*, avec cette dédicace vengeresse : « A Marcel Proust, pour essayer de lui prouver que je ne suis pas encore aussi mort qu'il voudrait bien me le faire croire, en me traitant comme si je n'étais plus, autant dire en m'oubliant [4]. » Six mois plus tard, il constatera plaintivement l'échec de toutes ses tentatives pour briser le « mur de glace » qui les sépare : « Cher Marcel, j'aime toujours de lire les agréables fioritures que vous

---

1. Kolb, tome XIV, p. 183.
2. *Ibidem*, p. 187.
3. *Ibidem*, p. 190.
4. *Idem*, tome XV, p. 177.

suggère, à chaque nouvelle occasion que je vous offre, le thème de votre visite à me faire, non faite, et qui se fera... », concluant sur cette note qui trahit la solitude de son âme : « *Tout devient triste, sauf de mourir*[1]. »

La vérité, que Montesquiou ne soupçonne pas encore, c'est que Proust qui a engrangé, depuis bientôt trente ans, tous les matériaux nécessaires au portrait du baron de Charlus, n'a plus besoin de lui.

1. Kolb, tome XV, p. 340.

# 19

# Juillet 1915 - Décembre 1916

*Un jeune homme très distingué : Gautier-Vignal - Deuils : Gaston de Caillavet et Bertrand de Fénelon - Proust « attend les gendarmes » - Et les huissiers - Visite à J.-É. Blanche - Deux victimes illustres : Gallimard et Grasset - Proust émigre à la N.R.F. - Enfantillages financiers - Un ange gardien : Céleste Albaret - Vie quotidienne boulevard Haussmann.*

Calfeutré dans sa chambre et n'en sortant guère, évitant ainsi la sottise des hommes dont seule la lecture de la presse lui apporte l'écho, Proust, à l'instar de Romain Rolland, se tient « au-dessus de la mêlée », position moins confortable qu'il n'y paraît car elle suscite méfiance et réprobation de tous ceux qui préfèrent hurler avec les loups. Peut-être a-t-il dit à quelque ami que pour vérifier certains faits cités dans son livre il s'était plongé dans l'affaire Dreyfus, ou l'étude de quelque autre scandale, car bientôt court dans Paris, attribué à Mme de Chevigné et colporté par Cocteau, un mot qu'il aurait eu : « La guerre ? Je n'ai pas encore eu le temps d'y penser. J'étudie en ce moment l'affaire Caillaux... »

C'est une invention absurde, proteste Proust qui n'écrit pas moins de trois lettres à Lucien Daudet pour se défendre d'avoir tenu ce propos si déplaisant. Loin d'être indifférent à la guerre, il en suit passionnément le cours en lisant quotidiennement plusieurs journaux et notamment l'austère *Journal de Genève* apprécié des bons esprits pour son impartialité. Bien mieux que tous ceux qui pérorent au Café du Commerce ou chez Mme Verdurin, il sait la terrible réalité que dissimulent les phrases des communiqués officiels ou les discours patriotiques. Il l'exprime déjà dans ses lettres et l'écrira dans *Le Temps retrouvé* lorsqu'il évoquera le destin du combattant dont « la misère est plus grande que celle du pauvre, les réunissant toutes, et plus touchante encore parce qu'elle est plus résignée, plus noble, et que c'est d'un hochement de tête philosophe, sans haine, que, prêt à repartir pour la guerre, il disait en voyant se bousculer les embusqués retenant leurs tables : *On ne dirait pas que c'est la guerre ici...* [1] ».

La lecture assidue des journaux et la composition de son roman, auquel la guerre imprime justement un tour imprévu, lui laissent peu de loisirs pour recevoir ses amis. Il fait néanmoins une exception pour un jeune homme qui lui a été présenté par Lucien Daudet en 1913 et qu'il a pris en affection, Louis Gautier-Vignal.

Sachant qu'il était originaire de Nice et qu'il avait été un ami d'enfance de Roland Garros, il lui avait demandé, après la mort d'Agostinelli, d'essayer d'avoir d'autres détails que ceux donnés par les journaux sur les circonstances de l'accident, mais Gautier-Vignal, qui n'avait pas gardé de relations avec Garros et n'allait plus guère à Nice, n'avait pu le renseigner. Proust lui avait ensuite recommandé le frère d'Agostinelli, Émile, pour qu'il lui trouve un emploi. Des relations s'étaient ainsi nouées, car Gautier-Vignal était non seulement agréable à regarder, mais aimable et remarquablement cultivé pour son âge. « Fin, mince, aristocratique, écrira Ferdinand Bac, il a un joli visage, des manières exquises, une grande érudition et une sensibilité artistique qui lui ont valu les suffrages du clan Daudet. » Sa bonne mine et son charme ont séduit Mme Stern dont il est devenu le commensal, l'accompagnant dans ses voyages en Espagne et en Italie. A tous ces avantages intellectuels et physiques, il en offre un autre : il est disponible, ayant été réformé. Proust l'apprécie, mais hésite à se lier plus intimement avec lui : « Gautier-Vignal est plutôt, comment dirais-je, un ami de mon livre que de moi, écrit-il au début du mois de février 1915 à Mme Catusse. Vous me comprendriez très mal si vous croyiez que j'entends renier en quoi que ce soit un être qui me semble tout à fait délicat, sympathique, et qui a été si gentil (et qui est remarquablement intelligent). Mais je veux dire que je le connais peu, depuis peu de temps. Cela n'empêche pas que nous soyons fort en sympathie ; j'ai eu en lui le lecteur le plus assidu et le plus compréhensif, et il a été à plusieurs reprises serviable et charmant pour moi... [2] »

---

1. *A la recherche du temps perdu*, Pléiade, tome IV, p. 313.
2. Kolb, tome XIV, p. 50.

Avec sa manière habituelle de promettre et de ne pas tenir, de réclamer la présence de ses amis tout en décourageant leur désir de venir le voir, il souffle le chaud et le froid dans ses rapports avec Gautier-Vignal, comme s'il voulait éprouver les sentiments de ce nouvel admirateur et leur constance en dépit des obstacles : « Ne prenez pas trop à la lettre ma demande de vous voir, lui écrivait-il le 7 janvier. Car ce sera peut-être difficilement réalisable et ce n'est peut-être que momentanément souhaité par moi, au cours de cette sorte de dépression atmosphérique du circuit orageux qui s'est établie je ne sais pourquoi entre nous à distance[1]. »

Il éprouve cependant le besoin de se faire de nouveaux amis pour combler les vides laissés par les morts et les absents. Deux disparitions lui ont été particulièrement sensibles, en ce début d'année 1915, celle de Gaston de Caillavet, puis celle de Bertrand de Fénelon.

Gaston de Caillavet est mort en héros de ses pièces, épuisé par la bonne vie et les travaux de l'adultère. Déjà trop malade pour être mobilisé, refusé lorsqu'il a voulu s'engager, il s'est éteint le 13 janvier 1915, après de longues souffrances, trop longues au gré des siens, s'il faut en croire sa fille[2]. Proust est d'autant plus attristé de cette fin qu'il ignorait la gravité de son état. En apprenant sa mort, il sent revivre en lui une partie de sa jeunesse, ses soirées avenue Hoche, ses courses éperdues à travers Paris, le dimanche soir, pour attraper le train d'Orléans : « Non, je ne peux pas croire que je ne reverrai jamais Gaston, pensez que je l'ai connu et *adoré* même avant qu'il vous connût ! » écrit-il aussitôt à sa veuve qui n'a aucun besoin d'être consolée. « ... Le seul nuage qu'il y ait jamais eu entre nous est venu de ce que nous étions tous les deux follement amoureux de vous et que j'avais voulu avoir la consolation de photographies de vous, ce qui l'avait mis dans une colère épouvantable et si naturelle, le pauvre petit. Quelle absurdité que ce soit moi le malade, l'inutile, le bon à rien qui reste, et lui rempli de force et déjà célèbre, à la veille d'entrer à l'Académie qui était du reste bien peu de chose auprès de l'immense retentissement de son œuvre, qui s'en aille. Jamais je ne m'en consolerai[3]. »

Simultanément lui parvient l'annonce de la disparition, dans

1. Kolb, tome XIV, p. 25.
2. M. Maurois, *Les Cendres brûlantes*, p. 455.
3. Kolb, tome XIV, p. 29.

les lignes, au cours d'un engagement, de Bertrand de Fénelon. Au moment de la déclaration de la guerre, Fénelon se trouvait en poste à Christiana et, sans hésiter, il avait quitté le service diplomatique pour s'engager. Depuis la première bataille de l'Artois, au mois de décembre 1914, on ne savait s'il était mort ou prisonnier. Sa sœur, la marquise de Montebello, avait appris d'un officier allemand fait prisonnier que celui-ci l'aurait vu « mortellement blessé ». Dans toutes ses lettres de cette époque, Proust, sincèrement ému, ne cache pas la tristesse qu'il éprouve, mais c'est dans celle qu'il écrit à Louis d'Albuféra, lorsque Antoine Bibesco lui confirme la mort de Fénelon, qu'il donne la mesure exacte de ses sentiments : « Je le pleure comme un frère. En ce moment on peut garder une lueur de bien improbable espoir [1]. Quand elle sera éteinte, j'écrirai à Barrès pour tâcher qu'il dise quelques mots d'un être si rare. Son courage a été d'autant plus sublime qu'il ne se mêlait d'aucune haine. Et, diplomatiquement, ce n'est pas l'Allemagne (au moins l'Empereur, car c'est le seul point que visait son information, exacte ou non) qu'il rendait responsable de la guerre. Que cette vue soit erronée, c'est fort possible. Elle n'en témoigne pas moins, jusque par son erreur, que le patriotisme de ce héros n'avait rien d'exclusif et d'étroit. Mais il aimait passionnément la France. Aussi, comme il a dû souffrir [2]. »

Les mots que lui dicte son chagrin sont presque ceux que le Narrateur emploiera pour parler de la mort de Robert de Saint-Loup mais cette disparition de Bertrand de Fénelon ranime d'autres sentiments que ceux décrits dans *A la recherche du temps perdu*. La figure de Fénelon reste à jamais marquée pour lui par les souffrances qui ont accompagné l'amour sans espoir qu'il lui avait porté. A Georges de Lauris, il rappelle avec une certaine amertume, tout en affirmant n'en garder aucune, « le rôle peu amical » joué par Lauris dans leurs relations, puis, quelques jours plus tard, Lauris ayant mal réagi en voyant surgir à nouveau ce vieux grief, il revient sur cette mort, « la troisième depuis trois ans qui lui fait regretter, comme dit Musset, *qu'il faille ici-bas mourir plus d'une fois* ». Si l'on peut conjecturer qu'une de ces morts est celle de Gaston de Caillavet, encore que leurs relations se fussent espacées, il est certain que l'autre est celle d'Alfred Agostinelli, mais Proust

1. Car la confirmation officielle, par le ministère de la Guerre, manquait encore.
2. Kolb, tome XIV, p. 71.

juge que la disparition de Fénelon est en même temps la moins cruelle des trois et aussi la pire, car l'absence, en affaiblissant la mémoire, a diminué d'autant « les ressources de chagrin ». Il se trompe d'ailleurs en écrivant à Lauris qu'il n'avait pas vu Bertrand de Fénelon depuis douze ans. Il serait plus exact de dire qu'il avait « renoncé » à Fénelon depuis l'échec de leur voyage en Hollande. De toute manière, il est symptomatique de sa part de déplorer à la fois la disparition de Fénelon et de s'affliger en même temps de n'en pas conserver un souvenir plus vif pour mieux en nourrir sa douleur et connaître une sorte de bonheur dans une plénitude de souffrance.

Enfin, ses sentiments à l'égard de Bertrand de Fénelon changeront lorsqu'il apprendra de Paul Morand que le jeune homme aux yeux si bleus qui avait sans doute découragé ses avances, ou feint de ne pas en comprendre la nature, avait eu des amours moins orthodoxes auxquelles des flirts avec de jolies femmes servaient de paravent[1]. La réserve ou le refus de Bertrand de Fénelon lui paraîtront alors plus injustes et plus cruels. Cette déception posthume a certainement contribué à modifier le personnage de Saint-Loup et à le rendre moins sympathique, en dépit de sa fin glorieuse. Dans la réalité cette mort au front est plutôt celle de Robert d'Humières qui, pour ne pas être séparé de l'homme qu'il aimait, s'était fait verser dans un régiment de zouaves et avait été tué au début du mois de mai 1915. « Je pleure jour et nuit Fénelon et d'Humières comme si je les avais quittés hier[2] », écrit-il à Mme Catusse.

*

Commencée dans l'enthousiasme, avec la conviction qu'elle serait courte, à peine assez longue pour offrir quelques semaines de vacances à tant d'hommes jamais sortis de leurs usines ou de leurs champs, cette guerre s'enlise dans les tranchées, menaçant de durer aussi longtemps que les belligérants auront des armes, des vivres et surtout de la chair à canon. Les hécatombes des premiers mois, quand les soldats français montaient en ligne avec des pantalons garance, ont accéléré le rythme de la conscription. Les conseils de réforme fonctionnent activement et se montrent de moins en moins exigeants.

1. P. Morand, *Le Visiteur du soir*, p. 26.
2. Kolb, tome XIV, p. 138.

L'époque est passée où, pour avoir le droit de se faire tuer, il fallait être en excellente santé.

Incertain de son sort et regardant l'épreuve du conseil de réforme avec plus d'effroi que celle d'une éventuelle incorporation, Proust multiplie les démarches afin d'échapper à cette formalité qui le tuerait rien qu'en l'obligeant à sortir le matin. Se croyant définitivement « rayé », il n'avait pas, semble-t-il, accompli les démarches complémentaires que lui avait alors conseillées d'Albuféra. En effet, le ministère a ordonné la révision de toutes les réformes prononcées depuis le début de la guerre et la classe 1888 avec laquelle Proust a fait son volontariat doit passer prochainement un examen de contre-réforme. Craignant de se trouver en situation irrégulière et de n'avoir plus qu'« à attendre les gendarmes », il tente une intervention auprès de Joseph Reinach.

Ce familier du salon des Straus a bien d'autres soucis en tête depuis qu'il donne au *Figaro* des articles signés modestement *Polybe* et dans lesquels, stratège en chambre, il fait la leçon aux généraux en incitant les soldats à la vaillance. Il prend néanmoins la peine de répondre à Proust, mais d'une manière élusive qui exaspère celui-ci. Avec cette virulence qui jaillit parfois de ses phrases les plus sirupeuses, comme un aspic d'un panier de fleurs, Proust lui dit ce qu'il pense de sa pusillanimité : « J'ai toujours beaucoup de chagrin quand je vois près de s'évanouir des illusions très chères et quand un homme dont j'ai souvent admiré le courage dans la vie publique (admiré, si je peux le dire, jusqu'à rompre alors avec des amis qui se sont réconciliés avec vous et non avec moi) montre une si peu cordiale circonspection dans la vie privée. C'est toujours l'histoire du courage sur le champ de bataille [1]... »

Trois mois se passent pour lui dans les affres de l'attente. Enfin, au début du mois d'avril, il reçoit une convocation pour un conseil de réforme à l'Hôtel de ville, le 13 avril. L'heure semble avoir été choisie expressément pour lui, car elle est fixée à trois heures du matin. L'invitation est rédigée en termes pressants, dénués d'équivoque : les hommes qui ne se présenteront pas seront considérés comme aptes au service armé.

Affolé par cet ultimatum, il se fait délivrer par le docteur Bize un certificat précisant qu'il n'est pas en état de se présenter à l'Hôtel de ville. Le lendemain, il reçoit une seconde

1. Kolb, tome XIV, p. 36.

convocation, rectifiant l'erreur commise dans la première et où l'heure est cette fois fixée à huit heures et demie du matin. Il n'est pas davantage question pour lui de s'y rendre. Il se contente de faire porter au président de la commission des certificats médicaux et une demande de dispense d'examen médical. A la fin du mois, il est l'objet d'une troisième convocation, à laquelle il n'obéit pas plus qu'aux précédentes. Enfin, au mois de juin, il est avisé d'avoir à se présenter le 7 juillet devant la Commission spéciale de réforme au 6e bureau de recrutement. Comment s'y soustraire ? Après une série de fastidieuses démarches, il obtient du commandant de Sachs, du Gouvernement militaire de Paris, une sorte de *gentlemen's agreement*. Bon prince, le commandant lui propose de passer, un jour à son choix, aux Invalides, où il trouvera en permanence des médecins qui pourront l'examiner. S'il ne peut vraiment sortir de chez lui, un médecin militaire se rendra boulevard Haussmann. Enchanté d'avoir affaire à un si galant homme, Proust le remercie de sa compréhension en lui envoyant, avec une flatteuse dédicace, *Du côté de chez Swann* ainsi que *Les Plaisirs et les Jours*.

A sa grande surprise, lorsqu'il se soumet enfin à cette formalité, les majors qui l'examinent ignorent tout de lui. Le nom de Proust ne leur évoque rien, ni les travaux de son père, ni ceux de son frère dont la belle conduite au front peut lui servir de répondant. Quant à lui-même, ces gens qui, apparemment, n'ont jamais entendu parler de ses œuvres, le prennent pour un architecte. Grâce au ciel, il est ajourné pour six mois et peut retourner à ses travaux comme à ses soucis d'argent. De même qu'au début de l'année, dans l'angoisse de la conscription, il affirmait à certains correspondants « attendre les gendarmes », il y ajoutait pour d'autres « les huissiers », vivant également dans la crainte d'être saisi.

La lancinante mélopée de ses soucis financiers, conjuguée avec sa déploration des pertes humaines, a repris de plus belle et frappe inlassablement les oreilles de ses amis, sollicités de lui donner des conseils dont il ne tient aucun compte, persuadé qu'il est de son génie en matière de Bourse. Robert de Billy, en sa qualité de gendre de la banque Mirabaud, le vicomte d'Alton, habitué à l'entendre gémir sur ce problème, et surtout Lionel Hauser sont les témoins impuissants de ses tracas financiers qu'il semble exagérer à plaisir pour montrer que lui aussi souffre de la guerre. Une citation de Mme de Sévigné à propos de son fils prodigue — *Il trouve le moyen de perdre sans jouer et de dépenser sans paraître* — est comme les années précédentes le leitmotiv de sa correspondance. Certes, il n'a pu toucher le fameux chèque Warburg de 30 000 francs et la Bourse n'est pas florissante, mais sa situation ne serait pas aussi mauvaise s'il ne se livrait pas, sur la foi de vagues rumeurs, à certaines opérations. Comme ces gens qui, pour obtenir un avis conforme à leur désir, cachent à ceux qu'ils consultent une partie de la vérité, Proust, tout en réclamant les lumières de Lionel Hauser pour l'aider à gérer sa fortune, évite de lui en donner la consistance exacte. « Il est absolument impossible pour moi, sans connaître la composition de ton portefeuille et la nature de tes diverses positions, observe cet homme de bon sens, de te donner un conseil précis quant à celles de tes valeurs que tu dois vendre de préférence à d'autres… » Et il lui rappelle ses mises en garde vingt fois renouvelées depuis des années : « Tu ferais bien, à mon avis, lui écrit-il le 24 août 1915, de ne pas mélanger les sentiments avec les affaires de banque et de t'abstenir de faire une opération qui serait tout indiquée en la circonstance, de peur de dévoiler à M. Neuburger une situation que le simple bon sens, dont il est largement pourvu, a dû lui faire soupçonner depuis longtemps. Si ces quelques conseils paternels ne te suffisent pas, tu peux toujours revenir à la charge sans crainte de troubler ma béatitude. Je cherche de plus en plus à planer au-dessus des petites misères qui agitent les humains, mais c'est presque aussi difficile que de faire de l'aviation[1]. »

Si haut que plane Hauser, il est rejoint par les lettres de Proust dont le rythme augmente à l'automne, lettres tout émaillées de chiffres et détaillant de chimériques combinaisons pour jouer sans perdre et s'enrichir sans risques. Hauser balaie certaines de ses illusions, sans espérer que Proust comprendra la leçon : « A ce propos, lui écrit-il le 26 octobre 1915, permets-moi de dissiper un effet du mirage dont tu es actuellement victime. Tu t'imagines, comme tant d'autres, que le bénéfice que l'on réalise en Bourse dépend surtout des valeurs qu'on y achète. Eh bien, si paradoxal que cela puisse paraître, je puis t'affirmer que cela dépend en premier lieu de la personne qui opère. J'ai connu des individus qui se sont enrichis en Bourse en opérant sur des valeurs de dixième ordre, et d'autres qui se sont ruinés avec des valeurs de père de famille. Ceci est une question tout à fait personnelle. Il y a des gens qui sont nés

1. Kolb, tome XIV, p. 209.

pour faire ce métier, et d'autres qui sont nés pour s'y brûler les doigts. Je ne crois pas exagérer en disant que tu appartiens à ces derniers, mais si tu n'en es pas convaincu, tu es libre de continuer l'expérience, je ne demande qu'à être convaincu du contraire [1]. » Sage leçon, que Proust se gardera bien de retenir et de méditer.

Dans cette correspondance qui semble échangée entre un Descartes de la finance et un Nucingen frivole, des préoccupations étrangères à la Bourse apparaissent souvent, qui révèlent chez Lionel Hauser un esprit curieux, détaché du monde et réaliste, religieux sans croire en Dieu, et aussi un homme d'esprit, ne pouvant s'empêcher de plaisanter sur les malheurs imaginaires dont Proust l'entretient. Celui-ci prend d'ailleurs assez mal ces railleries et proteste avec véhémence, notamment lorsque Hauser, apprenant qu'il a été reconnu bon pour le service armé, l'en félicite en ajoutant qu'il ne désespère pas de lui voir un jour la poitrine ornée de la Croix de guerre. Cela lui paraît aussi cruel que le télégramme d'Antoine Bibesco en août 1914 pour lui demander s'il avait été versé dans les troupes de choc.

Comme sa situation financière reste critique, en dépit des conseils prodigués par Hauser, et que son compte à la banque Rothschild est débiteur, il se résout à vendre des actions pour combler le déficit et annonce en ces termes sa décision : « Peut-être jugeras-tu aussi qu'étant donné le nombre considérable de titres à vendre, il y aurait peut-être avantage à les faire vendre par la banque Rothschild plutôt que par le Crédit Industriel. J'arracherai ainsi devant M. Neuburger les derniers voiles et laisserai tomber la feuille de vigne qui, sans tromper personne, couvrait par décence mes ivresses spéculatives... [2] »

*

Si absorbants que sont pour lui ces problèmes d'argent, ils ne l'empêchent heureusement pas de travailler au remaniement d'*A la recherche du temps perdu* ainsi qu'à diverses tâches littéraires. La guerre, qui dicte à Montesquiou ses exécrables poèmes, a mieux inspiré Jacques-Émile Blanche en lui apportant nombre de faits ou d'anecdotes pour enrichir ses *Lettres d'un artiste*, publiées régulièrement dans la *Revue de Paris* avant leur réunion

1. Kolb, tome XIV, p. 255.
2. *Ibidem*, p. 266.

en volume par la N.R.F. sous le titre de *Cahiers d'un artiste* dont la parution est prévue pour le 30 juillet 1915.

En lisant le numéro d'avril de la *Revue de Paris*, Proust a été si intéressé par le texte de J.-É. Blanche qu'il lui a écrit pour l'en féliciter, tout en lui signalant quelques erreurs ou impropriétés. Flatté, Blanche lui a confié les épreuves de son livre et Proust s'est mis au travail, mais avec son perfectionnisme habituel, il a vite outrepassé son rôle de correcteur pour discuter le bien-fondé de l'emploi de certains termes, de certaines expressions, poussant Blanche dans ses retranchements pour connaître le fond de sa pensée. Un soir, brusquement, il s'arrache à son lit pour aller le voir à Auteuil et en discuter avec lui. Il prend un taxi et, à onze heures du soir, débarque chez Blanche. Il lui faut réveiller le concierge, qui à son tour réveille Blanche, éberlué de cette visite nocturne. Proust lui propose de l'emmener dîner, mais Blanche refuse et tous deux s'installent pour une conversation dont Dieu seul sait le temps qu'elle pourra durer. Bien qu'on soit en juillet, Proust a froid. Blanche va lui chercher un manteau, puis lui prépare une infusion de tilleul.

Que s'est-il passé au cours de cet entretien ou plutôt que se sont-ils dit ? Il semble que J.-É. Blanche, extrêmement susceptible, ait pris en mauvaise part certaines remarques de son visiteur sur son style ou son art et que Proust, en retour, se soit offusqué de la réaction de son hôte. Quoi qu'il en soit, rentré chez lui, Proust lui écrit une longue lettre dans laquelle, après une analyse très pertinente du talent d'écrivain de Blanche, il se plaint de la froideur de son accueil : « Cher ami, la fatigue paralyse ma main, sans cela je voudrais vous dire ma déception d'Auteuil. Matériellement, vous avez été charitable et bon, l'incomparable ami. Vous m'avez prêté votre manteau en Samaritain, fermé la fenêtre, offert votre protection pour l'armée. Mais du sourire affectueux qui jadis semblait heureux de me revoir… plus rien. Un accueil parfait et glacial. Pourquoi ? Je sais toute la reconnaissance que je vous dois. Mais est-ce une raison pour que vous soyez moins *gentil*[1] ? »

Proust ne paraît pas avoir un instant soupçonné qu'un homme tel que Blanche, assez maniaque, avec un caractère de vieux garçon, voire de vieille fille, ait pu éprouver une désagréable surprise en étant réveillé en pleine nuit pour parler de littérature, même s'il s'agissait de la sienne, et contraint de

---

1. Kolb, tome XIV, p. 181.

jouer le maître de maison en attendant de pouvoir regagner son lit. Pour Proust, il n'y a de véritable existence que par la littérature et les règles du style l'emportent sur celles du savoir-vivre.

Au milieu des angoisses de la guerre, entretenues par la lecture des journaux, il garde comme souci dominant et même comme hantise l'achèvement de son œuvre avant que la mort le prenne à son tour, cette mort qui semble se rapprocher en fauchant tous ces jeunes hommes dont certains emportent avec eux des lambeaux de son passé. Sinon par goût, mais parce qu'ils sont obligés de suivre celui du public, les éditeurs ne s'intéressent plus qu'à la littérature de guerre, encore que Gallimard et Grasset soient résolument pacifistes.

Épicurien qui n'a pas la moindre envie d'aller croupir dans l'eau des tranchées, en y disputant aux rats sa portion de « singe », Gaston Gallimard a pris une première précaution : pour 2 000 francs[1], il a convaincu un employé d'état civil d'ajouter la mention « décédé » en marge de son acte de naissance sur le registre de la mairie. Ce mort-vivant a poussé la précaution jusqu'à se rendre malade : « Il ne se nourrit plus, ne boit plus, devient grabataire, se laisse pousser la barbe pour accentuer l'émaciation du visage, grelotte quand on le visite dans sa chambre, s'exprime de plus en plus mal, avec un effort soutenu pour articuler[2] », écrit son biographe. Tout le monde est dupe de cette comédie, sa famille, ses amis, et même le médecin de la commission militaire de réforme. A peine reconnu « inapte », il s'est rasé, a repris figure humaine et s'est offert chez Maxim's un dîner somptueux qui a d'ailleurs mal passé dans son estomac rétréci par le jeûne. Il a repris la direction de la N.R.F., mais beaucoup de ses collaborateurs et de ses auteurs sont, eux, partis pour le front. D'autres sont prisonniers ou déjà tués, comme Alain-Fournier ou Charles Péguy. La disparition de celui-ci a médiocrement touché Proust : « Je trouve la mort de Péguy admirable, écrivait-il au mois de novembre 1914 à Lucien Daudet, mais non ce que j'ai lu de lui... Un art où une chose est redite dix fois en laissant le choix entre dix formules, dont aucune n'est la vraie, est pour moi le contraire de l'art... On m'avait demandé il y a quelques années de m'abonner aux *Cahiers de la Quinzaine*,

1. Environ 30 000 francs de 1990.
2. P. Assouline, *Gaston Gallimard*, p. 78.

fatras insupportable qui m'avait mis en mauvaises dispositions[1]. »

A force de jouer au malade, Gaston Gallimard a fini par l'être vraiment, les nerfs détraqués par son jeûne et aussi par l'appréhension d'être envoyé au front. Il lui faut aller se soigner sérieusement dans une maison de santé en Suisse avant de pouvoir reprendre son métier d'éditeur.

Pareille mésaventure a été aussi le lot de son rival, Bernard Grasset qui, d'abord résolu à faire son devoir, avait senti son enthousiasme fondre à la caserne de Rodez où il avait été affecté au début des hostilités. Ses nerfs, déjà fragiles, n'avaient pas résisté à l'épreuve de la vie militaire, à la promiscuité de la chambrée, à la vulgarité de ses camarades. Dès le mois de septembre 1914, il entrait à l'hôpital militaire de Rodez, passait ensuite à celui de Montpellier, souffrant, selon le mot de son oncle, le professeur Grasset, d'« obusité ». Il n'en était sorti que pour errer d'un hôtel helvétique à une maison de santé française, tremblant d'être « appelé », faisant tout pour ne pas l'être, allant jusqu'à simuler la folie, se laissant mourir de faim comme Gaston Gallimard, mais, à l'inverse de celui-ci, désespéré à la pensée d'être considéré comme « embusqué ». Sa maison depuis lors est en sommeil, la plupart de ses employés sont mobilisés.

Au mois de juillet 1915, entre deux séjours en maison de santé, Grasset rend visite à Proust, mais, s'il lui confirme son intention de poursuivre la publication d'*A la recherche du temps perdu*, il ne peut lui donner une date, même imprécise, puisque sa maison est quasiment fermée. Aussi Proust, dont la publication de son œuvre est la principale raison de vivre, est-il résolu à ne pas attendre davantage et à prêter désormais l'oreille aux sirènes de la N.R.F.

La plus persuasive de ces sirènes est André Gide qui, le 24 février 1915, était venu s'asseoir au chevet de Proust, avait passé la soirée avec lui, mais avouant dans son *Journal* n'avoir plus eu le cœur, le lendemain, de raconter cette visite. Il a été vraisemblablement envoyé par Gaston Gallimard pour tâter le terrain, car celui-ci avait écrit à Proust, peu après, pour lui demander de venir le voir. Proust avait éludé cette invitation, en assaisonnant son refus de compliments et même de larmes en mémoire de Robert Gangnat, chez qui avait eu lieu leur première rencontre. Gallimard revient maintenant à la charge,

1. Kolb, tome XII, p. 353.

allant droit au but : « ... Puisque vous me parlez de votre déveine et que j'ai commencé, moi, à vous parler de votre livre, et puisque vous voulez bien considérer comme une déveine que nous l'ayons refusé, laissez-moi vous dire aujourd'hui enfin que la déveine est pour nous, et le plus regrettable est que nous en avons tous la responsabilité. Nous avons été sottement légers. J'en ai honte en y pensant. Le succès étant venu, je n'ai plus osé vous écrire, craignant que vous vous mépreniez sur une sympathie un peu tardive. Il faut bien pourtant que vous sachiez, et Gide a dû vous le dire, qu'à la Nouvelle Revue française vous n'avez que des amis [1]... »

Et Gallimard lui propose de faire imprimer dès à présent *A l'ombre des jeunes filles en fleurs* [2], de mettre l'ouvrage en vente un mois plus tard, acceptant à l'avance ses conditions et envisageant même de racheter à Grasset *Du côté de chez Swann*. A une ouverture aussi généreuse, Proust répond avec circonspection, lui rappelant qu'il a déjà repoussé une offre de Gide et qu'il a donné sa parole à Bernard Grasset de rester l'un de ses auteurs, mais il fait allusion, quelques lignes plus loin, à « l'improbité à peu près certaine » de Grasset qui ne lui a jamais clairement précisé le nombre de tirages qu'il a faits de *Du côté de chez Swann*. On n'écrit pas aussi longuement à un éditeur quand on veut refuser de passer chez lui et dans cette lettre d'environ quinze cents mots, dont certains durs et même injustes à l'égard de Grasset, point déjà le désir de changer de maison [3].

Sans se laisser décourager par cette lettre dans laquelle Proust invoque la morale de l'honneur pour donner plus de prix à sa résistance, Gallimard continue ses travaux d'approche en s'efforçant de nouer avec l'auteur qu'il convoite un commerce régulier d'amitié. D'autres pourparlers ont lieu par personne interposée, vraisemblablement René Blum. Maintenant le « devoir moral », invoqué pour ne pas trahir Grasset, a changé de camp ; il est dans celui de Gallimard qui feint de croire que si Proust ne veut pas lui donner son prochain volume, c'est par ressentiment : « Cette idée me fait horreur, affirme Proust au début du mois de mai 1916. La simple idée de vous priver d'un plaisir, si vraiment ce peut en être un

---

1. *Correspondance Proust-Gallimard*, p. 26.
2. Le développement imprévu de son livre et le perpétuel remaniement auquel il procède a nécessité un nouveau découpage et fait surgir ces *Jeunes filles en fleurs* entre *Du côté de chez Swann* et *Le Côté de Guermantes* qui se trouve ainsi reporté.
3. Voir *Correspondance Proust-Gallimard*, pp. 27 à 32.

petit pour vous, par égards exagérés pour quelqu'un qui ne vous vaut pas, cette idée m'attriste aussi[1]. »

L'ombre de Grasset ainsi écartée, Proust, sans dire encore oui, entre dans une série de considérations pratiques qui montrent qu'en fait il est résolu à changer d'éditeur et qu'il se soucie d'obtenir de nouveau des garanties suffisantes. Il avertit d'abord Gallimard du caractère audacieux de son livre avec le portrait de Charlus et la peinture d'un milieu qui peuvent choquer certains lecteurs. Si Gallimard s'en offusque et lui demande soit des coupures, soit des changements, il ne pourrait plus en ce cas revenir à Grasset qui, lui, avait accepté une publication intégrale. Il aura donc lâché la proie pour l'ombre, situation qu'il résume en une formule admirable : « Si je me sens plus de devoirs envers vous qu'envers Grasset, je me sens... plus de devoirs envers mon œuvre qu'envers vous. » Viennent ensuite d'autres considérations matérielles, notamment l'éventuel rachat par Gallimard des droits du premier volume et des épreuves du deuxième. Bien qu'il soit pressé de faire publier son œuvre, Proust finit par reconnaître qu'il préférerait « ne paraître qu'après la guerre, les trois volumes d'un seul coup, de façon que tout s'explique et se justifie ». On peut toutefois, suggère-t-il, commencer l'impression, afin qu'il ait le temps de corriger ses épreuves, c'est-à-dire de réécrire en partie son livre, ce dont Gallimard ne se doute pas encore.

Lorsque celui-ci reçoit cet accord déguisé de Proust, il se déclare « dans la joie » et s'efforce de dissiper toutes les inquiétudes comme tous les scrupules de son futur auteur, lui promettant une publication sans coupures et une diffusion sans restrictions. Il est prêt à commencer tout de suite l'impression si Proust peut lui indiquer le nombre total de pages à faire composer[2]. Fort d'une telle lettre, valant contrat, Proust peut maintenant se dégager de Grasset, songeant à confier cette mission délicate à René Blum bien que celui-ci, mobilisé, se trouve aux environs d'Amiens. Le 30 mai 1916 part du boulevard Haussmann une longue lettre à René Blum pour lui expliquer le rôle qu'il lui confie et lui conseiller de prendre pour prétexte de cette rupture son besoin d'argent, cette fameuse ruine qu'il a suffisamment proclamée pour qu'elle paraisse plausible. Il devra donc tenir à Grasset ce langage :

1. Voir *Correspondance Proust-Gallimard*, p. 35.
2. *Ibidem*, pp. 39-41.

« Marcel Proust a perdu une grande partie de ce qu'il avait. Il ne peut plus être aussi indifférent qu'autrefois à gagner un peu d'argent. Votre maison est fermée, la N.R.F. ne l'est pas et peut l'éditer tout de suite. Il vous demande, pour cause de guerre, de lui permettre de reprendre, sans que cela vous fâche ou vous peine, sa promesse d'éditer chez vous les autres volumes, et par conséquent, de vous reprendre aussi le premier[1]. »

Sachant René Blum parfaitement renseigné sur tout ce qui se passe à la N.R.F., Proust ne lui cache pas la vérité ; il lui précise qu'il a demandé à Gallimard de faire seulement la composition du livre et d'attendre la fin de la guerre pour la publication : « N'insistez pas trop sur la question paraître tout de suite, ajoute prudemment Proust, car il [Grasset] n'aurait qu'à dire qu'il va donner des ordres à son imprimerie. » Le plus difficile pour René Blum n'est pas de savoir présenter la chose à Grasset, mais de trouver l'adresse de celui-ci, en perpétuelle errance d'une maison de santé à l'autre. C'est seulement le 11 juillet que, ne sachant où il se cache, il se décide à lui écrire à Paris en précisant que, faute d'une réponse de sa part dans le délai d'un mois, il considérera son silence comme une acceptation.

De la clinique du Chanet, à Neuchâtel, où il soigne une dépression nerveuse, pudiquement baptisée « fièvre thyphoïde », Grasset répond à Blum le 1er août sans lui dissimuler « la grande peine » que lui cause une telle démarche alors que la guerre a établi comme une trêve dans les rapports entre auteurs et maisons d'édition. N'ayant pas ses archives près de lui, il ne se rappelle pas exactement les termes du contrat passé avec Proust, ni le coût de la composition du deuxième volume, mais il sent qu'il faut céder : « Votre demande m'a plus peiné et choqué dans mon dévouement d'éditeur que dans mes intérêts, poursuit-il. Si malgré ces considérations, Marcel Proust veut une rupture, j'ai, croyez-le, trop de fierté pour retenir un auteur qui n'a plus confiance en moi et je lui faciliterai la reprise complète de sa liberté[2]. »

Lorsque René Blum communique cette réponse à Proust, celui-ci en est si froissé qu'il décide d'écrire directement à Grasset, lui donnant du « Cher Monsieur » au lieu du « Cher Ami » habituel, nuance qui a une extrême importance à ses

1. Kolb, tome XV, p. 145.
2. *Ibidem*, p. 246.

yeux, et sans doute aucune à ceux de Grasset. Dans sa lettre, Proust lui reproche « un souci d'intérêt personnel étrange quand chacun ne pense qu'au pays... », critique assez mal venue de la part d'un auteur qui obéit, lui aussi, à un motif d'intérêt purement personnel. Il est si furieux qu'en écrivant à René Blum, il lui recommande de conserver la lettre de Grasset, qu'il lui renvoie puisqu'elle lui était adressée, « en vue du jour inévitable où il fera faire une campagne de presse contre mon livre et dire qu'il a refusé de publier une pareille ordure[1] ».

Il est piquant de voir ces deux grands nerveux, et même névrosés, s'affronter en invoquant leurs maux et se servir de ceux-ci comme d'excuses à leurs actes. En fait, Proust utilise habilement la générosité qu'il a montrée en 1914, lorsqu'il avait accepté de rester chez Grasset en dépit des propositions avantageuses de la N.R.F., pour tirer argument de ce beau geste et en demander le paiement. Il serait fastidieux de se plonger dans le détail de cette mise au point, dont la longueur trahit l'étendue de son ressentiment, et à l'occasion de laquelle il évoque encore une fois le spectre de la ruine. Il l'achève sur un accent plus vrai, celui de la foi en son œuvre et de son désir de trouver pour elle les meilleures conditions de publication possibles : « Je n'ai rien d'une étoile, mais enfin dans votre firme, dans votre firmament, mon œuvre n'est qu'un grain de sable indiscernable. Pour moi, elle est tout. Je ne sais si je vivrai assez pour la voir enfin *parue* et il est assez naturel qu'avec l'instinct de l'insecte dont les jours sont comptés, je me hâte de mettre à l'abri ce qui est sorti de moi et me représentera. Car vous savez bien qu'heureusement vous n'êtes pas malade comme moi et que les beaux jours qui depuis longtemps sont finis pour moi reviendront pour vous bientôt, et longs, et nombreux[2]. »

Tenu au courant de cet échange épistolaire, Gallimard lit, sans doute avec un sourire aux lèvres, dans une lettre de Proust que celui-ci, ulcéré de la « lettre hypocrite et mensongère » de Grasset, se rappelle s'être battu jadis avec Jean Lorrain pour moins que cela... Gardant la tête froide au milieu de cette effervescence, Gallimard fait le point de la situation. Proust ne doit rien à Grasset, puisqu'il s'était réservé la propriété de son œuvre ; en revanche, il serait juste d'indemniser Grasset des

1. Kolb, tome XV, p. 259.
2. *Ibidem*, p. 264.

frais de composition du deuxième volume, ainsi que de la correction des épreuves.

Le 29 août 1916, Bernard Grasset donne enfin son accord, étonné que Proust ait pu être si choqué des termes de sa première lettre et trouvant qu'il était bien normal qu'il manifestât quelque regret de voir le quitter un auteur auquel il s'était attaché. Un peu apaisé, Proust lui répond le 14 septembre, mais il ne peut s'empêcher de revenir sur l'accusation d'égoïsme formulée par Grasset, puis il aborde la délicate question de l'indemnité due à Grasset, prévenant celui-ci tout de suite qu'il n'a pas l'intention d'aller au-delà du remboursement des frais de composition, la N.R.F. n'ayant pas à la dédommager du bénéfice espéré de la vente de l'ouvrage. Après lui avoir souhaité de se rétablir rapidement, Proust conclut : « J'espère, moi, le plus possible, non pas guérir, ce qui n'est pas possible, mais vous envoyer un livre qu'avec votre largeur d'esprit vous continuerez, j'espère, à aimer et à soutenir autant loin de vous que chez vous[1]. »

*

En fait ce livre, objet d'une si pénible controverse, est en train de se transformer en plusieurs livres et Grasset s'apercevra plus tard qu'il aura perdu, pour la gloire de sa maison, une œuvre infiniment plus importante que celle envisagée en 1913.

Alors que le deuxième volume prévu par Grasset, primitivement appelé *Le Côté de Guermantes*, devait représenter l'équivalent du premier, il s'amplifie au point d'atteindre le double, *A l'ombre des jeunes filles en fleurs* se détachant peu à peu du *Côté de Guermantes* pour constituer un volume indépendant, celui qui sera publié en 1919, tandis que la troisième partie de l'œuvre primitive se gonfle au fur et à mesure que Proust y ajoute épisodes et développements. En fin de compte, la suite de *Du côté de chez Swann* passera du simple au triple.

Lors de la publication du premier volume, en 1913, Grasset avait annoncé le plan de deux autres volumes qui se subdivisaient ainsi :

Tome II — *Le Côté de Guermantes* (Chez Mme Swann — Noms de pays — Le pays — Premiers crayons du baron de Charlus et

1. Kolb, tome XV, p. 297.

de Robert de Saint-Loup — Noms de personnes : la duchesse de Guermantes — Le Salon de Mme de Villeparisis).

Tome III — *Le Temps retrouvé* (A l'ombre des jeunes filles en fleurs — La princesse de Guermantes — M. de Charlus et les Verdurin — Mort de ma grand-mère — Les intermittences du cœur — Les *Vices et les Vertus* de Padoue et de Combray — Mme de Cambremer — Mariage de Robert de Saint-Loup — L'Adoration perpétuelle).

Corrigeant sans cesse, ajoutant des incidentes si longues qu'elles représentent presque de nouveaux chapitres, transférant un épisode d'un livre à l'autre et profitant de ce transfert pour l'accroître de nouvelles observations, reprenant des morceaux depuis longtemps écrits pour y ajouter des métaphores inspirées par la découverte d'un auteur qui lui a ouvert de nouvelles perspectives, il a fini, en travaillant inlassablement à son livre, par doter celui-ci d'une individualité propre. Son roman est devenu un autre lui-même, un double animé d'une existence autonome et aussi un maître impitoyable, exigeant chaque jour de lui davantage de travail, de soins et d'attention, ne serait-ce que pour assurer l'équilibre et la coordination de ces parties diverses d'une immense construction qui déborde le plan de son architecte.

Bien qu'il sorte peu, il a trouvé dans le Paris de la guerre une source inédite et passionnante à laquelle il puise largement. Au mois de mai 1916, rappelant à Gaston Gallimard les « conversations stratégiques » que contenait un extrait paru dans un numéro de la N.R.F., il ajoutait que la situation l'avait amené « à faire à la fin du livre un raccord, à introduire non la guerre elle-même, mais quelques-uns de ses épisodes, et M. de Charlus trouve d'ailleurs son compte dans ce Paris bigarré de militaires comme une ville de Carpaccio[1] ! »

D'autres événements récents l'ont aussi conduit à modifier son plan, comme la mort d'Agostinelli, point de départ d'un des plus importants développements du texte primitif. Au début de novembre 1915, il avait commencé par ces mots la longue dédicace écrite sur l'exemplaire de *Du côté de chez Swann* appartenant à Mme Scheikévitch : « Vous voulez savoir ce que Mme Swann est devenue en vieillissant... » Et cette dédicace était un résumé de la nouvelle version de la seconde partie de *Sodome et Gomorrhe*, ainsi que de *La Prisonnière* et *Albertine disparue*.

1. Kolb, tome XV, p. 132.

En cette année 1916, l'œuvre promise à Gallimard a déjà beaucoup évolué depuis 1913, atteignant des proportions que son nouvel éditeur ne soupçonne pas. Elle grandit chaque jour, dans la pénombre et le désordre de la chambre de liège du boulevard Haussmann, telle une pieuvre monstrueuse tapie au fond d'une grotte marine et poussant de plus en plus loin ses tentacules. La mise au net de ces milliers de pages pour les rendre lisibles par les typographes est un problème crucial. Lorsque Gaston Gallimard lui a demandé le nombre exact de pages à faire composer, Proust a été bien incapable de le lui dire. Au mois de septembre 1916, il songe à engager une sténodactylographe pour utiliser la machine à écrire d'Agostinelli, car il doute que l'imprimeur puisse travailler à partir du manuscrit. Finalement, il renonce à cette idée.

Dans les premiers jours du mois de novembre 1916, il envoie à Gaston Gallimard le début d'*A l'ombre des jeunes filles en fleurs* en précisant qu'il s'agit d'un titre provisoire. Ce texte est constitué par les épreuves de Grasset, copieusement raturées, surchargées de nombreux paragraphes dans les marges et augmentées de développements sur des feuilles séparées, collés aux placards. Proust prévient qu'il n'enverra la suite qu'au fur et à mesure qu'il recevra de Gallimard les premières épreuves, ajoutant qu'il ne commencera les corrections qu'après avoir eu la composition intégrale du livre afin de pouvoir d'abord le relire en entier : « Car pour un livre si long, où ont pu se glisser des répétitions, des doubles emplois, il est utile que je relise d'un bout à l'autre l'ouvrage sur les premières épreuves[1]. » Et il promet de retourner toutes les épreuves ensemble dès qu'il aura terminé ce travail de révision qui, normalement, aurait dû être fait avant d'entreprendre la composition. Le typographe a, dans son esprit, remplacé la sténodactylographe.

En voyant arriver ce manuscrit déconcertant, Gaston Gallimard, en homme avisé, commence par le faire calibrer, c'est-à-dire par faire calculer le nombre de signes, puis il demande à Proust de prévoir des titres, même provisoires, pour faciliter les correspondances entre eux ou les mises au point avec l'imprimeur, ce qui est une sage précaution : « J'ai la manie de l'ordre, excusez-moi », dit-il à son auteur. Bientôt Gallimard va s'apercevoir que si, suivant le mot de La Bruyère, « c'est tout un métier que de faire un livre », c'en est un, plus difficile

1. *Correspondance Proust-Gallimard*, p. 72.

encore, pour l'éditeur, lorsque celui-ci a pour auteur un personnage aussi susceptible que Proust, prolixe et confus dans ses lettres, mais au fond sachant très bien ce qu'il veut, jouant avec art de sa maladie et faisant passer toutes ses exigences pour les dernières volontés d'un mourant.

*

La gestion de sa fortune n'occupe pas moins Proust que celle de son œuvre et il est remarquable de voir dans sa correspondance pendant l'année 1916 que ses lettres à Lionel Hauser tiennent une place beaucoup plus importante que celles qu'il adresse à ses éditeurs. Dès qu'il s'agit d'argent, tout l'inquiète, tout l'effraie, tout le désespère et du pourboire à laisser en réglant une addition jusqu'au paiement de ses impôts, tout est pour lui un sujet d'anxiété qui lui fait appeler au secours.

Au printemps, ayant déjà largement mis à contribution Lionel Hauser pour différents problèmes financiers, il l'avait prié de rédiger sa déclaration d'impôts sur le revenu. Après lui avoir donné tous les éclaircissements souhaités, Lionel Hauser avait ajouté, goguenard : « En tout cas, rien ne t'empêchera de faire un petit tour à la mairie de ton arrondissement le jour où les contrôleurs donnent leur audience et de soumettre ton cas à celui de ces Messieurs dont tu dépends directement. Ce sont, en général, des gens tout à fait charmants qui ne demandent qu'à adoucir aux contribuables, dans la mesure du possible, la tâche ingrate de payer des impôts[1]. »

Le conseil a paru lourdement ironique à Proust, incapable alors de quitter son lit et qui, justement pour cela, requérait l'assistance de Lionel Hauser. Il l'avait aussi chargé d'agir en son nom auprès du Crédit Industriel et Commercial qui, avec la maison Rothschild, était un de ses principaux banquiers, afin d'y liquider son compte et d'unifier sa gestion, seul moyen d'y voir un peu plus clair dans ses affaires.

Au moment de quitter le Crédit Industriel et Commercial, Proust éprouve plus de scrupules qu'il n'en avait eu pour abandonner Grasset. Il craint de faire de la peine à ces braves gens et suggère à Lionel Hauser de laisser quelque chose chez eux, par gentillesse. Il s'attire évidemment une sévère

1. Kolb, tome XV, p. 70.

remontrance : « Je constate par contre, avec regret, que, mu par un sentiment chevaleresque qui te fait d'ailleurs honneur, tu éprouves le besoin de mélanger deux principes qui en eux-mêmes sont de nature à conduire l'homme aux plus hautes destinées, mais qui, mis ensemble, ont en général des conséquences désastreuses. Ces deux principes sont, tu l'as deviné, les sentiments et les affaires[1]. »

Vexé de voir Hauser se moquer de ses scrupules, Proust lui réplique avec quelque aigreur : « Ta spirituelle lettre m'a beaucoup amusé, beaucoup plus amusé que satisfait. Car je constate qu'il y a à la base de notre correspondance un malentendu, malentendu dont tu reconnaîtras que je ne suis pas coupable. Les raisons pour lesquelles je ne *peux* pas (sans me jeter dans d'inextricables ennuis de famille) retirer de l'Industriel autre chose que les gages que ton banquier désire ne tiennent nullement à des raisons de sentiment envers l'Industriel comme tu sembles le croire, mais à certaines considérations familiales comme chacun de nous en a dans la vie et dont, à sa manière, il tient plus ou moins compte[2]. »

Plus diverti que navré par cette obstination à lui réclamer des conseils qu'il ne suit pas, Hauser se prête à cette comédie épistolaire et observe avec philosophie : « Je reçois ta lettre d'hier qui me confirme dans ma conviction que l'homme est victime de sa destinée. Comme d'autre part je ne connais pas assez mes classiques pour savoir à quoi l'on s'expose quand on ose intervenir entre un mari et une femme battue par celui-ci, je me garderai de chercher à te convaincre et encore moins à te persuader[3]. » Voilà Proust au bord de ces larmes qui coulent si facilement de ses yeux, comme de ceux du Narrateur : « ... Un mot gentil de réconfort comme tu en as eu souvent m'aurait fait plus de bien que ton sarcasme, gémit-il. Cher Lionel, je te suis bien reconnaissant quand tu es si bon pour moi, mais je ne peux parfois m'habituer à tes duretés[4]. »

Il lui faut pourtant s'y accoutumer, à moins de laisser sa fortune aller à vau-l'eau, mais il ne peut s'interdire, en se plaignant ainsi à Lionel Hauser, de mettre la conduite de celui-ci en parallèle avec « l'exquise gentillesse » de Louis d'Albuféra et de Bertrand de Fénelon quand il leur a révélé, « comme à tout le monde », écrit-il, l'étendue de sa ruine. Il en avait

1. Kolb, tome XV, p. 122.
2. *Ibidem*, p. 124.
3. *Ibidem*, p. 126.
4. *Ibidem*, p. 127.

reçu, dit-il à Lionel Hauser, de merveilleuses lettres de sympathie, « si tendres, si réconfortantes, si loin de l'ironie [1] ». Il se garde toutefois de préciser si ces deux amis lui avaient offert de lui prêter de l'argent. Hauser ne s'en laisse pas conter, sachant que tout cela n'est qu'un jeu puéril auquel Proust se complaît pour la double satisfaction d'être à la fois plaint pour cette épreuve et admiré pour le courage avec laquelle il la supporte. La réponse de Lionel Hauser est une si remarquable analyse du caractère de son singulier client qu'elle vaut d'être longuement citée, car elle constitue un témoignage infiniment plus vrai que celui d'autres amis qui, consciemment ou non, se sont laissé influencer, après la mort de Proust, par le rayonnement de sa gloire :

« Tu me reproches, lui écrit-il le 29 mai 1916, d'être dur et ironique à ton égard, alors que tu es entouré par ailleurs d'êtres doux et compatissants qui te traitent comme tu veux être traité. J'accepte ton reproche bien volontiers, et je m'empresse d'ajouter que je ne ferai rien pour changer ma façon de te traiter.

« Tu vis malheureusement dans une atmosphère d'idéalisme dans laquelle tu puises sérieusement des jouissances infinies que tu pourrais difficilement trouver sur la terre. Je comprends cela d'autant mieux que je passe une partie de mon existence dans le monde de l'irréel, mais malheureusement tu commets la grave erreur de confondre ce monde et les êtres qui l'habitent avec le plan physique et ses habitants. C'est de là que viennent tous tes malheurs.

« Tu as grandi depuis ton enfance, mais tu n'as pas vieilli, tu es resté l'enfant qui n'admet pas qu'on le gronde même quand il a été désobéissant. C'est pourquoi tu as plus au moins éliminé de ton cercle tous ceux qui, ne se laissant pas prendre à tes câlineries, avaient le courage de te gronder quand tu n'avais pas été sage. La conséquence en est la situation dans laquelle tu te trouves.

« Tu te lamentes auprès de ton entourage de ce que tu es ruiné — en quoi tu exagères, d'ailleurs — et sans te rendre compte de ce que tu es l'unique auteur de ta ruine, tu attends de lui qu'il te plaigne et tu opposes la réponse touchante d'un membre de ton entourage à la façon brutale dont j'ose te secouer, alors que je fais mon possible pour boucher les trous que tu as pratiqués dans ta barque.

« Je suis tout à fait de ton avis que l'homme n'est pas entièrement le maître de sa destinée, mais cette constatation ne doit pas t'encourager à lâcher le gouvernail alors que ton esprit, bercé par

1. Kolb, tome XV, p. 128.

des rêves charmants, plane au-dessus de ton corps alangui. Et cela me fait bondir. Je veux bien te laisser plonger corps et âme dans l'absolu, mais seulement après que tu auras remboursé toutes avances. En attendant, je ferai tout ce que je pourrai pour te réveiller, c'est ce qui t'explique qu'au lieu d'opium j'emploie la dynamite[1]. »

Évidemment, Proust n'accepte pas la leçon d'un cœur serein et, le soir même du jour où cette lettre lui parvient, il y réplique avec une douloureuse indignation par un long plaidoyer en faveur de sa sensibilité, méconnue de son correspondant, y ajoutant une lamentable description de la vie solitaire à laquelle il est condamné, un véritable martyre dont Lionel Hauser a le front de se moquer. « En somme, conclut celui-ci, pour mettre un terme à ce différend, l'origine de notre polémique est celle-ci : tu m'as fait comprendre que tu aimes mieux les caresses que les coups de poing ; ton point de vue est certainement très légitime, mais il y a des circonstances dans la vie où la douceur peut conduire à de néfastes résultats. » Et il insiste sur le rôle ingrat, mais nécessaire, qui lui est imparti : « Je ne crois pas avoir besoin de te décrire la nature de mes sentiments à ton égard. Tant que tu peux te tirer seul d'affaire dans la vie, mes services et surtout ma poésie ne sauraient t'être d'aucune utilité ; le jour où les circonstances peuvent rendre utile mon intervention, je joue le rôle de médecin. Or, malheureusement, ton cas, au point de vue médico-financier, est un cas assez grave et, considérant ma responsabilité engagée jusqu'à un certain point, j'aurais préféré avoir entière liberté d'action ; c'est pourquoi je t'avoue avoir été désagréablement impressionné par l'entrave que tes restrictions d'ordre sentimental ont apportée à mon action[2]. »

Lioner Hauser pourrait croire l'incident clos, mais Proust, blessé par la justesse de certaines remarques, revient sur celles-ci et veut à tout prix convaincre Hauser de son injustice à son égard. De là, dans leur correspondance, de brusques retours en arrière et, au milieu des chiffres et des ordres de vente ou de transfert, des allusions à des phrases piquantes de Hauser, à la blessure qu'elles lui ont faite et qui ne se cicatrise pas. Lassé, Hauser finit par lui écrire : « Laissons de côté cette polémique dépourvue d'opportunité », mais Proust, de nouveau

1. Kolb, tome XV, p. 136.
2. *Ibidem*, p. 143.

offensé que Lionel Hauser fasse si bon marché de ses sentiments, lui réplique en citant le vers d'Alfred de Vigny :

*Seul le silence est grand, tout le reste est faiblesse.*

Hauser se contente d'observer paisiblement : « Je ne puis qu'admirer ta détermination de suivre le conseil de Vigny, étant donné surtout que lors de la dernière polémique chacun de nous parlait sur un sujet différent [1]. »

Enfin apaisé, ou feignant de l'être, Proust, sachant malgré tout l'étendue de sa dette à l'égard de Lionel Hauser, ne serait-ce que par l'admirable patience dont a fait preuve celui-ci, veut le remercier en donnant un dîner au Ritz en son honneur. C'est une idée saugrenue, Hauser étant d'un naturel peu mondain. Aussi décline-t-il l'invitation, mais, avec sa rude franchise, il assène à Proust une autre vérité, peu agréable à entendre : « ... Tu estimes que la reconnaissance, pour être digne de ce nom, doit se manifester par autre chose que par des paroles. Jusque-là, je suis ton homme, mais là où nos vues commencent à se séparer c'est lorsque tu prétends que la reconnaissance doive nécessairement se manifester aussitôt que possible après la réalisation du phénomène qui l'a motivée, et que s'il ne se présente nulle occasion d'intervertir les rôles il faille absolument la créer [2]. »

On ne saurait mettre le doigt avec moins de tact, mais plus de sagacité sur ce défaut majeur qu'est chez Proust le besoin de « payer » tout de suite, et si possible au décuple, voire au centuple, le service rendu afin de passer du rôle de débiteur à celui de créancier. A cet égard, sa vaste correspondance en apporte d'innombrables exemples que confirment les témoignages des contemporains surpris, et même parfois choqués, de voir Proust récompenser de manière exagérée quelque menu service, comme s'il voulait acheter l'homme en même temps que le geste.

Ne s'avouant pas battu, Proust demande alors à Lionel Hauser quel meuble, quel objet lui ferait plaisir, mais cet homme austère ne paraît éprouver aucun désir. A la fin, Hauser lui suggère, puisque sa principale activité consiste en la gestion de patrimoines privés, d'indiquer son bureau à ceux de ses amis « affligés d'un certain nombre de millions ». La

1. Kolb, tome XV, p. 165.
2. *Ibidem*, p. 172.

réponse de Proust à cette demande est assez embarrassée car, en ce qui concerne ses relations, le projet risque de soulever des difficultés : « Tu sais qu'Israël est souvent à la source des fortunes qui l'ont le plus oublié », lui rappelle-t-il judicieusement et il lui en cite quelques exemples : bien que riche de son propre chef, Louis d'Albuféra l'est plus encore par sa femme, petite-fille de Mme Furtado-Heine. Grâce à la sienne, Gabriel de La Rochefoucauld est apparenté lui aussi à la famille Heine ; enfin le duc de Guiche est le fils d'une Rothschild, donc lié à la banque du même nom. Il lui faudra trouver d'autres gens du monde, aussi bien nantis, mais sans liens familiaux et bancaires aussi étroits ; il va se mettre en chasse. Un peu refroidi, Lionel Hauser lui rappelle qu'il ne demande pas la charité : « Mais si tes amis sont des gens tellement chics qu'ils croient me rendre service en me donnant audience, et s'ils doivent me considérer comme un être de qualité inférieure parce que je n'ai pas de particule, je t'avoue que j'aime autant ne rien faire pour acquérir leur clientèle... [1] »

Voilà relancée, en marge de leur correspondance financière, une controverse sur les mérites des gens du monde, et leur simplicité, mais cette discussion tourne court, comme également le recrutement par Proust de clients pour son ami.

En attendant d'être récompensée à son juste prix, l'activité de Lionel Hauser a été bénéfique pour les finances de Proust, habilement assainies, mais fortement diminuées par la guerre en raison du blocage de certaines valeurs étrangères qui ne rapportent plus rien. Si, à la fin de l'année 1915, il jouissait encore d'un revenu d'environ 33 000 francs [2], ce revenu était obéré par la charge des intérêts à 8 % l'an d'un compte débiteur de 275 000 francs [3] au Crédit Industriel et Commercial. Le revenu net de Proust n'était donc que de 10 000 à 11 000 francs [4], montant très inférieur à celui de ses dépenses. En lui faisant vendre des actions pour rembourser le Crédit Industriel et Commercial, Hauser a pu réduire sa dette et lui assurer un revenu annuel d'environ 18 000 francs [5]. Au lieu de se réjouir de ce résultat, Proust s'en afflige, car il s'imaginait, suivant ses propres calculs, pouvoir disposer de 27 000 francs. Il faut que Lionel Hauser reprenne, en de longues lettres

1. Kolb, tome XV, p. 283.
2. Environ 400 000 francs de 1990.
3. Environ 3 300 000 francs de 1990.
4. De 120 000 à 134 000 francs de 1990.
5. Environ 215 000 francs de 1990.

écrites de sa propre main, de laborieuses explications pour lui démontrer qu'à quelques légères erreurs près, sa situation financière est bien telle qu'il la lui a décrite. Enfin, en continuant à vendre des valeurs improductives pour éteindre une autre dette auprès de la London County Bank, il arrive à lui dégager un revenu annuel de 20 000 francs[1].

A ce chiffre, il doit falloir ajouter sans doute d'autres sources de revenu restées inconnues de Lionel Hauser comme des droits d'auteur hérités du docteur Proust, des loyers d'immeubles, si certains locataires ont l'honnêteté de ne pas invoquer le « moratoire » pour esquiver la charge de leurs locations et peut-être aussi des fermages, au cas où Proust aurait hérité de terres à Illiers. Il est permis de penser que Proust n'a jamais communiqué à Lionel Hauser la consistance exacte de sa fortune et qu'il avait d'autres moyens d'existence que les seuls revenus de ses portefeuilles de valeurs mobilières.

Après avoir remis son client dans le droit chemin, Lionel Hauser doit veiller à ce qu'il ne s'en écarte pas en cédant aux propositions de quelque inconnu, en écoutant les promesses alléchantes d'un financier véreux ou d'un démarcheur à la commission. Il faut rendre hommage à la vigilance de Lionel Hauser, véritable ange gardien de cet enfant perdu qu'est Proust dès qu'il s'agit d'argent. Soit chez lui, soit à son bureau, Hauser prend le temps de répondre minutieusement à toutes les lettres de son pupille et, du 1er juillet 1916 au 31 décembre 1916, leur correspondance ne compte pas moins de quarante-deux lettres qui montrent l'importance de ce problème dans la vie d'un écrivain que l'on pourrait croire uniquement préoccupé de son œuvre.

*

Autre ange gardien, Céleste est devenue dans l'existence recluse de Proust l'émule de Lionel Hauser, s'astreignant avec le même désintéressement à décharger son maître de tout souci matériel.

Dans cet appartement sépulcral où toute la vie s'est réfugiée dans deux pièces, la cuisine et la chambre de Proust, Céleste officie pieusement, comme un chrétien des Catacombes, initiée

1. Soit 220 000 francs de 1990. Il faut noter qu'à partir de 1915 le franc ne cessera de baisser après une longue période de stabilité.

peu à peu aux rites du culte proustien qui unit la ferveur des Évangiles à la minutie de l'étiquette chinoise.

Venue de la campagne la plus reculée, celle de l'Auvergne, habituée, comme elle le dira plus tard, « à se coucher avec les poules et à se lever avec les coqs », elle a dû non seulement faire de la nuit le jour, mais s'accoutumer à peu dormir, et d'un sommeil léger, pour répondre à un coup de sonnette imprévu de son maître, appel souvent dicté par quelque caprice ou le seul besoin de rappeler un ordre, d'ajouter une dernière réflexion à un échange de propos. Tout en multipliant flatteries et cajoleries, mais en déplorant le premier d'avoir tant d'exigences, comme si les avouer en diminuait la charge, Proust est un maître difficile, rarement satisfait, pointilleux pour des vétilles et persuadé que le moindre manquement aux règles de vie et au régime qu'il s'est fixés aura d'incalculables conséquences sur sa santé, son œuvre et sa tranquillité d'esprit.

Une des tâches qui incombent à Céleste est la préparation du café, jamais assez fort au gré de Proust, et qui doit être toujours frais, à quelque heure qu'il le réclame. Non seulement le café lui-même, mais le filtre et le plateau sur lequel il est servi, tout vient de chez Corcellet. Plusieurs fois en vingt-quatre heures, Céleste, telle une vestale entretenant le feu sacré, doit préparer ce café en veillant à ce qu'il « passe » très lentement, pour garder tout son arôme, et ce qu'il demeure néanmoins très chaud, opération délicate et parfois jugée de manière acerbe : « Ce café est infect ; tout le parfum est parti... » Il en est de même pour le lait, fourni par une crémerie du quartier qui dépose les bouteilles à la porte de l'escalier de service et les renouvelle aux environs de midi si Céleste, n'en ayant pas encore eu besoin, ne les a pas prises.

En revanche, pour ses mouchoirs, dont il fait une ample consommation, il se montre d'une délicatesse inverse, ne voulant que des mouchoirs usés qui ont atteint, à force de lavages, une finesse arachnéenne. Un jour, à l'ébahissement de Céleste qui lui avait acheté les mouchoirs les plus fins qu'elle avait pu trouver, il refuse de s'en servir et persiste dans son refus après qu'elle les eut lavés, repassés, pour leur enlever leur apprêt. Voyant que Céleste n'a pas compris ce qu'il veut, il prend un mouchoir et, avec des ciseaux à ongles, le réduit en charpie.

Cette hypersensibilité s'étend aux odeurs, dont certaines lui sont insupportables. Une autre fois, prenant des gants que Céleste lui présente sur un plateau, il est offusqué par un relent d'essence à détacher, encore qu'elle n'ait rien senti, et en réclame une autre paire.

Ainsi Céleste s'instruit-elle peu à peu, apprenant ce qui est agréable à son maître et ce qui lui déplaît, apprenant aussi à deviner son humeur, à calmer ses impatiences, à prévenir ses désirs. Il lui faut ainsi pour sa toilette une eau très chaude, à cinquante degrés, et comme elle ne sait jamais à quelle heure il voudra la faire, elle entretient dans le fourneau de la cuisine un feu d'enfer pour avoir toujours de l'eau à la température voulue. Détail curieux, Proust se lave sans savon ni produit similaire ; il se contente de se frotter la peau avec une serviette trempée dans l'eau chaude, puis il se sèche en se tamponnant avec une autre serviette, jetée après la première application sur la peau. Aussi sa toilette exige-t-elle une quantité de serviettes fines que Céleste lui prépare, en pile de vingt, sur une table, et qu'il jette par terre. Qu'aurait pensé sa grand-mère Proust, née Virginie Torcheux, d'un pareil gaspillage ? Céleste est heureusement dispensée du lavage, effectué par la blanchisserie Lavigne pour le linge et la teinturerie Garobi pour les tricots de laine qu'il entasse les uns sur les autres.

Sa toilette achevée, au milieu d'un déferlement de serviettes froissées qui donnent l'impression de le voir émerger d'une immense jatte d'œufs à la neige, il passe des sous-vêtements préalablement réchauffés dans le four de la cuisinière, puis il revêt chemise, tricots, veste et pantalon, mais sans aucune aide, sauf pour les tenues de soirée, étant d'une extrême pudibonderie.

S'il se lave régulièrement, il ne se rase pas, à moins qu'il ne doive sortir ou recevoir une visite. En ce cas, Céleste appelle un coiffeur du boulevard Haussmann, M. François, qui vient le raser, mais toujours le soir, et de temps en temps lui coupe les cheveux.

Tel le boy d'un fonctionnaire en Indochine préparant l'opium de son maître, Céleste est aussi chargée du soin de disposer la matériel nécessaire aux fameuses fumigations, ce que Proust nomme d'ailleurs, comme s'il était opiomane, « fumer ». Après avoir longtemps utilisé des cigarettes Espic, il avait préféré en brûler la poudre à l'état pur, persuadé, non sans raison, que la combustion du papier lui était nocive. Céleste commande cette poudre à la pharmacie Leclerc, qui existe tojours, à l'angle de la rue de Sèze et de la rue Vignon. Proust ne sachant jamais quand une crise peut survenir, une bougie brûle en permanence sur une petite table, dans le couloir, près de sa chambre, mais cette bougie est toujours allumée à la cuisine afin qu'aucune odeur de soufre ou seulement de bois calciné n'arrive jusqu'à lui.

Dès son réveil, en général au milieu de l'après-midi, Céleste lui apporte, avec la bougie, une boîte de sachets de poudre et du papier qu'il enflamme à la bougie pour allumer la poudre répandue dans une soucoupe. De même qu'elle se procure les bougies par cartons de cinq kilos, elle achète le papier, du papier à lettres vergé, par quinze ou vingt boîtes à la fois. Une boîte est toujours placée près de lui, à portée de main. Elle lui sert indifféremment pour cet usage ou pour sa correspondance, ce qui explique les traces de poudre, ou de potion renversée, sur certaines de ses lettres.

S'il « fume » tous les jours, il le fait plus ou moins longtemps, suivant son état, allant parfois jusqu'à entamer une autre boîte de poudre et remplir sa chambre d'une telle fumée qu'il devient difficile d'apercevoir les meubles, engloutis dans une brume que la lumière verte de sa lampe de chevet n'arrive pas à percer tandis que le lustre flotte au centre d'un nuage épais, comme porté par celui-ci, car on n'en distingue pas l'attache au plafond. Comme il n'est pas question d'ouvrir les fenêtres pour créer un courant d'air, le seul moyen de résorber cette fumée est de faire du feu dans la cheminée, quelle que soit la saison. Même en été, cette chaleur n'incommode absolument pas Proust, qui a toujours froid et, lorsqu'il travaille, ajoute à sa couverture et sa courtepointe une vieille pelisse. Il réclame de surcroît des bouillottes qu'il cale contre lui et des tricots qu'il n'enfile pas, mais jette les uns sur les autres au point que leur accumulation finit par lui constituer, rapporte Céleste, une espèce de siège dans le dos, ou du moins d'épais bourrelet. Lorsque ses bouillottes se sont refroidies, il en réclame d'autres, mais sans rendre les premières qui, restant calées contre son corps, ressemblent à des bouées le long de la coque d'un navire. Enfin, dernière protection, celle-là contre le monde extérieur, il y a les boules Quiès dont il célébrera les propriétés magiques dans un long passage du *Côté de Guermantes*[1].

Dans de pareilles conditions, faire le ménage est un exploit, rarement accompli et seulement lorsque Proust a décidé de sortir, d'accepter un dîner en ville ou bien d'aller, à une heure tardive, rendre visite à un ami. C'est ainsi que l'année précédente, il était allé vers minuit voir Mme Edwards, la

1. *A la recherche du temps perdu*, Pléiade, tome II, pp. 374-377.

future Misia Sert : un autre soir, il s'était rendu chez Mme Gaston de Caillavet, mais en voyant les fenêtres sans lumière, il n'avait pas osé monter chez elle. Au printemps, il s'était senti assez bien pour passer une soirée chez Mme Straus, une autre chez Georges de Lauris et il s'était même rendu, comme on l'a vu, chez J.-É. Blanche à Auteuil, mais ces sorties restent exceptionnelles. Ce sont plutôt ses amis qui viennent le voir. Ces visites demeurent, elles aussi, peu nombreuses — résultat de longues négociations par lettres ou par téléphone, et donnant l'impression que l'appartement du boulevard Haussmann est un lieu plus difficilement accessible que la salle des coffres de la Banque d'Angleterre ou la retraite du Grand Lama. Comme il a fait supprimer son abonnement téléphonique, Céleste doit aller téléphoner d'un café du voisinage, ce qui complique les choses et l'oblige souvent à plusieurs allées et venues avant de mettre au point un projet de visite.

Beaucoup des amis de Proust s'imaginent, à tort d'ailleurs, que Céleste a pris son rôle de gouvernante avec une telle autorité qu'elle « gouverne » réellement son maître et qu'il faut avoir son agrément pour franchir le seuil de Proust. Paul Morand, qui entre dans la vie de celui-ci à cette époque, éprouve à l'égard de l'ange gardien une certaine méfiance : « Curieuse personnalité que Céleste qui copie à la main tous les romans de Proust, donne son avis, lit les livres envoyés, etc., yeux baissés, voix étudiée, très Sainte-Nitouche [1]. » En réalité, Céleste n'a pas encore atteint ce degré d'intellectualité. Elle a découvert récemment *Les Trois Mousquetaires* et s'initie lentement à la littérature, mais elle est une excellente auditrice avec qui Proust aime à bavarder, essayant sur elle certaines idées ou certains tours de phrase et s'enchantant des siennes dans lesquelles il trouve à la fois une ingénuité qui l'amuse et des survivances de vieux parler qu'il enregistre pour les mettre ensuite dans la bouche de Françoise.

1. P. Morand, *Journal d'un attaché d'ambassade*, p. 103.

# 20

# 1917

*Une visite à Paul Morand - Une Roumaine à Paris : Hélène Soutzo - Rencontres au Ritz - Cocteau fait sa guerre - Nouveaux amis : Emmanuel Berl, Jacques Truelle, Jacques de Lacretelle - Albert Le Cuziat et son Temple de l'impudeur - Descentes aux Enfers - Le Proust du Ritz - Influence de la guerre sur le langage - Et sur l'œuvre de Proust - Vaticinations et ridicules de Joseph Reinach - Entrée définitive à la N.R.F.*

Au printemps de l'année 1916, ou peut-être seulement à l'automne, Proust a fait la connaissance d'un tout jeune diplomate au teint d'ivoire, aux yeux légèrement bridés, ce qui lui donne un air vaguement asiatique. Secrétaire à l'ambassade de France à Londres, il est beaucoup plus attaché à la carrière des lettres qu'à la « carrière » elle-même, mais capable, dans son avidité pour tout voir et tout comprendre, de mener les deux de front en brillant dans l'une comme dans l'autre. Enthousiasmé par *Du côté de chez Swann*, il a communiqué son enthousiasme à ses amis, dont certains sont aussi ceux de Proust, tel Henri Bardac. Curieux de connaître un admirateur aussi jeune et aussi fervent, Proust, un soir, était sorti de son lit pour aller sonner à la porte d'Henri Bardac chez qui Paul Morand était descendu pendant un bref séjour à Paris. Réveillé en sursaut par la sonnette, Morand avait ouvert la porte à un étrange visiteur, habillé comme pour un dîner en ville vingt ans plus tôt, qui lui avait déclaré d'une voix « cérémonieuse, chevrotante et artificiellement déguisée » : Je suis Marcel Proust.

La voix s'était affermie pour expliquer la raison de cette visite incongrue, puis Proust, ayant ôté sa pelisse, avait engagé le jeune diplomate, grelottant dans son pyjama, à se recoucher pour ne pas prendre froid. Il l'avait suivi dans sa chambre et, assis au pied du lit, avait commencé un long monologue que Morand, fasciné, s'était gardé d'interrompre, essayant seulement de suivre le fil de sa pensée et les méandres de ses raisonnements. Dans ce soliloque, il retrouvait le style de *Du côté de chez Swann*, cette phrase proustienne qu'il imitera, consciemment ou non, en voulant l'analyser : « Cette phrase chantante, argutieuse, raisonneuse, répondant à des objections qu'on ne songeait pas à formuler, soulevant des difficultés imprévues, subtile dans ses déclics et ses chicanes, étourdissante dans ses parenthèses qui la soutenaient en l'air comme des ballons, vertigineuse par sa longueur, surprenante par son assurance cachée sous la déférence, et bien construite malgré son décousu, vous engainait dans un réseau d'incidentes si emmêlées qu'on se serait laissé engourdir par sa musique, si l'on n'avait été sollicité soudain par quelque pensée d'une profondeur inouïe ou d'un fulgurant comique[1]. »

Les heures passaient, Proust parlait toujours et Morand, subjugué par cette parole inexorable, en même temps qu'ébloui par la richesse des images, songeait qu'il avait devant lui non seulement un écrivain qu'il admirait, mais un « classique » vivant, non « relié », un classique qui n'était pas encore inhumé dans les manuels de littérature et qui venait recueillir auprès de lui, représentant d'une nouvelle génération, l'hommage anticipé de la postérité.

Les deux hommes n'ont rien en commun, hormis l'amour des lettres et un certain goût du monde, limité à la société parisienne pour l'aîné, mais étendu pour le cadet aux limites de la planète. Proust ne quitte guère sa chambre et, tel un sultan de Perse ou des Indes, se fait amener des voyageurs qui le renseignent sur le vaste monde ; Morand est l'un de ces voyageurs, sans cesse en mouvement, échappant avec grâce et souplesse à toutes les contraintes, à tous les liens noués pour le retenir, se faisant pardonner ses dérobades par son charme et son esprit. C'est lui qui, après avoir refusé plusieurs invitations à déjeuner en se prétendant chaque fois déjà retenu, avait éludé la dernière, faite deux mois à l'avance en répondant : « Non, j'aurai ce jour-là un grand enterrement... » Bien qu'officiellement diplomate, il est le plus détaché des attachés d'ambassade. Avec la même désinvolture, il passe d'un milieu à l'autre, des altesses aux artistes, des ministres aux cocottes, observant tout de son œil de mandarin et sachant déjà, par

1. P. Morand, *Le Visiteur du soir*, p. 11.

son art du trait, de la formule concise, peindre en peu de mots un caractère ou un paysage. Enfin, il aime les femmes, en conquérant, pas en homme de lettres, les quittant avant qu'elles l'ennuient et réussissant à les conserver comme amies, sans aigreur réciproque, en donnant à chacune de ses maîtresses d'un jour, ou plutôt d'une nuit, l'impression qu'elle a été pour ce voyageur pressé une charmante auberge dont il gardera un excellent souvenir.

Pour Marcel Proust, cette rencontre avec Paul Morand est la plus heureuse des conjonctions. On pourrait y voir, à plus d'un quart de siècle de distance, une réplique de sa rencontre avec Anatole France, mais cette fois les rôles sont inversés. A l'époque, Proust avait pu se rendre compte que la protection de France ne lui avait ouvert aucune porte et que la préface du maître à son recueil *Les Plaisirs et les Jours* n'avait pas assuré le succès de celui-ci. Paul Morand va se révéler au contraire un merveilleux propagandiste et, plus que Gide ou Cocteau, il servira sa gloire naissante en se montrant, malgré sa fugacité, le plus fidèle des amis.

Avec sa perspicacité habituelle, Proust a discerné en ce jeune homme, flegmatique et ardent, l'un des écrivains qui, avec lui, incarneront la nouvelle littérature, celle de l'après-guerre, destinée à éclipser toutes les gloires d'avant 1914, de Paul Bourget à Mme de Noailles dont l'étoile commence d'ailleurs à pâlir. Dans une lettre à la princesse Soutzo, Proust esquissera en 1919 ce portrait de Morand : « Il est doux comme un enfant de chœur, raffiné à la fois comme un Stendhal et un Mosca, et en même temps âpre et implacable comme un Rastignac qui serait terroriste. Et sous une sécheresse qui semble accouplée merveilleusement à la vôtre, une bonté, une noblesse d'âme que vous avez aussi... Mais j'espère qu'il ne finira pas chartreux, même à Parme [1]. »

Bien que si différents l'un de l'autre, leurs tempéraments se complètent et une alliance est vite nouée entre ces deux hommes qui marqueront leur siècle, alliance faite souvent de complicité. Malgré son égocentrisme qui lui fait tout rapporter à son œuvre et n'accepter de nouveaux amis que dans la mesure où ceux-ci peuvent lui être utiles pour l'achèvement, le perfectionnement ou la célébration de son livre, Proust ressent une indiscutable affection pour Morand, moins dictée sans doute par un élan du cœur que par son admiration pour une

1. Kolb, tome XVIII, p. 149.

intelligence très supérieure à celle de la plupart de ses amis. En Paul Morand, Proust a trouvé un pair, dont l'esprit s'amalgame au sien. C'est peut-être pour cette raison qu'il n'y a rien de Morand dans *A la recherche du temps perdu*, pas plus qu'on ne trouve trace, dans aucun de ses personnages, de Reynaldo Hahn[1] ou de Lucien Daudet. Sachant que son œuvre était un des cercles de l'Enfer, il a épargné ses amis les plus chers.

Un seul nuage assombrira cette amitié qui durera aussi longtemps que vivra Proust et dont Morand entretiendra le culte jusqu'à sa propre disparition, un demi-siècle plus tard. En 1919, Morand publiera un recueil de poèmes intitulé *Lampes à arc*. L'un de ces poèmes est une *Ode à Marcel Proust*, qu'il n'a pas eu le tact, ou la prudence, de soumettre à l'intéressé. En lisant, Proust verra, comme reflétée dans un sombre miroir, une image de lui-même qui ne l'enchantera guère et, dans le ton de la pièce, une manière de railler son genre de vie. Morand ne craindra pas de reprendre une de ses phrases les plus fréquentes :

*Je dis :*
*— Vous avez l'air d'aller fort bien.*
*Vous répondez :*
*— Cher ami, j'ai failli mourir trois fois dans la journée.*

Mais le plus grave aux yeux de Proust sera l'évocation, qui lui paraîtra lourde de sous-entendus, de ses sorties nocturnes :

*Proust, à quels raouts allez-vous la nuit*
*Pour en revenir avec des yeux si las et si lucides ?*
*Quelles frayeurs à nous interdites avez-vous connues*
*Pour en revenir si indulgent et si bon ?*
*Et sachant les travaux des âmes*
*Et ce qui se passe dans les maisons,*
*Et que l'amour fait si mal ?*

La riposte arrivera, sous forme d'une épître à la fois plaintive et perfide : « Je ne peux pas vous blâmer d'avoir publié votre *Ode*, lui écrira-t-il au mois d'octobre 1919. Le sacrifice de toute préoccupation étrangère, et notamment des devoirs de l'amitié,

1. Reynaldo Hahn apparaît seulement dans *Jean Santeuil* comme l'un des modèles de Daltozzi.

à la littérature est un dogme que je ne pratique pas, mais auquel j'adhère entièrement... J'avoue que le sacrifice eût été sanglant pour moi s'il m'avait fallu écrire d'un ami... les vers sur les mystérieuses frayeurs qui m'ont, paraît-il, rendu pâle à tout jamais. Cela signifie évidemment la supposition que j'ai été pris dans une rafle ou laissé pour mort par des apaches. Comme votre poème est très beau, vous avez sans doute eu raison d'écrire de telles choses. Mais moi, qui sais l'infinie délicatesse de votre cœur, comme elles ont dû vous coûter à écrire, à publier ! La même délicatesse m'a empêché de jamais vous parler à vous-même de cette partie de votre vie, à plus forte raison aux autres. Quant à l'écrire et à le faire imprimer, je ne suis pas timide, mais vraiment je n'aurais pas affronté d'éprouver ou de causer une douleur pareille... Merci pour votre charmante dédicace. Mais comme elle est autographe et non imprimée, elle ne fait pas contrepoids pour le public qui ne la connaît pas à l'Ode où vous m'avez jeté dans cet Enfer que Dante réservait à ses ennemis... [1] »

Il est difficile de se brouiller entre gens d'esprit ; aussi les deux écrivains, conscients chacun de la valeur de l'autre, oublieront-ils, l'un le poème et l'autre la lettre, pour se réconcilier.

En même temps qu'il a fait la connaissance de Proust, Morand fait celle de la princesse Soutzo, épouse officiellement du prince Dimitri Soutzo, attaché militaire à l'ambassade de Roumanie en France. Séparée de son mari, elle n'en a gardé que l'essentiel, c'est-à-dire le nom. Née Hélène Chrissoveloni, elle descend d'une famille d'archontes de l'île de Chio et se montre exagérément fière de la pureté de son sang grec, toisant volontiers, du haut de sa petite taille, les grandes dames parisiennes aux origines incertaines et oubliant avec une magnifique désinvolture qu'elle-même est née à Galatz, le ghetto de la Roumanie, et qu'elle n'a été légitimée qu'à onze ans par le mariage tardif de ses parents. A l'instar de beaucoup d'étrangères en France, et particulièrement des Roumaines, elle est persuadée de sa supériorité sur les Françaises et ne le cache pas, tout en portant à ses compatriotes, Anna de Noailles et Marthe Bibesco, une haine sans défaillance, égale à celle que chacune de ces deux dames nourrit à l'égard des autres.

Cette superbe, appuyée sur une beauté plus grecque encore que celle de ses origines, ne l'empêche ni d'être fort intelligente,

1. Kolb, tome XVIII, p. 421.

en dépit de sa science et même de son érudition, ni généreuse, bien que fort riche. Elle a du courage, de la lucidité, de l'esprit, et surtout une extraordinaire force de volonté. Elle ferait une redoutable femme d'affaires si le goût du monde et des lettres ne la détournait d'occupations aussi vulgaires. Grâce à sa fortune, tirée de la banque paternelle et décuplée par des investissements dans les champs de pétrole roumains, elle a fait construire avenue Charles-Floquet, sur le Champ-de-Mars, un hôtel particulier qui ressemble un peu à un hôtel de ville de station balnéaire, avec un salon grand comme la salle des mariages. Comme il est impossible en temps de guerre de chauffer une aussi vaste demeure, Hélène Soutzo s'est installée au Ritz, seul hôtel de Paris où une personne de son rang puisse habiter sans déchoir. Elle ne voudra même pas le quitter pour entrer en clinique afin d'y subir l'opération de l'appendice et retarder la date de l'intervention en dépit des exhortations de Proust : « Or, permettez-moi de vous dire, insistera-t-il pour la décider, que vous méconnaissez le surcroît extraordinaire de beauté que le lendemain d'une opération apporte... Elle fera de vous un marbre momentané que ceux qui l'auront vu n'oublieront pas... La coquetterie devrait avoir pour effet, non de retarder l'opération, mais de la hâter[1]. » Elle finira par résoudre le problème en se faisant opérer dans sa chambre, en dépit du risque encouru.

Personnalité curieuse, assez énigmatique pour être comparée à « Minerve et sa chouette », elle fascine également Proust et Morand, mais pour des raisons différentes. Paul Morand a commencé avec elle une liaison qui se concluera par un mariage. Comme jadis, au temps de Louis d'Albuféra et de Louisa de Mornand, Proust se trouve en tiers dans ce faux ménage et ces nouveaux amants étant beaucoup plus brillants que les précédents, la situation est bien plus passionnante pour lui qui trouve enfin des interlocuteurs à sa mesure. Les dîners que donne la princesse au Ritz, soit pour Morand lorsqu'il vient à Paris, soit pour son propre plaisir, réunissent toujours des convives de qualité, sans aucune de ces figures ennuyeuses imposées par la charité, les obligations de famille ou le devoir de rendre une invitation.

*

1. Kolb, tome XVI, p. 335.

Ainsi, le 22 avril 1917, Proust retrouve-t-il au Ritz, à un dîner Soutzo, la comtesse de Chevigné, Jean Cocteau, la marquise de Ludre, Paul Morand et l'abbé Mugnier qui note dans son journal l'impression qu'il a gardée de cette première rencontre avec lui : « Marcel Proust est plutôt distingué », concède-t-il, s'attendant sans doute à ce que ce bourgeois sans grande position soit un peu commun. Suivant son habitude, Proust a dû se plaindre, car l'abbé poursuit : « Proust m'a dit qu'il continuait à écrire des livres, mais il n'a pas l'air de croire qu'on les lit[1] » Cette observation fait vraisemblablement écho à un différend survenu entre Proust et Mme de Chevigné, car il existe dans les papiers de Proust le brouillon d'une lettre à Mme de Chevigné, écrite au retour de ce dîner qui, à cause d'elle, s'était mal passé. Déjà Proust gardait une certaine rancune à la comtesse de n'avoir pas lu *Du côté de chez Swann*, ou du moins de ne pas lui en avoir parlé de manière à lui laisser croire qu'elle l'avait lu, encore qu'il soit bien difficile de le tromper à cet égard. Pourquoi, d'ailleurs, aurait-elle entrepris cette lecture alors que la plupart du temps elle ne lit même pas ses lettres qui lui servaient, au dire de sa petite-fille, à « essayer » les fers avec lesquels sa camériste la frisait[2] ? Comme il le dira devant Céleste, en adressant des exemplaires dédicacés des volumes suivants à la comtesse Greffulhe et à Mme de Chevigné : « Elles ne les lisent pas. De toute façon, si elles les lisaient, elles ne les comprendraient pas[3]. »

Il n'est plus sous le charme de Mme de Chevigné, mais celle-ci, qui n'a jamais beaucoup apprécié Proust, tient du moins à garder sur lui cet empire qu'elle exerçait jadis, sans pour cela se soucier de ce qu'il écrit. En apprenant ce soir-là d'Hélène Soutzo que Proust va souvent voir la princesse dans sa chambre du Ritz alors qu'il prétend ne jamais sortir de la sienne, Mme de Chevigné, se voyant négligée au profit d'une rivale plus jeune, plus riche et plus belle, a fait au traître une scène de jalousie. Aussi Proust lui écrit-il pour se justifier en lui reprochant le peu de cas qu'elle a toujours fait de lui : « La dureté — et la médiocrité partielle — d'une personne qu'on a tant aimée devrait tout de même, vingt ans après, laisser indifférent. Peut-être n'avoir pas dormi depuis six nuits un quart d'heure, et m'être levé seulement pour ce dîner, m'avait

1. A. Mugnier, *Journal*, p. 309.
2. M. Schneider, *Innocence et Vérité*, p. 297.
3. C. Albaret, *Monsieur Proust*, p. 373.

rendu plus sensible. Car, dans l'extrême fatigue — comme à certaines heures de convalescence — il faut très peu de choses pour donner une sorte d'ivresse ou pour faire pleurer. Ce soir, cela n'a pas été l'ivresse. Vous étiez pourtant plus jolie que jamais, et après tant d'absurdes paroles ce n'était même pas la peine d'essayer de répondre [1]. »

Dans cette aigreur, il faut faire la part de l'excessive susceptibilité de Proust, toujours à l'affût d'une offense ou, si celle-ci n'est pas assez manifeste, essayant de la provoquer pour le plaisir d'en disserter avec le coupable et de pouvoir ainsi lui glisser quelques vérités amères sur son manque d'intelligence ou d'éducation. Deux mois plus tard, il aura une velléité de ce genre à l'égard de Paul Morand, mais y renoncera, pensant qu'une conversation, sur un grief aussi vague, « serait tout à fait inutile, dangereuse pour l'avenir de [leurs] relations ».

Il est piquant de voir Proust, tellement anxieux que ses livres soient lus et compris, prêcher à Cocteau, dont sur ce point l'anxiété vaut la sienne, la patience et la résignation. Alors qu'entre Proust et Morand on peut parler d'une véritable amitié, il n'en existe aucune avec Jean Cocteau. Plusieurs brouilles, assez vite dissipées, mais fréquentes, les ont déjà séparés, chacune laissant à l'autre une secrète rancœur, prompte à se réveiller. En dépit de son intelligence et de son talent, qui souvent touche au génie, Cocteau, très jeune, a joué les poètes incompris, déplorant l'ignorance du public, la sottise du critique et la méchanceté du monde. Ce trait de caractère s'accentuera chez lui avec l'âge au point de transformer son *Journal* en véritable réquisitoire contre ses contemporains, notamment Proust.

Ferdinand Bac, qui se trouvait avec lui à Grasse, en 1913, chez Mme de Croisset, avait remarqué cette amertume, étrange chez un jeune homme adulé qui était alors, suivant son expression « un singulier mélange d'Arlequin, de Chérubin et de Hamlet ». Un jour que tous deux se promenaient dans les jardins de la villa Croisset, Cocteau lui avait déclaré : « Dans cinquante ans, ils me diviniseront, ces imbéciles ! J'aurai souffert pour le Monde, comme tous les précurseurs, de son ostracisme bourgeois, de son incompréhension du génie. Je serai vengé. Je serai chanté comme un des grands novateurs

1. Kolb, tome XVI, p. 104.

de la Lyrique moderne. D'ici là, il va falloir subir toutes les hontes... Je les subirai[1]. »

Cocteau n'est pourtant guère à plaindre, ayant su tirer parti d'une guerre à laquelle il s'est rendu comme à une fête, en invité. Exempté de service armé, il s'était enrôlé dans les ambulances de Misia Edwards avant de passer dans celles, restées fameuses, d'Étienne de Beaumont. Habillé par Poiret, voituré par Misia Edwards dans sa grande Mercedes, il était parti à la tête d'une colonne de véhicules empruntés à des maisons de couture et hâtivement aménagés pour y recevoir des blessés. En arrivant près du front, l'infirmier amateur, horrifié par la vue des blessés, des mourants et des morts, s'était mué en reporter, mêlant émotion et humour avec cette verve qui fera le succès de son roman *Thomas l'imposteur*. Lorsque la Croix-Rouge, agacée de cette concurrence mondaine, avait réformé les ambulances couturières de Mme Edwards, Cocteau, s'élevant à son tour au-dessus de la mêlée, s'était fait aviateur en accompagnant Roland Garros dans quelques vols de reconnaissance.

A l'encontre de Proust, il a choisi la voie facile du patriotisme chauvin, donnant à un petit journal, *Le Mot*, ses caricatures sur les atrocités allemandes et contribuant ainsi à entretenir une légende sur des faits qu'aucune enquête ne pourra jamais prouver. Étendant son effort de guerre du journalisme à la musique, il s'est occupé de chasser Mendelssohn du *Songe d'une nuit d'été* en essayant de faire monter cet opéra au cirque Médrano, sur une musique d'Erik Satie, une de ses récentes trouvailles.

Rien de plus insolite que de voir ensemble ces deux hommes si différents d'aspect, de mœurs et de caractère qui n'ont en commun qu'une seule chose, la foi en leur génie. Cocteau s'est engoué de ce musicien famélique et si laid qui ressemble à Socrate. Il le traîne dans les salons et, pour rassurer les invités mal impressionnés à la vue de ce vagabond dépenaillé, il leur glisse à l'oreille : « Il va être sublime... Il a faim ! »

A la fin de l'année 1915, Cocteau est reparti pour le front avec la section d'ambulances aux armées d'Étienne de Beaumont qui avait recruté comme infirmiers des artistes non mobilisables. Dans ses Souvenirs, Bernard Faÿ, lui-même enrôlé dans ce bataillon sacré, raconte qu'un soir, installé le premier pour dîner dans l'auberge où ils avaient échoué, il

1. F. Bac, *Souvenirs inédits*, livre IV.

avait vu venir s'asseoir à leur tour dans la salle le général Sir Douglas Haig, sa femme et son état-major. Soudain, tous les visages s'étaient tournés vers l'escalier que descendaient, avec une pompeuse lenteur, Beaumont, en pyjama noir, Cocteau, en pyjama rose, « trottinant derrière lui comme une nymphe surprise au bain par un faune[1] », tous deux portant aux chevilles des bracelets d'or qui faisaient un bruit de sonnailles. Seul le glacial silence gardé par les Anglais pouvait convenir à un si grand scandale.

Hélas ! Cocteau en avait suscité d'autres, notamment la jalousie, puis la fureur assassine d'un sergent de goumiers moins frivole et plus fidèle que lui. Grâce à Beaumont, il s'était tiré de ce mauvais pas, mais n'avait pu désarmer l'hostilité de la Croix-Rouge, dont il était devenu la bête noire. Envoyé à Boulogne, il avait été adopté comme mascotte par un régiment de *Marines* britannique. Cette affectation ne l'empêchait pas de se rendre fréquemment à Paris où ses récits fantaisistes, mais saisissants, donnaient aux civils une idée de la guerre assez différente de celle qu'ils pouvaient retirer de la lecture des journaux.

Malgré sa frivolité, la bataille de la Somme avait été pour ses nerfs une telle épreuve qu'il avait décidé de « quitter la guerre », comme on part d'un bal où l'orchestre est trop bruyant. Il avait trouvé un poste à Paris, dans les bureaux de l'état-major. Du coup, l'horreur avait changé de camp. Des bureaux mal chauffés de l'état-major, les tranchées lui paraissaient belles sous la neige et lui faisaient regretter la chaleureuse promiscuité des « cagnas ». Seule le réconfortait la pensée qu'il livrait à Paris une bataille aussi importante que celle de la Somme en montant *Parade*, une de ces manifestations artistiques destinées, comme *Du côté de chez Swann* à marquer le changement d'époque et même de siècle. Pour déjouer les intrigues de Misia Edwards qui voulait avoir le bénéfice intellectuel de l'opération alors que Valentine Gross en était l'inspiratrice, et pour réussir à s'attacher Erik Satie, Diaghilev, Massine et Picasso, Cocteau avait déployé toutes les ressources de son charme. A la veille de la bataille décisive, il s'était retiré à Rome et y avait passé un mois pour y retrouver la tranquillité d'esprit nécessaire avant d'affronter le public.

La première de *Parade*, au Châtelet, le 18 mai 1917, tourne à l'émeute. Choquée par les audaces de la mise en scène, de

1. B. Faÿ, *Les Précieux*, p. 31.

la musique et du livret, la salle proteste et siffle. Scandalisés, des spectateurs traitent les artistes de « boches » et réclament à grands cris leur envoi au front. Un brave bourgeois, à peine revenu de son étonnement, dit à sa femme : « Si j'avais su que c'était si bête, j'aurais emmené les enfants... »

La rumeur de cet événement parvient jusqu'au boulevard Haussmann où Proust, qui n'a pas assisté à cette première houleuse, en félicite néanmoins Cocteau, jugeant non l'œuvre en elle-même, mais son retentissement dans lequel il devine à juste titre une anticipation du futur. Lorsqu'il voit enfin *Parade*, quelques jours plus tard, il se tire d'affaire en adressant à Cocteau une lettre à la manière de celui-ci, entremêlant de grandes effusions de tendresse avec quelques citations poétiques, sans avouer franchement ce qu'il a pensé du spectacle.

Le perpétuel papillonnement de Cocteau, sa rage d'occuper toujours le devant de la scène et de pousser la recherche de l'insolite jusqu'à tomber parfois dans l'absurde agacent Proust et lui semblent un défaut de goût. Aussi prétexte-t-il sa mauvaise santé pour décliner une invitation de Morand à écouter chez lui Cocteau réciter son poème *Le Cap de Bonne-Espérance*. Un peu plus tard, il confie à Marie Scheikévitch son sentiment sur cette célébration de son propre talent devant un auditoire de fidèles, voire de fanatiques, prêts à tout trouver sublime du moment qu'on appartient à la coterie. En l'invitant, Cocteau lui avait dit que cette lecture était *quelque chose de sacré* : « Je ne réponds pas de la phrase, ajoute Proust, mais l'adjectif y était... Or, si j'avais le talent de Jean, ce que j'aimerais beaucoup, il me semble que je n'attacherais aucune importance à mon œuvre, et encore moins à sa lecture, et aux rites de la lecture...[1] »

Malgré sa réserve à l'égard de cette exhibition permanente qu'est Jean Cocteau, Proust se laisse divertir, et parfois séduire, par le personnage, acceptant de sortir pour le rencontrer, pour connaître ses amis, exhibés eux aussi comme autant d'œuvres rares et même de créations personnelles de Cocteau.

*

Il y a longtemps que Proust n'a pas mené une vie aussi mondaine alors que la capitale, à portée de la grosse Bertha, qui la canonne avec régularité, a perdu une partie de ses

1. Kolb, tome XVI, p. 202.

habitants, remplacés d'ailleurs, à la fin de l'année, par les premiers soldats américains. Sortir représente certes pour lui un effort physique, et parfois une perte de temps qu'il aurait préféré consacrer à son livre, mais c'est une nécessité, car une certaine mondanité lui permet de ne pas couper son œuvre de la réalité. L'année précédente, il expliquait ainsi cette contradiction à un nouvel admirateur, Emmanuel Berl : « Ma fatalité veut que je ne puisse tirer profit que de moi-même... Ce genre de solitude, au lieu de m'exalter m'éteint, je n'y peux jamais travailler, et tout ce que j'ai fait l'a été à d'autres moments. Mais je ne suis moi que seul, et je ne profite des autres que dans la mesure où ils me font faire des découvertes en moi-même, soit en me faisant souffrir (donc plutôt par l'amour que par l'amitié), soit par leurs ridicules (que je ne veux pas voir dans un ami) dont je ne me moque pas, mais qui me font comprendre les caractères [1]. »

Cette déclaration est à rapprocher de sa réflexion à Gautier-Vignal qui voulait lui présenter des amis « très intelligents » dont il aurait pu, pensait-il, tirer un profit intellectuel : « Mais, mon cher Louis, je fabrique moi-même mon électricité... », avait-il répondu, faisant allusion à ces châtelains qui s'étaient dotés d'un groupe électrogène.

Après trois années de guerre, une vie sociale a repris, au scandale des permissionnaires venus du front. Lassés d'hécatombes qui ne sont plus que des statistiques, et de batailles qui ne sont plus jamais ni gagnées ni perdues, les Parisiens ont cessé d'être héroïques pour redevenir frivoles et considérer la guerre comme un phénomène naturel dont il leur faut s'accommoder, au même titre que d'une inondation ou d'un perpétuel orage. En dépit de certaines restrictions de combustible, beaucoup de maîtresses de maisons ont rouvert leurs salons ; de nouveaux venus dans le monde, à qui leur patriotisme exalté ou simplement leurs bénéfices de guerre ont donné une position, reçoivent à leur tour des gens venus de tous les horizons, de tous les milieux, dans une confusion qui passe pour un symbole de la fraternité humaine. Alléché par cette diversité, Proust se rend un peu partout dans Paris : au Ritz, pour voir la princesse Soutzo, chez Paul Morand, chez Walter Berry, président de la chambre de commerce américaine et grand admirateur de *Du côté de chez Swann*, chez Mme de la Béraudière, chez le duc et la duchesse de Guiche, chez les

1. Kolb, tome XV, p. 27.

Beaumont, chez la princesse Edmond de Polignac, encore que ses relations avec cette dernière aient subi une éclipse. En effet, la princesse n'avait guère apprécié l'article que Proust avait consacré en 1903 à son salon, dans *Le Figaro*, article où il était davantage question du prince que d'elle-même, sauf pour faire une allusion, sous une forme anodine, à l'ardeur de son tempérament. Elle n'avait pas davantage apprécié de se voir reléguée, par suite de son mariage avec un homme beaucoup plus âgé qu'elle, au rang de tante ou grand-tante de femmes qui étaient ses contemporaines. Bref, la princesse en avait conçu de l'humeur, mais le temps et la guerre avaient dissipé ces nuages, avant que la dédicace d'*A l'ombre des jeunes filles en fleurs* n'en crée de nouveaux.

Dans tous ces salons, l'arrivée tardive et l'aspect fantomatique de Proust surprennent les autres invités. Jean Hugo, qui le rencontre chez Valentine Gross, décrit ainsi son apparition crépusculaire dans son appartement du Palais-Royal, à la fin de l'été : « Tard dans la soirée, Marcel Proust. Frileusement enveloppé dans un paletot noir, il s'assit sur un petit divan recouvert de tussor. Sur le mur ténébreux auquel il s'appuyait, seul se détachait le peu de son visage, pâle comme l'étoffe du divan, que ne cachaient pas les franges noires de ses cheveux et de ses moustaches. La voix plaintive ne s'arrêtait jamais, les beaux yeux battus semblaient parfois implorer, mais bientôt fusait le rire, étouffé par la main gantée de noir[1]. »

A l'instar de la guerre, exigeant chaque semaine sa ration de chair fraîche, Proust a besoin de nouveaux visages pour remplacer ceux déjà nombreux qui se sont effacés de sa vie. Le dernier en date est celui d'Emmanuel Bibesco qui s'est suicidé à Londres, le 22 août 1917, sans doute pour échapper à la maladie mortelle dont il était atteint. En 1914, il avait effectué un grand voyage en Extrême-Orient et il en était revenu frappé d'un début de paralysie qu'il s'efforçait de dissimuler. Au mois d'avril 1917, lorsqu'il avait accompagné son frère à Paris et que tous deux étaient allés voir Proust, Emmanuel avait refusé de quitter la voiture. Antoine seul était monté, pour lui dire : « Tu sais, Emmanuel est en bas, mais il est resté dans la voiture parce qu'il ne veut pas qu'on le voie. » Paul Morand, qui était de la partie, et Proust s'étaient assis sur les strapontins, laissant aux deux frères les places du fond, et c'est alors qu'Emmanuel avait eu ce mot, l'un de ses

1. J. Hugo, *Le Regard de la mémoire*, p. 122.

derniers : « Que le cocher aille à reculons pour que Marcel Proust et Paul Morand se trouvent devant ! »

Sachant combien Antoine aimait son frère, d'une affection exclusive et presque paternelle, encore qu'il fût le cadet, Proust lui écrit une lettre émue, plus sincère, ou du moins plus simple que celle adressée jadis à Antoine pour la mort de leur mère : « La vie qui n'est déjà ni très compréhensible ni très supportable cesse d'être l'un et l'autre quand on voit des êtres comme Emmanuel disparaître et des êtres comme toi perdre ce qu'ils ont le plus aimé... » Puis, sachant aussi combien Emmanuel lui était supérieur par les qualités de cœur, il ajoute, avec quelque ironie : « Je ne sais pas si je t'ai dit que j'espérais que beaucoup de la bonté, de l'équité d'Emmanuel passeraient en toi ; ce sont des héritages dans lesquels on entre à la mort des êtres qu'on aimait et qu'on représente ensuite ; je connais très bien le mécanisme moitié inconscient, moitié volontaire, mais je pense que tu n'as pas besoin que je te l'explique[1]. »

Un Emmanuel succède à celui qui a disparu, mais pour peu de temps. C'est une amie commune, Mme Duclaux, qui, après avoir initié Emmanuel Berl à Freud, l'adresse à Proust. Pour aplanir la voie, elle lui avait fait lire la traduction de *Sésame et les lys*, puis elle avait transmis à Proust la lettre enthousiaste que cette lecture, et la découverte de Ruskin, avaient inspirée à son protégé.

L'imagination de Proust, écrit Emmanuel Berl, « se débonda à l'idée qu'un soldat le lisait en première ligne. Il m'envoya *Swann* et de longues lettres, enterrées dans la boue de Lorraine avec le reste de mon paquetage[2] ». Berl n'osait pas aller voir Proust et Mme Duclaux avait fini par le décider en le chargeant de divers documents que celui-ci lui avait demandés.

Venu d'abord un soir, à onze heures, Berl s'entend répondre par Céleste qu'il est trop tôt, mais que M. Proust le recevra le lendemain à minuit. Assez curieusement, cette nouvelle amitié tournera court, par incompréhension mutuelle. Proust ne se doute pas que ce jeune homme ardent et osseux deviendra plus tard un grand critique et un philosophe ; il ne décèle en lui aucun goût pour l'homosexualité, goût qui lui paraît une des conditions de l'intelligence ou, du moins, de la sensibilité, au point que Berl, à l'issue de cette première visite, se demandera si son « manque d'attrait pour l'homosexualité ne constituait

1. Kolb, tome XVI, p. 226.
2. E. Berl, *Sylvia*, p. 109.

pas une tare insurmontable[1] ». A ses yeux, Proust, « avec sa tête de satrape aux aguets, ses lourdes joues blafardes », apparaît, non comme un écrivain, mais « comme un philosophe oriental qui vivait sa doctrine et doctrinait sa vie », jugement qu'il précise en se remémorant sa méthode : « Tout de suite il me contraignit à établir entre ma pensée et mon comportement un rapport dont il voyait, et dont je n'avais jamais senti, la nécessité... Il me stupéfia par sa cohérence : il parlait comme il écrivait... Chacune de ses paroles engageait tout l'ensemble de sa pensée. Aussi fus-je bouleversé par ses idées, quoiqu'elles me fussent familières. Il enseignait la solitude de l'homme et la fatalité des passions[2]. »

Sans doute Emmanuel Berl avait-il tenté de défendre son point de vue, car il s'aperçut vite que Proust n'admettait pas la contradiction et qu'abandonnant aussitôt sa bonne grâce, il se montrait volontiers intolérant, sa tête devenant « alors celle d'Assuérus répudiant Vasthi ». Après plusieurs entretiens au cours desquels Proust écoute attentivement le récit des difficultés sentimentales de Berl et l'oblige « avec une patience d'institutrice à les relier aux lois et principes généraux », le jeune homme, assommé au sens premier du mot par la logique implacable de l'analyse proustienne, ressent, écrit-il en une formule approximative, « la même nausée qu'une périssoire dans le sillage d'un navire ». Il abandonne la partie, n'ayant pas trouvé dans Proust le réconfort que lui avait promis Mme Duclaux, éprouvant même à l'égard de ce maître difficile « plus d'ingratitude que d'admiration[3] ».

Une autre recrue de ces temps de guerre, outre un jeune diplomate comme Jacques Truelle, est Jacques de Lacretelle, héritier d'une dynastie d'hommes de lettres et moins rétif à l'égard de l'homosexualité que l'ombrageux Emmanuel Berl. Il devra d'ailleurs son premier succès d'écrivain à un roman inspiré de Gomorrhe, *La Bonifas*, et son fauteuil académique à un familier d'Amphion et des Brancovan, Abel Hermant. Lacretelle a pour lui, en plus de son talent naissant, un beau visage et une haute silhouette sportive auxquels Proust ne semble pas rester indifférent. « On avait plaisir à le regarder », écrira de lui Maurice Druon qui ne le connaîtra que beaucoup plus tard, et encore beau.

1. E. Berl, *Sylvia*, p. 114.
2. *Ibidem*, p. 112.
3. *Ibidem*, p. 115.

*

A côté de ces plaisirs intellectuels ou esthétiques que lui procurent des jeunes gens aimables, aristocrates ou grands bourgeois, Proust en connaît d'autres, infiniment moins avouables et pour lesquels il a trouvé dans un ancien valet de pied, Albert Le Cuziat, l'entremetteur idéal, c'est-à-dire honnête, efficace et discret.

Le Cuziat est un Breton de Tréguier, venu à Paris pour y trouver un travail moins fatigant que la pêche en mer ou la culture de maigres champs de seigle. Recommandé par son curé à un prêtre parisien, celui-ci l'avait fait entrer comme deuxième valet de pied chez un prince polonais. Là, sa bonne mine avait attiré les regards du prince Constantin Radziwill qui l'avait marchandé à son maître et promu chez lui premier valet de pied. Dans cette cour ancillaire que lui constituaient ses douze valets, choisis avec autant de soins que Frédéric II en apportait au recrutement de ses grenadiers, Albert Le Cuziat, grand, mince et blond, avec un beau visage classique et des yeux bleus, faisait honneur à la Bretagne. Il n'était pas resté longtemps dans cette place, avait servi successivement chez les Greffulhe, chez le prince Orlov, puis chez le duc de Rohan. Avec le temps, son visage s'était un peu desséché, les cheveux blonds avaient perdu leur éclat et les yeux bleus leur chaleur, mais le Cuziat avait gagné en distinction tout ce qu'il avait perdu en beauté pour devenir une sorte de gentleman un peu figé, digne et cérémonieux. A force de voir défiler chez ses maîtres les plus grands noms de France, il s'était passionné non seulement pour l'aristocratie en tant que caste, mais pour les lois qui la régissaient ainsi que pour l'étiquette qui en réglait l'existence. *Annuaire des Châteaux*, *Almanach de Gotha* et chroniques mondaines des journaux étaient devenus ses lectures favorites, puis ses seules lectures. Dans ce domaine, sa science était si grande que bien des gens du monde s'adressaient à lui pour savoir comment placer à la même table une altesse sérénissime et une haute excellence républicaine, une duchesse d'Ancien Régime et une princesse du Premier Empire, un archevêque et un ambassadeur. S'il connaissait admirablement les alliances et les branches diverses de toutes les grandes maisons de France, il n'ignorait rien non plus de la vie cachée de beaucoup de leurs membres, ayant dans sa jeunesse assez payé de sa personne pour le savoir. C'est à lui, plutôt qu'à l'abbé Mugnier, que la princesse de X... aurait pu s'adresser pour répondre à cette embarrassante question qui avait laissé l'abbé perplexe ; « Quels sont les devoirs des enfants vis-à-vis des amants de leur mère [1] ? »

Fort apprécié des connaisseurs pour son physique, il leur avait cédé moins par plaisir ou par vénalité que par obligeance et moins par obligeance que par curiosité pour vivre, par la magie du nom de son partenaire, un moment de l'histoire de France. En cela, il ressemblait à Proust, goûtant comme lui une espèce de volupté à penser qu'un serrement de main, ou mieux une étreinte, de leur descendant faisait passer en lui quelque chose de la gloire d'un connétable de France ou du charme d'une favorite royale.

Avec de si bonnes dispositions, Albert Le Cuziat ne pouvait qu'avoir du succès, succès qui ne lui tournait pas la tête et ne lui enlevait rien de sa modestie. D'après George D. Painter, il serait le héros de l'anecdote attribuée à l'huissier de la princesse de Guermantes, reconnaissant dans l'altesse qu'il doit annoncer le jeune homme avec lequel il avait eu quelques jours plus tôt une aventure nocturne dans les bosquets des Champs-Elysées.

L'âge venant, Albert Le Cuziat s'était rangé. Avec ses économies, il avait acheté, 11, rue de l'Arcade, un hôtel dont le nom, Marigny, rappelait celui du frère de Mme de Pompadour, heureux patronage pour en faire une maison de rendez-vous, bien qu'on n'y cultivât point le même genre d'amours qu'au Parc-aux-Cerfs. Ses années passées dans des maisons au nombreux personnel mâle lui avaient permis de connaître suffisamment de jeunes gens faciles pour savoir où trouver les pensionnaires de son hôtel ; ses passades avec tant de messieurs de la haute société lui avaient fourni la base de la clientèle, assez grande déjà pour s'accroître par la publicité que lui feraient des amateurs satisfaits de ses services. La seule difficulté se trouvait dans le fait que certains de ses clients avaient des manies, des exigences particulières qu'il fallait contenter. Il y réussissait grâce à ses relations, son tact et la confiance qu'il inspirait, même s'il devait quelquefois travestir la vérité en proposant à tel client, qui réclamait un garçon boucher, un comptable arraché à ses chiffres, mais d'un aspect sanguin suffisamment trompeur.

La guerre l'a bien entendu privé de beaucoup de ses pensionnaires tout en renouvelant sa clientèle avec des soldats en permission, des étrangers à qui l'on a donné son adresse. Il

1. A. Mugnier, *Journal*, p. 143.

lui faut déployer une grande ingéniosité pour contenter tout le monde, quitte en certaines circonstances à prier un client de lui rendre service en changeant de rôle. Chacun, finalement, y trouve son compte.

Proust l'a vraisemblablement connu avant la guerre, vers 1911, alors qu'il était au service du prince Orlov. Intéressé par sa prodigieuse connaissance de l'étiquette et des généalogies, il l'aurait invité un soir boulevard Haussmann. Tous deux montaient à l'appartement lorsque Le Cuziat laissa tomber une remarque assez piquante. « Comme c'est spirituel ce que vous dites là ! » s'écria Proust, surpris. « Ce n'est que l'esprit de l'escalier ! » répliqua Le Cuziat. Pendant cette soirée, ils auraient fait assaut d'érudition mondaine et Proust, enchanté de cette découverte, se serait exclamé : « Vous possédez le savoir de Pic de La Mirandole et l'esprit de Mme du Deffand ! » Avec cette manie de vouloir toujours payer pour le moindre plaisir éprouvé, il aurait sorti son carnet de chèques pour en donner un de cent francs à Le Cuziat qui, noblement, aurait refusé : « Vous avez raison, c'est trop peu », avait observé Proust en lui signant un nouveau chèque de cent cinquante francs[1]. Après cette soirée, il aurait à plusieurs reprises demandé à Le Cuziat de passer boulevard Haussmann en « consultation », celle-ci chaque fois largement rétribuée.

Sachant Le Cuziat devenu propriétaire de l'hôtel Marigny, Proust avait eu la curiosité de le revoir et surtout de visiter cet établissement, baptisé déjà le « temple de l'Impudeur ». Albert, qui venait de s'installer, manquait encore de beaucoup de choses. S'il n'est guère probable que Proust l'ait aidé financièrement pour l'achat de l'hôtel, ce qui expliquerait en cas contraire certaines dépenses qualifiées de « philanthropiques » lorsqu'il devra les avouer à Lionel Hauser, il est certain en revanche qu'il l'a aidé à se meubler en lui donnant certains meubles hérités de ses parents. Plus tard, devant Céleste, il feindra, pour se donner bonne conscience, de déplorer l'usage immoral que Le Cuziat a fait de ces meubles primitivement destinés à sa chambre personnelle, lorsqu'il faisait son apprentissage de tenancier dans un bain louche de la rue Godot-de-Mauroy : « Figurez-vous, Céleste, que le sacripant m'avait demandé autrefois ces meubles pour arranger sa chambre personnelle dans ses bains de la rue Godot-de-Mauroy. Et qu'est-ce que je vois rue de l'Arcade ? Il s'en est servi pour des besoins

1. Environ 2 500 francs de 1990.

écœurants. Je ne l'aurais jamais cru capable d'une vilenie pareille. Mon Dieu, quelle bêtise j'ai faite, Céleste... [1]. »

Rue de l'Arcade, Le Cuziat se tient la plupart du temps dans l'entrée, au bureau de réception, absorbé dans la lecture de quelque ouvrage de généalogie, mais ne lisant que d'un œil tandis que l'autre surveille la porte et jauge le visiteur inconnu, aussitôt deviné, fiché, plus dépouillé d'un seul regard qu'il ne le sera quelques minutes plus tard dans la chambre où il connaîtra des voluptés tarifées. Avec chacun de ses nouveaux clients surgit un élément d'inconnu qui est pour Le Cuziat le piment de son métier. Il lui faut tout son flair pour dépister le grand seigneur incognito, déguisant sa voix et détournant les yeux, ou bien le policier en civil, l'air indifférent, mais il a trop l'usage du monde et du vice pour se laisser abuser.

Bienfaiteur de l'établissement, Proust en devient rapidement le visiteur assidu, mais il est douteux qu'il y ait joué un autre rôle que celui de voyeur, ce que confirme le récit qu'il fera dans *A la recherche du temps perdu* de la séance de flagellation du baron de Charlus à laquelle assiste par hasard le Narrateur [2]. Etant donné son mode d'existence, et le jeûne quasi perpétuel dont il a fait son régime, interrompu seulement par quelques dîners au Ritz ou dans le monde, repas auxquels il touche à peine, il n'a certainement pas beaucoup d'énergie à dépenser. On le voit mal se livrant à des joutes amoureuses et rivalisant avec don Juan. Lorsqu'il se rend à l'hôtel Marigny, c'est, pourrait-on dire, en touriste, mais au lieu d'aller admirer des peintures dans un musée, il assiste derrière une glace à des ébats qui forment un tableau vivant. Il peut aussi demander à quelque pensionnaire, dûment chapitré par Albert, de se prêter à des fantaisies, dans lesquelles entrent plus de curiosité intellectuelle que de plaisir des sens.

Ce qui l'attire à l'hôtel Marigny, c'est peut-être moins la beauté de certains visages ou de certains corps, dépouillés de toutes les conventions de la vie sociale, que l'imprévu des situations et les étranges découvertes que des rapports physiques réduits à la pure animalité, mais sans l'innocence des premiers âges, permettent de faire sur la nature humaine. Un des attraits de l'établissement est aussi son côté féerique, en ce sens que le hasard y arrange les rencontres les plus bizarres, les surprises les plus merveilleuses ou bien des chutes effrayantes dans des

1. C. Albaret, *Monsieur Proust*, p. 237.
2. *A la recherche du temps perdu*, Pléiade, tome IV, p. 394.

enfers ignorés. De telles scènes agissent sur son esprit comme des drogues, dont l'habitude accroît le besoin.

Aussi en cette année 1917 Proust se rend-il fréquemment rue de l'Arcade, soit que Le Cuziat l'ait averti d'une occasion à ne pas manquer, soit qu'il ait quelque désir soudain qu'il charge Albert de réaliser. Dans ce cas, il lui écrit un petit mot que Céleste est priée de lui remettre personnellement, puis de lui reprendre une fois qu'il l'a lu pour qu'elle le lui rapporte avec la réponse. Craignant que Céleste ne lui pose des questions embarrassantes sur cet étrange commerce épistolaire, il a préféré faire la part du feu en lui avouant le genre d'activités auxquelles se livre Le Cuziat, mais en lui affirmant n'aller rue de l'Arcade que dans le souci de se documenter pour son œuvre, sans cacher l'horreur que lui inspire cette prostitution : « Quand je vais là-bas, je n'aime pas beaucoup m'y attarder, avec les opérations de police qui s'y font, lui dit-il. Je ne voudrais pas parader dans les journaux demain[1] ! » On ne sait ce dont il faut le plus s'étonner : de la naïveté de Céleste acceptant de croire un tel mensonge ou de celle de Proust, persuadé que Céleste le croit sur parole.

Celle-ci nourrit à l'égard de Le Cuziat une franche aversion, détestant ses « yeux bleus, froids comme ceux d'un poisson » et notant chez lui « quelque chose de traqué », car « il y avait constamment des descentes de police dans son établissement et il faisait souvent de la petite prison », ce qui n'est pas avéré.

Conscient de cette antipathie de Céleste, Proust essaie de la désarmer en lui expliquant qu'il ne voit pas Le Cuziat par plaisir ou par goût, mais par nécessité, pour le besoin supérieur de son œuvre. A l'entendre, c'est une épouvantable corvée pour lui que d'aller rue de l'Arcade et il ne s'y rend que par devoir. Il a fini par familiariser Céleste avec ce commerce infernal et à l'adoucir en lui décrivant l'hôtel Marigny comme le dernier salon où l'on cause, et Le Cuziat comme un touchant exemple d'amour filial, ne se prêtant à ces besognes honteuses que pour entretenir sa vieille mère, qu'il adore. A la disparition de celle-ci, il adressera un mot de condoléances à Le Cuziat qui lui répondra, déclare Céleste, par « une longue lettre dans laquelle il parlait d'elle en termes » qui avaient ému son maître[2].

Il est évidemment délicat pour Proust de confier à Céleste,

---

1. C. Albaret, *Monsieur Proust*, p. 238.
2. *Ibidem*, p. 241.

à qui pourtant il raconte tant de choses, ce qu'il voit chez Le Cuziat, tout en brûlant du désir de lui en parler, car c'est là un des sujets qui lui tiennent à cœur. A cette jeune femme à peine sortie de sa province et de sa famille, ignorant tout des vices des humains et des ressources de Paris pour les satisfaire, il faut doser la vérité, l'altérer au besoin afin de la lui rendre crédible et surtout l'empêcher de nuire à l'image qu'elle s'est faite de lui. De là ces mensonges, ces demi-vérités, ces plaisirs inavouables déguisés en obligations quasi professionnelles et ces récits sataniques faits sur un ton édifiant, car il parle avec elle, au retour de ses incursions rue de l'Arcade, comme une dame d'œuvres avec une autre, déplorant qu'il puisse exister de telles horreurs en ce monde et masquant presque ses expériences à l'hôtel Marigny en visites de charité.

*

Il existe incontestablement chez le Proust de cette époque un goût de la débauche auquel chaque descente en enfer imprime un nouvel élan, stimulé par une curiosité qui, à l'instar du désir, renaît à peine satisfaite. Après avoir longtemps poursuivi des jeunes hommes inaccessibles, dont le prestige mondain ajoutait à leur attrait physique, il s'était contenté de liaisons moins flatteuses, puis de rencontres de hasard dans lesquelles chaque minute avait son prix. Pouvoir acheter ce qui lui a été longtemps difficile à conquérir lui a sans doute ouvert de nouvelles perspectives. Tout devient possible dès que l'on peut payer, ce qui encourage toutes les audaces et autorise toutes les fantaisies. Le curieux mélange de sadisme et de masochisme qui forme le fond de son tempérament s'est réveillé, le poussant à certaines extravagances dont l'écho, largement amplifié par des individus douteux comme Maurice Sachs, est venu jusqu'à nous.

Qu'y a-t-il de vrai dans cette fameuse histoire de rats, colportée de génération en génération depuis le début du siècle et qui montre en Proust un Néron au petit pied, prenant son plaisir en regardant agoniser des rats transpercés avec des épingles à chapeau par un comparse ? Est-il exact qu'il apportait des photographies de femmes du monde, et même de sa mère, à des gigolos pour les leur faire profaner en sa présence ? Il est évident que bien des pages d'*A la recherche du temps perdu*, la scène de Mlle Vinteuil et son amie dans *Du côté de chez Swann*, les descriptions de la maison mal famée de Jupien dans

*Le Temps retrouvé* autorisent certaines hypothèses et trahissent au moins chez leur auteur la curiosité, sinon la pratique, de ce genre de perversion. A cet égard, les témoignages les moins suspects sont ceux d'André Gide et de Bernard Faÿ à qui leur situation dans le monde des lettres ne permettait pas d'écrire n'importe quoi sur un homme qu'ils avaient bien connu et que tous deux admiraient.

Évoquant ses entretiens avec Proust, Gide affirmera qu'un soir celui-ci lui « expliqua sa préoccupation de réunir en faisceau, à la faveur de l'orgasme, les sensations et les émotions les plus hétéroclites. La poursuite des rats, entre autres, devait trouver là sa justification ». Et il précisera : « En tout cas, Proust m'invitait à l'y voir. J'y vis surtout l'aveu d'une sorte d'insuffisance physiologique. Pour parvenir au paroxysme, que d'adjuvants il lui fallait[1] !... »

Marcel Jouhandeau, que passionnait tout ce qu'il y a d'impur dans ce qu'il appelle *Du pur amour*[2], tenait d'un pensionnaire de Le Cuziat d'étranges confidences sur la sexualité de Proust. Leur récit semble préfigurer le sinistre roman de George Orwell, *1984*.

Il y avait à l'hôtel Marigny une grande salle dans laquelle des jeunes gens jouaient aux cartes en attendant les clients. Lorsqu'il y venait, Proust, d'un coup d'œil dans la salle, choisissait son partenaire qui montait ensuite le rejoindre dans une des chambres où il s'était déjà couché, le drap remonté jusqu'au menton. Le jeune homme se déshabillait à son tour, puis, si l'on peut dire, chacun jouait sa partition en solo jusqu'à la note finale sans qu'il y eût jamais contact entre les deux instrumentistes. « Je sortais après lui avoir souri, sans avoir vu autre chose de lui que son visage et sans l'avoir touché », aurait rapporté l'intéressé à Jouhandeau. Mais parfois ce plaisir de voyeur ne lui suffisait pas. « S'il n'arrivait pas au but poursuivi, il me faisait signe de me retirer et Albert[3] apportait deux nasses. Dans chacune se trouvait un rat qui n'avait pas mangé depuis trois jours. On abouchait les nasses en levant les trappes... Aussitôt les deux bêtes affamées se jetaient l'une sur l'autre, en poussant des cris déchirants et en se déchirant de leurs griffes et de leurs dents. Le plaisir de Marcel Proust alors éclatait[4]. »

1. A. Gide, *Journal*, Pléiade, p. 1223.
2. Roman de Marcel Jouhandeau, publié en 1955, Gallimard.
3. Le Cuziat.
4. D'après un carnet de Jouhandeau, cité par H. Bonnet dans son essai, *Les Amours et la sexualité de Marcel Proust*, p. 80.

Bernard Faÿ, qui a consacré à Proust dans son livre de souvenirs, *Les Précieux*, un chapitre au titre suggestif, *A la recherche du soldat perdu*, rapporte une autre histoire qui jette une lueur non moins sinistre sur la psychologie de Proust, histoire qu'aurait certainement appréciée Krafft-Ebing pour sa célèbre *Psychopathia Sexualis*.

Invité un soir à dîner chez les Beaumont, dîner auquel d'ailleurs Proust était arrivé avec deux heures de retard, Bernard Faÿ avait narré à celui-ci les exploits d'un jeune sergent de chasseurs à pied, passé en conseil de guerre pour sévices exercés sur un prisonnier allemand. Fasciné par ce récit, Proust lui avait demandé s'il était possible de rencontrer ce héros criminel. Dès lors, chaque fois qu'ils se retrouvaient, Proust harcelait Faÿ pour qu'il lui présentât ce garçon. Un jour, raconte Bernard Faÿ : « Il revint au soldat et me fit presque une scène pour n'avoir pas encore réussi à l'y mener. Il voulait tout savoir du garçon, de ses antécédents, de ce qu'il avait fait, de ce qu'il était devenu par la suite, alors que je ne possédais aucun de ces renseignements[1]. »

D'après Maurice Martin du Gard, Proust aurait eu également d'étranges rendez-vous dans un petit hôtel de banlieue où, tandis qu'il se tenait dans une pièce avec un jeune homme habillé en agent de police, on égorgeait un poulet dans la chambre voisine[2].

Il est difficile de trouver une explication rationnelle à ces fantasmagories, lointain reflet des émois de son enfance lorsque l'apparition du traître Golo, dessinée par la lanterne magique sur le mur de sa chambre, lui faisait éprouver un sentiment d'effroi contrebalancé par la présence apaisante de sa mère. Il n'est pas rare que le romancier qui a naguère imaginé certaines scènes, ou certains personnages, rencontre quelques années plus tard l'homme ou la femme qu'il a créés dans son cerveau et finisse par vivre un jour les circonstances qu'il a inventées.

*

C'est au printemps de 1917 que commence à naître la légende de « Proust du Ritz » qui contribuera tant à faire de lui le peintre d'une société dont il est plutôt l'anatomiste. Au cours de ses visites à la princesse Soutzo, il a pu apprécier le

1. B. Faÿ, *Les Précieux*, p. 105.
2. M. Martin du Gard, *Les Mémorables*, tome I, p. 244.

confort et l'élégance de cet hôtel où se conjuguent l'hygiène américaine et le style Louis XVI, la qualité de son service et celle de sa table. Dans le Paris grisâtre de cette troisième année des hostilités, le Ritz est comme un grand paquebot de luxe au milieu des brumes de l'Atlantique Nord. Certaines personnes, aux buts ténébreux cachés sous des activités frivoles, y voient une espèce de terrain neutre où elles peuvent se livrer à de secrètes activités diplomatiques autant qu'à de fructueuses opérations financières.

Peu à peu, Proust abandonne Larue et le café Weber pour prendre ses quartiers au Ritz, soit invité par Hélène Soutzo, soit y donnant lui-même de somptueux dîners qu'il préside, pâle et funèbre, mais tenant le dé de la conversation, multipliant les anecdotes et racontant volontiers des histoires antisémites, à l'étonnement de Paul Morand qui note celle-ci dans son *Journal* : « Un soldat français, blessé, sortant du coma, voit penché sur lui le visage un peu masculin de Mme Porgès et, entendant son accent à la Gobseck, il s'écrie : *Ciel ! je suis prisonnier*[1]... »

Dans ces dîners, Proust recueille ainsi des histoires qui complètent sa connaissance de la psychologie des gens du monde en temps de guerre et dont il utilisera certaines pour la dernière partie de son roman. C'est un nouveau champ d'expérience qui s'est ouvert à lui, bien décevant du seul point de vue humain, car toute guerre excite plus de mauvais sentiments que de bons. Elle plonge dans une exaltation cannibale des dames mûres et délaissées, affamées de chair fraîche, des hommes qui, n'ayant rien pu faire de leur propre vie, disposent de celle des autres et ne sont jamais rassasiés de carnage. Si les dames les moins sanguinaires se contentent de faire « des démonstrations de charité dans les hôpitaux », comme l'écrit Ferdinand Bac, beaucoup d'autres exigent davantage, se mêlant de tout, tranchant de tout et s'impatientant des lenteurs ou des atermoiements des généraux qu'elles s'efforcent, grâce à leurs hautes relations dans les ministères, d'encourager ou de faire destituer. Délaissant le comte Greffulhe, Mme de la Béraudière, par exemple, s'est jetée corps et âme dans l'« action ». « Elle était montée en avion, rapporte un de ses familiers, elle avait vu des tranchées, visité des hôpitaux.

1. P. Morand, *Journal d'un attaché d'ambassade*, p. 216.

Elle avait des filleuls de guerre, et elle allait souvent à Londres[1]. »

Les femmes les plus sottes ont leur idée sur les mouvements des armées ; les plus intelligentes aussi, mais elles l'expriment avec plus de nuances, afin de ne pas être démenties par l'événement. C'est ce langage que fait tenir Proust à Mme Swann, devenue Mme de Forcheville : « On m'a raconté qu'il fallait voir les moments de silence et d'hésitation qu'avait Mme de Forcheville, pareils à ceux qui sont nécessaires, non pas même seulement à l'énonciation, mais à la formation d'une opinion personnelle, avant de dire, sur le ton d'un sentiment intime : Non, je ne crois pas qu'ils prendront Varsovie ; je n'ai pas l'impression qu'on puisse passer un second hiver ; ce n'est pas ce que je voudrais, c'est une paix boiteuse ; ce qui me fait peur, si vous voulez que je vous le dise, c'est la Chambre ; si, j'estime tout de même qu'on pourra percer... Et pour dire cela, Odette prenait un air mièvre qu'elle poussait à l'extrême quand elle disait : Je ne vous dis pas que les armées allemandes ne se battent pas bien, mais il leur manque ce qu'on appelle le cran...[2] »

Même la comtesse Greffulhe tombe dans ce travers, elle qui jusqu'à présent donnait le ton, au lieu de s'y conformer. Au mois d'octobre 1916, elle avait invité Proust en ces termes, bien faits pour rappeler à celui-ci les « louchonneries » dont il se moquait jadis avec Lucien Daudet : « Peut-être pourrait-on se rencontrer un jour pour parler de l'intensité de l'heure présente ? »

Bien pire est le langage de Mme Verdurin, devenue un personnage presque officiel auprès de qui s'informent les ministres et les diplomates. Au début, elle a vu dans la guerre une rivale, qui allait lui vider son salon, « mais, pour les fidèles, ce n'était pas la même chose, elle ne voulait pas les laisser partir, considérait la guerre comme une grande *ennuyeuse* qui les faisait lâcher. Aussi faisait-elle toutes les démarches pour qu'ils restassent, ce qui lui donnait le double plaisir de les avoir à dîner et, quand ils n'étaient pas encore arrivés ou déjà partis, de flétrir leur lâcheté[3]... ».

Dans *Le Temps retrouvé*, Proust a merveilleusement montré comment une femme comme Mme Verdurin a vite compris le

---

1. F. Bac, *Souvenirs inédits*, livre IV.
2. *A la recherche du temps perdu*, Pléiade, tome IV, p. 367.
3. *Ibidem*, p. 348.

parti qu'elle pouvait tirer de la guerre pour achever son ascension sociale et même atteindre des cimes inespérées. L'amour hautement affiché de la patrie lui a enfin ouvert les portes du faubourg Saint-Germain où elle règne désormais avec autant de puissance et d'éclat que la Grande Mademoiselle sur le parti de la Fronde. Dans ce mélange d'égoïsme et de vanité qui la caractérise, elle se soucie fort peu des mutilés ou des morts et accepterait volontiers de voir sombrer plusieurs *Lusitania* dans son bol de café au lait si elle pouvait en retirer un bénéfice mondain.

Une autre illustration de cet état d'esprit dénoncé par Proust et où le féroce le dispute au ridicule est offerte en cette année 1917 par l'hôtel des Réservoirs, à Versailles, rendez-vous favori de l'élite bien-pensante. L'hôtel est tenu par la famille Grosœuvre qui a fait fortune en 1871 lorsque logeaient le grand état-major allemand, les princes confédérés et les journalistes étrangers. Une faune moins élégante y prospère, mélange de grands noms et de nouveaux riches, de faux militaires et de trafiquants, de politiciens véreux et de femmes attirées par les beaux soldats américains. Une des reines de ce lieu est Marie Scheikévitch ; l'autre, la princesse Edmond de Polignac, transformée à l'occasion en Diane chasseresse lorsqu'elle aperçoit quelque jeune fille errant dans les jardins.

Obsédés par leurs affaires, leurs amours et leurs rivalités, tous ces gens s'expriment comme de nouveaux Danton, exigeant des têtes pour sauver la patrie en danger. De nombreux journalistes hantent eux aussi les réservoirs pour y glaner des échos ou bien répandre quelque fausse information, jetée en pâture à toutes ces têtes folles qui s'empresseront de la colporter dans Paris. On y voit parfois le vieil Arthur Meyer qui se prend pour un héros parce qu'il a courageusement conservé ses favoris à la François-Joseph. Un jour, Ferdinand Bac l'entend discuter avec Jean Dupuy, le propriétaire du *Petit-Parisien*, des mérites de l'information journalistique et notamment des « communiqués », ces « contes de fées », comme les appelle le général Buat : « La presse est admirable, soupire Meyer, elle seule soutient l'opinion. » Et Dupuy d'approuver : « Ça, c'est vrai, nous pouvons nous flatter de n'avoir pas dit beaucoup de vérités à nos lecteurs depuis le commencement de la guerre, mais d'abord, ils n'en veulent pas, et ensuite chaque mauvaise nouvelle fait baisser le tirage. Il faut soutenir le moral et faire des affaires. Sans nous, l'arrière aurait flanché depuis longtemps et le gouvernement aurait fait la paix. Si l'on tient toujours, c'est à nous qu'on le doit[1]... »

Effectivement, il y a longtemps, qu'on aurait pu traiter avec l'Allemagne. Dès la bataille de la Marne, le Kronprinz avait insisté auprès de son père et de l'état-major pour que l'Allemagne traitât avec la France. En cette année 1917, une tentative de paix venait d'être faite par l'Autriche, mais qui avait avorté par l'entêtement belliciste de Clemenceau.

Si Arthur Meyer est une des bêtes noires de Proust, l'autre est Joseph Reinach qui se croit un foudre de guerre depuis qu'il donne au *Figaro* des articles dans lesquels il analyse la situation avec la hauteur de vue d'un nouveau Goethe, impuissant témoin de la folie des hommes. Reinach ne se soucie guère d'objectivité, encore moins de justice et le prouvera en supprimant des papiers livrés par les Allemands après la guerre tous les passages montrant que Guillaume II y avait été hostile[2].

Chaque matin, Proust lit son article, signé Polybe, avec un sentiment croissant d'exaspération dont il se soulage auprès de Robert Dreyfus : « Jusqu'ici il se bornait à rappeler tout ce qu'il avait écrit, livres, articles, correspondance privée. Maintenant, ce qu'il a écrit et ce qu'il écrit ne lui suffit plus. Il dit ce qu'il n'écrira pas. Ce terrible procédé qui dresse en face du passé qui a été réalisé l'avenir qui ne le sera pas (ou plutôt qui l'est grâce à cet artifice) a été annoncé ces temps derniers par des phrases telles que : "On ne me forcera pas à écrire que... Je n'écrirai pas que..." En attendant, il écrit[3]. »

Au début de l'année, il déplorait dans une lettre à Mme Straus « l'espèce de fatuité d'amant transférée aux choses de l'Histoire » qui égarait le malheureux Reinach et proposait de changer son nom en quelque chose comme « Albert-Cécile Sorel ». D'autres hommes de bon sens s'égaient aussi de la folie qui s'est emparée de Joseph Reinach, tel Grosclaude disant partout que le nouveau Polybe est menacé d'un procès pour abus de citation directe, ou le général Nivelle s'écriant comiquement : « Joseph, cesse d'écrire ou je cesse de vaincre ! »

Jamais Proust ne pourra s'accoutumer à la prose prétentieuse de Reinach qu'il attribuera dans *Le Temps retrouvé* au professeur Brichot dont la pédanterie n'a d'égale que la vulgarité : « Et à

---

1. F. Bac, *Souvenirs inédits*, livre VI.
2. *Idem*, *Journal inédit*, 11 janvier 1920.
3. Kolb, tome XV, p. 65.

côté d'images qui ne voulaient rien dire du tout (les Allemands ne pourront plus regarder en face la statue de Beethoven ; Schiller a dû frémir dans son tombeau ; l'encre qui avait paraphé la neutralité de la Belgique était à peine séchée ; Lénine a parlé, mais autant en emporte le vent de la steppe...), c'étaient des trivialités telles que : vingt mille prisonniers, c'est un chiffre ; notre commandement saura ouvrir l'œil, et le bon ; nous pouvons vaincre, un point c'est tout[1]. »

Même la mort de Reinach, le 18 avril 1921, ne désarmera pas l'hostilité de Proust qui voudra lui consacrer un article nécrologique burlesque, ce dont Jacques Rivière, avec plus de tact, le dissuadera.

*

Après tant de sorties, de fêtes au Ritz et de dissipation mondaine, Proust se remet au travail sous le double aiguillon de la nécessité financière et du désir d'achever de son vivant la publication de son œuvre. Malgré les réformes radicales opérées par Lionel Hauser dans la gestion de sa fortune, il craint toujours de manquer d'argent et envisage divers moyens de s'en procurer. D'abord vendre du mobilier qui l'embarrasse et s'abîme en restant au garde-meubles. Il serait normal de s'adresser à un commissaire-priseur et de charger celui-ci d'organiser une vente à l'hôtel Drouot, mais Proust ne songe même pas à un moyen aussi simple. Il lui faut, pour cette opération, du mystère, de l'intrigue, des interventions puissantes afin que cette banale liquidation d'un héritage encombrant prenne l'allure d'un complot sur lequel il demande le secret, tout en l'ébruitant à qui veut l'entendre.

Une fois de plus, il fait appel à l'excellente, à l'infatigable Mme Catusse, véritable Notre-Dame-des-Corvées, afin qu'elle vende pour son compte quatre fauteuils, un canapé, des « verdures », c'est-à-dire des tapisseries, et surtout des tapis, en proie aux mites dans le magasin de la rue de Clichy où ils sont entreposés. Après lui avoir demandé ce service, il décide que mieux vaut profiter de l'occasion pour se débarrasser aussi d'autres meubles et, poursuivant sa lettre déjà longue, il y ajoute une armoire à glace, des plafonniers, des lustres, les chaises de cuir de la salle à manger, un meuble Louis XV,

1. *A la recherche du temps perdu*, Pléiade, tome IV, p. 369.

des bronzes d'art, une pendule et finalement l'argenterie de table.

Mme Catusse part aussitôt en chasse et rabat sur le boulevard Haussmann deux dames antiquaires qui font la petite bouche en voyant le mobilier de Proust, évidemment présenté de manière peu attrayante dans ce capharnaüm qu'est son appartement. Elles trouvent les « verdures » trop vertes, la tapisserie « rafistolée » et s'en vont sans rien prendre.

Proust a heureusement d'autres pistes. Il s'est également adressé à Emile Straus qui veut bien donner asile à certains meubles et tapis qui auront chez lui un aspect plus engageant. Du coup, défilent chez les Straus quelques antiquaires de plus haut vol — si l'on peut dire — que les deux dames et nombre de particuliers, simples amateurs. Muni des offres d'achat faites à Emile Straus, Proust communique celles-ci à Mme Catusse afin de stimuler son zèle et lui demander ce qu'elle en pense. Il y a aussi un buste de Diderot, qu'il voudrait bien voir acheter par Straus, mais il craint que l'avocat n'en donne pas assez : « J'ajoute que Straus, si galant homme qu'il soit (et la peine incroyable qu'il se donne pour les fauteuils et les tapisseries est vraiment touchante de la part de quelqu'un que je ne vois jamais) n'est pas cependant quelqu'un qui ne regarde pas à l'argent ! Un Américain fastueux vaudrait mieux, mais je ne le connais pas. Walter Berry est un Américain pauvre (relativement). Son utilité à cet égard viendrait de ses relations avec tout ce qu'il y a de mieux dans la colonie américaine. Mais vous avez vu que pour mes fauteuils et tapisseries, après avoir offert de s'en occuper, il n'a fait quoi que ce soit [1]. »

Là, Proust exagère un peu, car il a plutôt forcé la main de Walter Berry en l'attirant boulevard Haussmann pour lui montrer les fauteuils et le canapé. Voyant le désarroi de Proust devant ces problèmes matériels, Walter Berry n'a pu faire autrement que de lui proposer de trouver un acheteur parmi ses compatriotes de Paris, mais il a certainement d'autres soucis en tête avec l'entrée des Etats-Unis en guerre et la croissance de leurs relations commerciales avec la France.

Toute la fin de l'année 1917 est donc partiellement occupée à la vente de ce mobilier, objet d'une active correspondance triangulaire entre Mme Catusse, Mme Straus et lui sans parvenir à aucun résultat, car il est de ces personnes qui, lorsqu'on accepte de leur payer le prix demandé, sont aussitôt

1. Kolb, tome XVI, p. 360.

persuadées qu'elles l'ont fixé trop bas et se croient volées. Un an plus tard, l'affaire en sera au même point, ou à peu près. Cela l'ennuie d'autant plus qu'il se proposait, avec l'argent qu'il en aurait tiré, d'aider financièrement Marie Scheikévitch qui, depuis la révolution russe, a vu soudain ses revenus diminuer, puis cesser complètement. Touché de la situation dans laquelle se trouve cette amie, dont il n'a pas oublié l'efficace intervention lors de la publication de *Du côté de chez Swann,* il lui proposa bientôt de lui servir de « nègre » : « Puisque vous êtes très liée avec *Le Temps,* dites-lui que vous acceptez de faire chaque jour un article purement commercial, des chiens écrasés en mieux. Ce sera vous qui serez censée le faire, mais pour que vous n'en ayez pas l'écœurant ennui, ce sera moi, de la première ligne à la dernière, qui le ferai avec une joie que vous ne soupçonnez pas. Et je n'ai pas besoin de vous dire que nous ne partagerons pas le prix des articles, et que tout sera pour vous, puisque le seul but sera de vous faire gagner de l'argent sans vous donner de souci[1]. » Cette offre fait honneur à Proust, mais on peut se demander ce qu'il en serait advenu si Marie Scheikévitch l'avait pris au mot, car il n'est pas plus capable d'assurer une collaboration quotidienne à un journal qu'il ne l'était d'aller rejoindre Antoine Bibesco en Roumanie pour pleurer avec lui la mort de sa mère.

Encore qu'il ait mis de nombreux amis dans la confidence de ses embarras d'argent, Proust tient toujours au secret le plus rigoureux sur ses tractations et s'alarme de ce qu'un soir, dînant au Crillon avec Mme Catusse, celle-ci en ait parlé à haute voix, en sortant, devant le concierge. Dès le lendemain, il rappelle la dame à la prudence. « Cet homme, écrit-il non sans quelque aigreur, pourrait en conclure à une pénurie qui par elle-même ne me froisse pas, mais aurait l'inconvénient que si j'avais un jour l'idée de demander une côtelette aux pommes, on me la ferait payer d'avance ! Je jouis au contraire de la meilleure réputation dans ce genre d'établissements ; je les fréquente peu d'ailleurs et ai renoncé à y corriger mes épreuves[2]. »

A l'automne, il a en effet provisoirement abandonné le Ritz, où l'on éteint les lumières à neuf heures et demie, pour s'établir au Crillon où l'éclairage est maintenu jusqu'à deux heures du matin, peut-être parce que l'hôtel a une vaste clientèle étrangère

1. Kolb, tome XVII, p. 79.
2. *Idem*, tome XVI, p. 326.

et notamment beaucoup d'Américains. Là, installé dans un coin tranquille, avec des bières qu'on lui renouvelle, ou un très léger dîner, il corrige une à une les cinq mille pages d'épreuves que la N.R.F. lui a fait parvenir au début du mois d'octobre. Le personnel n'a pas pour lui la déférence de celui du Ritz et Proust, ulcéré, s'en plaint à Walter Berry qui va lui-même s'en plaindre auprès du gérant de l'hôtel.

Voir son livre paraître est en effet pour lui non seulement le but de ce qui lui reste de vie, mais le seul autre moyen de gagner de l'argent depuis que Lionel Hauser a fait pour lui tous les miracles en son pouvoir. En attendant la mise en vente du prochain volume, et de ceux qui devront suivre, il pourrait déjà s'assurer un certain revenu par des prépublications et s'en ouvre à Robert de Flers : « Depuis que mes revenus ont tant baissé, j'ai la malheureuse idée de prendre certaines habitudes qui ont décuplé mes dépenses (j'exagère un peu, mais pas beaucoup). Comme j'ai cinq volumes de six cents pages chacun, inédits, que les Éditions de la N.R.F. vont publier (pas avant un an car il me faut bien ce temps-là avec mes yeux malades pour finir de corriger les épreuves), et comme on prétend qu'ils excitent beaucoup d'impatiente curiosité (ce que je ne crois pas), n'y a-t-il pas un moyen pratique (la N.R.F. étant consentante à tout), de gagner un peu d'argent en les publiant d'abord en journaux et revues ? Si tu pouvais me donner un conseil à cet égard, ce me serait bien précieux, car je ne connais absolument rien au côté « affaires » des livres que, comme directeur de journal, tu dois connaître admirablement. J'ajoute que toute une partie est impubliable d'avance à cause de son indécence, et aussi la clef qu'on se figurera stupidement. Mais dans le reste il y a de quoi glaner et si des journaux obscurs ou étrangers paient mieux que les français, je leur donnerais volontiers des fragments [1]. »

Au mois de mars 1917, il avait envoyé à Gaston Gallimard le texte intégral d'*A l'ombre des jeunes filles en fleurs,* ainsi que les vingt premières pages du *Côté de Guermantes,* pages qui, faites de multiples petits bouts de papier collés, ressemblent plutôt à un patchwork qu'à un manuscrit. L'imprimeur, *La Semeuse* à Etampes, s'était mis au travail et Gallimard s'était alarmé en découvrant qu'*A l'ombre des jeunes filles en fleurs* représentait un volume de six cents pages, sans compter les ajouts que l'auteur aurait peut-être la fantaisie de faire en corrigeant les épreuves.

1. Kolb, tome XVI, p. 292.

A juste titre, il estimait ne plus pouvoir vendre le livre 3,50 francs[1] et pensait que Proust devait réduire son texte. Avisé de cette difficulté, Proust suggère d'augmenter plutôt le prix : « Vous diminueriez mes profits d'auteur si vous faisiez une mauvaise affaire commerciale, or j'ai compté sur cette œuvre pour me *refaire,* comme disent les joueurs. Vous seul pouvez juger si l'augmentation de prix ne diminue pas la vente[2]. »

Tout en se préoccupant de la composition du deuxième volume d'*A la recherche du temps perdu,* Gallimard négocie le rachat du premier à Bernard Grasset. Par courtoisie, il a tenu à faire une visite personnelle à celui-ci pour en discuter de vive voix et il a tout lieu de se féliciter de cette idée. En effet, Bernard Grasset, ayant déjà quelqu'un dans son bureau, l'a fait attendre dans le magasin de vente où il a eu l'œil attiré par « un livre ouvert qui n'était autre que le répertoire des volumes en magasin avec indication des rayons, chiffres du stock, etc. ». *Du côté de chez Swann* y figurait naturellement avec le chiffre du stock, y compris les « retours » de deux cent vingt exemplaires. Fort de cette précision, Gallimard a pu rapidement négocier avec Grasset pour lui racheter deux cent six exemplaires au prix de 2,35 francs chacun[3] et les faire rhabiller aussitôt en leur mettant une couverture N.R.F.

Là-dessus, Gallimard, satisfait, s'était embarqué pour New York, mais laissant derrière lui une situation moins bonne qu'il ne se l'imaginait. En effet, à la veille de Noël 1917, la composition d'*A l'ombre des jeunes filles en fleurs* est interrompue : l'imprimeur a eu plusieurs de ses typographes appelés sous les drapeaux et il a dû arrêter le travail, faute de bras.

---

1. Environ 32 francs de 1990.
2. *Correspondance Proust-Gallimard,* p. 85.
3. Environ 22 francs de 1990.

## 21

## Juin 1918 - Juillet 1919

*Démêlés autour d'une dédicace - Et d'une préface - Aigreurs de J.-É. Blanche - Deux admirateurs : Walter Berry et l'abbé Mugnier - Naufrage financier - Hauser redresse la barre - Le pastiche de Saint-Simon - Le cauchemar des tapis - Proust et la paix - Difficile éclosion des* Jeunes filles en fleurs *- Elizabeth Asquith et Antoine Bibesco - Rue Laurent-Pichat - Un nouvel Agostinelli : Henri Rochat.*

Aucune nouvelle ne peut être plus désagréable à Proust que l'annonce de cette inaction forcée de l'imprimeur, ce qui reporte à une date incertaine, et vraisemblablement à la fin des hostilités, la parution d'*A l'ombre des jeunes filles en fleurs*. La chose est d'autant plus fâcheuse qu'il attendait ses épreuves pour retravailler son texte plutôt que de le faire sur ce qu'il a gardé du manuscrit dont l'indéchiffrable embrouillamini lui fatigue les yeux.

A cet ennui s'en ajoute un autre : l'imprimeur a perdu un cahier, qu'il finit heureusement par retrouver. Il finit aussi par envoyer des épreuves dans lesquelles pullulent les fautes au point que Proust, excédé, demande à la N.R.F. si pour *Le Côté de Guermantes* elle ne pourrait pas choisir un autre imprimeur. A quoi Mme Lemarié, responsable de la fabrication à la N.R.F., lui répond, sans illusions sur la conscience professionnelle des typographes dès qu'il s'agit d'un travail courant : « Rien ne m'étonne au sujet des erreurs de l'imprimeur ; mais, croyez-moi, cher Monsieur, je pense qu'ils sont tous les mêmes. Nous avons en ce moment à la *Revue* quatre imprimeurs et je ne peux vous dire tous les ennuis et tous les tracas que j'ai par eux, et je peux bien vous dire que c'est encore la Semeuse qui travaille avec le plus d'intelligence [1]. »

1. *Correspondance Proust-Gallimard,* p. 108.

C'est seulement au retour des Etats-Unis de Gaston Gallimard, au mois de mai 1918, que la situation s'éclaircit. Le 21 juin, Gallimard annonce à Proust qu'il a donné le bon à tirer d'*A l'ombre des jeunes filles en fleurs*, mais il lui confirme ce qu'écrivait Mme Lemarié : la Semeuse est encore, malgré ses défauts, le meilleur des imprimeurs, ou le moins mauvais. Il serait peut-être imprudent de la quitter d'autant plus que l'ouvrier qui a composé *A l'ombre des jeunes filles en fleurs* s'est habitué à son écriture et qu'il est donc tout qualifié pour travailler sur le manuscrit du *Côté de Guermantes*.

Maintenant que la publication d'*A l'ombre des jeunes filles en fleurs* semble en bonne voie, il se préoccupe de lui trouver un parrainage illustre, en l'occurrence celui du prince Edmond de Polignac à la mémoire de qui le livre serait dédié. Il s'ouvre de ce projet à la princesse, alors absente de Paris, en lui exposant par lettre les raisons de cet hommage. Comme le prince est mort depuis longtemps, il n'y a rien à craindre de ce côté, mais il y a beaucoup à redouter de celui de sa veuve, personne d'un commerce difficile et dont les arrêts sont aussi tranchants qu'un couperet de guillotine.

On raconte à son sujet de nombreuses histoires, dont certaines montrent chez elle une rare férocité, secondée par une implacable intelligence. Un soir qu'un jeune Américain, de mœurs douteuses et qui prétendait lui être apparenté, l'avait saluée dans un bal d'un claironnant : « Bonsoir, tante Winnie ! », la princesse l'avait cloué sur place en répliquant : « Tante vous-même ! » Une autre fois, s'étant brouillée avec une vieille dame recueillie par charité, celle-ci en partant lui avait lancé que le nom de Singer ne pesait guère auprès du sien : « Pas au bas d'un chèque... », avait répondu la princesse. Tout en menant une vie fort libre et en martyrisant les jeunes femmes qui s'éprennent d'elle, la princesse a su garder une façade de grande respectabilité, sa fortune et l'usage qu'elle en fait lui assurant l'appui de l'opinion.

Aussi Proust, connaissant les susceptibilités de la dame et les préventions qu'elle pourrait avoir contre lui, dont la réputation n'est pas intacte, commence-t-il par la rassurer : « Il n'y a pas... une seule femme qui, de si loin que ce soit, ait un rapport quelconque avec vous. Aucun personnage ne rappelle non plus, même dans la plus faible mesure, le Prince. Mais comme l'un — entièrement différent du Prince, tout l'opposé de lui — est un grand seigneur qui a le goût des choses d'art, la dédicace eût pu, non pas induire en erreur, mais servir de prétexte et donner à deux personnes[1] l'occasion de mentir sciemment[2]. » Dans cette crainte, il y avait d'abord renoncé, explique-t-il, moins pour la tristesse qu'il aurait éprouvée d'une nouvelle brouille avec elle que par celle, plus grande encore pour lui, « que le nom du Prince fût prononcé autrement qu'avec la piété qui sied ».

Puis, ayant réfléchi, relu son livre dont il énumère les différents épisodes, en se contentant toutefois de mentionner, pour M. de Charlus, la publication d'un passage en revue au mois de juillet 1914, il en était venu à la conclusion que le livre n'était pas « tout à fait indigne d'être dédié à la mémoire du Prince », tout en regrettant de n'avoir pas mieux à lui offrir, comme *La Chartreuse de Parme* ou *Les Frères Karamazov*. Enfin, pour achever cette lettre dont la longueur suffirait à irriter la princesse, il propose à celle-ci une solution boiteuse : laisser paraître le livre sans dédicace et, une fois qu'elle l'aurait lu sans y trouver à redire, ajoute la dédicace à l'occasion d'une réédition.

Bien entendu la princesse, en dépit de sa vaste intelligence et de son regard perçant, ne comprend rien à une lettre aussi confuse ou plutôt elle comprend — ou feint de comprendre — exactement le contraire, c'est-à-dire que Proust, jugeant l'ouvrage indigne d'être dédié à la mémoire de son mari, a renoncé à son projet de dédicace. Elle refuse donc celle-ci pour les raisons invoquées par Proust lui-même et qui, la voyant dans l'erreur, lui écrit derechef pour lui dire que, ces raisons n'existant pas, il va, sauf contrordre de sa part, faire imprimer la dédicace. Excédée de cette correspondance byzantine, la princesse a dû confirmer expressément son refus, car le livre paraîtra en 1919 sans être dédié « à la mémoire vénérée » du prince, comme Proust en avait eu l'intention.

En tout cas, l'histoire se répandra bientôt dans Paris, soit que Proust se fût plaint de l'incompréhension de la princesse, soit que celle-ci eût tenu quelques propos acerbes sur l'outrecuidance de l'auteur. En effet, l'année suivante, l'abbé Mugnier note dans son *Journal* que, d'après Abel Bonnard, Proust aurait demandé à la princesse de Polignac de dédier son prochain livre à la mémoire de son mari, mais que, « très flattée », la

---

1. L'une des deux est Montesquiou qui, se reconnaissant dans le baron Charlus, ne manquera pas de dire qu'il s'agit du prince Edmond de Polignac, à la fois pour écarter de sa personne les soupçons et tirer vengeance de Proust en le brouillant avec la princesse.

2. Kolb, tome XVII, p. 351.

princesse avait refusé en apprenant que ce livre devait s'appeler *Sodome et Gomorrhe*[1].

*

Déjà difficiles avec les gens du monde, les rapports humains le sont plus encore avec les artistes qui ont toutes les prétentions de ceux-ci sans avoir en général leur éducation. Proust en fait une nouvelle expérience avec Jacques-Émile Blanche, encore que celui-ci se flatte d'être également un homme du monde accompli, mais sa susceptibilité de caractère est telle qu'il oublie souvent ses parfaites manières quand son amour-propre d'artiste est froissé.

Lorsque l'année précédente, Blanche avait demandé à Proust de préfacer son premier volume d'une série intitulée *Propos de peintre,* Proust s'était déclaré touché de l'honneur qu'il lui faisait. Il s'était mis au travail avec une telle conscience qu'il n'avait pas hésité, comme on l'a dit, à revoir le texte qu'il était chargé de préfacer afin qu'il approchât le plus possible de la perfection. Donner ainsi des leçons de style à Blanche n'était pas tout à fait du goût de celui qui s'estimait aussi bon écrivain que grand peintre.

En prenant connaissance de la préface de Proust, il semble que Blanche ait eu un haut-le-corps d'indignation et qu'il ait cherché aussitôt un prétexte pour ne pas l'accepter. Certes, bien des idées de Proust sur l'art différent des siennes, mais il faut vraisemblablement chercher la raison de son mécontentement ailleurs. Proust a profité de l'occasion qui lui était ainsi donnée pour parler beaucoup de soi, et non de Blanche. Tout le début de cette préface est une évocation de la maison de son grand-oncle Weil, à Auteuil, de sa propre adolescence, d'affronts subis de la part de camarades inconscients de sa valeur, autant de pages qui sont superflues aux yeux de Blanche et risquent de décourager le lecteur, cherchant Jacques-Émile Blanche et trouvant Marcel Proust.

Lorsque enfin celui-ci aborde son sujet, il le fait avec des réserves, des notations piquantes, des comparaisons qui sont les épines des roses qu'il est censé répandre sur le texte de Blanche. Est-ce bien habile, en effet, de rappeler que les natures mortes de l'artiste n'étaient sorties de l'ombre et bien exposées que le jour où leur auteur était invité en quatorzième

1. A. Mugnier, *Journal,* p. 358.

ou en cure-dents ? Faut-il prendre pour un compliment d'assimiler les causeries de Blanche sur les peintres à celles de Sainte-Beuve sur les écrivains de son temps lorsqu'on sait dans quel mépris Proust tient Sainte-Beuve et ses faux jugements ? Comment ne pas froncer le sourcil en se voyant reprocher d'envisager le point de vue de l'Histoire plutôt que celui de l'Art ? Et comme pour répondre aux critiques de Blanche sur cette façon de procéder, Proust rend hommage à sa propre méthode : « On peut trouver parfois dans les portraits que Blanche donne ici quelque justification à l'accusation de malice. Le portrait de tel peintre, de Fantin par exemple, prête à sourire. Mais je le demande, un tel portrait, criant de vérité, d'originalité et de vie, ne louera-t-il pas plus efficacement le maître disparu... que tant de pages uniformément dithyrambiques écrites par des critiques d'art qui ne connaissent rien à l'art[1] ? »

En fait, Proust procède à l'égard de Blanche comme celui-ci l'a fait pour écrire ses portraits, prenant soin de citer, pour lui servir de caution, un passage des *Propos de peintre* dans lequel Blanche proclame la nécessité de rester impartial et objectif : « Juger est un besoin impérieux de mon esprit, les liens les plus tendres de l'affection ne m'ont jamais fait changer en cela. Il faut dire ce que l'on pense. Telle est ma conception de l'honnêteté à une époque de disputes et de troubles universels... Si j'ai blessé ou étonné certains compagnons de route, j'en suis chagrin pour eux, mais je me repose sur les plus judicieux, car il en est, ma foi, qui m'ont deviné et ne m'en veulent pas[2]. »

Or Jacques-Émile Blanche en veut beaucoup à Proust, tout en affirmant qu'il le reverra « sans rancune ni ressentiment ». Une polémique à propos d'un portrait de Forain que Blanche veut introduire dans son livre masque un peu le différend personnel qui les sépare. Quatre lettres de Proust à Blanche n'apaisent pas celui-ci qu'enrage au contraire la proposition de Proust de jeter au feu cette préface ou d'en supprimer certaines phrases. La dernière goutte qui fait déborder ce vase de fiel est une perfide allusion de Proust à ce que des personnes malintentionnées, des jaloux bien sûr, lui ont rapporté de Blanche. Du coup, celui-ci met les choses au point, d'une plume vengeresse : « Je ne m'attendais guère au bolide qui est

1. *Essais et articles,* dans *Contre Sainte-Beuve,* Pléiade, p. 581.
2. *Ibidem,* p. 582.

tombé sur moi hier soir... L'insistance que vous avez mise dès le début, et mettez encore, à me faire comprendre le courage et les périls qu'il y avait à associer votre signature à la mienne aurait dû me donner à réfléchir. Ne jamais nommer, selon votre façon, vos reporters, est pire que de les désigner. Je vous prie de leur dire au plus vite qu'ils n'aient plus à remettre les pieds chez moi. Je ne puis correspondre par téléphone, et encore moins par lettre, avec quelqu'un qui se cache. Le soir où je vous ai retrouvé au théâtre Astruc[1], après tant d'années, vous m'avez aussitôt parlé de ce que des X. et des Y. vous avaient raconté sur moi. Je vous ai presque sommé de me fournir ce que les journalistes appellent des *précisions*. Vous avez dit que vous réfléchiriez. Rien n'est venu. J'aurais dû m'en tenir là. Aujourd'hui, je vous laisserai choisir entre vos informateurs anonymes et moi-même.

« Mon premier mouvement fut de vous renvoyer votre texte et de faire reprendre chez vous le portrait que j'ai peint de vous il y a quelque vingt-cinq ans, comme Degas a fait pour moi. Mais la nuit a porté conseil et je ne veux plus agir sous le coup de l'émotion... Jamais je ne me suis senti plus mortellement offensé[2]. »

Ainsi mis au pied du mur, Proust, non moins offensé, répond de la même encre, avec une nuance d'indulgence à l'égard de cet enfant gâté, colérique et vaniteux : « Comme vous le dites, il y a près de vingt-cinq ans que vous avez fait mon portrait, et vous avoir aimé depuis ce temps-là sans défaillance a dû créer dans mon âme des ferments sympathiques, de bons bacilles capables de détruire en deux heures les mauvais créés par deux phrases de haine, intercalées dans votre personnalité, ne provenant pas d'elle. Je ne crois pas que c'est vous qui ayez écrit à ce moment-là. Je découperai ces trois lignes de votre lettre et je les brûlerai, pour ne pas être tenté de jamais les relire...[3]. »

Il est bien évident qu'il veut conserver le portrait, comme Blanche doit garder la préface à laquelle il n'aurait pas consacré tant de son précieux temps s'il avait su l'effet qu'elle devait produire. Un compromis finit par être trouvé, les deux auteurs se calment et se réconcilient.

Mais ce n'est qu'une trêve entre ces deux susceptibilités à

---

1. Le théâtre des Champs-Elysées où il avait revu Blanche en 1913.
2. Kolb, tome XVII, p. 81.
3. *Ibidem*, p. 84.

vif et toujours aisément froissées. Le livre de Blanche n'est pas encore paru que leur querelle renaît, entretenue et même accrue par les propos d'amis communs qui semblent avoir eu connaissance de cette préface alors que Proust avait prié Blanche, instamment, de n'en parler à personne. Au mois de janvier 1919, Proust entendra dire de tous côtés les choses les plus étranges — et surtout les plus désobligeantes — sur sa préface. Il voudra en avoir le cœur net et demandera des explications à Blanche : « Une personne me dit que cette préface vous *effraie,* une autre que j'y parle d'un bal de tapettes qui avait lieu salle Wagram... Une troisième me dit que je raconte qu'on mettait vos œuvres aux cabinets ( ?). Une quatrième se plaint que je la cite et me demande d'effacer son nom [1]. »

Dans ces conditions, estime Proust, mieux vaudrait la supprimer si elle doit tant *effrayer* son correspondant qui ne doit surtout pas la publier pour lui faire plaisir. La personne effarouchée qui veut que l'on retire son nom est Louise Baignères. Pour s'émouvoir ainsi, elle a dû certainement être alertée par quelque ami de Blanche qui lui aurait laissé croire que Proust avait peint, sous des couleurs sulfureuses, le salon de sa mère. Or, répond Proust à Louise Baignères, il n'a fait en évoquant ses parents qu'une œuvre pie : « Il n'est pas douteux que ce que voudraient les pauvres morts, c'est se survivre. » Et, non sans une certaine ironie, il lui laisse entendre que son père, Arthur Baignères, charmant homme, spirituel et bon, serait bien vite oublié s'il ne se trouvait justement des écrivains comme lui pour les empêcher de disparaître tout à fait.

Autre contrariété pour lui : depuis qu'il a écrit sa préface et l'a donnée à J.-É. Blanche, celui-ci a quelque peu modifié son livre, notamment en ce qui concerne Cézanne, Degas et Renoir qu'il met à l'honneur, Vuillard et Denis, sur lesquels il a changé d'avis ; aussi, pour ces deux derniers, voudrait-il que Proust supprime ce qu'il a écrit à leur sujet. Ces altérations nécessiteraient une refonte de la préface, travail supplémentaire et forcément ingrat que Proust ne se sent pas le courage d'entreprendre. Il est donc fort mécontent d'avoir préfacé un livre assez différent de celui qu'il a lu en manuscrit et il regrette cette occasion perdue de parler de deux artistes qu'il aime — Vuillard et Denis —, et d'un troisième, Pablo Picasso,

1. Kolb, tome XVIII, p. 67.

dont Blanche ne parle pas. Il finira par obtenir de celui-ci qu'il insère quelques lignes consacrées à « l'admirable Picasso » qui, écrit-il lui-même, « a précisément concentré tous les traits de Cocteau en une image d'une rigidité si noble qu'à côté d'elle se dégradent peu à peu dans [son] souvenir les plus charmants Carpaccios de Venise[1] ».

Lorsque *Propos de peintre* paraîtra le 10 mars 1919, Proust commencera par déclarer modestement que sa préface est « stupide », voire « détestable », mais, comme il l'écrira finalement à Blanche, quelques compliments reçus d'hommes éminents l'ont un peu rassuré, lui faisant même regretter de n'avoir pas publié cette préface dans *Le Figaro* avant la sortie du livre.

*

Depuis bientôt quatre ans que la guerre bouleverse une partie de l'Europe et s'enlise dans les tranchées, la vie de société a complètement repris, au grand plaisir des mondains revenus à leurs jeux familiers comme à celui des étrangers en mission à Paris qui trouvaient jusqu'alors la capitale un peu morne. La guerre, il est vrai, a parfois de brusques réveils, comme ceux que produisent, au milieu des nuits claires, les bombardements des *Taube* ou bien, à partir du mois de mars 1918, les obus que la Grosse Bertha, embossée dans la forêt de Compiègne, envoie à intervalles réguliers sur Paris.

Avec leur légèreté coutumière, les Parisiens considèrent ces bombardements comme un spectacle et beaucoup se précipitent aux fenêtres plutôt que de se réfugier dans les caves. C'est ce que fait Proust qui refuse obstinément de descendre dans la sienne et se contente d'y envoyer Céleste. Si l'alerte a lieu pendant qu'il dîne en ville, il préfère rentrer à pied plutôt que d'attendre la fin, ce qui lui permet d'inclure dans *A la recherche du temps perdu* d'admirables descriptions de ces attaques aériennes dont une conséquence, à laquelle personne n'a songé, sauf lui, est « de faire regarder le ciel vers lequel on lève peu les yeux d'habitude[2] ». Lors de ces alertes, qui le laissent indifférent, il n'est sensible qu'au danger couru par les monuments, partageant en cela le sentiment général qui fait que chacun croit la bombe réservée à son voisin : « Sans doute ma paresse m'ayant

1. *Essais et articles,* dans *Contre Sainte-Beuve,* Pléiade, p. 580.
2. *A la recherche du temps perdu,* Pléiade, tome IV, p. 380.

donné l'habitude, pour mon travail, de le remettre jour par jour au lendemain, je me figurais qu'il pouvait en être de même pour la mort. Comment aurait-on eu peur d'un canon dont on est persuadé qu'il ne vous frappera pas ces jours-là[1] ? » Il est également inconscient d'autres périls, ceux qui peuvent assaillir un promeneur attardé dans cette ville où des soldats de toutes armes, de toutes nations et de toutes couleurs n'ont pas toujours une exacte notion des égards dus aux civils. Il n'y a d'ailleurs pas que les militaires ; des individus douteux errent aussi dans les rues, à la recherche d'un mauvais coup à perpétrer, qui sera mis sur le compte de la soldatesque. Une nuit d'alerte, alors qu'il rentre seul, à pied, de chez Francis Jammes, il est accosté par un passant qui, raconte Céleste Albaret, lui propose de l'accompagner, de l'aider à traverser le boulevard Malesherbes et ne le quitte que devant le 102, boulevard Haussmann. A l'allure et au ton de la voix, Proust a deviné en l'homme une espèce d'apache et, après l'avoir remercié, il lui demande pourquoi il ne l'a pas attaqué : « Oh non ! répond l'individu presque choqué à cette idée, pas une personne comme vous, Monsieur[2]. »

Ce sont là des succès qui enchantent Proust et dont il est plus fier que de ceux remportés dans les salons. Il continue de sortir assez souvent le soir, voyant beaucoup la princesse Soutzo, Mme de Ludre ou Mme de Chevigné, Mme Hennessy ou Mme de Fitz-James, Lucien Daudet, l'abbé Mugnier, Walter Berry, avec une prédilection marquée pour ce dernier, lui rendant par son admiration pour sa personnalité tout ce que l'Américain voue d'admiration à *Du côté de chez Swann*. On pourrait presque croire qu'il s'est épris du distingué président de la Chambre de commerce américaine et il en plaisante avec lui : « Je m'ennuie beaucoup après [vous]. Je me distrais de cet ennui en disant de temps en temps aux autres que je ne connais rien de plus beau que les yeux de votre visage, de plus agréable pour les oreilles que votre voix. Je ne vous l'ai probablement jamais dit à vous-même. Mais *littera non erubescit*[3]. Je pense bien surtout que vous comprenez qu'il n'y a quoi que ce soit de M. de Charlus dans cette admiration tout esthétique et que je parle en amateur, comme si vous étiez peint par Tintoret et orchestré par Rimsky[4]. »

---

1. *A la recherche du temps perdu,* Pléiade, tome IV, p. 381.
2. C. Albaret, *Monsieur Proust,* p. 123.
3. Une lettre ne rougit pas.
4. Kolb, tome XVII, p. 115.

Le caractère sacré de l'abbé Mugnier lui interdit des plaisanteries de ce genre et il a même scrupule à lui envoyer *Du côté de chez Swann*, « si rebutant par sa longueur, si choquant par son caractère licencieux, si douloureux surtout[1] ». L'abbé Mugnier n'est pas prude ; il en a vu d'autres et en a surtout entendu au confessionnal. Dans sa jeunesse, il a beaucoup fréquenté Huysmans et lors des dîners d'hommes que donnait celui-ci, maintes fois il a écouté le récit d'histoires graveleuses, avec parfois, écrit-il dans son *Journal,* « des détails navrants sur la sodomie à Paris[2] ». Bien que sans attirance aucune pour ce genre de plaisirs, l'abbé Mugnier a trop de curiosité de l'humain pour y rester indifférent. Cet homme chaste et pieux, qui avait la vocation du mariage beaucoup plus que celle de la prêtrise, a gardé la nostalgie des joies charnelles qui lui sont interdites et prend un certain plaisir à en consigner maints exemples dans son *Journal,* tout en se voilant la face. Avec plus de largeur d'esprit que ses confrères, il estime que tout ce qui est dans la nature est naturel et il ne répugne pas à discuter de ces sujets défendus avec ceux qui peuvent lui apporter des lumières à cet égard. Ainsi, l'année précédente, il avait rencontré chez la comtesse François de Castries Ramon Fernandez qui, après le déjeuner, avait lu des passages du roman qu'il était en train d'écrire sur l'inversion, *Philippe Sauveur* : « C'est avec émotion qu'il lisait, en particulier le chapitre de la séduction, un hymne en l'honneur de cet amour condamné. L'amour de l'être pour son semblable. Le héros a commencé par aimer particulièrement sa mère : ''signe distinctif''. Il paraît aussi que les menus souvenirs d'enfance tiennent une grande place dans la mentalité d'un inverti *(Du côté de chez Swann).* Le roman de Fernandez est, par moments, remarquablement écrit... J'étais trop fatigué pour jouir suffisamment de cette lecture[3]. »

Il est intéressant de noter que Ramon Fernandez travaillait alors sur le même *sujet* que Proust, bien que d'une manière fort différente, ce qui expliquera l'intérêt porté par lui à l'œuvre de Proust et l'intelligence avec laquelle il en parlera dans ses articles comme dans son livre *Proust ou la généalogie du roman moderne.* On voit aussi par cette notation que l'abbé Mugnier avait déjà quelque idée du premier livre de Proust et de la

1. Kolb, tome XVII, p. 113.
2. A. Mugnier, *Journal,* p. 62.
3. *Ibidem,* p. 320.

nature de l'auteur. Il n'est donc pas homme à s'effaroucher de ce que Proust écrit ou de ce qu'il raconte et une certaine amitié se noue entre ces deux êtres si différents que réunit l'amour du grand monde et celui de Chateaubriand. Il semble même que Proust ait eu le désir de faire un pèlerinage ruskinien à Nogent-le-Rotrou avec l'abbé. Celui-ci, en relatant ce projet, ajoute : « Mais il faudra qu'il arrive deux jours à l'avance pour se reposer[1]. »

Bien que ce retour à la vie mondaine prouve une certaine amélioration de son état, Proust se voit plus malade que jamais, se plaignant sans cesse d'être à l'article de la mort et s'étant même découvert une nouvelle maladie. Il souffre depuis peu de paralysie faciale et se croit menacé d'aphasie. Les médecins qu'il se résout à consulter augmentent ses alarmes au lieu de les dissiper, car persuadé que ceux-ci, par habitude et par méthode, ne disent jamais la vérité, il est d'autant plus inquiet qu'ils se veulent rassurants : « Les médecins sont crispants en ne disant pas la vérité, se plaint-il à Lucien Daudet. J'ai malheureusement l'art de la leur extorquer, ce qui ne revient pas du tout au même que s'ils la disaient, car ils ne disent rien, leur embarras les trahit, et on reste à la fois menacé et non averti[2]. » A cet égard, il raisonne comme la princesse Soutzo à laquelle il écrivait, au début de l'année : « Déjà les médecins trop intelligents sont dangereux parce qu'ils ne croient pas à la médecine. Vous, vous ne croyez pas aux médecins[3]. » En fait, pour le tranquilliser, il aurait fallu lui dire qu'il était perdu.

Pour en avoir le cœur net, il se décide à consulter l'illustre docteur Babinsky, un élève de Charcot, qui, en le rassurant, lui retire ainsi un motif de gémir. Heureusement qu'il lui en reste d'autres, notamment cette fameuse plaie d'argent, toujours à vif en dépit des remèdes du sage Hauser.

Cette plaie a été semble-t-il agrandie par certaines dépenses considérables et inconsidérées dont il est difficile de savoir la nature et l'étendue. Peut-être sont-elles dues, comme le suggère Philip Kolb, à son subit engouement pour un valet de pied du Ritz, Henri Rochat, que Céleste Albaret, lorsqu'il entrera au service de Proust, ne jugera pas mieux qu'elle n'a jugé Ernst Forssgren, le trouvant « maussade et silencieux, avec ce côté

1. A. Mugnier, *Journal,* p. 331.
2. Kolb, tome XVII, p. 169.
3. *Ibidem,* p. 18.

supérieur qu'ont beaucoup de Suisses[1] ». Il est curieux que Céleste remarque ce « côté supérieur » chez tous ceux qui s'élèvent dans la faveur de son maître et il est vraisemblable qu'elle en éprouve quelque jalousie. Peut-être aussi ces jeunes gens, pressés de sortir de leur condition servile, croient-ils mieux y parvenir en affectant de grands airs vis-à-vis de cette gouvernante avec laquelle ils ne veulent pas être confondus. « Maussade », Henri Rochat l'est aussi, semble-t-il, avec Proust dont les assiduités doivent l'ennuyer, qu'il n'accepte que par intérêt. C'est ce qu'on peut conjecturer d'une lettre de Proust au fidèle Hauser, lettre dans laquelle il lui laisse entrevoir une partie de la vérité sur l'origine de ses folles dépenses : « Je t'ai dit que j'avais des peines de cœur. Quand on n'est pas théosophe, et qu'on n'aime pas dans le monde, mais dans le peuple, ou à peu près, ces peines de cœur se doublent généralement de difficultés financières considérables. *Il est triste,* dit La Bruyère, *d'aimer sans une grande fortune.* Dieu sait qu'on ne regrette pas d'avoir délaissé le monde, qui est assommant, mais il a du moins l'avantage d'être extrêmement économique[2]. »

Finalement, cet amour « non théosophique — dans le peuple, et des secours philanthropiques attenants », comme il l'avoue un peu plus tard à Lionel Hauser, lui ont coûté la jolie somme de 20 000 et même 30 000 francs[3]. En attendant ses conseils pour savoir quelles valeurs réaliser, il avait demandé à la Société Liebig des précisions sur ses revenus et la réponse de cette firme l'avait tant ravi par sa politesse qu'il en avait un peu oublié ses soucis : « Tes compatriotes anglais sont des gens charmants. J'ai eu au mois de juin à écrire à Londres, à la Société Liebig, pour leur demander combien ils m'avaient envoyé de revenus. Ils m'ont répondu par retour du courrier. Depuis trois mois, j'ai été si souffrant que je ne les ai pas remerciés. Je l'ai fait enfin la semaine dernière. Or le surlendemain, ils m'ont écrit pour me remercier de mes remerciements, me dire leur tristesse de mon indisposition, leurs vœux d'entier rétablissement, leur *joie* d'avoir pu m'être utile. Je sais que la théosophie méprise ces politesses. Mais enfin cela m'a changé du Crédit Industriel et j'ai été si touché que ne pouvant pas répondre à ce qui était déjà une réponse à

1. C. Albaret, *Monsieur Proust,* p. 230.
2. Kolb, tome XVII, p. 367.
3. Soit de 140 000 à 210 000 francs de 1990.

ma réponse, j'ai eu un instant l'idée d'envoyer à ces financiers talon rouge *Swann* ou *La Bible d'Amiens*. Mais j'ai eu peur d'être ridicule et je n'ai rien fait du tout[1]. »

Il semble insister sur cette exquise gentillesse britannique pour montrer à Lionel Hauser que ces gens, qui ne le connaissent pas, se conduisent infiniment mieux que d'autres, qui lui sont proches, mais Hauser ne se laisse pas influencer par cet exemple et, tout au contraire, lui renouvelle ses mises en garde contre sa prodigalité : « Te représentes-tu la tête que ferait un médecin qui, ayant lutté pendant des semaines et des mois, lutté comme un forcené pour arracher à la mort un malade atteint de fièvre thyphoïde, surprendrait celui-ci le jour où il entre en convalescence, en train de déguster un plat de choucroute ? » lui demande Hauser en lui rappelant tout ce qu'il a fait depuis quatre ans pour essayer de sauver une fortune qu'il disperse à tous vents. Ce qui rend Hauser furieux, c'est moins ce gaspillage que l'inconscience de Proust qui, loin d'en éprouver des regrets, lui annonce la chose avec une espèce de satisfaction. Faute d'avoir autorité pour lui imposer un conseil judiciaire, il lui recommande de mettre ce qui lui reste en viager, seul moyen d'échapper à une ruine complète : « Cette combinaison présentera donc un double avantage : d'une part ton revenu serait accru et, d'autre part, ton capital serait à l'abri des impulsions de ton cœur. Ceci dit, ma conscience est désormais à l'abri et tu agiras comme toujours suivant tes convictions[2]. »

Bien entendu, ces reproches affectent douloureusement Proust qui se déclare plus peiné de la dureté de Lionel Hauser que de la perte d'une partie de sa fortune. Il entreprend aussitôt de se justifier, chiffres à l'appui, bien que Lionel Hauser ne soit pas homme à se laisser attendrir par une argumentation de ce genre. Une fois de plus, il lui faut redresser la barre ou plutôt, comme il l'écrit le 25 octobre 1918, essayer de faire un budget avec les épaves de ce naufrage financier, conjurant Proust de ne plus se mêler lui-même de ses propres affaires, auxquelles il n'entend rien. « Sans vouloir te faire de la peine, écrit-il, et me basant uniquement sur ton passé, je crois pouvoir affirmer que tu es un médiocre administrateur. Ce n'est évidemment pas de ta faute puisque si tu étais *bourgeois* dans le sens péjoratif du mot, tu ne serais pas poète, et d'ailleurs les défauts qui

1. Kolb, tome XVII, p. 406.
2. *Ibidem*, p. 409.

t'ont amené à ta situation financière actuelle sont précisément ceux de tes qualités. Inutile de te dire que je n'ai pas la prétention de te changer, mais par simple amour du prochain, sans parler de l'affection que j'éprouve encore aujourd'hui pour ton admirable mère qui, malgré sa tendresse pour toi, désapprouverait certainement les méthodes que tu emploies dans la gérance de ta fortune, je m'efforce de trouver un moyen pratique de sauver au moins ce qui reste, de là la suggestion que je te fais de la placer en viager[1]. »

Le plan de Lionel Hauser est simple. D'abord savoir ce dont Proust a besoin pour vivre, sans folies extraordinaires ; ensuite, demander à des compagnies d'assurances quels capitaux il faudrait leur verser pour obtenir une rente viagère correspondant à sa dépense annuelle. Après cela, Hauser verrait quelles valeurs il conviendrait de réaliser. Enfin, il lui suggère de prendre un appartement moins grand, donc moins cher.

Proust se cabre à l'idée de changer d'appartement, alors que celui-là est si commode pour y emmagasiner son surplus de meubles. De plus, il se sent incapable de s'habituer à un nouveau logis où il aurait certainement, ne serait-ce que par l'effet du dépaysement, des recrudescences de son asthme. Avec bon sens, Lionel Hauser lui fait observer que la plupart de ses meubles lui sont inutiles et qu'il ferait bien mieux de les vendre. Jusqu'à la fin de l'année, tous deux vont échanger une abondante correspondance pour discuter pied à pied conseils et objections, Proust ne cédant du terrain qu'à contrecœur, semblant voir dans les mesures draconiennes que Lionel Hauser lui propose une espèce de persécution :

*Je saurai, s'il le faut, victime obéissante,*
*Tendre au fer de Calchas une tête innocente...*

lui écrit-il en renouvelant la plainte d'Iphigénie.

En tout cas, sa tête est moins innocente qu'il ne l'affirme, et surtout sa main, qui continue à distribuer des *secours philanthropiques* dont on ignore les bénéficiaires. Il doit toujours s'agir d'Henri Rochat si l'on en croit les aveux désabusés qu'il fait à Mme Straus : « Je suis embarqué dans des choses sentimentales sans issue, sans joie, et créatrices perpétuellement de fatigue, de souffrances, de dépenses absurdes[2]. »

---

1. Kolb, tome XVII, p. 430.
2. *Ibidem*, p. 483.

Dans ce naufrage, une bouée de salut serait l'encaissement du fameux chèque Warburg de 30 000 francs qui est resté bloqué depuis quatre ans du fait des hostilités, mais, en dépit de l'armistice, son paiement sera retardé jusqu'à l'année suivante.

*

La publication d'*A l'ombre des jeunes filles en fleurs* et du *Côté de Guermantes* serait un moyen de trouver de l'argent. Il songe aussi à publier ses pastiches ainsi que divers textes écrits pour des revues ou des journaux. Cela l'entraîne dans des tractations littéraires qui, jointes à la correction de ses épreuves, lui prennent une part appréciable de son temps.

Au mois de juillet 1918, alors que Gaston Gallimard a donné le bon à tirer d'*A l'ombre des jeunes filles en fleurs*, il envisageait d'apporter encore au texte des modifications ou bien d'y introduire des têtes de chapitres, au risque de bouleverser ainsi la composition. Aussi Gallimard s'y est-il refusé, sachant d'ailleurs par expérience que toute correction d'une erreur risque d'en créer une autre, plus grave. Ne s'avouant pas vaincu, Proust revient à la charge en proposant de prendre ces modifications à ses frais, par exemple sous forme d'une gratification au personnel de l'imprimerie. Mme Lemarié cède sur quelques points et fait opérer certaines corrections par l'imprimeur, ce qui n'empêchera pas la présence de nombreuses fautes dans la première édition. L'impression du livre traîne en longueur pendant tout l'été 1918, malgré les énergiques relances de Mme Lemarié, elle-même aiguillonnée par Proust, et le travail ne sera complètement achevé que le 30 novembre 1918. Compte tenu des événements, qui suffisent à remplir toutes les colonnes des journaux pour plusieurs mois, Gallimard jugera plus sage de reporter la mise en vente à l'année suivante, lorsque l'effervescence patriotique de la victoire se sera calmée.

En ce qui concerne *Le Côté de Guermantes,* la lenteur de la Semeuse est pire, aggravée à la fin du mois d'octobre par une épidémie de grippe dans le personnel de l'imprimerie. Proust, qui comptait avoir les premiers placards au mois d'août, ne les recevra finalement qu'à la fin de l'année. En revanche, les choses vont un peu plus rapidement pour *Pastiches et Mélanges,* c'est le titre adopté pour ce recueil également publié par la N.R.F., peut-être parce que les ouvriers de l'imprimerie ont été rassurés par les proportions raisonnables du manuscrit qui, imprimé, ne dépassera pas les deux cent cinquante pages.

Il a fallu peu de temps à Proust pour, comme il l'écrit, « démantibuler deux *Bible d'Amiens* et deux *Sésame et les lys* » afin de retravailler ses préfaces qui formeront les pièces de resistance de ce recueil ; il avait demandé à Robert Dreyfus de rechercher pour lui dans la collection du *Figaro* les articles et les études qu'il y avait publiés du temps de Calmette et il avait complété certains de ses pastiches, notamment celui de Saint-Simon qui, trop bien remanié, provoquera dans la société d'aigres réactions et lui vaudra presque un procès.

Cette fois, le pastiche n'est plus uniquement consacré à Robert de Montesquiou ; il vise, à travers celui-ci, une grande partie de la société parisienne et d'une manière d'autant plus directe qu'il ne craint pas d'user des vrais noms. On voit ainsi apparaître, et de manière peu flattée, les Murat, le comte Vigier, « qu'on imagine toujours dans les bains d'où il est sorti [1] », les Montgomery, les de Brye, les de Fels et l'Infant d'Espagne, Louis-Ferdinand, personnage aussi scandaleux dans les salons, qui néanmoins se le disputent, que *Monsieur*, à la cour de son frère Louis XIV.

Assez paradoxalement, les Murat, fort maltraités dans ce pastiche et même tournés en dérision, ne lui en voudront pas trop tandis que des familles qui leur tiennent de près se montreront offensées, en particulier Louis d'Albuféra, beau-frère par sa femme de la princesse Eugène Murat. Les deux sœurs, qui étaient brouillées, se réconcilieront, « surtout par colère de voir attaquée la noblesse d'Empire », écrira Proust à Lionel Hauser. Quant à Louis d'Albuféra, son mécontentement sera d'autant plus vif que par suite d'une coquille, il pourra lire, dans le passage le concernant, que l'auteur lui porte une « estime infime », alors que le texte original portait « estime infinie » [2]. Il cessera toutes relations avec Proust qui s'en montrera peiné.

Même les Gramont, fort bien traités, eux, en concevront de l'humeur. « Depuis que j'ai écrit que le nom des Murat ne pouvait être égalé à celui des Gramont..., écrira-t-il à la duchesse de Guiche, la princesse Murat me dit encore bonjour, mais le duc de Gramont a entièrement cessé [3]. »

1. Par allusion à un établissement de bains, célèbre à l'époque.
2. Kolb, tome XIX, p. 41.
3. *Ibidem*, p. 329.

Au sujet de l'Infant, héros picaresque, plus aventurier qu'Altesse royale, il avait interrogé Jacques de Lacretelle qui n'avait pu lui fournir beaucoup de renseignements. Il était cependant de notoriété publique, dans Paris du moins, que l'Infant avait pris pour amant celui de sa mère, le beau Vasconcellos, qui le représentait dans les dîners où il était invité lorsque les maîtresses de maison avaient omis de payer le tarif correspondant au rang d'Altesse royale. Gabriel-Louis Pringué raconte qu'une dame, ayant sans doute payé assez cher pour avoir les deux à la fois, avait demandé à Sem comment les placer à table : « C'est bien simple, avait répondu le caricaturiste, l'un dans l'autre[1]. » M. de Vasconcellos, Portugais d'origine, était un danseur professionnel, mais sa parfaite éducation, jointe à une beauté remarquable, en avait presque fait un homme du monde. « Toutes les dames se battaient pour qu'il consentît à faire un tour avec elles, raconte Ferdinand Bac. Il attendait avec un grand calme la fin des querelles, puis, quand la plus énergique avait obtenu son bras, il se laissait prendre avec la glaciale indifférence d'une courtisane invitée au plaisir par un passant[2]. »

Une critique aussi piquante de la société que celle faite dans ce pastiche de Saint-Simon préfigurait les pages les plus féroces du *Temps retrouvé.* Proust peint ce petit tableau de mœurs avec le plus grand mystère, mais il informe Mme Straus qu'elle y aura sa place, honorable celle-là, précise-t-il, encore que l'intéressée se montrera peu satisfaite d'avoir été comparée à *l'altière Vasthi* : « Certaines gens seront moins contents..., admet-il, mais il est nécessaire que vous gardiez le secret de tout cela. Ce sera assez d'avoir des rancunes après. Avant, cela empêcherait tout[3]. »

Il fait la même recommandation à Gaston Gallimard, espérant qu'aucune des personnes qu'il exécute dans son Saint-Simon n'est de ses amis, prêt d'ailleurs à supprimer, si Gallimard le souhaite, ce qu'il écrit de désagréable sur la duchesse de Montmorency, née Blumenthal. Toujours pour ce pastiche de Saint-Simon, chef-d'œuvre du recueil et véritable morceau d'anthologie, il aurait voulu faire un long portrait de Guiche, peut-être comme une réplique à celui de Montesquiou, mais pour cela il lui faudrait voir le duc pour en parler avec

1. G.L. Pringué, *Trente ans de dîners en ville,* p. 229.
2. F. Bac, *Souvenirs inédits,* livre IV.
3. Kolb, tome XVII, p. 450.

lui. Il lui avait écrit le 1er juillet pour prendre de ses nouvelles après une légère opération que celui-ci venait de subir et s'était étonné de n'avoir pas reçu de réponse. Il est vrai que dans cette lettre il lui annonçait, comme il le fait chaque fois qu'un ami est malade ou en deuil, son projet de s'installer près de lui avec non seulement ses livres et ses papiers, mais Céleste et son valet de chambre. Une telle invasion avait dû effrayer le duc, et plus encore la duchesse ; aussi tous deux avaient-ils gardé un prudent silence. A l'automne, Proust, toujours désireux de faire son portrait d'une manière qui lui soit agréable, essaie de nouveau de le voir, mais en vain. Aussi le duc se voit-il gratifié d'une lettre furieuse, « non dépourvue d'amertume et à double fin », écrit Proust, au début d'octobre 1918. « La première est pour m'excuser de l'insistance que j'ai mise pendant tant de jours à vous faire téléphoner, et vous en dire la raison. La deuxième est de vous dire que je vous trouve sans excuses, non pas d'avoir décliné toutes mes invitations successives, mais d'avoir manifesté, d'après l'oreille exercée de Céleste, une froideur progressive, en un *diminuendo* de gentillesse pour moi qui laisserait à supposer qu'il s'agissait d'un autre que vous, que vous êtes de ceux dont le cher prince de Polignac disait qu'ils se montrent incapables de supporter la redoutable et décisive épreuve de l'excessive amabilité... Je sais par d'autres exemples pas relatifs à moi que vous êtes naturellement un ingrat et je ne cherchais pas à me créer des titres à votre gratitude ! On me réclamait mon texte à la N.R.F. par pneumatiques quotidiens. J'ai fini par me décider à l'envoyer ce soir, puisque j'ai compris que vous ne viendriez plus ! Mais vous avez, je ne sais pourquoi, froissé un ami, et empêché d'avoir lieu une chose qui aurait pu être vraiment bien, un portrait ressemblant de vous et qu'à défaut de l'auteur, la langue du temps eût rendu savoureux[1]. »

Non sans habileté, Proust dédie *Pastiches et Mélanges* à Walter Berry, à la fois en reconnaissance des services que cet homme obligeant lui a rendus à l'occasion de ses ennuis d'argent, et peut-être aussi avec l'arrière-pensée que ce nom, en tête du volume, lui servira de bouclier contre les vengeances des gens du monde qu'il a égratignés, certains de façon presque diffamatoire.

Ce n'est pas à la Semeuse qu'est confié ce nouveau livre, mais à l'imprimerie Bellenand, également chargée de refaire

1. Kolb, tome XVII, p. 372.

une édition de *Du côté de chez Swann* dont Gaston Gallimard a racheté la propriété à Bernard Grasset. Proust peut donc compter, lorsque les temps seront enfin propices, sur une avalanche de publications : la nouvelle édition de *Du côté de chez Swann*, la sortie d'*A l'ombre des jeunes filles en fleurs*, celle de *Pastiches et Mélanges*, ainsi que celle, quelques mois plus tard, de *Du côté de Guermantes*.

En voyant le mal que lui donnent la correction des épreuves, toutes les difficultés qu'il a dû vaincre, de la négligence de l'imprimeur à la nonchalance de son éditeur, Proust s'est convaincu que tant de peines méritent salaire et qu'il lui faut tirer le meilleur parti de livres si laborieusement enfantés. Il veut d'abord, comme il l'a fait pour *Du côté de chez Swann*, s'assurer quelques prépublications dans les journaux, mais leurs directeurs, ou rédacteurs en chef, se montrent réticents. Alfred Capus, sollicité par l'intermédiaire d'Henry Bernstein, refuse de publier *A l'ombre des jeunes filles en fleurs* dans *Le Figaro*.

Déçu de cet échec, Proust envisage une autre solution pour augmenter ses droits d'auteur, celle de faire imprimer des exemplaires de luxe, réservés à des souscripteurs fortunés. A chacun de ces exemplaires, authentifiés par sa signature, on ajouterait une vingtaine de pages d'épreuves, corrigées de sa main. Chaque exemplaire serait vendu 300 francs[1]. Après certaines tergiversations, l'idée sera retenue et en 1920 la N.R.F. fera imprimer cinquante exemplaires de luxe d'*A l'ombre des jeunes filles en fleurs* avec une reproduction en héliogravure du portrait de l'auteur par J.-É. Blanche et des placards corrigés.

En attendant ces petits profits, il lui faut vivre et, se croyant toujours plus ruiné qu'il ne l'est, il se décide à suivre les conseils de Lionel Hauser en essayant de trouver des acquéreurs pour ses meubles inutiles.

La tentative faite par l'intermédiaire d'Émile Straus et de Walter Berry n'ayant rien donné, il revient à la charge auprès de Mme Straus qui a chez elle, depuis le début de l'année, les tapis jadis entreposés aux Grands Magasins de la place Clichy. Il faut en débarrasser les Straus et, puisque aucun amateur sérieux ne s'est présenté, les envoyer à l'hôtel Drouot. Par la même occasion, il fera vendre le mobilier qui l'encombre, y compris les lustres et les bronzes d'art, ainsi que l'argenterie qui ne lui sert à rien puisqu'il ne prend guère de repas chez

1. Environ 2000 francs de 1990.

lui. Ce qu'il y a de plus étrange, dans cette longue lettre adressée à une femme si peu faite pour s'occuper de telles choses, est sa date : la soirée du 11 novembre 1918. Inutile de dire qu'une affaire aussi facile à réaliser devient d'une extraordinaire complication du moment que Mme Straus et Proust s'en occupent. Heureusement, un commissaire-priseur compétent, M. Lair-Dubreuil, entre en scène et le 25 décembre 1918 Proust peut écrire à Mme Straus, aussi joyeux qu'un roi mage arrivant à Bethléem : « La fin du cauchemar des tapis est une délivrance pour moi parce que je sens qu'elle en est une pour vous. Et j'ajoute que je suis loin d'être indifférent aux trois mille francs [1] ! »

*

Il serait faux malgré tout de croire Proust entièrement absorbé par ces soucis sordides et indifférent à la nouvelle de l'armistice. Ayant toujours suivi avec attention, voire avec passion, le déroulement du conflit, en s'efforçant de conserver son objectivité, il s'est réjoui d'en voir la fin, mais sans partager l'optimisme délirant de la plupart des Français.

Au mois de juin 1918, lui qui ne craignait ni les raids aériens nocturnes ni les obus de la Bertha, il s'était inquiété de la menace que faisait peser sur Paris une nouvelle offensive allemande et avait même pensé à quitter la capitale ou, du moins, à mettre en sûreté ses manuscrits plus précieux pour lui que sa propre vie. Gaston Gallimard lui avait proposé de les envoyer à l'abri en Normandie, dans sa propriété de Bénerville, mais la contre-offensive alliée avait écarté la menace allemande.

Il continuait de lire anxieusement les journaux, navré de voir qu'après quatre années de combats la guerre en était toujours au même point, sur la même ligne de front, consommant chaque jour sa ration de vies humaines. Bien que souffrant de plus en plus des yeux, surmenés par la correction de ses épreuves, leur affaiblissement, écrivait-il alors à Jacques Truelle, ne l'empêchait pas « de pleurer, de pleurer toute la journée, comme un gâteux, sur les villages pris et les cathédrales détruites, plus encore sur les hommes [2] ». Après les hécatombes de 1915 et 1916, il avait perdu moins d'amis ou de parents

1. Environ 21 000 francs de 1990.
2. Kolb, tome XVII, p. 281.

parce que d'autres générations, moins proches de la sienne, avaient remplacé celles prématurément fauchées, mais de temps en temps la mort d'un petit-cousin, du fils de quelque relation, lui rappelait que la guerre était là, encore que certains soirs, à Paris du moins, on pût en douter. Sortant rarement, il était chaque fois plus frappé qu'un autre par le singulier aspect de la ville où les uniformes des soldats de vingt nations mettaient de joyeuses notes de couleur et même des touches d'exotisme, ce qui donnait à certains quartiers, comme les boulevards ou les Champs-Élysées, l'air de la grande scène du Châtelet lorsque tous les figurants sont rassemblés pour le dernier tableau.

Au début du mois d'octobre, son frère avait été blessé, dans un accident d'automobile il est vrai, mais assez gravement, accident qui lui avait paru une ironie du destin puisque pendant quatre ans le docteur Robert Proust s'était constamment exposé, opérant des blessés sous le feu de l'artillerie sans avoir jamais été atteint.

L'armistice lui apporte donc le même soulagement qu'à tant de Français qui, jusque-là, ne cessaient de trembler pour un père, un frère, un fils, mais il est sans doute un des rares esprits assez lucides pour voir, au-delà des préoccupations immédiates, les conséquences profondes d'un tel événement qui marque irrévocablement la fin du XIXe siècle et l'aurore d'un nouvel âge, une aurore assombrie déjà par les ombres menaçantes qui se lèvent à l'horizon.

A Mme Straus qui, dans cet effondrement soudain des Empires centraux, voit un drame de Shakespeare, il réplique en écrivant qu'« il n'y a que dans les drames de Shakespeare qu'on voit en une seule scène tous les événements se précipiter » et tant de souverains abdiquer ensemble. Augurant des conditions de la paix par celles de l'armistice, il estime que, puisqu'on veut une paix dure, il faudrait qu'elle soit plus dure encore afin d'empêcher toute possibilité de revanche, mais que, comme elle contient en germe un désir de vengeance, « il eût peut-être été bon de la rendre impossible à exercer ». Sagement, il préfère à toutes les paix « celles qui ne laissent de rancune au cœur de personne », ce qui ne sera malheureusement pas le cas. Devinant le déséquilibre européen qui naîtra de l'amoindrissement de l'Autriche, il déplore de voir une partie de celle-ci « venant grossir l'Allemagne comme une compensation possible de la perte de l'Alsace-Lorraine ». Enfin, le président Wilson, qui dicte cette paix à tous les peuples européens, ne lui inspire pas une grande confiance. Il « ne parle pas très bien, mais il parle beaucoup trop, il y a des moments dans la vie des peuples comme dans celle des mes... où la vraie devise est le vers de Vigny : *Seul le silence est grand, tout le reste est faiblesse* ». C'est se montrer bon prophète et il rejoint en cela l'opinion désabusée d'un diplomate de la vieille école, Jules Cambon, qui, ayant approché les chefs d'État des principaux pays vainqueurs voit surtout en eux des révolutionnaires dangereux : « Ce sont tous des anarchistes, dit-il à la princesse Bibesco. Clemenceau est un anarchiste démolisseur ; Lloyd George un anarchiste social ; Wilson est un anarchiste pieux et Orlando est un polichinelle [1]. » Lorsque avant la revue du 14 juillet 1919 Jules Cambon essaiera de faire quelques observations à Clemenceau, qui a ses idées à lui sur le défilé, le Tigre lui coupera grossièrement la parole en lui disant : « Vous raisonnez comme une vieille perruque. » A quoi le diplomate lui répondra : « Cela vaut mieux que d'avoir trop de toupet [2] ! »

Après l'acceptation des conditions de la paix par les Allemands le 23 juin 1919, la signature de celle-ci aura lieu le 30 juin à Versailles, mais Proust sera trop absorbé par la sortie de ses livres pour y prêter grande attention et n'en fera pas mention dans sa correspondance, entièrement consacrée à des problèmes d'édition.

Pour lui, le passage de la guerre à la paix s'effectue sans qu'il change quoi que ce soit à sa manière de vivre, occupé qu'il est par son propre combat contre la N.R.F. en général, et contre Gaston Gallimard en particulier, afin d'obtenir exactement ce qu'il veut pour ses livres. Il n'est jamais facile de convaincre un éditeur que l'on a raison contre lui. Proust s'en aperçoit, mais ne se décourage pas, et se dérobe à tout entretien que Gallimard lui propose d'avoir avec lui, préférant, dans cette guerre d'escarmouches, user seulement de la plume qui est à ses yeux la meilleure des épées.

*

Fort déçu des conditions dans lesquelles étaient imprimés ses livres, Proust s'en était plaint à Gide, espérant que celui-ci se ferait son avocat auprès de Gallimard. Pêle-mêle, il lui énumérait tous ses griefs, parmi lesquels la lenteur apportée à

1. *Journal* de la princesse Bibesco, 27 mai 1919.
2. Récit de Ferdinand Bac.

la nouvelle édition de *Du côté de chez Swann*, souvent réclamé par des amis qui, mécontents de n'avoir pu se le procurer, l'accablaient de leurs doléances. A ceux qui insistaient particulièrement pour avoir l'ouvrage, Mme Lemarié offrait de leur prêter pour le lire sur place ! « C'est ainsi qu'elle a transformé la N.R.F. en cabinet de lecture, gémit Proust, quatorze personnes se passant de main en main *Swann*, alors que si on m'avait dit qu'il était épuisé, ce dont j'étais loin de me douter, et si on l'avait réimprimé, tous les exemplaires qu'on se prête eussent été achetés, ce qui eût été avantageux, non seulement pour moi, mais pour la N.R.F. *A l'ombre des jeunes filles en fleurs* paraîtra dans un état déplorable, certaines parties n'ayant même pas eu d'épreuves, mais il faut en finir[1]. »

Le pire, en fait, n'est pas encore venu. La déception de Proust se change en désespoir lorsqu'il reçoit les premiers exemplaires d'*A l'ombre des jeunes filles en fleurs* qu'on ne lui avait pas encore montrés. Il en trouve les caractères si petits, le texte si compact qu'il craint qu'aucun lecteur n'ait le courage de le déchiffrer. Cela le contrarie d'autant plus qu'il avait insisté auprès de Gaston Gallimard pour que le nouveau livre fût composé avec des caractères identiques à ceux employés par Grasset pour *Du côté de chez Swann*. Or ce deuxième tome de son œuvre, qui devait avoir à peu près le même nombre de pages que le premier, en compte cent de moins, ce qui prouve que pour une mesquine économie de papier on en a réduit le volume. C'est un mauvais calcul, estime-t-il, car si le livre ne se vend pas, la N.R.F. perdra beaucoup plus d'argent qu'elle n'a cru en gagner ainsi. Dans sa déception, il propose même de prendre à sa charge les frais d'une nouvelle composition[2].

De plus, contrairement à ce que Gallimard lui avait laissé croire, la réimpression de *Du côté de chez Swann* n'a pas été mise en route et c'est seulement le 12 avril 1919 que Gallimard priera Bellenand de composer une nouvelle édition de ce livre, tout en commençant la composition du *Côté de Guermantes* à partir des placards de Grasset de 1914, mais profondément remaniés, et de trois cahiers manuscrits à déchiffrer.

En apprenant la vérité, Proust adresse de vifs reproches à Gaston Gallimard qui essaie de se justifier en invoquant toutes les difficultés qu'il éprouve en raison des circonstances : manque de papier, pénurie de caractères, personnel peu formé, grève des

1. *Correspondance Proust-Gallimard*, p. 146.
2. *Ibidem*, p. 147.

transports, etc. Quant à changer encore une fois d'imprimeur, comme Proust le lui demande, il répond que cela ne servirait à rien, les problèmes de fabrication étant les mêmes dans toute la profession. Enfin, il fait observer à Proust, non sans fondement, que son écriture est difficile à lire et il lui conseille de faire dactylographier ses manuscrits, comme il lui avait d'ailleurs proposé déjà, ce que Proust avait refusé par discrétion, dira-t-il, pour ne pas augmenter le coût de la composition. Hélas pour lui, dans cette réponse, Gallimard avait eu un mot malheureux en disant à Proust, pour se disculper de ses accusations, qu'il n'était pas imprimeur.

Cela lui vaut de Proust une mise au point particulièrement cinglante : « Vous jouez sur les mots quand vous me dites que vous êtes éditeur et non imprimeur, lui écrit-il le 18 ou 19 mai 1919. Car un éditeur a principalement parmi ses fonctions de faire imprimer ses livres. Vous avez été directeur de théâtre en Amérique[1] et je pense que c'est à cela, bien plus qu'à la distinction que vous faites entre imprimeur et éditeur, que je dois d'avoir de *L'Ombre des jeunes filles en fleurs* l'édition la plus sabotée qui se puisse voir... » Et doutant que Gallimard ait pris la peine de lire ce produit de sa maison, il lui propose de se retrouver tous deux un soir au Ritz ou chez lui pour qu'il lui en fasse la lecture : « Vous verrez quel est ce prodige ! » ajoute-t-il ironiquement et il lui rappelle qu'il a quitté Grasset pour la N.R.F., sacrifice dont il se voit bien mal récompensé. Il ne l'a jamais trompé sur ses méthodes de création littéraire puisqu'un jour, en voyant tous les ajouts, toutes les corrections apportées aux placards de Grasset de 1914, il s'était écrié : « Mais c'est un nouveau livre ! » Il ne l'a donc pas pris en traître et s'étonne de la mauvaise foi de Gallimard.

Enfin, pour lui montrer qu'il n'y a pas que la N.R.F. à Paris et qu'il n'est pas en peine de trouver un autre éditeur, il lui annonce en post-scriptum que, justement, Bernard Grasset vient de lui demander la primeur d'*A l'ombre des jeunes filles en fleurs* pour une publication en feuilleton dans la revue *Nos loisirs* qu'il vient de fonder avec Paul Dupuy, le propriétaire et directeur du *Petit Parisien*. La revue doit tirer à 200 000 exemplaires, ce qui vaudrait à son livre une diffusion infiniment plus vaste que celle de la N.R.F. Après ce coup de semonce,

1. Gaston Gallimard était allé soutenir de sa présence et de son influence la troupe du Vieux-Colombier appelée à jouer au Garrick Theater, mais c'était Jacques Copeau qui dirigeait la tournée.

il rassure un peu Gallimard en lui disant qu'il a répondu négativement à Grasset alors qu'en fait il a quasiment promis à celui-ci, non seulement des articles ou des chroniques pour sa revue, mais de longs extraits de ses livres[1].

Maintenant qu'il a perdu confiance en Gallimard, ou du moins en son efficacité, Proust trouve que dans un objet moins aimé, tout devient moins aimable. A ses griefs contre le directeur de la N.R.F. il en ajoute d'autres, comme celui de ne jamais pouvoir le joindre par téléphone. Au lieu de penser que Gallimard court de droite et de gauche pour trouver du papier, toujours contingenté, voir des critiques, démarcher de grands libraires, il imagine que son éditeur, conscient de ses manquements à son égard, refuse de l'entendre et a donné l'ordre à son personnel de répondre qu'il n'est jamais là pour M. Proust. Celui-ci en éprouve une vive aigreur qu'adoucit à peine l'arrivée — enfin ! — de ses trois livres. Le 20 juin 1919, la *Bibliographie de France* annonce en effet la sortie imminente de *Du côté de chez Swann*, d'*A l'ombre des jeunes filles en fleurs* et des *Plaisirs et les Jours*. Presque un an de luttes aboutit à ce résultat, mais, au lieu de battre sa coulpe pour tant de retard, Gallimard lui écrit d'un ton triomphant : « Vous verrez par la suite que ces retards successifs ont plutôt excité que lassé la curiosité de vos lecteurs[2]. »

*

Ce cri de victoire lui arrive alors qu'il est plongé dans les affres d'un déménagement, la pire chose qui puisse se produire puisqu'elle le confronte encore une fois à toute sorte de problèmes matériels dont un seul suffirait à faire son désespoir.

Au début de l'année sa tante Weil l'avait averti « par un mot affectueux et sournois » qu'elle avait vendu l'immeuble du 102, boulevard Haussmann et il n'avait pu que déplorer une fois de plus d'avoir négligé de l'acheter lors de sa vente en 1907. Le plus ennuyeux était que l'acquéreur, la banque Varin-Bernier, voulait donner congé à tous les locataires pour y établir des bureaux. Il lui fallait donc quitter les lieux, mais acquitter aussi les loyers arriérés puisqu'en vertu du moratoire il n'a rien payé depuis 1916. Ce nouveau malheur, véritable catastrophe pour lui, avait été annoncé en termes identiques à

1. *Correspondance Proust-Gallimard,* pp. 164-166.
2. *Ibidem*, p. 178.

tous ses amis, proches ou lointains, dans l'espoir que l'un d'eux pourrait jouer le rôle de Providence et le tirer de ce mauvais pas. Certains avaient été tout de suite enrôlés pour lui apporter assistance et conseils : voilà donc Walter Berry, Mme Straus, Mme Catusse et surtout Lionel Hauser mis à contribution pour l'aider à trouver non seulement un nouvel appartement, mais les 25 000 francs[1] de loyers échus. Tout le monde s'était ému. Seul Lionel Hauser, qui en avait entendu bien d'autres, ne s'en était pas laissé conter, prenant la chose avec un sang-froid qu'il avait tenté de communiquer à son client : « J'ai lu sans émotion, lui écrit-il, le récit de la catastrophe dont tu es menacé. Il y a trop longtemps que je considère ton déménagement comme un des facteurs les plus efficaces de ton rétablissement financier et physique pour ne pas avoir salué avec satisfaction une pareille éventualité qui t'est désormais imposée par l'inéluctable destin. On dirait vraiment que les astres ont juré de se venger de ton incrédulité à leur égard en faisant descendre sur ta tête le plus grand d'entre eux[2] sous forme de déménagement[3]. » Et, pragmatique, il le rassurait en lui précisant que le nouvel acquéreur ne pourrait lui réclamer, comme Proust le craignait, des loyers échus avant son achat de l'immeuble ni l'expulser sans lui verser une indemnité dont le montant devrait être débattu. Le mieux pour lui serait de prendre un avocat.

Prié de recueillir les meubles dont Proust cherchait toujours à se défaire, l'aimable Walter Berry avait accepté de leur donner asile dans les locaux de la Chambre de commerce américaine et même de s'occuper de les vendre. Émile Straus, de son côté, s'était occupé de faire escompter le chèque Warburg toujours en souffrance. Enfin, Lionel Hauser s'était penché à nouveau sur les sombres mystères de ses comptes en banque, tout en essayant de le faire renoncer à des fantaisies spéculatives qui consommeraient sa ruine. En effet, Proust s'était laissé persuader par Antoine Bibesco que la Roumanie, sortie ruinée de la guerre, bien qu'agrandie de tous les territoires pris à la Hongrie et à la Russie était un nouvel Eldorado, le Danube un nouveau Pactole. Averti de son intention de placer des fonds en Roumanie, Lionel Hauser l'avait mis en garde contre cette folie : « Je ne te cache pas

1. Environ 150 000 francs de 1990.
2. Lire : « le plus grand désastre », Hauser ayant fait un jeu de mots sur « les astres... le plus grand d'entre eux ».
3. Kolb, tome XVIII, p. 91.

que j'ai eu la chair de poule en voyant par ton post-scriptum que tu caresses le projet de confier ce qui te reste de capital à des banquiers roumains afin d'augmenter tes revenus... or, il ne faut pas être sorcier pour comprendre que si les banques roumaines paient 12 % d'intérêt, c'est parce que l'argent placé en Roumanie court des risques supérieurs à celui placé en France... N'oublie pas d'autre part que la Roumanie se trouve à une certaine distance de la France et si tu as déjà éprouvé une certaine difficulté à faire admettre ton point de vue par ton banquier parisien malgré l'éloquence dont tu es susceptible et l'intervention de plusieurs de tes amis des deux sexes, représente-toi ce que sera le jour où tu seras en désaccord avec ton banquier roumain et qu'il se refusera à te donner satisfaction[1]. »

Antoine Bibesco, si longtemps volage, a fini par porter son choix sur Elizabeth Asquith, fille du Premier ministre anglais, créé pair et devenu lord Oxford en reconnaissance des services rendus à l'Empire. Sa femme est une des personnalités les plus brillantes de la société londonienne, célèbre par son esprit et crainte pour ses reparties caustiques. Sur ce terrain, sa fille ne le cède en rien et juge le monde avec une intelligence aiguisée par l'expérience acquise auprès de son père. Ainsi a-t-elle vite découvert que l'incompétence et l'ignorance sont les deux qualités nécessaires pour faire bonne impression. Quand elle accompagnait son père dans une de ses visites à quelque usine, les ouvriers étaient pénétrés de respect en croyant qu'elle ne comprenait rien à leur travail, mais si par hasard elle révélait des connaissances en mécanique ou les interrogeait sur la technique d'un métier qui lui était familier, ils la toisaient avec un silencieux mépris. Dans ce Paris tout agité par la signature de la paix, elle donne librement son opinion sur les grands hommes qui l'ont déjà perdue. De son compatriote Lloyd George, elle déclare avec mépris : « C'est une cocotte, un esprit sans consistance, sournois, spéculateur et utopique, d'une outrecuidance et d'une vanité incroyables[2]. » La société française l'amuse, et l'étonne aussi par ses contradictions : « En Angleterre, dit-elle, nous traitons mieux les Juifs, mais nous les épousons moins[3]. » Elle rabat ainsi le caquet de Stephen Pichon, ministre des Affaires étrangères, qui lui dit sa

1. Kolb, tome XVIII, p. 126.
2. F. Bac, *Journal inédit*, 2 août 1919.
3. *Ibidem*, 3 août 1919.

grande pitié des Russes blancs et de leur misère : « Gardez votre pitié pour vous. Vous avez un jour crié : *Le tsar est mort, vive la Révolution*[1] ! »

Elle affirme ainsi une personnalité qui risque un jour de se heurter à celle d'Antoine Bibesco, mais celui-ci, pour le moment, est euphorique, ayant presque réalisé un de ses rêves : devenir un gentleman britannique, comme il l'avait un jour avoué à sa cousine Marthe Bibesco. Tout fier de sa fiancée, Bibesco veut que Proust fasse sa connaissance et, malgré que Proust déteste être surpris dans son intimité par une femme, et surtout par une Anglaise qu'il n'a jamais vue, Bibesco s'arrange pour lui forcer la main. Laissant Elizabeth Asquith sur le palier, il entre seul lorsque Céleste lui ouvre et tandis que celle-ci va demander à son maître s'il peut recevoir ce visiteur imprévu, Antoine Bibesco, prenant sa fiancée dans ses bras, pénètre à la suite de Céleste dans la chambre où Proust, vêtu de tricots déchirés, entouré de son désordre habituel, est en train de travailler.

Bien que fort contrarié de cette intrusion de la jeune fille, il lui fait bon visage et acceptera, le mois suivant, d'assister au dîner donné pour ses fiançailles, une de ses rares sorties mondaines, car sa fatigue autant que son travail l'obligent à refuser un grand nombre de réceptions, même un dîner de la princesse Soutzo donné en l'honneur de la reine de Roumanie. La princesse est pourtant une des personnes qu'il voit le plus, tout en poursuivant avec elle, entre deux visites, une abondante correspondance. Bien qu'il la sache intimement liée à Paul Morand, il manifeste à son égard des sentiments ombrageux, allant jusqu'à lui faire une scène de jalousie rétrospective en se rappelant qu'un soir, l'année précédente, elle n'a pas voulu rentrer avec lui d'un dîner en ville et lui a préféré les Beaumont, ce qui laisse à penser qu'il a longtemps ressassé ce grief qu'il se décide à lui avouer au moment où ses sentiments pour elle n'ont plus la même intensité.

*

Malgré ses frénétiques appels au secours, il n'avait pas trouvé de solution au problème que lui posait la vente de son immeuble et s'en inquiétait chaque jour davantage. Un moment, il avait songé à louer à Mme Catusse une villa dont

1. F. Bac, *Journal inédit*.

celle-ci était propriétaire à Nice, puis il avait envisagé de s'installer au Ritz en attendant la découverte d'un appartement conforme à ses vœux : « Malheureusement, je crains que la vie d'hôtel ne soit malgré tout trop bruyante, écrivait-il le 5 mai 1919 à Misia Edwards. Le Ritz, qui m'est si familier, me serait insupportable à habiter ; on entend les téléphonages, les bains, les coliques, à des distances incroyables. J'ai eu l'impression qu'on pourrait davantage insérer une cloche pneumatique dans le Meurice. De plus, comme je me suis relativement bien porté à Cabourg quand j'ai eu un étage très élevé au-dessus de la mer, j'ai toujours voulu essayer la même chose au-dessus de la Seine. Les deux appartements que j'ai trouvés rue de Rivoli réaliseraient un peu cela...[1]. »

Aucun de ces appartements n'ayant fait l'affaire, il avait continué de chercher, ou plutôt de faire chercher par des amis, mais avec l'afflux à Paris de nombreux étrangers, notamment d'Américains riches et payant sans discuter les prix demandés, les appartements libres étaient devenus aussi rares que chers. Si le duc de Guiche avait montré peu de bonne volonté pour le pastiche de Saint-Simon, il s'était révélé au contraire fort serviable à propos de ses ennuis immobiliers. Il s'était chargé de toutes les démarches auprès de la banque Varin-Bernier ainsi qu'auprès du gérant de l'immeuble et avait réussi à transiger d'une manière non seulement honorable, mais avantageuse. En effet, Proust avait été tenu quitte des loyers arriérés et avait touché, à titre d'indemnité d'éviction, outre le montant de trois termes, une somme de 12 000 francs[2].

Même en se séparant d'une grande partie de son mobilier, il lui fallait un appartement assez vaste pour y vivre avec Céleste et Henri Rochat qui avait finalement quitté son emploi au Ritz pour s'installer chez lui en qualité de secrétaire. Sa belle écriture pouvait à la rigueur justifier sa fonction, mais il ne semblait pas en faire grand usage pour recopier les textes de son maître ou bien prendre des notes sous sa dictée.

En signant le 28 avril 1919 le protocole d'accord qui terminait si bien ce différend avec la banque Varin-Bernier, il s'était engagé à quitter les lieux. Il lui fallait maintenant s'exécuter. Faute d'avoir trouvé un appartement à son goût, il ne lui restait plus qu'à se réfugier dans le premier logis venu. Affolé à cette perspective, il avait regardé comme providentielle l'offre

1. Kolb, tome XVIII, p. 202.
2. Environ 72 000 francs de 1990.

de Jacques Porel, fils de l'actrice Réjane, qui mettait à sa disposition un étage de l'hôtel particulier de sa mère, 8 *bis,* rue Laurent-Pichat. L'inconvénient majeur de cette maison était sa proximité de l'avenue du Bois dont les arbres risquaient d'aggraver son asthme. Après son installation, il devait en découvrir d'autres. Pour le moment, il est soulagé d'avoir un abri, et sous le toit d'une femme qu'il admire au point d'ailleurs de s'en inspirer pour certains traits de la Berma, mais il ne se fait guère d'illusions sur les conséquences de ce changement et se voit déjà plus gravement malade. Aussi conjure-t-il Porel de ne révéler à personne sa nouvelle adresse afin de ne pas être dérangé pendant sa période d'acclimatation. Il demande le même secret à Reynaldo Hahn, à Mme Catusse, à Walter Berry et enfin à tant d'amis que bientôt tout Paris sait qu'il a émigré rue Laurent-Pichat.

Au bout de quelques jours, il a recensé toutes les incommodités du logis : les murs semblent être de papier, comme ceux des maisons japonaises, car il entend tous les bruits des voisins et, comme il l'écrit à Jacques Truelle, la maison elle-même « n'est vraiment placée comme l'âme de Hugo au centre de tout que comme un écho sonore et enregistreur, thermiquement aussi bien qu'acoustiquement, des moindres courants d'air [1] ». Bref, c'est un enfer, qu'il dénonce avec humour à Jacques Porel : « [N'ayant] ni piano ni maîtresse, je suis innocent des bruits de l'immeuble qui amènent des réclamations d'un étage à l'autre. Les voisins dont me sépare la cloison font d'une part l'amour tous les jours avec une frénésie dont je suis jaloux. Quand je pense que pour moi cette sensation est plus faible que de boire un verre de bière fraîche, j'envie des gens qui peuvent pousser des cris tels que la première fois j'ai cru à un assassinat, mais bien vite le cri de la femme, repris d'un octave plus bas par l'homme, m'a rassuré sur ce qui se passait. Je ne suis pas responsable de ce boucan qui doit être entendu jusqu'à des distances aussi grandes que ce cri des baleines amoureuses que Michelet montre dressées comme les deux tours de Notre-Dame... [2]. » Bientôt un nouvel ennui s'ajoute à tous ceux qu'il éprouve dans ce séjour inconfortable : l'absence pour quelque temps de la précieuse Céleste et la présence obsédante d'Henri Rochat, dont il ne sait plus que faire.

Comme jadis Agostinelli, Rochat veut s'élever au-dessus de

---

1. Kolb, tome XVIII, p. 285.
2. *Ibidem*, p. 331.

sa condition et croit trouver dans la peinture un moyen de parvenir. Il peint ou, comme le dit Proust à Céleste, il croit qu'il peint. Aussi lorsque Proust lui demande d'écrire sous sa dictée, le fait-il d'assez mauvaise grâce, de l'air d'un artiste incompris obligé de prostituer son talent pour gagner sa vie. « Dans mon travail, il me fatigue plus qu'il ne m'aide... », soupire Proust de son côté. La plupart du temps, Rochat s'enferme dans sa chambre où le rejoint parfois une jeune fille qu'il a présentée comme sa fiancée. Proust n'a d'autre moyen de s'en débarrasser que de lui trouver une situation. Il l'avait une première fois renvoyé dans son pays, mais Rochat, muni d'argent pour son voyage, avait tout dépensé en route, vraisemblablement en faisant la noce, car il était revenu, comme le pigeon de la fable, l'aile pendante. Proust avait dû non seulement le reprendre, mais le faire soigner de ce coup de pied de Vénus. Pour qu'il n'aille pas attendre en des lieux pleins de tentations, Proust demande à Truelle d'intervenir auprès de la préfecture de la Seine pour faire viser ses papiers. Le visa obtenu et pour être assuré que le jeune homme parte bien, il se lève, en dépit d'une violente crise d'asthme, et l'accompagne jusqu'à la gare de Lyon pour le mettre dans le train. Hélas ! Rochat ne trouve aucun travail dans son pays et, à la fin du mois de juillet, il reparaîtra rue Laurent-Pichat où Proust, bien à contrecœur, se voit obligé de le garder, au grand déplaisir de Céleste qui a pris l'intrus en grippe.

L'atmosphère de la maison est empoisonné par cet antagonisme au point qu'un jour Proust, excédé, renvoie, non pas Henri Rochat, mais Céleste. Bien entendu, il revient aussitôt sur cette décision, prise dans un mouvement d'impatience, et la garde.

Il a pris une autre décision, et celle-là, il s'y tient, celle de quitter au plus tôt la rue Laurent-Pichat. Une agence immobilière lui a proposé un appartement rue Hamelin. Céleste, envoyée en reconnaissance, donne un avis favorable, impressionnée sans doute par le fait qu'une des femmes les plus élégantes de Paris, Mrs. Standish, habite à côté. Les commerçants ont cet air de prospérité qu'affichent en général ceux des beaux quartiers où même les pauvres ont une certaine allure, habillés qu'ils sont des vieux habits des gens chic. L'appartement est situé au quatrième étage, mais l'immeuble est pourvu d'un ascenseur. Pour éviter d'avoir du bruit au-dessus de lui, Proust, bien qu'il ait déjà un loyer annuel de 16 000 francs[1],

1. Environ 96 000 francs de 1990.

offre de louer l'appartement du cinquième où il pourrait d'ailleurs entasser les meubles déposés à la Chambre de commerce américaine et que Walter Berry n'a pu vendre. Faute de l'obtenir, il réussit du moins à neutraliser la locataire, Mme Pelé, en lui achetant la promesse de ne pas faire de bruit.

Ce nouvel appartement n'a que cinq pièces principales et Proust, qui affecte de le considérer comme un taudis, ne se souciera jamais, après avoir fait effectuer quelques travaux indispensables, de s'y installer vraiment, laissant la plupart de ses meubles en vrac dans le salon et la salle à manger. Dans sa chambre, il n'a gardé que l'essentiel : son lit, un petit meuble chinois, trois tables chargées de tout ce dont il a besoin pour travailler ou faire ses fumigations et enfin le grand fauteuil réservé aux visiteurs. Dans le salon, que ceux-ci traversent pour gagner la chambre, gisent les épaves de sa vie familiale et mondaine : le portrait du docteur Adrien Proust par Lecomte du Noüy, celui de sa mère, le sien par Jacques-Émile Blanche, ainsi qu'un tableau ancien représentant une infante. La tristesse de cette installation est aggravée par son inconfort. Il fait froid dans l'appartement : Proust ne veut pas faire fonctionner le chauffage central et ne supporte pas davantage d'avoir du feu dans les cheminées, car celles-ci tirent mal. L'hiver, on grelotte dans cet appartement sans chaleur ni lumière et qui, bien que situé au quatrième étage, a des allures de tombeau. Il sera le sien.

# 22

# Août 1919 - Octobre 1920

*Un auteur mécontent des critiques - Inquiétudes de Montesquiou - Le combat contre Gallimard - Le prix Goncourt - Indignation de la presse de gauche - Riposte de Rosny aîné - Reprise des lamentations - Un nouveau Proust - Ses amis regrettent l'ancien - Querelle et rupture avec Lionel Hauser - Brouille avec Pierre de Polignac - Candidature à l'Académie française - Proust légionnaire -* Le Côté de Guermantes - *Une préface égoïste.*

La publication simultanée de trois livres a retenti dans le monde littéraire comme une salve, répercutée pendant des mois par les échos des journaux et ceux des salons où le nom de Proust résonne avec une gravité nouvelle, faite de surprise et, pour certains, de dépit. On commence à dire qu'il a du génie et à crier au chef-d'œuvre, enthousiasme dont la rumeur envahit peu à peu la triste chambre de la rue Hamelin.

A vrai dire, le succès n'a pas été foudroyant, comme celui de Byron, un siècle plus tôt, brusquement célèbre du jour au lendemain. Modeste au début, le succès va croissant, soutenu par la mode et la curiosité qu'inspire l'auteur. Épuisé par son déménagement et son installation rue Laurent-Pichat, celui-ci ne s'était pas senti le courage de faire aussitôt le service de presse que lui réclamait la N.R.F. avec laquelle il était d'ailleurs en chicane. Il était en effet très mécontent des nombreuses fautes découvertes dans ses livres et n'appelait plus l'imprimeur que *l'Infâme en personne*. Il était également fort contrarié que Gallimard lui eût envoyé, pour ses amis ou certains critiques dont il voulait « soigner » la dédicace, des exemplaires portant la mention 2e ou 3e édition. Il tenait à disposer d'éditions originales et avait dépêché Céleste en demander aux libraires. Cela lui infligeait, prétendait-il, un double travail : une dédicace sur l'exemplaire du deuxième ou troisième mille qu'il envoyait tout de suite au destinataire, et une seconde sur l'exemplaire de la première édition lorsque Céleste lui en rapportait ou lorsque Gallimard lui en aurait adressé. De là, dans sa correspondance de cette période, une multiplicité de lettres d'excuses dans lesquelles il se plaint longuement qu'il lui a été impossible de trouver des exemplaires dignes d'être offerts et chacune de ces lettres, où il rejette la faute sur son éditeur, ravive ses griefs contre Gallimard.

Gustave Tronche, exposé en première ligne à cette avalanche de reproches, essaie de le calmer en lui affirmant que cette disparition si rapide des exemplaires de la première édition est une preuve de bonne vente, et navré de son rôle ingrat, il constate avec mélancolie : « Vous pouvez croire que rien ne m'est plus pénible ; je regrette parfois de n'être pas, au fond de quelque campagne, simplement un de vos lecteurs[1]. »

Estimant que c'est à l'éditeur de s'occuper du lancement de ses livres, Proust n'est pas intervenu auprès des critiques ou des directeurs de journaux comme il l'avait fait pour *Du côté de chez Swann*, mais cela ne l'empêche pas de réagir vivement lorsqu'un article lui a déplu. Celui de Robert Dreyfus, dans *Le Figaro* du 7 juillet 1919, aurait dû le satisfaire, mais il en a déploré la typographie, trop petite, alors que la relation d'une fête à l'hôtel de Doudeauville est imprimée en caractères plus gros. Il se montre surtout vexé que Dreyfus n'ait pas signé l'article de son nom, mais d'un pseudonyme, Bartolo : « De ce magnifique compliment qui me touche tant, écrit-il à Dreyfus, Bartolo fait un compliment de comédie. »

Tous les premiers articles consacrés soit à *L'Ombre des jeunes filles en fleurs*, soit à la réédition de *Du côté de chez Swann*, soit encore, mais plus rarement, à *Pastiches et Mélanges* suscitent des critiques de sa part. Il est particulièrement affecté de l'incompréhension des journalistes qui se sont contentés d'une lecture superficielle et lui ont reproché, pour ses deux romans, un défaut de composition. A ses yeux, la moindre réserve sur sa méthode efface les louanges, même les plus hyperboliques, sur son art et son talent. Il avait ainsi ressenti comme un affront le début d'un article de Fernand Vandérem jugeant ses deux romans *bizarres* et « tellement émancipés de toute discipline, bref tellement anormaux qu'on s'épuiserait à en dire tous les défauts ».

Il est vrai que Vandérem avait ainsi poursuivi sa critique :

1. Kolb, tome XVIII, p. 307.

« Eh bien, après cet éreintement carabiné, je vous étonnerai fort en vous déclarant qu'après le *Jean Barois* de M. Martin du Gard paru en 1913, les deux volumes de M. Proust forment à mon avis une des œuvres les plus intéressantes, les plus captivantes, pour ne pas dire les plus importantes qui aient vu le jour en ces dernières années. Ils sont le contraire de tout ce que j'aime : ordre, choix, sobriété. Techniquement parlant, ils n'existent pas, sont construits en dépit de tout bon sens et de toutes règles — ni romans, ni mémoires, ni recueil de maximes —, des hottes à souvenirs et à impressions plutôt que des livres... Dans ces neuf cents pages de texte archiserré, presque pas une seule de médiocre, presque pas une seule qui ne charme l'esprit, qui n'émeuve, qui ne fasse sourire [1]. »

Proust n'avait guère apprécié cette manière de douche écossaise, d'autant plus que Vandérem lui avait écrit personnellement pour le remercier de l'envoi de *Du côté de chez Swann* en lui disant que ce livre était exactement tout ce qu'il aimait.

Dans un article donné à *L'Œuvre* le 25 août, André Billy avait également critiqué l'absence de composition, voyant dans la littérature proustienne « une sorte de blastème [2] ou de plasma en travail d'organisation et qui ne parvient pas à s'organiser ». De temps en temps, ajoutait-il, « une cellule se forme, se dissout, puis elle reparaît, se divise, se noie de nouveau, dans cet élément spongieux qu'est la prose de M. Proust ». A quoi Proust avait répliqué : « Je suis affligé (alors que dans cette œuvre j'ai tout sacrifié à une composition rigoureuse) que vous sembliez croire que mes souvenirs naissent les uns des autres par simple association d'idées. »

Heureusement des lettres enthousiastes avaient un peu adouci l'amertume causée par certaines réserves ou l'injustice de critiques qui vraisemblablement s'étaient contentés de parcourir distraitement les trois ouvrages.

Oubliant ses différends avec Proust, Jacques-Émile Blanche avait été un des premiers à lui écrire une lettre admirative dont un passage annonce, avec une remarquable prescience, le bouleversement opéré par Proust dans la littérature contemporaine : « Vous avez coupé l'herbe sous les pieds de deux générations, et plus, de romanciers, de psychologues et, mettons, d'écrivains. Ne vous étonnez donc point des articles

1. *La Revue de Paris*, 19 juillet 1919.
2. « Substance amorphe où naissent les éléments anatomiques des corps organisés », Hatzfeld et Darmesteter, *Dictionnaire général de la langue française*.

que les critiques vous réservent, et ont déjà, peut-être, publiés ; même ceux qui, comme Vandérem, vous admirent haineusement...[1]. »

Élève et ami de Blanche, qui a dû lui faire partager son admiration, Jean de Gaigneron, un jeune peintre, avait adressé à son tour à Proust une lettre intelligente dans laquelle, aux reproches des critiques sur l'absence de composition, il affirmait que dans l'œuvre encore incomplète apparaissait néanmoins le plan de l'auteur. Il avait deviné l'intention de Proust : bâtir *A la recherche du temps perdu* comme les architectes du Moyen Age les grands édifices religieux, perspicacité qui avait enchanté Proust : « Et quand vous me parlez de cathédrales, lui avait répondu celui-ci, je ne peux ne pas être ému d'une intuition qui vous permet de deviner ce que je n'ai jamais dit à personne et que j'écris ici pour la première fois : c'est que j'avais voulu donner à chaque partie de mon livre le titre : *Porche I vitraux de l'abside*, etc., pour répondre d'avance à la critique stupide qu'on me fait du manque de construction dans des livres où je vous montrerai que le seul mérite est dans la solidité des moindres parties. J'ai renoncé tout de suite à ces titres d'architecture parce que je les trouvais trop prétentieux, mais je suis touché que vous les retrouviez par une sorte de divination de l'intelligence[2]. »

Robert de Montesquiou, qui avait reçu les livres deux mois après leur parution, toujours par manque d'éditions originales, s'était contenté d'en accuser réception, puis, après la lecture d'*A l'ombre des jeunes filles en fleurs*, avait rendu un oracle favorable : « Ce second tome, écrivait-il, assoit votre œuvre et aussi notre jugement ». Il le félicitait d'avoir su se dégager de Balzac pour devenir un peintre intimiste, à la manière de Fantin-Latour, remplaçant les glacis chers à Ingres par la multiplicité des touches. Preuve d'une lecture attentive, il reprenait dans sa lettre des phrases de Proust qu'il avait aimées, moyen commode pour éviter de se fatiguer à des analyses ou des commentaires flatteurs. Toutefois, dans un post-scriptum, il laissait poindre, sous forme d'interrogation, une certaine inquiétude : « ... je crois que vos autres types sont des modèles interprétés de très loin ; on ne les démêle pas, même le plus marqué, ce Charlus qui me semble nous apprêter des surprises et à propos de qui vous m'avez prononcé un nom...[3] ».

---

1. Kolb, tome XVIII, p. 346.
2. *Ibidem*, p. 359.
3. *Ibidem*, p. 470.

*

Tout en respirant avec délices l'odeur, parfois amère, de ses premiers lauriers, Proust continue de harceler ce jardinier des lettres qu'est Gaston Gallimard, l'estimant inférieur à sa tâche et l'accusant tour à tour de négligence ou de malhonnêteté.

En recevant un premier acompte sur la vente des trois livres, il a été fort surpris — et on le serait à moins — de constater que son pourcentage d'auteur de 18% a été appliqué non sur le prix de vente, qui est de 7,50 francs, mais sur 5 francs[1] seulement. Il en a demandé la raison à Gallimard qui lui a rappelé, ce qu'il semblait ignorer, qu'en raison des difficultés économiques dues à la guerre, le syndicat des éditeurs avait autorisé une majoration exceptionnelle du prix de vente des livres pour permettre de compenser l'augmentation du coût de fabrication. *Du côté de chez Swann* et *A l'ombre des jeunes filles en fleurs* sont donc vendus 7,5 francs le volume, mais le prix réel du livre n'est que de 5 francs et les droits d'auteur ne doivent porter que sur ce chiffre. « Je vous parle en homme d'affaires, écrit Gaston Gallimard à Proust, je sens bien que je vous suis odieux...[2]. »

Cette explication n'apaise en rien le mécontentement de Proust persuadé que Gallimard, non content de se tailler la part du lion dans la vente de ses livres, « spécule honteusement » sur les premières éditions en les vendant à des bibliophiles : « Je ne veux ni ne peux entrer décemment dans le détail de la discussion que vous ouvrez, répond Gallimard. Elle me peine infiniment parce qu'il ressort de tout cela que vous semblez nous manifester un manque de confiance absolu et nous considérer comme des marchands marchandeurs et marchandant que, seule, une espèce de vénalité guiderait... » Et Gaston Gallimard, encore étourdi de cette basse accusation, proteste de sa parfaite bonne foi, ajoutant que s'il était malhonnête il pourrait, à l'exemple de certains confrères moins scrupuleux, multiplier les *première édition*. « Je vous avoue qu'ici, plutôt que de consentir à de pareilles pratiques, nous préférerions aller élever des moutons au Texas[3]. »

Ni les dénégations de Gaston Gallimard ni les droits d'auteur que la N.R.F. commence à lui envoyer régulièrement ne

1. Environ 45 francs et 30 francs de 1990.
2. *Correspondance Proust-Gallimard*, pp. 186-189.
3. *Ibidem*, pp. 186-189.

dissipent ses préventions contre cette maison et ses dirigeants qu'il soupçonne de se liguer pour mieux l'exploiter. A tous les collaborateurs de la N.R.F. qu'il a l'occasion de voir, il détaille les raisons qu'il a de s'en plaindre, si bien que l'écho en parvient à Gallimard. Celui-ci s'émeut de nouveau, réclamant à Proust une explication franche et complète : « Votre mécontentement me préoccupe. J'en cherche en vain la raison. Mais s'il n'y a pas de malentendus, croyez qu'elle est toute involontaire. Ne dites pas qu'il peut être fâcheux d'avoir pour éditeur un ami[1]. »

Au lieu d'accepter l'entretien que Gallimard lui propose, Proust invoque sa maladie pour le refuser, mais il lui envoie un long *factum* de ses griefs, qui vont du nombre réel des tirages et du chiffre de chacun à la mauvaise volonté que la N.R.F. apporte à la diffusion de ses livres, alors que le public les réclame avec insistance. Le succès d'*A l'ombre des jeunes filles en fleurs* a de beaucoup dépassé celui de *Du côté de chez Swann* cinq ans plus tôt, certes, mais le premier tirage n'en est pas encore épuisé alors que Proust s'imagine, à cause d'un plus grand nombre de lettres de lecteurs inconnus, que le livre est sur toutes les tables. Parce que Lionel Hauser l'a vu sur le bureau de son caissier, il se croit lu dans tous les milieux et parce qu'un autre ami l'a découvert dans un château où il séjournait, dans toutes les provinces. « Le contact direct avec le lecteur que je n'avais pas eu avec *Swann* est quotidien, rappelle-t-il à Gallimard. Les demandes d'articles dans les journaux aussi fréquentes. Je n'en tire aucune vanité, mais j'espérais en tirer quelque argent... » Rétrospectivement, le zèle de Bernard Grasset lui paraît avoir été infiniment supérieur. Que se passe-t-il ? « Je crains que Tronche et vous ne soyez trompés par des subalternes », insinue Proust qui précise un peu plus loin : « Ce qui me le ferait croire, c'est l'inertie, la résistance qu'on rencontre quand on va demander le livre à la N.R.F. » Il se dit trop fatigué pour appuyer cette assertion d'exemples récents et se contente, pour achever d'accabler Gallimard, de lui dénoncer une autre iniquité de sa maison, celle de forcer des amateurs naïfs à souscrire à des ouvrages sans intérêt pour le seul avantage d'avoir dans la série celui qui les intéresse. La N.R.F. avait en effet créé une espèce d'association « Les Amis de l'édition originale ». Moyennant une somme forfaitaire, ces amis des livres étaient assurés de

1. *Correspondance Proust-Gallimard*, p. 200.

recevoir un exemplaire de l'édition originale de tous les livres publiés chaque année par la N.R.F. René Boylesve, qui s'était laissé prendre, avait écrit à Proust : « Votre éditeur m'a forcé à verser 156 francs[1] pour avoir la première édition de vos livres. Il est cause que je ferai ce que je n'ai jamais fait de ma vie. Je mettrai sur les quais tous les livres qu'il m'enverra, excepté les vôtres. » Pour montrer à Gaston Gallimard qu'il se conduit en galant homme et non en affairiste, Proust lui annonce qu'il remboursera, de sa poche, René Boylesve[2].

Un tel mémoire dans lequel, tout en se défendant de le faire, Proust met en cause la probité de son éditeur, serait de nature à les brouiller tous deux si Gallimard qui d'un côté porte à Proust une sincère admiration et, de l'autre, ne veut pas voir s'envoler la poule aux œufs d'or, n'était prêt à faire toutes les excuses et toutes les concessions.

Par retour du courrier, il fait amende honorable pour tout ce dont Proust l'accuse et dont il est pourtant bien innocent, mettant sur le compte d'ennemis de sa maison, jaloux de sa réussite, toutes les perfidies que l'on répand sur son compte. Comme preuve de sa bonne foi, il propose à Proust, après lui avoir patiemment expliqué le fonctionnement de la N.R.F., l'impossibilité de fraude ou de collusion avec l'imprimeur, de mettre sous ses yeux livres, factures, bordereaux et relevés de compte des libraires au cas où son auteur, mal convaincu, voudrait les faire examiner par un expert-comptable. Sans attendre une éventuelle vérification, il donne à Proust les chiffres précis des six éditions déjà faites d'*A l'ombre des jeunes filles en fleurs*, soit au total 3 242 exemplaires. Ce nombre modeste est de nature à refroidir la colère de Proust en lui montrant que son livre est moins acheté qu'il ne le croit. Quant à René Boylesve, Gallimard lui règle son compte, si l'on peut dire, en précisant à Proust : « Je n'ai aucune raison d'accepter que M. Boylesve me desserve auprès de vous. Je le connais bien, je connais sa vie ; il ne vaut pas mieux que ses livres. Ce qu'il vous écrit est un mensonge, une platitude ou une sottise[3]. » Et il tire argument de cet exemple pour réaffirmer à Proust que tous deux sont entourés de rivaux ou d'envieux qui essaient de les brouiller.

Rien de ce que pourra faire ou écrire Gaston Gallimard ne

1. Environ 900 francs de 1990.
2. *Correspondance Proust-Gallimard*, pp. 200-201.
3. *Ibidem*, p. 209.

parviendra jamais à établir entre Proust et lui des rapports normaux de confiance, mais l'attribution du prix Goncourt à Proust impose une trêve de quelques jours à cette querelle avant de fournir au lauréat de nouveaux motifs de se plaindre de son éditeur.

*

Il n'est pas de romancier qui n'espère avoir un jour le prix Goncourt ou, du moins, ne s'en juge digne. Proust ne fait pas exception à la règle, lui qui l'avait brigué en 1913 pour *Du côté de chez Swann*. Pendant la guerre, le jury ne s'était pas réuni. Du même coup le prix qui sera décerné après cette interruption allume bien des convoitises et suscite bien des manœuvres. Les concurrents sont nombreux, mais le plus redoutable est Georges Bernanos avec son roman *Les Croix de bois*, à la gloire des soldats du front. Cette fois, Proust n'est pas solliciteur, mais sollicité, car Rosny aîné, membre influent de l'Académie Goncourt, lui a écrit qu'il lui donnerait la voix qu'il lui avait jadis refusée, en ajoutant qu'il lui sera *impossible* de ne pas voter pour lui. Rosny est d'ailleurs assuré des voix de quatre confrères, ainsi que de celle d'un cinquième éventuellement, ce qui ferait six voix sur dix. Léon Daudet se montre un ardent propagandiste et fait campagne pour rallier les voix hésitantes. De leur côté, Louis de Robert et Robert de Flers usent de leur influence dans les milieux littéraires pour combattre les objections de certains à propos de l'âge et de la fortune de Proust. Comme l'écrivait Rosny aîné, l'œuvre appartient à la jeunesse de Proust et constitue un cas unique.

A l'issue du déjeuner Goncourt, le 10 décembre 1919, le prix est attribué à Proust pour *A l'ombre des jeunes filles en fleurs* par six voix contre quatre qui sont allées à Roland Dorgelès pour ses *Croix de bois*. Réveillé au milieu de l'après-midi par un appel téléphonique lui annonçant la nouvelle, Proust voit peu après Gaston Gallimard, Léon Daudet, Jacques Rivière et Gustave Tronche se retrouver au pied de son lit pour le féliciter, rencontre embarrassante pour ces messieurs de la N.R.F. qui détestent Léon Daudet, mais ils doivent faire bonne figure à un homme dont l'influence et l'entregent ont contribué à cet honneur pour leur maison. A peine sont-ils sortis de chez lui que Proust, épuisé par ce réveil et cette émotion, a une forte crise d'asthme.

Dès le lendemain, la nouvelle est rendue publique par les

journaux qui commentent à l'envi ce choix, certains s'indignant qu'on ait méconnu le livre de Dorgelès, magnification de l'héroïsme des poilus, pour donner le prix à un oisif, un mondain qu'on soupçonne de l'avoir obtenu grâce à ses relations, à de somptueux dîners offerts à des académiciens Goncourt, à des services inavouables rendus à Léon Daudet au temps de l'affaire Dreyfus. Roland Dorgelès ne s'estime pas battu, ou du moins son éditeur, Albin Michel, qui fait aussitôt imprimer une bande avec la mention, en grosses lettres, PRIX GONCOURT, et, en dessous, en petits caractères : « Quatre voix sur dix », alors qu'en guise de consolation Roland Dorgelès vient d'obtenir le prix Femina-Vie heureuse, dont le seul titre semble à son tour une insulte au sujet du livre. Furieux de ce mauvais procédé, indigne d'un confrère, Gaston Gallimard assigne Albin Michel devant le tribunal de commerce de la Seine qui, le 5 juin 1920, condamnera les éditions Albin Michel à supprimer la bande mensongère et à verser à Gallimard, à titre de dommages et intérêts, une indemnité de 2 000 francs [1].

En attendant l'issue de cette procédure, les escarmouches se multiplient entre adversaires et partisans de Proust, pour le plus grand profit de ce dernier à qui cette guérilla fait une publicité supplémentaire. Les belles âmes s'indignent en termes attristés. Dès le 12 décembre, Jean de Pierrefeu, dans *Le Journal des débats*, déplore que les Goncourt aient couronné « ce talent d'outre-tombe » en donnant leur prix à « un recueil d'insomnies écrit par un reclus volontaire... peu en rapport avec les tendances de la génération nouvelle qui chante la beauté de la lutte, les vertus de la lumière... » et s'accordant mal « avec le classicisme rénové que le Parti de l'Intelligence déclare seul compatible avec la grandeur de la patrie victorieuse ».

Plus perfide, Binet-Valmer feint d'approuver les Goncourt : « Il était indispensable de remettre à leur place les écrivains qui oublient l'humanité et ne pensent qu'à la guerre », fait-il dire dans *Comœdia* à une *fée du logis*, censée guider sa plume, mais il reproche ensuite à Rosny aîné « d'avoir orienté le goût français vers une œuvre... qui ne sera pas la source de cette renaissance morale » qu'il attend. Malgré les relations qui s'établiront bientôt entre lui et un Proust revenu de ses préventions à l'égard de l'auteur de *Lucien*, Binet-Valmer, tout en admirant l'art de Proust, condamnera l'immoralité de son

1. Environ 8 000 francs de 1990.

œuvre et lui reprochera de déprécier non seulement l'aristocratie française, mais l'âme française.

Sous le titre de *Cuisine électorale*, Guy de La Fouchardière, dans *L'Œuvre* du 12 décembre, écrit férocement : « Il est homme du monde, ce qui est essentiel à une époque où la réputation des écrivains se fait sur le coup du *five o'clock* et où l'homme de lettres soucieux de gloire et d'argent doit tremper sa plume attentivement [1] dans la théière et le bénitier [2]. » Le même jour, Noël Garnier pousse dans *Le Populaire* le cri du peuple outragé : « Nous, les anciens soldats, avons élu Roland Dorgelès. Marcel Proust doit son prix à la reconnaissance de six hommes dont il a flatté l'estomac. »

*L'Humanité* se scandalise de voir le prix aller à un homme de son âge et titre « Place aux vieux ! » son article en précisant que le lauréat doit compter cinquante ans et plus. D'autres journaux vieillissent encore davantage Proust qui finit par s'en inquiéter : « J'attends avec résignation d'être prochainement centenaire... » Le plus haineux des critiques est sans doute Joachim Gasquet qui dénie à Proust le moindre soupçon de génie : « Rien de plus pénible, plus essoufflé que ses plates et laborieuses inventions. Il voudrait nous faire croire à son élégance, à ses négligences. Il est le plus épais des improvisateurs [3]. »

En revanche, des amis se réjouissent sincèrement de son prix, des inconnus manifestent soit par lettres, soit par des articles, certains dans d'obscures revues provinciales, leur émerveillement. Louis de Robert, qui a cru en Proust avant la gloire, applaudit un choix triomphant « d'une tradition détestable qui faisait du prix Goncourt une prime à la pauvreté ». Bernard Grasset, tout juste sorti d'une dépression nerveuse, exprime à son auteur une joie teintée de mélancolie à la pensée qu'il aurait pu partager son succès. Paul Souday, revenu à de meilleurs sentiments depuis son altercation avec Proust, promet à celui-ci « un bon Souday » dans *Le Temps*. René Boylesve, qui mourra de tristesse en voyant que Proust a réalisé ce qu'il voulait faire, en est encore au stade des bonnes relations confraternelles et se réjouit du succès de son rival. Léon Hennique, un académicien Goncourt qui n'a pas voté pour lui par respect de la volonté d'Edmond de Goncourt sur l'âge des

1. Vraisemblablement erreur d'impression pour « alternativement ».
2. Cité par Kolb, tome XVIII, p. 538.
3. *Ibidem*, p. 579.

candidats, vient à résipiscence. Jacques Boulenger aussi, qui publie dans *L'Opinion* un article que Proust juge admirable, tout en lui reprochant d'être « çà et là injuste et faux ». En effet, Jacques Boulenger, qui voit en lui « l'écrivain le plus indépendant, le plus puissamment original qui se soit manifesté depuis bien longtemps », regrette l'absence de composition du livre et même, ce qui est pire, l'absence « de toute écriture ».

Rosny aîné, lui, répond publiquement à tous les détracteurs du lauréat des Goncourt en publiant dans *Comœdia*, le 23 décembre 1919, un article intitulé « Le cas de M. Proust ». « J'estime pour mon compte que le livre de Proust est un *grand* livre, comme il en paraît rarement, écrit-il. Il fourmille de trouvailles, d'images ingénieuses, de remarques fines et originales ; il a des éclairs de génie. Il est probable qu'un tel livre subsistera longtemps après que l'immense majorité des livres parus depuis le commencement de ce siècle se seront complètement effacés de la mémoire des hommes. Qu'on puisse nous reprocher d'avoir été *injustes* en le préférant, cela me dépasse. Marcel Proust est un de nos plus beaux choix, un de ceux dont personnellement je m'honore [1]. »

En un mois, Proust reçoit, calcule-t-il, en plus des articles envoyés par *L'Argus* de la presse, huit cent soixante-dix lettres de félicitations auxquelles il lui est difficile de répondre. Il s'attache à le faire, néanmoins, autant par courtoisie que pour saisir cette occasion inespérée de faire connaître ses souffrances et ses ennuis à un plus vaste public. La plupart des lettres qu'il écrira entre l'attribution de son prix et la fin du premier trimestre de 1920 commencent presque invariablement par une allusion à son état qui l'empêche absolument d'écrire, ce qui lui permet d'ajouter qu'il ne fait d'exception que pour le destinataire de cette lettre.

Le jour même de son prix, il écrit ainsi à un jeune romancier qui lui a dédié son livre : « ... j'oscille généralement entre 38 et 40 degrés de fièvre, cela ne rend pas la correspondance, ni même le moindre mouvement très facile. J'ai tout de même des jours d'accalmie et j'espère que je finirai par vous connaître ! La publication de votre beau livre au Mercure me fait beaucoup plus de plaisir que mon prix... » Puis, sur ce bel acte d'altruisme, il revient à ses soucis personnels : « Je tiens à votre disposition votre dactylographie, une des seules choses qui ne m'aient jamais quitté dans mon lamentable voyage de

1. Cité par Kolb, tome XVIII, p. 548.

meublés en meublés par lequel ma santé s'aggrave encore. Mais je souffre tant dans chacun, et ils sont à vrai dire si inhabituels (celui-ci, qui coûte 16 000 francs par an, ressemble à peu près à une chambre de domestique) que je sens chaque fois que je n'y resterai pas... » On pourrait vraiment croire, à le lire, que, tel un réfugié politique d'Europe centrale, il fait vingt garnis avant d'échouer dans ce « taudis » dont il est pressé de déguerpir. « Si vous connaissez dans ce quartier un quatrième d'une maison très haute, pas meublé, indiquez-le-moi...[1] », demande-t-il pour terminer à son admirateur.

En dehors de ces lettres de remerciements, ou de celles qu'il adresse à des journalistes pour se défendre contre un reproche ou une critique injuste, il réserve sa plume à Gaston Gallimard dont il a encore lieu de se plaindre, avec les nouveaux griefs et la nouvelle autorité que lui a donnés le prix Goncourt.

*

Il est malaisé d'enlever de la tête d'un auteur la conviction que l'éditeur est l'ennemi naturel de son livre, apportant à l'étouffer tout le zèle qu'il devrait au contraire déployer pour le vendre. A la veille du Goncourt, la N.R.F. avait en magasin quelque deux cents exemplaires d'*A l'ombre des jeunes filles en fleurs*, ce qui ne permettait pas, évidemment, de faire face à une soudaine demande du public.

Aussi, pendant quelques jours, le livre a-t-il été en rupture de stock, en partie d'ailleurs par la faute de Proust qui avait tardé à donner à Gallimard une réponse sur l'opportunité d'effectuer un nouveau tirage en deux volumes, plus faciles à lire qu'un seul, trop compact. Gallimard s'est rendu lui-même à l'imprimerie d'Abbeville pour surveiller l'opération et stimuler l'ardeur des protes, mais, comme il le rappelle à Proust, « on ne travaille pas le dimanche dans les imprimeries », ce qui fait, hélas !, perdre un jour précieux. Cela n'empêche pas Proust de se lamenter parce que Céleste, ou sa sœur, Marie Gineste, envoyées par lui en inspection dans les librairies du quartier n'y ont pas trouvé le moindre exemplaire d'*A l'ombre des jeunes filles en fleurs*, et cela dix jours après l'attribution du prix. Gallimard, qui a vu sortir de sa maison trois mille exemplaires en quelques jours, n'y comprend rien et accuse des libraires de négligence.

---

1. Lettre du 10 décembre 1919. (Collection Julien Green.)

A la fin du mois de janvier 1920, Proust reprend l'antienne de ses lamentations : on ne trouve pas son livre dans les librairies. Jacques Porel, par exemple, ne l'a pas trouvé chez Smith, rue de Rivoli, et d'autres amis n'ont pas été plus heureux chez d'autres libraires. Mais il y a pire : Odilon Albaret, qui effectuait une course à la N.R.F., a entendu un employé répondre à quelqu'un venu demander *A l'ombre des jeunes filles en fleurs* qu'il n'y en avait plus. Odilon Albaret était allé ensuite à la librairie Stock où on lui avait dit que l'ouvrage était en réimpression... Que penser, ajoute Proust, lorsque l'éditeur affirme avoir suffisamment d'exemplaires d'avance et qu'on n'en trouve nulle part ? A quoi Gallimard répond : « Je vous demande d'avoir bien confiance en moi. Je m'applique à ce que, contrairement à ce qu'on a pu vous dire, jamais les exemplaires ne manquent en magasin. L'imprimeur expédie cinq cents exemplaires par jour et s'il arrive qu'une après-midi nous en manquions, c'est tout à fait exceptionnel et uniquement dû au retard des transports[1]. » D'ailleurs, pour gagner du temps, Gallimard fait venir des livres par « un messager qui apporte d'Abbeville tout ce qu'il peut par le train des voyageurs ».

Proust ne croit pas un mot de ce qui lui écrit Gallimard et continue de se plaindre auprès des uns et des autres, notamment de Jacques Porel et d'André Gide, de l'incroyable négligence de son éditeur. Pour essayer de le convaincre de sa bonne foi, Gallimard lui révèle qu'il est au contraire le mieux traité des auteurs, car après l'attribution du Goncourt, il a sacrifié pour lui tout le stock de papier destiné à l'impression des autres ouvrages de la maison. De ce fait, il a dû reporter de plusieurs mois la publication de livres d'Alain, de Thibaudet, d'André Salmon, de Jules Romains, etc. Si Proust est apparemment satisfait d'avoir eu la préférence, les raisons qu'il a de se plaindre sont chez lui comme les têtes de l'hydre de Lerne et repoussent à peine ont-elles été satisfaites.

Outre la mauvaise qualité de l'héliogravure de son portrait par J.-É. Blanche pour orner l'édition de luxe d'*A l'ombre des jeunes filles en fleurs* et de la maladresse avec laquelle Gallimard négocie à Londres la traduction de ses livres en anglais, il reproche à celui-ci de n'être pas assez disponible, tout en refusant énergiquement de le rencontrer. Il continue bien sûr de critiquer l'absence de métier des imprimeurs qui semblent

1. *Correspondance Proust-Gallimard*, p. 235.

multiplier les fautes à plaisir, comme va le lui prouver la parution dans la revue de son article sur Flaubert.

Agacé de lire sous la plume d'Albert Thibaudet, sec magister des lettres, un jugement sur le style de Flaubert qui lui aurait paru comique s'il avait émané de quelqu'un d'autre, il avait demandé à Jacques Rivière, au début du mois de novembre 1919, de publier dans *la Nouvelle Revue française* une défense de Flaubert. La simple note proposée à Rivière s'était changée en une véritable étude dans laquelle on peut voir autant la défense de son propre style que l'apologie de celui de Flaubert. Certes, disait-il, Flaubert n'est pas un écrivain classique, mais c'est justement parce qu'il a su se dégager d'un certain formalisme qu'il est un auteur original : « Et il n'est pas possible à quiconque est un jour monté sur ce grand *trottoir roulant* que sont les pages de Flaubert, au défilement continu, monotone, morne, indéfini, de méconnaître qu'elles sont sans précédent dans la littérature [1]. » On ne saurait mieux prêcher pour son saint... Et Proust d'ajouter qu'« il y a une beauté grammaticale qui n'a rien à voir avec la correction ». Comme Proust, dont il constitue un précédent, Flaubert a des trouvailles de style, des phrases qui, « en permettant de faire jaillir du cœur d'une proposition l'arceau qui ne retombera qu'en plein milieu de la proposition suivante, assuraient l'étroite, l'hermétique continuité du style [2] ».

Reprenant un thème qui lui est cher et qui sert de support à son propre roman, Proust écrit : « Les choses ont autant de vie que les hommes, car c'est le raisonnement qui, après tout, assigne à tout phénomène visuel des causes extérieures, mais dans l'impression première que nous recevons cette cause n'est pas impliquée [3]. » Sans doute pense-t-il à son œuvre, à cette longue recherche du temps perdu dont le public ne connaît encore que le début, lorsqu'il écrit à propos de *l'Éducation sentimentale* qu'elle est « un long rapport de toute une vie, sans que les personnes prennent une part active à l'action [4] ». Après un rappel des règles particulières et de grammaire et de syntaxe de Flaubert, Proust voit en lui, à l'encontre de Thibaudet, un écrivain de race, car, écrit-il, « ces singularités grammaticales traduisant en effet une vision nouvelle, que d'application ne fallait-il pas pour bien fixer cette vision, pour la faire passer

1. *Essais et articles*, dans *Contre Sainte-Beuve*, p. 587.
2. *Ibidem*, p. 588.
3. *Ibidem*, p. 589.
4. *Ibidem*, p. 590.

de l'inconscient dans le conscient, pour l'incorporer enfin aux diverses parties du discours [1] ! ».

Certes, il ne méconnaît pas les défauts de Flaubert, l'emploi bizarre qu'il fait des adverbes, « la lourdeur de certains verbes, de certaines expressions un peu vulgaires », mais « nous les aimons, affirme-t-il, ces lourds matériaux que la phrase de Flaubert soulève et laisse retomber avec le bruit intermittent d'un excavateur ». Et pour achever cet éloge de Flaubert, il lui reconnaît le plus grand des mérites, celui d'avoir su « donner avec maîtrise l'impression du Temps » et d'avoir réussi, mieux que Balzac, à mettre en musique les changements dans le rythme du Temps. A partir de là, Proust s'égare et, quittant Flaubert, attaque son vieil ennemi Sainte-Beuve, salue au passage Léon Daudet, puis évoque les grandes ombres de Chateaubriand et de Victor Hugo pour finir par une note toute personnelle en présentant la défense de *Du côté de chez Swann* pour éclairer l'obscurantisme de ceux qui n'y ont vu qu'un simple recueil de souvenirs, sans méthode et sans plan.

Le plus piquant dans cette étude est le jugement que Proust, empruntant les lunettes et la plume de Thibaudet, porte sur la correspondance de Flaubert : « Ce qui étonne seulement chez un tel maître, c'est la médiocrité de sa correspondance », et, à l'inverse de Thibaudet, il n'y voit pas « les idées d'un cerveau de premier ordre ». Une telle méconnaissance de la valeur de Flaubert comme épistolier frappe d'autant plus qu'elle émane d'un grand écrivain qui, hormis quelques très belles lettres pour défendre ses idées, a laissé une correspondance d'une incontestable médiocrité, véritable boulet attaché à sa réputation. Ce jugement surprend donc, car il est parfaitement conscient des platitudes qu'il avait écrites à tant de gens et commence justement à s'en inquiéter.

D'après le témoignage de Céleste Albaret, une des angoisses de ses derniers temps aurait été le remords d'avoir écrit trop de lettres et la crainte de les voir un jour livrées à la curiosité du public : « Céleste, vous verrez : je ne serai pas mort que tout le monde publiera mes lettres. J'ai eu tort, j'ai trop écrit, beaucoup trop. Malade comme je le suis et comme je l'ai toujours été, je n'ai eu de contact avec le monde qu'en écrivant. Jamais je n'aurais dû. Oui, je vais m'arranger pour que personne n'ait le droit de publier toute cette correspondance. »

---

1. *Essais et articles,* dans *Contre Sainte-Beuve,* p. 592.

Dans ce but, il consulte Henry Bernstein et Horace Finaly qui tous deux dissipent ses illusions à cet égard, mais, doutant encore, il va consulter un avocat qui lui confirme qu'une lettre est la propriété de son destinataire, libre d'en faire ce qu'il veut, à la seule réserve du droit moral de l'auteur, d'un exercice en général peu facile. « Quelle imprudence, Céleste ! gémit Proust en lui rapportant ce propos. Ceux qui ne les publieront pas les vendront. J'aurais donné à tous ces gens des flèches qui se retourneront contre moi [1]. »

Malgré cette appréhension, il n'en continue pas moins d'écrire autant de lettres alors qu'ayant à peine achevé la correction des épreuves — ô combien fautives ! — du premier volume, il doit s'attaquer à celles du second volume tout en se penchant sur la révision du texte de *Sodome et Gomorrhe*. Pour épargner ses yeux, dont il se plaint sans songer à consulter un oculiste, se contentant de faire acheter par Céleste des paires de lunettes, Gallimard lui propose une personne « instruite » qui lui lirait à haute voix les épreuves. Il ne semble pas que Proust ait retenu cette suggestion, car il est à la fois trop méticuleux et trop méfiant pour laisser un autre œil remplacer le sien. Néanmoins, pour faciliter la tâche de l'imprimeur, hérissé à la perspective d'avoir à déchiffrer les hiéroglyphes proustiens, Gallimard a décidé de faire désormais dactylographier les manuscrits de Proust. Ainsi lui fait-il porter, au début de 1920, cahier par cahier, la dactylographie du premier tome de *Sodome et Gomorrhe*.

Bien entendu, les modifications de Proust sur épreuves sont si nombreuses et si longues qu'il faut les faire également dactylographier pour que l'imprimeur les comprenne. A la fin du mois de juin 1920, le travail de correction du premier tome du *Côté de Guermantes* est terminé, les épreuves définitives sont envoyées à l'imprimeur, qui est de nouveau Bellenand, à Fontenay-aux-Roses.

*

Le travail mais aussi la gloire écartent peu à peu Proust de ses amis, même les plus intimes, qui s'en plaignent et en conçoivent quelque dépit. Lucien Daudet regrette de le voir devenir, suivant son expression, un *professionnel* de la littérature, au lieu de rester « l'amateur de génie » qu'il était encore au

1. C. Albaret, *Monsieur Proust*, pp. 245-246.

temps de la publication de *Du côté de chez Swann* et voyant avec plus de plaisir de nouveaux visages, qui représentent pour lui l'avenir, que ceux d'anciens amis. Reynaldo Hahn se fait plus rare aussi, trop pris par la vie qu'il est forcé de mener pour faire face à toutes ses obligations. Compositeur de talent, il n'a pas le succès qu'il mérite et doit accepter pour vivre bien des compromissions humiliantes. Un soir qu'il se trouve avec Fauré chez des nouveaux riches qui leur ont offert 5 000 francs[1] pour jouer devant leurs invités, il constate, humilié, que personne ne les écoute. Il se demande s'il doit continuer, puis, s'étant mis d'accord avec Fauré, tous deux changent le programme et jouent, pour leur propre plaisir[2].

Proust soupçonne Reynaldo Hahn d'être jaloux de ses succès littéraires et, malgré soi, lui en veut de ce qu'il considère comme une mesquinerie de sentiments. « Partout où je vais, on ne parle plus que de vous ; il n'est plus question que de votre livre », lui a dit un jour Reynaldo Hahn avec « une espèce de violence et d'envie » qui l'a frappé. Au reproche de le négliger, Reynaldo Hahn lui a répondu que, n'ayant ni son argent ni sa réussite, il est bien obligé de travailler beaucoup plus qu'il ne le souhaiterait. Comme Proust, attristé, lui proposait de l'aider financièrement, il a refusé : « Vous n'y êtes pas, Marcel. Je n'en veux pas, de votre argent. Simplement, il faut que j'en gagne. Voilà pourquoi je n'ai pas le temps de venir[3]. »

A l'instar de Reynaldo Hahn, Lionel Hauser a pris lui aussi ses distances, mais pour d'autres raisons. Lassé de voir ses avis négligés, ses services inutiles, il a fini par abandonner la partie en écrivant à Proust qu'il démissionnait de son rôle ingrat de tuteur, ajoutant un commentaire sur le manque de psychologie de son client qui a piqué au vif celui-ci. Aussi Proust relève-t-il cette phrase offensante en lui rappelant qu'un des plus grands psychologues, Henry James, a passé la dernière année de sa vie en couvrant de notes son exemplaire de *Du côté de chez Swann* dont la lecture l'avait passionné. Piètre argument aux yeux de Lionel Hauser qui garde le silence et ne répond à Proust que trois mois plus tard, en recevant une nouvelle demande d'assistance et de conseils pour l'affaire du chèque Warburg : « J'ai été pris de vertige à la lecture du

1. Environ 20 000 francs de 1990.
2. F. Bac, *Journal inédit*, livre VI.
3. C. Albaret, *Monsieur Proust*, pp. 276-277.

nombre des personnes qui s'étaient déjà occupées de ton affaire de chèque, constate Hauser, et je trouve que tu as grand tort pour gérer tes affaires de t'entourer de si nombreux conseillers et de mettre en mouvement un si grand nombre de personnes[1]. » Il en profite pour lui rappeler qu'il a terminé son rôle de Mentor auprès de lui et il ajoute : « Si malgré cette affirmation catégorique de ma part tu éprouvais le besoin de te répandre en lamentations sur ton malheur, malheur qui ne réside que dans ton imagination, cela alors, c'est une affaire purement personnelle entre ta muse et toi, affaire à laquelle j'entends rester étranger[2]. »

Cette mise au point lui vaut de Proust, par retour du courrier, un billet dont la brièveté montre sa fureur d'être ainsi traité, lui qui voudrait être plaint non seulement pour ses malheurs, mais aussi pour ses succès : « Je n'apprécie pas de la même manière que toi, ni ta lettre, ni les raisons qui la dictent, ni ceux de mes sentiments auxquels elle répond. Pour les inexactitudes matérielles qu'elle contient, à quoi bon les relever ? Il faudrait faire un livre et je n'ai déjà pas la force d'écrire les miens[3]. »

Avec la même promptitude, Hauser, furieux à son tour de se voir reprocher, lui si méticuleux, des inexactitudes, riposte par une longue lettre dont certains passages, contenant de dures vérités, ne peuvent qu'achever d'exaspérer son correspondant : « Aujourd'hui que tu es plus célèbre que jamais, entouré, adulé, choyé, fêté, recevant par milliers des lettres de tes admirateurs parmi lesquels figurent des financiers de premier ordre, j'estime avoir le droit, sans m'attirer des invectives, de céder ma place à d'autres plus qualifiés que moi pour s'occuper de tes affaires. Tu me rendras cette justice que pour t'aimer et t'apprécier à ta juste valeur, je n'ai pas attendu la consécration officielle de ton talent ni l'opinion de la foule mondaine qui s'interdit le droit de penser par elle-même. C'est précisément ce qui me donne le droit de te considérer comme un enfant gâté, toujours porté à bouder ceux qui ne s'inclinent pas devant ses caprices[4]. »

A partir de ce moment une guerre épistolaire oppose les deux anciens amis, chacun cherchant dans les lettres de l'autre un grief supplémentaire, une allégation fausse à réfuter. Des

1. Kolb, tome XIX, p. 172.
2. *Ibidem*, p. 173.
3. *Ibidem*, p. 180.
4. *Ibidem*, p. 183.

lettres s'échangent entre la rue d'Assas et la rue Hamelin, chargées de phrases vengeresses et de traits empoisonnés. « Je ne puis m'empêcher de penser qu'il est vraiment malheureux que toi qui es souffrant au point de ne pouvoir écrire et moi qui suis très occupé au point d'avoir très peu de temps disponible gâchions un temps si précieux pour nous dire des choses aussi désagréables que peu utiles, remarque avec bon sens Lionel Hauser. Je crois notre correspondance d'autant plus superflue qu'entièrement imprégné de tes propres idées tu ne lis dans mes lettres que ce que tu veux y trouver au point de me faire dire des choses qui ne s'y trouvent pas[1]. »

Tout le mois d'avril se passe à guerroyer sans qu'aucun des adversaires parvienne à convaincre l'autre. Dans ce combat, c'est surtout Hauser qui a l'avantage. Avec méthode et logique, il démonte l'argumentation de Proust et, non content de lui prouver qu'il lui reproche à tort des erreurs matérielles dans sa gestion, il essaie de lui montrer les erreurs qu'il commet dans ses jugements sur les êtres, ce qui ne contribue pas à ramener l'harmonie dans leurs rapports. Comme Proust s'est de nouveau targué de l'admiration de Henry James pour son premier livre, Lionel Hauser lui réplique : « C'est déjà très beau d'être arrivé à analyser la mentalité des gens de son milieu et sous ce rapport je partage entièrement l'opinion de feu Henry James. Tu as admirablement décrit et analysé la mentalité des gens parmi lesquels tu as vécu. Mais là [où] tu commences à exagérer, c'est lorsque tu prétends appliquer ta psychologie à des gens qui évoluent dans un milieu qui t'est complètement étranger[2]. »

Pendant quelques jours encore leur polémique se poursuit à propos d'une citation faite par Lionel Hauser et dont Proust ne comprend pas l'allusion qu'elle comporte, puis cette querelle s'apaise enfin et chacun retourne à ses travaux, mais cette amitié brisée ne renaîtra pas et Proust devra désormais gérer ses affaires sans Lionel Hauser.

En dépit de son succès, ou peut-être à cause de celui-ci, Proust est surtout soucieux d'échapper à un monde qu'il ne recherche plus depuis qu'il en est recherché. Dans ce besoin de solitude, il y a certes la hantise de ne pouvoir achever son œuvre avant la mort qui, croit-il, le guette ; il y a aussi du

1. Kolb, tome XIX, p. 194.
2. *Ibidem*, p. 220.

snobisme, dans son ultime phase, celui qui consiste à fuir les gens que jadis on rêvait de connaître.

Il avait ainsi décliné, l'année précédente, une invitation de la princesse Soutzo qui donnait un grand dîner au Ritz en l'honneur de la reine Marie de Roumanie, venue plaider à Paris la cause de son pays auprès des Alliés. La princesse Soutzo n'avait pas été très contente de ce refus, qui avait marqué un refroidissement dans leurs relations. « Je ne suis pas venu du tout, je vous jure, pour montrer que je ne tenais pas aux reines... », lui écrit-il en refusant aussi de l'accompagner à la représentation d'un ballet de Cocteau. Lorsque la princesse récidive, en l'invitant cette fois avec le grand-duc Dimitri, qui a participé avec le prince Youssoupov à l'exécution de Raspoutine, il se laisse tenter, curieux de voir le grand-duc, non pour lui-même, mais « à cause du drame auquel il a été mêlé ». Il promet d'ailleurs de ne pas aborder ce sujet délicat, mais, écrit-il à la princesse, « les visages parlent ».

*

Le prix Goncourt lui a valu d'innombrables invitations de gens du monde qui préfèrent feuilleter l'auteur que le livre et ne consacreraient pas à l'ouvrage les quelques heures qu'ils perdent pour un dîner. Il les refuse presque toutes, invoquant son travail et sa mauvaise santé, mais sans décourager le zèle de ceux qui veulent se vanter de l'avoir eu.

La vie mondaine a repris avec frénésie, comme pour rattraper le temps mort de la guerre. La plupart des grandes maisons, comme celles des Beaumont, des Croisset, des Greffulhe, des Gramont ont rouvert leurs portes. La duchesse de Rohan, qui n'a jamais fermé son hôtel puisqu'elle l'a transformé en hôpital, accueille boulevard des Invalides, bien nommé en l'occurrence, des gens du monde pêle-mêle avec des convalescents qui s'incrustent chez elle. Cet hôpital est toute sa fierté. Elle veut le conserver le plus longtemps possible et annonce qu'elle « sera la dernière à fermer ». Hélas ! les blessés, bien réparés par ses soins, l'ont quittée l'un après l'autre et en cette année 1920, dans ce vaste hôtel rendu à la vie civile, elle erre comme une âme en peine. « Elle semble sans famille, sans logis et sans but. A la prochaine guerre, elle rouvrira son hôpital », note Ferdinand Bac venu lui apporter son réconfort dans cette désertion. Enfin, elle se ressaisit et commence à donner de grandes réceptions où un Tout-Paris assez mêlé se côtoie, réceptions où les nouveaux venus se mêlent à des revenants de l'ancienne société pour donner cette impression que l'on éprouve en lisant l'étonnant récit de la matinée chez la princesse de Guermantes, dite *le bal de têtes*, du *Temps retrouvé*. Quelques mois avant la mort de Proust, Ferdinand Bac retrouvera dans l'une de ces soirées de la duchesse de Rohan l'ancien protégé de Montesquiou, devenu le principal modèle de Charlie Morel, et il notera : « Il y a le pianiste Delafosse, que je prends pour le comte de Jarnac et qui, en son allure d'ancien trop joli homme, avec sa bouche en cœur, ses cheveux ondulés et décolorés, me fait l'effet d'une cocotte sur le retour [1]. »

Une autre grande maison où Proust se rend à plusieurs reprises est celle du comte Étienne de Beaumont qui, privé du théâtre de la guerre, a pour unique souci de donner des fêtes et des spectacles, sans se douter que sa seule personne en est un, nouveau roi-soleil autour duquel gravitent des satellites comme Jean Cocteau, Radiguet, Max Jacob, Serge de Diaghilev, Valentine Hugo... A plus d'un titre, il est un personnage proustien, providence des mémorialistes auxquels il fournit inlassablement des traits cocasses ou bien touchants, car son ridicule égale sa générosité. « Quand Étienne de Beaumont apparaissait en Cupidon, écrit Alfred Fabre-Luce en évoquant les fêtes où il ne craignait pas de s'exhiber, [et] faisait quelques pas de danse enivrés, ses yeux exorbités semblaient proclamer à la face du monde son regret d'une vie scandaleuse qu'il n'osait mener. Ses flèches restaient dans son carquois, mais lui-même en était visiblement transpercé [2]. »

Même chez le solennel Étienne de Beaumont, où l'existence est réglée selon les lois d'une étiquette sévère, Proust ne craint pas d'enfreindre la règle et d'arriver avec des retards considérables destinés vraisemblablement à stimuler la curiosité des convives. Dans ses souvenirs, Bernard Faÿ raconte qu'à l'un des dîners de Beaumont, Proust était arrivé à dix heures et un quart seulement, « la cravate de travers, avec une tache [nouvelle] sur le plastron, et le col écroulé [3] ». En revanche, il s'était éclipsé assez vite après le dîner qui, manifestement, ne l'avait pas beaucoup intéressé. « Une dame, qui voulait lui parler, poursuit Bernard Faÿ, se jeta sur ses traces, dans le

1. F. Bac, *Journal inédit*, 3 juillet 1922.
2. A. Fabre-Luce, *Vingt-cinq ans de liberté*, tome I, p. 248.
3. B. Faÿ, *Les Précieux*, p. 44.

petit salon qu'il venait de traverser, dans l'antichambre où elle ne le trouva plus, enfin, dans sa voiture qui n'avait pas encore démarré et où elle le vit, mais point seul ni sans occupation. Elle se retourna donc avec un petit cri et rentra dans le salon, aussi vite qu'elle en était sortie, mais plus rouge[1]. »

A ces réceptions qui ne lui apportent plus grand-chose, il préfère les causeries tête à tête chez lui où les visiteurs se succèdent, un peu comme des pénitents dans un confessionnal.

Tous les jeunes écrivains, ou aspirant à le devenir, qui lui rendent visite à cette époque, de Jacques Benoist-Méchin à André Breton, de Pierre Lafüe à François Mauriac, de Harold Nicolson à Jacques Rivière, tous décrivent de manière presque identique l'antre enfumé de la rue Hamelin où ils vont, nouveaux voleurs de feu, essayer de capter quelques étincelles de génie : « Une fumée épaisse régnait dans la pièce, se rappellera Bernard Faÿ, elle dissimulait les murs qu'on apercevait à peine, mais on distinguait une masse blanche dans un grand lit. Le visage de Proust, blafard et bouffi, semblait grisâtre à cause de la barbe peu taillée qui y poussait ; la voix le paraissait aussi... Tout autour de Proust, sur les couvertures, s'étalaient en désordre des feuilles d'épreuves, griffonnées et noircies de corrections. Je ne pouvais comprendre comment la pâle lumière d'une lampe si faible lui suffisait pour ce travail épuisant et délicat[2]. »

Avec ce mépris à peine déguisé qu'éprouvent les Anglo-Saxons pour les autres races, Harold Nicolson notera plus cruellement le caractère hébraïque du visage ; d'autres seront frappés par l'aspect cadavérique et artificiel de son corps, comme s'ils étaient en présence d'une espèce d'automate, agissant par gestes saccadés, mécaniques, mais tous s'accorderont pour souligner la bonne grâce de Proust, sa curiosité à l'égard d'autrui, parfois trop insistante, et la façon détachée dont il parle de son œuvre ou de soi-même. « Ne vous y trompez pas, déclare-t-il ainsi à Pierre Lafüe, ce monde que j'ai voulu peindre n'était pas le mien. Dans les plaisirs et dans l'amour même, je n'ai trouvé qu'un goût de néant. Je suis venu ici en étranger, je partirai d'ici en étranger. La vie d'un artiste n'est qu'une longue absence, il est ailleurs. Tout, ici-bas, nous est hostile. Dans notre frêle organisme, la santé et la maladie sont sans cesse en conflit. Les globules de notre sang

---

1. B. Faÿ, *Les Précieux*, p. 45.
2. *Ibidem*, p. 93.

se comportent comme des guerriers qui finissent toujours par succomber après avoir infligé à l'agresseur quelques coups d'arrêt provisoires. Le temps limité qui nous est accordé de vivre a été assorti d'une sourde menace qui se précise à mesure que nous prenons de l'âge. La mort qui nous guette, il faut donc la prendre de court si l'on veut accomplir ce qu'on s'est promis de faire. Entre elle et nous, c'est une course de vitesse haletante qui s'institue... [1]. »

Au lieu de se soigner pour reculer le plus possible l'échéance fatale, il continue de suivre un régime alimentaire absurde et d'user de médicaments à sa guise, sans aucune contrôle médical. Il se nourrit de moins en moins, renonçant même aux plats que Céleste allait prendre chez Larue, et il se contente de croissants et de café. En revanche, lorsqu'il a un visiteur à dîner, il tient à ce que celui-ci soit nourri convenablement. Rosny aîné se plaint de l'abondance du menu qui lui est servi et qu'il n'a pas le courage de manger, surtout à une heure aussi tardive. En général, Proust fait servir à ses invités poulet froid, salade et vin de Champagne, auxquels lui-même ne touche pas. Quelquefois Odilon Albararet va lui chercher au Ritz des canettes de bière.

Comme il a de plus en plus de difficulté à s'endormir, il fait une grande consommation de somnifères, et d'excitants pour sortir de l'état léthargique dans lequel l'ont plongé ses narcotiques. Les uns et les autres finissent d'ailleurs par perdre de leur efficacité sur un organisme mithridatisé par l'accoutumance. Aussi augmente-t-il les doses, en dépit du danger encouru. Ayant entendu parler d'un nouveau somnifère, que l'on ne trouve qu'en Suisse, il demande à Gautier-Vignal, qui a des amis à Genève, s'il peut le lui procurer. « Ces produits me furent expédiés, raconte Gautier-Vignal. Quand je les apportai à Proust, j'éprouvai le remords de me faire complice de l'alternance funeste de narcotiques et de stimulants dont je ne pouvais douter qu'elle usait chaque jour davantage son organisme déjà si frêle, si fragile [2]. »

Depuis la guerre, il a renoncé à quitter Paris pendant l'été, bien qu'une saison à Cabourg eût été salutaire pour son asthme. Un moment, il envisage d'accepter l'invitation que lui a faite Pierre de Polignac, devenu duc de Valentinois, de passer quelque temps à Monaco dont il venait d'épouser

---

1. P. Lafüe, *Pris sur le vif*, p. 20.
2. L. Gautier-Vignal, *Proust connu et inconnu*, p. 57.

l'héritière présomptive. Ce mariage étonnant rappelle un peu celui de la nièce de Jupien, titrée par le baron de Charlus Mlle d'Oloron, épousant Léonor de Cambremer. A en croire Céleste Albaret, Proust aurait vivement blâmé Pierre de Polignac d'avoir épousé par intérêt cette bâtarde que le prince Louis de Monaco avait eue jadis d'une lingère du palais. Sentant sa fin venir et ne voulant pas voir sa principauté passer dans une autre famille, ou tomber aux mains de la France, il s'était souvenu de cette fille lointaine et l'avait rappelée à Monaco pour la légitimer, lui conférer un titre et la marier à quelqu'un capable d'assurer l'avenir de la dynastie. « Quand on s'appelle Polignac, aurait dit Proust, aller renier son nom pour épouser une lavandière ! Car tout le monde sait, Céleste, que la mère de la duchesse lavait le linge à Monaco. Je ne verrai plus le comte Pierre ! » Telle est la version de Céleste[1] d'une brouille qui est en fait postérieure au mariage. A en croire l'abbé Mugnier, le nouveau duc de Valentinois aurait trouvé très désagréable d'être harcelé pendant son voyage de noces de lettres de Proust auxquelles il n'aurait pas répondu ou seulement une fois pour prier leur auteur de cesser sa poursuite. Il est possible que cette fin de non-recevoir ait provoqué leur brouille plutôt que le refus du nouveau prince, car entre-temps Polignac a été créé prince de Monaco, de souscrire à l'édition de luxe d'*A l'ombre des jeunes filles en fleurs*, autre motif allégué par Céleste Albaret.

Dégagé par ce refus mesquin de toute réserve à l'égard de la nouvelle altesse, Proust en profite pour ajouter hâtivement au *Coté de Guermantes* quelques anecdotes piquantes sur le comte de Nassau, adopté par le prince de Luxembourg pour perpétuer sa lignée.

*

Ce nouveau tome d'*A la recherche du temps perdu* est en cours d'impression, mais celle-ci est moins rapide que Proust ne l'espérait. A la lecture des bonnes feuilles, il a découvert, horrifié, des erreurs grossières passées inaperçues lors de la correction des épreuves : « Sauf dans certaines parties, écrit-il à Gaston Gallimard au début du mois de septembre 1920, les fautes sont tellement nombreuses et rendent les phrases si inintelligibles que devant mon déshonneur j'ai compris Vatel

1. C. Albaret, *Monsieur Proust*, p. 156.

se perçant de son épée. Je vous avais dit naïvement que pour les fautes grossières le lecteur rétablirait et qu'il valait mieux se borner pour l'*erratum* aux singularités oubliées qui serviront dans la suite. Mais devant tant de fautes, il vaut mieux les signaler dans un très long *erratum*[1]. » Évidemment ce dernier obligerait le lecteur consciencieux à s'y reporter fréquemment, ce qui rompt le rythme de la lecture. Ce ne pourrait être qu'un pis-aller. Certaines fautes sont impardonnables, telle l'erreur d'imprimer Bergson pour Bergotte ; d'autres enlèvent à la phrase toute signification.

Du coup, Proust voue aux gémonies André Breton, le correcteur fourni par la N.R.F., qui s'est acquitté de sa tâche avec une coupable désinvolture, encore qu'il éprouve une grande admiration pour Proust et s'efforce de la faire partager par les dadaïstes ses amis, ce qui vaut à Proust une clientèle imprévue. Penaud, Gallimard se confond en excuses et promet solennellement que pour le prochain volume il exigera de l'imprimeur un jeu d'épreuves supplémentaire, jurant qu'il n'y aura plus une seule faute.

L'infortuné Gallimard s'aperçoit que, s'il a eu la main heureuse en assurant à sa maison un auteur tel que Proust, celui-ci s'ingénie à lui rendre la vie difficile, voire impossible. Il ne se passe pas de semaine sans qu'il soit assailli des plaintes de Proust, mêmes les plus saugrenues, comme le reproche de n'être pas souvent chez lui. « A l'heure qu'il est, lui écrivait Proust au début de l'été, vous ne m'avez encore jamais dit où vous demeurez, et comme vous êtes peu à la revue, j'en suis réduit avec vous aux communications d'utilité pratique et professionnelle[2]. » Cependant, chaque fois que Gallimard veut lui rendre visite, il esquive la proposition, de même qu'il a refusé le banquet d'usage après avoir reçu le prix Goncourt, en dépit de l'insistance de son éditeur.

Ce n'est point qu'il soit indifférent aux honneurs, mais sans doute a-t-il estimé celui de présider un banquet peu de chose en comparaison d'un fauteuil à l'Académie française où il ne dédaignerait pas d'entrer, se laissant faire une douce violence par ses amis. L'idée lui en est venue sur une vague proposition d'Henri de Régnier, mais celui-ci se montre assez réservé sur les chances de succès lorsque, le prenant au mot, il envisage de poser sa candidature. Il y a déjà des candidats d'un certain

---

1. *Correspondance Proust-Gallimard*, p. 266.
2. *Ibidem*, p. 252.

poids pour les fauteuils disponibles et il vaudrait mieux, estime Régnier, attendre une prochaine vacance. Or, quelques jours plus tard, en lisant dans les journaux les noms des candidats, Proust constate que la liste, « bien qu'honorable », n'est « peut-être pas si éclatante » qu'il ne puisse y figurer sans ridicule et il presse Henri de Régnier en commençant le décompte des voix qu'il peut espérer, des personnages qui peuvent intervenir en sa faveur, tels le duc de Guiche, la comtesse d'Haussonville ou Anatole France.

Il commence à parler de ce projet à quelques amis, comme Paul Morand, sans cacher qu'il faudrait agir vite car après la publication de *Sodome et Gomorrhe* la chose ne serait plus possible. Il demande aussi l'avis de Jacques Rivière en le chargeant de sonder Gallimard pour savoir si une éventuelle élection à l'Académie serait agréable à son éditeur, favorable à ses livres. Rivière lui répond avec prudence, estimant quant à lui que les académiciens sont bien incapables d'apprécier à sa juste valeur un écrivain aussi original : « Avez-vous lu le discours d'Henry Bordeaux ? lui répond Jacques Rivière. Imaginez-vous que les gens à qui ce ronron fait plaisir puissent, d'une même âme, goûter, pénétrer, embrasser une chose comme *Swann* ? N'oubliez pas la force dont votre œuvre est pleine. Vous n'êtes pas un écrivain agressif, ni hérissé, c'est entendu, et c'est une des qualités que j'aime le plus en vous ; mais vous aurez beau faire, vous êtes trop dru, trop positif, trop vrai pour ces gens-là. Dans l'ensemble ils ne peuvent pas vous comprendre : leur sommeil est trop profond[1]. »

A peine découragé par cet avis, flatteur et pessimiste, Proust tente une démarche auprès de Barrès. Il lui fait porter par Odilon Albaret, après le dîner, une lettre dans laquelle il le conjure de venir le voir pour un événement de la plus haute importance. Surpris en négligé, Barrès se récrie : « Eh quoi ! Mais je suis en pantoufles ! » Le chauffeur insiste, disant que son maître est au plus mal et qu'il a ordre de lui amener M. Barrès. Celui-ci, méfiant, refuse de le suivre et lui dit qu'il ne se rendra au chevet de Proust que s'il est vraiment *au plus mal*. Le chauffeur se retire et un peu plus tard, il était minuit passé, quand Proust, en habit, débarque à Neuilly chez Barrès qui, le croyant à l'article de la mort, manifeste quelque étonnement de cette visite. Proust lui explique le motif de sa venue en un beau discours « allongé le plus gracieusement du

1. Kolb, tome XIX, p. 286.

monde et saupoudré des épithètes les plus extraordinairement louangeuses », discours dont l'argument clef se résume en cette phrase : « J'ai de Guiche ! » D'abord Barrès ne comprend pas, ne se connaissant pas de confrère de ce nom à l'Académie, puis devine que le duc de Guiche est dans l'esprit de Proust, par son titre et son rang, le meilleur protecteur pour lui ouvrir toutes grandes les portes du sanctuaire. « Euh ! Euh ! grommelle Barrès, c'est ingénieux, ça, mais peut-être que si je prenais en main votre candidature, elle aurait plus de chance d'aboutir... [1] »

Finalement il renonce à devenir un éphémère immortel et se contente, à l'automne, d'être nommé chevalier de la Légion d'honneur à la suite d'une démarche collective de ses amis auprès du ministre de l'Instruction publique. Au lieu d'attendre avec sérénité cette distinction, il s'inquiète des manœuvres qui pourraient l'empêcher de l'obtenir et demande à son frère, qui connaît bien le général Mangin, d'intervenir auprès de celui-ci, mais Robert Proust refuse et promet seulement d'intervenir auprès du général Maunoury. En fait, il n'était pas besoin de jeter dans la balance le poids d'un général victorieux, mais Proust, toujours ami des complications, paraît croire qu'il vaut mieux devoir sa décoration à une puissante influence qu'à la simple reconnaissance de son talent. Après sa nomination, le 23 septembre 1920, il s'inquiète cette fois de figurer dans la liste publiée par les journaux avec les autres, comme s'il avait été pris dans une rafle, suivant le mot de Clemenceau, et il demande à Robert de Flers, pour l'annonce qu'en fera *Le Figaro*, « de *le* mettre un peu à part, avec quelques vrais écrivains comme Mme de Noailles ou M. Fabre [2] ».

En apprenant sa nomination, Gaston Gallimard revient à la charge : « Ne serait-ce pas cette fois l'occasion de réunir tous ceux qui vous admirent à ce banquet dont nous avons déjà parlé ? » Mais Proust élude, en pensant peut-être au ridicule de ce genre de manifestation, lui qui avait assisté tout jeune au banquet offert à Edmond de Goncourt où les participants pensaient plus à leur gloire personnelle qu'à rendre hommage au vieux maître. Il accepte seulement d'un certain M. Imbert, marchand de tableaux rencontré jadis à Cabourg, une croix de diamants. « Évidemment, c'est un absurde cadeau, écrit-il à Mme Catusse, et qui pourra tout au plus figurer sur ma

1. M. Martin du Gard, *Les Mémorables*, tome premier, pp. 277-278.
2. Kolb, tome XIX, p. 488.

bière, puisque je ne peux me rendre aux dîners royaux. Mais enfin cela m'a beaucoup touché[1]. » Imbert paraît avoir été non seulement un amateur enthousiaste de Proust, mais un mécène discret car dans une autre lettre à Mme Catusse il fait allusion à l'offre d'Imbert d'acheter certains de ses meubles et de ses tapis dont, depuis tant d'années, il espère la vente.

*

Bien que se nourrissant presque exclusivement de café au lait, il a toujours de perpétuels besoins d'argent ou, plus précisément, de perpétuelles craintes d'en manquer. Sa situation de fortune est moins mauvaise qu'il ne l'imagine, mais il y a dans l'air une psychose de ruine à laquelle il cède lui aussi. Si la guerre a ruiné bien des gens, elle en a enrichi d'autres et c'est cette richesse insolente, étalée par tant de parvenus, qui donne aux anciens riches le sentiment d'être plus pauvres qu'ils ne le sont réellement. Même l'opulent duc de Gramont s'aperçoit que les temps ont changé un jour que, se rendant de Vallières à Paris, il se trouve avec son maître d'hôtel dans le même compartiment de première classe. Aussi, la fois suivante, avant de partir, donne-t-il au domestique vingt francs en lui disant : « Prenez une première pour vous et une seconde pour moi ! »

Une autre personne de l'entourage de Proust se trouve réduite à la portion congrue depuis l'effondrement de la Russie impériale, privée du luxe que faisait rejaillir un peu sur elle la grande-duchesse Wladimir : « Avec mes soixante mille francs[2] de rentes je ne peux plus vivre, gémit Mme de Chevigné auprès de Bac. Il faut se faire nourrir par des Peaux-Rouges de Paris. Ce n'est pas gai[3]. » Son pauvre Adhéaume, qu'elle a beaucoup *poussé*, suivant le mot de Marthe Bibesco, n'est arrivé à rien. Comme il se lamentait auprès du baron Alphonse de Rothschild d'avoir toujours échoué dans ses affaires alors qu'il n'avait cessé de travailler, le baron, apitoyé, lui avait prêté 150 000 francs[4] qu'Adhéaume s'était fait un scrupule de rembourser : « A présent, il doit nous mépriser... », avait conclu Mme de Chevigné, plus balzacienne que son mari[5].

---

1. *Lettres à Mme Catusse*, p. 201.
2. Environ 250 000 francs de 1990.
3. F. Bac, *Journal inédit*, 10 mars 1921.
4. Environ 600 000 francs de 1990.
5. F. Bac, *Journal inédit*, 4 janvier 1920.

Proust n'échappe pas à la règle et invoque le mauvais état de ses finances pour exiger de son éditeur plus d'exactitude dans l'envoi de ses droits d'auteur afin de « pouvoir régler son budget qui est formidable sous une apparence modeste[1] ». Il n'a rien reçu depuis longtemps alors qu'on lui avait promis un relevé de comptes au mois de septembre 1919. Un jour qu'il se plaint devant Céleste Albaret de cette difficulté de tirer quelque argent de Gallimard, celle-ci s'en étonne, observant qu'il a pourtant des liens étroits avec la banque Lazard : « Chère Céleste, répond doucement Proust, mais voyons, c'est une raison de plus[2] ! »

Gallimard finit par lui envoyer, au début de l'année 1920, un chèque de 7 500 francs[3] correspondant au paiement d'un acompte de 7 200 francs sur les trois premiers mille de *Du côté de Guermantes* et au paiement — 300 francs — de l'étude sur Flaubert, ajoutant qu'il ne peut faire mieux étant donné la crise de l'édition et la difficulté qu'il éprouve à faire rentrer l'argent que lui doivent les libraires. En revanche, il lui promet de lui verser 2 500 francs[4] par mois à compter du 15 février 1921.

*Le Côté de Guermantes I* est sorti à la fin du mois d'octobre 1920, en dépit des innombrables fautes d'impression qui n'ont pu être corrigées à temps. Le livre est dédié à Léon Daudet, dont il rappelle dans la dédicace quelques titres célèbres, « à l'incomparable ami, en témoignage de reconnaissance et d'admiration ». En adressant son exemplaire à Gaston Gallimard, il se montre infiniment moins louangeur : « A mon cher Gaston, je ne me doutais guère quand je vous vis pour la première fois, *riche de vos seuls yeux tranquilles* et de tant de fausse innocence, que je vous devrais tant de reconnaissance, et la fidélité absurde que je garde à la N.R.F., le cocu tantôt réel, et tantôt imaginaire. Du cœur à vous[5]. »

Devenu moins aimable avec l'âge et le succès, il ne craint plus de régler quelques comptes et profite de certaines dédicaces pour dire leur fait à quelques personnes qui l'ont déçu. Ainsi en est-il pour Mme de Chevigné qui, recevant un exemplaire de la troisième édition — et non de l'originale, elle ne mérite

1. *Correspondance Proust-Gallimard.*
2. C. Albaret, *Monsieur Proust*, p. 349.
3. Environ 30 000 francs de 1990.
4. Environ 10 000 francs de 1990.
5. *Correspondance Proust-Gallimard*, p. 290. Le vers cité est de Verlaine, extrait de *Sagesse*.

pas cet honneur — pourra lire, en tête du volume : « Madame, il est vrai que voulant qu'un livre où il y a tant de vous fût sur un papier unique et dans un exemplaire fait pour vous, j'ai perdu beaucoup de temps... Au reste, il me semblait que le présent (dans le sens cadeau) c'était de voir avoir fait ce livre. Et que l'enveloppe matérielle, et qu'il fût acheté par moi pour vous, importait peu. Vous n'êtes pas d'accord avec moi là-dessus. Voici donc un exemplaire (hélas ! il n'y en a plus que d'affreux, je vais chercher pourtant) puisque vous attachez plus d'importance aux rames de papier qu'aux souvenirs du cœur[1], etc. »

Plus intéressée par ce que Proust a pu lui emprunter pour l'un de ses personnages que par le livre lui-même, Mme de Chevigné aurait dit à Cocteau : « Mon petit Jean, Marcel vient de m'envoyer son livre. Tu serais gentil de me marquer tous les endroits où il parle de moi[2]. »

A l'instar de Mme de Chevigné, la plupart des gens de la société parisienne sont moins intéressés par le livre que par les portraits que, sous le voile d'une fiction, Proust a pu faire d'eux-mêmes ou de leurs amis. La curiosité le dispute à l'inquiétude. De même que dans une longue dédicace à Jacques de Lacretelle, il avait, sur un exemplaire de *Du côté de chez Swann*, livré certaines clefs de ce roman[3], dans une lettre à Lucien Daudet, il avoue ce qu'il a pris, çà et là, dans leur entourage pour en doter certains personnages du milieu Guermantes, mais, comme il l'a toujours dit, il y a tant de clefs « pour chaque porte, qu'à la vérité il n'y en a aucune[4] ».

Le souci de mettre un nom sur les visages des héros de Proust, l'éclat du monde ainsi décrit empêchent la plupart des lecteurs de remarquer, outre les fautes d'impression, certaines invraisemblances analogues à celles déjà relevées dans *A l'ombre des jeunes filles en fleurs* et qui révèlent la transposition d'un sexe à l'autre dans certains épisodes.

Les gens du grand monde, qui savent ce que sont réellement de vrais grands seigneurs, ne se reconnaissent pas dans les Guermantes et s'étonnent que l'opinion publique voit en ceux-ci la fleur de l'aristocratie française. Le comte Greffulhe n'est pas content. Lorsque Proust écrivait *Du côté de chez Swann*, il avait voulu vérifier un point de détail auprès des Greffulhe qui

1. Kolb, tome XIX, p. 681.
2. A. David, *Soixante-quinze années de jeunesse*, p. 11.
3. *Cahiers Marcel Proust*, tome I, p. 190.
4. Kolb, tome XIX, p. 462.

l'avaient invité à venir les voir, un après-midi de printemps. Malgré la chaleur, il avait gardé sa pelisse et, tassé frileusement dans un fauteuil, il avait longuement ausculté le comte, tantôt moustique pour le harceler de petites questions insignifiantes, tantôt renard pour lui extorquer, par un propos anodin, quelque révélation importante sur sa psychologie. La séance avait duré longtemps et lorsque enfin Proust s'était retiré avec son butin, le comte Greffulhe avait proféré : « Il est parti content, mais il ne m'a pas eu. J'ai vu où il voulait en venir. Je ne suis pas un enfant...[1]. » En lisant *Le Côté de Guermantes* le comte s'estime trahi et peu après il a un mot qui aurait enchanté son portraitiste : « Je pars pour Boisboudran, je vais y faire un livre pour répondre à M. Proust ! »

*

Après la publication de cette première partie du *Côté de Guermantes* dont le succès confirme l'excellence du choix des Goncourt, Proust fait désormais figure de grand écrivain. A ce titre, il est presque chaque semaine sollicité d'écrire une étude ou une préface, de répondre à une enquête, de donner son nom pour une œuvre, un comité de bienfaisance ou un gala littéraire. Il se refuse à ce gaspillage de talent et de temps, car la plupart de ces demandes, sous des prétextes littéraires, recouvrent de vulgaires appétits commerciaux, et ne fait que deux exceptions. La première est d'écrire une préface pour un recueil de nouvelles de Paul Morand, *Tendres stocks*, la seconde de faire partie du jury de la fondation Blumenthal.

Il n'a, semble-t-il, accepté cette dernière corvée que pour user de son influence en faisant attribuer le prix, qui n'est pas négligeable — 12 000 francs[2] — à Jacques Rivière. Celui-ci en a bien besoin, car de santé fragile et de tempérament neurasthénique, il est obligé de faire vivre sa famille avec le peu qu'il gagne à la N.R.F. ou par ses livres. Proust l'avait déjà recommandé au docteur Roussy qui avait eu la délicatesse de le soigner sans lui prendre d'honoraires, mais il veut faire davantage pour lui.

Le jour de la délibération du jury, le 30 septembre 1920, il se lève, en dépit d'une otite causée par l'usage de boules Quiès, et arrive, chancelant de fatigue, au comité Blumenthal

1. A. de Fouquières, *Cinquante ans de panache*, p. 193.
2. Environ 50 000 francs de 1990.

où siègent Barrès, Bergson, Boutroux, Boylesve, Gide, Robert de Flers, Jaloux, Mme de Noailles et Valéry, aréopage qui montrait la sûreté de jugement de Mme Blumenthal. L'arrivée tardive de Proust produit un peu l'effet de la statue du Commandeur, si funèbre est son apparence. Proust est lui-même conscient de l'étrangeté de son apparition, car relatant la séance à Robert Dreyfus, il écrira : « J'aurais pu dire comme Phèdre :

*Mes yeux sont éblouis du jour que je revois*
*Et mes genoux tremblants se dérobent sous moi.*

« Car je manquais tomber tantôt sur Bergson et tantôt sur Boylesve[1]. »

Celui-ci, qui l'aime de moins en moins au fur et à mesure que s'accroît le succès de ses livres, trace de lui dans son *Journal* un portrait des plus féroces, mais aussi des plus saisissants : « J'ai vu entrer, alors que nous étions en séance depuis une demi-heure, Marcel Proust. De loin, pendant que, précédé d'un domestique en livrée, il avançait dans le corridor, j'ai cru voir, en fantôme, une interprétation humaine du *Corbeau*, d'Edgar Poe. Un être assez grand, presque gros, les épaules hautes, engoncé dans un long pardessus… mais surtout, une face extraordinaire : une chair de gibier faisandé, bleue, de larges yeux d'almée, creux, soutenus par deux épais croissants d'ombre, les cheveux abondants, droits, noirs, mal coupés et non coupés depuis deux mois, une moustache négligée, noire. Il a l'aspect d'une chiromancienne, et son sourire. Quand je lui serre la main, je suis absorbé par son faux col évasé, élimé, et qui, sans exagérer, n'a pas été changé depuis huit jours. Tenue de pauvre, avec de petits souliers fins chaussant un pied de femme. Une cravate râpée, un pantalon large, d'il y a dix ans… Il a, malgré la moustache, l'air d'une dame juive de soixante ans qui aurait été belle. Ses yeux, de profil, sont orientaux. Je cherche à voir ses mains, mais elles sont emprisonnées dans des gants blancs, remarquablement sales ; en revanche, je remarque un poignet fin, blanc et gras. La figure semble avoir été fondue, puis regonflée incomplètement et dérisoirement ; les épaisseurs se portent au

1. Kolb, tome XIX, p. 498.

hasard et non là où on les attendait. Jeune, vieux, malade et femme — étrange personnage[1]. »

Son apparition a au moins un double effet : donner un peu d'argent au malheureux Rivière et inspirer à Boylesve une page plus haute en couleur que celles qu'il écrit habituellement. Un peu plus tard, Proust, toujours ennuyé de voir Rivière se débattre dans mille difficultés matérielles et morales essaiera de faire attribuer à son roman *Aimée* le prix Balzac, mais Rivière, qui lui avait dédié ce livre, refusera toute intervention en sa faveur et manquera le prix. C'est un caractère entier, sans compromissions, et il le prouvera, au lendemain du prix de la fondation Blumenthal, en refusant à Proust d'écrire pour la N.R.F. un article de complaisance sur le dernier ouvrage de Lucien Daudet. Du coup, Proust se plaindra de son ingratitude à plusieurs de ses correspondants.

Pour la préface à *Tendres stocks*, on pourrait s'étonner qu'accablé de travail et craignant toujours de ne pouvoir achever son œuvre, il gaspillât du temps pour le livre d'un autre. S'il a fini par accéder au désir de Mme de Maugny en lui adressant pour un recueil de ses dessins, *Au royaume du bistouri*, une lettre-préface dans laquelle il évoquera quelques souvenirs de séjours en Savoie, sans guère parler des dessins eux-mêmes[2], il écrit une longue étude, en revanche, pour le receuil de nouvelles de Paul Morand. En lisant cette préface, il est vrai, on constate qu'il a moins songé à Morand qu'à lui-même et qu'il a saisi l'occasion d'exposer, une fois de plus, certaines de ses théories.

En effet, le nom de Morand y apparaît à peine, et de son livre il est encore moins question, sauf pour contester l'emploi de certaines images : « Le seul reproche que je serais tenté d'adresser à Morand, c'est qu'il a quelquefois des images autres que des images inévitables. Or, tous les à-peu-près d'images ne comptent pas. L'eau (dans des conditions données) bout à 100 degrés. A 98, à 99, le phénomène ne se produit pas. Alors mieux vaut pas d'images. » Et, quelques lignes plus loin, il en profite pour exprimer une fois de plus sa détestation de Péguy : « C'est le reproche qu'on pouvait faire à Péguy pendant qu'il vivait, d'essayer dix manières de dire une chose, alors qu'il n'y en a qu'une. La gloire de sa mort admirable a

1. R. Boylesve, *Feuilles tombées*, p. 266.
2. *Essais et articles*, dans *Contre Sainte-Beuve*, p. 566.

tout effacé[1]. » Proust ne semble pas s'être rendu compte, en portant ce jugement, qu'il a commis une de ces *louchonneries* qu'il critiquait jadis chez les écrivains dont le patriotisme l'emportait sur le goût. La prose d'un écrivain, une fois que celui-ci est mort, ne s'en trouve pas améliorée. Si elle est mauvaise, elle restera mauvaise. Pour une fois, Proust rejoint Sainte-Beuve en jugeant l'œuvre au travers de l'homme.

A l'exception de ce reproche et d'une allusion aux succès féminins de Morand, il n'est à peu près pas question de celui-ci ou de ses nouvelles dans cette ample préface. En revanche, Proust disserte à loisir sur Anatole France, qu'il regrette de n'avoir pas vu depuis vingt ans, sur Taine, sur Renan et sa *Vie de Jésus*, dans laquelle il voit derechef « la Belle Hélène du christianisme », sur Baudelaire et l'injustice commise à son égard par Sainte-Beuve ; il égratigne un peu au passage Daniel Halévy, perdu de vue depuis vingt-cinq ans, précise-t-il, comme s'il lui reprochait de l'avoir négligé, puis il revient aux classiques, Boileau, Racine et Mme de Sévigné pour terminer par une citation fautive de *Phèdre*.

On peut légitimement se demander si Proust a lu les nouvelles qui composent le recueil. En tout cas, Paul Morand ne paraît pas avoir été ravi de cette préface et il y a peut-être vu la réponse de Proust à son *Ode*. C'est à juste titre que cette préface vaudra à son auteur un « mauvais Souday », l'illustre critique, malgré les lettres effervescentes de Proust et des invitations à dîner au Ritz, gardant toute son indépendance de jugement au point que, dans un de ses articles consacré au *Côté de Guermantes I*, il porte un jugement qui fait se hérisser l'auteur. En effet, comparant son style à celui de Saint-Simon, il marque la différence entre les tempéraments des deux écrivains, voyant dans Proust « surtout un esthète nerveux, un peu morbide, presque féminin... ». Le terme *féminin* est promptement relevé par Proust : « Je voudrais que vous demandiez à mes témoins de duel, moi qui ne me suis jamais réconcilié avec mes adversaires, si mon caractère est celui que vous croyez[2]. »

Achevée au début d'octobre 1920, la préface à *Tendres Stocks* ne paraîtra qu'au mois de février 1921, la sortie du livre de Morand ayant subi un retard. Le second tome du *Côté de Guermantes*, également retardé, doit paraître aussi à cette date.

---

1. *Essais et articles* dans *Contre Sainte-Beuve*, p. 562.
2. Kolb, tome XIX, p. 627.

Cela laisse à Proust le temps de prévoir des prépublications de son livre dans différents périodiques et journaux. Au mois d'août 1920, *La Revue de Paris* avait envisagé de consacrer plusieurs de ses livraisons à ce second volume, mais Proust avait refusé, pensant réserver cette prépublication à la N.R.F. Par suite d'un malentendu avec Jacques Rivière, le projet avait échoué. Aussi, ne voulant plus négliger aucune occasion d'assurer sa publicité, il prête une oreille d'autant plus complaisante à des propositions de Bernard Grasset que celui-ci, n'étant plus son éditeur, a repris à ses yeux tout son charme. Grasset avait prié Edmond Jaloux, directeur d'une collection intitulée « Le roman », de réunir en volume les pages les plus caractéristiques de grands auteurs contemporains et de demander à Proust s'il accepterait de figurer dans ce recueil de textes. « Ce ne peut être que très avantageux pour moi, écrit Proust à Gallimard, que mon nom soit mis ainsi en relief (pour moi, donc pour vous). Je me doute bien qu'il n'y aura pas que des Bergson dans ce volume de *Pages choisies*. Mais enfin je serai vraisemblablement en bonne compagnie, en très bonne compagnie. Jaloux m'en a donné l'assurance[1]. » Après lui avoir répondu favorablement, non sans ressentir un petit mouvement de jalousie, Gallimard revient sur son autorisation en lui avouant qu'il lui serait très pénible qu'il émigrât, ne serait-ce que pour des morceaux choisis, chez son rival. Il méditait depuis longtemps le même projet, ayant déjà préparé l'édition de *Morceaux choisis* d'André Gide, et il souhaite achever de publier *A la recherche du temps perdu* avant de faire paraître des *Morceaux choisis* de Proust qui, précise-t-il judicieusement, doivent être pris dans l'œuvre entière afin de mieux la refléter.

1. *Correspondance Proust-Gallimard*, p. 298.

## 23

## Novembre 1920 - Novembre 1922

*Le visage de la Mort - Gide effarouché par* Sodome et Gomorrhe *- Irritation du grand monde - Accablement de Montesquiou - Nouveaux différends avec Gallimard - Une visite à Natalie Barney - Soirées au Ritz - Sydney Schiff et l'*Ange *Violet - Rencontre avec James Joyce - Adieux au monde - Dernière escarmouche avec Gallimard - Ultime imprudence : Ernst Forssgren - Mort et transfiguration - Les personnages de Proust à son enterrement.*

Dans sa préface à *Tendres Stocks*, pour se faire pardonner de n'avoir pas écrit ce que le public et plus encore l'auteur attendaient de lui, Proust avouait : « Un événement subit m'en a empêché. Une étrangère a élu domicile dans mon cerveau. Elle allait, elle venait ; bientôt, d'après tout le train qu'elle menait, je connus ses habitudes. D'ailleurs, comme une locataire trop prévenante, elle tint à engager des rapports directs avec moi. Je fus surpris de voir qu'elle n'était pas belle. J'avais toujours cru que la Mort l'était [1]. »

Affaibli par le manque de nourriture, épuisé par l'alternance de somnifères et de caféine, il semble traiter son corps comme son œuvre, c'est-à-dire aller au-delà du possible dans la résistance de ses forces vitales et la psychologie de ses personnages. On peut même penser qu'il s'est livré à d'étranges expériences, comme celle qu'évoque Céleste Albaret dans ses souvenirs, lorsqu'il avait passé deux jours entiers dans sa chambre, sans donner signe de vie. Plusieurs fois, Céleste, inquiète, était venue écouter derrière sa porte, en se demandant ce qu'elle devait faire, car elle avait la consigne formelle de n'entrer que si elle était appelée par un coup de sonnette. A son grand soulagement, l'appel était enfin venu, après quarante-

1. *Essais et articles*, dans *Contre Sainte-Beuve*, Pléiade, p. 606.

huit heures d'angoisse, et elle restera toujours convaincue qu'il avait voulu, en forçant sa dose de véronal, faire l'expérience de la mort tout en gardant assez de lucidité pour analyser ses impressions [1].

Proust a commencé l'année 1921 par une bronchite qui le cloue au lit, aphone et fiévreux. Il n'en travaille pas moins, doutant cependant de voir la fin de la publication d'*A la recherche du temps perdu*. Il a tellement surchargé, en les corrigeant, les épreuves du *Côté de Guermantes II* qu'il faut de nouvelles épreuves avant de pouvoir donner le bon à tirer. Quant à *Sodome et Gomorrhe I*, qui doit paraître dans le même volume avec *Le Côté de Guermantes II*, le texte est encore à l'état de manuscrit. Gallimard va le faire dactylographier pour que Proust puisse déjà le réviser avant de l'envoyer à l'imprimeur, afin de faciliter la tâche de celui-ci. « Les ouvriers ne sont plus ce qu'ils étaient jadis », constate mélancoliquement Gaston Gallimard.

Le 20 janvier 1921, Proust lui adresse la fin des épreuves du *Côté de Guermantes II* ainsi que le manuscrit de *Sodome et Gomorrhe I* en lui rappelant que celui-ci ne doit « être communiqué à personne », car, écrit-il, il y a déjà eu des « regards indiscrets » qui l'ont désolé [2]. Quant à *Sodome et Gomorrhe II*, initialement prévu en un volume, il en comptera trois et paraîtra en avril 1922, mais, compte tenu de sa taille, il faudrait déjà commencer sa composition.

Au début du mois de mars, il fait parvenir à Gallimard, revu et corrigé, tout *Le Côté de Guermantes II* et *Sodome et Gomorrhe I* : « Je viens de fournir contre vents et marées un travail colossal, et sans hésiter, afin de paraître ; jetons-nous à la mer et donnez immédiatement le bon à tirer pour tout [3] », recommande-t-il à Gallimard. Débarrassé de ce souci, il entreprend aussitôt la révision de *Sodome et Gomorrhe II* et s'aperçoit qu'il s'agit d'une véritable refonte, tâche énorme, car il éprouve « une extrême difficulté à écrire dans l'état » où il se trouve. Aussi croit-il préférable d'en aviser Gallimard : « Pour tous les derniers volumes, je serai mort qu'ils peuvent paraître tels quels, ou quasi. Il est donc extrêmement souhaitable que pendant que je peux ( ?) encore travailler je reçoive le plus tôt possible les placards de *Sodome II*. Cela ne vous obligera

1. C. Albaret, *Monsieur Proust*, p. 337.
2. *Correspondance Proust-Gallimard*, p. 318.
3. *Ibidem*, p. 329.

nullement à en avancer la publication, mais cela me permettra (dans la meilleure hypothèse) de vous donner *Sodome II* qui paraîtra ensuite quand bon vous semblera. Pour les volumes suivants et derniers, il y a peu à faire pour moi, et à la rigueur, après avoir donné à vous ou à Jacques [Rivière] quelques explications, mes cahiers pourraient paraître tels quels, en cas d'événement fâcheux [1]. »

Impressionné par ce ton testamentaire, Gallimard hâte les choses, faisant téléphoner tous les matins à l'imprimeur « pour le tenir en haleine » et se rendant lui-même régulièrement à Fontenay pour surveiller la composition. Malgré sa bonne volonté, il lui est difficile de satisfaire son auteur, qui a toujours quelque plainte à formuler. Le dernier des griefs de Proust vise la dactylographie de *Sodome et Gomorrhe II* qui comporte bien des lacunes et sur laquelle il n'a pu travailler efficacement. Il regrette aussi, et ne cesse de le dire, que *Le Côté de Guermantes II* et *Sodome et Gomorrhe I* ne puissent être en librairie le 1er mai, bien que ce soit un jour férié. Pourtant, à la N.R.F., tout le monde s'emploie fiévreusement à en hâter la sortie. Jacques Rivière, Paulhan et Gallimard lui-même relisent chaque jour les épreuves que Gallimard rapporte le soir à l'imprimerie. Tant de zèle n'adoucit pas l'acrimonie de Proust qui, à la fin du mois d'avril, ne croit plus à la bonne foi de l'équipe de la N.R.F.

Alors qu'il ne sait où donner de la tête entre les soucis de sa maison, les exigences de ses auteurs, les réticences de ses banquiers, la désinvolture des imprimeurs et la santé de sa femme, le malheureux Gallimard reçoit à cette époque une lettre de Proust qui achève de le consterner : « Je suis très dans des idées noires parce que je me demande... si je n'ai pas été depuis quelques années le *cocu* de la N.R.F. Heureusement — ou malheureusement — ce sont des cornes qu'on ne peut pas porter. » Après avoir proposé à Gallimard de faire arbitrer leur différend par un tiers, il admet voir plus en noir certaines choses en raison de l'aggravation de son état de santé : « J'ai des crises d'asthme qui ne cessent ni jour ni nuit et m'obligent à ajouter à mes souffrances un surcroît d'intoxication [2]. »

André Gide, qui rendra visite à Proust le mois suivant, constatera qu'il est en effet malade, et plus que ne le croient

1. *Correspondance Proust-Gallimard*, p. 332.
2. *Ibidem*, p. 351.

ses amis qui, habitués depuis trente ans à l'entendre gémir, ne prennent plus ses plaintes au sérieux : « Longtemps j'ai pu douter si Proust ne jouait pas un peu de sa maladie pour protéger son travail (ce qui me paraît très légitime), écrit-il dans son *Journal* ; mais hier, et déjà l'autre jour, j'ai pu me convaincre qu'il était réellement très souffrant. Il dit rester des heures durant sans même pouvoir remuer la tête ; il reste couché tout le jour, et de longues suites de jours. Par instants, il promène le long des ailes du nez le tranchant d'une main qui paraît morte, aux doigts bizarrement raides et écartés et rien n'est plus impressionnant que ce geste maniaque et gauche, qui semble un geste d'animal ou de fou[1]. »

Gide, qui vient de lire le début de *Sodome et Gomorrhe*, ne partage absolument pas les idées de Proust sur le sujet. Ils en parlent longuement tous deux lors des visites de Gide rue Hamelin et l'on imagine le dialogue, à travers les brouillards des fumigations, de ces deux grands esprits qui, chacun à sa manière, ont bouleversé leur siècle en ouvrant à la littérature de nouvelles perspectives. Gide, qui lui avait apporté un exemplaire de son *Corydon* en le priant de n'en parler à personne, a été fort surpris, presque choqué, de le voir aborder le problème sous un autre angle. Proust ne lui a pas caché avoir ces mœurs qui ne sont pas celles de son Narrateur et que Gide lui-même, en maintes circonstances, s'est toujours défendu de pratiquer : « Loin de nier ou de cacher son uranisme, écrit Gide, il l'expose et, je pourrais presque dire, s'en targue. Il dit n'avoir jamais aimé les femmes que spirituellement et n'avoir jamais connu l'amour qu'avec des hommes[2]. » Comme beaucoup d'homosexuels vieillissants, comme Charlus le fait d'ailleurs, Proust soupçonne l'humanité entière de s'adonner, ou pour certains de s'être adonnés, à un moment ou l'autre de leur existence, au *vice errant*. Peu de gens, selon lui, échappent à l'emprise, ou la nostalgie, de Sodome, en particulier ceux qui ont du talent. Il en donne pour exemple Baudelaire dont, pour lui, le génie sulfureux ne s'expliquerait pas sans cela. Comme André Gide proteste, en disant que si Baudelaire pouvait avoir eu des tendances homosexuelles, c'était « à son insu » et qu'il n'était jamais passé aux actes, Proust s'indigne : « Comment donc ! Je suis convaincu du contraire ; comment pouvez-vous douter qu'il

1. A. Gide, *Journal*, Pléiade, p. 694.
2. *Ibidem*, p. 692.

pratiquât ? Lui, Baudelaire ! » « Et dans le ton de sa voix, commente Gide, il semble qu'en en doutant je fasse injure à Baudelaire[1]. »

Lorsque Gide, la semaine suivante, retourne rue Hamelin, la conversation reprend sur le même thème. Au reproche de Gide d'avoir, dans *Sodome et Gomorrhe*, stigmatisé l'uranisme, Proust « se montre très affecté » et Gide comprend enfin, écrit-il, « que ce que nous trouvons ignoble, objet de rire ou de dégoût, ne lui paraît pas à lui si repoussant ».

Cette attitude envers Gide est curieuse si on la compare à la réaction que Proust aura quand Paul Morand, revenant de Berlin, où sévit le fameux docteur Magnus Hirschfeld, grand maître de la sexualité, lui offrira un *Précis de l'inversion*, gros comme un dictionnaire, qu'il avait acheté là-bas. « Je me vois encore le déposant, dans l'obscurité, sur le lit de Marcel Proust, se souviendra Morand. J'imaginais, dans ma naïveté, qu'il aimerait trouver une documentation utile avant de terminer *Sodome et Gomorrhe*, mais Proust, en colère, repoussa l'ouvrage sans vouloir y jeter les yeux et me le rendit avec dégoût...[2]. »

Réaction de prudence, pour laisser croire à Morand, pourtant sans illusions à cet égard, que ce genre de choses ne l'intéressait pas ? Réaction d'esthète, qui ne s'attache qu'à l'incidence de ce genre d'amour sur la littérature et n'a que mépris pour la réalité, sordide à ses yeux ? On ne sait, mais il est certain qu'à cette époque encore, où la publication de *Sodome et Gomorrhe I* devrait ouvrir les yeux à son entourage, beaucoup de ces amis ne le soupçonnent pas d'être, lui aussi, un habitant des cités maudites.

*

A l'instar de la presse, la plupart des lecteurs ne voient dans le livre, qui a été finalement mis en librairie le 2 mai, qu'une étude scientifique, faite magistralement, presque en clinicien, par un écrivain à qui les travaux de son père et de son frère ont rendu ces problèmes plus familiers qu'à d'autres. Edmond Jaloux et André Allard voient même en lui un « moraliste », ne dénonçant ces mœurs que pour les châtier.

L'honnête Jacques Rivière, si dévoué à Proust, est boule-

1. A. Gide, *Journal*, Pléiade, p. 692.
2. P. Morand, *Discours* du 15 décembre 1971 à l'Académie française pour le prix Montyon, cité par H. Bonnet, *Les Amours et la sexualité de Marcel Proust*, p. 95.

versé, avoue-t-il, par cette lecture, écrivant qu'il éprouve « une espèce de vengeance à lire les pages terribles (et rendues plus terribles encore par leur équité même) où [il a] décrit la race des sodomites ». Incapable de croire qu'un tel écrivain appartienne à cette race, il le considère au contraire comme un des rares esprits pouvant porter un jugement sur elle, en raison des hauteurs où il plane : « J'avais entendu trop souvent autour de moi fausser la notion de l'amour pour ne pas éprouver une détente délicieuse à écouter parler là-dessus quelqu'un d'aussi sain, d'aussi équilibré que vous », écrit-il ingénument à l'auteur.

Le ton est donné. Dans la N.R.F., où il serait difficile, il est vrai, d'attaquer Proust, Roger Allard écrit au mois de septembre 1921 : « Ces pages d'une si brûlante éloquence, d'une poésie si âpre et si noble, rompent un charme, le charme esthétique de l'inversion sexuelle sous lequel les arts et la littérature sont si longtemps demeurés. » En un seul livre, Proust a, de l'avis général, fait justice de toute une littérature précieuse et faisandée qui ne subsistera plus que pour son intérêt historique, à l'état de curiosité.

Seul André Germain, qui sait, lui, à quoi s'en tenir sur Proust, insinue que l'auteur de *Sodome et Gomorrhe* n'est pas si différent que cela de certains de ses personnages. Il estime aussi qu'il n'a vu la haute société qu'il décrit dans *Le Côté de Guermantes* que par le trou de la serrure. Dans *Ecrits nouveaux*, il compare l'ami de son ex-beau-frère Lucien Daudet à une « vieille demoiselle, institutrice chez des gens infiniment *gratin*, qui serait devenue la maîtresse d'un valet de chambre [1] ».

Certaines personnes du grand monde partagent un peu cet avis, qui s'offensent de voir les traits que Proust leur a empruntés pour en charger ses personnages, parfois peu sympathiques. Déjà très mécontent de voir ses cousins Murat maltraités dans le pastiche de Saint-Simon, Louis d'Albuféra est furieux de reconnaître dans la dispute entre Rachel et Saint-Loup un épisode de sa liaison avec Louisa de Mornand. Du coup, il se brouille définitivement avec Proust, montrant au moins par là qu'il a bien lu le livre alors que pour les précédents Proust en avait douté.

La plus furieuse est incontestablement Mme de Chevigné qui attendait le livre avec une certaine impatience, en sachant

1. *Quid de Proust*, p. 234.

qu'elle y tenait une grande place, et elle a été fort dépitée de se savoir dépeinte avec tant de cruauté.

Sachant que tout Paris discutait des clefs, mettant sur tel personnage plusieurs noms, même des noms auxquels il n'avait pas pensé, Proust avait essayé de prendre les devants avec le duc de Guiche en lui révélant ce qu'il avait pris à sa belle-mère, la comtesse Greffulhe. Au passage, il en avait profité pour exhaler sa rancœur contre Mme de Chevigné, jadis si indifférente à son admiration : « ... Sauf qu'elle [1] est vertueuse, elle ressemble un peu à la poule coriace que je pris jadis pour un oiseau de paradis et qui ne savait, comme un perroquet, que me répondre : *Fitz-James m'attend !* quand je voulais la capturer sous les arbres de l'avenue Gabriel. En faisant d'elle un puissant vautour, j'empêche au moins qu'on la prenne pour une vieille pie [2]. »

Bien que Proust finisse par lui envoyer le livre, Mme de Chevigné refusera de le lire et ne voudra plus entendre parler de son auteur qu'elle n'aurait jamais dû recevoir. Bien des années plus tard, sa petite-fille, Marie-Laure de Noailles, avouera un jour à Philippe Jullian : « J'ai aidé ma grand-mère à brûler des dizaines de lettres de cet indiscret. »

Si Mme de Chevigné a été blessée, elle ne l'est pas mortellement puisqu'elle vivra jusqu'en 1936 alors que Montesquiou, lui, mourra littéralement de s'être reconnu dans le baron de Charlus.

*

Depuis la dernière visite de Montesquiou boulevard Haussmann et l'impitoyable monologue qu'il avait dû subir, Proust n'avait plus entretenu avec celui-ci que des relations sporadiques. Comme il l'avait fait avec nombre d'amis, il s'était gardé de lui envoyer ses livres lors de leur parution, faute, prétendait-il, d'avoir des premières éditions, seules dignes de leur destinataire. Bien entendu, il en rejetait la faute sur son éditeur, ou bien sur un libraire accapareur ; en revanche, il s'était étonné qu'après la sortie de *Pastiches et Mélanges*, Montesquiou ne lui eût pas écrit pour le remercier de lui avoir fait une place si belle dans son pastiche de Saint-Simon. Finalement, il

1. La duchesse de Guermantes.
2. Princesse Bibesco, *Le Voyageur voilé*, p. 111.

s'était exécuté en adressant ses livres à Montesquiou qui l'en avait remercié, mais comme il ne l'avait pas remercié de ses remerciements, Montesquiou n'avait pas jugé convenable qu'il le félicitât d'avoir reçu le prix Goncourt, estimant qu'en raison de son âge et de sa position il ne lui appartenait pas de faire les premiers pas.

Il lui avait néanmoins envoyé ses deux derniers livres, *Diptyque de Flandre, Triptyque de France* et *Les Délices de Capharnaüm* après lui avoir écrit, quelques mois auparavant, qu'il aurait aimé lui dédier une de ses œuvres et qu'il n'y avait renoncé qu'à regret, en raison du malentendu qui les avait un moment séparés. Non sans une certaine amertume, il avait écrit : « Les nécessaires habiletés de votre *processus*, que j'admire beaucoup, ne se seraient probablement pas accommodées d'une marque de faveur de la part d'un homme qui tient son titre de *persona ingrata* pour le seul qu'il ait brigué, obtenu et dont il reste fier[1]. »

En fait, le succès grandissant de Proust a prodigieusement agacé le gentilhomme-esthète dont le monde se détourne de plus en plus, courant vers de nouveaux poètes et goûtant des enchantements plus pervers, ou plus brutaux, que ses conférences alambiquées. Il est désormais le survivant d'un autre âge ou, pire, un revenant. Partout il ne rencontre plus qu'indifférence, ou même ironie, à son égard. Un jour qu'il s'était retrouvé à un enterrement avec Pierre de Nolhac, celui-ci lui avait demandé ce qu'il avait fait pendant la guerre : « J'ai écrit trois volumes de vers ! » avait répondu fièrement Montesquiou. « Vous auriez mieux fait de tirer des coups de fusil... », lui avait décoché Nolhac et Montesquiou en était resté longtemps indigné : « Des coups de fusil, moi ! Encore, s'il avait dit des coups de canon[2] ! »

Il est devenu, après s'être brouillé par plaisir avec tant de gens, un homme solitaire et frustré qui, devant Élisabeth de Clermont-Tonnerre, laissera échapper ce cri de détresse : « Je voudrais bien un peu de gloire, moi aussi. Je ne devrais plus m'appeler que Montesproust ! »

Devinant que celle qu'il va lui apporter ne sera guère de son goût, Proust a retardé le plus possible l'envoi de son dernier livre, invoquant comme chaque fois la difficulté de trouver un exemplaire de l'édition originale, prétexte qui ne

---

1. *Bulletin Marcel Proust*, n° 40, p. 26.
2. F. Bac, *Journal inédit*, 16 juillet 1921.

trompe plus personne. Montesquiou n'est pas dupe de cet échappatoire et lui réplique avec aigreur. A la fin, Proust envoie le volume en prenant soin de fournir de fausses clefs pour les serrures que son correspondant voudra forcer : « Si vous vous rappelez vaguement *A l'ombre des jeunes filles en fleurs* (excusez-moi de parler ainsi de mes livres oubliés, mais c'est vous qui m'y conviez), au moment où M. de Charlus me regarde fixement, près du Casino, j'ai pensé un moment à feu le baron Doäzan, habitué du salon Aubernon et assez de ce genre. Mais je l'ai laissé ensuite et j'ai construit un Charlus beaucoup plus vaste, entièrement inventé... Mon Charlus est assez raté dans le premier volume, mais prend ensuite (je me figure !) une certaine ampleur. » Et, pour mettre en garde Montesquiou contre toute identification précipitée, source des plus affreuses confusions, il ajoute, patelin : « Beaucoup de gens croient que Saint-Loup est d'Albuféra ; je n'y ai jamais songé ; c'est la seule explication que je trouve à sa brouille avec moi, laquelle me fait beaucoup de peine [1]. »

Fermement incité à ne pas se reconnaître en Charlus, Montesquiou entre dans le jeu et répond à Proust sur un ton apparemment détaché : « Pour en revenir aux clefs, déclare-t-il, vraies ou fausses, qu'elles viennent de Louis XVI ou de Gamain, cela ne regarde que l'auteur ; elles n'ont pour nous qu'un intérêt secondaire... » Voilà Proust remis à sa place. Et le comte, avec une bienveillance de grand seigneur, félicite l'écrivain d'avoir osé ce que personne n'avait eu le courage de faire avant lui : « Pour la première fois on ose, vous osez, prendre pour sujet direct, comme ferait de l'amour une idylle de Longus ou de Benjamin Constant, la vie de Tibère ou du pasteur Corydon. Vous l'avez voulu ; nous en verrons les conséquences, et je ne doute pas que, déjà, vous en éprouviez les effets... Vous vous êtes créé un nom et une autorité selon le monde des prix et des croix (quand vous valez mieux que ces bagatelles) pour satisfaire à votre volonté de réagir contre l'hypocrisie ou, si vous voulez, contre la décence affectée. Réussirez-vous ? C'est possible ; ce n'est pas certain. L'adversaire est fort... [2]. »

En réalité, Montesquiou s'est parfaitement reconnu et, ce qui est bien pire, il sait que tout le monde l'a reconnu sous les traits de Charlus. Cette société qu'il a si longtemps accablée

1. Cité par A. Maurois, *A la recherche de Marcel Proust*, p. 315.
2. *Ibidem*, p. 316.

de son mépris et tyrannisée va se venger enfin de lui. Déjà, dans Paris, on l'accole, on l'accouple à Charlus. Dans les soirées, Anna de Noailles lit des tirades du baron en imitant si bien la voix de Montesquiou que des invités, qui se trouvent dans un autre salon, croient le comte parmi eux. Grâce à Proust, le fantoche est devenu un monstre. Après avoir bu jusqu'à la lie le calice d'amertume offert par le disciple ingrat, Montesquiou sait qu'il périra de ce poison : « Je suis couché, malade de la publication de trois volumes qui m'ont bouleversé [1] », écrit-il à un ami.

Sachant qu'il n'y a plus guère de chaleur humaine à espérer pour lui en ce monde, il abandonne Paris pour aller se réchauffer au soleil de Menton. Edmond Fabre-Luce qui le rencontre alors chez son coiffeur est frappé par le changement physique opéré en lui. Dans le fauteuil voisin du sien, Montesquiou, ravagé, livide, s'observe dans la glace et, encore infatué de sa personne, parle tout seul, déplorant la fin de la douceur de vivre et prophétisant d'un ton de Cassandre que le monde va rouler « dans des ténèbres barbares pour des siècles [2] ».

A Menton, Montesquiou s'installe à l'hôtel des Iles-Britanniques où son état empire assez rapidement. Secoué par de graves crises d'urémie, il souffre beaucoup, mais garde assez de vitalité pour se rendre insupportable aux autres clients. Il recule sans cesse l'opération que lui conseille son chirurgien, le docteur Leblanc, et se montre un très mauvais malade, « révolté jusqu'à la dernière minute contre le mal qui le minait [3] ». Le sachant en danger de mort, le curé de la paroisse Saint-Michel, à Menton, vient le voir à trois reprises et se montre « édifié par la noblesse de son esprit, sa grande humilité *(sic)*, son repentir profond », mais Montesquiou, en dépit de ces bons sentiments, a de brusques sursauts « d'orgueil farouche ». Alors que le curé l'engage à bien mourir, le comte lui répond qu'il demande à Dieu « de le laisser vivre encore trois mois pour achever une œuvre de justice ». Et le curé d'expliquer, en narrant sa fin à Ferdinand Bac, qu'il disait alors avec véhémence qu'« il avait une mission à remplir sur la terre de justicier, d'arracheur de masques à tous les hypocrites qui empoisonnaient le monde, [qu'] il devait les clouer au

1. Ph. Julllian, *Robert de Montesquiou*, p. 289.
2. F. Bac, *Journal inédit*, 12 octobre 1921.
3. *Ibidem*, 6 février 1922.

pilori. Alors son mépris était écumant et sa phrase coupante comme un poignard, et sonore comme un coup de clairon... [1] ».

A-t-il l'intention, comme le comte Greffulhe, de « répondre à M. Proust » et d'arracher le masque de celui-ci en révélant à son tour ce qu'il sait ? La dernière lettre que son ancien admirateur lui a écrite était un adieu, lettre dans laquelle le protégé de jadis, si humble, si déférent, si pressé de parvenir en se servant de lui, s'en écartait définitivement, n'ayant plus rien à en attendre, et lui tirant, suivant sa propre expression, « une dernière révérence ».

Peut-être Proust l'a-t-il échappé belle, encore qu'un nouvel ouvrage de Montesquiou, même vengeur, n'eût pas suffi à ébranler sa réputation. Les Mémoires de Montesquiou, publiés par le docteur Couchoud sous un titre digne d'Henry Bordeaux, *Les Pas effacés*, apporteront la preuve supplémentaire, s'il en était besoin, de son absence de talent, et même de style. N'importe, il vaut mieux avoir évité le coup de pied de l'âne et Proust peut s'en féliciter, lui qui prêtait toujours à Montesquiou de noirs desseins à son endroit. D'après Céleste Albaret, il lui aurait dit que Montesquiou était capable de lui envoyer des fleurs empoisonnées et, un jour que Montesquiou lui avait annoncé des chocolats, il lui avait recommandé de les jeter sans ouvrir le paquet : « Ils contiendraient un poison que cela ne m'étonnerait pas ! » aurait-il ajouté [2].

Survenue à Menton, le 11 décembre 1921, la mort de Montesquiou attriste Proust, car sa victime semble avoir voulu lui échapper, en ignorant à jamais la fin de *Sodome et Gomorrhe* et le dernier avatar du baron de Charlus. Aussi feint-il ne de ne pas y croire, tel le duc de Guermantes refusant de se laisser dire que son cousin est à l'agonie pour ne pas manquer une redoute. Non seulement il ne croit pas à cette fin, mais il s'efforce de persuader leurs amis communs que le comte n'a répandu la nouvelle de sa mort que pour se livrer à une mystification et faire parler de lui. « Madame, écrit-il à la duchesse de Clermont-Tonnerre, on m'a dit que presque seule de ses amies vous étiez à l'enterrement du pauvre Montesquiou. Je dis pauvre Montesquiou bien que tout me persuade qu'il n'est pas mort et que dans ces funérailles à la Charles Quint le cercueil était heureusement vide... J'ai toutes les raisons de croire à un dernier tour magistralement exécuté par ce

1. F. Bac, *Journal inédit*, 30 novembre 1922.
2. C. Albaret, *Monsieur Proust*, p. 314.

merveilleux metteur en scène[1]. » A la duchesse de Gramont, il écrit le 19 décembre à peu près en termes identiques : « Je ne crois pas, au sens littéral du mot, qu'il soit mort. Était-il même vraiment malade ? En tout cas, s'il a été malade, cela a dû lui donner l'idée d'une fausse mort, à laquelle il assisterait, comme Charles Quint, pour nous surprendre ensuite. Il a réglé de plus savantes mises en scène... »

Qu'ont pu penser les deux duchesses en lisant ce singulier commentaire sur la disparition de leur parent, et sous la plume d'un homme qui, ne parlant que de sa maladie, doute de celle des autres ? En tout cas, si Montesquiou est bien mort, Proust, lui, s'affaiblit graduellement sans vouloir rien changer à son régime alimentaire ou à son mode de vie.

*

L'étrangère qui a élu domicile dans son cerveau lui a donné un premier avertissement le 24 mai 1921 lorsqu'il s'est rendu au musée du Jeu de paume pour revoir un tableau de Vermeer, admiré lors de son voyage de 1902 en Hollande. Il est fort peu sorti depuis le début de l'année. Aussi cette visite à l'exposition est-elle une imprudence de sa part. Pour avoir, en cas de besoin, un bras secourable, il a envoyé Odilon Albaret quérir Jean-Louis Vaudoyer. En descendant son escalier, il est pris de vertiges et doit s'arrêter. Au Jeu de paume, il s'attarde longuement devant la *Vue de Delft*, perdu dans la contemplation du « petit pan de mur jaune » dont il a fait passer la lumière dans son œuvre. Là, il est pris d'un second vertige et chancelle, rattrapé par Jean-Louis Vaudoyer et un attaché au Rijksmuseum, le Jonkheer David Roëll, envoyé par le musée pour accompagner les tableaux prêtés. De cette expérience, il enrichit le récit, déjà rédigé, de la fin de Bergotte, ajoutant une touche ultime et vécue à la mort du vieux maître.

L'achèvement — et le perfectionnement — de son œuvre est sa préoccupation dominante, mais il s'en laisse parfois détourner, soit par des invitations, de plus en plus rarement acceptées, soit par des contributions littéraires qui lui permettent de donner son avis sur certaines questions. En 1920, il avait répondu à une enquête de *L'Intransigeant* sur le métier manuel qu'il choisirait en cas de nécessité en disant qu'il ne prendrait pas d'autre métier que celui d'écrivain et que, si le papier

1. Ph. Jullian, *Robert de Montesquiou*, p. 295.

venait à manquer, il se ferait boulanger. Au même journal, ayant cette fois lancé une enquête sur les cabinets de lecture, il avait donné sous forme de lettre un texte assez piquant dans lequel il exprimait bien la mélancolie des auteurs devant la difficulté de trouver des acheteurs pour leurs livres. « Les personnes qui ont peu d'argent, et celles qui en ont beaucoup, sont empêchées d'acheter des livres, les premières par la pauvreté, les secondes par l'avarice. Aussi les empruntent-elles. Les cabinets de lecture ne font donc que régulariser une situation existante, avec cette innovation inouïe qu'il faudra rendre les livres prêtés. Ma crainte est que les éditeurs (je ne parle pas des miens qui sont des hommes généreux et charmants), trouvant la vente difficile, cherchent un profit plus sûr dans la location » et il conclut ironiquement qu'« à force de louer des livres, peut-être finira-t-on par en acheter, sinon par en lire [1] ».

Au mois de janvier 1921, il avait également répondu par lettre à une demande d'interview d'Émile Henriot sur *Classicisme et Romantisme*, lettre publiée dans la *Renaissance politique, littéraire et artistique*.

C'est dans la revue de la N.R.F. qu'il publie au mois de juin, sous forme d'une lettre à Jacques Rivière, une dissertation sur Baudelaire. Elle commence, inévitablement, par un rappel de son état de santé l'empêchant de donner, comme il le souhaiterait, même pas une étude, mais un simple article. Cela n'empêche pas que ce qu'il appelle « moins qu'un article » occupe un nombre impressionnant de pages dans la revue. L'éloge de Baudelaire commence, assez paradoxalement, par celui de Victor Hugo pour son *Booz endormi*, puis par celui d'Alfred de Vigny, pour arriver enfin à Baudelaire dont il voit la source du génie dans sa névrose, occasion de célébrer la supériorité de sublimes névrosés qui, à l'exemple de Baudelaire ou de Dostoïevski, « entre leurs crises d'épilepsie et autres, créent tout ce dont une lignée de mille artistes seulement bien portants n'auraient pu faire un alinéa [2] ».

L'intérêt de cette étude est le parallèle qu'il trace entre Baudelaire, Racine et Victor Hugo en s'appuyant sur des citations tirées de sa prodigieuse mémoire. Elle lui permet aussi de faire une publicité discrète en sa faveur lorsque après avoir rappelé le vers fameux :

1. *Essais et articles*, dans *Contre Sainte-Beuve*, Pléiade, p. 606.
2. *Ibidem*, p. 622.

*La Femme aura Gomorrhe et l'Homme aura Sodome,*

il écrit : « Cette *liaison* entre Sodome et Gomorrhe que dans les dernières parties de mon ouvrage (et non dans la première *Sodome* qui vient de paraître) j'ai confiée à une brute, Charles Morel (ce sont du reste des brutes à qui ce rôle est d'habitude départi), il semble que Baudelaire s'y soit de lui-même *affecté* d'une façon toute privilégiée. Ce rôle, comme il eût été intéressant de savoir pourquoi Baudelaire l'avait choisi, comment il l'avait rempli. Ce qui est compréhensible chez Charles Morel reste profondément mystérieux chez l'auteur des *Fleurs du mal*[1]. »

A partir du mois de mai, lui parviennent désormais les versements de Gallimard, ainsi que les épreuves de *Sodome et Gomorrhe II*. Tenant ainsi ses engagements, Gallimard insiste auprès de Proust pour que celui-ci tienne les siens en retournant les épreuves corrigées dans un délai raisonnable et en lui adressant, s'il le peut, le texte de l'ouvrage suivant pour en commencer la préparation. « Pour ma part, lui écrit-il le 1er septembre 1921, mais vous allez trouver que je suis bien pressant, je voudrais hâter le plus possible la publication de vos volumes afin de pouvoir préparer cette édition des *Morceaux choisis de Marcel Proust* qui, j'en suis certain, est très attendue[2]. »

Gallimard sent qu'avec Proust sa maison a le vent en poupe et il ne néglige rien pour assurer la diffusion d'un tel auteur. Il a déjà signé plusieurs contrats pour sa traduction en espagnol, en anglais, en allemand et veille à ce que la N.R.F. publie maintenant dans sa revue des extraits du futur *Sodome et Gomorrhe II*, moins peut-être pour faire ainsi la publicité du livre que pour y préparer l'opinion publique. C'est alors qu'il montre une réelle bonne volonté que Proust en profite pour lui faire une infidélité en acceptant de donner aux *Œuvres libres* le récit de l'amour du Narrateur pour Albertine. Il sera publié sous le titre de *Jalousie* au mois de novembre 1921.

Les *Œuvres libres* sont une idée de génie d'Arthème Fayard qui, spéculant à la fois sur l'avarice du public et son snobisme, a pensé que bien des gens apprécieraient d'avoir, pour le prix d'un livre bon marché, des extraits de plusieurs ouvrages ou des textes, nouvelles, essais d'auteurs connus qui leur en donneraient une teinture. Si certains lecteurs s'enthousiasment

1. *Essais et articles*, dans *Contre Sainte-Beuve*, Pléiade, p. 633.
2. *Correspondance Proust-Gallimard*, p. 382.

pour des fragments d'un livre à paraître, ils pourront alors acheter l'ouvrage en connaissance de cause. Jacques Boulenger, avec qui Proust est en correspondance assidue, lui avait signalé cette nouvelle collection et Proust, séduit par l'idée, lui avait répondu : « Je sais que Gallimard prendra le lit et les autres *idem* si j'écris ailleurs qu'à la N.R.F. Mais j'ai le droit et, sans en avoir l'air, ai besoin de tant d'argent[1]. »

Lorsque Proust lui annonce qu'il va donner *Jalousie* aux *Œuvres libres*, Gallimard ne prend pas le lit, mais la plume et ne lui cache pas son désappointement. Il déplore cette trahison, ne serait-ce que pour la réputation de son auteur, car, écrit-il, « grâce à la vulgarité de ce recueil de kiosque et de gare où Maurice Rostand voisine avec Sacha Guitry, Claude Farrère, etc., Fayard peut faire un tirage de 40 000 exemplaires », certes, mais les 10 000 francs[2] que Fayard lui offre ne représentent que 0,25 franc par volume alors que lui, Gallimard, lui donne 2,50 francs. Il est vrai qu'il ne tire pas les livres de Proust à 40 000 exemplaires, mais qui peut dire s'il n'y arrivera pas un jour ? L'avenir lui prouvera la justesse de ce raisonnement. Impitoyable, Gallimard poursuit : « Ne doutez pas qu'une telle publication dans les *Œuvres libres* soit nuisible au volume complet que vous donnerez ensuite... car beaucoup [de lecteurs] se contenteront de la lecture du morceau dans le volume de Fayard. » Il lui recommande donc de donner le moins de pages possible et, pour finir, il tire la morale de cette histoire : « Si les auteurs qui forment la N.R.F. devaient accepter de collaborer à côté de Rostand aujourd'hui, de Francis de Croisset demain, la N.R.F. n'aurait plus sa raison d'être, et il n'y aurait qu'à la fermer, ou je n'aurais qu'à faire comme Fayard ou Albin Michel et Grasset (livres pornographiques et compte d'auteurs), ce qui n'est pas très difficile[3]. »

A cette lettre entièrement *désintéressée*, comme Gallimard le souligne, Proust répond que la N.R.F. lui doit 60 000 francs[4]. « Comment pourra-t-elle jamais me les payer (au fond, j'espère bien que si et qu'elle me les paiera) ? » Cet arriéré ne peut, dit-il assez logiquement, que s'accroître au fur et à mesure

1. *Correspondance Proust-Gallimard*, p. 384.
2. Soit environ 50 000 francs de 1990.
3. *Correspondance Proust-Gallimard*, pp. 385-386.
4. En fait, 50 000 francs seulement, soit environ 250 000 francs de 1990.

qu'il donnera de nouveaux livres. « C'est le tonneau des Danaïdes[1]. »

Ce rappel laisse Gallimard sans voix, ou du moins sans réponse et Proust, sentant qu'il a la situation en main, en profite pour pousser son avantage. Quelques jours plus tard, il écrit de nouveau à Gallimard pour se plaindre d'avoir « peu de satisfactions à la N.R.F. » qui « a pour le martyriser deux directeurs », l'un étant Gustave Tronche et l'autre Gallimard lui-même. Comme jadis, lorsqu'on lui avait refusé *Du côté de chez Swann*, il ne trouve personne pour lui répondre lorsqu'il téléphone et il a compris qu'on n'est jamais là pour lui. Revenant sur l'affaire de sa collaboration aux *Œuvres libres*, il proteste encore une fois contre les diktats de Gallimard et lui fait observer que le traité signé avec lui ne contient « nul vœu de célibat, de chasteté, de pauvreté ».

Mis en position d'accusé, Gallimard se défend, non en beau diable, mais en pauvre diable, accablé de toute sorte de soucis et qui préférerait avoir plus de temps à soi pour le consacrer à son auteur de prédilection. Mêlant les protestations de tendresse aux serments de lui payer tout ce qu'il lui doit, Gallimard essaie de l'apaiser en lui rappelant, à propos des 10 000 francs des *Œuvres libres*, un certain article VI de leur contrat, où il n'est certes pas question de célibat, de chasteté ou de pauvreté, mais seulement du partage avec l'éditeur de tous les droits d'auteur pour des publications en journaux, magazines, revues, etc., clause dont, précise Gallimard, il a eu l'élégance de ne pas se prévaloir pour les droits de prépublication dans la N.R.F. Ayant ainsi marqué un point, Gallimard termine cette longue missive, entièrement autographe, par une dernière effusion sentimentale : « Je tiens à ce que vous soyez content de moi. Je voudrais que vous ne soyez jamais séduit par aucune autre offre que les miennes ; j'admire votre œuvre au point que souvent je me suis désintéressé de toutes autres et que je m'en occupe plus que professionnellement. J'ai pour elle, comme pour vous, une affection jalouse : exigez donc de moi, brutalement, ce que vous voulez et je m'emploierai de toutes mes forces à ne jamais vous décevoir[2]. »

Un échange quasi quotidien de lettres, jusqu'à la fin de septembre, apaise le différend et réconcilie les deux hommes dans l'intérêt commun qu'est pour eux la publication de *Sodome*

1. *Correspondance Proust-Gallimard*, p. 388.
2. *Ibidem*, p. 400.

*et Gomorrhe II*. La masse des épreuves et des dactylographies est telle que Proust se demande comment il pourra en venir à bout. Il n'a plus de secrétaire, Henri Rochat l'ayant quitté au début du mois de juin pour l'Argentine où il a fini par trouver une situation dans une banque. Il est vrai qu'il n'était pas d'un grand secours. Après son départ, il a eu ce simple commentaire, qui n'est certes pas le cri d'un cœur brisé : « Enfin, Céleste, nous voilà bien tranquilles [1]. »

Peut-être parce qu'il n'est plus embarrassé de Rochat et que Céleste a fort bien remplacé celui-ci, Proust, à la fin du mois de septembre, se montre optimiste, envisageant de terminer la révision de *Sodome et Gomorrhe II* pour le mois de novembre : « Malgré cela, précise-t-il à Gallimard, je vous conseille, même si vous avez mon volume en novembre, d'attendre mai. Cela ne va guère avec les livres d'étrennes ni les vacances de Pâques [2]. »

Alors qu'il est en plein travail, Proust, par une erreur du pharmacien dira-t-il, s'empoisonne avec des cachets à dose dix fois plus forte que ceux dont il use habituellement. Cette intoxication le met aux portes du tombeau, à la vive émotion de Céleste Albaret, mais il en revient et continue sa tâche avec la farouche détermination de prendre la mort de vitesse, et celle aussi d'amener Gallimard à s'occuper encore mieux de lui. Aussi multiplie-t-il les lettres pressantes à son éditeur, notamment pour l'inciter à se montrer plus diligent dans la traduction de ses livres à l'étranger.

Il s'étonne, et souffre surtout, de voir que le catalogue de la N.R.F. annonce glorieusement que *Nène*, d'Ernest Perrochon, en est au 75e mille alors qu'*A l'ombre des jeunes filles en fleurs* est loin d'avoir atteint ce tirage. La chose l'inquiète d'autant plus que Perrochon, prix Goncourt en 1920, passe pour avoir fait un four avec son roman. En lui répondant sur ce point, Gallimard révèle, avec un certain cynisme, qu'il ne faut jamais croire aux chiffres de vente annoncés par les éditeurs : « Il est incontestable que ce genre de publicité a une certaine influence sur le public, et je vous assure qu'étant prêt moi-même à toutes les concessions, j'annoncerais volontiers que nous en sommes au 80e ou 100e mille pour *A l'ombre des jeunes filles en fleurs*, si toutefois vous voulez bien m'y autoriser [3]. »

---

1. C. Albaret, *Monsieur Proust*, p. 231.
2. *Correspondance Proust-Gallimard*, p. 407.
3. *Ibidem*, p. 432.

Proust juge évidemment le procédé douteux, mais il ne faut pas « aller à la bataille les mains vides, si tous les autres ont une épée », répond-il à Gallimard et il finit par y consentir. Ce qui le tourmente le plus, c'est la date de parution de *Sodome et Gomorrhe II*. Il souhaiterait que ce livre en trois volumes paraisse le 1er mai 1921 pour le premier tome, au mois d'octobre pour le suivant, et que l'on entreprenne tout de suite la dactylographie du troisième volume. Il y travaille actuellement, dictant la fin à une nièce de Céleste, Yvonne Albaret. Celle-ci, peu faite à un tel rythme de travail, s'en plaint si fort que Proust écrit à Gallimard, en reprenant une lettre dont il a dicté le début à la jeune fille : « J'écris moi-même la fin car la femme gémissante à qui je dicte pousse de tels cris d'accouchée que je crains, en la gardant dans ma chambre, de voir s'agiter bientôt deux êtres au lieu d'un [1]. »

Dans son souci de perfection, il n'a jamais réellement fini ce qu'il donne pour achevé ; aussi voudrait-il revoir encore le texte de *Sodome et Gomorrhe II* pour « y faire quelques petits ajoutages », proposant d'aller lui-même chez l'imprimeur, ce qui, reconnaît-il, « semble bien contradictoire avec l'aggravation de son état de santé ». On voit mal, en effet, Proust, qui déclare souffrir au point de regretter de ne pas avoir de cyanure de potassium pour en finir avec cet enfer, prendre le train pour Abbeville où se fait l'impression de son livre.

*

Sa seule grande sortie a été, au mois de juin, un dîner chez Mme Hennessy à l'occasion des fiançailles de Gladys Deacon, son ancienne voisine à l'hôtel des Réservoirs en 1906, avec le duc de Marlborough que l'ambitieuse Américaine est parvenue à « souffler » à sa compatriote Consuelo Vanderbilt. Une autre mondanité, plus littéraire, a été une excursion du côté de Gomorrhe en allant voir Natalie Barney, la plus féminine de ces femmes-hommes qui ont profité de la guerre pour achever de s'émanciper. Miss Barney l'avait invité à venir lui rendre hommage dans sa demeure, au 20, rue Jacob, où un temple de l'Amitié, au fond du jardin, rappelait la liaison d'Adrienne Lecouvreur, une des habitantes du logis, avec le maréchal de Saxe. Proust considérait avec suspicion l'Américaine affranchie qui avait, dans son domaine, osé ce que lui n'avait pas fait

1. *Correspondance Proust-Gallimard*, p. 437.

dans le sien. Au lieu de cacher comme lui des *prisonniers*, elle exhibait des captives, et, loin de simuler comme Proust un vif attrait pour le sexe opposé, elle proclamait hautement préférer le sien, s'entourant de jolies femmes qui avaient tout à craindre, ou espérer, d'elle et d'hommes dont elle avait peu à redouter, comme André Gide ou Berenson.

Lorsque Proust se décide enfin à se rendre rue Jacob, c'est par une nuit de novembre, lugubre comme celle de Musset. Il arrive si tard qu'il trouve l'Amazone, comme on l'appelle, en chemise de nuit, sous une chasuble d'hermine, et au lit. En habit, son plastron chiffonné, les yeux « cernés par les vampires de la solitude », Proust fait à Miss Barney la même impression qu'à Marthe Bibesco : Lazare avec son cercueil. Ces deux grands spécialistes de l'amour interdit s'aperçoivent bientôt qu'ils n'ont pas grand-chose à se dire ; aucun des deux n'aborde le sujet qui leur tient à cœur et la conversation roule sur le monde, leurs amis communs, les lettres en général. Lorsque Natalie Barney, qui lui survivra pendant un demi-siècle, lira les autres volumes d'*A la recherche du temps perdu*, elle jugera les héroïnes proustiennes adeptes de Lesbos « invraisemblables » et rendra son verdict : « N'enfreint pas qui veut ce mystère d'Eleusis[1]. »

A la fin de l'année 1921 et au début de 1922, il reprend l'habitude d'aller dans le monde. On le voit ainsi enterrer l'année chez les Étienne de Beaumont qui donnent un grand bal pour la circonstance. Le maître de maison, qui s'applique avec pompe et sérieux à donner l'exemple de la frivolité, semble non seulement sorti tout vif d'*A la recherche du temps perdu*, mais témoigner par toute sa personne et ses propos que Proust, dans certaines de ses figures, est resté en dessous de la vérité. Bien qu'il ne s'y amuse pas beaucoup, Proust reste toute la nuit chez les Beaumont et s'étonne ensuite que ceux-ci aient été insensibles « à cette marque d'amabilité particulière » en ne l'invitant pas à leur prochaine réception.

Très différente d'Édith de Beaumont est Thérèse d'Hinnisdaël avec qui Proust et Morand assistent le 15 janvier 1922 au bal du Ritz. Cette étrange jeune fille, d'aspect médiéval et féerique, est aussi anachronique en son pays que Dame Édith Sitwell l'est dans le sien. Ce sont l'une et l'autre des réincarnations d'un autre siècle, aussi savantes qu'originales. Ce soir-là, Thérèse d'Hinnisdaël exécute sous les yeux de

1. N. Barney, *Aventures de l'esprit*, p. 74.

Proust et de Morand différentes danses modernes, ce qui montre qu'elle est capable de tout, du moins dans la mesure où son audace peut étonner. Elle doit effectivement présenter un aspect insolite, car la princesse Soutzo la prend pour l'écrivain Ramon Fernandez. Elle s'intéresse aux arts, trop d'ailleurs au goût du faubourg Saint-Germain, et, ravie de connaître Proust, elle l'invite à déjeuner. Lorsque son père, le comte d'Hinnisdaël, s'inquiétant quelques jours plus tard des convives de ce déjeuner, apprendra que Marcel Proust est du nombre, il déclarera froidement qu'il ne veut pas voir M. Proust chez lui et le fera décommander. A cette soirée du Ritz, il a retrouvé certaines anciennes connaissances, comme Marie Scheikévitch, qui vient de divorcer de son second mari, M. Vidal, destiné à prendre, auprès de l'ex-Mlle de Turenne, la succession d'Arthur Meyer.

Au mois de février 1922, il accepte encore une invitation de la princesse Soutzo, mais en lui demandant s'il peut ne venir qu'après le dîner : « Votre liste me semble bien éclatante et je me sens peu digne d'y figurer, lui écrit-il, ce qui ne m'empêchera pas d'y figurer tout de même, à cause de ce qu'il y a de feint dans la modestie la plus sincère [1]. » Voulant joindre l'utile à l'agréable, il suggère à la princesse d'allonger sa liste en invitant des personnes qu'il souhaiterait rencontrer : Henri de Boisgelin, pour en obtenir certains renseignements, Étienne de Beaumont, pour que celui-ci lui apporte la photographie de sa tante Beaumont, née Castries, une grande amie de Gambetta.

Lorsqu'il n'a pas trouvé dans ces mondanités ce qu'il espérait, un renseignement, un visage, un souvenir, il rentre déçu et s'en plaint à Céleste, qui veillait en l'attendant : « Céleste, je suis sorti pour rien. Quel ennui ! Toutes ces heures gâchées, toute une soirée perdue, moi qui n'ai pas le temps ! » Avec bon sens, Céleste lui fait observer qu'il faut bien prendre l'air de temps en temps · « Non, Céleste, il faut que je fasse vite. J'ai tant d'ouvrage encore ! J'aurais mieux fait de rester ici à travailler tranquillement [2]. »

Dans cette course contre la mort, il reçoit la proposition de Gaston Gallimard de venir rue Hamelin tous les soirs pour l'aider à la mise au net de son manuscrit, peut-être aussi pour veiller à ce qu'il ne remanie pas éternellement un texte attendu avec tant d'impatience. Il remet en effet sans cesse son ouvrage

1. P. Morand, *Le Visiteur du soir*, p. 127.
2. C. Albaret, *Monsieur Proust*, p. 399.

sur le métier, profitant de quelque événement qui l'a frappé, comme la mort de Mgr de Cabrières ou celle de Montesquiou, pour ajouter un trait, une touche à sa composition : « Mes *ajoutés*, quoique très courts, seront un tout petit peu plus nombreux que je ne vous avais dit, annonce-t-il à Gallimard, car je ne prévoyais pas l'événement qui me permettrait sans inconvénient pour personne de vous donner actuellement, et pour les volumes à venir, un ouvrage supérieur psychologiquement à ce que je pensais [1]. »

Effrayé par l'ampleur croissante de cette œuvre en perpétuelle gestation, Gallimard veut faire entendre la voix de la raison, mais Proust aussitôt s'insurge et menace d'émigrer chez un de ses confrères, sans que cela, écrit-il avec une fausse ingénuité, puisse nuire à leur amitié. « Je dis cela à tout hasard, précise-t-il, et pour ne pas risquer de vous encombrer, mais serai sans cela, ramier fidèle, très heureux de pondre tous mes œufs à ce *Vieux-Colombier* littéraire qu'est votre maison [2]. » Bien entendu, Gallimard comprend l'avertissement et se déclare prêt à en passer par toutes les volontés de son tyrannique auteur. Aucunement désarmé par cette soumission, Proust revient à la charge avec un véritable réquisitoire, aujourd'hui perdu, mais qu'il est possible de reconstituer par la lettre éplorée dans laquelle Gallimard répond point par point à tous les reproches de Proust, la plupart imaginaires et sans doute dus à des bavardages d'amis communs qui ont intérêt à les brouiller. A cet égard, Gallimard soupçonne assez fortement Paul Morand.

Reprenant la liste des griefs de Proust, Gaston Gallimard reproche à son tour à celui-ci d'avoir des « idées toutes faites », entre autres celle que lui, Gallimard, se dérobe à sa tâche par frivolité. « Vous êtes convaincu maintenant, écrit-il, que je ne m'absente de mon bureau que pour mon plaisir et que la recherche du plaisir seul m'empêche de répondre à votre appel le soir [3]. » Et il entreprend de se justifier de toutes les accusations portées contre lui. Non, il n'a jamais dit que Marcel Proust était un auteur cher, mais il ne peut pas vendre au même prix qu'un roman normal des ouvrages d'une telle densité. Non, il ne s'est pas désintéressé du lancement d'*A l'ombre des jeunes filles en fleurs* et il n'est pas exact qu'un prix Goncourt rapporte automatiquement à son lauréat 150 000 francs [4]. Non, il n'est

1. *Correspondance Proust-Gallimard*, p. 456.
2. *Ibidem*, p. 457.
3. *Ibidem*, p. 463.
4. Environ 750 000 francs de 1990.

pas responsable des nombreuses fautes que l'on peut trouver dans les épreuves de *Sodome et Gomorrhe II*, car, pour satisfaire à l'impatience de Proust, il les lui a fait parvenir avant correction. Non, en ce qui concerne les éditions originales Proust ne touche pas un droit fixe, mais proportionnel au prix de vente. Non, la N.R.F. n'est pas en situation critique et l'augmentation de capital à laquelle on vient de procéder n'est pas destinée à combler un déficit. Non, enfin, la N.R.F. n'est pas « une grande roue qui ne peut se mouvoir sans écraser quelqu'un », proteste, affligé de tant d'acrimonie, le pauvre Gallimard qui doit penser que le plus dur est de faire mouvoir cette roue à laquelle il est attaché, comme un esclave romain à la sienne.

A vrai dire, on pourrait croire que Proust, partagé entre le besoin de souffrir et celui de faire souffrir, de soupçonner un être et de le tourmenter jusqu'à ce qu'il l'amène à justifier ces soupçons, a remplacé Henri Rochat par Gaston Gallimard. A ce plaidoyer *pro domo* de son éditeur, il se contente de répondre : « Je suis contrarié que ma lettre vous ait déplu. Mais aussi vous ne l'avez pas lue. Je vous le montrerai en la regardant avec vous [1]. »

Comme pour lui fournir un nouveau motif d'aigreur, les épreuves annoncées de *Sodome et Gomorrhe II* ne lui sont pas encore parvenues, alors qu'il s'était préparé à en effectuer la correction : « Hélas ! je ne suis pas une machine que je puisse graisser indéfiniment pour qu'elle donne son plein de travail, écrit-il à Gallimard, et il faut maintenant que j'interrompe mes médicaments [2]. » La chose est d'autant plus fâcheuse que tous deux sont d'accord pour faire paraître les deux volumes de *Sodome et Gomorrhe II* le 1er mai 1922, le troisième volume étant prévu, sous un autre titre, pour la fin de l'année. Si Gallimard ne tient pas son engagement pour le 1er mai, il faudra reporter la sortie au 1er octobre, ce qui reculera d'autant celle du livre suivant. Ce ne sera pas de sa faute, précise-t-il, mais de celle de son éditeur. « Vous n'avez *aucune autorité* sur votre imprimeur. Il se moque de nous », lui écrit-il. Gallimard défend son imprimeur qui doit compter avec ses ouvriers, et ceux-ci, comme il le lui a déjà dit, « ne sont plus ce qu'ils étaient avant la guerre ». Le seul moyen de pression sur l'imprimeur serait de

1. *Correspondance Proust-Gallimard*, p. 468.
2. *Ibidem*, p. 472.

menacer de le quitter, mais avec le risque presque certain d'en trouver un autre qui donnerait encore moins satisfaction.

Enfin les épreuves arrivent. Enfermé dans une petite pièce de la N.R.F., Georges Gabory en assume la correction. C'est « un jeune homme pauvre », précise Gallimard, comme si sa pauvreté devenait le gage de son zèle et de son intégrité. Gallimard espère donc pouvoir mettre les livres en librairie le 1er mai, offrant même à Proust de lui verser un dédit s'il n'y réussit pas. En retour, celui-ci promet une gratification à l'imprimeur s'il y parvient, générosité que Gallimard estime inutile : il ne faut pas gâcher le métier.

A tous égards, pour les publications comme pour les traductions, pour le versement de ses droits comme pour la publicité à faire, Proust se montre d'autant plus intransigeant qu'il sent sa réputation grandir et sa position s'affermir. Des traductions de *Du côté de chez Swann* ont déjà paru en Grande-Bretagne, aux États-Unis, en Espagne et la presse étrangère manifeste un intérêt croissant. Quelques grands critiques, comme l'écrivain allemand Ernst Curtius, le saluent comme un maître incontestable.

*

C'est en Grande-Bretagne que la sympathie et la curiosité sont les plus vives, se manifestant par des lettres et des visites d'écrivains anglais, tels C.K. Scott Moncrieff, son traducteur, Francis Birell et surtout Sydney Schiff et sa femme Violette. Romancier sous le pseudonyme de Stephen Hudson, Sydney Schiff est, par ailleurs, allié à la famille Gautier-Vignal. Enthousiasmé par la lecture de *Du côté de chez Swann*, Sydney Schiff avait voulu connaître son auteur et avait assez maladroitement écrit à Proust en lui disant que, malgré son amour pour ce qu'il écrivait, il préférait le voir et l'entendre. Sensible à cet hommage, mais un peu déçu que l'on préférât sa personne à son œuvre, dans laquelle il a mis le meilleur de lui-même, il avait répondu à Sydney Schiff : « Entre ce qu'une personne dit et ce qu'elle extrait par la méditation des profondeurs où l'esprit nu gît, couvert de voiles, il y a un monde. Il est vrai qu'il y a des gens supérieurs à leur livres, mais c'est que leurs livres ne sont pas des *livres*. Il me semble que Ruskin, qui disait de temps en temps des choses sensées, a assez bien exprimé une partie au moins de cela... Si vous ne lisez pas mon livre, ce n'est pas ma faute ; c'est la faute de mon livre, car s'il était vraiment un beau livre, il ferait aussitôt l'unité dans les esprits épars et rendrait le calme aux cœurs troublés...[1]. »

Sydney Schiff a non seulement dédié à Proust, en 1919, son roman *Richard Kurt*, mais il lui a demandé un fragment d'*A l'ombre des jeunes filles en fleurs* pour le publier dans sa revue *Arts and Letters*. Il l'avait même invité à venir faire un séjour chez lui, à Londres, pour y travailler dans une atmosphère de « calme et d'affection », comme sa femme sait en créer. A propos de celle-ci, l'honnête Schiff, qui en est à sa seconde expérience conjugale, écrivait : « J'avais vingt ans de misère avant de la connaître et je sais ce que c'est que d'être ennuyé à désespoir. Quant à moi, je suis un être nerveux et variable, mais je comprends les nerfs des autres[2]. » Proust avait décliné l'invitation, mais continué de correspondre avec les Schiff qui rivalisaient de zèle pour faire connaître ses livres à leurs amis.

Averti de leur passage à Paris, il fait un effort pour les voir, mais ne les trouve pas au Ritz où il les croyait descendus. Ils conviennent d'un autre rendez-vous, le 2 mai, jour précisément de la mise en librairie de *Sodome et Gomorrhe II*. Pour être capable de sortir et d'avoir une longue conversation avec le couple, il prend de l'adrénaline, mais la dose, trop forte, lui cause de terribles brûlures d'estomac. Lorsqu'elles se sont un peu atténuées, il rejoint les Schiff au Ritz où l'on veille à ce que toutes les fenêtres soient fermées dans le restaurant et la galerie pour qu'il ne prenne pas froid. Ce soir-là, Sydney Schiff et lui s'étonnent réciproquement par les énormes quantités de vin de Champagne que boit l'un, et de bières glacées que prend l'autre, peut-être pour célébrer la sortie officielle de *Sodome et Gomorrhe II*.

Hélas ! des erreurs subsistent dans le texte en dépit d'une relecture attentive de Gallimard, Jacques Rivière et Georges Gabory. Aux reproches de Proust, Gallimard répondra, non sans quelque désinvolture, qu'il n'y a pas, depuis l'invention de l'imprimerie, de publication sans faute et que pour ces deux volumes il a reçu moins de plaintes que pour les précédents !

Ce printemps de 1922 est le chant du cygne de Proust qui revoit pour la dernière fois une société dont il a voulu jadis forcer les portes pour en être un des princes et qu'il abandonne après y avoir trouvé, non le bonheur espéré, mais la matière et le sujet d'une œuvre qui fera de lui l'égal d'un Balzac. Il

1. *Hommage à Marcel Proust*, p. 247.
2. Kolb, tome XVIII, p. 168.

n'a plus d'illusions sur le monde, encore moins sur l'amour, l'un n'étant qu'une foire aux vanités, l'autre une illusion de l'égoïsme. Cette vérité lui était apparue depuis longtemps d'ailleurs et lui avait permis d'écrire cette étonnante *Matinée de la princesse de Guermantes* où tous ses personnages se retrouvent, comme dans une autre vallée de Josaphat.

En décrivant sa femme comme un être apportant « calme et affection », Sydney Schiff n'avait pas menti et Proust, pendant ce séjour de ses amis anglais, se montre sensible au charme de celle qu'il a surnommée l'Ange Violet. Elle évoque à la fois une fleur rare et un animal délicat, car elle a une taille haute et flexible, et des yeux de gazelle. Il invite à son tour les Schiff pour leur présenter sa belle-sœur et sa nièce Suzy que les Schiff, toujours hospitaliers, aimeraient recevoir chez eux, mais il se scandalise à la pensée qu'une jeune fille de dix-huit ans puisse faire seule la traversée de la Manche.

Le 18 mai, les Schiff convient Proust au grand dîner qu'ils donnent à l'issue de la première représentation du *Renard*, de Stravinsky. La table est brillante, rassemblant, outre Serge de Diaghilev et ses danseurs, Pablo Picasso, Stravinski et James Joyce. Celui-ci arrive le dernier, en tenue de ville, car il n'a pas d'habit, et de fort mauvaise humeur. Il n'aime pas Proust, ne lui trouvant « aucun talent particulier ». A vrai dire, il n'aime pas grand monde et s'écarte plutôt des gens dans la mesure où ceux-ci se montrent aimables envers lui. En partant, Joyce monte avec Proust dans le taxi d'Odilon Albaret, allume une cigarette et baisse une des glaces. Indigné, Sydney Schiff lui ordonne de jeter sa cigarette et de remonter la vitre. Pendant le trajet, Proust exprime poliment son regret de ne pas connaître l'œuvre de Joyce, à quoi le morose Irlandais réplique : « Je n'ai jamais lu M. Proust. »

Ses dernières amarres avec le monde se dénouent les unes après les autres. Un soir, Antoine Bibesco sonne à sa porte. Il est accompagné de sa femme et de sa cousine, Marthe Bibesco, qui, sans être une amie de Proust, a correspondu avec lui et se montre plus curieuse de le revoir maintenant qu'il est célèbre. Averti de leur présence, Proust ne veut pas le recevoir et aurait fait répondre par Céleste qu'il « craint le parfum des princesses ».

A la même époque, Lucien Daudet lui rend une ultime visite. Désunis pour le cœur, les deux amis sont restés liés par l'esprit, mais leurs caractères ont évolué. Le succès grandissant de Proust a aigri celui de Lucien Daudet qui sait qu'il restera maintenant dans l'ombre, comme il s'est déjà réfugié dans celle de l'impératrice Eugénie. Dans son amour-propre d'auteur à maigres tirages, il souffre d'être éclipsé par cet ami, jadis reçu rue de Bellechasse en protégé, plutôt qu'en disciple, de son père. En cela, il partage un peu le sentiment de Reynaldo Hahn, écrivant à Léon Tauman : « Le Marcel Proust privé, celui d'avant la célébrité, était infiniment plus attachant et plus particulier que le Marcel Proust illustre. » Depuis la mort du comte Joachim Clary, il porte en écharpe un cœur hautain, blessé, inguérissable. Il voudra prendre sa revanche sur Proust en écrivant le vrai roman de l'homosexualité. Hélas ! pour sa gloire posthume, il commettra l'erreur de se marier en épousant pendant la dernière guerre une sœur de Pierre Benoit : trouvant le manuscrit de ce livre dans ses papiers, après sa mort, sa femme le brûlera et ainsi s'envoleront en fumée les dernières illusions de Lucien Daudet. Lorsqu'il va voir Proust, en cette nuit de juin, un certain courant d'émotion passe entre les deux amis et il y a de la tendresse encore dans la voix de Proust lui disant : « Au revoir, mon petit Lucien... »

Le 18 juin, à une soirée chez la comtesse de Mun, il retrouve Jeanne de Caillavet, celle qu'il avait jadis fait profession d'aimer au point d'éveiller la jalousie de son fiancé. Elle a retrouvé son nom de jeune fille en épousant son cousin, Maurice Pouquet, ce qui lui a enfin procuré le bonheur conjugal que le volage Gaston ne lui avait pas donné. Proust s'assied auprès d'elle et lui parle avec tant de gaieté, faisant de si piquants commentaires sur les autres invités qu'il lui donne l'impression d'aller beaucoup mieux. Lorsqu'elle se lève, il essaie de la retenir, mais Mme Pouquet, fatiguée, veut s'en aller. Elle dira plus tard que le visage de Proust prit alors une « expression indéfinissable de douceur, d'ironie et de tristesse » :

« C'est bien, madame, adieu.

— Mais non ! mon petit Marcel, au revoir.

— Non, madame, adieu. Je ne vous verrai plus. Je sens que je ne vous verrai plus. Vous me trouvez bonne mine ? Mais je suis mourant, madame, mourant... Je n'irai plus jamais dans le monde. Cette soirée m'a harassé. Adieu, madame.

— Mon cher Marcel, je peux très bien aller chez vous un jour prochain, ou un soir.

— Non, madame, ne venez pas. Ne soyez pas froissée de mon refus. Vous êtes gentille. Je suis très touché, mais je ne veux plus revoir mes amis. J'ai un travail très pressé à finir. Oui ! Oh oui ! Très pressé ! »

Et Mme Pouquet vit « dans ses yeux pleins de larmes que l'idée de la mort ne le quittait plus [1] ».

En principe, son travail était achevé, ainsi qu'un jour il l'avait triomphalement annoncé à Céleste. Un après-midi, alors qu'elle lui apportait son café, elle avait été frappée par l'absence de fumigations, puis par l'expression de son regard et enfin par le fait qu'il lui avait dit bonjour, car d'habitude il ne lui parlait pas avant d'avoir pris sa première tasse de café. Elle en avait conclu qu'il s'était passé quelque chose d'anormal. En effet, Proust lui avait déclaré : « Vous savez, il est arrivé une grande chose cette nuit... » Comme Céleste cherchait, croyant que quelqu'un était venu le voir qui avait échappé à sa vigilance, elle avait avoué finalement ne pas deviner : « Eh bien, ma chère Céleste, je vais vous le dire. C'est une grande nouvelle. Cette nuit, j'ai mis le mot *Fin.* » Et il avait ajouté, avec un sourire de satisfaction : « Maintenant, je peux mourir [2]. »

*

En réalité, l'œuvre est loin d'être achevée — on s'en apercevra d'ailleurs après sa mort — et il continue d'y travailler, corrigeant sans relâche la troisième partie de *Sodome et Gomorrhe* qu'il voulait publier sous le titre de *La Fugitive* et pour lequel il adoptera celui *d'Albertine disparue* afin d'éviter une confusion avec un ouvrage récemment paru de Rabindranath Tagore, traduit par Renée de Brimont sous le titre de *La Fugitive*. Il relit le texte, non sur épreuves, mais sur la copie dactylographique établie par trois secrétaires et n'avance que lentement : « Mais le travail de réfection de cette dactylographie, où j'ajoute partout et change tout, est à peine commencé », écrit-il le 25 juin à Gaston Gallimard qui voudrait pouvoir annoncer les deux tomes de *Sodome et Gomorrhe III* pour l'année littéraire 1923. « Aucune des deux parties n'est prête, objecte-t-il au début du mois de juillet, ce qui s'appelle *prête*... Je ne veux pas livrer du travail bâclé, mais le meilleur possible dans la mesure de mes faibles facultés [3]. »

1. Dialogue rapporté par Michelle Maurois dans son livre *Déchirez cette lettre*, pp. 307-308.
2. C. Albaret, *Monsieur Proust*, p. 403.
3. *Correspondance Proust-Gallimard*, p. 551.

En attendant de livrer son texte à la N.R.F., il livre à Gallimard quelques réflexions désagréables sur le peu de soin que celui-ci apporte à la publicité de *Sodome et Gomorrhe II*, qu'il juge bien mal faite. Celle qu'il a vue dans certains journaux est due à l'amitié que lui portent leurs directeurs ou rédacteurs en chef, mais non aux efforts personnels de Gallimard. A titre d'exemple, il lui fait observer que la mention « Pour emporter en voyage » qui figure à propos de livres sans grande valeur n'est pas accolée aux titres des siens lorsque les journaux en parlent. Avoir désormais des extraits de ses livres dans la revue ne présente plus pour lui aucun avantage, et ne lui fait aucun plaisir, puisque les lecteurs de la N.R.F. sont déjà les siens. Il faut prêcher les infidèles, et non les convertis. Cela lui rappelle, écrit-il ironiquement, ce petit jeu d'adolescents s'écrivant des lettres d'amour pour le plaisir d'en recevoir. Non sans amertume, il s'étonne auprès de Gallimard qu'un de ses auteurs, un certain M. Hamp, « homme de troisième plan » de l'aveu même de Gaston, soit beaucoup mieux payé que lui. « Mais que M. Hamp et d'autres aussi me passent devant me semble cruel », ajoute-t-il. Cette question d'argent se dresse toujours entre eux, comme dans un ménage où la prodigalité de la femme exaspère la parcimonie de l'époux.

Pour Gaston Gallimard, le plus ennuyeux est que Proust porte ses plaintes contre sa maison auprès d'autres personnes qui les colportent à leur tour en y ajoutant chaque fois un peu plus. A Sydney Schiff, Proust écrit ainsi à l'époque : « Je ne veux pas dire qu'il n'y ait pas dans le milieu de la N.R.F. quelque personnalité remarquable, mais elle est neutralisée par l'autre et le tout forme une moyenne médiocre, comme toutes les moyennes, moins médiocre que la plupart des moyennes et heureusement assez mobile [1] ». Ce dont il se plaint le plus, et auprès du plus grand nombre de gens, c'est de la mauvaise volonté de Gallimard à lui payer ses droits d'auteur alors que celui-ci veille à lui faire envoyer chaque mois un chèque qui est maintenant de 3 000 francs [2]. A Clément de Maugny, il écrit ainsi : « Hélas, mon éditeur (ceci entre nous) n'a pu me payer (je te demande une discrétion absolue, car cela lui ferait du tort), sans quoi les choses s'arrangeraient d'elle-mêmes pour moi [3]. » De telles confidences, pour lesquelles il demande

1. *Correspondance Proust-Gallimard*, p. 564.
2. Environ 15 000 francs de 1990.
3. *Correspondance Proust-Gallimard*, p. 600.

un secret qui n'est évidemment jamais gardé, finissent par empoisonner ses relations avec son éditeur, tout en faisant de lui, aux yeux de ses amis, une victime odieusement exploitée.

Il est aisé pour Gallimard de lui prouver qu'il a fait au contraire une large publicité, ne serait-ce qu'auprès du public du théâtre du Vieux-Colombier en signalant ses livres sur le programme. Il lui fait remarquer aussi la différence entre le pourcentage de ses droits d'auteur, de 18% sur les trois premiers mille, et de 21% sur les suivants, et ceux, infiniment plus réduits, de Mallarmé, Gide ou Marc Orlan et lui démontre qu'il est ainsi « de *très loin* l'auteur le plus payé » de la maison. Il le prie même de le confronter à ceux qui prétendent le contraire. A ces arguments, Proust répond en biaisant, invoquant les intermédiaires qui se glissent entre eux pour envenimer leurs rapports qu'il préférerait plus personnels, comme « ceux du fidèle avec son confesseur », mais il se refuse énergiquement à voir Gallimard, ce qui permettrait une explication plus directe, mais le priverait du plaisir qu'il goûte à cette correspondance aigre-douce. Celle-ci se poursuit donc pendant tout l'été, sur le même ton, le ciel pur et bleu que chacun voudrait voir briller au-dessus de sa tête étant perpétuellement chargé de nuages. Au moindre prétexte, ceux-ci se tranforment, au-dessus de la N.R.F., en une averse de reproches.

En apprenant que Paul Morand va donner une de ses nouvelles aux *Œuvres libres*, Proust s'étonne aigrement que Gallimard autorise Morand à faire ce qu'il lui a refusé. Aussi revient-il à la charge, à l'étonnement de Gallimard qui ne pensait pas que ce sujet fût resté une *pierre d'achoppement* entre eux, comme le lui rappelle Proust. Il est évidemment douloureux pour lui de voir son auteur retirer un fragment de *La Prisonnière* de la N.R.F., à laquelle il l'avait promis, pour le donner aux *Œuvres libres*, mais ne voulant contrarier en rien un auteur aussi difficile, il préfère s'incliner. Ce morceau paraîtra effectivement, au mois de février 1923, dans le numéro 20 des *Œuvres libres*.

Malgré cette importante concession, Proust n'est pas satisfait. Avec une insigne mauvaise foi, il remet en cause les dispositions du contrat qu'il a signé, faisant une subtile distinction entre Gaston Gallimard, qu'il aime en tant qu'ami, et M. l'Administrateur délégué de la N.R.F. que, ne connaissant pas personnellement, il n'a donc pas à ménager. Il serait vain d'entrer dans le détail de cette querelle de mots qui donne lieu à échange quasi quotidien de lettres et montre chez Proust, à quelques semaines de sa mort, moins une singulière âpreté en matière d'argent qu'un maladif besoin d'avoir raison contre quelqu'un, de faire plier Gaston Gallimard devant toutes ses volontés, voire tous ses caprices.

A la N.R.F., on ne sait plus comment faire entendre raison à Proust qui croit ses arguments *irréfutables* et s'entête dans son erreur. Malgré le culte qu'il a voué à Proust, Jacques Rivière éprouve les mêmes difficultés avec lui à propos des extraits qu'il espérait avoir pour la revue et s'en plaint auprès de Gallimard qui lui répond : « Moi aussi, je suis en grande discussion avec Proust. Il est impossible[1]. »

C'est un combat ridicule et navrant, car Proust a vraiment autre chose à faire, engagé qu'il est dans un combat corps à corps avec le manuscrit de *La Prisonnière* qui est loin d'être au point pour sa publication : « Je recommence pour la troisième fois ma *Prisonnière* dont je ne suis pas content, écrit-il à Gallimard le 3 septembre 1922, et ayant un mal infini à déchiffrer les corrections et surcharges que j'ai apportées aux feuilles, sans cela claires, de ma dactylographie[2]. »

Au début du mois de septembre, il s'est tellement affaibli qu'il a des vertiges et tombe dès qu'il sort de son lit, attribuant ces étourdissements, non à sa faiblesse, mais à un début d'asphyxie par des fissures dans sa cheminée. Il n'a plus la force d'aller à pied jusqu'à l'ascenseur pour descendre et sortir avec le taxi d'Odilon Albaret. Il souffre aussi, dit-il à Gallimard, d'un début d'amnésie, le priant de l'excuser s'il lui écrit deux fois de suite les mêmes choses, mais on peut penser qu'il s'agit là d'un prétexte et qu'il n'est pas fâché de redire à son éditeur des vérités qu'il croit essentielles. Ainsi lui répète-t-il un propos de son frère ayant vainement cherché *Sodome et Gomorrhe* dans tous les kiosques de gare et lui écrivant : « Tu peux te vanter d'avoir un éditeur qui ne fait pas un sou de publicité pour tes livres. Et avec la triste vie si dispendieuse que tu mènes, je ne te comprends pas de ne pas t'en plaindre[3]. »

Encore une fois, Gallimard doit se justifier, remarquant au passage que le docteur Proust juge les éditeurs comme d'autres gens jugent les médecins ou les chirurgiens : « Celui-ci sauve tous les opérés... Celui-là les tue... » Il a tout fait pour que

1. *Correspondance Proust-Gallimard*, p. 599.
2. *Ibidem*, p. 596.
3. *Ibidem*, p. 610.

Proust se vende dans les gares, ambition suprême de tous les littérateurs, même les plus distingués : il a invité à déjeuner le responsable du service de distribution des kiosques, lui a même offert une loge aux Variétés, mais n'a pu triompher de la répugnance de cet homme à prendre pour des voyageurs pressés un ouvrage en trois tomes.

Alors qu'il entame une quatrième version de *La Prisonnière*, Proust est pris de nouvelles et violentes crises d'asthme qui l'empêchent de travailler ainsi que de harceler Gallimard. Celui-ci lui avait écrit une lettre d'explications à laquelle il s'était contenté de répondre, par télégramme, qu'elle lui paraissait « une plaisanterie ». Navré d'une telle obstination à le persécuter, Gallimard lui avait à son tour répondu : « Il faut bien vous dire, mon cher Marcel, que de tels reproches me bouleversent souvent et me découragent dans mon travail au point qu'alors j'ai envie de tout abandonner. Vous avez ri déjà d'un tel aveu. Vous en rirez peut-être aujourd'hui encore. Il n'en est pas moins sincère...[1]. »

Devant cet acharnement de Proust, on peut se demander en effet quel but il poursuit, au risque de voir Gallimard, excédé, renoncer brusquement à poursuivre la publication de son œuvre. Le souci d'achever enfin celle-ci est certainement moins grand que le plaisir qu'il éprouve à retourner Gallimard sur le gril. Il lui faut une victime, un être à faire souffrir moralement comme lui souffre physiquement. C'est la seule raison plausible à cette espèce de haine qu'il nourrit contre Gallimard, tout en l'assurant dans chaque lettre de son affection et même de sa tendresse.

Bien qu'il ne se soucie plus d'avoir des prépublications dans la N.R.F., il adresse néanmoins à Jacques Rivière des extraits de *La Prisonnière*. Là encore, il ne rendra pas les choses faciles à Rivière et il fera même stopper le tirage du numéro de novembre pour modifier la fin de son texte.

*

Au début du mois d'octobre, une imprudence aggrave son état. Il a voulu se rendre à une invitation d'Etienne de Beaumont et y a pris froid. Appelé en consultation, le docteur Bize ordonne des piqûres d'huile camphrée, que Proust refuse. Il est plus que jamais résolu à ne pas se soigner, à ne pas

---

1. *Correspondance Proust-Gallimard*, p. 619.

laisser qui que ce soit changer quelque chose au système instauré par lui quelque trente ans plus tôt. Il ne s'agit pour le moment que d'une banale bronchite, mais l'affaiblissement de son état général, dû à une sous-alimentation constante, la rend dangereuse. Il lui faudrait aussi se reposer pendant quelques jours, mais il veut continuer à travailler, dans une chambre glacée, car depuis qu'il a cru avoir été asphyxié, au mois de septembre, il ne veut plus que l'on fasse de feu dans la cheminée. L'idée de faire vérifier ou réparer celle-ci ne l'effleure pas.

Inquiet de voir la bronchite s'aggraver, la toux devenir plus rauque et les étouffements se multiplier, le docteur Bize alerte Robert Proust qui vient le soir même rue Hamelin, où il est mal accueilli. Devant l'obstination de son frère à refuser toute thérapeutique, Robert Proust, impatienté, s'écrie : « Alors, il faudra qu'on te soigne malgré toi. » Phrase maladroite, à laquelle Proust réagit violemment, déclarant qu'il ne se laissera rien imposer. C'est en vain que Robert lui propose de le faire entrer à la clinique de la rue Piccini où il serait bien soigné, dans une chambre confortable et chauffée. Proust ne veut pas quitter son appartement, ni Céleste, à ses yeux la meilleure des infirmières. Son frère lui dit alors que Céleste pourra l'accompagner ; on lui donnera une chambre à côté de la sienne. Agacé de cette insistance, Proust finit par se mettre en colère et chasse son frère : « Va-t-en, lui crie-t-il, je ne veux plus te voir. Je t'interdis de revenir si c'est pour m'imposer quelque chose [1]. »

Et après le départ de Robert, bouleversé par cette scène, Proust donne à Céleste la consigne de ne laisser entrer personne, ni son frère, ni le docteur Bize. Insensible aux arguments de bon sens de Céleste, incapable d'assumer à elle seule la responsabilité d'un tel malade, il fait promettre à celle-ci de ne jamais laisser quelqu'un lui faire une piqûre. Il n'a confiance qu'en son propre jugement et lui dira peu après : « Mais vous verrez, vous verrez, chère Céleste, je suis plus médecin que les médecins… »

Le 19 octobre, en dépit de son état, il veut sortir, mais ses forces le trahissent et il doit regagner son lit. Dès lors, il décline rapidement. Il a cessé presque complètement de s'alimenter, refusant les compotes que Céleste lui prépare et même ce café fort dont il ne pouvait se passer. Comme il fait très froid dans

1. C. Albaret, *Monsieur Proust*, p. 415.

la chambre, Céleste essaie de le réchauffer en lui faisant avaler du lait chaud, mais il y goûte à peine, ne voulant plus que des bières glacées qu'Odilon va lui chercher au Ritz. Comme parler le fatigue, il donne ses ordres sur de petites bouts de papier, parfois indéchiffrables, mais portant la trace de son impatience fébrile d'être promptement obéi. Ses ultimes forces, qui s'amenuisent de jour en jour, il les consacre à la révision d'*Albertine disparue* maintenant qu'il a terminé celle de *La Prisonnière*, et aussi à la juste persécution de Gaston Gallimard dont il a découvert un nouveau forfait : on ne trouvait déjà plus en librairie de *Côté de Guermantes I* et de *Sodome et Gomorrhe II* et il croyait à un retard dans la distribution, mais voilà qu'il apprend que *Sodome et Gomorrhe II* serait épuisé, et en cours de réimpression. Comment Gallimard a-t-il pu montrer autant d'imprévoyance devant le succès d'un livre dont les exemplaires partent rapidement ? C'est à juste titre que Gallimard, excédé par ces perpétuelles jérémiades, lui répond le 7 octobre : « Pourquoi faut-il que je n'ouvre plus aucune de vos lettres sans appréhension ? »

Gallimard n'en aura plus qu'une seule à ouvrir. Dans un sursaut d'énergie dont il fait également bénéficier Jacques Rivière, Proust lui écrit à la fin du mois d'octobre ou au tout début de celui de novembre : « Je crois en ce moment que le plus urgent serait de vous livrer tous mes livres. L'espèce d'acharnement que j'ai mis pour *La Prisonnière* (prête, mais à faire relire, le mieux serait que vous fassiez faire les premières épreuves que je corrigerai), cet acharnement... [*deux mots illisibles*] dans mon terrible état de ces jours-là, a écarté de moi les tomes suivants[1]. » Comparée à ses autres lettres, si longues, celle-là n'est qu'un billet, prémonitoire et testamentaire, qu'il termine de manière significative par un « Adieu, cher Gaston ».

Il est désormais si mal que Céleste, enfreignant la consigne, alerte le docteur Bize. Quant à son frère, lorsque Proust a eu l'assurance qu'il ne chercherait pas à lui imposer un traitement, il a consenti à le revoir, au même titre que quelques rares intimes, comme Reynaldo Hahn. Le 8 novembre, Jacques Rivière est venu chercher le texte révisé de *La Prisonnière*. Il n'y a plus aucun espoir de guérir cette bronchite qui a dégénéré en pneumonie.

Alors que Proust se trouve dans un état proche de l'agonie, il reçoit une lettre d'Ernst Forssgren l'informant de son passage

1. *Correspondance Proust-Gallimard*, p. 636.

à Paris. Le jeune Suédois est descendu au Riviera Hôtel. Pour le revoir, Proust se lève et va l'attendre à son hôtel de onze heures du soir à trois heures du matin, mais sans le rencontrer. Lorsque Forssgren apprendra que Proust a risqué sa vie, ou plutôt avancé sa mort, pour le revoir, il se rendra rue Hamelin, mais le docteur Proust lui interdira l'entrée de la chambre où son frère agonise, privant peut-être celui-ci d'une dernière joie.

Sentant sa mort inéluctable, il prend quelques dispositions, priant Céleste de rendre à Marie Scheikévitch un allume-cigarettes dont elle lui avait fait cadeau en 1917, de donner à Reynaldo Hahn une aquarelle de Marie Nordlinger qui se trouve à son chevet, et d'envoyer, « par remords », une gerbe de fleurs au docteur Bize. Sans attendre sa mort, il envoie Céleste porter à Léon Daudet, qui vient d'écrire un bel article sur lui, une autre gerbe de fleurs, attention qui émeut aux larmes le féroce pamphlétaire. Enfin, il charge Céleste d'avertir l'abbé Mugnier de sa mort pour que celui-ci vienne réciter devant sa dépouille les prières des trépassés.

Dans la nuit du 17 au 18 novembre, il appelle Céleste pour l'aider à travailler, ajoutant : « Si je passe cette nuit, je prouverai aux médecins que je suis plus fort qu'eux. Mais il faut la passer. Croyez-vous que j'y arriverai ? »

Tous deux commencent une fastidieuse besogne de correction et d'ajouts. Epuisée par tant de veilles et d'inquiétude, Céleste ne parvient plus à suivre le rythme de la dictée, les doigts d'ailleurs engourdis par le froid qui règne dans la chambre. Proust lui reprend alors le porte-plume et continue de travailler seul. A trois heures et demie du matin, il soupire : « Je suis trop fatigué. Arrêtons, Céleste. Je n'en peux plus, mais restez là. » Il lui fait alors des recommandations pratiques pour ses papiers, ses cahiers, puis veut lui signer un chèque à son ordre : « Mais si jamais on contestait le chèque ? dit-il. Pourtant, on devrait savoir reconnaître la signature d'un mourant ? » Il y renonce et se tait, les yeux fermés.

A l'aube du 18, il réclame du café. Céleste se rend à la cuisine où sa sœur Marie a passé la nuit et lui déclare : « J'ai tenu jusqu'à présent, mais je crois que je suis finie. Je ne tiens plus debout. » Lorsqu'elle revient avec le café, elle en donne un bol à Proust qui en boit un peu, puis lui demande de le laisser seul. Au lieu de retourner dans la cuisine, Céleste, malgré sa fatigue, reste debout dans le couloir, derrière la porte proche de son lit, pour intervenir plus vite en cas d'urgence. Au bout d'une heure, elle entend Proust sonner. Pour ne pas entrer aussitôt, ce qui trahirait sa ruse, elle fait le tour et entre dans la chambre par l'autre porte, celle du boudoir. Proust n'est pas dupe de ce manège et lui demande ce qu'elle faisait derrière la porte. Céleste commence par nier, puis elle avoue : « Oui, Monsieur, c'est vrai, j'y étais. J'avais peur que vous n'ayez besoin de quelque chose. Je voulais seulement être plus près de vous pour être sûre de pouvoir accourir tout de suite. »

Proust lui demande alors de ne pas éteindre sa lampe, à quoi d'ailleurs Céleste ne songe pas. Il insiste : « N'éteignez pas, Céleste... Il y a dans la chambre une grosse femme. Une grosse femme en noir, horrible... Je veux voir clair. » En évoquant cette apparition, il a un geste convulsif des mains pour remonter son drap et ramasser les journaux qui jonchent son lit. Il ne veut plus de café, mais de la bière glacée qu'Odilon part lui chercher au Ritz.

A dix heures du matin, le docteur Bize arrive et, pour ne pas affoler Proust, Céleste lui dit que le médecin, passant rue Hamelin, avait eu l'idée de monter pour prendre de ses nouvelles, mensonge auquel Proust feint de croire. A ce moment, Odilon revient du Ritz, apportant la bière, et Proust, ignorant la présence du médecin, ne parle plus qu'à Odilon, lui disant qu'il est content de le voir. Jugeant comme Céleste Albaret que seule une piqûre peut le soulager dans l'état où il se trouve, le docteur Bize se prépare à lui en faire une dans la cuisse. On soulève le drap et lorsque Proust se rend compte que Céleste a failli à sa promesse, il lui saisit le poignet, en pince la peau et gémit : « Ah ! Céleste... Ah ! Céleste... »

Après le départ du docteur Bize, apparaît Robert Proust à qui Céleste avoue son remords d'avoir laissé faire la piqûre, d'ailleurs sans grand effet, le liquide ayant à peine pénétré dans les veines. Robert Proust la rassure et lui avoue à son tour qu'il était en bas avant l'arrivée du docteur Bize et avait lui aussi laissé faire celui-ci, car c'était la seule chose à tenter. Il ne fait qu'une brève visite et revient une heure plus tard pour une application de ventouses, sans plus de succès que la piqûre. Le docteur Proust demande alors à Odilon d'aller chercher des ballons d'oxygène, qui apportent à son frère quelque soulagement.

Au début de l'après-midi, le docteur Bize revient, suivi du docteur Babinski que Robert Proust et lui ont décidé d'appeler en consultation. Tous trois se concertent, mais sans trouver de solution car il n'y a plus rien à espérer d'un organisme épuisé. Lorsque Robert Proust veut tenter une nouvelle piqûre intraveineuse de camphre, Babinski l'arrête : « Non, mon cher Robert, ne le fais pas souffrir. Ce n'est plus la peine. »

Les deux praticiens se retirent, laissant Robert Proust seul avec son frère qui, sans parler, ne le quitte pas des yeux. Vers quatre heures et demie, Robert Proust s'approche du lit, ayant compris, à la fixité du regard, que son frère était mort. C'est lui qui abaisse ses paupières, alors qu'un jour, en voyant les mains de Céleste, Proust les avait prises dans les siennes en disant : « Ce sont ces deux petites mains qui me fermeront les yeux ! » En revanche, c'est elle qui lui coupe une mèche de cheveux.

Proust avait tellement répété, depuis des années, qu'il était mourant, ou qu'il avait failli mourir, que beaucoup de gens ne croient pas à sa mort. Plus tard, Pierre de Lacretelle racontera que, ce soir-là, il dînait chez des amis où l'on attendait Reynaldo Hahn. Celui-ci parut enfin et dit pour faire excuser son retard : « Pardonnez-moi, c'est la faute de Marcel. Il m'a encore fait appeler d'ugence pour me dire adieu. De la comédie, comme d'habitude... [1]. » Le lendemain, c'est Reynaldo Hahn qui téléphone aux amis de Proust pour les prévenir de la mort de celui-ci. L'abbé Mugnier, malade, n'a pu réciter à son chevet les prières qu'il avait souhaitées. Le peintre Helleu vient pour faire une pointe sèche de la tête. Dunoyer de Segonzac exécute un profil au fusain, puis Man Ray prend une photographie. Ensuite, c'est le défilé des amis, des personnalités du monde des lettres et des arts : Fernand Gregh, la princesse Lucien Murat, Léon Daudet, fort ému, Robert Dreyfus, Henri Gans, Mme de Noailles, Lucien Daudet, Georges de Lauris, Robert de Billy, Edmond Jaloux, Jean Cocteau, Jacques Porel qui passe au doigt de Proust un camée offert par Anatole France à sa mère, Réjane, lors de la première représentation du *Lys rouge*. Entre ses mains, Céleste avait voulu mettre le chapelet que Lucie Faure lui avait jadis rapporté d'un pèlerinage à Jérusalem, mais Robert Proust s'y était opposé : « Non, Céleste, il est mort au travail. Laissons-lui les mains allongées. »

Fixé au 22 novembre, à la chapelle Saint-Pierre-de-Chaillot,

---

1. M. Galey, *Journal*, tome I, p. 237. L'anecdote semble douteuse. Il devrait s'agir de Jacques de Lacretelle, plutôt que de Pierre et elle devrait se situer la veille ou l'avant-veille de la mort de Proust.

l'enterrement a lieu en présence d'une foule brillante autant qu'hétéroclite. L'abbé Delouve prononce une oraison funèbre, mais au lieu de la musique liturgique propre à ce genre de cérémonie, on joue *Pavane pour une infante défunte*. Venu en curieux plutôt qu'en ami, Maurice Martin du Gard promène un regard sarcastique sur l'assistance : « ... des ducs, des princes, des ambassadeurs, le Jockey, l'Union, en bottines à boutons, des monocles, des raies calamistrées... Dans la foule, de la haute juiverie et de la grande pédérastie parisienne sur le retour, à fond de teint, l'ongle verni, le regard fureteur. Dominant le premier rang, le mécène des ballets et des fêtes du Paris de la Victoire, éploré, le comte Étienne de Beaumont... [1] ». Si Gide est absent, ce qui est fort remarqué, en revanche abondent les écrivains, pressés de recueillir l'héritage du défunt ou de se tailler une petite réputation en se partageant ses dépouilles. Étonné d'une telle affluence, Barrès y voit la consécration d'un talent auquel il n'avait pas accordé suffisamment d'attention : « Je l'avais toujours cru juif, le petit Marcel, avoue-t-il à François Mauriac, quel bel enterrement... » Et, définitivement attendri, il ajoute : « Enfin, ouais... c'était notre jeune homme... »

Un incident comique égaie les assistants à la sortie de la chapelle : le petit chien de Fernand Gregh s'échappe et se réfugie sous le corbillard alors que celui-ci va partir pour le Père-Lachaise où Proust rejoindra ses parents, dans le caveau orné du médaillon du docteur Proust par Marie Nordlinger [2].

Les articles nécrologiques seront nombreux, les éloges aussi, mais aucun hommage ne paraît plus vrai, aucun, certainement, n'aurait plus touché le cœur de Proust que la réflexion d'Odilon Albaret. Celui-ci venait précisément de remplacer son vieux taxi par une belle voiture neuve, plus digne de son maître. Il ne voudra pas la garder, la revendant même à perte en disant : « Après lui, c'est fini. Il me faisait supporter les autres clients [3]. »

---

1. M. Martin du Gard, *Les Mémorables*, tome I, pp. 263-264.
2. Le médaillon du docteur Proust se trouve actuellement sur la façade de sa maison natale à Illiers.
3. C. Albaret, *Monsieur Proust*, p. 134.

## REMERCIEMENTS

S'il est déjà malaisé d'établir une bibliographie complète de Proust car chaque jour, quelque part dans le monde, éclôt un article, une thèse ou une étude, il est plus difficile encore de se procurer certains ouvrages, devenus fort rares, et, bien entendu, de tout lire.

Dans cette recherche de documentation, parfois stérile lorsqu'il s'agit de retrouver des lettres de Proust perdues, ou bien jalousement gardées par leurs possesseurs, j'ai bénéficié de précieux concours, notamment celui de M. Gérard Desanges qui a mis sa bibliothèque proustienne à ma disposition, et celui de M. Philippe Laurence qui m'a laissé puiser dans celle de son oncle, Jean Laurence d'Estoux. Celui-ci, fervent proustien, avait eu l'intention d'écrire un livre sur son auteur de prédilection et, dans ce but, il avait rassemblé une importante documentation que sa mort accidentelle, en 1954, l'a empêché d'utiliser. Je tiens à rendre hommage à sa mémoire puisque, grâce à sa prévoyance, j'ai pu lire à loisir les ouvrages qu'il avait collectionnés.

M. Julien Green, de l'Académie française, et M. Jean-Éric Green ont bien voulu me donner communication d'une lettre inédite de Marcel Proust et m'autoriser à disposer des lettres de Lucien Daudet à Robert de Saint-Jean.

A Genève, M. Philippe Monnier, conservateur du département des manuscrits à la Bibliothèque universitaire, m'a permis de consulter les *Souvenirs inédits* de Ferdinand Bac et le *Livre-Journal*, également inédit, de celui-ci. A cet important fonds Ferdinand Bac, s'ajoutent des notes et un autre *Journal*, aimablement communiqués par M. Jean Barberie.

M. Philippe Michel-Thiriet, auteur du *Quid de Proust* et qui travaille actuellement à une vie de Marcel Proust, n'a jamais hésité, malgré notre rivalité apparente, à m'apporter sur certains points, avec une grande générosité, précisions et documents.

Enfin, je remercie toutes les personnes qui, à divers titres, ont eu l'amabilité de m'aider, soit en me prêtant certains livres, soit en m'obtenant des renseignements dont j'avais besoin : le docteur Dominique André, M. François Bergot, conservateur du musée des Beaux-Arts de Rouen, M. Bernard Bocion, M. Didier Bonnet, Mme Anne Borrel, secrétaire générale de la Société des Amis de Marcel Proust et des Amis de Combray, M. Jean-Loup Champion, M. Philippe Colombani, Me Rémi Corpechot, Mlle Ghislaine Dhers, le docteur Paul Ganière, Mme Gabriel Girod de l'Ain, M. Philippe Jean, Mme J. de la Martinière, M. Fernand Laplaud, M. Jean-Claude Lachnitt, président de l'Académie du Second Empire, M. Stéphane Libert, Mlle Françoise Marchand, la marquise de Matharel, Mme René Mayer, M. Bernard Minoret, Mme Robert Naquet, née Michelle Maurois, le père P. Nivière, le comte Jacques de Ricaumont, Mme Louis de Robert, la princesse Claude Ruspoli, M. Marcel Schneider, M. Bertrand Schneiter, la baronne Fernand de Seroux, Mme Roger Toussaint du Wast, Mlle Claudia Verhesen.

# CHOIX BIBLIOGRAPHIQUE

## I. ŒUVRES DE MARCEL PROUST

*Jean Santeuil,* précédé de *Les Plaisirs et les Jours*, édition établie par Pierre Clarac, avec la collaboration d'Yves Sandre (Gallimard, Pléiade, Paris, 1971).

*Contre Sainte-Beuve,* précédé de *Pastiches et Mélanges*, et suivi d'*Essais et Articles*, édition établie par Pierre Clarac, avec la collaboration d'Yves Sandre (Gallimard, Pléiade, Paris, 1971).

*A la recherche du temps perdu,* édition établie sous la direction de Jean-Yves Tadié (quatre tomes, Gallimard, Pléiade, Paris, 1987-1989).

*Le Carnet de 1908,* édition établie par Philip Kolb, nº 8 des *Cahiers Marcel Proust* (Gallimard, Paris, 1876).

*L'Indifférent,* publié par Philip Kolb (Gallimard, Paris, 1978).

*Textes retrouvés,* édition établie par Philip Kolb, nº 3 des *Cahiers Marcel Proust* (Gallimard, Paris, 1971).

*Albertine disparue,* édition originale de la dernière version revue par l'auteur, établie par Nathalie Mauriac et Étienne Wolff (Bernard Grasset, Paris, 1987).

*Poèmes,* édition établie par Claudis Francis et Fernande Gontier, nº 10 des *Cahiers Marcel Proust* (Gallimard, Paris, 1982).

*Correspondance générale de Marcel Proust,* édition en six volumes établie par Robert Proust et Pal Brach (Plon, Paris, 1930-1936). Édition fort incomplète et utilisée seulement pour les années 1921-1922, la base de tout travail sur Proust étant la :

*Correspondance de Marcel Proust,* texte établi, présenté et annoté par Philip Kolb, volumes I à XIX (Plon, Paris, 1970-1991), désignée par abréviation sous le titre : Kolb, tomes I, II, III, IV, etc.

## II. PUBLICATIONS PÉRIODIQUES ET OUVRAGES COLLECTIFS

*Bulletin d'informations proustiennes* (Presses de l'École normale supérieure, 20 numéros depuis 1971).

*Bulletin de la Société des Amis de Marcel Proust et des Amis de Combray,* dit *Bulletin Marcel Proust* (40 numéros de 1950 à 1991).

*Cahiers Marcel Proust* (Gallimard, Paris, 18 numéros depuis 1970).

*Le Capitole,* numéro spécial « Marcel Proust », Paris, 1926.

*Europe,* Centenaire de Marcel Proust (Éditeurs français réunis, Paris, août-septembre 1970).

*Le Disque vert,* Hommage à Marcel Proust, 1952.

*Proust,* collection « Génie et Réalités » (Hachette, Paris, 1965).

*Hommage à Marcel Proust,* n° 1 des *Cahiers Marcel Proust* (Gallimard, Paris, 1927).

## III. OUVRAGES BIOGRAPHIQUES ÉTUDES ET SOUVENIRS

ABRAHAM Pierre, *Proust* (Éditions Rieder, Paris, 1930).

ADAM Antoine, « Le Roman de Proust et le problème des clefs » (*Revue des Sciences humaines*, fasc. 65, janvier-mars 1952).

AGRÈVE Jean d', *La Société parisienne de nos jours* (Librairie des Saints-Pères, Paris, 1908).

AHLSTEDT Eva, « Marcel Proust et Binet-Valmer » (*Bulletin Marcel Proust*, n° 30, 1980).

AJALBERT Jean, *Mémoires en vrac* (Albin Michel, Paris, 1938).

ALBARET Céleste, *Monsieur Proust*, souvenirs recueillis par Georges Belmont (Laffont, Paris, 1973).

ARESSY Lucien, *A la recherche de Marcel Proust* (Éditions du Triptyque, Paris, 1930).

ASSOULINE Pierre, *Gaston Gallimard* (Balland, Paris, 1984).

ASTRUC Gabriel, *Le Pavillon des fantômes* (Belfond, Paris, 1987).

BAC Ferdinand, *Intimités de la IIIe République* (3 vol., Hachette, Paris, 1935).

BACKUS David, « Au jardin de Montesquiou » (*Bulletin Marcel Proust*, n° 34, 1984).

BANCQUART Marie-Claire, *Anatole France, un sceptique passionné* (Calmann-Lévy, Paris, 1984).

BARDAC Henri, « Proust et Montesquiou » (*La Revue de Paris*, septembre 1948).

BARDÈCHE Maurice, *Marcel Proust romancier* (2 vol., Les Sept couleurs, Paris, 1971).

BARNEY Natalie C., *Aventures de l'esprit* (Émile-Paul, Paris, 1929).
*Souvenirs indiscrets* (Flammarion, Paris, 1980).

BEAUCHAMP Louis de, *Marcel Proust et le Jockey Club* (Émile-Paul, Paris, 1973).
*Le Petit Groupe et le grand monde de Marcel Proust*, préface de Jacques de Ricaumont, (A.G. Nizet, Paris, 1990).

BEHAR Serge, « L'univers médical de Proust » (*Cahiers Marcel Proust*, Gallimard, 1970).

BENOIST-MÉCHIN Jacques, *Retour à Marcel Proust* (Pierre Amiot, Paris, 1957).
*A l'épreuve du temps*, tome premier, *1905-1940* (Julliard, Paris 1989).

BENJAMIN René, *Sous l'œil en fleurs de Madame de Noailles (Librairie des Champs-Élysées, Paris, 1928).*

BERL Emmanuel, *Sylvia* (Gallimard, Paris, 1982).
*Présence des morts* (Gallimard, Paris, 1956).
*Essais* (Julliard, Paris, 1985).

BERNARD Sacha, *A l'ombre de Marcel Proust* (A.G. Nizet, Paris, 1979).

BIBESCO Antoine, « The Heartlessness of Marcel Proust », (*Cornhill Magazine*, n° 983, 1950).

BIBESCO Princesse, « Au bal avec Marcel Proust » (*Cahiers Marcel Proust*, n° 4, Gallimard, 1928).
*Le Voyageur voilé : Marcel Proust* (La Palatine, Genève, 1949).

*La Duchesse de Guermantes — Laure de Sade, comtesse de Chevigné* (Plon, Paris, 1950).

BILLY Robert de, *Marcel Proust, lettres et conversations* (Éditions des Portiques, Paris, 1930).

BLANCHE Jacques-Émile, « Souvenirs sur Marcel Proust » (*Revue hebdomadaire*, 21 juillet 1928).

*Mes modèles* (Stock, Paris, 1928).

*Propos de peintre* (Émile-Paul, Paris, 1919).

*La Pêche aux souvenirs* (Flammarion, Paris, 1949).

BONA Dominique, *Les Yeux noirs, les vies extraordinaires des sœurs Heredia* (J.-C. Lattès, Paris, 1989).

BLONDEL docteur Charles, *La Psychographie de Marcel Proust* (Librairie philosophique J. Vrin, Paris, 1932).

BONNET Henri, *L'Eudémonisme esthétique de Proust* (J. Vrin, Paris, 1949).

*Marcel Proust de 1907 à 1914 — Essai de biographie critique* (Nizet, Paris, 1959).

*Alphonse Darlu* (Nizet, Paris, 1961).

*Les Amours et la sexualité de Marcel Proust* (Nizet, Paris, 1985).

BORDEAUX Henry, *Histoire d'une vie* (Plon, Paris, 1951).

BOTHOREL Jean, *Bernard Grasset, vie et passions d'un éditeur* (Grasset, Paris, 1989).

BOULANGER Jacques, *...Mais l'art est difficile* ! (1re série, Plon, Paris, 1921).

BRASILLACH Robert, *Portraits* (Plon, Paris, 1935).

BREDIN Jean-Denis, *L'Affaire* (Julliard, Paris, 1983).

BRÉE Germaine, *Du temps perdu au temps retrouvé* (Les Belles Lettres, Paris, 1950).

BRÉHANT Pr Jacques, « Une idylle dans le jardin d'Auteuil » (*Bulletin Marcel Proust*, n° 24, 1974).

BRET Jacques, *Marcel Proust* (Édition du Mont-Blanc, Genève, 1946).

BRIAND Charles, *Le Secret de Marcel Proust* (Henri Lefebvre, Paris, 1950).

BROCHE François, *Anna de Noailles* (Laffont, Paris, 1989).

BURNET Étienne, *Essences — Proust et le bergsonisme* (« Masques et Idées », Éditions Seheur, Paris, 1929).

CARASSUS Émilien, *Le Snobisme et les Lettres françaises, de Paul Bourget à Marcel Proust 1884-1914* (Armand Colin, Paris, 1965).

CASTELLANE Boni de, *Mémoires* (Perrin, Paris, 1986).

CATTAUI Georges, « L'amitié de Proust » (*Cahiers Marcel Proust*, n° 8, Gallimard, 1935).
*Marcel Proust* (Julliard, Paris, 1952).
*Proust perdu et retrouvé* (Plon, Paris, 1963).

CHEVILLY Marie de, « Marcel Proust en Savoie » (*Bulletin Marcel Proust*, n° 23, et n° 24, 1974).

CHEVRILLON André, *La Pensée de Ruskin* (Hachette, Paris).

CHIZERAY-CUNY H. de, *Marie de Régnier* (Paris, 1963, h.c.).

CLERMONT-TONNERRE E. de, *Robert de Montesquiou et Marcel Proust* (Flammarion, Paris, 1925).
*Marcel Proust* (Flammarion, Paris, 1948).
*Mémoires — Au temps des équipages* (Grasset, Paris, 1928) ; *Les Marronniers en fleur* (Grasset, Paris, 1929).

COCTEAU Jean, *Portraits-Souvenir* (Grasset, Paris, 1953).
*Le Passé défini* 1951-1952 (Gallimard, Paris, 1983).

COLLET Georges-Paul, « Marcel Proust et Jacques-Émile Blanche » (*Bulletin Marcel Proust*, n° 24, 1974).

COR Raphaël, *Un romancier de la vertu et un peintre du vice : Charles Dickens — Marcel Proust* (Éditions du Capitole, Paris, 1928).

COREPECHOT Lucien, *Souvenirs d'un journaliste* (Plon, Paris, 1937).

COSSART Michaël de, *La Princesse Edmond de Polignac et son salon* (Plon, Paris, 1979).

CRÉMIEUX Benjamin, XX^e^ siècle, première série (Gallimard, Paris, 1924).
*Du côté de chez Marcel Proust* (Éditions Lemarget, Paris, 1929).

CROISSET Francis de, *Le Souvenir de Robert de Flers* (Éditions des Portiques, Paris, 1929).

CURTIUS Ernest Robert, « Marcel Proust » (*La Revue nouvelle*, Paris, 1929).

DAUDET Léon, *Souvenirs des milieux littéraires, politiques, artistiques et médicaux* (2 vol., Nouvelle Librairie nationale, Paris, 1920).
*Le Roman et les nouveaux écrivains* (Le Divan, Paris, 1925).

DAUDET Lucien, *Dans l'ombre de l'impératrice Eugénie* (Gallimard, Paris, 1935).
« Autour de soixante lettres de Marcel Proust » (*Cahiers Marcel Proust*, n° 5, Gallimard, Paris, 1929).

DAVID André, *Soixante-quinze années de jeunesse du vivant des héros de Marcel Proust* (Éditions André Bonne, Paris, 1974).

DAVY François, *L'Or de Proust* (La Pensée universelle, Paris, 1978).

DELAGE Roger, « Reynaldo Hahn et Marcel Proust » (*Bulletin Marcel Proust*, n° 26, 1976).

DELARUE-MARDRUS Lucie, *Mes mémoires* (Gallimard, Paris, 1938).

DELATTRE Floris, *Bergson et Proust (Les Études bergsoniennes*, vol. I, Albin Michel, Paris, 1948).

DELEUZE Gilles, *Marcel Proust et les signes* (P.U.F., Paris, 1964).

DESCOMBES Vincent, *Proust, philosophie du roman* (Les Éditions de Minuit, Paris, 1987).

DREYFUS Robert, *De Monsieur Thiers à Marcel Proust* (Plon, Paris, 1939).

*Souvenirs sur Marcel Proust* (Grasset, Paris, 1926).

DRUMONT Édouard, *La France juive, essai d'histoire contemporaine* (Blériot, Paris, s.d.).

DU BOS Charles, *Approximations* (Éditions du Vieux-Colombier, Paris, 1965).

DUPLAY Maurice, « Mon ami Marcel Proust, souvenirs intimes » (*Cahiers Marcel Proust*, n° 5, Gallimard, 1972).

DUTRAIT-CROZON Henri, *Précis de l'affaire Dreyfus* (Librairie d'Action française, Paris, 1938).

FABRE-LUCE Alfred, *Vingt-cinq ans de liberté*, tome premier : *Le Grand Jeu* (Julliard, Paris, 1962).

FAŸ Bernard, *Panorama de la littérature contemporaine* (Éditions du Sagittaire, Simon Kra, Paris, 1925).

*Les Précieux* (Perrin, Paris, 1966).

FERNANDEZ Ramon, *Proust ou la généalogie du roman moderne* (Grasset, Paris, 1979).

FERRÉ André, *Géographie de Marcel Proust* (Éditions du Sagittaire, Simon Kra, Paris, 1939).

*Les Années de collège de Marcel Proust* (Gallimard, Paris, 1959).

FISER Emeric, *L'Esthétique de Marcel Proust* (Alexis Redier, Paris, 1933).

FLAMENT Albert, « La comtesse Greffulhe » (*Revue des Deux Mondes*, Paris, Ier mars 1953).

FOUQUIER Marcel, *Jours heureux d'autrefois : une société et son époque, 1885-1938* (Albin Michel, Paris, 1941).

FOUQUIÈRES André de, *Cinquante ans de panache* (Pierre Horay, Paris, 1951).
*Mon Paris et ses Parisiens : le quartier Monceau* (Pierre Horay, Paris, 1954).

FRÉTET Dr Jean, *L'Aliénation poétique* (J.B. Janin Éditeur, Paris, 1946).

FRANCIS Claude et GONTIER Fernande, *Marcel Proust et les siens* suivis des *Souvenirs de Suzy Mante-Proust* (Plon, Paris, 1981).

GABORY Georges, *Essai sur Marcel Proust* (Le Livre, Paris, 1926).

GALEY Matthieu, *Journal* (2 vol., Grasset, Paris, 1987).

GAUTIER-VIGNAL Louis, *Proust connu et inconnu* (Laffont, Paris, 1976).

GAVOTY Bernard, *Reynaldo Hahn* (Buchet Chastel, Paris, 1976).

GERMAIN André, *De Proust à Dada* (Le Sagittaire, Simon Kra, Paris, 1924).
*Portraits parisiens* (G. Crès, Paris, 1918).
*La Bourgeoisie qui brûle, propos d'un témoin*, 1890-1940 (Éditions Sun, Paris, 1951).
*Les Clés de Proust* (Éditions Sun, Paris, 1953).

GIDE André, *Journal 1889-1939* (Gallimard, Pléiade, Paris, 1948).

GIRARD René, *Mensonge romantique et vérité romanesque* (Grasset, Paris, 1961).

GONCOURT E. et J. de, *Journal 1851-1896* (4 vol., Fasquelle/Flammarion, Paris, 1956).

GRAMONT duc de, « Souvenirs sur Marcel Proust » (*Bulletin Marcel Proust* n° 6, 1956).

GREGH Fernand, *L'Age d'or* (Grasset, Paris, 1947).
*L'Age d'airain* (Grasset, Paris, 1951).
*L'Age de fer* (Grasset, Paris, 1956).
*Mon amitié avec Marcel Proust* (Grasset, Paris, 1958).

GUITARD-AUVISTE Ginette, *Paul Morand* (Hachette, Paris, 1981).

GYP (comtesse de Martel), *La Joyeuse Enfance de la III^e République* (Calmann-Lévy, Paris, 1931).

HALÉVY Daniel, *Pays parisiens* (Grasset, Paris, 1932).

HAHN Reynaldo, *Notes, Journal d'un musicien* (Plon, Paris, 1933).

HAYMANN Ronald, *Proust* (Heynemann, Londres, 1990).

HENRY Anne, *Marcel Proust : théories pour une esthétique* (Klincksieck, Paris, 1981).

HERMANT Abel, *Souvenirs de la vie mondaine* (Hachette, Paris, 1935).

HUAS Jeanine, *Les Femmes chez Proust* (Hachette, Paris, 1971).

HUGO Jean, *Le Regard de la mémoire* (Actes Sud, Hubert Nyssen Éditeur, Avignon, 1983).

HUMBOURG Pierre, *Fantômes sur papier blanc* (Bellenand, Paris, 1951).

JALOUX Edmond, *Avec Marcel Proust* (La Palatine, Genève, 1953).

JULLIAN Philippe, *Jean Lorrain ou le Satiricon 1900* (Fayard, Paris, 1974).
*Robert de Montesquiou* (Perrin, Paris, 1987).

KEIM Albert, *Le Demi-Siècle* (Albin Michel, Paris, 1950).

KINDS Edmond, *Étude sur Marcel Proust* (Le Rouge et le Noir, Paris, 1933).
*Marcel Proust* (Richard Masse, Paris, 1945).

KOLB Philip, « Proust et les Brancovan » (*Bulletin Marcel Proust*, n° 27, 1977).

LACRETELLE Jacques de, *Portraits d'autrefois et figures d'aujourd'hui* (Perrin, Paris, 1973).
*Les Aveux étudiés* (Gallimard, Paris, 1934).
*Les Vivants et leur ombre* (Grasset, Paris, 1977).

LAFÜE Pierre, *Pris sur le vif* (Del Duca, Paris, 1978).

LANDOW George P., *Ruskin* (Oxford University Press, 1985).

LARCHER P.-L., *Le temps retrouvé d'Illiers* (Imprimerie Durant, Luisant, 1971).
*Le Parfum de Combray* (Imprimerie Durand, Luisant, 1971).

LA ROCHEFOUCAULD Edmée de, *Anna de Noailles* (Mercure de France, Paris, 1976).

LATTRE Alain de, *Le Personnage proustien* (José Corti, Paris, 1984).

LAURIS Georges de, *Souvenirs d'une belle époque* (Amiot-Dumont, Paris, 1948).

LE MASLE Robert, *Le professeur Adrien Proust, 1843-1903* (Librairie Lipschutz, Paris, 1935).

LELONG Yves, *Proust, la santé du malheur* (Librairie Séguier, Paris, 1987).

LE SIDANER Louis, *J'ai relu Proust* (Les Amis de l'Artistocratie, Paris, 1949).

LISTER Barbara, *The House of Memories* (1929).

LHOMEAU Frank et Alain COELHO, *Marcel Proust à la recherche d'un éditeur* (Olivier Orban, 1988).

MADAULE Jacques, *Reconnaissances : Claudel, Proust, Du Bos* (Desclée de Brouwer, Paris, 1943).

MANSFIELD Lester, *Le Comique de Marcel Proust* (Nizet, Paris, 1953).

MARTIN DU GARD Maurice, *Les Mémorables* (3 vol., tome premier, Flammarion, Paris, 1957 ; tome II, Flammarion, Paris, 1960 ; tome III, Grasset, Paris, 1978).

MASSIS Henri, *Le Drame de Marcel Proust* (Grasset, Paris, 1937).

MAURIAC François, *Proust* (Chez Marcelle Lesage, Paris, 1926).
*Du côté de chez Proust* (La Table ronde, Paris, 1947).

MAURIAC Claude, *Proust* (Le Seuil, Paris, 1953).
*L'Oncle Marcel* (Grasset, Paris, 1988).

MAUROIS André, *A la recherche de Marcel Proust* (Hachette, Paris, 1949).
*Le Monde de Marcel Proust* (Hachette, Paris, 1960).

MAUROIS Michelle, *L'Encre dans le sang* (Flammarion, Paris, 1982).
*Les Cendres brûlantes* (Flammarion, Paris, 1986).
*Déchirez cette lettre* (Flammarion, Paris, 1990).

MEIN Margaret, « Proust et Gide » (*Bulletin Marcel Proust,* n° 28, 1978).
*Thèmes proustiens* (A.G. Nizet, Paris, 1979).

MEYER Arthur, *Ce que mes yeux ont vu* (Plon, Paris, 1911).

MICHEL (François-Bernard), *Le Souffle coupé* (Gallimard, Paris, 1984).

MICHEL-THIRIET Philippe, *Quid de Marcel Proust* (« Bouquins », Laffont, Paris, 1987).

MILLER Milton L., *Psychanalyse de Proust* (Fayard, Paris, 1977).

MINGELGRUN Albert, *Thèmes et Structures bibliques dans l'œuvre de Marcel Proust* (L'Age d'homme, Paris, 1978).

MONTESQUIOU Robert de, *Les Pas effacés* (3 vol., Emile-Paul, Paris, 1923).

MORAND Paul, *Le Visiteur du soir* (La Palatine, Genève, 1949).
*Poèmes* (Au sans pareil, Paris, 1924).
*Première visite à Marcel Proust* (Les Bibliophiles, Le Cheval ailé, Genève, 1948).
*Journal d'un attaché d'ambassade* (Gallimard, Paris, 1963).
*Venises* (Gallimard, Paris, 1971).

MOUTON Jean, *Le Style de Marcel Proust* (Corrêa, Paris, 1948).

MUGNIER abbé, *Journal 1879-1939* (Mercure de France, Paris, 1985).

MULLER Henry, *Trois pas en arrière* (La Table ronde, Paris, 1952).
*Six pas en arrière* (La Table ronde, Paris, 1954).

NORDLINGER Marie, « Proust as I knew him » (*London Magazine,* août 1954).

OBERLÉ Jean, *La Vie d'artiste* (Denoël, Paris, 1956).

PAINTER George D., *Marcel Proust* (2 vol., Mercure de France, Paris, Édition de 1985).

PICON Gaëtan, *Lecture de Proust* (Mercure de France, Paris, 1963).

PIERRE-QUINT Léon, *Marcel Proust* (Le Sagittaire, Paris, 1946).
*Une nouvelle lecture de Marcel Proust dix ans plus tard* (Le Sagittaire, Paris, s.d.).
*Proust et la stratégie littéraire* (Corrêa/Buchet Chastel, Paris, 1954).

PIROUÉ Georges, *Proust et la musique du devenir* (Denoël, Paris, 1960).

PLANTEVIGNES Marcel, *Avec Marcel Proust* (A.G. Nizet, Paris, 1966).

POMMIER Jean, *La Mystique de Marcel Proust* (Librairie Droz, Paris, 1939).

PORCHÉ François, *L'Amour qui n'ose pas dire son nom* (Grasset, Paris, 1927).

POULET Georges, *Études sur le temps humain* (« L'Épi », Plon, Paris, 1950).
*L'Espace proustien* (Gallimard, Paris, 1963).

POUQUET Jeanne Maurice, *Le Salon de Madame Armand de Caillavet* (Hachette, Paris, 1926).

POZZI Catherine, *Journal 1913-1934* (Éditions Ramsay, Paris, 1987).

PRINGUÉ Gabriel-Louis, *Trente ans de dîners en ville* (Éditions Revue Adam, Paris, 1950).

RECANATI Jean, *Profils juifs de Marcel Proust* (Buchet Chastel, Paris, 1979).

REVEL Jean-François, *Sur Proust* (« Les Cahiers rouges », Grasset, Paris, 1987).

REY Pierre-Louis, *Marcel Proust, sa vie, son œuvre* (Éditions Frédéric Birr, Paris, 1984).

RIESE Laure, *Les Salons littéraires parisiens du Second Empire à nos jours* (Éditions Privat, Toulouse, 1962).

RITZ M.L., *César Ritz* (Tallandier, Paris, 1948).

RIVANE Georges, *Influence de l'asthme sur l'œuvre de Marcel Proust* (La Nouvelle Édition, Paris, 1945).

RIVIÈRE Jacques, « Quelques progrès dans l'étude du cœur humain » (*Cahiers Marcel Proust,* n° 13, Gallimard, Paris).

ROBERT Louis de, *Comment débuta Marcel Proust (N.R.F., Paris, 1925).*
*De Loti à Proust, souvenirs et confidences* (Flammarion, Paris, 1928).

ROSTAND Maurice, *Confession d'un demi-siècle* (La Jeune Parque, Paris, 1948).

RZEWUSKI Alex-Ceslas, *A travers l'invisible cristal* (Plon, Paris, 1975).

SACHS Maurice, *Au temps du Bœuf sur le toit* (Éditions de *La Nouvelle Revue critique,* Paris, 1939).
*Le Sabbat, souvenirs d'une jeunesse orageuse* (Corrêa, Paris, 1945).

SAINT JEAN Robert de, *Journal d'un journaliste* (Grasset, Paris, 1974).
*Moins cinq...* (Grasset, Paris, 1977).

SARROCHI Jean, *Versions de Proust* (A.G. Nizet, Paris, 1972).

SCHÉIKEVITCH Marie, *Souvenirs d'un temps disparu* (Plon, Paris, 1935).
« *Marcel Proust et Céleste* » (*Œuvres libres,* n° 168, mai 1960).

SCHLUMBERGER Gustave, *Mes souvenirs 1844-1928* (2 vol., Plon, Paris, 1934).

SCHLUMBERGER Jean, *Rencontres* (Gallimard, Paris, 1966).

SEILLIÈRE Ernest, *Marcel Proust* (Éditions de *La Nouvelle Revue critique,* Paris, 1931).

SOMMELLA Paola Placella, « Proust et le cas Van Blarenberghe — Le suicide comme expiation, l'art comme rédemption » (*Bulletin Marcel Proust,* n° 29, 1979).

SOUZA Sybil de, *La Philosophie de Marcel Proust* (Éditions Rieder, Paris, 1939).

TADIÉ Jean-Yves, *Proust* (Belfond, Paris, 1983).
*Proust et le roman* (Gallimard, Paris, 1971).

TAUMAN Léon, *Marcel Proust* (Armand Colin, Paris, 1949).

VALYNSEELE Joseph et GRANDO Denis, *A la découverte de leurs racines — Généalogies de 85 célébrités* (Éditions de L'Intermédiaire des chercheurs et des curieux, Paris, 1988).

VEISSEYRE R., « A la recherche de Louisa de Mornand » (*Bulletin Marcel Proust,* n° 19, 1969).

WILLY, *Le Troisième Sexe,* Paris (Édition 1927).

ZAMACOIS Miguel, *Pinceaux et Stylos.*

# Index


A

Abbatucci Marie : 116, 119.
Abbéma Louise : 196.
Abeille Emile : 381.
Adam Paul : 227.
Addington Symonds John : 282.
Agostinelli Alfred : 402 à 405, 417, 419, 422, 425, 431, 482, 519 à 521, 531 à 534, 550 à 555, 564, 565, 582, 673.
Ainslie Douglas : 224, 225, 270.
Alain : 687.
Alain-Fournier : 591.
Albaret Céleste : 23, 30, 31, 102, 225, 363 à 365, 508, 520, 526, 551, 561 à 568, 606 à 610, 628, 650 à 653, 660, 670, 671, 673 à 676, 686, 689, 697, 698, 703, 710, 720, 726, 729, 736, 741 à 745.
Albaret Jean : 561.
Albaret Yvonne : 527.
Albaret Odilon : 473, 489, 519 à 521, 561, 687, 697, 700, 721, 742, 744, 746.
Albin-Michel : 683, 724.
Albuféra Louis marquis d' : 308, 311 à 316, 329 à 333, 336 à 339, 342, 345, 359, 366, 372, 376, 379, 388, 398, 431, 432, 452, 474, 484, 616, 658, 715.
Albarran : 359.
Ali Pacha (Grand Vizir) : 14.
Allard André : 714.
Allard Mme : 183.
Allard Roger : 715.
Alton Colette d' : 448, 473.
Alton Hélène d' : 448, 473.
Alton vicomte d' : 426 à 429, 448, 473, 493, 520, 587.
Alvarès René : 102.
Amiot Jules : 32, 35.
Amiot Mme (voir Elisabeth Proust).
Ampère : 41.
André général : 352, 373.
Antigny Blanche d' : 339.
Arago Francis : 561.
Arenberg Auguste prince d' : 81.
Arman Albert : 87.
Arman Mme (voir Mme Arman de Caillavet).
Arnaud Michel : 500.
Arnyvelde André : 528.
Artus Louis : 499.
Arvers colonel : 95, 105.
Asquith Elisabeth : 669, 670.
Astruc Gabriel : 528, 539.
Attel Eugène d' : 262.
Aubernon de Nerville Mme : 112 à 115, 121 à 124, 137, 181, 185, 187, 350, 474.
Aubert Edgar : 126, 127, 132, 136 à 139, 158, 193, 199, 203.
Audiffret Luisita d' : 84.
Audiffret marquis d' : 84.
Audiffret marquise d' : 84.
Augereau : 96.
Aumale duc d' : 186.
Avenel d' : 122.

B

Babinsky docteur : 653, 744, 745.
Bac Ferdinand : 110, 111, 122, 123,

145, 154 à 157, 170, 181, 182, 211, 212, 253, 308, 339, 340, 379, 430, 494, 495, 560, 571, 574, 582, 618, 636, 659, 694, 695, 702, 719.
Bagès : 167.
Baignères (les) : 157, 182.
Baignères Arthur : 79, 80, 109, 112, 649.
Baignères Charlotte : 80.
Baignères Henri : 79, 112.
Baignères Jacques : 79, 80, 139.
Baignères Mme, née Boilay Laure : 79, 80, 110, 112, 126, 348, 410, 649.
Baignères Paul : 80, 139.
Bailby Léon : 247, 480.
Bainville Jacques : 372.
Bakst : 461.
Ballot Mme : 550.
Balzac Honoré de : 79, 111, 231, 324, 368, 382, 410, 689.
Banville Théodore de : 41.
Barbey d'Aurevilly : 142.
Barbusse Henry : 128.
Bardac Henri : 499, 611.
Bardèche : 441, 442, 445.
Barine Arved : 113.
Barker Clarence : 158.
Barney Natalie : 727, 728.
Barrachin Mme : 422.
Barrès : 145, 161, 183, 186, 226, 231, 237, 243, 255, 277, 324, 326, 334, 341, 343, 345, 352, 353, 360, 366, 380, 414, 449, 464, 467, 497, 530, 571, 700, 701, 706, 746.
Bardac Henri : 499, 611.
Bardèche : 441, 442, 445.
Barine Arved : 113.
Barker Clarence : 158.
Barney Natalie : 727, 728.
Barrachin Mme : 422.
Barrès : 145, 161, 183, 186, 226, 231, 237, 243, 255, 277, 324, 326, 334, 341, 343, 345, 352, 353, 360, 366, 380, 414, 449, 464, 467, 497, 530, 571, 700, 701, 706, 746.
Barrot Odilon : 11.
Bartet Mme : 120, 167.
Bartholoni (les) : 230, 260.
Bassano Mme de : 157.
Bataille : 370.
Baudelaire : 317, 395, 708, 713, 714, 722.
Baugnies M. : 186.
Béarn comtesse René de : 231, 351.
Beaumont comte Etienne de : 574, 619, 620, 623, 695, 728, 729, 740, 746.
Beaunier André : 349, 351, 370 à 373, 454, 456, 467, 535, 536.
Beauvau prince de : 155, 577.
Beauvau princesse de : 308.
Becque Henri : 114.
Becquerel : 41.
Beer Guillaume Mme : 133, 134, 185.
Béhar S. : 290.
Belbeuf marquise de : 482.
Bellenand : 660, 665, 690.
Bénardaky Dimitri de : 50, 51.
Bénardaky Marie de : 50, 51, 54, 220, 490.
Bénardaky Nelly de : 50, 51.
Bénardaky Nicolas de : 50.
Bénardaky Véra de (voir comtesse de Talleyrand).
Benda Julien : 161.
Benoist-Méchin : 572, 697.
Béraud Jean : 44, 227, 229, 230, 247.
Béraudière Mme de la : 560, 622, 634.
Berckheim baron Théodore de : 345.
Berenson : 381.
Berger : 359.
Bergson Henri : 237, 325, 359, 363, 706.
Bergson Louise (voir Louise Neuburger).
Berl Emmanuel : 622, 624, 625.
Bernanos Georges : 682.
Berncastel (les) : 8,10.
Berncastel Adèle (voir Mme Weil).
Berncastel Jeanne (voir Jeanne Clémence Weil).
Berncastel (sœurs) : 9.
Bernhardt Sarah : 26, 83, 152, 167, 196, 225, 247, 284.
Bernstein Henry : 296, 370, 413, 429, 661, 690.
Berry Walter : 622, 639, 641.
Berryer : 11.
Berthier Germaine : 449.

Berthier Yvonne : 449.
Bertillon : 240.
Bertrand M. : 450.
Bertulus juge : 256.
Bessière Amélie (voir Amélie Weil).
Bessière Casimir : 30.
Bessière Casimir Mme (voir Hélène Weil).
Bibesco Alexandre : 249, 250.
Bibesco prince Antoine : 249 à 252, 281 à 301, 304, 307, 308, 311 à 314, 321, 336, 345, 366, 390, 431, 451, 452, 456, 457, 477, 500 à 503, 510, 513, 584, 589, 640, 668 à 670, 734.
Bibesco prince Emmanuel : 250 à 252, 307, 402, 439, 514, 623.
Bibesco prince Georges : 259.
Bibesco Jeanne : 327.
Bibesco Marthe : 250, 251, 577, 615, 670, 702, 734.
Bibesco princesse : 153, 179, 300, 301, 406, 475, 480.
Billot général : 246.
Billy André : 677.
Billy Robert de : 97, 126, 127, 132, 138, 159, 161, 194, 270, 281, 289, 334, 350, 365, 379, 399, 425, 431, 462, 484, 492, 587, 745.
Binet-Valmer : 105, 467, 505, 516, 683.
Birell Francis : 732.
Bize docteur : 365, 438, 445, 566, 567, 586, 740 à 744.
Bizet Georges : 80, 402.
Bizet Jacques : 26, 58, 59, 61, 62, 72, 75, 76, 79, 80, 127, 131, 170, 206, 237, 377, 550.
Bjoernson : 88.
Blanc Jean : 417.
Blanc Mlle, princesse Radziwill : 309, 310.
Blanche docteur : 110, 131, 186, 363.
Blanche Jacques-Emile : 30, 59, 76, 77, 82, 110, 111, 131, 144, 289, 464, 543, 547, 548, 589, 590, 646 à 650, 661, 677, 687.
Bled Victor du : 114.
Bloch : 131.
Bloy Léon : 125, 229.
Blum Léon : 128, 130, 161, 205, 352.
Blum René : 512 à 514, 522, 529, 593, 594.
Blumenthal : 706.
Boegner Marc : 97.
Boigne Mme de : 189.
Bois Elie-Joseph : 523, 524, 526.
Boisdeffre général de : 237, 238, 240, 246.
Boisgelin Henri de : 729.
Boissier : 188.
Boissonnas Jean : 136.
Boldini : 145, 229.
Bonaparte Jérôme : 115.
Bonnerot Jean : 373.
Bonnet Henri : 69, 70.
Bonnier Gaston : 45.
Borda Gustave de : 227, 230.
Bordeaux Henry : 161, 326, 350, 465, 700.
Borghèse prince Giovanni : 247.
Boucicaut : 143.
Boulanger général : 56.
Boulenger Jacques : 685, 724.
Bourges Elémir : 530.
Bourget Paul : 65, 67, 114, 125, 242, 254, 312, 322, 343, 406, 465, 490, 547.
Boutroux : 706.
Boyer Isabelle : 185.
Boylesve René : 571, 681, 684, 706, 707.
Brach Paul : 58, 92.
Brancovan (les) : 157, 230, 250, 252, 254, 256.
Brancovan Anna (voir Anna de Noailles).
Brancovan prince Constantin : 252 à 255, 260, 276, 284, 290, 304, 306, 307, 313, 321, 322, 327, 349.
Brancovan Grégoire prince : 252.
Brancovan Hélène (voir princesse de Caraman-Chimay).
Brancovan princesse : 252, 345.
Branly : 152.
Brantes Mme de : 181, 231, 247, 284, 350, 573.
Breton André : 696, 699.
Briand Charles : 19, 20.
Briey comte de : 284.
Briey comtesse de : 247, 345, 349.
Brindeau Jeanne : 87, 457.
Brissaud docteur : 356.

Brochard Victor : 114, 247.
Broglie duc de : 11, 155, 179.
Broissia Mme de : 86.
Brun Lucien : 512, 545, 556.
Brunet Gustave : 159.
Brunetière Fernand : 114.
Bulteau Mme : 123, 366.
Buneau-Varilla : 559.

C

Cabanellas : 15, 16.
Cachard Edward B. : 107, 108, 138.
Cahen d'Anvers Mme : 348.
Caillaux Mme : 549, 550.
Caillaux Joseph : 549, 550.
Caillavet Léontine Arman de : 85 à 90, 97, 123 à 125, 140, 202, 205, 242, 247, 457.
Caillavet Gaston Arman de : 87, 91, 97 à 102, 108, 109, 128, 137, 140, 230, 350, 370, 476, 488, 583, 735.
Caillavet Mme Gaston de : 169, 176, 181, 182, 187, 236, 350, 415, 416, 456 à 459, 488, 493, 494, 496, 735.
Caillavet Simone de : 461, 488, 572, 573.
Calbet : 121.
Calmann-Lévy : 173, 202, 207, 214, 284, 415, 416.
Calmette docteur : 481.
Calmette Gaston : 323, 350, 370 à 372, 389, 391, 398, 454, 456, 481, 482, 487, 491, 497, 503, 507 à 510, 514, 525 à 527, 535, 539, 549, 550.
Calvé Emma : 120.
Cambon Jules : 664.
Camposelice duc de : 185.
Capus Alfred : 661.
Caraman-Chimay prince Alexandre de : 153, 252, 284.
Caraman-Chimay Elisabeth de : 153.
Caraman-Chimay Hélène de : 152, 252, 257, 390.
Carassus E. : 113.
Carbonnel François de : 139.
Cardane : 391, 396.
Carisbrooke marquis de : 313.
Carnot Sadi : 41.
Caro Edme : 114.
Carrière commandant : 256.
Casa-Fuerte Illan de : 313, 366.
Castellane Boni de : 86, 230, 241, 247, 379, 408, 469, 572.
Castellane comtesse Jean de : 573.
Castries comtesse François de : 652.
Catusse Mme : 39, 48, 357, 366, 376, 379, 384, 385, 387, 432, 566, 638, 640, 668, 670, 672, 701, 702.
Cavaignac : 246.
Cavalieri Lina : 473.
Cézanne : 86, 649.
Chamberet M. de : 139.
Chamblis M. : 79.
Chantavoine : 78.
Charcot : 402, 653.
Chardin : 203, 265.
Charpentier Georges : 253, 254.
Chateaubriand : 9, 78, 179, 369, 434, 653, 689.
Chateaubriant Alphonse de : 512.
Chauchard : 143.
Chaulin-Servinière M. : 262.
Chevassu Francis : 511, 528, 535, 539.
Chevigné comtesse Adhéaume de : 158, 311, 345, 348, 442, 459,570, 581, 617, 651, 702, 703, 704, 715, 716.
Chevilly Marie de : 260, 261, 265.
Chevilly comte de : 260.
Chimay princesse Alexandre de : 345, 369, 370.
Chimay prince de : 153, 284.
Cholet comte Armand Pierre de : 96, 97, 101.
Christiani baron : 249.
Christophe (pseudonyme de Georges Colomb) : 44, 45.
Clairin (peintre) : 196, 237.
Clary comte Joachim de : 285, 735.
Claudel : 501.
Clauzel comte Bertrand : 303.
Clemenceau : 234, 235, 240, 256, 536, 637, 664.
Clermont-Tonnerre marquis et marquise de : 345, 355, 399, 403, 404.
Cobden William : 268.
Cocteau Jean : 459, 460, 461, 465, 475, 507, 527, 581, 617 à 621, 650, 694, 695, 704, 745.

Colin Charles : 522.
Combes Emile : 315.
Compagnon Antoine : 366.
Copeau Jacques : 500, 501 à 508, 511, 514, 515.
Coppée François : 184, 341.
Coquelin (les) : 120.
Corcos (frères) : 453.
Cordier : 560.
Cottet docteur : 200.
Cottin Céline : 526, 533, 568.
Cottin Jean : 417.
Cottin Nicolas : 431, 446, 473, 482, 508, 533, 561, 565.
Courbaud Claude : 54.
Courval Mme de : 86.
Couture Thomas : 116.
Crémieux (les) : 8, 11.
Crémieux Adolphe : 10, 16.
Crémieux Amélie : 11.
Crémieux Jean : 11.
Crémieux Louise : 11, 28.
Crémieux Mathilde : 11.
Croiset Alfred : 54.
Croisset Francis de : 137, 31ı 345, 351, 364, 724.
Croisset Mme de . 573.
Croÿ (les) . 469
Cruppi Jean : 11
Cucheval Victor . 57, 71.
Cuignet capitaine : 246.
Curtius Ernst : 732
Custine comte de : 9

D

Daıreaux Max 426, 431, 448, 456.
D'Annunzio Gabriel . 313, 352, 381, 461, 577.
Darlu Emile . 44, 68 à 71 78, 127, 237.
Daudet (les) : 184, 185, 208, 297, 411.
Daudet Alphonse . 26, 113, 147, 170, 182 à 184, 226, 498.
Daudet Mme Alphonse ı13, 183, 184, 231, 380, 529.
Daudet Edmée : 134, 183, 231, 379, 380.
Daudet Léon : 111, 116 a 118, 125, 161, 183, 213, 214, 222, 227, 253, 284, 325, 340, 366, 372, 402, 476, 530, 576, 682, 683, 689, 703, 743, 745.
Daudet Lucien : 161, 183, 201, 202, 208 à 213, 220, 222, 226, 227, 284, 307, 313, 338, 345, 350, 359, 366, 372, 379, 392, 412, 414, 439, 459, 462, 465, 468, 521, 522, 527, 528, 571, 581, 591, 635, 651, 653, 690, 704, 707, 715, 734, 735, 745.
Dauphiné M. : 158.
Deacon Gladys : 381, 727
Debove professeur : 318
Debussy : 187, 250, 477, 478.
Degas : 84, 649.
Déjerine docteur . 360
Delafosse Léon : 163 à 170, 201, 229, 230, 260, 261
Delagorgue : 235.
Delaunay : 81, 83.
Delbos colonel : 95, 105.
Delessert Edouard : 128.
Deloue abbé : 746.
Demange Me : 257.
Demange Charles : 449.
Demange de Subligny : 84.
Demidov comte : 115.
Denis : 649.
Déroulède Paul : 244, 248.
Desbordes-Valmore Marceline : 145, 163, 228.
Descaves Lucien : 95, 530.
Deschanel Paul : 134, 510.
Desjardins Abel : 59, 76, 139, 237.
Desjardins Paul : 270.
Dethomas Maxime : 134.
Diaghilev Serge de : 620, 695, 734.
Dietz-Monin (les) : 312.
Dieulafoy : 359.
Dimitri grand-duc · 694.
Disraéli : 84.
Doäzan baron · 114, 147, 221, 556, 718.
Donnay Maurice : 406.
Dorgelès Roland : 682, 683, 684.
Dornis Jean (voir Mme de Beer).
Dostoïevski : 722.
Douglas lord Alfred : 125, 197.
Dreyfus Alfred : 208, 232 à 237, 240 à 249, 256 à 258, 262, 263, 334 373 à 375.
Dreyfus Henri . 475.

Dreyfus Léon : 234, 379.
Dreyfus Mathieu : 234, 236, 246.
Dreyfus Robert : 26, 39, 56, 57, 62, 64, 73, 127, 129, 345, 350, 371, 372, 392, 414, 415, 465, 475, 526, 541, 550, 658, 676, 706, 745.
Drouin Alfred : 134.
Drouin Marcel : 500.
Drumont Edouard : 244, 245, 340.
Druon Maurice : 625.
Dubois docteur : 360.
Dubois-Amiot (les) : 305.
Dubois-Amiot Marthe : 303, 304.
Du Camp Maxime : 197.
Ducatel M. : 79.
Duclaux Mme : 624, 625.
Dufeuille : 246.
Dumas Alexandre : 11, 116.
Dumas fils Alexandre : 87, 114, 116.
Dunoyer de Segonzac : 745.
Duplay Maurice : 21, 50, 66, 103, 105, 170, 200, 281, 315, 360, 392, 393, 464, 473, 485, 486, 516.
Dupuy Jean : 636.
Dupuy Paul : 666.
Duran Carolus : 495.
Duroux (les) : 142.
Duval : 75, 120.

E

Echenagucia Elena Maria : 169.
Eckermann : 148, 173.
Edouard VII : 85, 242.
Edwards Alfred : 401.
Edwards Mme : 609, 619, 620, 671.
Elchingen duchesse d' : 84.
Elder Marc : 534.
Eliot Georges : 462.
Emerson : 462.
Ephrussi Charles : 85, 247, 349.
Essling prince d' : 331.
Estenburg vicomte d' : 185.
Esterhazy Ferdinand : 41, 155, 235 à 237, 240, 241, 243, 246, 249, 256, 262, 263.
Eu comte et comtesse d' : 255.
Eugénie impératrice : 84, 85, 118, 313, 527, 577, 735.
Eulenburg prince Philippe : 234, 416.
Eyragues marquis et marquise d' : 284.

F

Fabre-Luce Alfred : 130, 695.
Fabre-Luce Edmond : 559, 719.
Faguet Emile : 352, 413, 415.
Faisans docteur : 567.
Fallières : 373.
Fantin : 647.
Fargue Léon-Paul : 501.
Farrère Claude : 724.
Fasquelle Eugène : 490, 503 à 511.
Faure Antoinette : 53.
Faure Félix : 235, 236.
Faure Lucie : 53, 745.
Fauré : 187, 398, 399, 490, 690.
Fauvel docteur : 13.
Faÿ Bernard : 573, 619, 632, 633, 695, 696.
Fayard Arthème : 723, 724.
Feer Charles L. : 344.
Fénelon Bertrand de : 292 à 308, 314, 315, 333, 345, 420, 451, 474 499, 583 à 585.
Fénéon Félix : 161.
Fernandez Ramon : 652.
Ferré André : 43, 72.
Ferrières M. de : 261.
Ferroggio : 121.
Ferry Jules : 316.
Ferval Claude : 113.
Feydeau de Bron de : 186.
Finaly Horace : 59, 109, 127, 131, 134, 690.
Finaly Mme Hugo : 529, 531.
Finaly Marie : 132, 499.
Fitau Félicie : 417.
Fitz-James duc de : 341.
Fitz-James comtesse de : 122, 651.
Flament Albert : 153, 231, 247, 248, 345, 348.
Flaubert : 116, 196, 307, 410, 411, 465, 688, 689.
Flers Robert de : 59, 81, 128, 136, 137, 138, 139, 161, 227, 237, 247, 325, 350, 370, 393, 394, 418, 432, 456, 476, 501, 523, 641, 682, 701, 706.
Foa Edouard . 255.

Fokine : 461.
Foncin : 55.
Forain : 121, 171.
Forssgren Ernst : 562 à 567, 653, 742, 743.
Fortoul Mme : 335.
Fould (les) : 158, 478.
Fould Mme Léon : 247.
Fouquières André de : 421, 422.
Fournier : 359.
France Anatole : 78, 86 à 90, 97, 124, 132, 135, 136, 150, 172, 173, 183, 203, 205, 226, 230, 236, 246, 247, 284, 345, 415, 457, 458, 494, 495, 700, 708.
François-Ferdinand archiduc : 557.
François-Joseph empereur : 87.
Furtado-Heine Paule : 331.
Fusato Angelo : 282.
Fuster : 202.

G

Gabory Georges : 732, 733.
Gagey docteur : 386, 459.
Gaigneron Jean de : 678.
Galbois baronne de : 119.
Gallé : 145, 237, 301, 326.
Galles prince de (voir Edouard VII).
Gallieni : 575.
Galliffet général de : 16, 83, 263.
Galliffet marquise de : 83, 110, 112.
Gallimard Gaston : 414, 501, 502, 505, 506, 508, 512, 539, 591 à 599, 641, 642, 644, 657, 659, 661 à 667, 675 à 690, 698 à 712, 723 à 742.
Gallou Ernestine : 33.
Ganay comte Etienne de : 83.
Ganderax Louis : 162, 192, 193.
Gangnat Robert : 452 475, 501, 502.
Gans Henri : 745.
Garnier Noël : 684.
Garros Roland : 582, 619.
Gasquet Joachim : 684.
Gaucher Maxime : 56, 57, 58.
Gauthereau Mme : 422.
Gautier Théophile : 116.
Gautier-Vignal Louis : 582, 583, 622, 697, 732.
Gazeau M. : 45, 55.
Geoffroy Gustave : 530.
Georges-Lévy Raphaël : 567.
Germain André : 88, 120, 122, 134, 212 à 214, 313, 379, 380, 459, 715.
Germain Mme : 88, 123.
Ghéon Henri : 500, 502, 539, 540, 541, 542.
Gide André : 125, 161, 437, 500, 501, 502, 508, 509, 539, 542 à 545, 554, 556, 632, 664, 687, 706, 712 à 714, 738.
Gimpel René : 432.
Gineste Céleste (voir Albaret Céleste).
Gineste Marie : 686, 743.
Girard : 56.
Girardin Emile de : 116, 309.
Giraud Eugène : 116.
Giraudoux Jean : 259, 381, 512.
Glachant : 47.
Gluck : 80, 193.
Godebska Misia : 401.
Gœthe : 231, 264.
Goncourt Edmond de : 26, 65, 116 à 121, 152, 163, 182, 184, 208, 244, 411, 412, 684, 701.
Gontant-Biron comte de : 247.
Gounod : 54, 81.
Gorki Maxime : 530.
Gould Anna : 379, 408.
Gouse général : 238, 246.
Gouyan Georges : 326, 350, 359.
Gouyan Mme : 345, 350.
Goyon Mlle Oriane de : 420 à 423, 452, 470.
Gramont (les) : 79.
Gramont duc Agénor de : 308.
Gramont Armand (voir duc de Guiche).
Gramont Elisabeth de, duchesse de Clermont-Tonnerre : 81, 82, 89, 97, 145, 146, 243, 310, 355, 356, 658, 717.
Grancey Charles de : 139.
Grandjean Charles : 159, 160.
Grasset Bernard : 512 à 518, 522, 529, 530, 537, 543 à 546, 556, 591 à 599, 642, 661, 665 à 667, 680, 684, 709, 724.

Greffulhe comte : 154 à 156, 161, 331, 333, 560, 561, 634, 704, 720.
Greffulhe comtesse : 66, 150, 151, 153, 156, 168, 173, 242, 313, 339, 440, 448, 526, 576, 635, 715.
Greffulhe Elaine : 331, 333, 338, 339.
Gregh Fernand : 59, 76, 77, 90, 127 à 132, 139, 201, 206, 237, 247, 284, 345, 410, 465, 574, 745.
Grévy Jules : 41.
Grosœuvre : 636.
Gross (les) : 499.
Gross Valentine : 499, 620.
Grouchy vicomte et vicomtesse de : 359.
Groult M. : 169.
Guerne Mme de : 79, 80, 346.
Guesde Jules : 401.
Guiche duc de : 154, 308, 331, 333, 334, 338, 339, 342, 343, 345, 355, 398, 402, 418, 450, 474, 493, 499, 622, 658, 659, 671, 700, 715.
Guillaume II : 557, 577, 637.
Guillemot Charles : 47.
Guitry Sacha : 724.
Guizot : 8.
Guys Constantin : 110.
Gyp : 40, 53, 139.

H

Haas Charles : 83 à 86, 242.
Hadamard Louise (Mme Dreyfus Alfred) : 234.
Hahn (les) : 169.
Hahn Carlos : 169.
Hahn Reynaldo : 116, 120, 161, 169 à 172, 182 à 186, 193 à 198, 202, 208 à 211, 220, 227, 230, 271, 276 à 278, 286, 299, 324, 341, 345 à 348, 351, 359, 365, 370, 372, 374, 378, 379, 381, 399, 412, 418, 421, 440, 441, 450, 453, 459, 467, 472 à 474, 476, 477, 481, 483, 489, 496, 499, 510, 539, 544, 564, 672, 691, 735, 742, 743, 745.
Haig général sir Douglas 620.
Halévy Daniel : 26, 43, 58, 59 à 64, 73, 76, 82, 127, 129, 170, 237, 326, 327, 407, 418, 576, 708.
Halévy Fromental : 59, 80.
Halévy Geneviève (voir Geneviève Straus).
Halévy Ludovic : 11, 58, 80, 121.
Hamp M. : 737.
Hanotause M. : 194.
Harcourt marquise d' : 122.
Hardy Thomas : 462, 530.
Harry Myriam : 479.
Hartmann : 359.
Hauser Lionel : 432, 437 à 439, 464, 483, 492, 493, 531, 551, 557, 558, 587 à 606, 628, 638, 641, 653, 655, 656, 658, 661, 668, 680, 691 à 693.
Haussonville comte d' : 322, 323, 324.
Haussonville comtesse d' : 180, 246, 260, 322 à 324, 700.
Hayem Arlette : 410.
Hayman Francis : 65.
Hayman Laure : 65, 66, 134, 161, 208, 330, 464.
Hayward Miss : 482, 487, 490.
Heath Willie : 138, 139, 158, 193, 199, 203.
Hébert : 20.
Hebrard Adrien : 523.
Heine Alice : 342.
Heine Henri : 331.
Helleu M. et Mme : 350, 431, 745
Hennessy Mme : 651, 727
Hennique Léon : 684.
Henraux Albert : 383, 488, 489.
Henraux Lucien : 308, 431.
Henriot Emile : 722.
Henry lieutenant-colonel : 236, 238, 240, 241, 245, 246.
Henry Mme : 256.
Herbelin Mme : 120.
Heredia José-Maria de : 134, 161, 434.
Heredia Marie de : 134.
Hermant Abel : 95, 114, 247, 253, 254, 260, 284, 296, 327, 359, 406, 421, 476, 547, 625.
Hervieu Paul : 284, 459, 476.
Hesse Hermann : 264.
Hinnisdaël comte d' : 729.
Hinnisdaël Thérèse d' : 178, 728.
Hirschfeld Magnus : 714.
Hohenau comte von : 416.

Hohenberg duchesse de : 557.
Hohenzollern de Sigmaringen Carol (Carol Ier de Roumanie) : 252.
Hottinguer baron : 83.
Howland Mme Meredith : 84, 157, 158.
Hugo Jean : 623.
Hugo Jeanne : 183, 402.
Hugo Valentine : 695.
Hugo Victor : 689, 722.
Humblot Alfred : 510, 511.
Humières Robert d' : 281, 283, 344, 459, 585.
Huysmans : 143, 162, 652.

I

Imbert M. : 701, 702.

J

Jaccoux : 359.
Jacob Max : 695.
Jallifier Régis : 47.
Jaloux Edmond : 330, 706, 709, 714, 745.
James Henry : 185, 277, 381, 529, 691, 693.
Jameson Mrs. : 158.
Jammes Francis : 542, 651.
Janin Jules : 11.
Jaurès : 234.
Joffre : 575.
Joinville d'Artois Juliette : 38.
Jouhandeau Marcel : 632.
Jourdain Mlle : 186.
Joyant Edouard : 64.
Joyce James : 734.
Jullian Philippe : 85, 126, 230, 716.

K

Kann (les) : 242.
Kann Marie : 242.
Katz Mme : 387, 388.
Kayserling Hermann von : 381.
Kipling : 269.
Kœnigswarter Frédérique de : 87.
Kopff médecin-major : 103.
Krafft-Ebing : 226.

L

La Bégassière de : 431, 432.
Labori Me : 237, 240, 241, 256, 257, 409.
Lacretelle Jacques de · 88, 625, 659, 704.
Laffitte Charles : 112.
Laffitte Eugène : 116.
La Fouchardière Guy de : 684.
Lafue Pierre : 696.
La Gandara : 111, 230, 330.
Lair-Dubreuil M. : 662.
La Jeunesse Ernest : 206.
Lami Eugène : 84, 116.
Landowski Marcel : 11.
Landowski Paul : 11.
Lange M. : 88.
Lantelme : 402.
Lanza del Vasto : 269.
Laparcerie Cora : 247, 248, 284.
Laprévotte Emma : 456.
Lareinty de : 443.
La Rochefoucauld comte Aimery de : 142, 231, 322.
La Rochefoucauld comtesse Aimery de : 345.
La Rochefoucauld duc de : 118.
La Rochefoucauld Gabriel de : 284, 342 à 345, 348, 431, 471.
La Salle Louis de : 127, 131, 139, 157, 237, 474.
La Sizeranne Robert de : 122, 270.
Lasteyrie marquis de : 526.
La Touche Rose : 269.
La Trémoille prince de : 118.
Lau marquis du : 83.
Laubespin Mme de : 231.
Launay M. : 45.
Laurent : 464.
Lauris Georges de : 82, 262, 281, 297, 302, 303, 307, 308, 313 à 316, 363, 383, 393, 398, 402, 403, 431, 434, 435, 443, 445, 451 à 453, 456, 457, 465, 474, 475, 478, 490, 518, 521, 584, 745.
Lauris Mme de : 393, 394, 401.
Lavallée Anne-Marie : 194.

Lavallée Pierre : 57, 58, 59, 92, 134, 138, 139, 194, 271.
Lavedan : 479.
Lazare Bernard : 235.
Lazarus Joseph : 10.
Le Bargy : 193.
Lebandy Mme : 181, 439.
Leblanc docteur 719.
Lebrun-Renaud capitaine : 262.
Lecomte du Nouÿ Jules : 11, 320.
Leconte de Lisle : 133.
Le Cuziat Albert : 626 à 631.
Le Dentu : 359.
Lefebvre : 96.
Legrand Mme : 181.
Leibrok Esther : 51.
Lejeune Louise : 12.
Lemaire Madeleine : 119 à 121, 123, 133, 169, 171, 182, 192, 193, 195, 197, 202, 207, 226, 247, 314, 345, 348, 349, 366, 370, 397, 422.
Lemaitre Jules : 242, 414, 434, 494, 495.
Lemarié Mme : 643, 644, 657, 665.
Lemierre : 229.
Lemoine : 409, 410, 413.
Lemoinne John : 111.
Léon princesse de : 151, 157.
Liedekerque : 308.
Linossier docteur : 336, 337.
Lippmann Auguste : 87.
Lippmann Léontine (voir Mme Arman de Caillavet).
Lister Barbara : 459.
Lloyd George : 664, 669.
Lobre : 350.
Lombarès Michel de : 263.
Lorrain Jean : 161, 226, 227, 229, 373.
Loti Pierre : 105, 253, 479.
Loubet : 249, 373.
Louÿs Pierre : 125, 134, 135, 226.
Loynes Mme de : 242, 494.
Ludre comte et comtesse de : 345.
Ludre Mme de : 651.
Lyautey maréchal : 335.

M

Mac Orlan : 738.
Madrazo Frédéric de : 276, 338, 379, 561.
Madrazo Mme de : 359.
Maeterlinck : 326, 435, 477.
Maheux : 420.
Maindron Maurice : 134.
Malakoff Mlle de : 122.
Mâle Emile : 270, 272, 315, 402, 403.
Mallarmé Stéphane : 161, 191, 738.
Mangin général : 701.
Man Ray : 745.
Manuel Eugène : 54 à 57.
Margueritte Paul : 530.
Marguiller Auguste : 315.
Marlborough duc de : 155, 381, 727.
Marquis abbé : 35.
Marshall Mlle : 422.
Martel comtesse de (voir Gyp) . 40, 53.
Martel vicomte de : 139.
Martin du Gard Maurice : 633, 677, 746.
Masséna d'Essling Anna : 331, 332, 342.
Massenet : 476.
Massine : 620.
Massis Henri : 20.
Masson Frédéric : 575.
Mathilde princesse : 85, 115 à 119, 121, 128, 181, 470.
Mauclair Camille : 161.
Maugny vicomte Clément de : 261, 270, 284, 737.
Maugny vicomtesse de : 261, 707.
Maunoury général : 701.
Maupeau comtesse de : 120.
Mauriac François : 696, 746.
Maurocordato (voir Alexandre Bibesco).
Maurois André : 67, 103, 133, 452, 471, 512.
Maurois Michelle : 89, 90, 91, 98, 100, 109.
Maurras Charles : 205, 242, 322.
Maury Lucien : 528.
Meilhac Henri : 59.
Menard-Dorian Mme : 88, 123.
Mercier général : 238, 256, 374, 375.
Mérimée Prosper : 83, 116.
Merklen docteur : 334, 336, 337, 433.
Merlier M. : 47.
Meunier Mme : 473.

Meyer Arthur : 193, 242, 339 à 342, 538, 636, 637, 729.
Meyerbeer : 11.
Mézières Arthur : 341.
Michelet : 412.
Mielvaque Alexandre : 253.
Mielvaque Marcel : 350.
Millais : 269.
Mirabaud Jeanne : 194.
Mirabaud Paul : 194, 334, 335.
Mirbeau Octave : 530.
Molon Jacques : 67.
Moltke Kuno von : 416.
Monaco prince Albert de : 84, 342, 552, 553.
Monaco prince Louis de : 573, 698.
Monet Claude : 237, 328, 431.
Monot M. : 134.
Montebello comtesse de : 258, 259.
Montebello marquise de : 584.
Montesquieu : 322.
Montesquiou comte Ferdinand de : 345.
Montesquiou comte Robert de : 113, 114, 125, 141 à 176, 185, 186, 190, 193, 200, 202, 207, 212, 227 à 231, 242, 247, 248, 270, 279, 281, 283, 284, 290, 308, 310, 322 à 324, 342, 346 à 355, 360, 370, 372, 381, 395 à 398, 403 à 406, 434, 437, 454, 465, 466, 475, 490, 556, 576 à 580, 589, 658, 659, 678, 716 à 720.
Montgommery H. : 198.
Montmorency duc de : 119.
Montmorency duchesse de : 659.
Morand Paul : 585, 611, 612, 617, 622, 623, 670, 700, 705, 707, 708, 714, 728 à 730, 738.
Moreau Gustave : 146.
Mornand Louisa de : 311, 312, 315, 328 à 332, 339, 345, 356, 359, 379, 425, 452, 475, 616, 715.
Morny duc de : 183, 482.
Morris William : 268.
Mortier Pierre : 467.
Mouchy duchesse de : 83, 85.
Mourey Gabriel : 325, 344, 353, 383, 465.
Mugnier abbé : 177, 179, 182, 494, 559, 572, 617, 651, 652, 698, 743, 745.
Muller : 150, 414, 512.
Mun comtesse de : 735.
Murat (les) : 658, 715, 745.
Murat princesse Lucien, née Marie de Rohan-Chabot : 83, 430.

N

Nahmias Albert : 452, 481, 483, 484, 487 à 490, 498, 499, 520, 533, 534.
Nahmias Anita : 481.
Nahmias Estie : 452, 481.
Napoléon Ier : 95, 115, 153.
Napoléon III : 11, 95, 115.
Natanson (les) : 161, 162.
Natanson Thadée : 401.
Nathan (les) : 8, 289.
Nathan Mme Charles : 359.
Nathan Marguerite : 9.
Nathan Sarah : 9.
Nélaton : 14.
Neuburger Léon : 436, 437.
Neuburger Mme Léon : 9.
Neuburger Louise : 10, 357.
Neuville Alexandre de : 499.
Newton-Scott Charles : 344.
Ney maréchal : 121.
Nibor Yann : 168.
Nicolson Harold : 696.
Nietzsche : 269.
Nijinski : 461.
Nisard (ambassadeur) : 122, 281.
Noailles (les) : 79, 247.
Noailles Anna de : 44, 252, 257 à 260, 284, 288, 294, 296, 319, 322, 323, 327, 328, 333, 342, 351 à 353, 359, 360, 366, 370, 375, 395, 396, 402, 404, 406, 414, 430, 433, 437, 449, 450, 465, 529, 570, 615, 706, 719, 745.
Noailles Marie-Laure de : 716.
Noailles comte Mathieu de : 247, 252, 359.
Nolhac Pierre de : 350, 717.
Nordlinger Marie : 271, 273, 277, 278, 325, 327, 344, 357, 360, 382, 440, 743, 746.
Normand Jacques : 507, 508.
Normand Suzanne : 330.
Nozière Fernand : 330.

O

Oberkampf M. : 335.
Ollendorf : 288, 510, 511.
Oppenheim Emilie : 10.
Orlando : 664.
Orléans duc d' : 65, 246.
Orlov prince : 562, 626.
Oulmann . 378.
Ourousoff prince : 153.
Oxford lord : 669.

P

Paderewski Ignace : 250, 252.
Pailleron Edouard : 81.
Painter George D. : 14, 22, 71, 127, 282, 303, 309.
Panizzardi Alessandro colonel : 234.
Panouse vicomte de la : 341.
Parent Louis : 451.
Pâris François de : 307, 308, 443.
Pascal André : 173.
Pasteur : 237.
Pater Walter : 326.
Paty de Clam colonel du : 233, 235, 238, 248.
Paulhan : 712.
Péguy : 32, 467, 512, 591, 707.
Peigné Alfred : 11.
Peigné Valentine : 11.
Peigné-Crémieux Mathilde : 359, 366, 376.
Pelé Mme : 674.
Pellapra : 153.
Pelletier M. : 139.
Pellieux général de : 247, 324.
Pereire (les) : 9.
Pereire Mme Henri : 359.
Perier Casimir : 49, 237, 478.
Perrochon Ernest : 726.
Pertet Paul : 205.
Peter René : 345, 359, 379, 381, 383.
Philippe Charles-Louis : 501.
Picasso : 620, 649, 650, 734.
Picquard colonel : 235, 236, 238 à 240, 246, 247, 249, 374, 375.
Picot François : 139.
Picot Georges : 359.
Pierrebourg Madeleine de : 474, 518, 530.
Pierrefeu Jean de : 683.
Plantevignes Marcel : 427 à 432, 440, 445, 485, 498.
Plantevignes père : 428, 429, 445.
Poilly baronne de : 194, 510.
Poincaré : 194, 510.
Poix princesse de : 572.
Polignac prince Edmond de : 83, 284, 421, 469, 644, 660.
Polignac princesse de : 203, 544, 623, 636, 644, 645.
Polignac Pierre de, duc de Valentinois : 697, 698.
Poncet Mme : 182.
Poniatowski maréchal : 96.
Poniatowski Stanislas-Auguste : 96.
Pontcharra marquise de : 429.
Popelin Claudius : 116.
Porel Jacques : 672, 687, 745.
Porto-Riche Georges de : 230, 241, 247.
Potain : 14.
Potocka comtesse : 247, 324.
Pouquet Jeanne : 98, 99, 100, 101, 102, 108, 132, 139, 140.
Pouquet Mme : 98, 109.
Pouquet M. : 98, 100, 108.
Pourtalès comtesse de : 83.
Pozzi docteur : 15, 114, 246, 348, 354, 359, 549, 566, 573.
Prévost Marcel : 467, 490.
Pringué Gabriel-Louis : 465, 659.
Proudhon : 11.
Proust docteur Adrien : 7, 8, 11, 12 à 23, 30, 32, 36, 40, 49, 139, 215, 223, 224, 236, 245, 254, 255, 283, 284, 290, 305, 306, 318, 320, 325.
Proust Elisabeth (Mme Amiot) : 13, 32.
Proust François : 12.
Proust Gilles : 12.
Proust Jehan : 12.
Proust Louis : 12.
Proust Louis-Valentin : 13.
Proust Louise-Virginie : 13.
Proust Michel : 12.
Proust Mme : 7, 8, 11, 15, 18, 19, 20, 24, 25, 29, 30, 40, 47, 51, 52, 93, 139, 199, 200, 218, 222, 223, 224, 245, 254, 255, 277, 281, 283,

284, 302 à 306, 318, 320, 344, 355 à 360, 383, 389, 392, 401.
Proust Robert : 12, 16, 18, 23, 29, 48, 49, 139, 161, 303, 305, 318, 330, 357, 358, 384, 385, 484, 526, 559, 663, 701, 741 à 745.

Q

Queensbury marquis de : 125.
Quint Léon-Pierre : 543.

R

Rabaud Henri : 128.
Rachel Mlle : 95.
Rackham Arthur : 380.
Radiguet : 695.
Radziwill prince Constantin : 310, 626.
Radziwill prince Léon, dit Loche : 308 à 310, 343, 431.
Radziwill Louise, duchesse de Doudeauville : 310.
Rageot Gaston : 321.
Rameu Jean : 120.
Ramirez de Arelhan (voir marquise d'Audiffret).
Reboux Paul : 150, 414, 512, 528.
Redfern : 188.
Régnier Henri de : 134, 229, 277, 366, 414, 434, 467, 699, 700.
Reichenberg Mlle : 167.
Reinach Joseph : 241, 637, 638.
Reinhardt Max : 488.
Réjane : 120, 247, 672, 745.
Rémusat comte de : 79.
Renan M. : 151, 324, 413, 708.
Renard Jules : 125, 231, 245.
Renoir : 85, 649.
Renvoyzé M. : 94.
Reyé Hélène : 302.
Reszké Jean de : 158.
Richelieu Odile de : 342.
Richelor : 359.
Richepin Tiarko : 460.
Richter Charles de : 529.
Richter Jean-Paul : 462, 463.
Rimsky-Korsakov : 461.
Risler : 193, 399, 481.
Ritter Eugène : 128.
Ritter William : 150.
Rivière Jacques : 638, 682, 688, 696, 700, 705, 707, 709, 712, 714, 722, 733, 739, 740, 742.
Rivière Jean : 24.
Rivoire André : 350.
Robert Louis de : 237, 249, 350, 478, 479, 480, 506, 510, 511, 517, 529, 530, 534, 541, 682, 684.
Robert P.E. : 105.
Rochat Henri : 653, 656, 671 à 673, 726.
Rochechouart comte J. de : 83.
Rochefort : 339.
Rod Edouard : 230, 345, 346.
Rodin : 461.
Rodriguez Léonie : 80.
Roëll David : 721.
Roget général : 246.
Rohan duc de : 626.
Rohan duchesse de : 694, 695.
Rolfe Frédérick William, dit le baron Corvo : 282.
Romains Jules : 687.
Rosenthal Jacob (voir Jacques Saint-Cère).
Rosny aîné : 530, 682, 683, 685, 697.
Rossetti Dante Gabriel : 315.
Rostand Edmond : 247, 507, 571.
Rostand Maurice : 459, 507, 524, 528, 570.
Rothschild (les) : 9, 80, 83, 84.
Rothschild baronne Adolphe de : 260.
Rothschild baron Alphonse de : 702.
Rothschild baronne Gustave de : 229.
Rothschild Henri de : 26, 127, 128, 178.
Rothschild Marguerite de : 308.
Rothschild baron Robert de : 359.
Rousseau Jean-Jacques : 269, 309.
Roussy docteur : 473, 705.
Roux : 121.
Rozière Mme de : 394.
Rubinstein Ida : 572.
Ruskin : 11, 125, 266 à 283, 307, 315, 325 à 327, 354, 366, 367, 369, 732.
Ruyters André : 500.

S

Sachs Maurice : 631.
Sagan prince de : 153, 379, 408.
Sagan princesse de : 83, 110.
Sainte-Beuve : 41, 46, 72, 77, 116, 184, 433, 434, 466, 647.
Saint-Céran Mme de : 113.
Saint-Cère Jacques : 244.
Saint-Marceaux René de : 186.
Saint-Marceaux Mme de : 186.
Saint-Paul marquise de : 123, 186, 187, 230.
Saint-Pierre Bernardin de : 203.
Saint-Saëns : 187, 195, 198.
Saint-Simon duc de : 11, 79, 179, 369, 414, 469, 471, 658, 659, 671, 708.
Saint-Simon comte Henri de : 11.
Sala Antoine : 287.
Salis : 141.
Salmon André : 687.
Sand George : 11, 54.
Sandre Yves : 158, 205.
Sarcey Francisque : 479.
Sardou Victorien : 432.
Sargent : 353.
Satie Erik : 619, 620.
Saussine M. de : 168.
Saussine Mme de : 157, 161.
Sayn-Wittgenstein : 469.
Scey-Montbéliard Louis de : 185.
Scheurer-Kestner : 235.
Schkeikévitch Marie : 342, 493 à 497, 523, 621, 636, 640, 729, 743.
Schiff Sydney (pseudonyme : Stephen Hudson) : 732 à 734 737.
Schiff Violette : 732 à 734.
Schikler baron : 311.
Schlumberger Gustave : 81, 241
Schlumberger Jean : 500.
Schmitt M. : 45.
Schwartz (sœurs) : 108.
Schwarzkoppen Maximilian von . 234.
Schwob Marcel : 125, 226.
Scott Moncrieff C.K. : 732.
Ségur comte de : 80, 345.
Ségur marquis de : 353.
Seignette M. : 79.
Séligny M. de : 139.
Sem : 659.
Séminaris Mme : 194, 359.
Shaw George Bernard : 530.
Sichel Mme : 410.
Siddal Elisabeth : 315.
Sieburg Friedrich : 501.
Silny (les) : 8.
Simone Mme : 329.
Singer Isaac : 185.
Singer Winaretta : 185, 186.
Sitwell dame Edith : 728.
Sollier docteur : 356, 360, 363 à 365.
Solms Alexis de : 142.
Sorel Albert : 131, 325, 373.
Souday Paul : 536 à 539, 684.
Soupault Philippe : 493, 496.
Sorel Albert : 131, 325, 373.
Soutzo prince Dimitri : 615.
Soutzo princesse : 615, 616, 622, 633, 634, 651, 653, 670, 694, 729.
Staël Mme de : 245, 260, 322, 529.
Standish Mrs. : 488, 673.
Star Maria (voir Mme Stern).
Steinheil Mme : 53.
Stern Louis : 181.
Stern Mme Louis : 181, 182, 359, 560.
Stevenson : 462.
Straus Emile : 74, 80, 81, 115, 241 349, 544, 552 à 554, 639, 661, 668.
Straus Geneviève : 80 à 86, 88, 89, 106, 107, 124, 126, 131, 158, 172, 181, 241, 246, 345, 347, 348, 360, 374, 375, 377, 384, 387, 398, 402, 406, 415, 421, 423, 424, 432, 448, 450, 480, 499, 503, 505, 506, 510, 550, 559, 656, 659, 661, 662, 663, 668.
Stravinski : 734.
Suchet maréchal : 311.

T

Taine : 41, 116, 708.
Talleyrand comtesse de : 122, 123.
Tallien Mme : 153.
Tardieu : 13.
Tarride : 311.
Tauman Léon : 735.
Thibaudet Albert : 687, 688, 689.
Thiers M. : 16.

Thomson Gaston : 11.
Thomson Valentine : 304, 350, 475.
Tinan générale de : 152.
Tinan Jean de : 134.
Tissot James : 83, 84.
Torcheux Virginie : 13, 32.
Tour-et-Taxis : 469.
Trarieux Gabriel : 128.
Tronche Gustave : 676, 680, 682, 724.
Trousseau : 14.
Trousseau Mme : 349.
Truelle Jacques : 625, 662, 672, 673.
Turenne comte Louis de : 230, 341.
Turenne Mlle de : 340, 342.
Turner : 266, 267.

U

Ulrich Robert : 390, 417, 446, 473.
Uzanne Octave : 227.

V

Valéry Paul : 706.
Valette Alfred : 444, 445.
Van Blarenberghe Henri : 388, 389, 390, 393.
Van Blarenberghe M. : 389, 392.
Van Blarenberghe Mme : 388, 389.
Van Cassel : 237.
Vandal comte : 122, 131.
Vanderbilt Consuelo : 381, 727.
Vandérem Fernand : 89, 476, 477, 676, 677, 678.
Vaquez Henri : 290.
Vaschide docteur : 336.
Vasconcellos : 659.
Vaudoyer Jean-Louis : 467, 489, 490, 499, 721.
Vavasset : 121.
Velpeau : 14.
Verlaine : 145, 161.
Verne Jules : 128, 476.
Versini Raoul : 75, 76.
Victor-Emmanuel : 187.
Vidal : 342, 729.
Vigier comte · 658.
Vignot abbé : 138.
Vigny Alfred de : 664, 722.
Vintimille M. de : 153.
Vitta baron : 255.
Vittore Jean : 552.
Voisins Auguste Gilbert de : 134.
Vontade Jacques (voir Mme Bulteau) : 366.
Vuillard : 649.

W

Wagner : 476.
Wagram princesse de : 77, 151.
Waldeck-Rousseau : 401.
Walewska Marie : 96.
Walewski capitaine Charles : 95, 96.
Walkley A. B : 529.
Walter Berry : 651, 661, 668, 672, 674.
Waru Gustave de : 139.
Watteau : 193.
Weil (les) : 9, 10, 11, 12.
Weil Adèle : 8, 10, 11, 48, 103.
Weil Amélie : 9, 30, 31.
Weil Baruch : 9.
Weil Georges : 16, 63, 359, 378.
Weil Hélène : 9, 30.
Weil Jeanne-Clémence (voir Mme Proust) : 8, 12, 15, 16.
Weil Louis : 8, 28, 29, 65, 208, 384.
Weil Mme : 24, 27, 28, 400, 401.
Weil Mme Georges : 384, 405.
Weil Moïse : 9, 30.
Weil Nathan : 9.
Wernher Jules : 409, 410.
Wharton Edith : 185.
Whistler : 145, 146, 270, 344.
Wiener (voir Francis de Croisset).
Wilde Oscar : 124 à 126, 195, 197, 198, 203, 226, 283, 416.
Willy Colette : 192.
Wilson président : 663, 664.
Winterhalter : 83, 84.
Wolff Albert : 125.
Woolf Virginia : 381, 472.
Worth : 188, 572.
Würtemberg Catherine de : 115.

Y

Yeatman Léon : 139, 206, 221, 237, 273, 274, 280, 289.
Yeatman Mme : 350.
Youssoupov prince Félix : 313, 694.
Yturri Gabriel : 147, 148, 164, 172, 196, 347, 350, 354, 355, 360, 405, 466.

Z

Zola Emile : 236, 237, 238, 240, 241, 242, 249, 410, 478.
Zurlinden général : 246.

*Achevé d'imprimer en avril 1991*
*sur presse CAMERON,*
*dans les ateliers de la S.E.P.C.*
*à Saint-Amand-Montrond (Cher)*

– N° d'édit. 987. – N° d'imp. 1035. –
Dépôt légal : avril 1991.
*Imprimé en France*